LANGENSCHEIDT'S
POCKET POLISH
DICTIONARY

ENGLISH-POLISH
POLISH-ENGLISH

BY

TADEUSZ GRZEBIENIOWSKI

L

LANGENSCHEIDT

CONTENTS

© by W. and T. Grzebieniowski, Warsaw
Printed in Germany

PREFACE

This "Pocket Polish Dictionary" is a revised and enlarged version of the "Concise English-Polish and Polish-English Dictionary", first published 1958.

The dictionary is meant to be used in all walks of life and at school. In its two parts it contains more than 50,000 vocabulary entries and phrases.

In addition to the vocabulary this dictionary contains a list of irregular English verbs and lists of geographical names, proper names, famous names and well-known characters in literature, abbreviations, weights and measures (American and British).

In order to help the learner to use a word in a sentence particular attention has been drawn to syntactic information within the entry in the dictionary.

ADVICE TO THE USER

WSKAZÓWKI DLA KORZYSTAJĄCYCH ZE SŁOWNIKA

1. Headwords

1. Hasła

The headwords are printed in bold faced type in strictly alphabetical order. They are labelled by pertinent abbreviations indicating their grammatical categories to which they belong. Some other symbols denote the respective branches of learning or the special walks of life.

In case an English word is invariable in form irrespective of its grammatical category e.g. love (as a noun) = m i ł o ś ć and love (as a verb) = k o c h a ć its Polish equivalents are arranged, within the same entry, according to the grammatical order, e.g.:

Wyrazy hasłowe podano pismem półgrubym w ścisłym porządku alfabetycznym. Opatrzono je odpowiednimi skrótami sygnalizującymi ich przynależność do poszczególnych części mowy lub do specjalnych dziedzin życia.

Jeżeli wyraz hasłowy występuje w charakterze różnych części mowy identycznych pod względem formy (jak np. the love i to love), podano go w jednym artykule hasłowym z polskimi odpowiednikami uszeregowanymi według ustalonej w gramatyce kolejności, np.:

hand [hænd] *s* r ę k a, d ł o ń...;
vt (także ~ in) w r ę c z y ć...

If the English headword is followed by several Polish equivalents it is the basic meaning or etymologically the earliest one that comes first. E.g.:

Jeżeli wyraz hasłowy ma kilka odpowiedników polskich, na pierwszym miejscu podano znaczenie bliższe lub pierwotne, a potem, kolejno, znaczenie dalsze lub pochodne, np.:

gath·er [ˈgæðə(r)] *vt vi* z b i e r a ć (s i ę); w n i o s k o w a ć; (*o rzece*) w z b i e r a ć; (*o wrzodzie*) n a b i e r a ć; n a r a s t a ć

If the basic meaning of an English headword has become obsolete, its Polish equivalent comes last. E.g.:

Gdy wyraz hasłowy jest rzadko używany w swym pierwotnym znaczeniu podstawowym, pierwszeństwo w kolejności polskich odpowiedników przyznano znaczeniom późniejszym, pochodnym, nowożytnym, np.:

dis·com·fit [dɪsˈkʌmfɪt] *vt* z m i e - s z a ć; u d a r e m n i ć; † p o - b i ć

Homonyms are grouped under separate entries and marked with successive Arabic ciphers, e.g.:

Homonimy podano w osobnych hasłach oznaczonych kolejnymi cyframi arabskimi, np.:

grave 1. [greɪv] s g r ó b
grave 2. [greɪv] adj p o w a ż n y,
w a ż n y

Since the present dictionary is concise considerable · amount of words has been left out. Many English derivatives and compounds which follow a clear pattern of derivation and combination have not been included. For this reason e.g. the noun disappointment has been left out as it is derived from the verb to disappoint; owing to the information about the grammatical function of the suffix -ment (see p. 9) the reader will not fail to make out the meaning of the substantival derivative if he knows the meaning of the basic form. Another example: two words moon k s i ę ż y c and light ś w i a t ł o make up a uniform compound moonlight ś w i a t ł o k s i ę ż y c a. Still some compounds had to be included because of difference in meaning or pronunciation, e.g.:

Ze względu na zwięzłość słownika pominięto poważną ilość wyrazów złożonych i pochodnych, łatwych do zrozumienia na podstawie pewnego ustalonego schematu. Poznawszy typ wyrazu i jego części składowe można łatwo odgadnąć znaczenie formy złożonej, np. wyraz moonlight składa się z części moon ▬ k s i ę ż y c i light ▬ ś w i a t ł o. Znalazłszy znaczenie tych oddzielnych wyrazów tworzymy całość znaczeniową „ś w i a tł o k s i ę ż y c a". Podobnie jak rzeczownik disappointment r o z c z a r o w a n i e jest wynikiem połączenia czasownika to disappoint r o z c z a r o w a ć z przyrostkiem -ment.

W słowniku zamieszczono jednak wyrazy złożone, odrębne pod względem wymowy albo znaczenia, np.:

half·pen·ny [`heɪpnɪ] s (pl half-pence [`heɪpəns]) p ó ł p e n s a

while the two separate components of the above word are pronounced half [haf] and penny [`penɪ], pence [pens].

If the headword within the same entry belongs to diverse grammatical categories, they are marked off by means of a semicolon, and labelled by a pertinent grammatical abbreviation, e.g.:

które wymawia się inaczej niż oddzielne części składowe half [haf] i penny [`penɪ], pence [pens]

Jeżeli wyraz hasłowy pełni różne funkcje gramatyczne, oddzielono je średnikiem oraz oznaczono odpowiednim kwalifikatorem gramatycznym, np.:

af·ter·noon [ˈaftəˈnun] s p o p o ł u d n i e; adj attr p o p o ł u d n i o w y...

stand [stænd] ... *vi* s t a ć; s t a ·
w i a ć s i ę; ... *vt* s t a w i a ć;
w y t r z y m y w a ć...; s m i e j ·
s c e, s t a n o w i s k o ...

With reference to prefixes and suffixes as elements of the English vocabulary and word-formation, they ought to be given in a very rough outline:

in- un- are prefixed to some words, especially to adjectives to express negation. E.g.:

W odniesieniu do przedrostków i przyrostków należy ogólnikowo zwrócić uwagę na ich rolę w zakresie słownictwa i słowotwórstwa angielskiego:

in- i un- zmieniają wyraz, nadając mu charakter przeczący, np.:

com·pre·hen·si·ble ... z r o z u m i a ·
ł y ...
in·com·pre·hen·si·ble ... n i e z r o ·
z u m i a ł y ...
be·com·ing ... s t o s o w n y ...
un·be·com·ing ... n i e s t o s o w ·
n y ...

The prefix un- precede some words to express reversal or deprivation. E.g.:

Przedrostek un- oznacza również odwrócenie lub pozbawienie, np.:

bind ... w i ą z a ć ...
unbind ... r o z w i ą z a ć ...
mask ... m a s k o w a ć ...
unmask ... d e m a s k o w a ć

re- is employed in the sense of "again" or "back". E.g.:

re- nadaje wyrazowi sens, jaki można wyrazić słowami „znowu", „z powrotem", np.:

re·pay ... s p ł a c i ć ⟨z w r ó c i ć⟩
p i e n i ą d z e ...
re·ar·range ... n a n o w o u p o ·
r z ą d k o w a ć, p r z e g r u p o ·
w a ć ...

post- is prefixed to some words to express time or order of succession in the sense of "after", "afterwards", "subsequently". E.g.:

post- nadaje wyrazowi sens następstwa w czasie lub kolejności, np.:

post·grad·u·ate ... s s t u d e n t
k o n t y n u u j ą c y n a u k ę
p o u z y s k a n i u s t o p n i a
u n i w e r s y t e c k i e g o. „.
post·war ... p o w o j e n n y

pre- relates to time or order of succession in the sense of "before", "previous to", "earlier than". The

pre- nadaje wyrazowi sens, jaki można wyrazić słowami: „uprzednio", „wcześniej". Wyrazy z przed-

prefix **pre-**, and **post-** are usually hyphened. E.g.:

rostkiem **pre-** i **post-** pisze się zwykle z łącznikiem, np.:

pre-war ... p r z e d w o j e n n y
prefabricate ... p r e f a b r y k o -
w a ć

Some adverbs or prepositions, like **under** and **over**, are sometimes used as quasiprefixes. E.g.

Role przedrostków mogą pełnić przyimki lub przysłówki, np. **over-**, **under-**:

o·ver·eat ... oneself p r z e j e ś ć
s i ę
un·der·feed ... n i e d o s t a t e c z -
n i e (s i ę) o d ż y w i a ć

So, owing to the information about the grammatical function of the above prefixes, the reader will not fail to make out the meaning of the derivatives if he knows the meaning of the basic forms.

Tego rodzaju wyrazy pochodne należy więc rozumieć w oparciu o ich formy podstawowe i szukać w odpowiednim miejscu słownika.

The suffixes are lexical elements which form some parts of speech from other parts of speech. E.g. the suffix **-able**, added to verbs, forms new adjectives: **love** k o - c h a ć + -able results in **lovable** d a j ą c y s i ę k o c h a ć, m i ł y. Another example: **bear** n o s i ć, z n o s i ć + -able = **bearable** z n o - ś n y.

Przyrostki powodują zazwyczaj przejście danego wyrazu do innej kategorii gramatycznej. Np. przyrostek **-able** dodany do czasownika, tworzy nowy przymiotnik: **love** k o c h a ć + -able daje w rezultacie przymiotnik **lovable** d a - j ą c y s i ę k o c h a ć, m i ł y. Inny przykład: **bear** n o s i ć, z n o s i ć + -able = **bearable** z n o - ś n y.

The list of suffixes given below, duly tabulated, shows clearly how new words are formed by means of some suffixes.

Niżej podajemy tablicę najważniejszych przyrostków wraz z przykładami ilustrującymi:

Przy-rostek	Wyraz pierwotny	Wyraz pochodny
-able	love kochać	*lovable* godny miłości, miły
-ful	power potęga	*powerful* potężny
-hood	false fałszywy	*falsehood* fałszywość
-ible	digest trawić	*digestible* strawny
-ish	child dziecko	*childish* dziecinny
-less	hope nadzieja	*hopeless* beznadziejny
-ment	disappoint rozczarować	*disappointment* rozczarowanie
-ness	clever zręczny, zdolny	*cleverness* zręczność, zdolność
-ship	comrade kolega	*comradeship* koleżeństwo

Owing to the above key the reader will be able to make out the meaning of a new word, not included in the present dictionary.

Dzięki powyższym przykładom czytelnik będzie mógł bez trudności zrozumieć znaczenie nowego wyrazu, który nie został zamieszczony w niniejszym słowniku.

Nouns

Many English nouns denoting persons have been rendered in Polish as masculine only, e.g. teacher n a u c z y c i e l; the feminine equivalent n a u c z y c i e l - k a is not given.

Regular plurals have not, as a matter of course, been included. It is only the irregular plural forms that have been inserted, as well as those that might seem questionable (given in round brackets). E.g.:

Hasła rzeczownikowe

Znaczna część rzeczowników angielskich ma jednakową formę dla rodzaju męskiego i żeńskiego, np. teacher n a u c z y c i e l, n a u - c z y c i e l k a. Dla uproszczenia polskie odpowiedniki podano tylko w formie rodzaju męskiego.

Tylko regularne formy liczby mnogiej zostały pominięte. Formy nieregularne, lub nasuwające wątpliwości, podano w nawiasach okrągłych, np.:

> **goose** [gus] s (pl **geese** [gis]) g ę ś
> a·nal·y·sis [əˈnæləsɪs] s (pl **analyses**
> [əˈnæləsiz]) a n a l i z a; ...

Adjectives

The degrees of comparison have been duly entered within the respective irregular adjectives.

Adjectives used only as attributes or as predicatives are provided with the labels *attr* and *praed* respectively.

Hasła przymiotnikowe

Przy przymiotnikach stopniowanych nieregularnie podano formy stopnia wyższego i najwyższego.

Przymiotniki, które można użyć tylko przydawkowo lub tylko orzecznikowo oznaczone są odpowiednio skrótami *attr* i *praed*.

Verbs

The basic forms of the regular verbs, ending in -ed, -ed, (-d, -d), are omitted. As far as the irregular verbs are concerned, three successive main forms have been singled out: infinitive, past tense (preterite) and past participle. The asterisk*, placed before the entry, refers to the list of irregular verbs, e.g.:

Hasła czasownikowe

Pominięto podstawowe formy gramatyczne czasowników, które tworzą się regularnie przez dodanie końcówki -ed lub -d. Nieregularne formy czasowników podano bezpośrednio po transkrypcji wyrazu hasłowego; na pierwszym miejscu podano formę czasu przeszłego, na drugim — imiesłów czasu przeszłego. Ponadto opatrzono całe hasło gwiazdką, odsyłającą do spisu czasowników z odmianą nieregularną, np.:

*see 1. [si], saw [sɔ], seen [sin]
vt vi w i d z i e ć

The syntactic function of the verb in a sentence, as exemplified in the present dictionary, is given within round brackets immediately after its Polish equivalent, e.g.:

Różnice w składni czasowników zaznaczamy przy pomocy odpowiednich zaimków i przyimków, w nawiasach okrągłych, tuż po polskim odpowiedniku, np.:

agree [ə'gri] *vi* z g a d z a ć   s i ę
(to sth na c o ś); u k ł a d a ć
s i ę, u m a w i a ć s i ę, p o r o -
z u m i e w a ć s i ę (on, upon sth
w s p r a w i e c z e g o ś) ...
re·act [ri'ækt] *vi* r e a g o w a ć
de·pend [di'pend] *vi* z a l e ż e ć
(on sb, sth od k o g o ś, c z e -
g o ś), ...

If the English verb is transitive while its Polish equivalent is intransitive, or vice versa, then grammatical information is a necessity. E.g.:

Przykłady użycia związków składniowych stosuje się zarówno w przypadku, gdy czasownik angielski jest przechodni, a jego polski odpowiednik nieprzechodni, jak i odwrotnie. Np.:

ap·proach [ə'prəutʃ] *vt* z b l i ż a ć
s i ę, p o d c h o d z i ć (sb, sth
d o k o g o ś, d o c z e g o ś); ...
so·lic·it [sə'lisit] *vt* u b i e g a ć s i ę
(sth o c o ś), u s i l n i e p r o -
s i ć (sb for sth, sth from sb
k o g o ś o c o ś)

2. Phonetic Transcription

2. Transkrypcja

The successive headwords are followed by the phonetic script, each particular English word being transcribed and placed within square brackets. The symbols used here are those of the International Phonetic Association, based on the recent editions of British dictionaries (*A Concise Pronouncing Dictionary of British and American English* by J. Windsor Lewis and *Oxford Advanced Learner's Dictionary of Current English* by A.S. Hornby).

Przy każdym wyrazie hasłowm podano w nawiasie kwadratowym jego transkrypcję fonetyczną. Zastosowano symbole ogólnie przyjętej transkrypcji międzynarodowej, w oparciu o najnowsze wydania słowników brytyjskich (J. Windsor Lewis *A Concise Pronouncing Dictionary of British and American English* i A.S. Hornby *Oxford Advanced Learner's Dictionary of Current English*).

12

Phonetic transcription
Transkrypcja fonetyczna

znak graficzny dźwięku	zbliżony polski odpowiednik	przykład użycia i wymowa
samogłoski		
i	i	eat [iːt]
ɪ	y	sit [sɪt]
e	e	bed [bed]
æ	a/e	bad [bæd]
ɑ	a (długie)	half [hɑf]
ɔ	o (krótkie)	not [nɔt]
ɔ	o (długie)	law [lɔ]
ʊ	u (krótkie)	put [pʊt]
u	u (długie)	food [fud]
ʌ	a (krótkie)	luck [lʌk]
ɜ	e (długie)	first [fɜst]
ə	e (zanikowe)	ago [əˈgəʊ]
dwugłoski		
eɪ	ei (łączne)	late [leɪt]
əu	eu (łączne)	stone [stəʊn]
aɪ	ai (łączne)	nice [naɪs]
au	au (łączne)	loud [laud]
ɔɪ	oi (łączne)	point [pɔɪnt]
ɪə	ie (łączne)	fear [fɪə(r)]
eə	eᵃ	hair [heə(r)]
ʊə	uᵉ	your [jʊə(r)]
niektóre spółgłoski		
tʃ	cz	chin [tʃɪn]
dʒ	dż	just [dʒʌst]
v	w	voice [vɔɪs]
θ	—	thing [θɪŋ]
ð	—	then [ðen]
ʃ	sz	sharp [ʃɑp]
ʒ	ż	vision [ˈvɪʒn]
m̩	m ⎫	government [ˈgʌvmənt]
n̩	n ⎪	happening [ˈhæpnɪŋ]
l̩	l ⎬ (sylabotwórcze)	settling [ˈsetlɪŋ]
r̩	r ⎪	measuring [ˈmeʒrɪŋ]
ŋ	n (nosowe)	sing [sɪŋ]
ł	ł	wet [wet]
(r)	r	bryt. wymawia się, gdy następujące słowo zaczyna się od samogłoski am. wymawia się zawsze

3. Spelling

The spelling used throughout the present Dictionary is that of Great Britain and most English-speaking countries except America. Some slight modifications noticeable in the American spelling are as follows:

3. Pisownia

W słowniku niniejszym zastosowano przyjętą powszechnie w Wielkiej Brytanii i w innych krajach mówiących po angielsku, z wyjątkiem Ameryki, pisownię brytyjską. Najważniejsze odchylenia pisowni amerykańskiej od brytyjskiej przedstawiają się następująco:

Końcówki brytyjskie British endings	Końcówki amerykańskie American endings
-our favour, honour	*-or* favor, honor
-or, conqueror, carburettor	*-er* conquerer, carburetter
-re centre, theatre	*-er* center, theater
-ce pretence, licence	*-se* pretense, license

Double consonants in final unstressed syllables are reduced in America to single ones:

W nieakcentowanej zgłosce końcowej podwójna spółgłoska przed -ed i -ing ulega redukcji do pojedynczej:

Pisownia brytyjska British	Pisownia amerykańska American
travel travelled travelling	travel traveled traveling

But if the last syllable is short and stressed, the final consonant must be doubled both in Britain and in America:

Natomiast końcowa spółgłoska krótkiej, akcentowanej sylaby musi ulec podwojeniu zarówno w pisowni brytyjskiej, jak i amerykańskiej:

fit, fitted, fitting
drop, dropped, dropping
repel, repelled, repelling

Some slight variants found both in Britain and in America, e.g. cosy or cozy, gipsy or gypsy are, as a rule, provided with the explanatory sign (=).

Pewne oboczne formy ortograficzne, spotykane zarówno w pisowni brytyjskiej, jak i amerykańskiej, takie jak np. cosy albo cozy, gipsy albo gypsy itd., oznaczone są znakiem równości (=).

ABBREVIATIONS

SKRÓTY

adj	— przymiotnik	adjective
adv	— przysłówek	adverb
am.	— amerykański	American
anat.	— anatomia	anatomy
arch.	— architektura	architecture
astr.	— astronomia	astronomy
attr	— przydawka, przydawkowy	attribute, attributive
bank.	— bankowość	banking
biol.	— biologia	biology
bot.	— botanika	botany
bryt.	— brytyjski	British
chem.	— chemia	chemistry
comp	— stopień wyższy	comparative (degree)
conj	— spójnik	conjunction
dent.	— dentystyka	dentistry
dial.	— dialekt	dialect
dod.	— znaczenie dodatnie	positive (meaning)
dosł.	— dosłownie	literally
druk.	— drukarstwo	printing
elektr.	— elektryczność	electricity
f	— (rodzaj) żeński	feminine (gender)
*filat.*¹	— filatelistyka	philately
film	— film	film
filoz.	— filozofia	philosophy
fin.	— finansowość	finances
fiz.	— fizyka	physics
fot.	— fotografia	photography
fut	— czas przyszły	future tense
genit	— dopełniacz	genitive
geogr.	— geografia	geography
geol.	— geologia	geology
górn.	— górnictwo	mining
gram.	— gramatyka	grammar
handl.	— handlowy	commercial (term)
hist.	— historia	history
imp	— forma nieosobowa	impersonal form
inf	— bezokolicznik	infinitive
int	— wykrzyknik	interjection
interrog	— pytajnik, pytający	interrogation, interrogative
kin.	— kinematografia	cinematography

kolej.	— kolejnictwo	railway system
lit.	— literatura, wyraz literacki	literature, literary expression
lotn.	— lotnictwo	aviation
łac.	— wyraz łaciński	Latin word
m	— (rodzaj) męski	neuter (gender)
mal.	— malarstwo	painting
mat.	— matematyka	mathematics
med.	— medycyna	medicine
miner.	— mineralogia	mineralogy
mors.	— morski	marine (term)
muz.	— muzyka	music
n	— (rodzaj) nijaki	neuter (gender)
neg.	— forma przecząca	negative form
nieodm.	— wyraz nieodmienny	indeclinable (unconjugated) word
num	— liczebnik	numeral
p	— czas przeszły	past tense, preterite
part.	— partykuła	particle
pieszcz.	— pieszczotliwy	term of endearment
pl	— liczba mnoga	plural
poet.	— wyraz poetycki	word used in poetry
polit.	— polityka	politics, policy
por.	— porównaj	compare
pot.	— wyraz potoczny	colloquialism
pp	— imiesłów czasu przeszłego	past participle
p praes	— imiesłów czasu teraźniejszego	present participle
praed	— orzecznik, orzecznikowy	predicative
praef	— przedrostek	prefix
praep	— przyimek	preposition
praes	— czas teraźniejszy	present tense
prawn.	— termin prawniczy	law term
pron	— zaimek	pronoun
przen.	— przenośnie	metaphorically
reg.	— regularny	regular
rel.	— religia	religion
rów.	— również	also
s	— rzeczownik	substantive
sb, sb's	— ktoś, kogoś	somebody, somebody's
sing	— liczba pojedyncza	singular
skr.	— skrót	abbreviation
s pl	— rzeczownik w liczbie mnogiej	noun plural
sport	— sport	sport, sports
sth	— coś	something
suf	— przyrostek	suffix
sup	— stopień najwyższy	superlative (degree)
szk.	— (wyraz) szkolny	school (word)
teatr	— teatr	theatre
techn.	— technika	technics
uj.	— ujemny	pejorative

uż.	— używany	used
v	— czasownik	verb
v aux	— czasownik posiłkowy	auxiliary verb
vi	— czasownik nieprzechodni	intransitive verb
v imp	— czasownik nieosobowy	impersonal verb
vr	— czasownik zwrotny	reflexive verb
vt	— czasownik przechodni	transitive verb
wojsk.	— termin wojskowy	military term
wyj.	— wyjątek	exception
zam.	— zamiast	instead of
zbior.	— wyraz zbiorowy	collective word
zdrob.	— wyraz zdrobniały	diminutive word
znacz.	— znaczenie	meaning
zob.	— zobacz	see
zool.	— zoologia	zoology
zw.	— zwykle	usually

THE ENGLISH ALPHABET
ALFABET ANGIELSKI

a [eɪ]
b [bi]
c [si]
d [di]
e [i]
f [ef]
g [dʒi]
h [eɪtʃ]
i [aɪ]
j [dʒeɪ]
k [keɪ]
l [el]
m [em]

n [en]
o [ou]
p [pi]
q [kju]
r [a(r)]
s [es]
t [ti]
u [ju]
v [vi]
w [ˈdʌblju]
x [eks]
y [waɪ]
z [zed, *am.* zi]

EXPLANATORY SIGNS

ZNAKI OBJAŚNIAJĄCE

` The grave stress mark denotes that the following syllable bears the primary stress.

Pochylony w lewo znak akcentu (w formie transkrybowanej wyrazu hasłowego) poprzedza główną akcentowaną sylabę.

´ The acute stress mark denotes that the following syllable bears a secondary stress, weaker than the primary.

Pochylony w prawo znak akcentu wskazuje na to, że następująca po nim sylaba posiada akcent poboczny, słabszy od głównego.

· The dot is a sign of syllable separation. Thus it shows how to divide the word.

Kropka objaśnia zasady dzielenia wyrazów zgodnie z przepisami ortografii angielskiej.

* The asterisk, placed before the verb, refers to the list of irregular verbs (p. 419).

Gwiazdka przy czasownikach nieregularnych odsyła do tabeli czasowników z odmianą nieregularną (str. 419).

[ ] Square brackets enclose the phonetic transcription of the headword.

W nawiasach kwadratowych umieszczono transkrypcję fonetyczną wyrazów hasłowych.

( ) Round brackets enclose the explanatory informations, irregular forms of the headwords, words and letters which can be omitted.

W nawiasach okrągłych umieszczono objaśnienia, nieregularne formy wyrazu hasłowego, wyrazy i litery, które mogą być opuszczone.

⟨ ⟩ Angular brackets enclose words and parts of the expressions which are interchangeable.

W nawiasach trójkątnych umieszczono wymienne wyrazy lub człony związków frazeologicznych.

= Equation sign refers the reader to the entry containing the desired equivalents.

Znak równania odsyła użytkownika do hasła, w którym znajdzie potrzebne mu odpowiedniki.

† Archaism.

Krzyżykiem oznaczono wyrazy przestarzałe.

~ The tilde replaces the head-word.

Tylda zastępuje w zwrotach hasło.

1., 2. ... The Arabic ciphers denote the sequence of headwords having the same spelling, but differing in etymology and meaning.

Cyfry arabskie po hasłach objaśniają odrębność znaczenia i pochodzenia wyrazów o tej samej pisowni, podanych jako osobne hasła.

; The semicolon is used to denote a distinct shade of difference in the meaning of two or more equivalents of the headword and to separate particular items of grammatical information and grammatical categories.

Średnik oddziela odpowiedniki o całkowicie różnych znaczeniach, związki frazeologiczne oraz objaśnienia i kategorie gramatyczne.

, The comma is used to separate equivalents close in meaning.

Przecinek oddziela odpowiedniki bliskie pod względem znaczeniowym.

ENGLISH-POLISH

a

A, a 1. [eɪ] pierwsza litera alfabetu angielskiego

a 2. [ə, eɪ] *przedimek* ⟨*rodzajnik*⟩ *nieokreślony (przed spółgłoską)*

a·back [ə`bæk] *adv* wstecz, do tyłu, z tyłu, na uboczu; **taken ~** zaskoczony

a·ba·cus [`æbəkəs] *s* (*pl* **abaci** [`æbəsaɪ] *lub* **abacuses** [`æbəkəsɪz]) liczydło

a·ban·don 1. [ə`bændən] *vt* opuścić, zaniechać; zrezygnować; *vr* ~ **oneself to sth** oddać się, poddać się (jakiemuś uczuciu)

a·ban·don 2. [ə`bændən] *s* żywiołowość

a·ban·don·ment [ə`bændənmənt] *s* opuszczenie, porzucenie; zaniedbanie; rezygnacja

a·bash [ə`bæʃ] *vt* zawstydzić, zmieszać

a·bate [ə`beɪt] *vt* opuścić, obniżyć; zmniejszyć; *vi* opaść; osłabnąć; zmniejszyć się

ab·ba·cy [`æbəsɪ] *s* opactwo, godność opata

ab·bess [`æbes] *s* przełożona klasztoru, ksieni

ab·bey [`æbɪ] *s* opactwo (klasztor lub kościół przyklasztorny)

ab·bot [`æbət] *s* opat

ab·bre·vi·ate [ə`briːvɪeɪt] *vt* skracać

ab·bre·vi·a·tion [ə`briːvɪ`eɪʃən] *s* skrót, skrócenie

ABC [`eɪ biː `siː] *s* alfabet; podstawy wiedzy, nauki

ab·di·cate [`æbdɪkeɪt] *vt* rezygnować (**the office** z urzędu); abdykować (**the throne** z tronu)

ab·di·ca·tion [`æbdɪ`keɪʃn] *s* zrzeczenie się, abdykacja (**of the throne, office** z tronu, urzędu)

ab·do·men [`æbdəmən] *s* brzuch

ab·duct [æb`dʌkt] *vt* uprowadzić, porwać

ab·duc·tion [æb`dʌkʃn] *s* uprowadzenie, porwanie

ab·er·ra·tion [`æbə`reɪʃn] *s* zboczenie (z właściwej drogi), odchylenie; aberracja, odchylenie od stanu normalnego

a·bet [ə`bet] *vt* podjudzać, podżegać, współdziałać (w przestępstwie)

a·bey·ance [ə`beɪəns] *s* stan zawieszenia, niepewności

ab·hor [əb`hɔː(r)] *vt* czuć wstręt, żywić nienawiść (**sb, sth** do kogoś, do czegoś)

*a·bide [ə`baɪd], **a·bode**, **a·bode** [ə`bəʊd] *vt* wytrzymywać, znosić; oczekiwać; *vi* pozostawać, przebywać; ~ **by sth** dotrzymywać czegoś, trzymać się czegoś

a·bid·ing [ə`baɪdɪŋ] *adj* trwały, stały

a·bil·i·ty [ə`bɪlətɪ] *s* zdolność; *pl* **abilities** talent, uzdolnienie; **to the best of my ~** ⟨**abilities**⟩ jak potrafię najlepiej, w granicach moich możliwości

ab·ject [`æbdʒekt] *adj* podły, nikczemny, godny pogardy; nędzny; nieszczęsny

ab·jure [əb`dʒʊə(r)] *vt* wyrzec się (**sth** czegoś)

a·blaze [ə`bleɪz] *adv adj praed* w płomieniach; płonący

able

a·ble ['eɪbl] *adj* zdolny, zręczny, nadający się; **to be ~ móc**, być w stanie, potrafić

a·ble-bod·ied ['eɪbl'bodɪd] *adj* silny, zdrowy

ab·nor·mal [əb'nɔːml] *adj* anormalny, nieprawidłowy

a·board [ə'bɔːd] *adv i praep* na statku, na pokładzie, na pokład; *am. także* w wozie, w pociągu, do pociągu

a·bode 1. *zob.* abide

a·bode 2. [ə'bəʊd] *s* miejsce pobytu, siedziba; **to take up one's ~ zamieszkać**

a·bol·ish [ə'bolɪʃ] *vt* znieść, usunąć, skasować, obalić

ab·o·li·tion ['æbə'lɪʃn] *s* zniesienie, usunięcie, obalenie; *am.* zniesienie niewolnictwa

A-bomb ['eɪ bom] *s* (= atomic bomb) bomba atomowa

a·bom·i·na·ble [ə'bomɪnəbl] *adj* wstrętny, obrzydliwy

a·bom·i·nate [ə'bomɪneɪt] *vt* czuć wstręt (sth do czegoś), brzydzić się (sth czymś)

a·bom·i·na·tion [ə'bomɪ'neɪʃn] *s* wstręt, obrzydzenie, odraza; przedmiot wstrętu

ab·o·rig·i·nal ['æbə'rɪdʒnl] *adj* pierwotny, początkowy; *s* pierwotny mieszkaniec

ab·o·rig·i·nes ['æbə'rɪdʒɪnɪz] *s pl* tubylcy, pierwotni mieszkańcy

a·bor·tion [ə'bɔːʃn] *s* poronienie; *przen.* nieudane dzieło

a·bor·tive [ə'bɔːtɪv] *adj* poroniony; nieudany

a·bound [ə'baʊnd] *vi* obfitować (**in**, **with sth** w coś); **he ~s in courage** jest pełen odwagi

about [ə'baʊt] *adv* dookoła, wokół, tu i tam; mniej więcej, około; **to be ~ to do sth** mieć (zamiar) coś zrobić, zabierać się do zrobienia czegoś; *praep* przy, dookoła; odnośnie do, w sprawie; **I have no money ~ me** nie mam przy sobie pieniędzy; **what ~ leaving?** a może byśmy wyszli?

a·bove [ə'bʌv] *adv* w górze, powyżej; *praep* nad, ponad; *adj attr* powyższy, wyżej wymieniony

a·breast [ə'brest] *adv* w jednym rzędzie, obok, ramię przy ramieniu; **to keep ~ of** dotrzymywać kroku, stać na poziomie

a·bridge [ə'brɪdʒ] *vt* skrócić, streścić

a·broad [ə'brɔːd] *adv* za granicą, za granicę; na zewnątrz, poza dom(em), szeroko i daleko; **there is a rumour ~** rozchodzi się pogłoska

ab·rupt [ə'brʌpt] *adj* oderwany, nagły, niespodziewany; (*o wzniesieniu*) stromy; szorstki (np. ton), opryskliwy

ab·scess ['æbses] *s* (*pl* ~**es** ['æbse sɪz]) wrzód

ab·sence ['æbsns] *s* nieobecność, brak; ~ **of mind** roztargnienie

ab·sent ['æbsnt] *adj* nieobecny, brakujący; *vr* [əb'sent] **oneself** być nieobecnym; ~ **oneself from school** być nieobecnym w szkole

ab·sent·ee ['æbsn'tiː] *s* osoba nieobecna; osoba mieszkająca poza domem ⟨krajem⟩

ab·sent-mind·ed ['æbsnt'maɪndɪd] *adj* roztargniony

ab·so·lute ['æbsəluːt] *adj* absolutny, bezwarunkowy, bezwzględny; nieograniczony; stanowczy; absolut

ab·so·lute·ly ['æbsəluːtlɪ] *adv* absolutnie, bezwarunkowo, bezwzględnie; stanowczo; *int* na pewno!, oczywiście!

ab·so·lu·tion ['æbsə'luːʃn] *s rel.* rozgrzeszenie; darowanie winy

ab·so·lut·ism ['æbsə'luːtɪzm] *s* absolutyzm

ab·solve [əb'zolv] *vt* zwolnić (**sb from sth** kogoś od czegoś), darować (**sb from sth** komuś coś); rozgrzeszyć

ab·sorb [əb'sɔːb] *vt* absorbować, wsysać, pochłaniać; **he is ~ed in tennis** pochłania go tenis

ab·sorp·tion [əb'sɔːpʃn] *s* wchłonięcie; zaabsorbowanie (**in sth** czymś)

ab·stain [əb`steɪn] *vi* powstrzymywać się **(from sth** od czegoś)

ab·stain·er [əb`steɪnə(r)] *s* abstynent

ab·sti·nence [`æbstɪnəns] *s* wstrzemięźliwość, trzeźwość

ab·stract [`æbstrækt] *adj* abstrakcyjny, oderwany; niejasny, mętny; *s* wyciąg, skrót; *vt* [əb`strækt] odrywać, odciągać, odejmować

ab·strac·tion [əb`strækʃn] *s* abstrakcja, abstrahowanie, oddzielenie; roztargnienie

ab·surd [əb`sзd] *adj* niedorzeczny, absurdalny, głupi; wzbudzający śmiech

ab·sur·di·ty [əb`sзdətɪ] *s* niedorzeczność

a·bun·dance [ə`bʌndəns] *s* obfitość

a·bun·dant [ə`bʌndənt] *adj* obfity

a·buse [ə`bjus] *s* nadużycie; obraza, zniesławienie; *vt* [ə`bjuz] nadużywać; obrażać, zniesławiać

a·bu·sive [ə`bjusɪv] *adj* obrażający, obraźliwy, obelżywy

a·bys·mal [ə`bɪzml] *adj* bezdenny

a·byss [ə`bɪs] *s* przepaść, otchłań

a·ca·cia [ə`keɪʃə] *s* akacja

ac·a·dem·ic [ˌækə`demɪk] *adj* akademicki; teoretyczny; *s* akademik, uczony

a·ca·de·mi·cian [əˌkædə`mɪʃn] *s* członek akademii

a·cad·e·my [ə`kædəmɪ] *s* akademia, zakład naukowy, uczelnia

ac·cede [ək`sid] *vi* przystąpić, dołączyć się; zgodzić się, przystać **(to sth** na coś); wstąpić **(the throne** na tron); objąć **(to a post** stanowisko)

ac·cel·er·ate [ək`seləreɪt] *vt vi* przyspieszać

ac·cel·er·a·tor [ək`seləreɪtə(r)] *s* akcelerator, przyspieszacz

ac·cent [`æksnt] *s* akcent, przycisk; sposób wymawiania; *vt* [æk`sent] akcentować, kłaść nacisk, podkreślać

ac·cen·tu·ate [ək`sentʃueɪt] *vt* akcentować, podkreślać, uwypuklać

ac·cept [ək`sept] *vt vi* przyjmować, zgadzać się; akceptować

(np. weksel)

ac·cept·a·ble [ək`septəbl] *adj* do przyjęcia; znośny, zadowalający; pożądany

ac·cept·ance [ək`septəns] *s* (chętne) przyjęcie; zgoda **(of sth** na coś), uznanie; *handl.* akcept

ac·cess [`ækses] *s* dostęp, dojście, dojazd; **easy of ~** łatwo dostępny; **~ to power** dojście do władzy; *attr* dojazdowy; **good ~ roads** dobre drogi dojazdowe

ac·ces·si·ble [ək`sesəbl] *adj* dostępny; przystępny

ac·ces·sion [æk`seʃn] *s* przystąpienie; zgoda **(to sth** na coś); dojście **(to power** do władzy); objęcie **(to the throne** tronu, **to an office** urzędu)

ac·ces·so·ry [ək`sesərɪ] *adj praed* dodatkowy; *s* wspólnik przestępstwa; *pl* **accessories** akcesoria, dodatki, wyposażenie

ac·ci·dent [`æksɪdnt] *s* wypadek, nieszczęśliwy wypadek; przypadek, traf; **by ~** przypadkowo; **to meet with an ~** ulec wypadkowi

ac·ci·den·tal [ˌæksɪ`dentl] *adj* przypadkowy; nieistotny; **~ death** śmierć na skutek nieszczęśliwego wypadku

ac·claim [ə`kleɪm] *vt* aklamować, przyjmować z uznaniem; oklaskiwać

ac·cla·ma·tion [ˌæklə`meɪʃn] *s* aklamacja, poklask; **to carry by ~** uchwalać przez aklamację

ac·cli·mate [ə`klaɪmeɪt] *am.* = **acclimatize**

ac·cli·ma·tion [ˌæklaɪ`meɪʃn] *am.* = **acclimatization**

ac·cli·ma·ti·za·tion [əˌklaɪmətaɪ`zeɪʃn] *s* aklimatyzacja

ac·cli·ma·tize [ə`klaɪmətaɪz] *vt vi* aklimatyzować (się)

ac·com·mo·date [ə`komədeɪt] *vt* dostosować; zaopatrzyć **(with sth** w coś); ulokować, zakwaterować

ac·com·mo·dat·ing [ə`komədeɪtɪŋ] *adj* zgodny, kompromisowy; uprzejmy, usłużny

ac·com·mo·da·tion [əˌkɔməˈdeɪʃn] s dostosowanie; zaopatrzenie; wygoda; kwatera, pomieszczenie, nocleg

ac·com·pa·ni·ment [əˈkʌmpnɪmənt] s okoliczność towarzysząca, dodatek; muz. akompaniament

ac·com·pa·ny [əˈkʌmpnɪ] vt towarzyszyć; wtórować; muz. akompaniować

ac·com·plice [əˈkʌmplɪs] s wspólnik (przestępstwa), współwinny

ac·com·plish [əˈkʌmplɪʃ] vt wykończyć, wykonać, spełnić

ac·com·plished [əˈkʌmplɪʃt] adj skończony, doskonały; dobrze wychowany ⟨ułożony⟩, wykształcony

ac·com·plish·ment [əˈkʌmplɪʃmənt] s wykonanie, wykończenie; majstersztyk; pl ~s wykształcenie; walory towarzyskie, polor

ac·cord [əˈkɔd] s zgoda, harmonia; muz. akord; with one ~ jednomyślnie, jednogłośnie; in ~ with... zgodnie z...; of one's own ~ dobrowolnie, samorzutnie; vt uzgodnić (to sth z czymś); dać, przyznać, użyczyć; przyzwolić; vi harmonizować; zgadzać się (with sth z czymś)

ac·cord·ance [əˈkɔdns] s zgodność, zgoda; in ~ with sth zgodnie z czymś, stosownie do czegoś

ac·cord·ing [əˈkɔdɪŋ] praep w zwrocie: ~ to według, zgodnie z; conj w zwrocie: ~ as według tego ⟨w miarę⟩, jak

ac·cord·ing·ly [əˈkɔdɪŋlɪ] adv zgodnie z tym, stosownie do tego; odpowiednio; zatem

ac·cor·di·on [əˈkɔdɪən] s muz. akordeon, harmonia (instrument)

ac·cost [əˈkɔst] vt zwrócić się, zbliżyć się (sb do kogoś), zagadnąć

ac·count [əˈkaunt] s rachunek, konto; obliczenie; sprawozdanie, relacja; pl ~s księgi (rachunkowe); księgowość; porachunki; balance of ~s zamknięcie rachunków handlowych, bilans handlowy; current ~ rachunek bieżący; to keep ~s prowadzić książki

handlowe; to leave out of ~ nie uwzględniać, nie brać pod uwagę; to make ~ of sth przywiązywać wagę do czegoś; to take into ~ brać pod uwagę, uwzględniać; to turn to ~ obrócić na korzyść; to give ~ of zrelacjonować, wyjaśnić; of great ~ wiele znaczący; of no ~ bez znaczenia; on all ~s pod każdym względem; on ~ of na rachunek; ze względu na, z powodu; on no ~ za żadną cenę, w żadnym wypadku; vt obliczać; he ~s himself clever on uważa się za zdolnego; vi zdawać sprawę (on sth z czegoś); wytłumaczyć (for sth coś); odpowiadać (for sth za coś); wyliczać się (for sth z czegoś)

ac·count·a·ble [əˈkauntəbl] adj odpowiedzialny (to sb przed kimś, for sth za coś); (o fakcie) dający się wytłumaczyć

ac·count·an·cy [əˈkauntənsɪ] s księgowość, rachunkowość

ac·count·ant [əˈkauntənt] s księgowy, prowadzący rachunki, rachmistrz

ac·cre·dit [əˈkredɪt] vt upełnomocnić, akredytować; przypisać (sb with sth komuś coś)

ac·crue [əˈkru] vi (o dochodach) narastać; płynąć (from sth z czegoś)

ac·cu·mu·late [əˈkjumjuleɪt] vt gromadzić, akumulować; vi gromadzić się, narastać

ac·cu·mu·la·tion [əˈkjumjuˈleɪʃn] s nagromadzenie, akumulacja; primary ⟨primitive⟩ ~ akumulacja pierwotna

ac·cu·ra·cy [ˈækjərəsɪ] s dokładność, ścisłość; punktualność

ac·cu·rate [ˈækjərət] adj dokładny, ścisły; punktualny

ac·cu·sa·tion [ˈækjuˈzeɪʃn] s oskarżenie, skarga; to bring an ~ wystąpić z oskarżeniem

ac·cu·sa·tive [əˈkjuzətɪv] s gram. biernik

ac·cuse [əˈkjuz] vt oskarżać (sb of sth kogoś o coś), winić

ac·cus·tom [ə'kʌstəm] *vt* przyzwyczajać; **to become ⟨to get⟩ ~ed**
przyzwyczajać się

ace [eɪs] *s (w kartach i przen.)* as;
within an ~ of o włos od

ache [eɪk] *s* (ciągły) ból; *vi* boleć

a·chieve [ə'tʃiːv] *vt* osiągnąć (z trudem), zdobyć, dokonać

a·chieve·ment [ə'tʃiːvmənt] *s* osiągnięcie, dokonanie; zdobycz; **this
is impossible of ~** tego się nie da
osiągnąć

a·cid [ˈæsɪd] *s* kwas; *adj* kwaśny,
kwasowy; ostry (w smaku); żrą-
cy; *przen.* zgryźliwy; **the ~ test**
próba na kwasowość; *przen.* próba ogniowa

ac·knowl·edge [ək'nɒlɪdʒ] *vt* uznawać, przyznawać; potwierdzać;
wyrażać podziękowanie (**sth za**
coś)

ac·knowl·edg·ment [ək'nɒlɪdʒmənt]
s uznanie, przyznanie; potwierdzenie; podziękowanie; **in ~ of**
w dowód uznania ⟨wdzięczności⟩

a·corn [ˈeɪkɒn] *s* żołądź

a·cous·tic [ə'kuːstɪk] *adj* akustyczny

a·cous·tics [ə'kuːstɪks] *s* akustyka

ac·quaint [ə'kweɪnt] *vt* zaznajomić;
donieść (**sb with sth** komuś o
czymś); **to ~ oneself, to get ⟨be-
come⟩ ~ed** zaznajomić się (**with
sb, sth** z kimś, z czymś); poznać
(**with sb, sth** kogoś, coś)

ac·quaint·ance [ə'kweɪntəns] *s* znajomość; znajomy (człowiek); **to
make the ~** poznać, poznać się,
zaznajomić się (**with sb, sth** z
kimś, czymś); **I made his ~,
I made ~ with him** zawarłem z
nim znajomość

ac·qui·esce [ˌækwi'es] *vi* pogodzić
się (**in sth** z czymś), przystać (**in
sth** na coś)

ac·qui·es·cence [ˌækwi'esns] *s* zgoda, przyzwolenie

ac·quire [ə'kwaɪə(r)] *vt* nabywać,
osiągać, zdobywać; przyswajać
sobie

ac·quire·ment [ə'kwaɪəmənt] *s* na-

bycie, osiągnięcie; sprawność (na-
byta); *pl* **~s** nabyte rzeczy, na-
byta wiedza, umiejętność

ac·qui·si·tion [ˌækwɪ'zɪʃn] *s* nabycie; zdobywanie; nabytek, doro-
bek

ac·qui·si·tive [ə'kwɪzətɪv] *adj* żądny zysku, zachłanny

ac·quit [ə'kwɪt] *vt* u wolnić, zwolnić; spłacić, uiścić; uniewinnić
(**of a crime** od zbrodni); *vr* **~
oneself** wywiązać się (**of sth** z
czegoś)

ac·qui·tal [ə'kwɪtl] *s* zwolnienie;
uniewinnienie

a·cre [ˈeɪkə(r)] *s* akr (miara powierzchni); † pole, rola; **God's ~**
cmentarz

ac·rid [ˈækrɪd] *adj* ostry, żrący;
cierpki; gryzący; *przen.* zjadliwy

ac·ri·mo·ny [ˈækrɪmənɪ] *s* zjadli-
wość, szorstkość (słów, postępowania); *przen.* gorycz

ac·ro·bat [ˈækrəbæt] *s* akrobata

ac·ro·bat·ic [ˌækrə'bætɪk] *adj* akrobatyczny

ac·ro·bat·ics [ˌækrə'bætɪks] *s* akrobatyka

a·cross [ə'krɒs] *praep* przez, w poprzek, po; **to come ~ sth** natknąć się na coś, trafić na coś
przypadkiem; *adv* na krzyż;
wszerz, na szerokość; po drugiej
stronie; na przełaj; **with arms ~**
ze skrzyżowanymi ramionami

act [ækt] *s* czyn; uczynek; czynność; akt; ustawa; dokument;
teatr akt; **in the ~ of** w trakcie;
vi działać, czynić, postępować,
zachowywać się; występować,
grać (na scenie); **to ~ upon sth**
kierować się czymś, postępować
według czegoś; *vt* odgrywać,
grać (rolę); udawać

action [ˈækʃn] *s* akcja; działanie;
czyn; ruch; sprawa (sądowa);
wojsk. bitwa; **to take ⟨to bring⟩
an ~** wytoczyć sprawę (**against
sb** komuś)

ac·tive [ˈæktɪv] *adj* aktywny,
czynny, żywy; realny, rzeczywisty

ac·tiv·i·ty [æk`tɪvətɪ] s czynność, działalność, aktywność; pl activities zajęcie, praca, sfera działalności

ac·tor [`æktə(r)] s aktor

ac·tress [`æktrɪs] s aktorka

ac·tu·al [`æktʃuəl] adj rzeczywisty, faktyczny; bieżący

ac·tu·al·ize [`æktʃuəlaɪz] vt wprowadzać w czyn, realizować, przedstawiać realistycznie

ac·tu·ate [`æktʃueɪt] vt wprawiać w ruch; podniecać, ożywiać; wpływać (sth na coś)

ac·u·men [ə`kjumən] s bystrość (umysłu)

a·cute [ə`kjut] adj ostry; bystry; przenikliwy; dotkliwy

ad [æd] s pot. = advertisement

ad·age [`ædɪdʒ] s przysłowie, powiedzenie

ad·a·mant [`ædəmənt] s coś twardego (np. kamień); adj praed niewzruszony

ad·a·man·tine [`ædə`mæntaɪn] adj twardy, nieugięty

a·dapt [ə`dæpt] vt dostosować, przystosować, adaptować; przerobić

add [æd] vt vi dodawać; dołączać; powiększać; wzbogacać (to sth coś); to ~ up dodawać, sumować

ad·der [`ædə(r)] s żmija

ad·dict [ə`dɪkt] vr ~ oneself oddawać się (to sth czemuś), uprawiać (to sth coś); vt to be ~ed to sth uprawiać ⟨robić⟩ coś nałogowo; s [`ædɪkt] nałogowiec; drug ~ narkoman

ad·dic·tion [ə`dɪkʃn] s nałóg

ad·di·tion [ə`dɪʃn] s dodatek; dodawanie; in ~ dodatkowo, również, ponadto

ad·di·tion·al [ə`dɪʃnl] adj dodatkowy, dalszy

ad·dress [ə`dres] s adres; przemówienie; odezwa; vt zwracać się

ad·dres·see [`ædre`si] s adresat

ad·duce [ə`djus] vt przytaczać, cytować

ad·e·quate [`ædɪkwət] adj odpowiedni, stosowny, trafny

ad·here [əd`hɪə(r)] vt przylegać; trzymać się, dotrzymywać (to sth czegoś), usilnie popierać (to sb, sth kogoś, coś)

ad·her·ent [əd`hɪərnt] s zwolennik, stronnik; adj lgnący; przynależny

ad·he·sion [əd`hiʒn] s przyleganie; przynależność; poparcie

ad·he·sive [əd`hisɪv] adj przylegający, przyczepny; ~ tape przylepiec

ad·ja·cent [ə`dʒeɪsnt] adj przyległy, sąsiedni

ad·jec·tive [`ædʒɪktɪv] s gram. przymiotnik

ad·join [ə`dʒɔɪn] vt przyłączyć, dołączyć; vi przylegać

ad·journ [ə`dʒɜn] vt odroczyć; zawiesić; vt pot. przenieść się (na inne miejsce)

ad·judge [ə`dʒʌdʒ] vt zasądzić; przyznać

ad·just [ə`dʒʌst] vt uporządkować, uzgodnić, dostosować; załatwić (spór)

ad·min·is·ter [əd`mɪnɪstə(r)] vt administrować, zarządzać; sprawować; wymierzać (sprawiedliwość); podawać (lekarstwo)

admin·is·tra·tion [əd`mɪnɪ`streɪʃn] s administracja, zarząd; wymiar (sprawiedliwości); podawanie (lekarstwa); am. rząd

ad·mi·ra·ble [`ædmrəbl] adj godny podziwu, wspaniały

ad·mi·ral [`ædmrl] s admirał

ad·mi·ral·ty [`ædmrltɪ] s admiralicja (ministerstwo marynarki); gmach admiralicji

ad·mi·ra·tion [`ædmə`reɪʃn] s podziw; przedmiot podziwu

ad·mire [əd`maɪə(r)] vt podziwiać

ad·mis·si·ble [əd`mɪsəbl] adj dopuszczalny

ad·mis·sion [əd`mɪʃn] adj dopuszczanie; wstęp, dostęp; przyznanie; ~ free wstęp wolny

ad·mit [əd`mɪt] vt vi dopuścić, przyjąć; przyznać (się); zezwolić (of sth na coś)

ad·mit·tance [əd`mɪtns] s dopuszczenie; dostęp; przyjęcie; **no** ~ wstęp wzbroniony

ad·mon·ish [ədˈmɔnɪʃ] *vt* upominać; ostrzegać (**against**, **of** sth przed czymś)

ad·mo·ni·tion [ˈædməˈnɪʃn] *s* upomnienie; ostrzeżenie

a·do [əˈdu] s hałas, wrzawa; rwetes; kłopot

ad·o·les·cence [ˈædəˈlesns] *s* młodość, wiek dojrzewania

ad·o·les·cent [ˈædəˈlesnt] *s* młodzieniec, dziewczyna; *adj* młodzieńczy

a·dopt [əˈdɔpt] *vt* adoptować; przysposabiać; przyswajać (sobie), przyjmować

a·dop·tion [əˈdɔpʃn] *s* adopcja

a·dop·tive [əˈdɔptɪv] *adj* przybrany; łatwo przyjmujący

a·dor·a·ble [əˈdɔrəbl] *adj* godny uwielbienia

a·dor·a·tion [ˈædəˈreɪʃn] *s* adoracja, uwielbienie

a·dore [əˈdɔ(r)] *vt* uwielbiać, czcić; *pot.* bardzo lubić

a·dorn [əˈdɔn] *vt* zdobić, upiększać; być ozdobą (sth czegoś)

a·drift [əˈdrɪft] *adv* na falach, na fale; *przen.* **to turn** ~ rzucić na los szczęścia, wyrzucić na bruk

a·dult [ˈædʌlt] *adj* dorosły, dojrzały, pełnoletni; **s** dojrzały ⟨dorosły⟩ człowiek

a·dul·ter·ate [əˈdʌltəreɪt] *vt* podrabiać, fałszować (*zw.* napoje, żywność)

a·dul·ter·y [əˈdʌltərɪ] *s* cudzołóstwo

ad·vance [ədˈvans] *vt* posuwać naprzód; poprawiać, udoskonalać; płacić z góry; pożyczać; przedstawiać, zgłaszać (np. wniosek); podwyższać (np. cenę); *vi* posuwać się naprzód, robić postępy; (*o cenach*) iść w górę; **s** postęp, posuwanie się naprzód; udoskonalenie; awans; wniosek; zaliczka, pożyczka; podwyższenie (np. ceny); *pl* ~**s** uprzejmości, zaloty; **in** ~ z góry; na przedzie; **to be in** ~ wyprzedzać (**of** sb, sth

kogoś, coś), przekraczać; *adj attr* przedni, okazowy

ad·vanced [ədˈvanst] *zob.* **advance** *v*; *adj* wysunięty naprzód; zaawansowany; postępowy; ~ **in years** podeszły wiekiem

ad·vance·ment [ədˈvansmənt] *s* posunięcie naprzód, postęp; zaliczka; awans

ad·van·tage [ədˈvantɪdʒ] *s* korzyść, pożytek; przewaga; **to have an** ~ górować (**over** sb nad kimś); **to take** ~ wykorzystać (**of** sth coś); nadużyć, wykorzystać (**of** sb kogoś); **to turn to** ~ obrócić na korzyść; **to** ~ korzystnie; **to the best** ~ najkorzystniej

ad·ven·ture [ədˈventʃə(r)] *s* przygoda; ryzyko; *vt* ryzykować (sth coś); narażać (sb kogoś); *vi* ryzykować, odważyć się (**upon** sth na coś)

ad·ven·tur·er [ədˈventʃərə(r)] *s* poszukiwacz przygód; ryzykant

ad·verb [ˈædvɜb] *s gram.* przysłówek

ad·ver·sa·ry [ˈædvəsərɪ] *s* przeciwnik

ad·verse [ˈædvɜs] *adj* przeciwny, wrogi, nie sprzyjający

ad·ver·si·ty [ədˈvɜsətɪ] *s* zły los, nieszczęście, bieda

ad·ver·tise [ˈædvətaɪz] *vt* zawiadamiać, ogłaszać; reklamować, anonsować; *vi* poszukiwać za pomocą ogłoszenia (**for** sb, sth kogoś, czegoś)

ad·ver·tise·ment [ədˈvɜtɪsmənt] *s* ogłoszenie, reklama

ad·vice [ədˈvaɪs] *s* rada; *am. handl.* zawiadomienie, nota; **a piece of** ~ rada; **to take sb's** ~ posłuchać czyjejś rady

ad·vis·a·ble [ədˈvaɪzəbl] *adj* godny polecenia, wskazany, pożyteczny, rozsądny

ad·vise [ədˈvaɪz] *vt* radzić (sb komuś); *handl.* zawiadamiać

ad·vis·er [ədˈvaɪzə(r)] *s* radca, doradca

ad·vo·cate [ˈædvəkət] *s* adwokat, obrońca; *vt* [ˈædvəkeɪt] podtrzymywać, bronić, występować w obronie (**sth czegoś**), przemawiać (**sth za czymś**)

aer·ate [`eəreɪt] *vt* przewietrzyć

aer·i·al [`eərɪəl] *s* antena; *adj* powietrzny; napowietrzny; *przen.* nierzeczywisty, bezcielesny

aer·o·drome [`eərədrəum] *s* lotnisko

aer·o·naut [`eərənɔt] *s* aeronauta

aer·o·plane [`eərəpleɪn] *s* samolot

aes·thete [`isθit] *s* esteta

aes·thet·ic [`is`θetɪk] *adj* estetyczny

aes·thet·ics [`is`θetɪks] *s* estetyka

a·far [ə`fɑ(r)] *adv w zwrotach*: ~ **off** w oddali; **from** ~ z dala

af·fa·bil·i·ty [`æfə`bɪlətɪ] *s* uprzejmość

af·fa·ble [`æfəbl] *adj* uprzejmy

af·fair [ə`feə(r)] *s* sprawa, interes; miłostka; *pl* ~**s** sprawy (np. państwowe)

af·fect 1. [ə`fekt] *vt* wzruszyć; dotknąć; oddziaływać, wpływać (**sb, sth na kogoś, na coś**); **to** ~ **one's health** odbić się na czyimś zdrowiu

af·fect 2. [ə`fekt] *vt* udawać (**sb, sth kogoś, coś**), pozować (**sb na kogoś**); przybierać pozory (cechy) (**sth czegoś**)

af·fec·ta·tion [`æfek`teɪʃn] *s* afektacja, poza, udawanie

af·fect·ed [ə`fektɪd] *zob.* affect 1., 2.; *adj* afektowany; usposobiony; dotknięty

af·fec·tion [ə`fekʃn] *s* przywiązanie, uczucie, sentyment, miłość

af·fi·da·vit [`æfɪ`deɪvɪt] *s* pisemna deklaracja pod przysięgą

af·fil·i·ate [ə`fɪlɪeɪt] *vt* przyjąć na członka; łączyć, przyłączyć; ~**d society** filia

af·fin·i·ty [ə`fɪnətɪ] *s* pokrewieństwo, powinowactwo; sympatia

af·firm [ə`fɜm] *vt vi* potwierdzać, zapewniać; twierdzić

af·fir·ma·tion [`æfə`meɪʃn] *s* twierdzenie, zapewnienie

af·fir·ma·tive [ə`fɜmətɪv] *adj* twierdzący, pozytywny

af·fix [ə`fɪks] *vt* przytwierdzić,

przyczepić, przybić; dołączyć

af·flict [ə`flɪkt] *vt* gnębić, dręczyć; dotknąć (**chorobą**); ~**ed with sth** chory na coś

af·flic·tion [ə`flɪkʃn] *s* przygnębienie; nieszczęście; cierpienie; choroba

af·flu·ence [`æfluəns] *s* obfitość, bogactwo; zgromadzenie; natłok

af·flu·ent [`æfluənt] *adj* dostatni; zasobny (**in sth w coś**); *s* dopływ (rzeki)

af·ford [ə`fɔd] *vt* dostarczyć, użyczyć, dać; zdobyć się, pozwolić sobie (**sth na coś**); **I can** ~ **it** stać mnie na to

af·front [ə`frʌnt] *vt* obrażać; *s* obraza, afront

a·field [ə`fild] *adv* w pole, w polu; daleko

a·flame [ə`fleɪm] *adv adj praed* w płomieniach; płonący; *przen.* w podnieceniu

a·float [ə`fləut] *adv adj praed* na falach, na wodzie; w powietrzu; płynący; unoszący się; *przen.* w obiegu

a·foot [ə`fut] *adv adj praed* pieszo, na nogach

a·fore·said [ə`fɔ sed] *adj* wyżej wspomniany

a·fraid [ə`freɪd] *adj praed* przestraszony; **to be** ~ **of sth** bać się czegoś; **I'm** ~ **I can't do it** przykro mi, ale nie mogę tego zrobić

a·fresh [ə`freʃ] *adv* na nowo

af·ter [`ɑftə(r)] *praep* po; za; według; o; ~ **all** mimo wszystko, a jednak; *adv* potem, następnie; w tyle; z tyłu; *conj* kiedy, skoro, po tym, jak; *adj attr* następny, późniejszy; tylny

af·ter·math [`ɑftəmæθ] *s* pokłosie; *przen.* żniwo, następstwa

af·ter·noon [`ɑftə`nun] *s* popołudnie; *adj attr* popołudniowy; ~ **tea** podwieczorek

af·ter·thought [`ɑftəθɔt] *s* refleksja

af·ter·ward(s) [`ɑftəwəd(z)] *adv* następnie, później

a·gain [ə`gen] *adv* znowu, jeszcze raz; prócz tego, również; z drugiej strony; ~ and ~ raz po raz; never ~ nigdy więcej; as much ~ drugie tyle

a·gainst [ə'genst] *praep* przeciw; wbrew; o; na

a·gate [`ægət] *s* agat

age [eɪdʒ] *s* wiek; epoka, czasy; what is your ~? ile masz lat? to come of ~ osiągnąć pełnoletność; of ~ pełnoletni; under ~ niepełnoletni; *vi* starzeć się; *vt* postarzać; ~d seventy years w wieku lat siedemdziesięciu

aged [`eɪdʒɪd] *adj* stary, sędziwy

age·long [`eɪdʒlɒŋ] *adj* odwieczny; długotrwały

a·gen·cy [`eɪdʒənsɪ] *s* działanie, środek działania, siła działająca; agencja; by ⟨through⟩ the ~ of sb, sth za pośrednictwem kogoś, czegoś

a·gen·da [ə'dʒendə] *s pl* plan zajęć, terminarz; porządek dnia

a·gent [`eɪdʒənt] *s* agent, pośrednik; siła działająca, czynnik

ag·gra·vate [`ægrəveɪt] *vt* obciążyć, utrudnić, pogorszyć; rozdrażnić

ag·gra·va·tion [`ægrə'veɪʃn] *s* obciążenie, utrudnienie, pogorszenie; rozdrażnienie, gniew

ag·gre·gate [`ægrɪgeɪt] *vt vi* gromadzić (się), łączyć, tworzyć całość; wynosić, liczyć w sumie; *s* [`ægrɪgət] agregat; masa; całość, łączna liczba; *adj* łączny, zbiorowy

ag·gres·sion [ə'greʃn] *s* napaść, agresja

ag·gres·sive [ə'gresɪv] *adj* napastliwy, agresywny, zaczepny

ag·gres·sor [ə'gresə(r)] *s* napastnik, agresor

ag·grieve [ə'griv] *vt* zmartwić, przygnębić; skrzywdzić

a·ghast [ə'gast] *adj praed* przerażony, oszołomiony, osłupiały

a·gile [`ædʒaɪl] *adj* zwinny, ruchliwy, obrotny

ag·i·tate [`ædʒɪteɪt] *vt* poruszać, niepokoić, podniecać, podburzać; denerwować, roztrząsać, dysku-

-tować (gwałtownie); *vi* agitować

ag·i·ta·tion [`ædʒɪ'teɪʃn] *s* poruszenie; podniecenie; roztrząsanie, dyskusja (gwałtowna); agitacja

ago [ə'gəʊ] *adv*: long ~ dawno temu; two years ~ dwa lata temu

ag·o·nize [`ægənaɪz] *vt* męczyć, dręczyć; *vi* przeżywać śmiertelne męki, wić się w bólach

a·go·ny [`ægənɪ] *s* gwałtowny ból, cierpienie; udręka, męczarnia; rozpaczliwa walka; agonia; ~ column lista ofiar (ogłoszona w prasie)

a·gra·ri·an [ə'greərɪən] *adj* agrarny, rolny

a·gree [ə'gri] *vi* zgadzać się (to sth na coś); układać się, umawiać się, porozumiewać się (on, upon sth w sprawie czegoś); odpowiadać (with sth czemuś); służyć; this food does not ~ with me to jedzenie mi nie służy; *vt* uzgadniać, ustalać, umawiać; on the ~d day w umówionym dniu; ~d! zgoda!

a·gree·a·ble [ə'griəbl] *adj* przyjemny, miły; zgodny (to sth z czymś)

a·gree·ment [ə'grimənt] *s* zgoda; umowa, układ; in ~ with... zgodnie z...

ag·ri·cul·tu·ral [`ægrɪ'kʌltʃərl] *adj* rolniczy, rolny

ag·ri·cul·ture [`ægrɪkʌltʃə(r)] *s* rolnictwo

ag·ro·no·mic [`ægrə'nomɪk] *adj* agronomiczny

ag·ro·no·my [ə'gronəmɪ] *s* agronomia

a·ground [ə'graʊnd] *adv* na mieliźnie, na mieliznę; to run ⟨to go⟩ ~ osiąść na mieliźnie

a·gue [`eɪgju] *s* febra, dreszcze

a·head [ə'hed] *adv* przed siebie, naprzód; na przedzie; dalej; to be ⟨to get⟩ ~ of sb wyprzedzać kogoś; the task ~ of us zadanie, które nas czeka; to go ~ robić postępy; kontynuować

aid [eɪd] *s* pomoc; pomocnik; zasiłek; teaching ~s pomoce naukowe; first ~ pierwsza pomoc;

~ station punkt pomocy lekarskiej; *vt* pomagać (sb komuś)

aide-de-camp ['eɪd də 'kõ] *s* adiutant

ail [eɪl] *vt* boleć, dolegać; what ~s him? co mu jest?; *vi* cierpieć, chorować

aileron ['eɪlərən] *s lotn.* lotka

ail·ment ['eɪlmənt] *s* niedomaganie, dolegliwość, choroba

aim [eɪm] *vi* celować, mierzyć; mieć na celu; dążyć (at sth do czegoś); *vt* mierzyć, rzucać; kierować (uwagę); *s* cel, zamiar; to take ~ celować (at sth do czegoś)

ain't [eɪnt] *pot.* = am not, is not, are not *zob.* be

air 1. [eə(r)] *s* powietrze; by ~ drogą powietrzną; on the ~ nadany przez radio; to take the ~ przejść się; ~ force siły lotnicze; ~ ministry ministerstwo lotnictwa; *vt* wietrzyć; suszyć (na wietrze)

air 2. [eə(r)] *s* aria, pieśń

air 3. [eə(r)] *s* wygląd, mina; zachowanie; *zw. pl* ~s poza; to give oneself ~s pozować; pysznić się

air·con·di·tion·ing ['eəkən'dɪʃnɪŋ] *s* klimatyzacja

air·craft ['eəkrɑːft] *s* samolot; *zbior.* lotnictwo

air·craft-car·ri·er ['eəkrɑːft kærɪə(r)] *s* lotniskowiec

air·drome ['eədrəʊm] *s am.* = aerodrome

air·i·ly ['eərəlɪ] *adv* impertynencko; lekko, beztrosko

air-lift ['eəlɪft] *s* transport powietrzny

air-line ['eəlaɪn] *s* linia lotnicza

air-lin·er ['eəlaɪnə(r)] *s* regularnie kursujący samolot komunikacyjny

air-mail ['eəmeɪl] *s* poczta lotnicza

air-man ['eəmən] *s* lotnik

air·plane ['eəpleɪn] *s am.* = aeroplane

air·port ['eəpɔːt] *s* lotnisko

air·proof ['eəpruːf] *adj* hermetyczny, szczelny

air-raid ['eəreɪd] *s* nalot lotniczy

air-route ['eərut] *s* linia lotnicza

air·screw ['eəskru] *s* śmigło

air-shel·ter ['eəʃeltə(r)] *s* schron przeciwlotniczy

air·ship ['eəʃɪp] *s* statek powietrzny

air-tight ['eətaɪt] *adj* szczelny, hermetyczny

air·way ['eəweɪ] *s* linia lotnicza; *górn.* wentyl

air·wor·thy ['eəwɔːðɪ] *adj (o samolocie)* zdolny do latania

air·y ['eərɪ] *adj* przewiewny, lekki; *(o człowieku)* próżny, beztroski

a·jar [ə'dʒɑː(r)] *adj praed (o drzwiach, bramie)* półotwarty

a·kin [ə'kɪn] *adj praed* krewny; podobny

a·lac·ri·ty [ə'lækrətɪ] *s* żwawość, gotowość

a·larm [ə'lɑːm] *s* alarm; strach, popłoch, oszołomienie; to take ~ ulec panice; *vt* alarmować, niepokoić

a·larm-clock [ə'lɑːmklɒk] *s* budzik

a·las [ə'læs] *int* niestety!

al·bum ['ælbəm] *s* album

al·bu·men ['ælbjumen] *s biol. chem.* białko

al·che·my ['ælkəmɪ] *s* alchemia

al·co·hol ['ælkəhɒl] *s* alkohol, napój alkoholowy

al·co·hol·ic ['ælkə'hɒlɪk] *adj* alkoholowy; *s* alkoholik

al·der·man ['ɔːldəmən] *s* radny miejski

ale [eɪl] *s* jasne piwo

a·lert [ə'lɜːt] *adj* czujny; żwawy; *s zw. lotn.* alarm; pogotowie; on the ~ na straży, w pogotowiu

al·ge·bra ['ældʒɪbrə] *s* algebra

a·li·as ['eɪlɪəs] *adv* inaczej; *s* przybrane nazwisko

al·i·bi ['ælɪbaɪ] *s* alibi

al·ien ['eɪlɪən] *adj* obcy; cudzoziemski; *s* cudzoziemiec

al·ien·ate ['eɪlɪəneɪt] *vt* przenieść

(majątek na kogoś); odstręczyć, zrazić; oderwać

al·ien·a·tion [ˌeɪlɪəˈneɪʃn] s alienacja; wyobcowanie

a·light [əˈlaɪt] vi schodzić, zstępować; spadać; wysiadać; (o samolocie, ptaku) lądować z powietrza

a·lign [əˈlaɪn] vt ustawiać w rząd, szeregować; vi wojsk. równać

a·like [əˈlaɪk] adj praed podobny, jednakowy; adv podobnie, jednakowo; zarówno

a·li·men·ta·ry [ˌælɪˈmentrɪ] adj odżywczy; spożywczy; żywiący, utrzymujący; the ~ canal przewód pokarmowy

a·li·mo·ny [ˈælɪmənɪ] s alimenty

a·live [əˈlaɪv] adj praed żywy; żwawy; pełen życia; to be ~ to sth być wrażliwym na coś ⟨świadomym czegoś⟩

al·ka·li [ˈælkəlaɪ] s chem. zasada; pl ~s alkalia

al·ka·line [ˈælkəlaɪn] adj chem. alkaliczny

all [ɔːl] adj i pron wszystek, cały, całkowity, każdy, wszelki; after ~ mimo wszystko; ostatecznie; ~ but prawie że, nieomal; ~ in ~ całkowicie, razem wziąwszy; ~ of us my wszyscy; at ~ w ogóle; before ~ przede wszystkim; for ~ that mimo wszystko; in ~ w całości, ogółem; most of ~ najbardziej, przede wszystkim; not at ~ wcale nie, nie ma za co (dziękować); once for ~ raz na zawsze; s wszystko, całość; adv całkowicie, w pełni; ~ right wszystko w porządku, dobrze; ~ the same wszystko jedno; mimo wszystko; ~ the better tym lepiej; ~ over wszędzie, na całej przestrzeni; it is ~ over with him koniec z nim; ~ told w sumie, wszystko razem

al·lay [əˈleɪ] vt uśmierzyć, uspokoić; złagodzić, osłabić

al·lege [əˈledʒ] vt twierdzić (bez dowodów; przytaczać, powoływać się (sth na coś)

al·leged [əˈledʒd] adj rzekomy, domniemany

al·le·giance [əˈliːdʒəns] s wierność, lojalność; hist. poddaństwo

al·le·gor·i·cal [ˌælɪˈgɒrɪkl] adj alegoryczny

al·le·go·ry [ˈælɪgərɪ] s alegoria

al·ler·gy [ˈælədʒɪ] s alergia (to sth na coś)

al·le·vi·ate [əˈliːvɪeɪt] vt ulżyć; złagodzić; zaspokoić

al·ley [ˈælɪ] s aleja; uliczka; przejście; blind ~ ślepy zaułek

al·li·ance [əˈlaɪəns] s przymierze; związek; pokrewieństwo

al·lied [ˈælaɪd] adj sprzymierzony; pokrewny, bliski

al·li·ga·tor [ˈælɪgeɪtə(r)] s aligator

al·lit·er·a·tion [əˌlɪtəˈreɪʃn] s aliteracja

al·lo·cate [ˈæləkeɪt] vt przydzielić; wyznaczyć

al·lot [əˈlɒt] vt przydzielić, przyznać; wyznaczyć; rozdzielić; rozparcelować

al·lot·ment [əˈlɒtmənt] s przydział; cząstka; kawałek gruntu, działka

al·low [əˈlaʊ] vt pozwalać; przyznawać; przeznaczać, uznawać; vi ~ of sth dopuszczać do czegoś, zgadzać się na coś; ~ for sth brać coś pod uwagę

al·low·ance [əˈlaʊəns] s przydział, racja; (przyznany) fundusz, dotacja; renta; bonifikata; kieszonkowe; tolerowanie, pozwolenie; family ~ dodatek rodzinny; to make ~s for sth brać coś pod uwagę

al·loy [əˈlɔɪ] vt mieszać (metale); s [ˈælɔɪ] stop; próba (np. złota)

al·lude [əˈluːd] vi robić aluzję (to sth do czegoś)

al·lure [əˈljʊə(r)] vt nęcić, uwodzić

al·lu·sion [əˈluːʒn] s aluzja, przytyk

al·ly [əˈlaɪ] vt połączyć, sprzymierzyć; skoligacić; vi połączyć się, być sprzymierzonym; s [ˈælaɪ] sprzymierzeniec

al·ma·nac [ˈɔːlmənæk] s almanach, kalendarz

al·might·y [ɔl'maɪtɪ] *adj* wszechpotężny, wszechmocny

al·mond [ˈamənd] *s* migdał

al·most [ˈɔlmoust] *adv* prawie

alms [amz] *s sing i pl* jałmużna

a·loft [əˈlɔft] *adv* w górę, w górze

a·lone [əˈloun] *adj praed* sam, sam jeden; **to let sb, sth** ~ pozostawić kogoś, coś w spokoju; *adv* tylko, jedynie; **let** ~ zwłaszcza, a co dopiero

a·long [əˈlɔŋ] *praep* wzdłuż; **all** ~ na całą długość, przez cały czas; ~ **the street** ulicą; ~ **with** razem, wspólnie, wraz z; *adv* naprzód, dalej; **come** ~! chodź tu!; **to take** ~ zabrać

a·long·side [əˈlɔŋsaɪd] *adv* w jednym rzędzie, obok; *praep* wzdłuż, obok, przy

a·loof [əˈluf] *adv* z dala; na uboczu

a·loud [əˈlaud] *adv* głośno, na głos

al·pha·bet [ˈælfəbət] *s* alfabet

al·pha·bet·i·cal [ˈælfəˈbetɪkl] *adj* alfabetyczny

al·pine [ˈælpaɪn] *adj* alpejski; górski

al·pi·nist [ˈælpɪnɪst] *s* alpinista

al·read·y [ɔlˈredɪ] *adv* już; poprzednio

al·so [ˈɔlsou] *adv* także, również

al·tar [ˈɔltə(r)] *s* ołtarz

al·ter [ˈɔltə(r)] *vt vi* zmieniać (się)

al·ter·a·tion [ˈɔltəˈreɪʃn] *s* zmiana

al·ter·nate 1. [ɔlˈtɜːnət] *adj* co drugi, kolejny, odbywający się na zmianę

al·ter·nate 2. [ˈɔltəneɪt] *vt* zmieniać kolejno, robić coś na zmianę; *vi* następować kolejno, zmieniać się

al·ter·na·tive [ɔlˈtɜːnətɪv] *s* alternatywa; *adj* alternatywny

al·though [ɔlˈðou] *conj* chociaż, mimo że

al·ti·tude [ˈæltɪtjuːd] *s* wysokość

al·to [ˈæltəu] *s muz.* alt

al·to·geth·er [ˈɔltəˈgeðə(r)] *adv* całkowicie, w pełni; ogółem

al·tru·ism [ˈæltruɪzm] *s* altruizm

al·um [ˈæləm] *s* ałun

al·um·nus [əˈlʌmnəs] *s* (*pl* **alumni** [əˈlʌmnaɪ]) wychowanek, absolwent

al·ways [ˈɔlwɪz] *adv* zawsze, ciągle am *zob.* be

a·mal·ga·mate [əˈmælgəmeɪt] *vt vi* łączyć (się), jednoczyć (się)

a·mass [əˈmæs] *vt* zbierać, gromadzić

am·a·teur [ˈæmətə(r)] *s* amator

a·maze [əˈmeɪz] *vt* zdumieć

a·maze·ment [əˈmeɪzmənt] *s* zdumienie

amaz·ing [əˈmeɪzɪŋ] *ppraes i adj* zdumiewający

am·bas·sa·dor [æmˈbæsədə(r)] *s* ambasador; minister pełnomocny; poseł (**to France** we Francji; **in Paris** w Paryżu)

am·ber [ˈæmbə(r)] *s* bursztyn

am·bi·gu·i·ty [ˈæmbɪˈgjuːɪtɪ] *s* dwuznaczność, dwuznacznik, niejasność

am·big·u·ous [æmˈbɪgjuəs] *adj* dwuznaczny, niejasny

am·bi·tion [æmˈbɪʃn] *s* ambicja

am·bi·tious [æmˈbɪʃəs] *adj* ambitny

am·bu·lance [ˈæmbjuləns] *s* karetka pogotowia; szpital polowy

am·bush [ˈæmbuʃ] *s* zasadzka; *vt* napadać z zasadzki; robić zasadzkę, czyhać (**sb** na kogoś)

a·mel·io·rate [əˈmiːliəreɪt] *vt vi* poprawiać (się), polepszać (się)

a·men [ˈɑːˈmen] *nieodm.* amen

a·me·na·bi·li·ty [əmiːnəˈbɪlətɪ] *s* odpowiedzialność sądowa; uległość, powolność

a·me·na·ble [əˈmiːnəbl] *adj* odpowiedzialny (wobec prawa); uległy, powolny; dostępny

a·mend [əˈmend] *vt* poprawiać, usprawniać, wnosić poprawki; *vi* poprawiać się; *s pl* ~s zadośćuczynienie, kompensata; **to make** ~s **for** sth zrekompensować coś; naprawić coś (np. krzywdę)

a·mend·ment [əˈmendmənt] *s* poprawa, naprawa; *prawn.* poprawka, nowela

A·mer·i·can [əˈmerɪkən] s Amerykanin; *adj* amerykański

a·mi·a·bi·li·ty [ˈeɪmɪəˈbɪlətɪ] s uprzejmość, miłe obejście

a·mi·a·ble [ˈeɪmɪəbl] *adj* miły, uprzejmy

a·mi·ca·ble [ˈæmɪkəbl] *adj* przyjacielski; polubowny

a·mid [əˈmɪd], **a·midst** [əˈmɪdst] *praep* pomiędzy, pośród

a·miss [əˈmɪs] *adv* fałszywie, błędnie, nieodpowiednio; **to come ~** przybyć nie w porę; **sth is ~ with him** z nim jest coś nie w porządku; **to take ~** brać za złe

am·i·ty [ˈæmətɪ] s przyjaźń; **a treaty of ~** układ o przyjaźni

am·mo·nia [əˈməʊnɪə] s amoniak

am·mu·ni·tion [ˈæmjuˈnɪʃn] s amunicja

am·nes·ty [ˈæmnəstɪ] s amnestia; *vt* udzielić amnestii

a·moe·ba [əˈmiːbə] s *zool.* ameba

a·mok [əˈmɒk] *adv* = **amuck**

a·mong [əˈmʌŋ], **a·mongst** [əˈmʌŋst] *praep* między, wśród

am·o·rous [ˈæmərəs] *adj* zakochany; *pot.* kochliwy

a·mor·phous [əˈmɔːfəs] *adj* bezpostaciowy, bezkształtny

a·mount [əˈmaʊnt] *vi* stanowić (sumę), wynosić; równać się (**to sth** czemuś); **the bill ~s to £100** rachunek wynosi 100 funtów; **this ~s to nothing** nic z tego nie wychodzi; s suma, ilość; wartość, znaczenie, wynik

am·phib·i·an [æmˈfɪbɪən] s zwierzę ziemnowodne; *lotn. wojsk.* amfibia

am·phi·the·a·tre [ˈæmfɪθɪətə(r)] s amfiteatr

am·ple [ˈæmpl] *adj* obszerny, obfity; wystarczający, dostatni; rozłożysty

am·pli·fy [ˈæmplɪfaɪ] *vt* rozszerzać, powiększać; *elektr.* wzmacniać; *vi* rozwodzić się (**on sth** nad czymś)

am·pli·tude [ˈæmplɪtjuːd] s zasięg; obfitość; *fiz.* amplituda

am·pu·tate [ˈæmpjuteɪt] *vt* amputować

a·muck [əˈmʌk] *adv* w szale; **to run ~** wpaść w szał

a·muse [əˈmjuːz] *vt* zabawiać

a·muse·ment [əˈmjuːzmənt] s rozrywka, zabawa

an [ən, æn] przedimek ⟨rodzajnik⟩ nieokreślony (przed samogłoską); zob. **a**

a·nach·ro·nic [ˈænəˈkrɒnɪk], **a·nach·ro·nis·tic** [əˈnækrəˈnɪstɪk] *adj* anachroniczny

a·nach·ro·nism [əˈnækrənɪzm] s anachronizm

a·nae·mi·a, a·ne·mi·a [əˈniːmɪə] s anemia, niedokrwistość

an·aes·the·sia [ˈænɪsˈθiːzɪə] s anestezja, znieczulenie

an·aes·thet·ic [ˈænɪsˈθetɪk] *adj* znieczulający; s środek znieczulający

a·nal·o·gous [əˈnæləgəs] *adj* analogiczny

a·nal·o·gy [əˈnælədʒɪ] s analogia

an·a·lyse [ˈænəlaɪz] *vt* analizować

a·nal·y·sis [əˈnæləsɪs] s (*pl* **analyses** [əˈnæləsiz]) analiza; *gram.* rozbiór

an·a·lyze [ˈænəlaɪz] *vt am.* = **analyse**

a·narch·ic(al) [æˈnɑːkɪk(l)] *adj* anarchiczny

an·ar·chy [ˈænəkɪ] s anarchia

a·nath·e·ma [əˈnæθəmə] s klątwa

an·a·tom·ic(al) [ˈænəˈtɒmɪk(l)] *adj* anatomiczny

a·nat·o·my [əˈnætəmɪ] s anatomia

an·ces·tor [ˈænsɪstə(r)] s przodek, antenat

an·ces·tral [ænˈsestrl] *adj* dziedziczny, rodowy

an·ces·try [ˈænsɪstrɪ] s *zbior.* przodkowie; ród

an·chor [ˈæŋkə(r)] s kotwica; *vt* zakotwiczyć; *vi* stać na kotwicy

an·chor·age [ˈæŋkərɪdʒ] s miejsce zakotwiczenia; kotwiczne (opłata)

an·chor·ite [ˈæŋkəraɪt] s pustelnik

an·cient [ˈeɪnʃnt] *adj* dawny, stary, starożytny; wiekowy

and [ænd, ənd, ən] *conj* i, a; z;

for hours ~ hours całymi godzinami; **better** ~ **better** coraz lepiej

an·ec·dote [ˈænɪkdəut] s anegdota

a·new [əˈnju] adv na nowo, powtórnie; inaczej

an·gel [ˈeɪndʒl] s anioł

an·gel·ic [ænˈdʒelɪk] adj anielski

an·ger [ˈæŋgə(r)] s gniew; vt gniewać, złościć

an·gi·na [ænˈdʒaɪnə] s angina

an·gle 1. [ˈæŋgl] s kąt; przen. punkt widzenia

an·gle 2. [ˈæŋgl] vi łowić ryby na wędkę

an·gler [ˈæŋglə(r)] s wędkarz

An·gli·can [ˈæŋglɪkən] adj anglikański; s anglikanin

An·glo-Sax·on [ˈæŋgləu ˈsæksn] s Anglosas; adj anglosaski

an·gry [ˈæŋgrɪ] adj zagniewany; gniewny; **to be** ~ **with sb** ⟨**at sth**⟩ gniewać się na kogoś ⟨na coś⟩; **to get** ~ rozgniewać się

an·guish [ˈæŋgwɪʃ] s lęk, męka, ból

an·gu·lar [ˈæŋgjulə(r)] adj kątowy; narożny; kanciasty; kościsty

an·i·line [ˈænɪlɪn] s chem. anilina

an·i·mal [ˈænəml] s zwierzę, stworzenie; adj zwierzęcy; zmysłowy

an·i·mate [ˈænɪmeɪt] vt ożywiać; pobudzać; adj [ˈænɪmət] ożywiony, żywy, żwawy

an·i·ma·tion [ˈænɪˈmeɪʃn] s ożywienie

an·i·mos·i·ty [ˈænɪˈmɒsətɪ] s animozja, niechęć, uraza

ani·seed [ˈænɪsɪd] s anyżek

an·kle [ˈæŋkl] s kostka (u nogi)

an·nal·ist [ˈænəlɪst] s kronikarz

an·nals [ˈænlz] s pl rocznik, kronika

an·nex [ˈænəks] s (także **annexe**) aneks, dodatek; przybudówka; vt [əˈneks] dołączyć, przyłączyć; anektować

an·nex·a·tion [ˈænekˈseɪʃn] s przyłączenie; aneksja

an·ni·hi·late [əˈnaɪəleɪt] vt niszczyć, unicestwiać

an·ni·ver·sa·ry [ˈænɪˈvɜːsrɪ] s rocznica

Anno Dom·ini [ˈænəu ˈdomɪnaɪ] roku pańskiego; naszej ery

an·no·tate [ˈænəteɪt] vt objaśniać, komentować

an·no·ta·tion [ˈænəˈteɪʃn] s adnotacja, uwaga, komentarz

an·nounce [əˈnauns] vt zapowiadać, ogłaszać, zawiadamiać

an·nounce·ment [əˈnaunsmənt] s zawiadomienie, zapowiedź, ogłoszenie, komunikat

an·noun·cer [əˈnaunsə(r)] s konferansjer; radio ~ spiker

an·noy [əˈnɔɪ] vt dokuczać, niepokoić, drażnić

an·noy·ance [əˈnɔɪəns] s utrapienie, udręka; dokuczanie, złośliwość; **to subject sb to** ~ dokuczać komuś

an·noyed [əˈnɔɪd] zob. annoy; adj zagniewany, rozdrażniony; **to be** ~ **with sb** gniewać się na kogoś; **to get** ~ **at sth** zmartwić, zirytować się czymś

an·nu·al [ˈænjuəl] adj roczny, coroczny; s rocznik

an·nu·i·ty [əˈnjuətɪ] s roczna suma; renta; **life** ~ renta dożywotnia

an·nul [əˈnʌl] vt anulować, unieważniać

an·nun·ci·a·tion [əˈnʌnsɪˈeɪʃn] s oznajmienie; rel. zwiastowanie

a·nom·a·lous [əˈnɒmələs] adj nienormalny, anormalny, nieprawidłowy

a·nom·a·ly [əˈnɒməlɪ] s anomalia

a·non·y·mous [əˈnɒnɪməs] adj anonimowy; ~ **letter** anonim

an·oth·er [əˈnʌðə(r)] adj i pron inny, drugi, jeszcze jeden; **in** ~ **way** inaczej; ~ **two hours** jeszcze dwie godziny

an·swer [ˈænsə(r)] s odpowiedź (**to sth na coś**); rozwiązanie; vt odpowiadać (**sth na coś**); spełniać, zaspokajać (życzenie); służyć (celowi); vi być odpowiedzialnym (**for sth to sb za coś przed kimś**); odpowiadać (**to sth na coś**)

an·swer·a·ble [ˈænsərəbl] adj odpowiedzialny (**for** sth **to** sb za coś przed kimś)

ant [ænt] s mrówka

a'nt [ɑnt] = am not, are not; zob. be

an·tag·o·nism [ænˈtægənɪzm] s antagonizm

an·tag·o·nize [ˈæntægənaɪz] vt sprzeciwiać się, przeciwdziałać; wzbudzać wrogość

ant·arc·tic [ˈænˈtaktɪk] adj antarktyczny; s **the Antarctic** Anktarktyda

ant-eat·er [ˈænt itə(r)] s zool. mrówkojad

an·te·ce·dent [ˈæntiˈsidnt] adj poprzedzający (**to** sth coś), poprzedni; s poprzedzająca okoliczność; gram. poprzednik

an·te-cham·ber [ˈænti tʃeɪmbə(r)] s przedpokój; poczekalnia

an·te·date [ˈæntiˈdeɪt] vt antydatować

an·te·lope [ˈæntiləup] s antylopa

an·ten·na [ænˈtenə] s (pl **antennae** [ænˈteni]) antena; zool. czułek

an·te·ri·or [ænˈtɪərɪə(r)] adj poprzedzający (**to** sth coś); wcześniejszy (**to** sth od czegoś), poprzedni

an·te·room [ˈænti rum] s przedpokój; poczekalnia

an·them [ˈænθəm] s hymn

anthill [ˈænθil] s mrowisko

an·thol·o·gy [ænˈθɒlədʒi] s antologia

an·thro·pol·o·gy [ˈænθrəˈpɒlədʒi] s antropologia

an·ti-air·craft [ˈænti ˈeəkraft] adj attr przeciwlotniczy; s artyleria przeciwlotnicza, działo przeciwlotnicze

an·ti·bi·o·tic [ˈæntɪbaɪˈɒtɪk] s antybiotyk

anti·body [ˈæntɪbɒdi] s przeciwciało

an·tic [ˈæntɪk] s zw. pl ~s błazenada

an·ti·ci·pate [ænˈtɪsɪpeɪt] vt antycypować, uprzedzać; przewidywać; przyspieszać

an·ti·ci·pat·ed [ænˈtɪsɪpeɪtɪd] zob.

anticipate; adj przedterminowy; handl. wykupiony przed terminem

an·ti·ci·pa·tion [ænˈtɪsɪˈpeɪʃn] s uprzedzanie, przewidywanie; przyspieszenie; zapłata z góry, zaliczka; **in** ~ z góry; handl. przedterminowo

an·ti·dote [ˈæntɪdəut] s antidotum, odtrutka

an·tip·a·thy [ænˈtɪpəθi] s antypatia

an·ti·qua·ry [ˈæntɪkwəri] s antykwariusz, zbieracz antyków

an·ti·quat·ed [ˈæntɪkweɪtɪd] adj przestarzały

an·tique [ænˈtik] adj starożytny, antyczny; staroświecki; s sztuka starożytna; antyk

an·tiq·ui·ty [ænˈtɪkwəti] s starożytność; antyk

an·ti-Sem·ite [ˈænti ˈsimaɪt] s antysemita

an·tith·e·sis [ænˈtɪθəsɪs] s antyteza

ant·ler [ˈæntlə(r)] s róg (np. jelenia)

an·vil [ˈænvɪl] s kowadło

anx·i·e·ty [æŋˈzaɪəti] s niepokój, trwoga (**for, about** sth o coś); troska; dążenie, pożądanie

anx·ious [ˈæŋkʃəs] adj niespokojny, pełen troski (**for, about** sth o coś); pożądający, pragnący (**for, about** sth czegoś)

an·y [ˈeni] pron jaki, jakiś, jakikolwiek; wszelki; każdy; którykolwiek; **not** ~ żaden; adv nieco, trochę, jeszcze; ~ **farther** trochę dalej; **not** ~ **farther** ani trochę dalej; **it is not** ~ **good to** się na nic nie przyda

an·y·bod·y [ˈenibɒdi] pron ktokolwiek, ktoś; każdy

an·y·how [ˈenihau] adv jakkolwiek, w jakikolwiek sposób; byle jak w każdym razie; **not ...** ~ w żaden sposób

an·y·one [ˈeniwʌn] pron = anybody

an·y·thing [ˈeniθɪŋ] pron cokolwiek, coś; wszystko; z przeczeniem: nic

an·y·way [ˈeniweɪ] adv = anyhow

an·y·where [ˈeniweə(r)] adv gdziekolwiek, gdzieś; wszędzie; *z przeczeniem*: nigdzie

a·part [ə`pɑt] *adv* oddzielnie, na boku, na bok; osobno; w odległości; ~ **from** pomijając, abstrahując, niezależnie od, oprócz; **to get** ~ oddzielić; **to set** ~ odłożyć; **to take** ~ rozkładać, rozbierać na części

a·part·heid [ə`pɑtheɪt] *s* segregacja rasowa (w Afryce), **apartheid**

a·part·ment [ə`pɑtmənt] *s* pokój, mieszkanie; *am.* ~ **house** dom mieszkalny (czynszowy), kamienica

ap·a·thet·ic [`æpə`θetɪk] *adj* apatyczny, obojętny

ap·a·thy [`æpəθɪ] *s* apatia, obojętność

ape [eɪp] *s* małpa (człekokształtna); *vt* małpować

ap·er·ture [`æpətʃə(r)] *s* otwór, szczelina

a·pex [`eɪpeks] *s* (*pl* ~**es** [`eɪpeksɪz] *lub* **apices** [`eɪpɪsɪz]) szczyt, punkt szczytowy

a·piece [ə`pis] *adv* za sztukę; na każdego, na głowę

a·pol·o·gize [ə`polədʒaɪz] *vt* usprawiedliwiać się (**to sb for sth** przed kimś z czegoś), przepraszać

a·pol·o·gy [ə`polədʒɪ] *s* usprawiedliwienie, przeproszenie; obrona

ap·o·plex·y [`æpəpleksɪ] *s* apopleksja

a·pos·tle [ə`posl] *s* apostoł; wyznawca

a·pos·tro·phe [ə`postrəfɪ] *s* apostrof; apostrofa, zwrot

ap·pal [ə`pol] *vt* trwożyć, przerażać

ap·pa·ra·tus [`æpə`reɪtəs] *s* (*pl* ~ *lub* ~**es** [`æpə`reɪtəsɪz]) aparat, przyrząd, urządzenie; (*w organizmie*) narząd

ap·par·ent [ə`pærnt] *adj* widoczny, oczywisty; pozorny

ap·pa·ri·tion [`æpə`rɪʃn] *s* pojawienie się (widma, upiora itp.)

ap·peal [ə`pil] *vi* apelować, zwracać się, wzywać, usilnie prosić (**to sb for sth** kogoś o coś); nęcić,

pociągać; oddziaływać (**to sb na kogoś**); *s* apel, wezwanie; odwołanie, apelacja; zainteresowanie, pociąg; **popular** ~ popularność; **sex** ~ **atrakcyjność, powab** (płci); **an** ~ **to a higher court** apelacja do sądu wyższej instancji; **an** ~ **from a decision** odwołanie od (czyjejś) decyzji; **to make an** ~ **for help** prosić ⟨błagać⟩ o pomoc

ap·pear [ə`pɪə(r)] *vt* zjawiać się, pokazywać się; występować; wydawać się, zdawać się; okazywać się

ap·pear·ance [ə`pɪərns] *s* wygląd zewnętrzny; zjawienie się; wystąpienie; pozór; **at first** ~ na pierwszy rzut oka; **to keep up** ~**s** zachowywać pozory

ap·pease [ə`piz] *vt* uspokoić, uśmierzyć, złagodzić; uciszyć; zaspokoić

ap·pease·ment [ə`pizmənt] *s* uspokojenie, uśmierzenie, złagodzenie; **policy of** ~ polityka łagodzenia (sporów międzynarodowych)

ap·pel·la·tion [`æpə`leɪʃn] *s* nazwa, termin

ap·pend [ə`pend] *vt* dołączyć, dodać

ap·pen·dage [ə`pendɪdʒ] *s* dodatek, uzupełnienie

ap·pen·di·ci·tis [ə`pendə`saɪtɪs] *s med.* zapalenie wyrostka robaczkowego

ap·pen·dix [ə`pendɪks] *s* (*pl* ~**es** [ə`pendɪksɪz] *lub* **appendices** [ə`pendɪsɪz]) dodatek, uzupełnienie; *anat.* wyrostek robaczkowy

ap·per·tain [`æpə`teɪn] *vi* należeć, odnosić się

ap·pe·tite [`æpətaɪt] *s* apetyt (**for sth** na coś)

ap·pe·tiz·er [`æpətaɪzə(r)] *s* zakąska, małe danie

ap·pe·tiz·ing [`æpətaɪzɪŋ] *adj* apetyczny

ap·plaud [ə`plod] *vt* oklaskiwać; przyklasnąć; *vi* klaskać

apron

ap·plause [ə'plɔ:z] s aplauz, oklaski; pochwała

ap·ple [ˈæpl] s jabłko; ~ of the eye źrenica; *przen.* oczko w głowie

ap·pli·ance [ə'plaiəns] s zastosowanie, użycie; narzędzie, instrument; *pl* ~s przybory

ap·pli·ca·ble [ˈæplikəbl] *adj* dający się zastosować, stosowny

ap·pli·cant [ˈæplikənt] s petent; kandydat

ap·pli·ca·tion [ˌæpliˈkeiʃn] s aplikacja; podanie; zastosowanie; użycie; uwaga; pilność; ~ form formularz (podaniowy)

ap·ply [ə'plai] *vt* stosować, używać; poświęcać (uwagę, trud); *vi* zwracać się (to sb for sth do kogoś o coś), starać się (for sth o coś); dać się zastosować, odnosić się; oddawać się (to sth czemuś); *vr* ~ oneself przykładać się (to sth do czegoś)

ap·point [ə'pɔint] *vt* wyznaczać; mianować; określać; zarządzić; umawiać

ap·point·ment [ə'pɔintmənt] s wyznaczenie; nominacja; określenie; zarządzenie; stanowisko, posada; umowa; umówione spotkanie; to keep an ~ przyjść na spotkanie; to make an ~ umówić się na spotkanie

ap·po·site [ˈæpəzit] *adj* stosowny, trafny

ap·po·si·tion [ˌæpəˈziʃn] s przyłożenie, zastosowanie; *gram.* dopowiedzenie

ap·praise [ə'preiz] *vt* szacować, cenić

ap·pre·ci·a·ble [ə'priːʃəbl] *adj* godny zauważenia, znaczny

ap·pre·ci·ate [ə'priːʃieit] *vt* ocenić, oszacować; uznawać, wysoko sobie cenić; dziękować, być wdzięcznym (sth za coś); *am.* podnieść wartość; *vi* zyskiwać na wartości

ap·pre·ci·a·tion [ə'priːʃiˈeiʃn] s ocena; uznanie; wdzięczność, podziękowanie; *am.* podwyższenie ⟨wzrost⟩ ceny

ap·pre·hend [ˌæpriˈhend] *vt* rozumieć, pojmować; obawiać się; chwycić, pojmać

ap·pre·hen·sion [ˌæpriˈhenʃn] s pojętność, rozumienie; obawa; ujęcie, pojmanie; beyond ~ nie do pojęcia

ap·pre·hen·sive [ˌæpriˈhensiv] *adj* pojętny, bystry, rozumiejący (of sth coś); bojaźliwy, niespokojny (for sb, of sth o kogoś, o coś)

ap·pren·tice [ə'prentis] s uczeń, terminator, nowicjusz; *vt* oddać do terminu, na naukę

ap·pren·tice·ship [ə'prentisʃip] s terminowanie, nauka (rzemiosła), praktyka (w zawodzie)

ap·proach [ə'prəutʃ] *vt* zbliżać się, podchodzić (sb, sth do kogoś, do czegoś); zagadnąć (sb kogoś); *vi* zbliżać się, nadchodzić, być bliskim; s zbliżenie, podejście; dostęp, wejście, wjazd; easy of ~ łatwo dostępny

ap·pro·ba·tion [ˌæprəˈbeiʃn] s aprobata, uznanie

ap·pro·pri·ate [ə'prəupriət] *adj* odpowiedni, stosowny; *vt* [ə'prəuprieit] przywłaszczać sobie; przypisywać sobie; użyć, przeznaczyć (to sth na coś); wyasygnować

ap·pro·pri·ate·ness [ə'prəupriətnis] s stosowność, odpowiedniość; with ~ stosownie, trafnie, właściwie

ap·pro·pri·a·tion [ə'prəupriˈeiʃn] s przywłaszczenie; asygnowanie (*zw.* kredytów)

ap·prov·al [ə'pruvl] s uznanie, aprobata; *handl.* on ~ na próbę

ap·prove [ə'pruv] *vt vi* aprobować, uznawać (sth, of sth coś)

ap·prox·i·mate [ə'prɔksimeit] *vi* zbliżać (się), podchodzić (to sb, sth do kogoś, do czegoś); *vt* zbliżać; *adj* [ə'prɔksimət] przybliżony

ap·pur·ten·ance [ə'pɜːtinəns] s przynależność; *pl* ~s akcesoria

a·pri·cot [ˈeiprikɔt] s morela

A·pril [ˈeiprl] s kwiecień

a·pron [ˈeiprən] s fartuch; płyta lotniskowa

apt [æpt] *adj* odpowiedni; skłonny; zdolny; nadający się **(for sth do czegoś)**

ap·ti·tude [`æptɪtjud] *s* stosowność; skłonność; zdolność

a·qua·ri·um [ə`kweərɪəm] *s* akwarium

aq·uat·ic [ə`kwætɪk] *adj (o zwierzętach, roślinach, sportach)* wodny; dowolny, samowolny

Ar·ab [`ærəb] *s* Arab; *(koń)* arab

A·ra·bian [ə`reɪbɪən] *adj* arabski; *s* Arab

A·ra·bic [`ærəbɪk] *adj* arabski; *s* język arabski

a·ra·ble [`ærəbl] *adj* orny

ar·bi·ter [`ɑbɪtə(r)] *s* arbiter, rozjemca

ar·bi·tral [`ɑbɪtrəl] *adj* polubowny

ar·bi·tra·ry [`ɑbɪtrərɪ] *adj* arbitralny; dowolny, samowolny

ar·bi·trate [`ɑbɪtreɪt] *vi* być sędzią polubownym; *vt* załatwić polubownie, rozstrzygnąć

ar·bi·tra·tion [`ɑbɪ`treɪʃn] *s* arbitraż, postępowanie rozjemcze

arc [ɑk] *s mat.* łuk; ~ **light** światło łukowe

arch 1. [ɑtʃ] *s arch.* łuk, sklepienie; *vt vi* wyginać (się) w łuk; nadawać ⟨przybierać⟩ formę łuku

arch 2. [ɑtʃ] *adj* wisusowski, łobuzerski

arch 3. [ɑtʃ] *praef* arcy-; archi-

ar·chae·ol·o·gy [`ɑkɪ`olədʒɪ] *s* archeologia

ar·cha·ic [`ɑ`keɪɪk] *adj* archaiczny

ar·cha·ism [`ɑ`keɪɪzm] *s* archaizm

ar·chan·gel [`ɑk`eɪndʒl] *s* archanioł

arch·bish·op [`ɑtʃ`bɪʃəp] *s* arcybiskup

arch·duke [`ɑtʃ`djuk] *s* arcyksiążę

arch·er [`ɑtʃə(r)] *s* łucznik

arch·er·y [`ɑtʃərɪ] *s* łucznictwo

ar·chi·pel·a·go [`ɑkɪ`peləgəu] *s* archipelag

ar·chi·tect [`ɑkɪtekt] *s* architekt

ar·chi·tec·ture [`ɑkɪtektʃə(r)] *s* architektura

ar·chives [`ɑkaɪvz] *s pl* archiwum

arc·tic [`ɑktɪk] *adj* arktyczny; *s* the

Arctic Arktyka

ar·dent [`ɑdnt] *adj* płonący, gorący; zapalony, żarliwy

ar·dour [`ɑdə(r)] *s* żar; żarliwość, zapał

ar·du·ous [`ɑdjuəs] *adj* męczący, trudny; *(o skale itp.)* stromy

are [ɑ(r)] *zob.* **be**

a·re·a [`eərɪə] *s* przestrzeń, powierzchnia, płaszczyzna, plac; zakres; okolica; strefa

a·re·na [ə`rinə] *s* arena

aren't [ɑnt] = **are not**; *zob.* **be**

ar·gen·tine [`ɑdʒəntaɪn] *adj* srebrny, srebrzysty

Ar·gen·tin·e·an [`ɑdʒən`tɪnɪən] *adj* argentyński; *s* Argentyńczyk

ar·gue [`ɑgju] *vt* roztrząsać; uzasadniać, argumentować; wnioskować; wmawiać **(sb into sth komuś coś)**, przekonywać **(sb into sth kogoś o czymś)**; perswadować **(sb out of sth komuś coś)**; *vi* argumentować **(for sth za czymś, against sth przeciw czemuś)**; sprzeczać się **(about, for sth o coś)**

ar·gu·ment [`ɑgjumənt] *s* argument, dowód; dyskusja, sprzeczka; teza

aria [`ɑrɪə] *s muz.* aria

ar·id [`ærɪd] *adj* suchy, jałowy

a·right [ə`raɪt] *adv* słusznie, prawidłowo, dobrze

*a·rise [ə`raɪz], **arose** [ə`rəuz], **arisen** [ə`rɪzn] *vi* wstawać, powstawać; ukazywać się, wyłaniać się; wynikać

ar·is·toc·ra·cy [`ærɪ`stokrəsɪ] *s* arystokracja

ar·is·to·crat [`ærɪstəkræt] *s* arystokrata

a·rith·me·tic [ə`rɪθmətɪk] *s* arytmetyka

ark [ɑk] *s* arka

arm 1. [ɑm] *s* ramię; ręka; poręcz krzesła, oparcie; konar; ~ **of the sea** odnoga morska; ~**-in-**~ ramię w ramię, pod rękę

arm 2. [ɑm] *s (zw. pl* ~**s)** broń; **in** ~**s** pod bronią; **to bear** ~**s** odbywać służbę wojskową; **a call**

to ~s powołanie do służby wojskowej; *vt vi* zbroić (się)

ar·ma·ment [ˈæməmənt] *s* uzbrojenie, zbrojenie; *pl* ~s zbrojenia; ~ race wyścig zbrojeń

arm·chair [ˈɑːmtʃeə(r)] *s* fotel

arm·ful [ˈɑːmful] *s* naręcze

ar·mi·stice [ˈɑːmɪstɪs] *s* zawieszenie broni, rozejm

ar·mour [ˈɑːmə(r)] *s* zbroja, pancerz; *vt* opancerzyć

ar·mour·ed [ˈɑːməd] *adj* pancerny; zbrojony (np. beton)

ar·mou·ry [ˈɑːmərɪ] *s* magazyn broni, arsenał; *am.* fabryka broni

arms [ɑːmz] *s pl* herb

ar·my [ˈɑːmɪ] *s* wojsko; the ~ armia; join the ~ pójść do wojska

a·ro·ma [əˈrəumə] *s* aromat

ar·o·mat·ic [ˌærəuˈmætɪk] *adj* aromatyczny

a·rose *zob.* arise

a·round [əˈraund] *adv i praep* naokoło, dookoła; na wszystkie strony; *am.* tu i tam

a·rouse [əˈrauz] *vt* wzbudzać, podniecać, aktywizować; budzić (ze snu)

ar·raign [əˈreɪn] *vt* pozwać do sądu, oskarżyć

ar·range [əˈreɪndʒ] *vt* urządzać, porządkować, układać; umawiać, ustalać; załatwiać, łagodzić (np. spór); *vi* układać się, umawiać się

ar·range·ment [əˈreɪndʒmənt] *s* urządzenie; układ, umowa; uporządkowanie; *zw. pl* ~s plany, przygotowania

ar·ray [əˈreɪ] *vt* stroić; ustawiać w szeregi (bojowe); *s* strój; szyk bojowy; procesja

ar·rears [əˈrɪəz] *s pl* zaległości; długi

ar·rest [əˈrest] *vt* aresztować; zatrzymywać; przykuwać (uwagę); *s* areszt, zatrzymanie; zahamowanie, wstrzymanie

ar·ri·val [əˈraɪvl] *s* przybycie, dojście (at, in sth do czegoś); przybysz; rzecz, która nadeszła

ar·rive [əˈraɪv] *vi* przybyć, dojść (at, in sth do czegoś); osiągnąć (at sth coś)

ar·ro·gance [ˈærəgəns] *s* arogancja

ar·ro·gant [ˈærəgənt] *adj* arogancki

ar·row [ˈærəu] *s* strzała, strzałka

ar·se·nic [ˈɑːsnɪk] *s chem.* arsen; arszenik

ar·son [ˈɑːsn] *s* podpalenie (akt zbrodniczy)

art [ɑːt] *s* sztuka; zręczność; chytrość; *pl* ~s nauki humanistyczne

ar·te·ry [ˈɑːtərɪ] *s anat.* arteria

art·ful [ˈɑːtfl] *adj* pomysłowy; zręczny; chytry

ar·thrit·ic [əˈθrɪtɪk] *adj* artretyczny

ar·thri·tis [əˈθraɪtɪs] *s* artretyzm

ar·ti·cle [ˈɑːtɪkl] *s* artykuł; rozdział, punkt; paragraf; przedmiot; *gram.* rodzajnik, przedimek

ar·tic·u·late [ɑːˈtɪkjuleɪt] *vt vi* artykułować, (wyraźnie) wymawiać; *adj* [əˈtɪkjulət] artykułowany; jasno wyrażony (wyrażający się)

ar·tic·u·la·tion [əˌtɪkjuˈleɪʃn] *s* artykulacja, wymawianie

ar·ti·fice [ˈɑːtɪfɪs] *s* sztuka, sztuczka; zręczność; chytrość; pomysł, podstęp

ar·ti·fi·cial [ˌɑːtɪˈfɪʃl] *adj* sztuczny

ar·til·ler·y [ɑːˈtɪlərɪ] *s* artyleria

ar·ti·san [ˌɑːtɪˈzæn] *s* rzemieślnik

ar·tist [ˈɑːtɪst] *s* artysta

ar·tis·tic [ɑːˈtɪstɪk] *adj* artystyczny

art·less [ˈɑːtləs] *adj* prosty, niewyszukany; naturalny; niedoświadczony

Ar·y·an [ˈeərɪən] *adj* aryjski; *s* Aryjczyk

as [æz, əz] *adv* jak; jako; za; *conj* ponieważ, skoro; jak; jako; kiedy, (podczas) gdy; chociaż; w miarę, jak; as ... as tak ... jak, równie ... jak; as far as aż do, o ile; as for co się tyczy; co do; as if, as though jak gdyby: as it is faktycznie, rzeczywiście; as it were że tak powiem; as a rule z reguły, zasadniczo; as much ⟨many⟩ as aż tyle; as soon as skoro tylko; as to co się tyczy, odnośnie do; as well również;

także; **as well as** również dobrze,
jak również; **as yet** jak dotąd;
so ... as tak ... jak (*zw. w prze-
czeniu* **not so ... as** nie tak ...
jak); **so as** (*przed inf*) tak, ażeby
⟨że⟩; **be so good as to tell me**
bądź łaskaw powiedzieć mi

as·cend [əˈsend] *vi* wznosić się, iść
w górę; wspinać się; *vt* wstąpić
(**the throne** na tron)

as·cend·an·cy [əˈsendənsɪ] *s* przewaga; władza

as·cend·ant [əˈsendənt] *s*: **to be in
the ~** mieć przewagę, górować

as·cen·sion [əˈsenʃn] *s* unoszenie
się ku górze; wstąpienie (**to the
throne** na tron); *rel.* **the Ascen-
sion** Wniebowstąpienie

as·cent [əˈsent] *s* wznoszenie (się);
wchodzenie (**na górę**), wspinanie
się (**na szczyt**)

as·cer·tain [ˈæsəˈteɪn] *vt* ustalić,
stwierdzić

as·cet·ic [əˈsetɪk] *adj* ascetyczny; *s*
asceta

as·cribe [əˈskraɪb] *vt* przypisywać

a·sep·tic [æˈseptɪk] *adj* aseptyczny;
s środek aseptyczny

ash 1. [æʃ] *s* (*zw. pl* **~es** [ˈæʃɪz])
popiół

ash 2. [æʃ] *s* jesion

a·shamed [əˈʃeɪmd] *adj praed* za-
wstydzony; ‘**to be ~** wstydzić się
(**of sth** czegoś, **for sth** z powodu
czegoś)

ash-bin [ˈæʃ bɪn], **ash-can** [ˈæʃ
kæn] *s am.* skrzynia ⟨wiadro⟩ na
popiół ⟨na śmieci⟩

ash·en 1. [ˈæʃn] *adj* jesionowy

ash·en 2. [ˈæʃn] *adj* popielaty

a·shore [əˈʃɔ(r)] *adv* na brzeg, na
brzegu, na ląd, na lądzie; **to run
⟨to be driven⟩ ~** osiąść na mieliźnie

ash-tray [ˈæʃ treɪ] *s* popielniczka

A·si·at·ic [ˈeɪʃɪˈætɪk] *adj* azjatycki;
s Azjata

a·side [əˈsaɪd] *adj* na bok, na boku;
to put ~ odkładać

ask [ɑːsk] *vt* pytać, prosić, upraszać (**sb** kogoś, **sth** o coś); żądać

(sth czegoś); **to ~ a question** zadać pytanie; *vt* prosić (**for sth** o
coś), pytać (**for sb, sth** o kogoś,
o coś); pytać, dowiadywać się
(**about** ⟨**after**⟩ **sb, sth** o kogoś, o
coś); **to ~ to dinner** prosić na
obiad; *pot.* **to ~ for trouble** szukać kłopotu

a·skance [əˈskæns] *adv* ukosem, na
ukos; w bok; **to look ~** spoglądać podejrzliwie

askew [əˈskju] *adv* krzywo

a·slant [əˈslɑnt] *adv* skośnie, na u-
kos

a·sleep [əˈsliːp] *adj praed i adv*
śpiący, pogrążony we śnie; (*o nogach*) zdrętwiały; **to be ~** spać;
to fall ~ zasnąć

as·par·a·gus [əˈspærəgəs] *s* szparag

as·pect [ˈæspekt] *s* aspekt; wygląd;
widok; zapatrywanie; wzgląd;
gram. strona; postać (**czasownika**)

as·pen [ˈæspən] *s bot.* osika

as·phalt [ˈæsfælt] *s* asfalt

as·pir·ant [ˈæspɪrənt] *s* aspirant,
kandydat

aspi·ra·tion [ˈæspəˈreɪʃn] *s* aspiracja, dążenie (**after, for sth** do
czegoś)

a·spire [əˈspaɪə(r)] *vi* aspirować,
dążyć (**after, at, to sth** do czegoś)

as·pi·rin [ˈæsprɪn] *s* aspiryna

ass [æs] *s* osioł

as·sail [əˈseɪl] *vt* napadać, atakować

as·sail·ant [əˈseɪlənt] *s* napastnik

as·sas·sin [əˈsæsɪn] *s* morderca,
skrytobójca

as·sas·si·nate [əˈsæsɪneɪt] *vt* mordować (skrytobójczo)

as·sault [əˈsɔlt] *s* napad, atak; po-
bicie; *vt* napaść (nagle), zaatako-
wać; pobić

as·say [əˈseɪ] *s* badanie, próba (np.
metali); *vt* badać, robić próbę

as·sem·ble [əˈsembl] *vt* gromadzić,
zbierać; składać, montować; *vi*
gromadzić się, zbierać się

as·sem·bly [ə'semblɪ] s zebranie, zgromadzenie; zbiórka; montaż

as·sent [ə'sent] vi zgadzać się, przyzwalać (**to sth** na coś); s zgoda, przyzwolenie

as·sert [ə'sɜt] vt potwierdzać; bronić (np. sprawy); twierdzić; vr ~ **oneself** bronić swych praw; żądać zbyt wiele; wywyższać się

as·ser·tion [ə'sɜʃn] s twierdzenie (stanowcze); obrona (swych praw)

as·sess [ə'ses] vt szacować, taksować; nakładać (np. podatek)

as·sess·ment [ə'sesmənt] s oszacowanie; opodatkowanie; podatek, danina

as·sess·or [ə'sesə(r)] s asesor; urzędnik podatkowy

as·set ['æset] s rzecz wartościowa, zabezpieczenie; pl ~s aktywa; własność

as·sid·u·ous [ə'sɪdjuəs] adj wytrwały, pilny, pieczołowity

as·sign [ə'saɪn] vt wyznaczać; ustalać, określać; przydzielać, przypisywać

as·sig·na·tion ['æsɪg'neɪʃn] s wyznaczenie; ustalenie; przydział, asygnacja

as·sim·i·late [ə'sɪmɪleɪt] vt vi asymilować (się), upodabniać (się)

as·sist [ə'sɪst] vt asystować; pomagać; vi być obecnym

as·sist·ance [ə'sɪstəns] s asysta; pomoc, poparcie; obecność

as·sist·ant [ə'sɪstənt] s pomocnik, asystent; ~ **master** nauczyciel szkoły średniej; ~ **manager** wicedyrektor; ~ **professor** docent; **shop** ~ ekspedient; adj pomocniczy

as·siz·es [ə'saɪzɪz] s pl okresowa sesja sądu

as·so·ci·ate [ə'səʊʃɪeɪt] vt łączyć, wiązać, kojarzyć; vi obcować, współdziałać, łączyć się; s [ə'səʊʃɪət] towarzysz, współuczestnik; adj związany; dołączony

as·so·ci·a·tion [ə'səʊʃɪ'eɪʃn] s stowarzyszenie, zrzeszenie; skojarzenie; obcowanie; sport ~ **foot-** **ball** gra w okrągłą piłkę nożną (w odróżnieniu od rugby)

as·sort·ment [ə'sɔtmənt] s asortyment, dobór

as·sume [ə'sjum] vt przyjmować; brać na siebie; obejmować (np. urząd); przybierać; przypuszczać, zakładać; udawać

as·sump·tion [ə'sʌmpʃn] s przyjęcie; objęcie; przypuszczenie, założenie; udawanie; zarozumialstwo; rel. Wniebowzięcie

as·sur·ance [ə'ʃʊərns] s zapewnienie; pewność (siebie); bryt. ubezpieczenie

as·sure [ə'ʃʊə(r)] vt zapewniać; bryt. ubezpieczać; **to rest** ~**d** być spokojnym

as·ter·isk ['æstərɪsk] s druk. gwiazdka, odsyłacz

a·stern [ə'stɜn] adv w tyle okrętu

asth·ma ['æsmə] s astma

a·ston·ish [ə'stɒnɪʃ] vt zdziwić, zdumieć

a·stound [ə'staʊnd] vt zdumiewać

a·stray [ə'streɪ] adj praed adv dost. i przen. zabłąkany; **to go** ~ zabłąkać się; **to lead** ~ wywieść na manowce

as·trol·o·gy [ə'strɒlədʒɪ] s astrologia

as·tro·naut ['æstrənɔt] s astronauta

as·tron·o·my [ə'strɒnəmɪ] s astronomia

as·tute [ə'stjut] adj chytry; bystry

a·sun·der [ə'sʌndə(r)] adv oddzielnie; w kawałkach; na kawałki; w różne strony

a·sy·lum [ə'saɪləm] s azyl; przytułek; † (także: lunatic ~) zakład dla obłąkanych

at [æt, ət] praep na oznaczenie miejsca: przy, u, na, w; **at school** w szkole; **at sea** na morzu; na oznaczenie czasu: w, o, na; **at nine o'clock** o godzinie dziewiątej; na oznaczenie sposobu, celu, stanu, ceny: na, za, z, po, w; **at once** natychmiast; **at last** w końcu; nareszcie; **at least** przynajmniej

ate *zob.* eat

atel·ier [æˈteliei] *s* atelier

a·the·ism [ˈeiθiizm] *s* ateizm

a·the·ist [ˈeiθiist] *s* ateista

a·the·is·tic [ˈeiθiˈistik] *adj* ateistyczny

ath·lete [ˈæθlit] *s* zapaśnik, sportowiec

ath·let·ic [æθˈletik] *adj* sportowy; wysportowany; mocny, silny

ath·let·ics [æθˈletiks] *s* sport; atletyka

At·lan·tic [ətˈlæntik] *adj* atlantycki; *s* Atlantyk

at·las [ˈætləs] *s* atlas

at·mos·phere [ˈætməsfiə(r)] *s fiz. i przen.* atmosfera

at·mos·pher·ic [ˈætməsˈferik] *adj* atmosferyczny

at·om [ˈætəm] *s* atom; *przen.* odrobina

a·tom·ic [əˈtomik] *adj* atomowy

a·tone [əˈtəun] *vt* odpokutować; rekompensować (for sth coś), zadośćuczynić

a·tro·cious [əˈtrəuʃəs] *adj* okrutny; okropny

a·troc·i·ty [əˈtrosəti] *s* okrucieństwo; okropność

at·tach [əˈtætʃ] *vt* przywiązać, przymocować; dołączać; przydzielać; *prawn.* zająć (np. własność); *vi* być przywiązanym ⟨dołączonym⟩

at·tach·ment [əˈtætʃmənt] *s* przywiązanie, więź (uczuciowa); dodatek, załącznik

at·tack [əˈtæk] *vt* atakować; *s* atak

at·tain [əˈtein] *vt vi* osiągnąć, zdobyć, dojść (sth, to sth, at sth do czegoś)

at·tain·ment [əˈteinmənt] *s* osiągnięcie; zdobycie; *pl* ~s wiadomości, sprawność, zdolności

at·tempt [əˈtempt] *vt* próbować, usiłować; *s* próba, usiłowanie

at·tend [əˈtend] *vt* towarzyszyć (sb komuś); uczęszczać (school do szkoły, lectures na wykłady); służyć pomocą (sb komuś); pielęg-

nować; leczyć; obsługiwać; być obecnym (a meeting na zebraniu); *vi* usługiwać (on, upon, to sb komuś), obsługiwać (to sb, sth kogoś, coś); uważać (to sth na coś), pilnować (to sth czegoś); przykładać się (to sth do czegoś)

at·tend·ance [əˈtendəns] *s* uwaga, baczenie; obsługa; pomoc, opieka; obecność, frekwencja; towarzyszenie

at·tend·ant [əˈtendənt] *adj* towarzyszący; *s* towarzysz; osoba obsługująca; pomocnik, asystent; sługa

at·ten·tion [əˈtenʃn] *s* uwaga; opieka; grzeczność; *pl* ~s atencja; to pay ~ zwracać uwagę (to sth na coś); to call sb's ~ zwrócić czyjąś uwagę (to sth na coś); ~! baczność!; uwaga!

at·ten·tive [əˈtentiv] *adj* uważny; troskliwy; uprzejmy

at·ten·u·ate [əˈtenjueit] *vt* łagodzić; pomniejszać, osłabiać

at·test [əˈtest] *vt* stwierdzać, zaświadczać; zaprzysięgać; *vi* świadczyć (to sth o czymś)

at·tes·ta·tion [ˈætesˈteiʃn] *s* zaświadczenie; świadectwo; zaprzysiężenie

at·tic [ˈætik] *s* poddasze, mansarda

at·tire [əˈtaiə(r)] *vt* ubierać; zdobić; *s* ubiór, strój; ozdoba

at·ti·tude [ˈætitjud] *s* postawa, stanowisko, stosunek

at·tor·ney [əˈtɜni] *s* obrońca, adwokat, rzecznik, pełnomocnik; letter ⟨power⟩ of ~ pełnomocnictwo; Attorney General prokurator królewski

at·tract [əˈtrækt] *vt* przyciągać, pociągać

at·trac·tion [əˈtrækʃn] *s* atrakcja pociąg; atrakcyjność; przyciąganie

at·trac·tive [əˈtræktiv] *adj* atrakcyjny, pociągający; przyciągający

at·trib·ute [əˈtribjut] *vt* przypisy-

wać; **s** [`ætrıbjut] atrybut, wła-
ściwość; *gram.* przydawka
at·tri·tion [ə`trıʃn] **s** tarcie; zuży-
cie; zdarcie
at·tune [ə`tjun] *vt* stroić, dostroić;
zharmonizować (**to sth** z czymś)
au·burn [`ɔbən] *adj* kasztanowaty
auc·tion [`ɔkʃn] **s** aukcja, licytacja;
vt sprzedawać na licytacji
auc·tion·eer [`ɔkʃə`nıə(r)] **s** licytator; *vi* prowadzić licytację
au·da·cious [ɔ`deıʃəs] *adj* śmiały,
zuchwały
au·dac·i·ty [ɔ`dæsətı] **s** śmiałość,
zuchwalstwo
au·di·ble [`ɔdəbl] *adj* słyszalny
au·di·ence [`ɔdıəns] **s** publiczność,
słuchacze; audiencja
au·dit [`ɔdıt] **s** kontrola rachun-
ków; *vt* kontrolować rachunki
aug·ment [ɔg`ment] *vt vi* powięk-
szać (się)
aug·men·ta·tion [`ɔgmen`teıʃn] **s**
powiększenie, wzrost
Au·gust 1. [`ɔgəst] **s** sierpień
au·gust 2. [ɔ`gʌst] *adj* dostojny, ma-
jestatyczny
aunt [ant] **s** ciotka
aunt·ie [`antı] **s** ciocia
aus·pi·ces [`ɔspısız] **s** *pl* piecza, pa-
tronat; **under the ~ of** pod aus-
picjami
aus·pi·cious [ɔ`spıʃəs] *adj* dobrze
wróżący, pomyślny
aus·tere [ɔ`stıə(r)] *adj* surowy, sro-
gi; prosty; szorstki
aus·ter·i·ty [ɔ`sterətı] **s** surowość,
prostota; szorstkość
Aus·tra·lian [ɔ`streılıən] *adj* aus-
tralijski; **s** Australijczyk
Aus·tri·an [`ɔstrıən] *adj* austriacki;
s Austriak
au·then·tic [ɔ`θentık] *adj* auten-
tyczny
au·then·ti·cate [ɔ`θentıkeıt] *vt* po-
świadczać, nadawać ważność
au·then·ti·ci·ty [`ɔθen`tısətı] **s** au-
tentyczność
au·thor [`ɔθə(r)] **s** autor
au·thor·i·ty [ɔ`θɔrətı] **s** autorytet,
władza; upoważnienie; wiarygod-

ne świadectwo; źródło; *pl* **authorities** władze
au·thor·i·za·tion [`ɔθəraı`zeıʃn] **s**
autoryzacja, upoważnienie
au·thor·ize [`ɔθəraız] *vt* autoryzo-
wać, upoważniać
au·thor·ship [`ɔθəʃıp] **s** autorstwo
au·to [`ɔtəu] **s** *am. pot.* auto, samo-
chód
au·to·bi·og·ra·phy [`ɔtəbaı`ɔgrəfı] **s**
autobiografia
au·toc·ra·cy [ɔ`tɔkrəsı] **s** samo-
władztwo, autokracja
au·to·gi·ro [`ɔtəu`dʒaıərəu] **s** = **autogyro**
au·to·graph [`ɔtəgraf] **s** autograf
au·to·gy·ro [`ɔtəu`dʒaıərəu] **s** auto-
żyro
au·to·mat [`ɔtəmæt] **s** *am.* bar sa-
moobsługowy
au·to·mat·ic [`ɔtə`mætık] *adj* automatyczny, mechaniczny
au·to·ma·tion [`ɔtə`meıʃn] **s** auto-
matyzacja
au·tom·a·ton [ɔ`tɔmətən] **s** (*pl* **au-
tomata** [ɔ`tɔmətə]) automat
au·to·mo·bile [`ɔtəməbil] **s** *am.* sa-
mochód
au·ton·o·mous [ɔ`tɔnəməs] *adj* au-
tonomiczny
au·ton·o·my [ɔ`tɔnəmı] **s** autono-
mia
au·tumn [`ɔtəm] **s** jesień; *adj attr*
jesienny
au·tum·nal [ɔ`tʌmnl] *adj* jesienny
aux·il·ia·ry [ɔg`zılıərı] *adj* pomoc-
niczy; **~ verb** czasownik posiłkowy
a·vail [ə`veıl] *vt* przynosić korzyść,
pomagać; *vi* przedstawiać war-
tość, mieć znaczenie; *vr* **~ oneself** korzystać (**of sth** z czegoś);
s korzyść, pożytek; **of no ~** bezużyteczny; **without ~** bez korzyści, bez powodzenia
a·vail·a·ble [ə`veıləbl] *adj* do wy-
korzystania, dostępny, osiągalny
av·a·lanche [`ævəlɑnʃ] **s** *dosł.* i
przen. lawina
av·a·rice [`ævərıs] **s** skąpstwo
av·a·ri·cious [`ævə`rıʃəs] *adj* skąpy

a·venge [ə'vendʒ] vt pomścić

av·e·nue ['ævənju] s aleja, szeroka ulica

av·er·age ['ævərɪdʒ] s mat. przeciętna; przeciętność; on ⟨at⟩ an ~ przeciętnie; adj przeciętny; vt wynosić przeciętnie; znajdować przeciętną

a·verse [ə'vɜs] adj przeciwny; to be ~ to sth czuć niechęć ⟨odrazę⟩ do czegoś

a·ver·sion [ə'vɜʃn] s odraza, niechęć

a·vert [ə'vɜt] vt odwrócić; zapobiec (sth czemuś)

a·vi·a·tion ['eɪvɪ'eɪʃn] s lotnictwo

a·vi·a·tor ['eɪvɪeɪtə(r)] s lotnik

av·id ['ævɪd] adj chciwy (for, of sth czegoś)

a·void [ə'vɔɪd] vt unikać

a·void·ance [ə'vɔɪdəns] s unikanie, uchylanie się

av·oir·du·pois ['ævədə'pɔɪz] s angielski układ jednostek wagi

a·vow [ə'vaʊ] vt otwarcie przyznawać (się), wyznawać

a·vow·al [ə'vaʊəl] s przyznanie się (of sth do czegoś), wyznanie (winy)

a·wait [ə'weɪt] vt oczekiwać, czekać

*a·wake 1. [ə'weɪk], awoke, awoke [ə'wəʊk] vt dosł. i przen. budzić; vi budzić się; uświadomić sobie (to sth coś)

a·wake 2. [ə'weɪk] adj praed czuwający, obudzony; świadomy (to sth czegoś)

a·wak·en [ə'weɪkən] = awake 1.

a·ward [ə'wɔd] vt przyznawać, przysądzać; s przyznana nagroda; wyrok (w wyniku arbitrażu)

a·ware [ə'weə(r)] adj praed świadomy, poinformowany; to be ~ uświadamiać sobie (of sth coś)

a·way [ə'weɪ] adv hen, na uboczu; poza (domem); am. right ~ natychmiast; far and ~ o wiele, znacznie; to make ⟨to do⟩ ~ pozbyć się (with sth czegoś); two miles ~ o dwie mile; ~ with it! precz z tym!

awe [ɔ] s strach, trwoga; vt napawać trwogą

aw·ful ['ɔfl] adj straszny, okropny

a·while [ə'waɪl] adv krótko, chwilowo

awk·ward ['ɔkwəd] adj niezgrabny; niezdarny; zażenowany; niewygodny; przykry; kłopotliwy

awl [ɔl] s szydło

awn·ing ['ɔnɪŋ] s dach płócienny, markiza

a·woke zob. awake 1.

a·wry [ə'raɪ] adj praed przekręcony, przekrzywiony, opaczny; adv krzywo, na opak

ax, axe [æks] s siekiera

ax·is ['æksɪs] s (pl axes ['æksiz]) mat. polit. oś

ax·le ['æksl] s oś (np. u wozu)

ay, aye [aɪ] int tak!; s głos „za"; the ~s have it większość głosów jest za (wnioskiem)

az·ure ['æʒə(r)] s lazur; adj błękitny, lazurowy

b

bab·ble ['bæbl] vt vi paplać, gadać; s paplanina, gadanie

babe [beɪb] s dzieciątko, niemowlę

ba·by ['beɪbɪ] s niemowlę, dzidzia

ba·by·hood ['beɪbɪhʊd] s niemowlęctwo

ba·by-sit·ter ['beɪbɪ sɪtə(r)] s osoba wynajmowana na kilka godzin do opieki nad dzieckiem

bach·e·lor ['bætʃələ(r)] s posiadacz pierwszego stopnia uniwersyteckiego; kawaler, nieżonaty

ba·cil·lus [bə'sɪləs] s (pl bacilli [bə'sɪlaɪ]) bakcyl

back [bæk] s tył, odwrotna strona; plecy; grzbiet; sport obrońca; at the ~ z tyłu; to be on one's ~ chorować obłożnie; to put one's ~ into sth ciężko nad czymś pracować; adj tylny; zaległy; odwrotny; powrotny; adv w tyle, z tyłu; z powrotem; do tyłu; to go ~ on one's word cofnąć słowo, obietnicę; vt popierać; cofać (np. auto); (w grze) stawiać (sth na coś); fin. indosować; ~ up stawiać (w grze); popierać (sb kogoś); vi cofać się, iść do tyłu; ~ out wycofać się, wykręcić się (of sth z czegoś)

back-bench ['bækbentʃ] s ława w Izbie Gmin dla mniej wybitnych członków partii rządzącej

back·bite ['bækbaɪt] vt oczerniać, obmawiać

back·bone ['bækbəun] s kręgosłup

back·door [bæk`dɔ(r)] s tylne drzwi; tajne wyjście; adj attr tajemniczy, skryty; zakulisowy

back·ground ['bækgraund] s dalszy plan; tło (także polityczne, społeczne); pochodzenie, przeszłość

back·hand ['bækhænd] s sport (w tenisie) bekhend

back·ing ['bækɪŋ] s poparcie; podpora; handl. pokrycie (w złocie)

back·pay·ment ['bækpeɪmənt] s wypłata zaległości

back·slide ['bæk'slaɪd] vi sprzeniewierzyć się (zasadzie), zgrzeszyć (ponownie)

back·stairs ['bæk`steəz] s pl tylne schody; tajne schody; adj attr skryty, podstępny

back·ward ['bækwəd] adj tylny, położony w tyle; zacofany; opieszały; ~(s) adv w tył, ku tyłowi, z powrotem, wstecz

back·woods ['bækwudz] s pl dziewicze lasy, ostępy

ba·con ['beɪkən] s boczek, słonina, bekon

bac·te·ri·um [bæk`tɪərɪəm] s (pl bacteria [bæk`tɪərɪə]) bakteria; zarazek

bad [bæd] adj (comp worse [wɜs], sup worst [wɜst]) zły, w złym stanie; niezdrowy; bezwartościowy; przykry; lichy; dokuczliwy; (o dziecku) niegrzeczny; a ~ headache silny ból głowy; a ~ need gwałtowna potrzeba; to be ~ at sth nie umieć czegoś, nie orientować się w czymś; to be taken ~ zachorować; to go ~ zepsuć się

bade zob. bid

badge [bædʒ] s oznaka, odznaka; symbol

badg·er ['bædʒə(r)] s borsuk

badg·er·dog ['bædʒədog] s jamnik

bad·ly ['bædlɪ] adv źle; bardzo; need gwałtowna potrzeba; to be ~ off być biednym; to need ~ gwałtownie potrzebować

baf·fle ['bæfl] vt udaremniać, krzyżować (plany); łudzić; wprawiać w zakłopotanie

bag [bæg] s worek; torba (papierowa); torebka (damska); vt włożyć do worka, zapakować; pot. buchnąć, zwędzić; vi wydymać się; (o ubraniu) wisieć jak worek

bag·ful ['bægfl] s pełny worek (czegoś)

bag·gage ['bægɪdʒ] s bagaż

bag·pipes ['bægpaɪps] s pl *muz. dudy

bail [beɪl] s kaucja, poręka, poręczyciel; zakładnik; to go ⟨to stand⟩ ~ ręczyć (for sth za coś); on ~ za kaucją; vt ~ sb (out) zwolnić za kaucją, uzyskać zwolnienie za kaucją

bail·iff ['beɪlɪf] s funkcjonariusz sądowy podlegly szeryfowi; komornik; administrator majątku ziemskiego

bait [beɪt] s przynęta, pokusa; popas; vt nęcić; łapać na przynętę; drażnić, szczuć; karmić i poić (konie); vi popasać

baize [beɪz] s sukno

bake [beɪk] vt vi piec (się); wypalać (się)

ba·ker [ˈbeɪkə(r)] s piekarz; ~'s
dozen trzynaście; to give a ~'s
dozen dać dodatkowo, dołożyć

ba·ke·ry [ˈbeɪkərɪ] s piekarnia

bal·ance [ˈbæləns] s waga; równowaga; saldo; bilans; ~ of payments (accounts) bilans płatniczy; ~ of trade bilans handlowy;
to strike a ~ zestawić bilans; vt
ważyć; równoważyć; bilansować;
wyprowadzać saldo; vi zachowywać równowagę; balansować; ważyć się; wahać się

bal·co·ny [ˈbælkənɪ] s balkon

bald [bɔld] adj łysy; przen. jawny,
jasny, prosty; jałowy; istny, wierutny (np. kłamstwo, bzdura)

bald-head [ˈbɔldhed] s (człowiek)
łysy; pot. łysek

bald·ly [ˈbɔldlɪ] adv prosto z mostu, otwarcie

bale 1. [beɪl] s bela (sukna, papieru)

bale 2. [beɪl] s nieszczęście, zguba

bale·ful [ˈbeɪlfl] adj nieszczęsny,
zgubny

balk 1. [bɔk] s belka; przeszkoda;
niepowodzenie; vt zatrzymać; u-
daremnić; pominąć, zlekceważyć;
vi (o koniu) opierać się (przed
przeszkodą)

ball 1. [bɔl] s piłka; kula, kulka;
kłębek; ~ of the eye gałka oczna

ball 2. [bɔl] s bal

bal·lad [ˈbæləd] s ballada

bal·last [ˈbæləst] s balast; równowaga psychiczna; vt obciążyć ba-
lastem; doprowadzać do równowagi

ball-bear·ing [ˈbɔlˈbeərɪŋ] s techn.
łożysko kulkowe

bal·let [ˈbæleɪ] s balet

bal·loon [bəˈlun] s balon; vi nadymać się jak balon

bal·lot [ˈbælət] s kartka do głosowania; tajne głosowanie; vi tajnie głosować

bal·lot-box [ˈbælətbɔks] s urna wyborcza

ball-(point-)pen [ˈbɔl(pɔɪnt) ˈpen] s
długopis

balm [bam] s balsam; środek łagodzący; przen. pociecha

balm·y [ˈbamɪ] adj balsamiczny;
łagodzący

bal·us·trade [ˈbæləˈstreɪd] s balustrada

bam·boo [ˈbæmˈbu] s bambus

bam·boozle [bæmˈbuzl] vt okpić,
pot. nabrać

ban [bæn] vt publicznie zakazać,
zabronić; przekląć, rzucić kląt-
wę; s publiczny zakaz, potępienie
(przez opinię publiczną); klątwa;
banicja

ba·nal [bəˈnal] adj banalny

ba·nal·ity [bəˈnælətɪ] s banał

ba·na·na [bəˈnanə] s banan

band 1. [bænd] s wstążka, taśma;
opaska; pasmo; vt obwiązywać
(wstążką, taśmą)

band 2. [bænd] s grupa, gromada;
banda; orkiestra; vt vi grupować
(się), zrzeszać (się)

band·age [ˈbændɪdʒ] s bandaż; vt
bandażować

ban·dit [ˈbændɪt] s bandyta

band·mas·ter [ˈbænd mastə(r)] s
kapelmistrz

bands·man [ˈbændzmən] s muzyk

ban·dy 1. [ˈbændɪ] vt przerzucać,
odrzucać; wymieniać (słowa, ciosy)

ban·dy 2. [ˈbændɪ] adj (o nogach)
krzywy

bane [beɪn] s jad, trucizna; zguba

bang [bæŋ] s głośne uderzenie;
trzask; huk; vt zatrzasnąć; vi
trzasnąć; huknąć; adv gwałtownie; z hukiem; pot. w sam raz,
właśnie; int ~! bęc!

ban·ish [ˈbænɪʃ] vt skazać na banicję, wygnać, wydalić, usunąć;
pozbyć się (strachu)

ban·ish·ment [ˈbænɪʃmənt] s wygnanie, banicja

ban·jo [ˈbændʒəʊ] s muz. banjo

bank 1. [bæŋk] s wał, nasyp;
brzeg; ławica piaszczysta; zaspa
śnieżna

base

bank 2. [bæŋk] s bank; adj attr
bankowy; vt składać w banku;
vi trzymać pieniądze w banku

bank·er [`bæŋkə(r)] s bankier

bank-hol·i·day [`bæŋk `hɒlədɪ] s jeden z czterech dni w roku dodatkowo wolnych od pracy (poza
niedzielami i świętami)

bank·ing [`bæŋkɪŋ] s bankowość

bank-note [`bæŋknəut] s banknot

bank·rupt [`bæŋkrʌpt] s bankrut;
adj zbankrutowany

bank·rupt·cy [`bæŋkrəptsɪ] s ban-
kructwo

ban·ner [`bænə(r)] s sztandar, cho-
rągiew, transparent

banns [bænz] s pl zapowiedzi
(przedślubne)

ban·quet [`bæŋkwɪt] s bankiet

ban·ter [`bæntə(r)] vt drażnić, na-
bierać, żartować sobie (sb z kogoś); vi przekomarzać się; s żarty, przekomarzanie

hap·tism [`bæptɪzm] s chrzest

bap·tize [bæp`taɪz] vt chrzcić

bar [ba(r)] s belka, sztaba, pręt, listwa; bariera; rogatka; zapora,
przeszkoda; rygiel, zasuwa; muz.
takt; trybunał sądowy; ława o-
skarżonych; adwokatura, palestra;
bufet z wyszynkiem, bar; pl
~s krata; vt zagradzać, odgra-
dzać, przeszkadzać, hamować;
ryglować; wykluczać; praep pot.
oprócz, z wyjątkiem

bar·ba·ri·an [ba`beərɪən] adj bar-
barzyński; s barbarzyńca

bar·bar·i·ty [ba`bærətɪ] s barba-
rzyństwo

bar·ba·rous [`babərəs] adj barba-
rzyński

bar·be·cue [`babɪkju] s rożen

barbed [babd] adj (o drucie) kolczasty

bar·ber [`babə(r)] s fryzjer

bare [beə(r)] adj goły, nagi, obnażony; otwarty, jasny, jedyny;
pozbawiony (of sth czegoś); to
lay ~ odsłonić; vt obnażać, odsłaniać

bare·foot [`beəfut] adj bosy; adv
boso

bare·foot·ed [`beə`futɪd] adj bosy

bare·head·ed [`beə`hedɪd] adj z od-
krytą ⟨gołą⟩ głową

bare·ly [`beəlɪ] adv ledwo, tylko

bar·gain [`bagɪn] s interes, transa-
kcja; okazyjne kupno; into the
~ na dodatek; to strike a ~ ubić
interes, dobić targu; vi robić interesy; targować się; umawiać
się; spodziewać się (for sth czegoś)

barge [badʒ] s barka

bark 1. [bak] s kora; vt odzierać
z kory

bark 2. [bak] vi szczekać; s szcze-
kanie

bar·ley [`balɪ] s jęczmień

bar·maid [`bameɪd] s bufetowa,
barmanka

bar·man [`bamən] s bufetowy, bar-
man

barn [ban] s stodoła

ba·rom·e·ter [bə`rɒmɪtə(r)] s baro-
metr

bar·on [`bærən] s baron

har·on·et [`bærənɪt] s baronet

bar·rack [`bærək] s (zw. pl ~s)
barak(i), koszary

bar·rage [`bæraʒ] s zapora, grobla;
wojsk. ogień zaporowy

bar·rel [`bærl] s beczułka; rura;
lufa; techn. cylinder, walec

bar·ren [`bærən] adj jałowy, suchy;
bezużyteczny

bar·ri·cade [`bærəkeɪd] s baryka-
da; vt [`bærə`keɪd] barykadować

bar·ri·er [`bærɪə(r)] s bariera, za-
pora; przeszkoda

bar·ring [`barɪŋ] praep pot. oprócz,
wyjąwszy

bar·ris·ter [`bærɪstə(r)] s adwokat

bar·row 1. [`bærəu] s taczki

bar·row 2. [`bærəu] s kopiec, kur-
han

bar·ter [`batə(r)] s handel wymien-
ny; vt vi wymieniać towary, handlować

base 1. [beɪs] s baza, podstawa;
chem. zasada; vt opierać, gruntować, bazować

base 2. [beɪs] adj podły; niski

base·ball [`beɪsbɔl] s *sport* base-ball

base·less [`beɪslɪs] *adj* bezpodstawny

base·ment [`beɪsmənt] s fundament; suterena

bash·ful [`bæʃfl] *adj* bojaźliwy, wstydliwy, nieśmiały

ba·sic [`beɪsɪk] *adj* podstawowy, zasadniczy; ~ **English** uproszczony język angielski do użytku międzynarodowego

ba·sin [`beɪsn] s miska, miednica; basen; rezerwuar

ba·sis [`beɪsɪs] s (*pl* bases [`beɪsiz]) baza, podstawa; zasada; podłoże

bask [bask] *vi* wygrzewać się (na słońcu)

bas·ket [`baskɪt] s kosz

bas·ket-ball [`baskɪt bɔl] s koszykówka

bas·ket-work [`baskɪt wɜk] s plecionka

bass [beɪs] s *muz.* bas

bas·soon [bə`sun] s *muz.* fagot

bas·tard [`bæstəd] s bastard, dziecko nieślubne, bękart

bat 1. [bæt] s *zool.* nietoperz

bat 2. [bæt] s kij (w krykiecie)

batch [bætʃ] s wypiek (chleba); partia, paczka, grupa

bath [baθ] s (*pl* ~s [baðz]) kąpiel (w łazience); wanna, łazienka; *pl* ~s łaźnia

bathe [beɪð] *vt vi* kąpać (się); s kąpiel (morska, rzeczna)

bath·room [`baθrum] s łazienka

bath·tub [`baθtʌb] s wanna

bat·on [`bætɒ] s batuta, pałeczka; buława

bat·ter [`bætə(r)] *vi* gwałtownie stukać, walić (at sth w coś); *vt* druzgotać, tłuc

bat·te·ry [`bætrɪ] s bateria; akumulator; pobicie; uderzenie

bat·tle [`bætl] s bitwa; *vi* walczyć

bat·tle-field [`bætl fild] s pole bitwy

bat·tle-ship [`bætl ʃɪp] s okręt wojenny (ciężko uzbrojony)

bat·tue [bæ`tju] s nagonka (myśliwska)

bawl [bɔl] *vi vt* wykrzykiwać, wrzeszczeć; s wrzask

bay 1. [beɪ] s *bot.* wawrzyn, laur

bay 2. [beɪ] s zatoka

bay 3. [beɪ] s wnęka; wykusz

bay 4. [beɪ] s ujadanie; wycie; osaczenie; **to be ⟨stand⟩ at ~** być przypartym do muru ⟨osaczonym⟩; **to bring to ~** zapędzić w kozi róg; przycisnąć (kogoś) do muru; **to keep at ~** trzymać w szachu; *vi* wyć, ujadać

bay 5. [beɪ] *adj* (*o koniu*) gniady

bay·o·net [`beɪənɪt] s bagnet

ba·zaar [bə`za(r)] s wschodni targ; bazar; wenta dobroczynna

*be [bi], **am** [æm, əm], **is** [ɪz], **are** [a(r)], **was** [wɒz], **were** [wɜ(r)], **been** [bin] *v aux* być; w połączeniu z *pp* tworzy stronę bierną: **it is done** to jest zrobione; w połączeniu z *ppraes* tworzy Continuous Form: **I am reading** czytam; w połączeniu z *inf* oznacza powinność: **I am to tell you** powinienem ⟨mam⟩ ci powiedzieć; w połączeniu z przysłówkiem there = być, znajdować się: **there are people in the street** na ulicy są ludzie; w połączeniu z niektórymi przymiotnikami oznacza odpowiednie czynności: **to be late** spóźnić się; *vi* być, istnieć; pozostawać, trwać; mieć się, czuć się; kosztować; (*o pogłosce*) krążyć; (*o chorobie*) panować; **how are you?** jak się masz?; **I am better** czuję się lepiej; **how much is this?** ile to kosztuje?; **be about** być czynnym; być w ruchu; być zajętym; **be off** odchodzić, odjeżdżać; **be over** minąć

beach [bitʃ] s brzeg (płaski), plaża

bea·con [`bikən] s sygnał ogniowy ⟨świetlny⟩; latarnia morska; boja; znak drogowy; sygnał radiowy

bead [bid] s paciorek, koralik; kropla (np. potu); *pl* ~s różaniec

beak [bik] s dziób (ptaka)

beak·er [ˈbikə(r)] s plastykowy kubek; *chem.* zlewka

beam 1. [bim] s promień; radosny uśmiech; *techn.* (*radio*) fala kierunkowa, zasięg; *vi* promieniować, świecić; radośnie się uśmiechać

beam 2. [bim] s belka

beam·ing [ˈbimɪŋ] *adj* promienny, lśniący; radosny

beam·y [ˈbimɪ] *adj* promienny; (*o statku*) masywny, szeroki

bean [bin] s (*zw. pl* ~s) fasola; **broad** ~s bób

bear 1. [beə(r)] s niedźwiedź

*bear 2. [beə(r)], bore [bɔ(r)], borne [bɔn] *vt* nosić; znosić; (*zw. pp* **born** [bɔn]) rodzić; unieść, utrzymać (*ciężar*); przynosić, dawać (*owoce, procent*); być opatrzonym (podpisem, pieczątką); **to be born** urodzić się; *vi* ciążyć, uciskać; mieć znaczenie; odnosić się (**on** sth do czegoś); ~ **down** przezwyciężyć, pokonać; ~ **out** potwierdzać; ~ **through** przeprowadzić; ~ **up** podpierać; wytrzymać, trzymać się; ~ **with** znosić cierpliwie, godzić się (z czymś); **to** ~ **company** dotrzymywać towarzystwa; **to** ~ **resemblance** wykazywać podobieństwo; **to** ~ **witness** świadczyć; **to** ~ **in mind** mieć na myśli; **to bring to** ~ spowodować działanie, użyć, zastosować; *vr* ~ **oneself** zachowywać się

bear·able [ˈbeərəbl] *adj* znośny

beard [bɪəd] s broda; zarost

bear·er [ˈbeərə(r)] s posiadacz (np. paszportu); okaziciel (np. czeku)

bear·ing [ˈbeərɪŋ] s wytrzymałość; postawa, zachowanie, postępowanie; aspekt (sprawy); kierunek; godło; *techn.* łożysko; *pl* ~s położenie geograficzne; szerokość geograficzna

beast [bist] s zwierzę, bydlę, bestia

beast·ly [ˈbistlɪ] *adj* zwierzęcy; brutalny; wstrętny; *adv* brutalnie; *pot.* wściekle

*beat [bit], beat [bit], beaten [ˈbitn] *vt* bić, uderzać, stukać; tłuc; kuć, obrabiać (metal); pobić (wroga, rekord); wybijać (takt); *vi* (*o sercu, wietrze*) walić, łomotać, tłuc się; (*o pulsie*) bić; (*o burzy*) szaleć; walić (**at** sth w coś); ~ **away** odpędzić; ~ **back** odbić; odeprzeć (atak); ~ **down** złożyć (zboże); (*o słońcu*) prażyć; ~ **off** odbić; odpędzić; ~ **out** wybić, wyrąbać, wymłócić, wydeptać; ~ **up** ubić; **to** ~ **the retreat** trąbić na odwrót; **to** ~ **the streets** chodzić po ulicach; s uderzenie, bicie; chód (zegara); obchód, rewir (policjanta); *muz.* takt, wybijanie taktu

beat·en [ˈbitn] *zob.* beat; *adj* wybity; wymęczony; zużyty; oklepany, powszechnie znany; *techn.* obrobiony; (*o szlaku*) utarty

be·at·i·fy [brˈætɪfaɪ] *vt* uczynić szczęśliwym; beatyfikować

beat·ing [ˈbitɪŋ] s bicie, *pot.* lanie

beau·ti·ful [ˈbjutəfl] *adj* piękny

beau·ti·fy [ˈbjutəfaɪ] *vt* upiększyć

beau·ty [ˈbjutɪ] s piękność; piękno

bea·ver [ˈbivə(r)] s bóbr

be·came *zob.* become

be·cause [brˈkɔz] *conj* ponieważ; *praep* ~ **of** z powodu

beck·on [ˈbekən] *vt vi* skinąć (sb, **to** sb na kogoś); wabić, nęcić; s skinienie

*be·come [bɪˈkʌm], be·came [bɪˈkeɪm], be·come [bɪˈkʌm] *vi* zostać (czymś), stać się; **what has** ~ **of him?** co się z nim stało?; *vt* wypadać, licować; być do twarzy, pasować; **it does not** ~ **you to do this** nie wypada ci tego robić

be·com·ing [bɪˈkʌmɪŋ] *zob.* become; *adj* stosowny, właściwy; twarzowy (np. strój)

bed [bed] s łóżko; grzęda; warstwa; *techn.* łożysko; **to make the** ~ posłać łóżko; *vt* kłaść do łóżka; układać, składać; osadzać

bedclothes 50

bed·clothes [`bedkləuðz] s pl pościel

bed·lam [`bedləm] s wrzawa, zamieszanie, pot. dom wariatów

bed·rid·den [`bedrɪdn] adj złożony chorobą

bed·room [`bedrum] s sypialnia

bed·side [`bedsaɪd] s w zwrocie: at sb's ~ przy łóżku chorego

bed·spread [`bedspred] s kapa (na łóżko)

bed·stead [`bedsted] s łóżko (bez materaca i pościeli)

bed·time [`bedtaɪm] s pora snu

bee [bi] s pszczoła; przen. to have a ~ in one's bonnet mieć bzika

beech [bitʃ] s buk

beef [bif] s wołowina

beef·eat·er [`bif itə(r)] s strażnik zamku londyńskiego

beef·steak [`bifsteɪk] s befsztyk

beef·tea [`bif ti] s bulion wołowy

bee·hive [`bihaɪv] s ul

been zob. be

beer [bɪə(r)] s piwo

beet [bit] s burak

beet·le [`bitl] s chrząszcz, żuk

beet·root [`bit-rut] s burak ćwikłowy

*be·fall [bɪ`fɔl], be·fell [bɪ`fel], be·fall·en [bɪ`fɔlən] vt vi wydarzyć się, zdarzyć się (sb komuś)

be·fit [bɪ`fɪt] vt pasować, być odpowiednim

be·fore [bɪ`fɔ(r)] praep przed; ~ long wkrótce; ~ now już przedtem; adv z przodu; przedtem, dawniej; conj zanim

be·fore·hand [bɪ`fɔhænd] adv z góry, naprzód; to be ~ with sb wyprzedzać kogoś; to be ~ with sth załatwić coś przed terminem

beg [beg] vt vi prosić (sth of ⟨from⟩ sb kogoś o coś); żebrać; to ~ leave (to do sth) prosić o pozwolenie (zrobienia czegoś); I ~ your pardon przepraszam; I ~ to inform you pozwalam sobie pana poinformować

be·gan zob. begin

*be·get [bɪ`get], begot [bɪ`gɔt], be-

gotten [bɪ`gɔtn] vt płodzić, tworzyć

beg·gar [`begə(r)] s żebrak

beg·gar·ly [`begəlɪ] adj żebraczy, dziadowski

*be·gin [bɪ`gɪn], began [bɪ`gæn], begun [bɪ`gʌn] vt vi zaczynać (się); to ~ with na początek, przede wszystkim

be·gin·ner [bɪ`gɪnə(r)] s początkujący, nowicjusz

be·gin·ning [bɪ`gɪnɪŋ] s początek

be·gone [bɪ`gɔn] int precz!, wynoś się!

be·got, be·got·ten zob. beget

be·grudge [bɪ`grʌdʒ] vt zazdrościć; skąpić (sb sth komuś czegoś)

be·guile [bɪ`gaɪl] vt oszukiwać, mamić; skracać ⟨przyjemnie spędzać⟩ czas; zabawiać (kogoś)

be·gun zob. begin

be·half [bɪ`haf] s korzyść, sprawa; in ⟨on⟩ sb's ~ na czyjąś korzyść, w czyjejś sprawie; on ~ of sb w czyimś imieniu

be·have [bɪ`heɪv] vi zachowywać (się), postępować (towards sb w stosunku do kogoś); dobrze się zachowywać; vr ~ oneself dobrze się zachowywać

be·hav·iour [bɪ`heɪvɪə(r)] s zachowanie, postępowanie

be·head [bɪ`hed] vt pozbawić głowy, ściąć głowę (sb komuś)

be·held zob. behold

be·hind [bɪ`haɪnd] praep za, poza; ~ time z opóźnieniem; ~ the times zacofany, przestarzały; adv z tyłu, do tyłu, wstecz; to be ~ zalegać, być opóźnionym; to leave ~ zostawić za sobą

be·hind·hand [bɪ`haɪndhænd] adv w tyle, z opóźnieniem; adj opóźniony, zaległy

*be·hold [bɪ`həuld], beheld, beheld [bɪ`held] vt spostrzegać, oglądać

be·hold·er [bɪ`həuldə(r)] s widz

be·hove [bɪ`həuv], am. be·hoove [bɪ`huv] vt imp wypadać, być właściwym, koniecznym; it ~s you (to do sth) wypada ci (coś zrobić); trzeba (abyś coś zrobił)

beside

beige [beɪʒ] s beż; *adj* beżowy

be·ing [ˈbiːɪŋ] s istnienie, istota

be·lat·ed [brˈleɪtɪd] *adj* opóźniony

belch [beltʃ] *vt* wypluwać, gwałtownie wyrzucać; *vi* wybuchać, zionąć; czkać; s wybuch

bel·fry [ˈbelfrɪ] s dzwonnica

Bel·gian [ˈbeldʒən] *adj* belgijski; s Belg

be·lief [brˈlif] s wiara; przekonanie, zdanie (na jakiś temat)

be·lieve [brˈliv] *vt vi* wierzyć (sb komuś, sth czemuś, in sth w coś); myśleć, sądzić; to make ~ udawać; pozorować

be·lit·tle [brˈlɪtl] *vt* pomniejszać

bell [bel] s dzwon, dzwonek

belles-let·tres [ˈbel ˈletr] s beletrystyka

bel·li·cose [ˈbelɪkəus] *adj* wojowniczy

bel·lig·er·ent [bəˈlidʒərənt] *adj* prowadzący wojnę; s państwo prowadzące ⟨strona prowadząca⟩ wojnę

bel·low [ˈbeləu] *vi* ryczeć

bel·ly [ˈbelɪ] s brzuch

be·long [brˈlɒŋ] *vi* należeć; tyczyć się; być rodem, pochodzić (to a place z danej miejscowości)

be·long·ings [brˈlɒŋɪŋz] s pl rzeczy; dobytek, własność

be·lov·ed [brˈlʌvɪd] *adj* umiłowany, ukochany

be·low [brˈləu] *praep* pod; *adv* niżej, poniżej

belt [belt] s pasek; pas; strefa; *vt* opasać, przymocować pasem

be·moan [brˈməun] *vt* opłakiwać

bench [bentʃ] s ława, ławka; sąd, trybunał

*bend [bend], bent, bent [bent] *vt vi* zginać (się), uginać (się), pochylać (się), skręcać; s zgięcie; kolanko; zagłębienie; zakręt (drogi)

be·neath [brˈniθ] *praep* pod, poniżej; *adv* niżej, w dole, na dół

ben·e·dic·tion [ˈbenrˈdɪkʃn] s błogosławieństwo

ben·e·fac·tor [ˈbenɪfæktə(r)] s dobroczyńca

be·nef·i·cent [brˈnefɪsnt] *adj* dobroczynny

ben·e·fi·cial [ˈbenɪˈfɪʃl] *adj* pożyteczny, korzystny

ben·e·fit [ˈbenɪfɪt] s dobrodziejstwo; korzyść; benefis; zasiłek (dla bezrobotnych itp.); *vt* przynosić korzyść, pomagać; *vi* ciągnąć korzyść, korzystać (by ⟨from⟩ sth z czegoś)

be·nev·o·lence [brˈnevələns] s życzliwość, dobroczynność

be·nev·o·lent [brˈnevələnt] *adj* życzliwy, dobroczynny

bent 1. *zob.* bend

bent 2. [bent] s wygięcie, nagięcie; skłonność, zamiłowanie (for sth do czegoś); napięcie łuku; wielki wysiłek; *adj* zgięty, wygięty; skłonny, zdecydowany (on sth na coś)

be·numb [brˈnʌm] *vt* spowodować odrętwienie; oszołomić; sparaliżować; ~ed by cold zdrętwiały z zimna

ben·zene [ˈbenzin] s *chem.* benzen

ben·zine [ˈbenzin] s benzyna

be·queath [brˈkwið] *vt* zapisać w testamencie, przekazać

be·quest [brˈkwest] s zapis (w testamencie); spuścizna

*be·reave [brˈriv], bereft [brˈreft], bereaved [brˈrivd] *vt* pozbawić (of sth czegoś); osierocić, osamotnić

be·ret [ˈbereɪ] s beret

ber·ry [ˈberɪ] s jagoda

berth [bɜθ] s łóżko (w wagonie), koja (na statku); miejsce zakotwiczenia statku; *przen.* to give a wide ~ trzymać się z dala

*be·seech [brˈsitʃ], besought, besought [brˈsɔt] *vt* błagać, zaklinać

*be·set, beset, beset [brˈset] *vt* oblegać, otoczyć, osaczyć; napastować

be·set·ting [brˈsetɪŋ] *zob.* beset; *adj* dręczący; nałogowy

be·side [brˈsaɪd] *praep* obok; poza, oprócz; w porównaniu z

be·sides [bɪ`saɪdz] *adv* oprócz tego, poza tym; *praep* oprócz, poza
be·siege [bɪ`sidʒ] *vt* oblegać; nagabywać
be·smear [bɪ`smɪə(r)] *vt* zasmarować, zababrać
be·sought *zob.* **beseech**
***be·speak** [bɪ`spik], **bespoke** [bɪ`spəuk], **bespoken** [bɪ`spəukn] *vt* świadczyć (**sth** o czymś)
be·spoke [bɪ`spəuk] *zob.* **bespeak**; *adj* zrobiony ⟨robiący⟩ na zamówienie
best [best] *adj* (*sup od* **good**) najlepszy; ~ **man** drużba; *adv* (*sup od* **well**) najlepiej; *s* najlepsza rzecz; to, co najlepsze; **to make the ~ of sth** wyciągać z czegoś wszelkie możliwe korzyści; **at ~** w najlepszym razie; **to do the ~ one can** zrobić, co tylko można; **to the ~ of my power ⟨my ability⟩** najlepiej jak mogę ⟨jak potrafię⟩
bes·tial [`bestɪəl] *adj* zwierzęcy
be·stir [bɪ`stɜ(r)] *vt* ruszać, wprawiać w ruch; *vr* ~ **oneself** zwijać się, krzątać się
be·stow [bɪ`stəu] *vt* nadać; użyczyć; okazać (**sth upon sb** komuś coś)
best-sell·er [ˈbest `selə(r)] *s* bestseller
***bet, bet, bet** [bet] *vt* zakładać się; **I ~ you a pound** zakładam się z tobą o funta; *vi* stawiać (**on, upon sth** na coś); *s* zakład; **to make ⟨to hold⟩ a ~** zakładać się; **you ~!** no chyba!
be·to·ken [bɪ`təukən] *vt* oznaczać, zapowiadać, wskazywać
be·tray [bɪ`treɪ] *vt* zdradzać; oszukiwać; ujawniać
be·tray·al [bɪ`treɪəl] *s* zdrada
be·troth [bɪ`trəuð] *vt* zaręczyć; *zw. w stronie biernej*: **to be ~ed** być zaręczonym (**to sb** z kimś)
be·troth·al [bɪ`trəuðəl] *s* zaręczyny
bet·ter [`betə(r)] *adj* (*comp od* **good**) lepszy; (*comp od* **well**) zdrowszy, będący w lepszym stanie; *adv* (*comp od* **well**) lepiej; **to be ~** czuć się lepiej, być zdrowszym; **to be ~ off** być w lepszej sytuacji materialnej; **~ and ~** coraz lepiej; **all the ~** tym lepiej; **you had ~ go** lepiej byś poszedł sobie; *s* lepsza rzecz, korzyść; przewaga; **for the ~** na lepsze; **to get the ~ of sb** wziąć górę nad kimś; **his ~** lepszy od niego (mądrzejszy, mocniejszy itp.); *vt* poprawić, ulepszyć
be·tween [bɪ`twin] *praep* między; *adv* pośrodku, w środek
bev·el [`bevl] *s* skos, kant; *adj* skośny; *vt* ścinać skośnie
bev·er·age [`bevṛɪdʒ] *s* napój
bev·y [`bevɪ] *s* stado (ptaków); gromoda, grono (osób)
be·wail [bɪ`weɪl] *vt* opłakiwać
be·ware [bɪ`weə(r)] *vi* (*tylko w inf i imp*) strzec się, mieć się na baczności (**of sth** przed czymś)
be·wil·der [bɪ`wɪldə(r)] *vt* wprawić w zakłopotanie, zmieszać, zbić z tropu
be·witch [bɪ`wɪtʃ] *vt* zaczarować
be·yond [bɪ`jond] *praep* za, poza, po tamtej stronie; nad, ponad; **~ measure** nad miarę; **~ belief** nie do uwierzenia; **~ hope** bez nadziei, beznadziejny; *adv* dalej, hen, tam daleko
bi·as [`baɪəs] *s* ukos; skłonność, zamiłowanie; kierunek, pochylenie; uprzedzenie; *vt* ściąć ukośnie; skłonić, nachylić; wywrzeć ujemny wpływ; uprzedzić, źle usposobić
Bi·ble [`baɪbl] *s* Biblia
bib·li·cal [`bɪblɪkl] *adj* biblijny
bib·li·og·ra·phy [ˈbɪblɪ`ogrəfɪ] *s* bibliografia
bick·er [`bɪkə(r)] *vi* sprzeczać się (**about sth** o coś)
bi·cy·cle [`baɪsəkl] *s* rower; *vi* jeździć rowerem
***bid** [bɪd], **bade** [beɪd], **bidden** [`bɪdn], *lub* **bid, bid** [bɪd] *vt* kazać; wzywać; proponować; życzyć; licytować; podać cenę; **he bade me come** kazał mi przyjść; **to ~ sb good-bye** żegnać się z

kimś; to ~ welcome witać; to ~ joy życzyć szczęścia; vt oferować cenę (na licytacji); ~ up podbić cenę; zapowiadać; to ~ fair dobrze się zapowiadać, zanosić; s oferta, cena oferowana na licytacji; (w kartach) zapowiedź; licytacja; no ~ (w kartach) pas; to make a ~ zabiegać (for sth o coś)

bid·der [ˈbɪdə(r)] s podający cenę na licytacji; the highest ~ oferujący najwyższą cenę

bid·ding [ˈbɪdɪŋ] zob. bid; s rozkaz; zaproszenie; licytacja (w kartach)

bier [bɪə(r)] s mary, karawan

big [bɪg] adj duży, gruby, obszerny; ważny; ~ with consequences brzemienny w następstwa (w skutki)

big·a·my [ˈbɪgəmɪ] s bigamia

bike [baɪk] s pot. rower

bi·lat·er·al [baɪˈlætrl] adj dwustronny

bile [baɪl] s żółć; przen. gorycz; zgryźliwość

bil·ious [ˈbɪlɪəs] adj żółciowy; zgryźliwy

bill 1. [bɪl] s dziób

bill 2. [bɪl] s projekt ustawy; rachunek; poświadczenie, kwit; przekaz; afisz; program; am. banknot; (także ~ of exchange) trata, weksel; lista; deklaracja; ~ of fare jadłospis; vt rozklejać afisze; ogłaszać

bil·let [ˈbɪlɪt] s kwatera; nakaz kwaterunkowy; vt zakwaterować

bil·liards [ˈbɪlɪədz] s pl bilard

bil·lion [ˈbɪlɪən] s bryt. bilion; am. miliard

bil·low [ˈbɪləʊ] s duża fala, bałwan; vi falować, (o falach) piętrzyć się

bi·month·ly [ˈbaɪˈmʌnθlɪ] adj dwumiesięczny; dwutygodniowy; adv co dwa miesiące; co dwa tygodnie; s dwumiesięcznik; dwutygodnik

bin [bɪn] s skrzynia, paka

*bind** [baɪnd], bound, bound [baʊnd] vt wiązać, przywiązywać; opra-

wiać (książki); (zw. ~ up) bandażować; (zw. ~ over) zobowiązać do stawiennictwa w sądzie; vi (o cemencie) wiązać się, (o śniegu) lepić się; vr ~ oneself zobowiązać się

bind·er [ˈbaɪndə(r)] s wiązanie, opaska; snopowiązałka

bind·ing [ˈbaɪndɪŋ] s wiązanie; opatrunek; oprawa (książki)

bi·og·ra·phy [baɪˈɒɡrəfɪ] s biografia

bi·ol·o·gy [baɪˈɒlədʒɪ] s biologia

bi·ped [ˈbaɪped] s dwunożne stworzenie

birch [bɜtʃ] s brzoza

bird [bɜd] s ptak; ~'s-eye view widok z lotu ptaka

birth [bɜθ] s urodzenie, narodziny, rozwiązanie; pochodzenie; to give ~ urodzić, stworzyć; by ~ z urodzenia, z pochodzenia

birth-con·trol [ˈbɜθ kəntrəʊl] s regulacja urodzeń

birth·day [ˈbɜθdeɪ] s narodziny, urodziny; rocznica urodzin

birth-rate [ˈbɜθ reɪt] s liczba urodzeń, przyrost naturalny

bis·cuit [ˈbɪskɪt] s biskwit, herbatnik

bish·op [ˈbɪʃəp] s biskup; laufer, goniec (w szachach)

bit 1. zob. bite

bit 2. [bɪt] s kąsek; kawałek; odrobina; a ~ nieco, trochę; ~ by po trochu, stopniowo; a good ~ sporo; not a ~ ani trochę; a ~ at a time stopniowo

bit 3. [bɪt] s wędzidło; ostrze (narzędzia)

bitch [bɪtʃ] s suka

*bite** [baɪt], bit [bɪt], bitten [ˈbɪtn] lub bit vt vi gryźć, kąsać, dziobać; szczypać; dociekać; (o bólu) piec; s ukąszenie; kęs; pot. zakąska

bit·ter [ˈbɪtə(r)] adj gorzki; zawzięty; (o mrozie) przenikliwy

bi·tu·men [ˈbɪtʃʊmən] s chem. bitum

bi·week·ly [ˈbaɪˈwiklɪ] adj dwutygodniowy; s dwutygodnik

bi·zarre [bɪˈza(r)] *adj* dziwaczny
blab [blæb] *vt vi* paplać, gadać
black [blæk] *adj* czarny; ponury; czarnoskóry; a ~ eye podbite oko; *s* czerń; czarny kolor; *przen.* Murzyn; *vt* czernić; ~ out zaciemnić; zamazać
black·ber·ry [ˈblækbərɪ] *s bot.* jeżyna
black·board [ˈblækbɔd] *s* tablica (szkolna)
black·en [ˈblækən] *vt* czernić; o-czerniać; *vi* czernieć
black·guard [ˈblægad] *s* łajdak; *adj attr* łajdacki, podły
black·head [ˈblækhed] *s* wągier (na skórze)
black·ing [ˈblækɪŋ] *s* czarna pasta (do butów)
black·leg [ˈblækleg] *s* łamistrajk; *am.* szuler, oszust
black·mail [ˈblækmeɪl] *s* szantaż; *vt* szantażować
black·out [ˈblækaut] *s* zaciemnienie, zgaszenie świateł
black·smith [ˈblæksmɪθ] *s* kowal
blad·der [ˈblædə(r)] *s* pęcherz
blade [bleɪd] *s* ostrze; miecz; liść, źdźbło; płaska część (np. wiosła)
blame [bleɪm] *vt* ganić, łajać; *s* nagana; wina
blame·less [ˈbleɪmləs] *adj* nienaganny
blanch [blantʃ] *vt* bielić; *vi* blednąć
bland [blænd] *adj* miły, łagodny; schlebiający
bland·ish [ˈblændɪʃ] *vt* schlebiać, pieścić
blank [blæŋk] *adj* pusty, nie zapisany; biały, blady; ślepy (nabój); biały (wiersz); (*o twarzy*) bez wyrazu, obojętny, bezmyślny; zaskoczony, zmieszany; *s* puste ⟨nie zapisane⟩ miejsce; pustka, próżnia
blank·et [ˈblæŋkɪt] *s* koc (wełniany), derka; pokrycie
blare [bleə(r)] *vt vi* huczeć, trąbić; wrzasnąć; *s* huk, trąbienie
blas·pheme [blæsˈfim] *vt vi* bluźnić

blast [blast] *s* silny podmuch wiatru, prąd powietrza; zadęcie (na trąbie); wybuch; nagła choroba, zaraza; *vt* wysadzić w powietrze; zniszczyć, zgubić
blast·fur·nace [ˈblast fɜnɪs] *s* piec hutniczy
bla·tant [ˈbleɪtnt] *adj* krzykliwy; rażący
blaze 1. [bleɪz] *vi* płonąć; świecić; ~ up buchnąć płomieniem; *s* płomień, błysk, wybuch; blask
blaze 2. [bleɪz] *vt* rozgłaszać
blaz·er [ˈbleɪzə(r)] *s* blezer; kurtka
bleach [blitʃ] *vt* bielić, pozbawić koloru; ufarbować (włosy); *vi* bieleć
bleak [blik] *adj* ponury, pustynny, smutny
bleat [blit] *vi vt* (*o owcy, kozie*) beczeć; *przen.* bąkać, mamrotać
***bleed** [blid], **bled**, **bled** [bled] *vi dosł. i przen.* krwawić; *vt* puszczać krew
blem·ish [ˈblemɪʃ] *vt* splamić; zniekształcić; skazić; *s* plama, skaza, błąd
***blend** [blend], **blent**, **blent** [blent] *vt vi* mieszać (się), łączyć (się), zlewać (się); *s* mieszanina, mieszanka
bless [bles] *vt* błogosławić
bless·ing [ˈblesɪŋ] *s* błogosławieństwo; dobrodziejstwo
blew *zob.* **blow**
blight [blaɪt] *vt* niszczyć, tłumić, udaremniać; *s* śnieć (na zbożu); zaraza; zniszczenie
blind [blaɪnd] *adj* ślepy; *vt* oślepić; *s* zasłona (okienna)
blind·fold [ˈblaɪndfəuld] *adj i adv* z zawiązanymi oczami; *vt* zawiązać oczy
blink [blɪŋk] *vi vt* mrugać; mrużyć; przymykać oczy (sth na coś); *s* mruganie; mrużenie (oczu)
bliss [blɪs] *s* radość, błogość, błogostan
blis·ter [ˈblɪstə(r)] *s* pęcherzyk

blithe [blaɪð] *adj poet.* radosny, wesoły

blitz [blɪts] s błyskawiczna wojna; nalot; *vt* niszczyć błyskawiczną wojną; dokonać nalotu

bliz·zard [ˈblɪzəd] s burza śnieżna

bloat [bləut] *vt vi* nadymać (się), nabrzmiewać

blob [blob] s kropelka (np. farby); plamka

bloc [blok] s *polit.* blok

block [blok] s blok, kloc; duży budynek, grupa domów; przeszkoda, zapora; *druk.* ~ letters wersaliki

block·ade [bloˈkeɪd] s blokada

block·head [ˈblokhed] s bałwan, tuman

blond [blond] *adj (o włosach)* jasny; s blondyn

blonde [blond] s blondynka

blood [blʌd] s krew; natura; pokrewieństwo; pochodzenie

blood·hound [ˈblʌdhaund] s pies gończy, ogar

blood·shed [ˈblʌdʃed] s przelew krwi

bloodshot [ˈblʌdʃot] *adj (o oczach)* nabiegły krwią

blood-sucker [ˈblʌd sʌkə(r)] s *dosł. i przen.* pijawka

blood·thirst·y [ˈblʌd θɜːstɪ] *adj* żądny krwi

blood-ves·sel [ˈblʌd vesl] s naczynie krwionośne

blood·y [ˈblʌdɪ] *adj* krwawy; *wulg.* przeklęty, cholerny

bloom [bluːm] *vi* kwitnąć; s kwiecie, kwiat

bloom·er [ˈbluːmə(r)] s *pot.* gafa

bloom·ing [ˈbluːmɪŋ] *adj* kwitnący; *wulg.* przeklęty, cholerny

blos·som [ˈblosəm] s kwiecie, kwiat; *vi* kwitnąć

blot [blot] s plama, skaza; *vt* plamić; ~ out wykreślić, usunąć, zatrzeć

blotch [blotʃ] s plama, skaza; krosta, wrzód

blot·ting-pad [ˈblotɪŋ pæd] s bibularz

blot·ting-pa·per [ˈblotɪŋ peɪpə(r)] s bibuła

blouse [blauz] s bluza, bluzka

blow 1. [bləu] s uderzenie, cios; at a ~ za jednym uderzeniem, naraz; to strike a ~ zadać cios

*blow 2. [bləu], blew [bluː], blown [bləun] *vt* dąć, wiać; *vt* nadmuchać; rozwiewać; ~ out zgasić; ~ over przeminąć, pójść w zapomnienie; ~ up wysadzić w powietrze

*blow 3. [bləu], blew [bluː], blown [bləun] *vt* kwitnąć

blown *zob.* blow 2. i 3.

bludg·eon [ˈblʌdʒən] s pałka

blue [bluː] *adj* błękitny; *pot.* przygnębiony, smutny; true ~ wierny swym zasadom; once in a ~ moon rzadko, od święta; s błękit; błękitna farba

blue-jacket [ˈbluːdʒækɪt] s marynarz (floty wojennej)

blue·print [ˈbluː-prɪnt] s *druk.* światłodruk

bluff 1. [blʌf] s stromy brzeg, stroma skała; *adj* stromy; szorstki, obcesowy

bluff 2. [blʌf] s oszustwo, nabieranie, zastraszenie, blaga, blef; *vt* blagować, zastraszać, blefować

blu·ish [ˈbluːɪʃ] *adj* niebieskawy

blun·der [ˈblʌndə(r)] s błąd; *vi* popełnić błąd ⟨gafę⟩

blunt [blʌnt] *adj* tępy, stępiony; ciężko myślący; nieokrzesany, prosty, niewymuszony; *vt* stępić

blur [blɜː(r)] s plama; niejasność; *vt* splamić, zamazać, zamącić, zatrzeć

blurb [blɜːb] s notka na obwolucie (książki)

blurt [blɜːt] *vt (zw.* ~ out) wygadać, zdradzić (sekret)

blush [blʌʃ] *vi* rumienić się; s rumieniec

blus·ter [ˈblʌstə(r)] *vi* rozbijać się, szaleć, huczeć; s hałaśliwość, huk, wrzask

boar [bɔː(r)] s dzik; knur

board [bɔːd] s deska; utrzymanie, wyżywienie; ciało obradujące;

władza naczelna, rada, komisja; tablica do naklejania ogłoszeń; karton, tektura; pokład; burta; *pl* ~s deski sceniczne; ~ **of trade** ministerstwo handlu; *vt* szalować, okładać deskami; stołować; wchodzić na pokład statku, do pociągu, tramwaju itp; *vi* stołować się

board·er [ˈbɔdə(r)] *s* pensjonariusz

board·ing-house [ˈbɔdɪŋ haus] *s* pensjonat

board·ing-school [ˈbɔdɪŋ skul] *s* szkoła z internatem

boast [bəust] *s* samochwalstwo; *vt vi* wychwalać się, przechwalać się; chwalić się, szczycić się (sth, of sth, about sth czymś)

boat [bəut] *s* łódź, statek; by ~ łodzią, statkiem; *vi* płynąć łodzią

boat-race [ˈbəutreɪs] *s* wyścigi wioślarskie, regaty

boat·swain [ˈbəusn] *s mors.* bosman

boat-train [ˈbəuttreɪn] *s* pociąg mający połączenie ze statkiem

bob 1. [bob] *s* wisiorek; krótko strzyżone włosy kobiece; drganie; podskok; *vi* kiwać się; drgać; podskakiwać; *vt* krótko strzyc

bob 2. [bob] *s* (*pl* ~) *pot.* szyling

bob·bin [ˈbobɪn] *s* szpulka

bob·by [ˈbobɪ] *s pot.* policjant

bob·sleigh [ˈbobsleɪ] *s sport* bobslej

bode 1. *zob.* bide

bode 2. [bəud] *vt* wróżyć, zapowiadać

bod·ice [ˈbodɪs] *s* stanik (sukni)

bod·ily [ˈbodɪlɪ] *adj* cielesny, fizyczny; *adv* fizycznie; osobiście; gremialnie; w całości

bod·y [ˈbodɪ] *s* ciało; oddział, grupa ludzi; ogół, zasadnicza część; *mot.* karoseria

bod·y-guard [ˈbodɪ gad] *s* straż przyboczna

bog [bog] *s* bagno

bog·ey [ˈbəugɪ] *s* szatan, straszydło, strach

bo·gus [ˈbəugəs] *adj* fałszywy, oszukańczy

boil [bɔɪl] *vi* gotować się, wrzeć, kipieć; *vt* gotować; ~**ing point** temperatura wrzenia

boil·er [ˈbɔɪlə(r)] *s* kocioł

bois·ter·ous [ˈbɔɪstərəs] *adj* hałaśliwy, burzliwy

bold [bəuld] *adj* śmiały, zuchwały; wyraźny, rzucający się w oczy; **to make** ~ ośmielić się

Bol·she·vik [ˈbolʃəvɪk] *s* bolszewik; *adj* bolszewicki

bol·ster [ˈbəulstə(r)] *s* podgłówek

bolt 1. [bəult] *s* zasuwa, rygiel; *vt* zamknąć na zasuwę, zaryglować

bolt 2. [bəult] *s* piorun; grom; nagły skok, wypad; ucieczka; *vi* gwałtownie rzucić się, skoczyć

bolt 3. [bəult] *vt* pytlować

bolt·er [ˈbəultə(r)] *s* pytel, sito

bomb [bom] *s* bomba; *vt* obrzucić bombami

bom·bard [bomˈbad] *vt* bombardować

bom·bast [ˈbombæst] *s* napuszony styl

bomb·er [ˈbomə(r)] *s* bombowiec; bombardier

bomb·shell [ˈbomʃel] *s* bomba; *przen.* rewelacja, niespodziewana wiadomość

bon·bon [ˈbonbon] *s* cukierek

bond [bond] *s* więź; zobowiązanie; obligacja

bond·age [ˈbondɪdʒ] *s* niewolnictwo

bond·hold·er [ˈbond həuldə(r)] *s* posiadacz obligacji, akcjonariusz

bonds·man [ˈbondzmən] *s* niewolnik

bone [bəun] *s* kość, ość

bon·fire [ˈbonfaɪə(r)] *s* ognisko

bon·net [ˈbonɪt] *s* czapka (damska), czepek (dziecinny); *mot.* maska (samochodu)

bon·ny [ˈbonɪ] *adj dial.* piękny; miły; krzepki

bo·nus [ˈbəunəs] *s* premia; dodatek

bon·y [ˈbəunɪ] *adj* kościsty

book [buk] *s* książka, księga, książeczka; *vt* księgować, zapisywać, rejestrować; kupować bilet w przedsprzedaży, rezerwować miejsce (np. w pociągu, teatrze)

book·bind·er [ˈbuk baɪndə(r)] s introligator

book·case [ˈbukkeɪs] s szafa na książki, biblioteka; regał

book·ing-of·fice [ˈbukɪŋ ofɪs] s kasa biletowa

book·ish [ˈbukɪʃ] adj książkowy, naukowy

book-keep·er [ˈbuk kipə(r)] s księgowy, buchalter

book-keep·ing [ˈbuk kipɪŋ] s księgowość, buchalteria

book·let [ˈbuklət] s książeczka

book-mak·er [ˈbukmeɪkə(r)] s bukmacher

book·mark [ˈbukmak] s zakładka (do książki)

book·sel·ler [ˈbukselə(r)] s księgarz

book·shelf [ˈbukʃelf] s półka na książki

book·shop [ˈbukʃop] s księgarnia

book·stall [ˈbukstɔl] s kiosk z książkami

book·stand [ˈbukstænd] s półka na książki, regał

book·store [ˈbukstɔ(r)] s am. księgarnia

boom [bum] s dźwięk; huk; nagła zwyżka kursów ⟨cen⟩; ożywienie gospodarcze; vi vt huczeć; podbijać ceny; szybko zwyżkować; dorabiać się, rozkwitać

boom·e·rang [ˈbuməræŋ] s bumerang

boon [bun] s dar, łaska, błogosławieństwo

boor [buə(r)] s prostak, gbur

boor·ish [ˈbuərɪʃ] adj prostacki, gburowaty

boost [bust] vt forsować przez reklamę, podnosić wartość ⟨znaczenie⟩

boost·er [ˈbustə(r)] s propagator

boot [but] s but

boot·black [ˈbutblæk] s czyścibut

booth [buð] s budka (z desek); kabina; stragan, kiosk; am. budka telefoniczna

boot·leg·ger [ˈbutlegər] s am. przemytnik alkoholu (w okresie prohibicji)

boot-polish [ˈbut polɪʃ] s pasta do butów

boots [buts] s posługacz (hotelowy), czyścibut

boot·y [ˈbutɪ] s łup, zdobycz

bor·der [ˈbɔdə(r)] s granica; brzeg; krawędź; rąbek; vt ograniczać, otaczać; obrębiać; vi graniczyć, sąsiadować (on sth z czymś)

bor·der·land [ˈbɔdəlænd] s kresy, pogranicze

bore 1. [bɔ(r)] s otwór, wydrążenie; vt wiercić, drążyć

bore 2. [bɔ(r)] s nudziarstwo, nuda; nudziarz; vt nudzić

bore 3. zob. bear

bore·dom [ˈbɔdəm] s nudà, znudzenie

born, borne zob. bear 2.

bor·ough [ˈbʌrə] s miasteczko; am. miasto o pełnym samorządzie; bryt. królewskie wolne miasto; miasto wysyłające posłów do parlamentu; dzielnica Londynu (np. the Borough of Hampstead)

bor·row [ˈbɔrəʊ] vt vi pożyczać (od kogoś), zapożyczać się

bos·om [ˈbuzəm] s łono

boss [bos] s pot. szef, kierownik; vi vt rządzić (się), dominować

bot·a·ny [ˈbotənɪ] s botanika

both [bəʊθ] pron si adj oba, obaj, obie, oboje; ~ of them oni obydwaj; ~ (the) books obydwie książki; adv conj. ~ ... and zarówno ..., jak i ...; nie tylko ..., ale i ...; ~ he and his brother zarówno on, jak i jego brat; ~ good and cheap nie tylko dobre, ale i tanie

both·er [ˈbɔðə(r)] vt niepokoić, dręczyć; zanudzać; vi kłopotać, martwić się (about sth o coś), zawracać sobie głowę; s kłopot, udręka, zawracanie głowy

bot·tle [ˈbotl] s butelka; vt butelkować

bot·tom [ˈbotəm] s dno, grunt; dół, spód; fundament, podstawa; siedzenie; ~ up do góry dnem; at (the) ~ w gruncie rzeczy; vt vi *dost. i przen.* sięgnąć dna; zgłębić

bough [bau] *s* konar

bought *zob.* **buy**

boul·der [ˈbəuldə(r)] *s* głaz

bounce [bauns] *vi vt* podskakiwać; odbijać (się); wpadać, wypadać (jak bomba); *am. pot.* wyrzucać (np. z posady, z lokalu); *s* uderzenie; odbicie (się), odskok; chełpliwość

bound 1. [baund] *s* granica; *vt* ograniczać, być granicą

bound 2. [baund] *s* skok; odbicie (się); *vi* skakać, odbijać (się)

bound 3. [baund] *adj* skierowany (do), przeznaczony (do), odjeżdżający, udający się (do); (*o statku*) płynący (do)

bound 4. *zob.* **bind**

bound·a·ry [ˈbaundrɪ] *s* granica

boun·ti·ful [ˈbauntɪfl] *adj* hojny

boun·ty [ˈbauntɪ] *s* hojność; dar; premia

bou·quet [buˈkeɪ] *s* bukiet

bour·geois [ˈbuəʒwa] *s* należący do burżuazji; *pot.* burżuj; *adj* burżuazyjny

bour·geoi·sie [ˌbuəʒwaˈzi] *s* burżuazja

bow 1. [bəu] *s* łuk; smyczek; kabłąk; tęcza; kokarda, muszka

bow 2. [bau] *s* ukłon; *vt* zginać, naginać, pochylać; *vi* kłaniać się; zginać się, uginać się

bow 3. [bau] *s* dziób (łodzi, statku, samolotu)

bow·el [ˈbauəl] *s* jelito, kiszka; *pl* ~s wnętrzności

bow·er [ˈbauə(r)] *s* altana; *lit.* buduar

bowl 1. [bəul] *s* czara, miska, waza

bowl 2. [bəul] *s* kula do gry w kręgle; *pl* ~s gra w kręgle; *vt vi* toczyć, rzucać kulę (w grze)

bowl·er [ˈbəulə(r)] *s* melonik

bow·string [ˈbəustrɪŋ] *s* cięciwa (łuku)

bow-tie [ˈbəu ˈtaɪ] *s* muszka

box 1. [bɒks] *s* pudełko, skrzynia; kasetka; buda, budka; loża; kabina; boks (w stajni, w garażu);

vt pakować, wkładać

box 2. [bɒks] *s* uderzenie (dłonią); *vt* uderzać, boksować; *vi* boksować się

box·er [ˈbɒksə(r)] *s* bokser, pięściarz

box·ing [ˈbɒksɪŋ] *s* boks, pięciarstwo

Box·ing Day [ˈbɒksɪŋ deɪ] *s* święto obchodzone w Anglii w pierwszy powszedni dzień tygodnia po Bożym Narodzeniu

box-of·fice [ˈbɒks ɒfɪs] *s* kasa (w teatrze, kinie itp.)

boy [bɔɪ] *s* chłopiec; boy, chłopiec do posług

boy·cott [ˈbɔɪkɒt] *s* bojkot; *vt* bojkotować

boy·hood [ˈbɔɪhud] *s* chłopięctwo, lata chłopięce

boy·ish [ˈbɔɪɪʃ] *adj* chłopięcy

bra [bra] *s pot.* stanik

brace [breɪs] *s* klamra; wiązadło; podpora; para (dwie sztuki); *pl* ~s [ˈbreɪsɪz] *bryt.* szelki; *vt* przytwierdzać; spinać; wiązać; podpierać; wzmacniać, krzepić; *vr* ~ oneself up zbierać siły

brace·let [ˈbreɪslət] *s* bransoleta

brack·et [ˈbrækɪt] *s* konsola; podpórka; kinkiet; (*zw. pl* ~s) nawias

brag [bræg] *vt vi* chełpić, przechwalać (się); *s* chełpliwość, przechwałki

brag·gart [ˈbrægət] *s* samochwał

braid [breɪd] *s* splot; warkocz; wstążka; lamówka; *vt* splatać; obszyć lamówką

brain [breɪn] *s* (*także pl* ~s) mózg; umysł; rozum; **to have sth on the** ~ mieć bzika na punkcie czegoś; **to rack one's** ~s (about sth) łamać sobie głowę (nad czymś)

brake [breɪk] *s* hamulec; *vt vi* hamować

bran [bræn] *s zbior.* otręby

branch [brantʃ] *s* gałąź; odgałęzienie; filia; *vi* (*także* ~ **away** ⟨**forth, off, out**⟩) rozgałęziać się, odgałęziać się

brand [brænd] *s* głownia; znak

breed

firmowy; piętno; gatunek; *vt*
piętnować, znakować

bran·dish [ˈbrændɪʃ] *vt* wymachiwać, potrząsać

brand-new [ˈbrænd ˈnjuː] *adj* nowiuteńki

bran·dy [ˈbrændɪ] *s* brandy (wódka z wina)

brass [brɑːs] *s* mosiądz; ~ band
orkiestra dęta

bras·sière [ˈbræzɪə(r)] *s* biustonosz

brat [bræt] *s pot.* bachor

brave [breɪv] *adj* śmiały, dzielny;
† wspaniały; *vt* stawiać czoło

brav·er·y [ˈbreɪvərɪ] *s* dzielność,
męstwo

brawl [brɔːl] *s* awantura, burda;
szum (wody); *vi* awanturować
się; (*o wodzie*) szumieć

brawn·y [ˈbrɔːnɪ] *adj* muskularny,
krzepki

bra·zen [ˈbreɪzn] *adj* mosiężny, spiżowy; bezczelny

Bra·zil·ian [brəˈzɪlɪən] *s* Brazylijczyk; *adj* brazylijski

breach [briːtʃ] *s* złamanie, zerwanie; wyrwa, wyłom; naruszenie,
przekroczenie

bread [bred] *s* chleb; **to earn one's**
~ zarabiać na życie; ~ **and**
butter [ˈbred ˈnˈbʌtə(r)] chleb z
masłem, *przen.* środki utrzymania

breadth [bretθ] *s* szerokość; **to a**
hair's ~ o włos

bread·win·ner [ˈbred wɪnə(r)] *s* żywiciel

*break** [breɪk], **broke** [brəʊk], **broken** [ˈbrəʊkən] *vt vi* łamać (się),
rozrywać (się); przerywać (się);
kruszyć (się), tłuc (się); niszczyć,
rujnować; rozpoczynać (się); (*o*
dniu) świtać; (*o pogodzie*) zmieniać się; naruszać (całość, przepisy); zbankrutować; zerwać
przyjaźń (**with sb** z kimś); ~
away oddzielić się, oderwać się,
uciec; ~ **down** załamać się,
przełamać, zniszczyć, zburzyć;
zepsuć (się); ~ **in** włamać (się),
wtargnąć; wtrącić się; ~ **into**
włamać się; ~ **into tears** wy-

buchnąć płaczem; ~ **off** odłamać (się); przerwać; zaniechać;
ustać; ~ **out** wybuchnąć; ~
through przedrzeć (się); ~ **up**
rozbić (się); przerwać; rozwiązać; zamknąć (się); zlikwidować; ustać; rozpocząć wakacje
(szkolne); rozejść się (np. o uczestnikach zebrania); **to** ~ **loose**
uwolnić się, zerwać pęta; **to** ~
the news zakomunikować; **to** ~
the record pobić rekord; **to** ~
the way torować drogę; *s* złamanie, przełamanie; rozbicie;
wyłom; luka; przerwa; wybuch;
zmiana; ~ **of day** świt

break·age [ˈbreɪkɪdʒ] *s* złamanie,
rozbicie; *zbior.* rzeczy połamane
⟨potłuczone⟩

break·down [ˈbreɪkdaʊn] *s* załamanie się; rozstrój nerwowy; zniszczenie; upadek, klęska; awaria, defekt, wypadek

break·er [ˈbreɪkə(r)] *s techn.* łamacz; fala przybrzeżna

break·fast [ˈbrekfəst] *s* śniadanie;
vi jeść śniadanie

break·through [ˈbreɪkθruː] *s* wyłom, przerwa

break-up [ˈbreɪk ʌp] *s* rozpadnięcie
się, załamanie się, upadek; koniec nauki, początek wakacji

break·water [ˈbreɪkwɔːtə(r)] *s* falochron

breast [brest] *s* pierś

breath [breθ] *s* dech, oddech; **in**
one ~ jednym tchem; **out of** ~
zadyszany; **to take** ~ zaczerpnąć
tchu

breathe [briːð] *vt vi* oddychać; odetchnąć; (*także* ~ **in**) wdychać;
(*także* ~ **out**) wydychać; szeptać;
to ~ **one's last** wydać ostatnie
tchnienie

bred *zob.* **breed**

breech·es [ˈbrɪtʃɪz] *s pl* bryczesy,
spodnie

*breed** [briːd], **bred**, **bred** [bred] *vt*
vi płodzić, rodzić; rozmnażać

(się); wychowywać; hodować; *s* pochodzenie; rasa; chów

breed·ing [ˈbriːdɪŋ] *s* hodowla, chów; wychowanie

breeze [briːz] *s* lekki wiatr, bryza

breez·y [ˈbriːzɪ] *adj* wietrzny; odświeżający, rześki; wesoły

breth·ren [ˈbreðrən] *s pl* bracia (np. klasztorni)

brev·i·ty [ˈbrevɪtɪ] *s* krótkość, zwięzłość

brew [bruː] *vt dosł. i przen.* warzyć, gotować; *vi w zwrocie:* to be ~ing wisieć w powietrzu, grozić; *s* odwar, napar

brew·er·y [ˈbruːərɪ] *s* browar

bri·ar, bri·er 1. [ˈbraɪə(r)] *s* dzika róża

bri·ar, bri·er 2. [ˈbraɪə(r)] *s* wrzosiec; fajka z korzenia wrzośca

bribe [braɪb] *s* łapówka; *vt* dać łapówkę, przekupić

brib·er·y [ˈbraɪbərɪ] *s* przekupstwo

brick [brɪk] *s* cegła; kawałek (np. mydła); *pot.* morowy chłop

brick·lay·er [ˈbrɪkleɪə(r)] *s* murarz

bri·dal [ˈbraɪdl] *s* wesele, ślub; *adj attr* weselny, ślubny

bride [braɪd] *s* panna młoda

bride·groom [ˈbraɪdgrum] *s* pan młody, nowożeniec

bridge 1. [brɪdʒ] *s* most; *przen.* pomost; *vt* połączyć mostem, przerzucić most ⟨pomost⟩ (sth przez coś)

bridge 2. [brɪdʒ] *s* brydż

bridge·head [ˈbrɪdʒhed] *s wojsk.* przyczółek

bri·dle [ˈbraɪdl] *s* uzda, cugle; *vt* okiełznać; *przen.* opanować

brief 1. [briːf] *adj* krótki, zwięzły; to be ~ mówić zwięźle, streszczać się; in ~ słowem

brief 2. [briːf] *s* streszczenie skargi sądowej; (*o adwokacie*) to hold ~ for sb prowadzić czyjąś sprawę

brief·case [ˈbriːfkeɪs] *s* teka, aktówka

brief·ing [ˈbriːfɪŋ] *s* odprawa; instrukcja

bri·gade [brɪˈgeɪd] *s* brygada

brig·a·dier [ˌbrɪɡəˈdɪə(r)] *s* brygadier

brig·and [ˈbrɪɡənd] *s* rozbójnik

bright [braɪt] *adj* jasny, promienny; błyszczący; wesoły, żwawy; bystry, inteligentny

bright·en [ˈbraɪtn] *vt vi (także* ~ up) rozjaśnić (się); ożywić (się); rozweselić (się)

bril·liant [ˈbrɪljənt] *adj* lśniący; wspaniały; znakomity

brim [brɪm] *s* krawędź, brzeg; rondo (kapelusza)

brine [braɪn] *s* solanka

*bring [brɪŋ], **brought**, **brought** [brɔːt] *vt* przynosić; przyprowadzać; przywozić; wnosić (np. skargę); powodować; ~ about dokonać; wywołać (skutek); ~ back przypomnieć; ~ down opuścić; osłabić; powalić; zestrzelić; upokorzyć; obniżyć (np. ceny); ~ forth wydać na świat; ujawnić; wywołać; ~ forward przedstawić; wysunąć; ~ (sth) home uświadomić (coś); unaocznić (coś); ~ in wnieść, włożyć, wprowadzić; ~ on sprowadzić, wywołać, spowodować; ~ out wykryć, wydobyć (na światło dzienne); wydać (książkę); wystawić (sztukę); ~ together złączyć, zetknąć; ~ under pokonać, opanować; ~ up wychować; poruszyć (temat); to ~ to light odkryć

brink [brɪŋk] *s* brzeg, krawędź

brisk [brɪsk] *adj* żywy, żwawy; rześki; *vt vi (także* ~ up) ożywić (się)

bris·tle [ˈbrɪsl] *s* szczecina; *vi* jeżyć się; sierdzić się; *vt* nastroszyć

Brit·ish [ˈbrɪtɪʃ] *adj* brytyjski; *s pl* the ~ Anglicy

Brit·ish·er [ˈbrɪtɪʃə(r)] *s* Brytyjczyk

Brit·on [ˈbrɪtn] *s lit.* Brytyjczyk

brit·tle [ˈbrɪtl] *adj* kruchy

broach [brəutʃ] *vt* otworzyć, przedziurawić; poruszyć (temat)

broad [brɔd] *adj* szeroki, obszerny; (*o aluzji itp.*) wyraźny; (*o regule*) ogólny; pikantny, sprośny, rubaszny (np. dowcip)

broad·axe [`brɔdæks] *s* siekiera

broad·cast [`brɔdkast] *s* transmisja radiowa, audycja; *vt vi* transmitować, nadawać (przez radio); rozsypywać, rozsiewać; szerzyć (np. wiadomości)

broad·en [`brɔdn] *vt vi* rozszerzać (się)

broad·mind·ed [`brɔd `maindid] *adj* (*o człowieku*) tolerancyjny

broad·shoul·der·ed [`brɔd `ʃəuldəd] *adj* barczysty

broil 1. [brɔil] *vt vi* piec, smażyć (się)

broil 2. [brɔil] *s* hałas, awantura

broke 1. zob. **break**

broke 2. [brəuk] *adj pot.* zrujnowany, zbankrutowany, bez grosza; to go ~ zbankrutować

bro·ken zob. **break**

bro·ken-down [`brəukən daun] *adj* wyczerpany; zrujnowany; schorowany; załamany (duchowo); (*o maszynie*) zużyty; uszkodzony

brok·en-heart·ed [`brəukən `hatid] *adj* zrozpaczony, załamany

bro·ker [`brəukə(r)] *s* makler, pośrednik

bro·ker·age [`brəukəridʒ] *s* pośrednictwo; *handl.* prowizja

bro·mine [`brəumin] *s chem.* brom

bron·chi [`brɔŋkai] *s pl anat.* oskrzela

bron·chi·tis [brɔŋ`kaitis] *s med.* bronchit

bronze [brɔnz] *s* brąz, spiż

brooch [brəutʃ] *s* broszka

brood [brud] *s* wyląg; potomstwo; plemię; *vi* wylęgać; *przen.* rozmyślać

brook 1. [bruk] *s* potok, strumyk

brook 2. [bruk] *vt* znosić, cierpieć

broom [brum] *s* miotła

broth [brɔθ] *s* rosół, bulion

broth·er [`brʌðə(r)] *s* brat

broth·er·hood [`brʌðəhud] *s* braterstwo, stowarzyszenie

broth·er-in-law [`brʌðər in lɔ] *s* szwagier

brought zob. **bring**

brow [brau] *s* brew; czoło

brown [braun] *adj* brunatny, brązowy

brown·ie [`brauni] *s* krasnoludek, duszek; harcerka z grupy zuchów

browse [brauz] *vi* paść się; *vt* skubać (trawę); *przen.* czytać dla rozrywki, przeglądać (książkę)

bruise [bruz] *vt vi* potłuc (się), nabić guza, zadrasnąć, zranić się; *s* stłuczenie, siniak

bru·nette [bru`net] *s* brunetka

brunt [brʌnt] *s* główne natarcie, najsilniejszy cios; to bear the ~ przyjąć ciężar uderzenia, wytrzymać główne natarcie

brush [brʌʃ] *s* szczotka, pędzel; krzaki, zarośla; *vt* szczotkować, pędzlować, czyścić szczotką; ~ aside odsunąć; ~ away sczyścić; ~ up wygładzić, odświeżyć

brusque [brusk] *adj* obcesowy, szorstki

Brus·sels-sprouts [`brʌslz `sprauts] *s pl* brukselka

bru·tal [`brutl] *adj* brutalny

bru·tal·i·ty [bru`tæləti] *s* brutalność

brute [brut] *s* bydlę; brutal; *adj* bydlęcy; brutalny

bub·ble [`bʌbl] *s* balonik, bańka (np. mydlana); *vi* kipieć, bulgotać

buc·ca·neer [`bʌkə`niə(r)] *s* pirat, korsarz; *vi* uprawiać korsarstwo

buck 1. [bʌk] *s* kozioł; jeleń; samiec (zwierzyny płowej); dandys; elegant

buck 2. [bʌk] *s am. pot.* dolar

buck·et [`bʌkit] *s* wiadro

buck·le [`bʌkl] *s* klamerka, sprzączka; *vt* spinać; *vi* zapinać się

buck·wheat [`bʌkwit] *s* gryka

bud [bʌd] *s* pączek; *vi* (*także to be in ~*) pączkować

budge 62

budge [bʌdʒ] vi poruszyć (się); vt zw. w zdaniach przeczących: **I can't budge him** nie mogę go ruszyć

budg·et [`bʌdʒɪt] s budżet; vi robić budżet, planować wydatki

buf·fa·lo [`bʌf]əu] s bawół

buff·er [`bʌfə(r)] s bufor

buf·fet 1. [`bʌfɪt] s kułak; dosł. i przen. cios; vt okładać kułakami, uderzać

buf·fet 2. [`bufeɪ] s kredens; bufet

buf·foon [bə`fuːn] s bufon, błazen

bug [bʌg] s pluskwa; am. insekt

bug·bear [`bʌgbeə(r)] s straszydło

bu·gle [`bjuːgl] s róg, trąbka; vi trąbić

*build [bɪld], built, built [bɪlt] vt vi budować, tworzyć; ~ up rozbudować; wzmocnić; rozwinąć; s konstrukcja, kształt, budowa

build·er [`bɪldə(r)] s budowniczy

build·ing [`bɪldɪŋ] s budynek

built zob. build

bulb [bʌlb] s cebulka; żarówka

Bul·gar·i·an [bʌl`geəriən] adj bulgarski; s Bułgar

bulge [bʌldʒ] s nabrzmienie, wypukłość, wydęcie; vi nabrzmiewać, pęcznieć, wydymać (się); vt nadymać; napychać

bulk [bʌlk] s wielkość, objętość, masa (zw. duża); większa (główna) część

bulk·y [`bʌlkɪ] adj duży, masywny; nieporęczny

bull 1. [bul] s byk

bull 2. [bul] s bulla

bull 3. [bul] s (także Irish ~) nonsens

bull·dog [`buldog] s buldog; pedel (woźny)

bull·doz·er [`buldəuzə(r)] s buldożer, spychacz

bul·let [`bulɪt] s kula, pocisk

bul·le·tin [`buletɪn] s biuletyn

bul·lion [`buliən] s złoto (srebro) w sztabach

bul·lock [`buluk] s wół

bull's-eye [`bulz aɪ] s okrągłe okienko; bulaj; środek tarczy strzelniczej

bul·ly [`bulɪ] s osobnik terroryzujący słabszych; zbir; vt terroryzować, znęcać się

bul·rush [`bulrʌʃ] s sitowie

bul·wark [`bulwək] s wał ochronny, przedmurze, osłona

bump [bʌmp] vt vi gwałtownie uderzyć (sth, against sth o coś); wpadać (sb, sth lub into sb, sth na kogoś, na coś); toczyć się z hałasem; s uderzenie, wstrząs; guz; pot. ~ of locality zmysł orientacyjny

bump·er [`bʌmpə(r)] s pełna szklanka ⟨pełny kielich⟩ wina; mot. zderzak

bump·kin [`bʌmpkɪn] s gamoń, fujara

bump·tious [`bʌmpʃəs] adj zarozumiały, nadęty

bun [bʌn] s słodka bułka

bunch [bʌntʃ] s wiązka, pęk, bukiet

bun·dle [`bʌndl] s wiązka; tłumok; pęk; plik; vt vi wiązać, zwijać (się); bezładnie pakować, wciskać; wyprawiać (sb kogoś); (zw. ~ off) uchodzić w pośpiechu

bun·ga·low [`bʌŋgələu] s domek (zw. parterowy z werandą)

bun·gle [`bʌŋgl] vt vi partaczyć; s partactwo

bunk [bʌŋk] s łóżko (w pociągu), koja

buoy [bɔɪ] s boja; vt (zw. ~ up) utrzymywać na powierzchni; przen. podnosić na duchu

buoy·ant [`bɔɪənt] adj pływający, pławny; radosny; podniecający, pokrzepiający

bur·den [`bɜdn] s ciężar, brzemię; istota (sprawy, myśli itp.); vt obciążyć

bur·den·some [`bɜdnsəm] adj uciążliwy

bu·reau [`bjuərəu] s biuro, urząd; bryt. biurko

bu·reau·cra·cy [bjuə`rokrəsɪ] s biurokracja

burg [bɜg] s am. pot. miasteczko

bur·glar [`bɜːglə(r)] s włamywacz

bur·i·al [`beriəl] s pogrzeb

bur·i·al-ground [`beriəl graund] s cmentarz

bur·lesque [bɜːˈlesk] s burleska; adj attr burleskowy, komiczny

*burn [bɜːn], ~t, ~t [bɜːnt] lub ~ed, ~ed [bɜːnd] vt vi palić (się), zapalać, płonąć; sparzyć (się); opalać (się)

burn·er [`bɜːnə(r)] s palnik

burnt zob. burn

bur·row [`bʌrəʊ] s nora, jama; vt kopać norę; vi ukrywać się w norze

bur·sar [`bɜːsə(r)] s kwestor; szk. stypendysta

bur·sa·ry [`bɜːsərı] s kwestura; szk. stypendium

*burst, burst, burst [bɜːst] vi pękać, trzaskać; wybuchać; vt spowodować pęknięcie, rozsadzić, rozerwać; to ~ with laughing, to ~ into laughter wybuchnąć śmiechem; ~ in wpaść; ~ out wybuchnąć; s pęknięcie, wybuch

bur·y [`berı] vt grzebać, chować

bus [bʌs] s autobus

bush [bʊʃ] s krzak, gąszcz; busz

bush·el [`bʊʃl] s buszel (miara pojemności)

bush·y [`bʊʃı] adj pokryty krzakami; krzaczasty

busi·ness [`bıznəs] s interes(y); zajęcie; obowiązek; sprawa; zawód; przedsiębiorstwo handlowe; ~ hours godziny zajęć ⟨urzędowe⟩; it is none of my ~ to nie moja sprawa; mind your own ~ pilnuj swoich spraw; on ~ w interesie, w sprawie; służbowo

busi·ness·man [`bıznəsmən] s kupiec, przemysłowiec; człowiek interesu

bust [bʌst] s popiersie; biust

bus·tle [`bʌsl] vi krzątać się, uwijać się; vt popędzać do roboty; s krzątanina, bieganina

bus·y [`bızı] adj zajęty, czynny, ruchliwy, mający dużo roboty; I am ~ writing a letter zajęty

jestem pisaniem listu; vr ~ oneself krzątać się; być zajętym (about, over, with sth czymś)

bus·y·bod·y [`bızı'bodı] s wścibski człowiek

but [bʌt, bət] conj ale, lecz; jednak; poza tym, że; jak tylko; I cannot ~ laugh nic mi nie pozostaje, jak tylko się śmiać, mogę tylko się śmiać; ~ yet jednakże, niemniej jednak; there was no one ~ laughed nie było nikogo, kto by się nie śmiał; I never utter a word ~ I think first nigdy nie powiem słowa, zanim nie pomyślę; he would have failed ~ that I helped him on by przepadł, gdybym mu nie pomógł; praep oprócz, poza; all ~ me wszyscy oprócz mnie ⟨poza mną⟩; the last ~ one przedostatni; anywhere ~ here gdziekolwiek, tylko nie tu; ~ for bez; ~ for him bez niego, gdyby nie on; ~ for that gdyby nie to; ~ then ale za to; adv dopiero, tylko; ~ now dopiero teraz, dopiero co; I have seen him ~ once widziałem go tylko raz; all ~ prawie; he all ~ died of hunger o mało co nie umarł z głodu

butch·er [`bʊtʃə(r)] s rzeźnik; ~'s shop sklep rzeźniczy; vt mordować, zarzynać

butch·er·y [`bʊtʃərı] s rzeźnia; rzeź, masakra

but·ler [`bʌtlə(r)] s szef służby

butt 1. [bʌt] s tępy koniec (broni, narzędzia); niedopałek (papierosa, cygara)

butt 2. [bʌt] s tarcza strzelnicza; cel (kpin, pośmiewiska)

butt 3. [bʌt] vi vt uderzać głową (at, against sth o coś), bóść; ~ in wtrącać się

butt 4. [bʌt] s beczka

but·ter [`bʌtə(r)] s masło; vt smarować masłem

but·ter·cup [`bʌtəkʌp] s bot. jaskier

but·ter·fly [`bʌtəflaı] s zool. motyl

but·ter·milk [`bʌtəmɪlk] s maślan-
ka

but·tock [`bʌtək] s pośladek; pl
~s zad (konia); siedzenie (człowieka)

but·ton [`bʌtn] s guzik; vt vi (zw.
~ up) zapinać (się)

but·ton·hole [`bʌtnhəul] s dziurka
od guzika; butonierka; vt przen.
pot. nudzić, wiercić dziurę w
brzuchu

but·tress [`bʌtrəs] s podpora; vt
podtrzymywać

*buy [baɪ], bought, bought [bɔt]
vt kupować; ~ off opłacać; ~ up
wykupić (towar)

buy·er [`baɪə(r)] s nabywca

buzz [bʌz] s brzęczenie; gwar; vi
brzęczeć, buczeć

buzz·er [`bʌzə(r)] s elektr. brzęczyk;
pot. syrena (fabryczna)

by [baɪ] praep przy, u, obok; nad;
przez; do; po, za; by the door
przy drzwiach; by the sea nad
morzem; by Warsaw przez Warszawę; by moonlight przy świetle
księżyca; by 5 o'clock najdalej
do godziny 5; by then do tego
czasu; by metres na metry;
paid by the week opłacany za
tydzień ⟨tygodniowo⟩; one by one
jeden za drugim; older by 10
years starszy o 10 lat; by day
w ciągu ⟨za⟩ dnia; by night
w nocy, nocą; by name z nazwiska; by hearsay ze słyszenia;
by myself, all by myself ja sam,
sam (jeden); by train, by bus, by

land, by sea etc. (podróżować)
pociągiem, autobusem, lądem,
morzem itp.; by steam, by electricity etc. (poruszany) parą,
elektrycznością itp.; by letter,
by phone etc. (komunikować)
listownie, telefonicznie itp.; by
hand etc. ręką, ręcznie itp.; step
by step krok za krokiem; by
degrees stopniowo; by chance
przypadkiem; by heart na pamięć; by right prawnie, sprawiedliwie; by far o wiele; little
by little po trochu; adv obok,
mimo; near by, hard by tuż
obok; by the way, by the by
przy okazji, przy tej sposobności,
mimochodem; by and by wkrótce, niebawem

bye-bye [/baɪ `baɪ] int pot. do wi-
dzenia!

by-elec·tion [`baɪ ɪlekʃn] s wybory
uzupełniające

by·gone [`baɪgɒn] adj miniony

by-law [`baɪ lɔ] s rozporządzenie
⟨przepisy⟩ lokalne

by-pass [`baɪ pɑs] s objazd, dro-
ga objazdowa; vt objeżdżać, omijać

by·path [`baɪ pɑθ] s boczna droga

by-prod·uct [`baɪ prodʌkt] s pro-
dukt uboczny

by-stand·er [`baɪ stændə(r)] s widz,
świadek

by·way [`baɪ weɪ] s boczna droga

by·word [`baɪ wɜd] s powiedzonko,
przysłowie; pośmiewisko

By·zan·tine [bɪ`zæntaɪn] adj bi-
zantyjski

C

cab [kæb] s dorożka, taksówka

cab·a·ret [`kæbəreɪ] s kabaret

cab·bage [`kæbɪdʒ] s kapusta

cab·in [`kæbɪn] s kabina, kajuta;
chata

cab·i·net [`kæbɪnət] s gabinet; ser-
wantka, szafka; polit. gabinet

ca·ble [`keɪbl] s kabel; kablogram;
vt vi depeszować

cab·man [`kæbmən] s taksówkarz

cack·le [ˈkækl] *vt* gdakać; rechotać

cad [kæd] *s* cham, łajdak

ca·det [kəˈdet] *s* kadet; ~ **corps** szkolne przysposobienie wojskowe

cadre [ˈkɑːdər] *s wojsk.* kadra

ca·fé [ˈkæfeɪ] *s* kawiarnia, bar

caf·e·te·ri·a [ˌkæfɪˈtɪərɪə] *s* bar samoobsługowy

cage [keɪdʒ] *s* klatka; winda (w kopalni); *vt* zamknąć w klatce

cais·son [ˈkeɪsn] *s wojsk.* jaszcz; *techn.* keson

ca·jole [kəˈdʒəʊl] *vt* przypochlebiać, uwodzić, pochlebstwami skłaniać do czegoś

cake [keɪk] *s* ciasto, ciastko; kawałek (np. mydła); tabliczka (np. czekolady)

ca·lam·i·ty [kəˈlæmɪtɪ] *s* klęska, plaga

cal·ci·um [ˈkælsɪəm] *s chem.* wapń

cal·cu·late [ˈkælkjuleɪt] *vt vi* obliczać; liczyć (on, **upon sth na** coś)

cal·cu·la·tion [ˌkælkjuˈleɪʃən] *s* obliczenie, kalkulacja

cal·en·dar [ˈkælɪndə(r)] *s* kalendarz

calf 1. [kɑf] *s* (*pl* calves [kɑvz]) cielę; skóra cielęca

calf 2. [kɑf] *s* (*pl* calves [kɑvz]) łydka

cal·i·bre, *am.* cal·i·ber [ˈkælɪbə(r)] *s* kaliber

cal·i·co [ˈkælɪkəʊ] *s* rodzaj perkalu

calk [kɔlk] *vt* kalkować

call [kɔl] *vi* wołać; odezwać się; budzić; (*także* ~ **up**) telefonować; wstąpić, odwiedzać (**on sb** kogoś); przybyć, przyjść (**for sb, for sth** po kogoś, po coś, **at sb's house** do czyjegoś domu); wymagać, wzywać; żądać, domagać się (**for sth** czegoś); *vt* zawołać, przywołać, powołać, wywoływać; wezwać, zwołać; nazwać; **to be ~ed for** do odebrania na żądanie, (*na listach*) poste res-

tante; ~ **back** odwołać; ~ **forth** wywołać; ~ **in question** zakwestionować; ~ **into being** powołać do życia; ~ **into play** wprowadzić w grę; ~ **off** odwołać; ~ **out** wywołać, wyzwać; ~ **over** odczytywać listę (obecności); **to** ~ **sb's attention** zwrócić czyjąś uwagę (**to sth na** coś); **to** ~ **sb to account** zażądać od kogoś rachunku, pociągnąć kogoś do odpowiedzialności; **to** ~ **the roll** odczytywać listę nazwisk; ~ **up** przypominać, przywodzić na pamięć; powołać do wojska; **to** ~ **sb names** przezywać, wymyślać; **to** ~ **to mind** przypomnieć (sobie); *s* wołanie; krzyk; wezwanie, zew; rozmowa telefoniczna; wiadomość; wizyta; powołanie; apel; powód, potrzeba; **there is no** ~ **for** worry nie ma powodu do zmartwienia; **at** ⟨**within**⟩ ~ do usług, na wezwanie, pod ręką

call·er [ˈkɔlə(r)] *s* odwiedzający, gość

call·ing [ˈkɔlɪŋ] *s* wołanie; powołanie; zawód, zajęcie

cal·los·i·ty [kæˈlosətɪ] *s* stwardnienie, zrogowacenie skóry

cal·lous [ˈkæləs] *adj* twardy, stwardniały; zatwardziały; gruboskórny; nieczuły

cal·low [ˈkæləʊ] *adj* nieopierzony; *przen.* młody, niedoświadczony

calm [kɑm] *adj* cichy, spokojny; *s* spokój, cisza; *vt vi* (*także* ~ **down**) uspokoić, uciszyć (się)

cal·or·ie, cal·or·y [ˈkælərɪ] *s* kaloria

ca·lum·ni·ate [kəˈlʌmnɪeɪt] *vt* oczerniać, spotwarzać

cal·um·ny [ˈkæləmnɪ] *s* oszczerstwo, potwarz

calves *zob.* calf

came *zob.* come

cam·el [ˈkæml] *s zool.* wielbłąd

cam·er·a [ˈkæmrə] *s* aparat fotograficzny

cam·er·a·man [`kæmрəmæn] s foto-
reporter; kinooperator

cam·ou·flage [`kæməflaʒ] s masko-
wanie; vt maskować

camp [kæmp] s obóz, kemping, o-
bozowisko; vi (zw. ~ out) obozować, mieszkać w namiocie

cam·paign [kæm`peɪn] s kampania;
vi prowadzić kampanię

cam·phor [`kæmfə(r)] s kamfora

camp·ing [`kæmpɪŋ] s kemping, o-
bozowanie; to go ~ wybrać się
na kemping; ~ equipment sprzęt
turystyczny

cam·pus [`kæmpəs] s teren szkoły
⟨uniwersytetu⟩

can 1. [kæn, kən] v aux (p could
[kud]) móc, potrafić, umieć; I ~
speak French znam ⟨język⟩ francuski; mówię po francusku; I ~
see widzę; I ~ hear słyszę; that
~'t be true! to niemożliwe!

can 2. [kæn] s kanister; am. puszka do konserw; vt am. robić
konserwę

Ca·na·dian [kə`neɪdɪən] adj kana-
dyjski; s Kanadyjczyk

ca·nal [kə`næl] s kanał; kanalik;
przewód (np. pokarmowy)

can·apé [`kænəpeɪ] s kanapka (z
serem itp.)

ca·nard [kæ`nad] s kaczka dzien-
nikarska, plotka

ca·na·ry [kə`neərɪ] s kanarek.

can·can [`kænkæn] s kankan

can·cel [`kænsl] vt kasować, unie-
ważniać, skreślać; odwoływać;
stemplować (np. znaczki); ~ out
mat. skracać (np. ułamek); to ~
an indicator ⟨a flasher⟩ wyłączyć kierunkowskaz

can·cer [`kænsə(r)] s med. rak

can·did [`kændɪd] adj szczery, pro-
stolinijny, uczciwy

can·di·date [`kændɪdət] s kandy-
dat

can·di·da·ture [`kændɪdətʃə(r)] s
kandydatura

can·dle [`kændl] s świeca

can·dle-pow·er [`kændlpauə(r)] s fiz.
świeca (jednostka miary światła)

can·dle·stick [`kændlstɪk] s lich-
tarz, świecznik

can·dour [`kændə(r)] s szczerość,
uczciwość

can·dy [`kændɪ] s twardy cukierek;
zbior. słodycze; am. cukierek na-
dziewany; vt kandyzować

cane [keɪn] s trzcina; laska; pałka;
vt chłostać

ca·nine [`kænaɪn] adj psi; ~ tooth
kieł

can·ker [`kæŋkə(r)] s wrzód; przen.
niszczycielski wpływ, zguba; vt
żżerać; niszczyć, gubić; vi niszczeć

canned [kænd] zob. can 2.; adj
konserwowy

can·ni·bal [`kænəbl] s kanibal, lu-
dożerca; adj ludożerczy

can·non [`kænən] s działo, armata;
przen. ~ fodder mięso armatnie

can·non·ade [`kænə`neɪd] s kanonada; vt ostrzeliwać z dział

can·not [`kænət] forma przecząca
od can 1.

can·ny [`kænɪ] adj sprytny, chyt-
ry; ostrożny

ca·noe [kə`nu] s czółno (z kory
drzewa lub wydrążonego pnia);
vi płynąć czółnem

can·on 1. [`kænən] s rel. muz.
druk. kanon; kryterium

can·on 2. [`kænən] s kanonik

can·o·py [`kænəpɪ] s baldachim;
sklepienie

can't [kant] = cannot

cant [kænt] s obłuda, hipokryzja;
żargon

can·teen [kæn`tin] s kantyna, sto-
łówka; menażka

can·vas [`kænvəs] s płótno żaglo-
we, płótno malarskie; obraz olejny

can·vass [`kænvəs] vt vi badać, roz-
trząsać; ubiegać się (for sth o
coś); kaptować, zjednywać sobie; przygotowywać wybory, zabiegać (for votes o głosy wyborcze); s badanie; prowadzenie
kampanii wyborczej; obliczanie
głosów

can·yon [`kænjən] s kanion

caou·tchouc [`kautʃuk] *s* kauczuk

cap [kæp] *s* czapka; wieko, pokrywa; kapsel; *vt* nakładać czapkę, wieko, kapsel itp.; ukłonić się (**sb** komuś)

ca·pa·bil·i·ty [‚keɪpə`bɪlətɪ] *s* zdolność

ca·pa·ble [`keɪpəbl] *adj* zdolny, nadający się (**of** sth do czegoś), podatny (**of** sth na coś); uzdolniony

ca·pa·cious [kə`peɪʃəs] *adj* pojemny

ca·pac·i·ty [kə`pæsətɪ] *s* zdolność (**for** sth do czegoś); pojemność; nośność; charakter; kompetencja

cape 1. [keɪp] *s* peleryna

cape 2. [keɪp] *s* przylądek

ca·per [`keɪpə(r)] *vi* podskakiwać, fikać koziołki; *s* podskok, sus

cap·i·tal [`kæpɪtl] *adj* główny; wybitny, duży; wspaniały, kapitalny; stołeczny; ~ **letter** duża litera; ~ **punishment** kara śmierci; *s* stolica; kapitał; duża litera

cap·i·tal·ism [`kæpɪtlɪzm] *s* kapitalizm

cap·i·tal·ist [`kæpɪtlɪst] *s* kapitalista

cap·i·tal·is·tic [‚kæpɪtlˈɪstɪk] *adj* kapitalistyczny

ca·pit·u·late [kə`pɪtʃuleɪt] *vi* kapitulować

ca·pit·u·la·tion [kə‚pɪtʃuˈleɪʃn] *s* kapitulacja

ca·pon [`keɪpən] *s* kapłon

ca·price [kə`pris] *s* kaprys

ca·pri·cious [kə`prɪʃəs] *adj* kapryśny

cap·size [kæp`saɪz] *vt vi* (o statku, łódce itp.) wywrócić (się)

cap·tain [`kæptɪn] *s* kapitan; dowódca, naczelnik

cap·tion [`kæpʃn] *s* tytuł, napis, podpis

cap·ti·vate [`kæptɪveɪt] *vt* pojmać; zniewolić; urzec

cap·tive [`kæptɪv] *adj* pojmany, uwięziony; *s* jeniec

cap·tiv·i·ty [kæp`tɪvətɪ] *s* niewola

cap·ture [`kæptʃə(r)] *vt* pojmać, zawładnąć; *s* zawładnięcie; zdobycz

car [ka(r)] *s* wóz; samochód; wagon

car·a·mel [`kærəml] *s* karmel; karmelek

car·at [`kærət] *s* karat

car·a·van [`kærəvæn] *s* karawana; przyczepa mieszkalna do samochodu

car·bon [`kabən] *s* chem. węgiel (pierwiastek); kalka (maszynowa)

car·bon-pa·per [`kabən ‚peɪpə(r)] *s* kalka

car·bu·ret·tor [‚kabjuˈretə(r)] *s* gaźnik

car·cass [`kakəs] *s* ciało zabitego zwierzęcia; ścierwo; szkielet (np. budynku)

card [kad] *s* karta, kartka; bilet

card·board [`kadbɔd] *s* tektura, karton

car·di·ac [`kadɪæk] *adj* sercowy; *s* środek nasercowy

car·di·nal [`kadnl] *adj* główny, podstawowy; **four** ~ **points** cztery strony świata; *s* kardynał

care [keə(r)] *s* troska; opieka; dozór; ostrożność; niepokój; staranność; (*w adresie*) ~ **of** (*zw. skr. c/o*) „z listami, na adres, do rąk''; **to take** ~ dbać (**of** sb, sth o kogoś, o coś), uważać (**na** kogoś, na coś); strzec się (**of** kogoś, czegoś); *vi* troszczyć się, dbać (**for** sb, **for** sth o kogoś, o coś), być przywiązanym, lubić (kogoś, coś); **do you** ~? zależy ci na tym?

ca·reer [kə`rɪə(r)] *s* kariera; losy, kolej życia; bieg, galop

care-free [`keəfri] *adj* beztroski

care·ful [`keəfl] *adj* troskliwy; ostrożny

care·less [`keələs] *adj* beztroski, niedbały; niechlujny

ca·ress [kə`res] *vt* pieścić; *s* pieszczota

care·tak·er [`keəteɪkə(r)] *s* dozorca, stróż

care·worn [`keəwɔn] *adj* zgnębiony troskami

car·go [`kagəu] *s* ładunek (statku)

car·i·ca·ture [ˈkærɪkəˈtʃuə(r)] s karykatura; vt karykaturować

car·ies [ˈkeərɪz] s próchnica zębów

car·na·tion [kaˈneɪʃn] s bot. g(w)oździk; różowy kolor

car·ni·val [ˈkanɪvl] s karnawał

car·ol [ˈkærl] s kolęda; vi kolędować

ca·rol·ler [ˈkærlə(r)] s kolędnik

ca·rou·sal [kəˈrauzl] s hulanka, pijatyka

ca·rouse [kəˈrauz] vi hulać

ca·rouser [kəˈrauzə(r)] s hulaka

carp [kap] s zool. karp

car·pen·ter [ˈkapɪntə(r)] s stolarz; cieśla

car·pet [ˈkapɪt] s dywan

car·riage [ˈkærɪdʒ] s wóz; powóz; wagon; podwozie; przewóz; postawa, zachowanie

car·ri·er [ˈkærɪə(r)] s roznosiciel; posłaniec; tragarz; nosiciel (zarazków); transportowiec; bagażnik; chem. nośnik; pl ~s firma transportowa

car·ri·on [ˈkærɪən] s padlina

car·rot [ˈkærət] s marchew

car·ry [ˈkærɪ] vt nosić, przenosić; wozić; dostarczać; doprowadzić; przeprowadzić (np. uchwałę); vi (o broni) nieść; (o głosie) rozlegać się; ~ about ⟨along⟩ nosić ze sobą; ~ away uprowadzić, porwać; ~ off uprowadzić, zabrać; zdobyć (np. nagrodę); ~ on prowadzić dalej, kontynuować; ~ out wykonać, przeprowadzić; ~ over przenosić; ~ through przeprowadzić, doprowadzić do końca; to ~ into effect wprowadzić w. czyn; przen. to ~ the day wziąć górę; to ~ weight mieć wagę ⟨znaczenie⟩

cart [kat] s wóz, fura

car·tel [kaˈtel] s ekon. kartel

car·ter [ˈkatə(r)] s woźnica

cart·load [ˈkatləud] s ładunek wozu

car·ton [ˈkatn] s karton

car·toon [kaˈtun] s karykatura; rycina, szkic

car·toon-film [kaˈtun fɪlm] s film rysunkowy

car·tridge [ˈka·trɪdʒ] s nabój; **blank** ~ ślepy nabój

carve [kav] vt krajać, wyrzynać; rzeźbić

carv·er [ˈkavə(r)] s snycerz, rzeźbiarz; krajczy

case 1. [keɪs] s wypadek; przypadek; położenie; sprawa (np. są dowa); in ~ of w przypadku in any ~ w każdym bądź razie; to have no ~ nie mieć podstaw

case 2. [keɪs] s pudełko; skrzynia, walizka; futerał; **dressing** ~ neseser

case·ment [ˈkeɪsmənt] s okno kwaterowe

cash [kæʃ] s gotówka; zapłata; pot pieniądze; in ~ gotówką; ~ **down** płatne przy odbiorze; out of ~ bez gotówki; vt spieniężyć; opłacić; inkasować

cash-book [ˈkæʃbuk] s księga kasowa

cash·ier [kəˈʃɪə(r)] s kasjer

cas·ing [ˈkeɪsɪŋ] s oprawa; pokrowiec; powłoka; obudowa

casino [kəˈsinəu] s kasyno

cask [kask] s beczułka

cas·ket [ˈkaskɪt] s kasetka, szkatułka; am. trumna

*cast, cast, cast [kast] vt rzucać zarzucać (sieci); techn. odlewać; sport powalić (przeciwnika); ~ away odrzucić; ~ **down** ściągnąć, spuścić; przygnębić; ~ **off** odrzucić; ~ **out** wyrzucić, wypędzić; ~ **up** obliczyć; to ~ a vote oddać głos; s rzut; odlew; teatr obsada

cast·a·way [ˈkastəweɪ] adj odrzucony, wyrzucony; s wyrzutek; rozbitek

caste [kast] s kasta

cast-iron [ˈkast aɪən] s żeliwo; adj attr żeliwny; przen. twardy, niewzruszony

cas·tle [ˈkasl] s zamek; wieża (w szachach); przen. ~s in the air

celebrate

zamki na lodzie; *vt* robić roszadę (w szachach)

cas·tor-oil [ˈkɑstər ˈɔil] *s* olej rycynowy

cas·trate [kæˈstreit] *vt* kastrować; *s* kastrat; rzezaniec

cas·u·al [ˈkæʒuəl] *adj* przypadkowy, doraźny; dorywczy; sezonowy (pracownik); niedbały; zdawkowy; banalny

cas·u·al·ty [ˈkæʒuəlti] *s* nieszczęśliwy wypadek; ofiara wypadku; *pl* casualties straty w ludziach

cat [kæt] *s* kot

cat·a·clysm [ˈkætəklizm] *s* kataklizm

cat·a·logue [ˈkætəlog] *s* katalog; *vt* katalogować

cat·a·lys·er [ˈkætʃaizə(r)] *s* katalizator

ca·tas·tro·phe [kəˈtæstrəfi] *s* katastrofa

*catch [kætʃ], caught, caught [kɔt] *vt* łapać; łowić; ująć; pojąć, zrozumieć, dosłyszeć; zahaczyć, zaczepić; trafić, uderzyć; nabawić się (choroby); zarazić się (chorobą); *vt* chwytać się, czepiać się (at sth czegoś); ~ sb up dogonić kogoś; ~ up with sb dogonić kogoś, dorównać komuś; to ~ cold zaziębić się; to ~ fire zapalić się, stanąć w płomieniach; to ~ hold pochwycić (of sth coś); to ~ sight zobaczyć (of sth coś); *s* chwyt; uchwyt; łapanie; połów; łup

catch·ing [ˈkætʃiŋ] *adj* zaraźliwy

catch·word [ˈkætʃwɜd] *s* hasło; slogan

catchy [ˈkætʃi] *adj* pociągający; zwodniczy

cat·e·gor·i·cal [ˈkætiˈgorikl] *adj* kategoryczny

cat·e·go·ry [ˈkætigəri] *s* kategoria

ca·ter [ˈkeitə(r)] *vi* dostarczać żywności ⟨rozrywki⟩ (for sb komuś); obsługiwać (for sb kogoś)

ca·ter·er [ˈkeitərə(r)] *s* dostawca artykułów spożywczych

cat·er·pil·lar [ˈkætəpilə(r)] *s* zool. techn. gąsienica

ca·the·dral [kəˈθidrl] *s* katedra

cath·o·lic [ˈkæθlik] *adj* uniwersalny, powszechny; liberalny; katolicki; *s* Catholic katolik

cat·kin [ˈkætkin] *s* bazia, kotek

cat·tle [ˈkætl] *s* bydło rogate

Cau·ca·sian [kɔˈkeiziən] *adj* kaukaski; *s* mieszkaniec Kaukazu

caught *zob.* catch

caul·dron [ˈkɔldrən] *s* kocioł

cau·li·flow·er [ˈkɔliflauə(r)] *s* kalafior

caus·al [ˈkɔzl] *adj* przyczynowy

cause [kɔz] *s* przyczyna; powód (of sth czegoś, for sth do czegoś); sprawa, proces; *vt* powodować

cause·way [ˈkɔzwei] *s* droga na grobli; grobla

caus·tic [ˈkɔstik] *s* żrący; zjadliwy, kostyczny

cau·tion [ˈkɔʃn] *s* ostrożność; przezorność; ostrzeżenie; uwaga; *vt* ostrzegać

cau·tious [ˈkɔʃəs] *adj* ostrożny, rozważny, uważny

cav·a·lier [ˈkævəˈliə(r)] *s* kawalerzysta; rojalista; kawaler, amant; *adj* swobodny; szarmancki; nonszalancki

cav·al·ry [ˈkævlri] *s* kawaleria

cave [keiv] *s* pieczara, jaskinia; *vt* drążyć; *vi* zapadać się

cav·ern [ˈkævən] *s* jaskinia, jama

cav·i·ar [ˈkæviɑ(r)] *s* kawior

cav·il [ˈkævl] *vi* czepiać się (at sb, sth kogoś, czegoś), ganić (at sb, sth kogoś, coś); *s* złośliwa uwaga

cav·i·ty [ˈkævəti] *s* wydrążenie; dent. dziura'

caw [kɔ] *vi* krakać; *s* krakanie

cease [sis] *vi* przestawać, ustawać; *vt* przerwać, zaprzestać, skończyć

cease·less [ˈsisləs] *adj* nieustanny

ce·dar [ˈsidə(r)] *s* cedr

cede [sid] *vt* ustąpić, odstąpić, cedować

ceil·ing [ˈsiliŋ] *s* sufit

cel·e·brate [ˈseləbreit] *vt* świętować, obchodzić (np. uroczystość), sławić

cel·e·brat·ed [ˈseləbreɪtɪd] *adj* sławny, powszechnie znany

ce·leb·ri·ty [səˈlebrətɪ] *s* znakomitość, sława

ce·les·tial [səˈlestɪəl] *adj* niebiański, boski

cel·i·ba·cy [ˈselɪbəsɪ] *s* celibat

cel·i·bate [ˈselɪbət] *adj* bezżenny; *s* osoba żyjąca w celibacie

cell [sel] *s* cela, komórka; *elektr.* bateria

cel·lar [ˈselə(r)] *s* piwnica

cel·lo [ˈtʃeləʊ] *s* wiolonczela

Celt [kelt, *am.* selt] *s* Celt

Cel·tic [ˈkeltɪk, *am.* ˈseltɪk] *adj* celtycki

ce·ment [sɪˈment] *s* cement; *vt* cementować; *przen.* utwierdzać

cem·e·ter·y [ˈsemətrɪ] *s* cmentarz

cen·sor [ˈsensə(r)] *s* cenzor; *vt* cenzurować

cen·sor·ship [ˈsensəʃɪp] *s* cenzura

cen·sure [ˈsenʃə(r)] *s* osąd, nagana, krytyka; *vt* ganić, krytykować, potępiać

cen·sus [ˈsensəs] *s* spis ludności

cent [sent] *s am.* cent (1/100 dolara); **per** ~ od sta, na sto; **at 5 per** ~ na 5 procent

cen·te·na·ri·an [ˈsentəˈneərɪən] *adj* stuletni; *s* stuletni starzec

cen·te·na·ry [senˈtinərɪ] *s* stulecie; *adj* stuletni

cen·ter [ˈsentə(r)] *am.* = centre

cen·ti·grade [ˈsentɪgreɪd] *adj* stustopniowy; **100°** ~ 100 stopni Celsjusza

cen·ti·me·tre [ˈsentɪmiːtə(r)] *s* centymetr

cen·tral [ˈsentrl] *adj* centralny, główny, śródmiejski

cen·tral·ize [ˈsentrəlaɪz] *vt* centralizować

cen·tre [ˈsentə(r)] *s* centrum, ośrodek; ~ **of gravity** środek ciężkości; *vt vi* umieszczać w środku; skupiać (się), koncentrować (się)

cen·trif·u·gal [senˈtrɪfjʊgl] *adj* odśrodkowy

cen·trip·e·tal [senˈtrɪpɪtl] *adj* dośrodkowy

cen·tu·ry [ˈsentʃərɪ] *s* stulecie, wiek

ce·ram·ic [sɪˈræmɪk] *adj* ceramiczny

ce·ram·ics [sɪˈræmɪks] *s* ceramika

ce·re·al [ˈsɪərɪəl] *adj* zbożowy; *s* (*zw. pl* ~s) roślina zbożowa

cer·e·bral [ˈserəbrl] *adj* mózgowy

cer·e·mo·ni·al [ˈserəˈməʊnɪəl] *adj* ceremonialny; *s* ceremoniał, obrządek

cer·e·mo·ny [ˈserəmənɪ] *s* ceremonia, uroczystość

cer·tain [ˈsɜːtn] *adj* pewny; określony; przekonany; niejaki, pewien; **for** ~ na pewno; **to make** ~ ustalić, upewnić się; **he is** ~ **to come** on na pewno przyjdzie

cer·tain·ly [ˈsɜːtnlɪ] *adv* na pewno, bezwarunkowo; *int* ~! oczywiście!; ~ **not!** nie!, nie ma mowy!

cer·tain·ty [ˈsɜːtntɪ] *s* pewność

cer·tif·i·cate [səˈtɪfɪkət] *s* zaświadczenie, świadectwo

cer·ti·fy [ˈsɜːtɪfaɪ] *vt vi* zaświadczać, poświadczać

cer·ti·tude [ˈsɜːtɪtjuːd] *s* pewność

ces·sa·tion [seˈseɪʃn] *s* przerwa, ustanie; wygaśnięcie (terminu)

chafe [tʃeɪf] *vt vi* trzeć (się), drażnić, jątrzyć (się)

chafer [ˈtʃeɪfə(r)] *s* chrabąszcz

chaff [tʃɑːf] *s* sieczka, plewy; żarty, kpiny; *vt* żartować, droczyć się

cha·grin [ˈʃægrɪn] *s* zmartwienie; *vt* martwić się

chain [tʃeɪn] *s dost.* i *przen.* łańcuch; łańcuszek; *vt* przymocować łańcuchem; skuć; *przen.* uwiązać

chair [tʃeə(r)] *s* krzesło, fotel; katedra; krzesło ⟨miejsce, funkcja⟩ przewodniczącego; **to be in the** ~ przewodniczyć

chair·man [ˈtʃeəmən] *s* przewodniczący, prezes

charge

chaise [ʃeɪz] s lekki powóz, bryczka

chalk [tʃɔk] s kreda; ˋkredka; *vt* znaczyć kredą; szkicować

chal·lenge [ˈtʃæləndʒ] s wyzwanie; wezwanie; próba sił; *vt* wyzywać; wzywać

cham·ber [ˈtʃeɪmbə(r)] s sala, pokój; izba; komora; ~ **music** muzyka kameralna

cham·ber·lain [ˈtʃeɪmbəlɪn] s szambelan

cham·ber·maid [ˈtʃeɪmbəmeɪd] s pokojówka

cha·me·le·on [kəˈmiːlɪən] s kameleon

cham·ois-leath·er [ˈʃæmɪ leðə(r)] s ircha

cham·pagne [ʃæmˋpeɪn] s szampan

cham·pi·gnon [tʃæmˋpɪnɪən] s bot. pieczarka

cham·pi·on [ˈtʃæmpɪən] s sport mistrz, rekordzista; orędownik

chance [tʃɑns] s traf, przypadek; możność, okazja; szansa; ryzyko; **by** ~ przypadkowo; **to give sb a** ~ dać komuś szansę; **to take one's** ~ próbować, ryzykować; *adj attr* przypadkowy; *vi* zdarzać się; natknąć się (**on, upon sb, sth** na kogoś, na coś); *vt* ryzykować

chan·cel·ler·y [ˈtʃɑnsˌlrɪ] s urząd kanclerza; biuro ambasady

chan·cel·lor [ˈtʃɑnslə(r)] s kanclerz; rektor (uniwersytetu); **Chancellor of the Exchequer** minister finansów; **Lord Chancellor** sędzia najwyższy

chan·cer·y [ˈtʃɑnsərɪ] s rejestr publiczny; **Chancery Sąd Lorda Kanclerza**

chan·de·lier [ˈʃændəˋlɪə(r)] s kandelabr

chan·dler [ˈtʃændlə(r)] s drobny kupiec, kramarz

change 1. [tʃeɪndʒ] s zmiana; wymiana; przemiana; przesiadka; drobne pieniądze; reszta; **small** ~ drobne; **for a** ~ dla urozmaicenia, na odmianę; *vt vi* zmie-

niać (się), wymieniać; odmieniać (się); przebierać się; przesiadać się; **to** ~ **hands** zmieniać właściciela; **to** ~ **one's mind** rozmyślić się

Change 2. [tʃeɪndʒ] s (*także* **Exchange, Stock Exchange**) giełda

change·a·ble [ˈtʃeɪndʒəbl] *adj* zmienny

chan·nel [ˈtʃænl] s kanał (*zw.* morski); koryto (rzeki); kanalik; *przen.* droga, sposób; **English Channel** kanał La Manche

chant [tʃɑnt] s pieśń (*zw.* kościelna); *vt vi* śpiewać (pieśni, psalmy)

cha·os [ˈkeɪɒs] s chaos

cha·ot·ic [keɪˋɒtɪk] *adj* chaotyczny

chap [tʃæp] s *pot.* facet, gość, człowiek

chap·el [ˈtʃæpl] s kaplica

chap·lain [ˈtʃæplɪn] s kapelan

chap·ter [ˈtʃæptə(r)] s rozdział (np. książki, życia)

char·ac·ter [ˈkærɪktə(r)] s charakter; postać, rola; osobistość; dobre ⟨złe⟩ imię, reputacja; cecha charakterystyczna; litera; dziwak; *pot.* indywiduum, typ

char·ac·ter·is·tic [ˈkærɪktəˋrɪstɪk] *adj* charakterystyczny, znamienny; s rys charakterystyczny

char·ac·ter·ize [ˈkærɪktəraɪz] *vt* charakteryzować, cechować; scharakteryzować, opisać (**sb, sth** kogoś, coś)

cha·rade [ʃəˋrɑd] s szarada

char·coal [ˈtʃɑkəʊl] s węgiel drzewny

charge [tʃɑdʒ] s obciążenie, ciężar; ładunek; zarzut, oskarżenie; obowiązek, powinność, opieka; atak, szarża; nabój; koszt, opłata; **on a** ~ **of** pod zarzutem (**sth** czegoś); **at a** ~ **of** za opłatą; **to be in** ~ opiekować się, zarządzać (**of sth** czymś); **to take** ~ zająć się (**of sth** czymś); **free of** ~ bezpłatny; *vt* obciążać; ładować; oskarżać (**with sth** o coś); polecić, powierzyć (**sb with sth** komuś

coś); policzyć, pobrać (kwotę);
vt cenić, podawać cenę; atakować; how much do you ~ for
it? ile za to żądasz?

char·i·ot [`tʃærɪət] s rydwan, wóz

char·i·ta·ble [`tʃærɪtəbl] adj dobro-
czynny, miłosierny

char·i·ty [`tʃærətɪ] s dobroczyn-
ność, miłosierdzie; jałmużna

charm [tʃam] s czar, wdzięk, urok;
vt vi czarować, urzekać

chart [tʃat] s mapa morska; wykres

char·ter [`tʃatə(r)] s karta; statut;
przywilej; patent; vt nadać patent; przyznać (prawo, przywilej); frachtować (statek)

char·wom·an [`tʃawʊmən] s posłu-
gaczka, sprzątaczka

chase 1. [tʃeɪs] s pogoń; polowanie; vt gonić, ścigać; polować
(sth na coś)

chase 2. [tʃeɪs] s lufa; rowek; o-
prawa, ramka

chase 3. [tʃeɪs] vt cyzelować

chasm [`kæzm] s rozpadlina, prze-
paść, otchłań

chas·sis [`ʃæsɪ] s mot. podwozie

chaste [tʃeɪst] adj niewinny, cnotliwy, czysty; prosty, bez orna-
mentów

chas·ten [`tʃeɪsn] vt oczyszczać;
doświadczać, karać

chas·tise [tʃæ`staɪz] vt karać; po-
skramiać; chłostać, smagać

chas·tise·ment [tʃæ`staɪzmənt] s
kara; chłosta

chas·ti·ty [`tʃæstətɪ] s czystość,
niewinność

chat [tʃæt] s swobodna rozmowa,
pogawędka; vi gawędzić, pogadać

chat·tels [`tʃætlz] s pl ruchomości;
(zw. goods and ~) mienie, do-
bytek

chat·ter [`tʃætə(r)] vi świergotać,
szczebiotać; paplać; trajkotać;
szczękać; s szczebiot; paplanina;
szczęk

chat·ter·box [`tʃætəbɔks] s pot. ga-
duła, trajkotka

chauf·feur [`ʃəʊfə(r)] s szofer

chau·vin·ism [`ʃəʊvɪnɪzm] s szowi-
nizm

cheap [tʃip] adj tani, marny, bez
wartościowy; adv tanio

cheap·en [`tʃipən] vt obniżyć cenę;
vi potanieć

cheat [tʃit] vt vi oszukiwać; s o
szustwo; oszust

check [tʃek] vt wstrzymywać, ha
mować; trzymać w szachu; kon
trolować, sprawdzać; am. odda
na przechowanie za pokwitowa
niem, nadać (np. bagaż); ~ i
zameldować się (w hotelu); ~ ou
wymeldować się; s zatrzymanie
zahamowanie; szach; kontrola
żeton; pokwitowanie; numerel
(w szatni itp); am. czek; rachunel

check·er [`tʃekə(r)] s am. =
chequer

check·mate [`tʃekmeɪt] s mat; v
dać mata; przen. udaremnić (za
miary); unicestwić

cheek [tʃik] s policzek; przen. bez
czelność, zuchwalstwo

cheek·y [`tʃikɪ] adj bezczelny, zu
chwaly

cheer [tʃɪə(r)] s (zw. pl ~s) rado
sne okrzyki, oklaski; radość; sa
mopoczucie; jedzenie, dobry po
siłek; to be of good ~ być do
brej myśli; what ~? jak się czu
jesz?; vt rozweselać, zachęcać
dodawać otuchy; (także ~ up.
przyjmować z aplauzem, robić o
wację; vi wiwatować; (zw. ~
up) nabierać otuchy; ~ up! gło
wa do góry!; rozchmurz się!

cheer·ful [`tʃɪəfl] adj radosny, po
godny, zadowolony

cheer·less [`tʃɪələs] adj posępny
ponury, smutny

cheer·y [`tʃɪərɪ] adj pełen radości
wesoły

cheese [tʃiz] s ser

chem·i·cal [`kemɪkl] adj chemicz
ny; s pl ~s chemikalia

chem·ist [`kemɪst] s chemik; bryt
aptekarz; ~'s shop apteka

chem·is·try [`kemɪstrɪ] s chemia

heque [tʃek] s *bryt.* czek

heq·uer [ˈtʃekə(r)] s szachownica; deseń w kratkę; *vt* kratkować

her·ish [ˈtʃerɪʃ] *vt* lubić, pielęgnować, żywić (np. uczucie, nadzieję)

her·ry [ˈtʃerɪ] s wiśnia, czereśnia; ~ **brandy** wiśniówka

hess [tʃes] s szachy

hess-board [ˈtʃesbɔd] s szachownica

hest [tʃest] s skrzynia, kufer; klatka piersiowa, pierś

hest·nut [ˈtʃesnʌt] s kasztan

hew [tʃu] *vt vi* żuć

hew·ing-gum [ˈtʃuɪŋ gʌm] s guma do żucia

hick·en [ˈtʃɪkɪn] s kurczę

hick·en-pox [ˈtʃɪkɪnpoks] s *med.* wietrzna ospa

hic·o·ry [ˈtʃɪkərɪ] s cykoria

chide [tʃaɪd], **chid** [tʃɪd], **chidden** [ˈtʃɪdn] *vt* ganić, łajać, besztać

hief [tʃif] s szef, wódz, głowa; *adj* główny, naczelny

hief·tain [ˈtʃiftən] s wódz, herszt

hild [tʃaɪld] s (*pl* **children** [ˈtʃɪldrn]) dziecko

hild·birth [ˈtʃaɪldbɜθ] s poród

hild·hood [ˈtʃaɪldhud] s dzieciństwo

hild·ish [ˈtʃaɪldɪʃ] *adj* dziecinny

hil·dren *zob.* **child**

hill [tʃɪl] s chłód; dreszcz; **to catch a** ~ dostać dreszczy, przeziębić się; **to take the** ~ **off** podgrzać; *adj* chłodny, przejmujący dreszczem; *vt* chłodzić, studzić; *vi* stygnąć, oziębiać się

hill·y [ˈtʃɪlɪ] *adj* chłodny, przejmujący dreszczem

hime [tʃaɪm] s kurant; harmonia, zgoda; (*zw. pl* ~s) dźwięk dzwonów; *vt vi* dzwonić, wydzwaniać; **to** ~ **in with** harmonizować z

him·ney [ˈtʃɪmnɪ] s komin

him·ney-sweep·er [ˈtʃɪmnɪ swiːp(r)] s kominiarz

him·pan·zee [ˈtʃɪmpænˈziː] s szympans

chin [tʃɪn] s podbródek, broda

chi·na [ˈtʃaɪnə] s porcelana

china-town [ˈtʃaɪnə taun] s chińska dzielnica (miasta)

Chi·nese [tʃaɪˈniːz] s Chińczyk; *adj* chiński

chink 1. [tʃɪŋk] s brzęk; *vt vi* brzęczeć, dźwięczeć, pobrzękiwać

chink 2. [tʃɪŋk] s szpara, szczelina; *vi* pękać; *vt* uszczelniać

chip [tʃɪp] s wiór, drzazga, skrawek; *pl* ~s frytki; *vt vi* strugać; łupać; kruszyć (się); szczerbić (się)

chirp [tʃɜp], **chir·rup** [ˈtʃɪrəp] *vt vi* świergotać; s świergot

chis·el [ˈtʃɪzl] s dłuto; *vt* dłutować; rzeźbić (dłutem)

chiv·al·rous [ˈʃɪvlrəs] *adj* rycerski

chiv·al·ry [ˈʃɪvlrɪ] s rycerstwo, rycerskość

chlo·ride [ˈklɔraɪd] s *chem.* chlorek

chlo·rine [ˈklɔrɪn] s *chem.* chlor

chlo·ro·form [ˈklɔrəfɔm] s chloroform

chock-full [ˈtʃok ˈful] *adj pot.* wypełniony po brzegi

choc·o·late [ˈtʃoklət] s czekolada; *adj* czekoladowy

choice [tʃɔɪs] s wybór; chęć; dobór; rzecz wybrana; *adj* wyborowy, wybrany

choir [ˈkwaɪə(r)] s chór (zespół śpiewaczy i chór kościelny)

choke [tʃəuk] *vt vi* dusić (się); głuszyć, tłumić; (*także* ~ up) zatykać; s duszenie (się), dławienie (się)

chol·e·ra [ˈkolərə] s cholera

***choose** [tʃuz], **chose** [tʃəuz], **chosen** [ˈtʃəuzn] *vt* wybierać, obierać; *vi* mieć wybór; woleć; **if you** ~ jeżeli masz ochotę; **when you** ~ kiedy zechcesz

chop [tʃop] *vt* krajać, siekać, rąbać; ~ **off** odciąć, odrąbać; ~ **through** przeciąć, przerąbać; s cięcie, rąbanie; płat; zraz; kotlet

chop·per [ˈtʃopə(r)] s tasak

cho·ral [ˈkɔrəl] *adj* chóralny

chord [kɔd] *s* struna; cięciwa; a-kord

cho·rus [ˈkɔrəs] *s* chór; **in ~** chórem

chose, cho·sen *zob.* **choose**

Christ [kraist] *s rel.* Chrystus

chris·ten [ˈkrɪsn] *vt* chrzcić

Chris·tian [ˈkrɪstʃən] *adj* chrześcijański; *s* chrześcijanin

Christ·mas [ˈkrɪsməs] *s* Boże Narodzenie; **~ Eve** Wigilia; **~ tree** choinka

chron·ic [ˈkrɔnik] *adj* chroniczny

chron·i·cle [ˈkrɔnikl] *s* kronika

chron·o·log·i·cal [ˈkrɔnəˈlɔdʒikl] *adj* chronologiczny

chro·nol·o·gy [krəˈnɔlədʒi] *s* chronologia

chrys·a·lis [ˈkrɪsəlis] *s* poczwarka

chub·by [ˈtʃʌbi] *adj* pucołowaty

chuck 1. [tʃʌk] *vt* cisnąć, rzucić; **~ out** wyrzucić, *pot.* wylać

chuck 2. [tʃʌk] *vi* gdakać; zwoływać ptactwo domowe; cmokać (na konia); *s* maleństwo, kurczątko

chuck·le [ˈtʃʌkl] *s* chichot; *vi* chichotać

chum [tʃʌm] *s* serdeczny kolega; *pot.* kumpel; *vi* przyjaźnić się, być w zażyłych stosunkach

chunk [tʃʌŋk] *s* kawał (np. chleba); kloc, bryła

church [tʃɜtʃ] *s* kościół

church·yard [ˈtʃɜtˌjad] *s* dziedziniec kościelny; cmentarz przy kościele

churl [tʃɜl] *s* gbur, grubianin, sknera

churn [tʃɜn] *s* maślnica; *vt vi* robić masło; wzburzyć (się)

cic·a·trice [ˈsikətris], *med.* **cic·a·trix** [ˈsikətriks] *s* blizna

ci·der [ˈsaidə(r)] *s* cydr, jabłecznik

cigar [siˈgɑ(r)] *s* cygaro

cig·a·rette [ˈsigəˈret] *s* papieros

cig·a·rette-case [ˈsigəˈret keis] *s* papierośnica

cig·a·rette-holder [ˈsigəˈret həuldə(r)] *s* cygarniczka

cin·der [ˈsində(r)] *s* (*zw. pl* ~s) popiół, żużel

Cin·der·el·la [ˈsindəˈrelə] *s* Kopciuszek

cin·e·ma [ˈsinəmə] *s* kino

cin·na·mon [ˈsinəmən] *s* cynamon

ci·pher [ˈsaifə(r)] *s* cyfra; zero; szyfr; *vi* rachować; *vt* zaszyfrować

cir·cle [ˈsɜkl] *s dosł. i przen.* koło, krąg, obwód; *teatr* **upper ~** balkon I piętra; *vt* okrążać, otaczać; *vi* krążyć

cir·cuit [ˈsɜkit] *s* obwód, linia okrężna; obieg; objazd; **short ~** krótkie spięcie

cir·cu·i·tous [sɜˈkjuitəs] *adj* okólny, okrężny

cir·cu·lar [ˈsɜkjulə(r)] *adj* kolisty, okólny; *s* okólnik

cir·cu·late [ˈsɜkjuleit] *vt* puszczać w obieg; *vi* krążyć; **circulating medium** płatniczy środek obiegowy

cir·cu·la·tion [ˈsɜkjuˈleiʃn] *s* krążenie, obieg

cir·cum·fer·ence [sɜˈkʌmfərns] *s* obwód

cir·cum·nav·i·gate [ˈsɜkəmˈnævigeit] *vt* objechać morzem dookoła, opłynąć

cir·cum·scribe [ˈsɜkəmskraib] *vt* opisać, określić; ograniczyć

cir·cum·spect [ˈsɜkəmspekt] *adj* ostrożny, rozważny

cir·cum·spec·tion [ˈsɜkəmˈspekʃn] *s* ostrożność, rozwaga

cir·cum·stance [ˈsɜkəmstəns] *s zw. pl* ~s okoliczności, stosunki, położenie; **under no ~s** pod żadnym warunkiem

cir·cum·stan·tial [ˈsɜkəmˈstænʃl] *adj* szczegółowy; okolicznościowy; poszlakowy

cir·cus [ˈsɜkəs] *s* cyrk; okrągły plac (u zbiegu ulic)

cis·tern [ˈsistən] *s* cysterna

cit·a·del [ˈsitədl] *s* cytadela

ci·ta·tion [saiˈteiʃn] *s* cytat

cite [saɪt] *vt* cytować; wzywać (do sądu)

cit·i·zen [ˈsɪtɪzn] *s* obywatel

cit·i·zen·ship [ˈsɪtɪznʃɪp] *s* obywatelstwo

cit·y [ˈsɪtɪ] *s* (wielkie) miasto; ~ council rada miejska; **the City** City (śródmieście Londynu będące centrum handlu i finansów); **City man** handlowiec i finansista z City

civ·ic [ˈsɪvɪk] *adj* obywatelski

civ·il [ˈsɪvl] *adj* cywilny, obywatelski; ~ **servant** urzędnik państwowy; ~ **service** służba ⟨administracja⟩ państwowa; ~ **war** wojna domowa

ci·vil·ian [səˈvɪlɪən] *adj* cywilny; *s* cywil

ci·vil·i·ty [səˈvɪlətɪ] *s* uprzejmość

civ·il·i·za·tion [ˈsɪvlaɪˈzeɪʃn] *s* cywilizacja

civ·il·ize [ˈsɪvɪlaɪz] *vt* cywilizować

clack [klæk] *s* trzask, szczęk; *vi* trzaskać, szczękać

clad *zob.* **clothe**

claim [kleɪm] *vt* żądać, zgłaszać pretensje (**sth do czegoś**); twierdzić; *s* żądanie (**to sth czegoś**), pretensja, roszczenie; twierdzenie; **to lay** ~ zgłaszać pretensję (**to sth do czegoś**)

claim·ant [ˈkleɪmənt] *s* pretendent

clair·voy·ance [kleəˈvɔɪəns] *s* jasnowidztwo

clam·ber [ˈklæmbə(r)] *vi* wspinać się, gramolić się

clam·my [ˈklæmɪ] *adj* lepki, wilgotny

clam·or·ous [ˈklæmərəs] *adj* krzykliwy, hałaśliwy

clam·our [ˈklæmə(r)] *s* krzyk, hałas; *vi* krzyczeć, wrzeszczeć

clamp 1. [klæmp] *s* kleszcze; imadło; klamra; *vt* zaciskać, spajać

clamp 2. [klæmp] *s* ciężkie stąpanie; *vi* ciężko stąpać

clamp 3. [klæmp] *s* sterta, kupa

clan [klæn] *s* klan

clan·des·tine [klænˈdestɪn] *adj* tajny, potajemny

clang [klæŋ] *s* dźwięk (metalu),

szczęk; *vt vi* dźwięczeć, pobrzękiwać

clap [klæp] *vt vi* trzaskać; klaskać; klepać; *s* trzask; klepanie; klaskanie; grzmot; huk

clap·trap [ˈklæptræp] *s* zbior. czcza gadanina, frazesy

claque [klæk] *s* klaka

clar·i·fy [ˈklærɪfaɪ] *vt vi* wyjaśnić (się); oczyszczać (się), klarować (się)

clar·i·net [ˈklærɪˈnet] *s muz.* klarnet

clar·i·on [ˈklærɪən] *s* trąbka; sygnał

clar·i·ty [ˈklærətɪ] *s* jasność, czystość, klarowność; przejrzystość (np. stylu)

clash [klæʃ] *s* trzask, brzęk; zderzenie, kolizja; niezgodność; konflikt; potyczka; *vt* trzasnąć, uderzyć; *vi* brzęknąć; zderzyć się, zetrzeć się; kolidować

clasp [klɑsp] *vt* zamykać, spinać, zwierać; chwytać, obejmować; *s* objęcie, uścisk; zapinka, zatrzask, klamra

clasp-knife [ˈklɑspnaɪf] *s* nóż składany, scyzoryk

class [klɑs] *s* klasa (szkolna, społeczna itp.); lekcja, kurs; ~ **war** walka klasowa; *vt* klasyfikować

class-con·scious·ness [ˈklɑs konʃəs nəs] *adj* świadomość klasowa

clas·sic [ˈklæsɪk] *adj* klasyczny; *s* klasyk

clas·si·cal [ˈklæsɪkl] = **classic** *adj*

clas·si·cism [ˈklæsɪsɪzm] *s* klasycyzm

clas·si·fy [ˈklæsɪfaɪ] *vt* klasyfikować, sortować

class·less [ˈklɑsləs] *adj* bezklasowy

class·mate [ˈklɑsmeɪt] *s* kolega szkolny

class·room [ˈklɑsrum] *s* klasa, sala szkolna

clat·ter [ˈklætə(r)] *vt vi* stukać, brzęczeć; robić hałas; *s* stukot, klekot, brzęk; gwar

clause [klɔz] *s* klauzula, varunek; *gram.* zdanie

claw [klɔ] *s* pazur, szpon; łapa z

pazurami; kleszcze (np. raka); *vt* drapać; chwytać w szpony

clay [kleɪ] s glina

clean [klin] *adj* czysty, wyraźny; gładki; całkowity; przyzwoity, lojalny; *vt* czyścić; ~ up porządkować, sprzątać

clean·li·ness [ˋklenlɪnəs] s schludność; czystość

clean·ly 1. [ˋklenlɪ] *adj* schludny, dbający o czystość

clean·ly 2. [ˋklinlɪ] *adv* czysto

clean·ness [ˋklinnəs] s czystość

cleanse [klenz] *vt dosł. i przen.* oczyszczać

clear [klɪə(r)] *adj* jasny, wyraźny; całkowity, pełny; czysty (np. zysk, sumienie); wolny (of sth od czegoś); bystry, przenikliwy; all ~ droga wolna; alarm odwołany; *adv* jasno, wyraźnie; całkiem; czysto; z dala; to get ~ off wyjść na czysto, uwolnić się, pozbyć się; to keep ~ trzymać się z dala (of sth od czegoś); to stand ~ stać z dala, na uboczu; *vt* wyjaśniać, objaśniać, usprawiedliwiać, klarować; czyścić, sprzątać; zwalniać, opróżniać, opuszczać; trzebić (las); spłacać, rozliczać, wyrównywać (dług, rachunki); ~ away usunąć; ~ off wyprzedać; ~ out uprzątnąć, wyrzucić; ~ up wyjaśnić; sprzątnąć; *vi* wyjaśniać się; rozchmurzać się; *pot.* ~ out ⟨off⟩ wynieść się; (o pogodzie) ~ up przejaśniać się

clear·ance [ˋklɪərns] s zwolnienie; oczyszczenie; wyprzedaż; rozliczenie, wyrównanie kont; odprawa celna

clear·ing [ˋklɪərɪŋ] s karczowisko; polana; rozrachunek (bankowy)

clear-sight·ed [ˏklɪə ˋsaɪtɪd] *adj* wnikliwy; pewny

cleav·age [ˋklivɪdʒ] s rozszczepienie; szczelina; rozłam

***cleave** 1. [kliv], **cleft** [kleft] *lub* **clove** [kləʊv], **cleft** [kleft] *lub* **cloven** [ˋkləʊvn] *vt vi* rozszczepiać (się), rozcinać, pękać

cleave 2. [kliv] *vi* trzymać się (to sb, sth kogoś, czegoś), być wiernym

clef [klef] s *muz.* klucz

cleft 1. *zob.* cleave 1.

cleft 2. [kleft] s szczelina, rozpadlina

clem·en·cy [ˋklemənsɪ] s łagodność; łaska; łaskawość

clench [klentʃ] *vt* ścisnąć, zacisnąć, zewrzeć; zaklepać; *vi* zewrzeć się; zacisnąć się

cler·gy [ˋklɜdʒɪ] s duchowieństwo, kler

cler·gy·man [ˋklɜdʒɪmən] s duchowny

cler·i·cal [ˋklerɪkl] *adj* duchowny; klerykalny; urzędniczy; biurowy; ~ error błąd pisarski ⟨maszynowy⟩

clerk [klak] s urzędnik, kancelista, biuralista

clev·er [ˋklevə(r)] *adj* sprytny; zdolny, utalentowany; zręczny

clev·er·ness [ˋklevənəs] s zręczność; zdolność; inteligencja

clew [klu] s = **clue**; *vt* zwijać w kłębek; *mors.* zwijać żagiel

cli·ché [ˋkliʃeɪ] s banał, komunał; *druk.* klisza

click [klɪk] s szczęknięcie, trzask; *vt vi* szczęknąć, trzasnąć

cli·ent [ˋklaɪənt] s klient

cliff [klɪf] s stroma ściana skalna, urwisko

cli·mate [ˋklaɪmɪt] s *dosł. i przen.* klimat

cli·mat·ic [ˏklaɪˋmætɪk] *adj* klimatyczny

cli·max [ˋklaɪmæks] s punkt kulminacyjny

climb [klaɪm] *vi* wspinać się, piąć się; *vt* wchodzić (the stairs po schodach); włazić (a tree na drzewo); s wspinaczka; wzniesienie (terenu)

climb·er [ˋklaɪmə(r)] s amator wspinaczki, alpinista; *przen.* karierowicz

clinch [klɪntʃ] *vt* = **clench**; s nit; zaczep

***cling** [klɪŋ], **clung**, **clung** [klʌŋ]

vi trzymać się kurczowo, chwytać się, czepiać się (to sth czegoś)

clin·ic [ˈklɪnɪk] *s* klinika

clink [klɪŋk] *vt vi* dźwięczeć, dzwonić; *s* brzęk, dzwonienie

clink·er [ˈklɪŋkə(r)] *s* klinkier

clip 1. [klɪp] *s* sprzączka; uchwyt; spinacz; klips; *vt* spinać, przytwierdzać

clip 2. [klɪp] *vt* obcinać, strzyc; *s* strzyżenie, obcięcie

clip·pers [ˈklɪpəz] *s pl* nożyce; szczypce; maszynka do strzyżenia

clip·ping [ˈklɪpɪŋ] *s* strzyżenie; wycinek (np. z prasy)

clique [klik] *s* klika

cloak [kləʊk] *s* płaszcz, peleryna; *przen.* płaszczyk; *vt* okrywać płaszczem; *przen.* ukrywać pod płaszczykiem

cloak-room [ˈkləʊk ˈrum] *s* garderoba, szatnia (np. w teatrze)

clock [klɒk] *s* zegar; zob. **o'clock**

clock·wise [ˈklɒkwaɪz] *adv* zgodnie z ruchem wskazówek zegara

clock·work [ˈklɒkwɜːk] *s* mechanizm zegara

clod [klɒd] *s* grudka, bryła

clog [klɒg] *s* kłoda, kloc; *przen.* brzemię; zawada, przeszkoda; *pl* ~s pęta; *vt* pętać; zawadzać; zatykać; *vi* zatykać się

clois·ter [ˈklɔɪstə(r)] *s* klasztor; krużganek (kryty)

close 1. [kləʊs] *adj* zamknięty; bliski; ścisły; zwarty, zbity; duszny; (*o uwadze*) napięty; gruntowny, szczegółowy; *adv* blisko, tuż obok (to sb, sth kogoś, czegoś); ściśle; dokładnie; ~ by tuż obok, tuż tuż; ~ on prawie; ~ on 70 years prawie 70 lat; ~ ogrodzony teren, dziedziniec

close 2. [kləʊz] *vt vi* zamykać (się); kończyć (się); zewrzeć (się); *s* koniec; zamknięcie; **to bring to a ~** doprowadzać do końca; **to draw to a ~** zbliżać się do końca

close·ly [ˈkləʊslɪ] *adv* z bliska;

dokładnie; ściśle

close-up [ˈkləʊsʌp] *s* zbliżenie; zdjęcie z bliska

clo·sure [ˈkləʊʒə(r)] *s* zamknięcie, zakończenie

clot [klɒt] *s* grudka; *med.* skrzep; *vi* krzepnąć

cloth [klɒθ] *s* (*pl* ~s [klɒθs]) sukno; materiał; ścierka; obrus

***clothe** [kləʊð] ~d, ~d [kləʊðd] *lub* † clad, clad [klæd] *vt* ubierać, odziewać

clothes [kləʊðz] *s pl* ubranie, odzież, ubiór

cloth·ing [ˈkləʊðɪŋ] *s* odzież

cloud [klaʊd] *s dosł. i przen.* chmura; obłok; *vt* zachmurzyć, zaciemnić; *vi* ~ over ⟨up⟩ zachmurzyć się

cloud·y [ˈklaʊdɪ] *adj* chmurny

clove 1. [kləʊv] *s* goździk (korzenny); ząbek (czosnku)

clove 2. *zob.* **cleave** 1.

clov·en *zob.* **cleave** 1.; *adj* rozszczepiony na dwoje

clo·ver [ˈkləʊvə(r)] *s bot.* koniczyna

clown [klaʊn] *s* klown, błazen; gbur

cloy [klɔɪ] *vt* przesycić

club [klʌb] *s* maczuga, pałka; kij; koło, klub; (*w kartach*) trefl; *vt* bić pałką; *vi* łączyć się, zrzeszać się; ~ together zrob.ć składkę

cluck [klʌk] *vi* gdakać; *s* gdakanie

clue [klu] *s* klucz (np. do zagadki); wątek; trop; kłębek

clump [klʌmp] *s* grupa; kępa (np. drzew); masa, bryła; ciężki chód; *vi* zbijać się w masę ⟨w bryłę⟩; ciężko stąpać

clum·sy [ˈklʌmzɪ] *adj* niezgrabny; nietaktowny

clung *zob.* **cling**

clus·ter [ˈklʌstə(r)] *s* grono, kiść; wiązka; gromadka; kępka

clutch [klʌtʃ] *s* chwyt, uścisk; szpon; *techn.* sprzęgło; *vt* pochwycić, ścisnąć w dłoni; *vi* chwytać się (at sth czegoś)

clut·ter [ˈklʌtə(r)] s zamieszanie,
nieład; rozgardiasz; vt robić bałagan, zamieszanie; krzątać się
(hałaśliwie); vt zawalać, zarzucać, zaśmiecać

coach [kəutʃ] s powóz, kareta; o-
sobowy wagon kolejowy; autokar; korepetytor; sport. trener;
vt udzielać korepetycji, uczyć;
sport trenować

coach·man [ˈkəutʃmən] s stangret

co·ag·u·late [ˈkəuˈægjuleit] vi krzepnąć, tężeć, ścinać się

coal [kəul] s węgiel

co·a·li·tion [ˈkəuəˈlɪʃn] s koalicja

coal-mine [ˈkəul main], **coal-pit**
[ˈkəul pit] s kopalnia węgla

coarse [kɔs] adj szorstki, gruby;
prostacki, ordynarny, pospolity

coast [kəust] s wybrzeże; vi pływać, kursować wzdłuż wybrzeża

coast·al [ˈkəustl] adj przybrzeżny,
nadbrzeżny

coat [kəut] s marynarka; żakiet;
płaszcz, palto; mundur; warstwa, powłoka; skóra, sierść; ~
of mail kolczuga; vt pokrywać,
powlekać

coat·ing [ˈkəutɪŋ] s powłoka, warstwa

coax [kəuks] vt skłonić pochleb-
stwem, namówić; przymilać,
przypochlebiać się

cob·ble 1. [ˈkobl] s okrągły kamień,
brukowiec; pot. koci łeb; vt
brukować

cob·ble 2. [ˈkobl] vt łatać (zw. o-
buwie)

co·bra [ˈkəubrə] s kobra

cob·web [ˈkobweb] s pajęczyna

co·caine [kəuˈkein] s kokaina

cock [kok] s kogut; samiec (ptaków); kurek; vt podnieść, zadzierać (np. głowę)

cock·ade [koˈkeid] s kokarda

cock·ney [ˈkoknɪ] s londyńczyk (z
proletariatu); gwara londyńska

cock·pit [ˈkokpit] s kabina pilota
(w samolocie); arena

cock·roach [ˈkokrəutʃ] s karaluch

cock·sure [ˈkokˈʃuə(r)] adj pewny

siebie, zarozumiały

cock·tail [ˈkokteil] s koktajl

coco, cocoa 1. [ˈkəukəu] s kokos

co·coa 2. [ˈkəukəu] s kakao

co·co·nut [ˈkəukənʌt] s orzech kokosowy

co·coon [kəˈkun] s kokon, oprzęd

cod [kod] s dorsz

code [kəud] s kodeks; kod, szyfr;
vt szyfrować

cod·fish [ˈkodfɪʃ] s = cod

cod·i·fy [ˈkəudɪfaɪ] vt kodyfikować

cod-liv·er oil [ˈkod lɪvər ˈɔil] s
tran

co·ed·u·ca·tion [ˈkəu ˌedʒuˈkeiʃn] s
koedukacja

co·erce [kəuˈɜs] vt zmuszać, wymuszać, zniewalać

co·er·cion [kəuˈɜʃn] s przymus, bezwzględne traktowanie, zmuszanie

co·er·cive [kəuˈɜsiv] adj przymusowy, bezwzględny

co·e·val [kəuˈivl] adj współczesny;
będący w tym samym wieku; s
rówieśnik

co·ex·ist·ence [ˈkəuigˈzistəns] s
współistnienie

co·ex·ist·ent [ˈkəuigˈzistənt] adj
współistniejący

cof·fee [ˈkofɪ] s kawa

cof·fee-hous [ˈkofɪ haus] s kawiarnia

cof·fer [ˈkofə(r)] s kufer, skrzynia,
kaseta; pl the ~s skarbiec, fun-
dusze

cof·fin [ˈkofin] s trumna

cog [kog] s techn. ząb, zębatka

co·gent [ˈkəudʒənt] adj przekonywający

co·gnac [ˈkonjæk] s koniak

cog·nate [ˈkogneit] adj pokrewny,
bliski

cog·ni·zance [ˈkognizns] s wiedza,
wiadomość, świadomość; kompetencja; to take ~ zaznajomić się
(of sth z czymś)

cog·ni·zant [ˈkogniznt] adj wiedzący, świadomy; kompetentny (of
sth w czymś)

cog-wheel [`kog wil] s techn. koło
zębate

co·here [kəu`hiə(r)] vi (o faktach,
argumentach) zgadzać się ze sobą

co·her·ence [kəu`hɪərns] s zwartość,
spoistość; zgoda; łączność

co·he·sion [kəu`hɪʒn] s fiz. kohe-
zja; spoistość

coif·fure [kwa`fjuə(r)] s fryzura

coil [kɔɪl] vt vi zwijać (się); s
zwój; szpulka; spirala

coin [kɔɪn] s pieniądz, moneta; vt
bić (pieniądze); kuć; przen. u-
kuć (nowy wyraz)

coin·age [`kɔɪnɪdʒ] s bicie monety;
wybita moneta; system moneta-
ny; wytwór, wymysł; wprowa-
dzanie do języka nowych słów;
nowy wyraz

co·in·cide [`kəuɪn`saɪd] vi zbiegać
się; pokrywać się

co·in·ci·dence [kəu`ɪnsɪdəns] s zbie-
żność; zbieg okoliczności

coke 1. [kəuk] s koks; vt koksować

coke 2. [kəuk] s pot. coca-cola

col·an·der [`kʌləndə(r)] s cedzak

cold [kəuld] adj zimny, chłodny,
oziębły; I am ~ jest mi zimno;
in ~ blood z zimną krwią; s
zimno, chłód; przeziębienie; (także ~ in the head) katar; to have
a ~ być przeziębionym

cold-blood·ed [`kəuld `blʌdɪd] adj
zimnokrwisty; przen. działający z
zimną krwią, bezlitosny; popeł-
niony na zimno, okrutny

col·lab·o·rate [kə`læbəreɪt] vi ko-
laborować

col·lab·o·ra·tion [kə`læbə`reɪʃn] s
kolaboracja

col·lab·o·ra·tor [kə`læbə`reɪtə(r)] s
współpracownik; uj. kolaborant

col·lapse [kə`læps] vi runąć, zwa-
lić się; załamać się; opaść z sił;
s upadek sił, omdlenie; załamanie nerwowe; zawalenie się, katastrofa

col·lar [`kolə(r)] s kołnierz; naszyj-
nik; chomąto; obroża; vt chwy-

cić za kołnierz; nałożyć chomąto,
obrożę; złapać, zatrzymać

col·league [`kolig] s kolega (z pra-
cy), współpracownik

col·lect [kə`lekt] vt vi zbierać (się),
gromadzić (się); inkasować; podejmować; kolekcjonować; vr ~
oneself opanować się, skupić się

col·lec·tion [kə`lekʃn] s zbiór,
zbiórka; inkaso; podjęcie, odbiór; pobór (podatków); kolekcja

col·lec·tive [kə`lektɪv] adj zbioro-
wy; ~ farm spółdzielnia produk-
cyjna; ~ property własność ko-
lektywna

col·lec·tiv·ize [kə`lektɪvaɪz] vt ko-
lektywizować

col·lec·tor [kə`lektə(r)] s poborca,
inkasent; kolekcjoner

col·lege [`kolɪdʒ] s kolegium; u-
czelnia, szkoła wyższa; gimnazjum; szkoła średnia

col·le·gi·ate [kə`lidʒɪət] adj kole-
gialny; akademicki

col·lide [kə`laɪd] vi zderzyć się;
kolidować

col·lier [`koliə(r)] s górnik (w ko-
palni węgla); statek węglowy

col·lier·y [`koljərɪ] s kopalnia wę-
gla

col·lision [kə`lɪʒn] s kolizja, zde-
rzenie

col·lo·qui·al [kə`ləukwɪəl] adj ko-
lokwialny, potoczny

col·lo·quy [`koləkwɪ] s rozmowa

col·lu·sion [kə`luʒn] s konszachty,
zmowa

co·lon [`kəulən] s dwukropek

colo·nel [`kɜnl] s pułkownik

co·lo·ni·al [kə`ləunɪəl] adj kolonial-
ny; s mieszkaniec kolonii

col·o·nist [`kolənɪst] s kolonista,
osadnik

col·o·nize [`kolənaɪz] vt kolonizo-
wać

col·o·ny [`kolənɪ] s kolonia

co·los·sal [kə`losl] adj kolosalny

col·our [`kʌlə(r)] s barwa, kolor;
farba, barwnik; zabarwienie, koloryt; rumieniec; pl ~s chorągiew; odznaki (społeczne, szkolne

itp.); ~ **bar** dyskryminacja raso-
wa; **to put false** ~s przedstawiać
w fałszywym świetle; **to give ⟨to
lend⟩** ~ koloryzować, nadawać
pozór prawdopodobieństwa; **to
join** ~s wstąpić do wojska; **under** ~ **of** pod pozorem; *vt vi* barwić (się); koloryzować; pozorować

col·oured [`kʌləd] *zob.* **colour** *v*;
adj zabarwiony; barwny; ~ **man**
człowiek rasy kolorowej

colt 1. [kəult] *s* źrebię; *pot.* młokos

Colt 2. [kəult] *s* kolt (rewolwer)

col·umn [`koləm] *s* kolumna, słup;
szpalta, dział (gazety)

comb [kəum] *s* grzebień; *vt* czesać; *przen.* przeszukiwać

com·bat [`kombæt] *s* bój, walka;
vt zwalczać; *vi* walczyć

com·bat·ant [`kombətənt] *adj* wal-
czący; *s* kombatant

com·bi·na·tion [/kombi`neiʃn] *s*
kombinacja; zrzeszenie, związek;
pl ~s kombinacja (damska)

com·bine [kəm`bain] *vt vi* kombi-
nować, wiązać; zrzeszać (się), łączyć (się); *chem.* wiązać (się);
s [`kombain] kartel; kombajn

com·bus·ti·ble [kəm`bʌstəbl] *adj*
palny; *s* (*zw. pl* ~s) materiał
łatwopalny

com·bus·tion [kəm`bʌstʃən] *s* spa-
lanie; **internal** ~ **engine** silnik
spalinowy

*come [kʌm], **came** [keim], **come**
[kʌm] *vi* przyjść, przyjechać;
przybyć; stawać się; nadchodzić,
zbliżać się; wypadać, przypadać;
pochodzić; wynosić; wychodzić;
dojść do czegoś, w końcu coś zrobić; **it** ~s **to 10 pounds** to wynosi 10 funtów; **nothing will** ~
of it, this will ~ **to nothing** nic
z tego nie wyjdzie; **to** ~ **to believe** dojść do przekonania; ~
about zdarzyć się, stać się; ~
across sth natknąć się na coś; ~
at sth osiągnąć coś; dostać się do
czegoś; ~ **by sth** przechodzić obok
czegoś; nabyć, kupić coś; ~ **in**

wejść; ~ **into force** nabrać mocy; ~ **into sight** ukazać się; ~
of wynikać; ~ **of age** dojść do
pełnoletności; ~ **off** odejść; oderwać się; dojść do skutku; zdarzyć się; odbyć się; ~ **on** nadchodzić; ~ **out** wychodzić; ukazywać się w druku; wyjść na
jaw; ~ **over** przyjść, przybyć; ~
up podchodzić; wspinać się; (*o
roślinach*) wyrastać; natknąć się,
natrafić na coś; doganiać (**with
sb** kogoś); ~ **up to sb's expectations** odpowiadać czyimś oczeki-
waniom; ~ **up to the mark** stanąć na wysokości zadania ⟨na
odpowiednim poziomie⟩; ~ **upon
sb, sth** natknąć się, wpaść na kogoś, na coś; **life to** ~ życie przy-
szłe; **to** ~ **to pass** zdarzyć się; **he
came to be a wreck** doszło do
tego, że stał się wykolejeńcem;
to ~ **unbuttoned** rozpiąć się; **to**
~ **unlaced** rozsznurować się; **to**
~ **unsewn** rozpruć się

co·me·di·an [kə`midiən] *s* kome-
diant; komik; autor komedii

com·e·dy [`komədi] *s* komedia

come·ly [`kʌmli] *adj* powabny; mi-
ły

com·er [`kʌmə(r)] *s* przybysz

com·et [`komit] *s* kometa

com·fort [`kʌmfət] *s* komfort, wy-
goda; otucha, pociecha, ulga; *vt*
pocieszać, dodawać otuchy, przynosić ulgę

com·fort·a·ble [`kʌmftəbl] *adj* wy-
godny; zadowolony, o dobrym sa-
mopoczuciu

com·ic [`komik] *adj* komiczny; ko-
mediowy; *s pl* ~s komiks, historyjka obrazkowa

com·i·cal [`komikl] *adj* komiczny,
zabawny

com·ing [`kʌmiŋ] *zob.* **come**; *adj*
przyszły, nadchodzący; dobrze
zapowiadający się, obiecujący; *s*
nadejście, przybycie; nastanie

com·ma [`komə] *s* przecinek; **in-
verted** ~s cudzysłów

om·mand [kə'mand] vt rozkazywać, komenderować, dowodzić; rozporządzać; panować, górować (sb, sth nad kimś, nad czymś); wzbudzać; wymagać, domagać się (sth czegoś); s komenda, dowództwo, rozkaz; panowanie (of sth nad czymś), opanowanie, władanie; zlecenie; to be in ~ of sth mieć władzę nad czymś; to have a full ~ of English biegle władać językiem angielskim; at ~ na rozkaz; do rozporządzenia

om·man·dant ['komən'dænt] s komendant

om·mand·er [kə'mandə(r)] s komendant, dowódca; komandor (orderu)

om·mand·er-in-chief [kə'mandər ın tʃif] s głównodowodzący, wódz naczelny

om·mand·ment [kə'mandmənt] s przykazanie (boskie)

om·man·do [kə'mandəu] s wojsk. jednostka bojowa (szturmowo-desantowa); komandos (żołnierz tej jednostki)

om·mem·o·rate [kə'meməreit] vt upamiętniać; czcić (pamięć); obchodzić (rocznicę)

om·mence [kə'mens] vt vi zaczynać (się)

om·mend [kə'mend] vt polecać, zalecać, powierzać

om·ment ['koment] s komentarz, uwaga; vi komentować (on, upon sth coś), wypowiadać się

om·men·ta·ry ['komentrı] s komentarz, przypisy

om·merce ['komɜs] s handel

om·mer·cial [kə'mɜʃl] adj handlowy; ~ traveller komiwojażer

om·mis·sa·ri·at ['komı'sarıət] s intendentura; zaopatrzenie (wojska)

om·mis·sary ['komısrı] s delegat; komisarz; intendent

om·mis·sion [kə'mıʃn] s zlecenie, rozkaz; pełnomocnictwo; delegacja; komisja; urząd; prowizja; patent oficerski; a person in ~ osoba delegowana (z mandatem);

to sell on ~ sprzedawać komisowo (na prowizję); vt zlecić; upełnomocnić; delegować; mianować

com·mis·sion·er [kə'mıʃnə(r)] s pełnomocnik, mandatariusz; komisarz; członek komisji

com·mit [kə'mıt] vt popełnić; powierzyć; przekazać, odesłać; zobowiązać; angażować; vr ~ oneself angażować się, wdawać się (to sth w coś)

com·mit·ment [kə'mıtmənt] s popełnienie; przekazanie, odesłanie; zobowiązanie, zaangażowanie

com·mit·tee [kə'mıtı] s komitet, komisja

com·mod·i·ty [kə'modətı] s towar, artykuł

com·mo·dore ['komədə(r)] s komandor

com·mon ['komən] adj wspólny; gminny; publiczny; codzienny, zwykły, pospolity; ogólny, powszechny; ~ law prawo zwyczajowe; ~ sense zdrowy rozsądek; s rzecz wspólna; wspólna łąka, wspólne pastwisko; in ~ wspólnie; out of the ~ niezwykły

com·mon·er ['komənə(r)] s szary obywatel, członek gminu; członek Izby Gmin

com·mon·place ['komənpleıs] s komunał; adj banalny, pospolity

com·mons ['komənz] s pl † lud, gmin; House of Commons Izba Gmin

com·mon·wealth ['komənwelθ] s dobro publiczne; republika; wspólnota

com·mo·tion [kə'məuʃn] s poruszenie, tumult; rozruchy

com·mu·nal ['komjunl] adj gminny, komunalny

com·mune ['komjun] s komuna, gmina

com·mu·ni·cate [kə'mjunıkeıt] vt vi komunikować (się)

com·mu·ni·ca·tion [kə'mjunı'keıʃn] s komunikacja, łączność; udzielanie informacji; kontakt, styczność

com·mun·ion [kəˈmjunɪən] s wspólnota; łączność (duchowa); *rel.* komunia

com·mu·ni·qué [kəˈmjunɪkeɪ] s komunikat

com·mu·nism [ˈkomjunɪzm] s komunizm

com·mu·nist [ˈkomjunɪst] s komunista; *adj* komunistyczny

com·mu·ni·ty [kəˈmjunətɪ] s społeczność; wspólnota; gmina (np. religijna)

com·mute [kəˈmjut] *vt vi* zamienić; *prawn.* złagodzić (karę); *am.* dojeżdżać do pracy (z biletem okresowym)

com·pact [kəmˈpækt] *adj* zbity, gęsty, zwarty; *vt* stłoczyć, zbić, zgęścić; s [ˈkompækt] umowa, ugoda; puderniczka

com·pan·ion [kəmˈpænɪən] s towarzysz; podręcznik

com·pan·ion·ship [kəmˈpænɪənʃɪp] s towarzystwo, towarzyszenie

com·pa·ny [ˈkʌmpənɪ] s towarzystwo; kompania; *handl.* spółka; to keep sb ~ dotrzymywać komuś towarzystwa; to part ~ with sb zerwać z kimś stosunki

com·pa·ra·ble [ˈkomprəbl] *adj* porównywalny; stosunkowy

com·par·a·tive [kəmˈpærətɪv] *adj* porównawczy; s *gram.* stopień wyższy

com·pare [kəmˈpeə(r)] *vt* porównywać, zestawiać; *vi* dorównywać (with sth komuś), dać się porównać; s *w zwrocie*: beyond ⟨without, past⟩ ~ bez porównania; niezrównanie

com·par·i·son [kəmˈpærɪsn] s porównanie

com·part·ment [kəmˈpatmənt] s przedział; przegroda

com·pass [ˈkʌmpəs] s obręb, zasięg, zakres, granica; kompas; koło; *pl* ~es cyrkiel; *vt* obejmować, otaczać; okrążać; osiągać

com·pas·sion [kəmˈpæʃn] s współczucie, litość

com·pas·sion·ate [kəmˈpæʃnət] *adj* współczujący, litościwy

com·pat·i·ble [kəmˈpætəbl] *adj* dający się pogodzić, zgodny

com·pel [kəmˈpel] *vt* zmuszać, wymuszać

com·part·ment [kəmˈpatmənt] s skrót, streszczenie

com·pen·sate [ˈkompenseɪt] *vt vi* kompensować, wynagradzać

com·pete [kəmˈpit] *vi* współzawodniczyć, konkurować; ubiegać się (for sth o coś)

com·pe·tence [ˈkompɪtəns] s kompetencja; zadowalająca sytuacja (materialna), zamożność

com·pe·ti·tion [ˈkompəˈtɪʃn] s konkurs; zawody; współzawodnictwo; *handl.* konkurencja

com·pet·i·tive [kəmˈpetətɪv] *adj* konkursowy; konkurencyjny

com·pet·i·tor [kəmˈpetɪtə(r)] s konkurent; biorący udział w konkursie; współzawodnik

com·pile [kəmˈpaɪl] *vt* kompilować, zestawiać, opracowywać

com·pla·cence [kəmˈpleɪsns], **com·pla·cen·cy** [kəmˈpleɪsnsɪ] s zadowolenie; samozadowolenie

com·plain [kəmˈpleɪn] *vi* skarżyć się, narzekać (to sb about ⟨of⟩ sb, sth przed kimś na kogoś, na coś)

com·plaint [kəmˈpleɪnt] s skarga, narzekanie; bolączka, dolegliwość

com·plai·sance [kəmˈpleɪzns] s uprzejmość, usłużność

com·ple·ment [ˈkomplɪmənt] s uzupełnienie; *gram.* dopełnienie; *vt* uzupełniać

com·ple·men·ta·ry [ˈkompləˈmentrɪ] *adj* uzupełniający

com·plete [kəmˈplit] *adj* kompletny, zupełny; skończony; *vt* kompletować; kończyć; wypełniać

com·ple·tion [kəmˈpliʃn] s wypełnienie, uzupełnienie; zakończenie

com·plex [ˈkompleks] *adj* skomplikowany, zawiły; złożony; s kompleks

com·plex·ion [kəmˈplekʃn] s cera, płeć; wygląd

com·plex·i·ty [kəm`pleksəti] *s* złożoność, zawiłość; gmatwanina

com·pli·ance [kəm`plaɪəns] *s* zgoda, kompromisowość, zgodność; uległość; **in ~ with your wishes** zgodnie z pańskimi ⟨waszymi⟩ życzeniami

com·pli·cate [`komplɪkeɪt] *vt* komplikować; wikłać, gmatwać

com·pli·ca·tion [ˌkomplɪ`keɪʃn] *s* komplikacja

com·plic·i·ty [kəm`plɪsəti] *s* współudział (w przestępstwie)

com·pli·ment [`komplɪmənt] *s* komplement; *pl* ~**s** pozdrowienia, ukłony; **to pay one's ~s** przesyłać pozdrowienia, składać uszanowanie; *vt* [`komplɪment] prawić komplementy; pozdrawiać; gratulować **(sb on, upon sth komuś czegoś)**

com·ply [kəm`plaɪ] *vi* zgadzać się, stosować się **(with sth do czegoś)**; spełnić **(with a request prośbę)**

com·po·nent [kəm`pəunənt] *adj* wchodzący w skład, składowy; *s* część składowa, składnik

com·pose [kəm`pəuz] *vt (także druk.)* składać; stanowić; układać; łagodzić, uspokajać; tworzyć; komponować

com·posed [kəm`pəuzd] *adj* opanowany, skupiony, poważny

com·pos·er [kəm`pəuzə(r)] *s* kompozytor

com·pos·ite [`kompəzɪt] *adj* złożony; *s bot.* roślina złożona

com·po·si·tion [ˌkompə`zɪʃn] *s* skład; układ; kompozycja; utwór; wypracowanie; mieszanina; usposobienie

com·pos·i·tor [kəm`pozɪtə(r)] *s* zecer

com·post [`kompost] *s* kompost

com·po·sure [kəm`pəuʒə(r)] *s* opanowanie, spokój

com·pote [`kompəut] *s* kompot

com·pound 1. [`kompaund] *adj* złożony; mieszany; skomplikowany; *s* rzecz złożona, preparat; *gram.*

wyraz złożony; *chem.* związek; *vt* [kəm`paund] składać, mieszać, łączyć

com·pound 2. [`kompaund] *s* ogrodzony teren domu, fabryki itp.

com·pre·hend [ˌkomprɪ`hend] *vt* obejmować; zawierać; pojmować, rozumieć

com·pre·hen·si·ble [ˌkomprɪ`hensəbl] *adj* zrozumiały; dający się objąć rozumem

com·pre·hen·sion [ˌkomprɪ`henʃn] *s* zrozumienie, pojmowanie; zasięg

com·pre·hen·sive [ˌkomprɪ`hensɪv] *adj* obszerny, wyczerpujący; pojemny; pojętny; wszechstronny; **~ school** szkoła ogólnokształcąca

com·press [kəm`pres] *vt* ściskać, zgęszczać; streszczać; *s* [`kompres] kompres; *med.* tampon

com·pres·sion [kəm`preʃn] *s* ściśnięcie, zgęszczenie; sprężenie; zwięzłość

com·prise [kəm`praɪz] *vt* obejmować, zawierać

com·pro·mise [`komprəmaɪz] *s* kompromis, ugoda; *vi vt* iść na ustępstwa **(on, upon sth w sprawie czegoś)**, kompromisowo załatwiać; kompromitować; narażać

com·pul·sion [kəm`pʌlʃn] *s* przymus

com·pul·so·ry [kəm`pʌlsɪ] *adj* przymusowy

com·punc·tion [kəm`pʌŋkʃn] *s* skrucha; skrupuły

com·pu·ta·tion [ˌkompju`teɪʃn] *s* obliczenie

com·pute [kəm`pjut] *vt* obliczać

com·put·er [kəm`pjutə(r)] *s* elektroniczna maszyna cyfrowa, komputer

com·rade [`komreɪd] *s* towarzysz, kolega

com·rade·ship [`komreɪdʃɪp] *s* koleżeństwo; braterstwo

con [kon] *praep łac.* = **contra** przeciw; *s pl* ~**s** głosy przeciw; *zob.* **pro**

con·cave [`koŋkeiv] adj wklęsły; s wklęsłość

con·ceal [kən`sil] vt ukrywać, taić

con·ceal·ment [kən`silmənt] s ukrycie, zatajenie

con·cede [kən`sid] vi ustąpić; vt przyznać, uznać; przyzwolić

con·ceit [kən`sit] s próżność, zarozumiałość; mniemanie; † koncept

con·ceit·ed [kən`sitid] adj próżny, zarozumiały

con·ceiv·a·ble [kən`sivəbl] adj możliwy do pomyślenia ⟨wyobrażenia, zrozumienia⟩

con·ceive [kən`siv] vt vi począć dziecko, zajść w ciążę; pojąć; wpaść na pomysł; wyobrazić sobie; ująć (w formę)

con·cen·trate [`konsntreit] vt vi koncentrować (się), skupiać (się); stężać

con·cen·tra·tion [`konsn`treiʃn] s koncentracja, skupienie (się); stężenie

con·cept [`konsept] s pojęcie; myśl, pomysł

con·cep·tion [kən`sepʃn] s poczęcie (dziecka), zajście w ciążę; koncepcja; pojęcie

con·cern [kən`sɜn] vt dotyczyć; interesować, zajmować (się); niepokoić się, powodować się troską; to be ~ed troszczyć się, być zainteresowanym (about sth czymś); mieć do czynienia (with sth z czymś); I am not ~ed in it to mnie nie dotyczy, nie mam z tym nic wspólnego; as ~s co się tyczy; my life is ~ed chodzi o moje życie; vr ~ oneself with ⟨in, about⟩ sb, sth interesować się kimś, czymś; troszczyć się o kogoś, o coś; s zainteresowanie; związek; udział; stosunek; znaczenie; niepokój, troska; sprawa; handl. koncern; it's no ~ of mine to nie moja sprawa

con·cern·ing [kən`sɜniŋ] praep odnośnie do, co do, co się tyczy; w sprawie

con·cert [`konsət] s koncert; zgoda, porozumienie; vt [kən`sɜt] wspólnie planować, układać (np. plan)

con·ces·sion [kən`seʃn] s koncesja; ustępstwo; przyzwolenie

con·cil·i·ate [kən`silieit] vt pojednać, pogodzić; zjednać sobie

con·cil·i·a·tion [kən`sili`eiʃn] s pojednanie, pogodzenie

con·cil·i·a·to·ry [kən`siliətri] adj pojednawczy

con·cise [kən`sais] adj zwięzły

con·clude [kən`klud] vt vi kończyć (się); zawierać; wnioskować; zdecydować

con·clu·sion [kən`kluʒn] s zakończenie; zawarcie (traktatu); wniosek, wynik

con·clu·sive [kən`klusiv] adj końcowy; przekonywający; decydujący; rozstrzygający

con·coct [kən`kokt] vt sporządzić, skombinować; wymyślić

con·cord [`koŋkəd] s zgoda, ugoda, jedność

con·cord·ance [kən`kɔdns] s zgoda, harmonia

con·course [`koŋkɔs] s zbiegowisko, tłum; zbieg (ulic itp.); skupienie

con·crete 1. [`koŋkrit] adj konkretny; betonowy; s konkret; beton

con·crete 2. [`koŋkrit] vt zgęszczać (się), tworzyć masę, tężeć

con·cur [kən`kɜ(r)] vi zbiegać się; zgadzać się; współdziałać

con·cur·rence [kən`kʌrns] s zbieg (okoliczności), zbieżność; współdziałanie, zgoda

con·demn [kən`dem] vt potępiać; skazywać

con·dem·na·tion [`kondəm`neiʃn] s potępienie; skazanie

con·den·sa·tion [`kondən`seiʃn] s zgęszczenie, kondensacja; zwięzłość

con·dense [kən`dens] vt vi zgęszczać (się), kondensować (się); streścić

con·de·scend [`kondi`send] vi zniżyć się; raczyć, być łaskawym

con·di·ment [`kondimənt] s przyprawa

on·di·tion [kən`dɪʃn] s położenie; stan; warunek; *pl* ~s otoczenie; warunki; on ~ pod warunkiem, że, jeśli; *vt* warunkować; uzależniać; doprowadzać do odpowiedniego stanu; klimatyzować; *med.* ~ed reflex odruch warunkowy

on·di·tion·al [kən`dɪʃnl] *adj* warunkowy; zależny (on sth od czegoś); *gram.* warunkowy; s *gram.* tryb warunkowy

con·dole [kən`dəul] *vi* współczuć; składać wyrazy współczucia (with sb on, upon sth komuś z powodu czegoś)

on·do·lence [kən`dəuləns] s współczucie, wyrazy współczucia

on·duce [kən`djus] *vt* doprowadzić; przyczynić się, sprzyjać

con·du·cive [kən`djusɪv] *adj* prowadzący; sprzyjający

con·duct [kən`dʌkt] *vt vi* prowadzić, kierować; dowodzić; dyrygować; *vr* ~ oneself prowadzić się, zachowywać się; s [`kondʌkt] prowadzenie (się), sprawowanie; kierownictwo

con·duc·tor [kən`dʌktə(r)] s konduktor; kierownik; dyrygent; (*także fiz.*) przewodnik

con·duit [`kondɪt] s przewód, kanał, rura; *elektr.* rura izolacyjna

cone [kəun] s stożek; szyszka

con·fab·u·late [kən`fæbjuleɪt] *vi* gawędzić

con·fec·tion [kən`fekʃn] s cukierek; konfekcja (damska); *zbior.* słodycze; konfitury

con·fec·tion·er [kən`fekʃnə(r)] s cukiernik

con·fec·tion·e·ry [kən`fekʃnrɪ] s fabryka cukierków; cukiernia; *zbior.* wyroby cukiernicze

con·fed·er·a·cy [kən`fedrəsɪ] s konfederacja; spisek

con·fed·er·ate [kən`fedrət] *adj* sprzymierzony; s sprzymierzeniec, konfederat; *vi* [kən`fedəreɪt] sprzymierzać się; spiskować

con·fer [kən`fɜ(r)] *vt* nadawać (sth

on sb coś komuś); *vi* konferować

con·fer·ence [`konfrns] s konferencja, narada; zjazd

con·fess [kən`fes] *vt vi* wyznawać; przyznawać się; spowiadać (się)

con·fes·sion [kən`feʃn] s wyznanie; przyznanie się; spowiedź

con·fes·sor [kən`fesə(r)] s spowiednik; wyznawca

con·fi·dant [`konfɪdænt] s powiernik

con·fide [kən`faɪd] *vi* dowierzać, ufać (in sb komuś); zwierzać się (to sb komuś); *vt* powierzać; zwierzać się (sth z czegoś)

con·fi·dence [`konfɪdəns] s zaufanie; poufność; zwierzenie; pewność siebie; przeświadczenie

con·fi·dent [`konfɪdənt] *adj* ufny; przekonany, pewny; pewny siebie; s powiernik

con·fi·den·tial [ˌkonfɪ`denʃl] *adj* poufny; zaufany

con·fine [kən`faɪn] *vt* ograniczać; zamykać (w więzieniu); ~d to bed złożony chorobą; s [`konfaɪn] (*zw. pl* ~s) granica

con·fine·ment [kən`faɪnmənt] s ograniczenie; odosobnienie; zamknięcie (w więzieniu); poród; obłożna choroba

con·firm [kən`fɜm] *vt* potwierdzać, zatwierdzać; wzmacniać, utwierdzać; *rel.* konfirmować

con·fir·ma·tion [ˌkonfə`meɪʃn] s potwierdzenie, zatwierdzenie; wzmocnienie; *rel.* konfirmacja, bierzmowanie

con·firmed [kən`fɜmd] *zob.* **confirm**; *adj* zatwardziały, stały, uporczywy; nałogowy

con·fis·cate [`konfɪskeɪt] *vt* konfiskować

con·fla·gra·tion [ˌkonflə`greɪʃn] s pożar

con·flict [`konflɪkt] s starcie, konflikt, kolizja; *vi* [kən`flɪkt] ścierać się, walczyć; nie zgadzać się, kolidować

con·form [kən`fɔm] *vt vi* dostosować (się), upodobnić (się), uzgodnić

con·form·i·ty [kənˈfɔːmətɪ] s dostosowanie, zgodność; **in ~** zgodnie

con·found [kənˈfaʊnd] vt pomieszać, poplątać; zaskoczyć; konfundować; burzyć, niszczyć; **~ it! do diabła!**

con·front [kənˈfrʌnt] vt stawać naprzeciw (twarzą w twarz); konfrontować; porównywać; stawać w obliczu; stawiać czoło; stanąć (sb przed kimś); **to be ~ed with** ⟨by⟩ sb, sth stanąć przed kimś, czymś ⟨wobec kogoś, czegoś⟩

con·fuse [kənˈfjuːz] vt mieszać, plątać; zmieszać, zażenować

con·fu·sion [kənˈfjuːʒn] s zamieszanie, chaos, nieporządek; zmieszanie, zażenowanie

con·fute [kənˈfjuːt] vt zbijać (argument); przekonać kogoś, że się myli

con·geal [kənˈdʒiːl] vt zamrozić, ściąć; vi zamarznąć; krzepnąć, ścinać się

con·ge·nial [kənˈdʒiːnɪəl] adj pokrewny, bliski duchem, sympatyczny; odpowiedni

con·gen·i·tal [kənˈdʒenɪtl] adj wrodzony, przyrodzony

con·ges·tion [kənˈdʒestʃən] s skupienie, zatłoczenie; przeciążenie; przekrwienie

con·grat·u·late [kənˈgrætʃuleɪt] vt gratulować (sb on, upon sth komuś czegoś)

con·grat·u·la·tion [kənˌgrætʃuˈleɪʃn] s (zw. pl ~s) gratulacje

con·gre·gate [ˈkɒŋgrɪgeɪt] vt vi gromadzić (się), skupiać (się)

con·gre·ga·tion [ˌkɒŋgrɪˈgeɪʃn] s zgromadzenie, kongregacja; zbiór. parafia

con·gress [ˈkɒŋgres] s kongres; am. **Congress Kongres**

con·gress·man [ˈkɒŋgresmən] s am. członek Kongresu

con·ic(al) [ˈkɒnɪk(l)] adj stożkowy, stożkowaty

coni·fer [ˈkɒnɪfə(r)] n drzewo iglaste

co·nif·er·ous [kəʊˈnɪfərəs] adj bot. (o drzewie) iglasty

con·jec·tur·al [kənˈdʒektʃərl] adj przypuszczalny, domniemany

con·jec·ture [kənˈdʒektʃə(r)] s przypuszczenie, domniemanie, domysł; vt vi przypuszczać, domyślać się, stawiać hipotezę

con·ju·gal [ˈkɒndʒʊgl] adj małżeński

con·ju·gate [ˈkɒndʒʊˈgeɪt] vt gram. koniugować; vi zespalać się

con·ju·ga·tion [ˌkɒndʒʊˈgeɪʃn] s zespolenie; gram. koniugacja

con·junc·tion [kənˈdʒʌŋkʃn] s związek; gram. spójnik

con·junc·tive [kənˈdʒʌŋktɪv] adj łączący; gram. spójnikowy; s gram. spójnik

con·junc·ture [kənˈdʒʌŋktʃə(r)] s zbieg okoliczności; stan rzeczy, koniunktura

con·jure 1. [kənˈdʒʊə(r)] vt zaklinać, błagać

con·jure 2. [ˈkʌndʒə(r)] vt vi uprawiać czarnoksięstwo, czarować; **~ up** wywoływać (duchy), wyczarować (w wyobraźni)

con·jur·er [ˈkʌndʒərə(r)] s czarnoksiężnik, magik

con·nect [kəˈnekt] vt vi łączyć (się), wiązać (się); stykać (się)

con·nect·ed [kəˈnektɪd] zob. **connect**; adj połączony, związany; pokrewny, powinowaty; **well ~** dobrze ustosunkowany

con·nec·tion, con·nex·ion [kəˈnekʃn] s związek, koneksja; (także elektr.) kontakt; pokrewieństwo; znajomości; klientela; połączenie (kolejowe itp.); **in this ~** w związku z tym

con·ni·vance [kəˈnaɪvəns] s przyzwolenie; pobłażanie, tolerowanie

con·nive [kəˈnaɪv] vi przyzwalać, patrzeć przez palce (at sth na coś); brać cichy udział (at sth w czymś)

con·nois·seur [ˈkɒnɪˈsɜ(r)] s znawca, koneser

con·quer [ˈkɒŋkə(r)] vt zdobyć, pokonać, zwyciężyć, podbić

con·quer·or [ˈkɒŋkərə(r)] s zdobywca

con·quest [ˈkɒŋkwest] s zdobycie, podbój, zwycięstwo

con·science [ˈkɒnʃns] s sumienie

con·sci·en·tious [ˈkɒnʃɪˈenʃəs] adj sumienny

con·scious [ˈkɒnʃəs] adj świadomy; przytomny

con·scious·ness [ˈkɒnʃəsnəs] s świadomość; przytomność

con·script [ˈkɒnskrɪpt] s poborowy, rekrut; adj poborowy; vt [kənˈskrɪpt] brać do wojska

con·scrip·tion [kənˈskrɪpʃn] s pobór; obowiązek służby wojskowej

con·se·crate [ˈkɒnsɪkreɪt] vt poświęcać, konsekrować

con·se·cu·tion [ˈkɒnsɪˈkjuːʃn] s następstwo

con·sec·u·tive [kənˈsekjʊtɪv] adj kolejny, następny z rzędu; gram. skutkowy

con·sent [kənˈsent] vi zgadzać się (to sth na coś); s zgoda; with one ~, by general ~ jednomyślnie

con·se·quence [ˈkɒnsɪkwəns] s następstwo, wynik; konsekwencja; wniosek; znaczenie, doniosłość

con·se·quent [ˈkɒnsɪkwent] adj wynikający, będący następstwem (on, upon sth czegoś); konsekwentny; późniejszy; s skutek, wynik, rezultat

con·se·quen·tial [ˈkɒnsɪˈkwenʃl] adj wynikający, logicznie uzasadniony; mający wysokie mniemanie o sobie

con·ser·va·tion [ˈkɒnsəˈveɪʃn] s ochrona, konserwacja; rezerwat

con·serv·a·tive [kənˈsɜvətɪv] adj konserwatywny; s konserwatysta

con·ser·va·toire [kənˈsɜvətwɑ(r)] s konserwatorium

con·serv·a·to·ry [kənˈsɜvətrɪ] s konserwatorium; cieplarnia

con·serve [kənˈsɜv] vt przechowywać, konserwować; s pl ~s konserwy owocowe

con·sid·er [kənˈsɪdə(r)] vt vi rozpatrywać, rozważać, brać pod uwagę; poczytywać, uważać (sb sth kogoś za coś); szanować, mieć wzgląd

con·sid·er·a·ble [kənˈsɪdrəbl] adj znaczny

con·sid·er·ate [kənˈsɪdrət] adj uważny, myślący; pełen względów, delikatny

con·sid·er·a·tion [kənˈsɪdəˈreɪʃn] s rozważanie, rozwaga; wgląd; uwaga; wynagrodzenie; uznanie, szacunek; znaczenie; wzgląd; in ~ ze względu (of sth na coś); to take into ~ uwzględnić

con·sid·er·ing [kənˈsɪdrɪŋ] praep zważywszy, z uwagi, ze względu (sth na coś)

con·sign [kənˈsaɪn] vt przekazywać, powierzać, wydawać; przesyłać

con·sign·ment [kənˈsaɪnmənt] s powierzenie, przekazanie, wydanie; przesyłka, wysyłka; handl. przesyłka konsygnowana

con·sist [kənˈsɪst] vi składać się, być złożonym (of sth z czegoś); polegać (in sth na czymś)

con·sist·ence [kənˈsɪstəns], con·sist·en·cy [kənˈsɪstənsɪ] s gęstość, zwartość, konsystencja; zgodność; konsekwencja, stanowczość

con·sist·ent [kənˈsɪstənt] adj zwarty; zgodny; konsekwentny

con·so·la·tion [ˈkɒnsəˈleɪʃn] s pocieszenie

con·sole [kənˈsəʊl] vt pocieszać; s [ˈkɒnsəʊl] konsola

con·sol·i·date [kənˈsɒlɪdeɪt] vt vi konsolidować, utwierdzać (się); jednoczyć (się)

con·so·nance [ˈkɒnsənəns] s harmonia, zgodność

con·so·nant [ˈkɒnsənənt] adj harmonijny, zgodny; s gram. spółgłoska

con·sort [ˈkɒnsɔt] s współmałżonek; prince ~ książę małżonek

conspicuous

con·spic·u·ous [kən'spɪkjuəs] *adj* widoczny, okazały; wybitny

con·spir·a·cy [kən'spɪrəsɪ] s spisek, konspiracja

con·spire [kən'spaɪə(r)] *vi vt* spiskować, sprzysięgać się; knuć

con·sta·ble ['kʌnstəbl] s policjant; konstabl

con·stan·cy ['konstənsɪ] s stałość, trwałość, wytrwałość; wierność

con·stant ['konstənt] *adj* stały, trwały, wytrwały; wierny

con·stel·la·tion ['konstə'leɪʃn] s konstelacja, gwiazdozbiór

con·ster·na·tion ['konstə'neɪʃn] s przerażenie

con·sti·pa·tion ['konstɪ'peɪʃn] s obstrukcja, *pot.* zatwardzenie

con·stit·u·en·cy [kən'stɪtʃuənsɪ] s wyborcy; okręg wyborczy; klientela, abonenci

con·stit·u·ent [kən'stɪtʃuənt] *adj* składowy; ustawodawczy; s element, część składowa; wyborca

con·sti·tute ['konstɪtjut] *vt* stanowić, tworzyć; ustanawiać, konstytuować; mianować; to be so ~d that ... mieć taką naturę, że...; to be weakly ~d mieć wątły organizm

con·sti·tu·tion ['konstɪ'tjuʃn] s konstytucja; skład; budowa (fizyczna); struktura psychiczna; ustanowienie

con·strain [kən'streɪn] *vt* zmuszać; krępować, ograniczać

con·straint [kən'streɪnt] s przemoc, przymus; skrępowanie, ograniczenie

con·strict [kən'strɪkt] *vt* ściągać, zwężać, zaciskać, dusić

con·struct [kən'strʌkt] *vt* konstruować, budować

con·struc·tion [kən'strʌkʃn] s konstrukcja, budowa; budowla

con·struc·tive [kən'strʌktɪv] *adj* konstruktywny, twórczy; konstrukcyjny

con·strue [kən'stru] *vt* objaśniać, interpretować; *gram.* robić rozbiór (zdania); *vi* (o zdaniu) mieć dobrą ⟨złą⟩ składnię

con·sul ['konsl] s konsul

con·sul·ate ['konsjulət] s konsulat

con·sult [kən'sʌlt] *vt* radzić się (sb kogoś); brać pod uwagę, rozważać; to ~ a dictionary sięgać do słownika; *vi* naradzać się

con·sume [kən'sjum] *vt vi* spożywać; zużywać (się); niszczyć, trawić; marnować (się); spalać (się)

con·sum·er [kən'sjumə(r)] s spożywca, konsument; ~(s') goods artykuły konsumpcyjne

con·sum·mate ['konsəmeɪt] *vt* dokonywać, dopełniać; kończyć; *adj* [kən'sʌmət] doskonały; zupełny; skończony

con·sum·ma·tion ['konsə'meɪʃn] s dokonanie, dopełnienie; uwieńczenie

con·sump·tion [kən'sʌmpʃn] s spożycie; zużycie; zniszczenie, strawienie; *med.* gruźlica

con·sump·tive [kən'sʌmptɪv] *adj* niszczący; gruźliczy; s gruźlik

con·tact ['kontækt] s kontakt, styczność; to come into ~, to make ~ kontaktować się; *vt vi* zetknąć (się), kontaktować (się) (sb z kimś)

con·ta·gion [kən'teɪdʒən] s *dosł. i przen.* zaraza, zakażenie

con·ta·gious [kən'teɪdʒəs] *adj* zakaźny, zaraźliwy

con·tain [kən'teɪn] *vt* zawierać; mieścić; powstrzymywać; *vr* ~ oneself panować nad sobą

con·tain·er [kən'teɪnə(r)] s zbiornik, pojemnik, kontener, skrzynia, bak

con·tam·i·nate [kən'tæmɪneɪt] *vt* zanieczyścić, splugawić, zakazić; wywrzeć zły wpływ

con·tem·plate ['kontəmpleɪt] *vt vi* oglądać; rozmyślać; mieć na myśli; zamierzać

con·tem·po·ra·ry [kən'temprɪ] *adj* współczesny; dzisiejszy; s współcześnie żyjący; rówieśnik

con·tempt [kən'tempt] s pogarda, lekceważenie; obraza

con·tempt·i·ble [kən`temptəbl] *adj* zasługujący na pogardę; podły

con·tempt·u·ous [kən`temptʃʊəs] *adj* pogardliwy; gardzący

con·tend [kon`tend] *vi* spierać się; rywalizować; ubiegać się **(for sth** o coś**)**, walczyć; twierdzić

con·tent 1. [kən`tent] *s* zadowolenie; *adj* zadowolony; *vt* zadowalać

con·tent 2. [`kontent] *s* zawartość; istota; (*zw. pl* ~s) treść (książki itp.); **table of** ~s spis rzeczy

con·tent·ed [kən`tentɪd] *zob.* **content** 1.; *adj* zadowolony

con·ten·tion [kən`tenʃn] *s* spór, sprzeczka; walka, rywalizacja; twierdzenie, argument (w sporze)

con·tent·ment [kən`tentmənt] *s* zadowolenie

con·test [kən`test] *vt vi* spierać się, rywalizować; ubiegać się; kwestionować; *s* [`kontest] spór; rywalizacja; zawody, konkurs

con·text [`kontekst] *s* kontekst

con·ti·gu·i·ty [`kontɪ`gjuətɪ] *s* przyleganie, bliskość

con·tig·u·ous [kən`tɪgjuəs] *adj* przyległy, sąsiedni

con·ti·nence [`kontɪnəns] *s* wstrzemięźliwość

con·ti·nent 1. [`kontɪnənt] *s* kontynent

con·ti·nent 2. [`kontɪnənt] *adj* wstrzemięźliwy

con·tin·gen·cy [kən`tɪndʒənsɪ] *s* przypadkowość, ewentualność; nieprzewidziany wydatek

con·tin·gent [kən`tɪndʒənt] *adj* przypadkowy, ewentualny; warunkowy, uwarunkowany; *s* kontyngent; ewentualność, przypadek

con·tin·u·al [kən`tɪnjuəl] *adj* ciągły, powtarzający się, ustawiczny

con·tin·u·ance [kən`tɪnjuəns] *s* trwanie, ciągłość; dalszy ciąg

con·tin·u·a·tion [kən`tɪnju`eɪʃn] *s* kontynuacja, ciąg dalszy

con·tin·ue [kən`tɪnju] *vt* kontynuować, dalej coś robić, prowadzić; **to be** ~**d** ciąg dalszy nastąpi; *vi* trwać nadal, ciągnąć się dalej, pozostawać w dalszym ciągu

con·tin·u·ous [kən`tɪnjuəs] *adj* dalej trwający, nieprzerwany, trwały, stały

con·tort [kən`tɔt] *vt* skrzywić; zwichnąć

con·tour [`kontuə(r)] *s* zarys, kontur; *geogr.* ~ **line** poziomica

con·tra·band [`kontrəbænd] *s* kontrabanda, przemyt

con·tra·cep·tive [`kontrə`septɪv] *s* środek antykoncepcyjny; *adj* antykoncepcyjny

con·tract [`kontrækt] *s* umowa, kontrakt; *vt vi* [kən`trækt] kontraktować; zobowiązywać się; zawierać (umowę, przyjaźń itp.); ściągnąć (się), skurczyć (się); zaciągnąć (dług); nabawić się (np. choroby)

con·trac·tor [kən`træktə(r)] *s* kontrahent; przedsiębiorca; dostawca

con·tra·dict [`kontrə`dɪkt] *vt* zaprzeczać **(sth** czemuś**)**; być w sprzeczności **(sth z** czymś); przeczyć **(sb** komuś)

con·tra·dic·tion [`kontrə`dɪkʃn] *s* zaprzeczenie; sprzeciw; sprzeczność

con·tra·dic·to·ry [`kontrə`dɪktərɪ] *adj* przeczący, sprzeczny, przeciwstawny

con·tra·dis·tinc·tion [`kontrədɪ`stɪŋkʃn] *s* przeciwieństwo, odróżnienie (przez kontrast)

con·tra·ry [`kontrərɪ] *adj* sprzeczny, przeciwny; niepomyślny; *s* przeciwieństwo; **on the** ~ przeciwnie, na odwrót; *adv* wbrew, przeciwnie, w przeciwieństwie

con·trast [`kontrast] *s* kontrast; *vt vi* [kən`trast] kontrastować; przeciwstawiać

con·trib·ute [kən`trɪbjut] *vt vi* wnieść udział ⟨wkład⟩; dołożyć się; **to** ~ **money etc. to sth** przyczynić się finansowo itp. do czegoś; **to** ~ **to a magazine** współpracować z czasopismem, pisać (artykuły) do czasopisma

con·tri·bu·tion [ˌkɔntrɪˈbjuʃn] s przyczynek, wkład, współudział; datek; współpraca (z pismem), artykuł w piśmie; kontrybucja, odszkodowanie wojenne

con·trite [kɔnˈtraɪt] adj skruszony

con·tri·tion [kɔnˈtrɪʃn] s skrucha

con·tri·vance [kənˈtraɪvəns] s pomysł, plan; pomysłowość; wynalazek; urządzenie

con·trive [kənˈtraɪv] vt vi wymyślić, obmyśleć; zaplanować; wynaleźć; doprowadzić do czegoś, uskutecznić; zrobić coś pomyślnie, zdołać

con·trol [kənˈtrəul] vt kontrolować; regulować; rządzić, kierować, zarządzać, nadzorować; wstrzymywać; **panować (sth nad czymś)**; sterować; s nadzór, kontrola; władza, kierownictwo; kierowanie, sterowanie; regulowanie; panowanie; pl ~s techn. sterownica; przyrządy do sterowania; adj attr sterujący, regulujący; kontrolny

con·tro·ver·sial [ˌkɔntrəˈvɜːʃl] adj sporny, polemiczny, kontrowersyjny

con·tro·ver·sy [ˈkɔntrəvɜːsɪ] s spór, polemika, kontrowersja

con·tu·me·ly [ˈkɔntjumlɪ] s obelżywe traktowanie, obelga

con·tu·sion [kənˈtjuʒn] s kontuzja; stłuczenie

con·va·lesce [ˌkɔnvəˈles] vi przychodzić do zdrowia

con·va·les·cence [ˌkɔnvəˈlesns] s rekonwalescencja

con·vene [kənˈvin] vt vi zwoływać, wzywać; zbierać (się)

con·ve·nience [kənˈviniəns] s wygoda; pl ~s komfort; **at your ~** kiedy ⟨jak⟩ ci będzie wygodnie; **marriage of ~** małżeństwo z rozsądku

con·ve·nient [kənˈviniənt] adj wygodny, dogodny

con·ven·tion [kənˈvenʃn] s umowa; zebranie; zwyczaj; konwencja; pl ~s konwenanse

con·ven·tion·al [kənˈvenʃnl] adj umowny, zwyczajowy; konwencjonalny; stereotypowy

con·verge [kənˈvɜːdʒ] vi zbiegać się (w jednym punkcie); vt skupiać

con·ver·sant [kənˈvɜːsnt] adj dobrze znający (**with sth** coś), dobrze poinformowany (**with sth** o czymś), biegły

con·ver·sa·tion [ˌkɔnvəˈseɪʃn] s rozmowa, konwersacja

con·verse 1. [kənˈvɜːs] vi rozmawiać

con·verse 2. [ˈkɔnvɜːs] adj odwrotny, odwrócony; s odwrócenie, odwrotność

con·ver·sion [kənˈvɜːʃn] s konwersja; przemiana; nawrócenie; odwrócenie

con·vert [kənˈvɜːt] vt zmieniać, przemienić; sprzeniewierzyć; nawracać; konwertować; s [ˈkɔnvɜːt] konwertyta, nawrócony

con·vex [ˈkɔnveks] adj wypukły

con·vey [kənˈveɪ] vt przewozić, przesyłać, przekazywać; komunikować

con·vey·ance [kənˈveɪəns] s przewóz, przenoszenie, przekazanie; doprowadzenie; komunikowanie; uzmysławianie; pojazd

con·vict [kənˈvɪkt] vt przekonywać (**of sth** o czymś); udowadniać (**sb of sth** komuś coś); uznać sądownie winnym (**of sth** czegoś); s [ˈkɔnvɪkt] skazaniec

con·vic·tion [kənˈvɪkʃn] s przekonanie; zasądzenie, osądzenie, udowodnienie winy

con·vince [kənˈvɪns] vt przekonać (**of sth** o czymś)

con·viv·i·al [kənˈvɪvɪəl] adj towarzyski, wesoły

con·vo·ca·tion [ˌkɔnvəˈkeɪʃn] s zwołanie; zebranie

con·voke [kənˈvəuk] vt zwoływać, zbierać

con·voy [ˈkɔnvɔɪ] s konwój, konwojowanie; vt [kənˈvɔɪ] konwojować

con·vulse [kənˈvʌls] vt wstrząsać; przyprawiać o konwulsje

correct

on·vul·sion [kənˈvʌlʃn] s konwulsja; wstrząs

oo [kuː] vt vi gruchać; gaworzyć

ook [kuk] vt vi gotować (się); przen. fałszować; s kucharz

ook·er·y [ˈkukərɪ] s sztuka kulinarna

ool [kuːl] adj chłodny; oziębły; s chłód; vt vi chłodzić (się), studzić (się); ~ down ostygnąć; przen. ochłonąć

:oo·lie, coo·ly [ˈkuːlɪ] s kulis

:ool·ness [ˈkuːlnəs] s chłód; przen. zimna krew

:oop [kuːp] s kojec

:o·op, am. coop [ˈkəu op] s pot. kooperatywa

:oop·er [ˈkuːpə(r)] s bednarz

:o·op·er·ate, am. co·op·er·ate [kəu ˈopəreɪt] vi współdziałać, współpracować

:o·op·er·a·tion, am. co·op·er·a·tion [kəu ˈopəˈreɪʃn] s współdziałanie, kooperacja

:o·op·er·a·tive [kəu ˈoprətɪv] adj współdziałający, chętny do współdziałania; spółdzielczy; s (także ~ society) spółdzielnia; (także ~ shop) sklep spółdzielczy

:o-opt [kəu ˈopt] vt kooptować

:o-or·di·nate [ˈkəu ˈɔdəneɪt] vt koordynować; adj [ˈkəu ˈɔdnət] równorzędny; gram. współrzędny

:op [kop] s pot. policjant

:o-part·ner [ˈkəu ˈpɑtnə(r)] s wspólnik, udziałowiec

cope [kəup] vi zmagać się, borykać się; radzić sobie; podołać

:o·pi·ous [ˈkəupɪəs] adj obfity; płodny

cop·per [ˈkopə(r)] s miedź; miedziak

cop·pice [ˈkopɪs] s zarośla, lasek, zagajnik

cop·u·late [ˈkopjuleɪt] vi spółkować

cop·y [ˈkopɪ] s kopia; egzemplarz; rękopis, maszynopis; rough ~ brudnopis; fair ⟨clean⟩ ~ czystopis; vt vi kopiować, przepisywać; naśladować

cop·y-book [ˈkopɪbuk] s (szkolny) zeszyt do ćwiczeń

cop·y·right [ˈkopɪraɪt] s prawo autorskie; vt zastrzec sobie prawo autorskie

cor·al [ˈkorl] s koral

cord [kɔd] s sznur, sznurek, lina; vocal ~ struna głosowa

cord·age [ˈkɔdɪdʒ] s liny; mors. olinowanie

cor·di·al [ˈkɔdɪəl] adj serdeczny; s środek nasercowy

cor·di·al·i·ty [ˈkɔdɪ ˈælətɪ] s serdeczność

cor·du·roy [ˈkɔdərɔɪ] s sztruks; pl ~s spodnie sztruksowe

core [kɔ(r)] s rdzeń, jądro; sedno; ogryzek (owocu); przen. serce, dusza

cork [kɔk] s korek; vt korkować

cork·screw [ˈkɔkskruː] s korkociąg

corn 1. [kɔn] s ziarno, zboże; am. kukurydza

corn 2. [kɔn] s nagniotek, odcisk

cor·ner [ˈkɔnə(r)] s róg, węgieł; kąt; moment krytyczny; mat. wierzchołek; adj attr narożny; vt zapędzić w kąt, przyprzeć do muru

cor·ner-stone [ˈkɔnəstəun] s kamień węgielny

corn·flower [ˈkɔnflauə(r)] s bławatek

cor·nice [ˈkɔnɪs] s gzyms

cor·ol·la·ry [kəˈrolərɪ] s wniosek; wynik

cor·o·ner [ˈkorənə(r)] s sędzia śledczy

cor·po·ral 1. [ˈkɔprl] adj cielesny

cor·po·ral 2. [ˈkɔprl] s kapral

cor·po·ra·tion [ˈkɔpəˈreɪʃn] s korporacja; handl. towarzystwo, spółka

cor·por·e·al [kɔˈpɔrɪəl] adj cielesny, materialny

corps [kɔ(r)] s wojsk. korpus; zespół

corpse [kɔps] s zwłoki, trup

cor·pu·lent [ˈkɔpjulənt] adj korpulentny, otyły

cor·pus·cle [ˈkɔpʌsl] s biol. ciałko

cor·rect [kəˈrekt] adj poprawny,

prawidłowy; *vt* poprawiać, robić korektę; karać

cor·rec·tion [kə'rekʃn] *s* poprawka, poprawa; korekta; naprawa

cor·re·la·tion ['kɔrɪ'leɪʃn] *s* korelacja, współzależność

cor·re·spond [kɔrɪs'pɔnd] *vi* odpowiadać, być odpowiednim, zgadzać się; korespondować

cor·re·spond·ence ['kɔrɪ'spɔndəns] *s* zgodność; korespondencja

cor·ri·dor [`kɔrɪdɔ(r)] *s* korytarz

cor·ri·gi·ble [`kɔrɪdʒəbl] *adj* dający się poprawić

cor·rob·o·rate [kə'rɔbəreɪt] *vt* potwierdzić

cor·rob·o·ra·tion [kə'rɔbə'reɪʃn] *s* potwierdzenie

cor·rode [kə'rəud] *vt* zżerać, nadgryzać; *vi* niszczeć (na skutek korozji)

cor·ro·sion [kə'rəuʒn] *s* korozja

cor·rupt [kə'rʌpt] *adj* zepsuty, skorumpowany, sprzedajny; *vt vi* korumpować, psuć (się)

cor·rup·tion [kə'rʌpʃn] *s* zepsucie, korupcja; rozkład; sprzedajność

cor·set [`kɔsɪt] *s* gorset

cos·met·ic [kɔz'metɪk] *adj* kosmetyczny; *s* kosmetyk; *pl* ~s kosmetyki, kosmetyka

cos·mic [`kɔzmɪk] *adj* kosmiczny

cos·mo·naut [`kɔzmənɔt] *s* kosmonauta

cos·mo·pol·i·tan ['kɔzmə'pɔlɪtən] *adj* kosmopolityczny; *s* kosmopolita

cos·mo·pol·ite [kɔz'mɔpəlaɪt] *s* kosmopolita

cos·mo·pol·i·tism ['kɔzmə'pɔlɪtɪzm] *s* kosmopolityzm

cos·mos [`kɔzmɔs] *s* kosmos

*cost [kɔst] cost, cost [kɔst] *vi* kosztować; *s* koszt; at the ~ za cenę; at all ~s za wszelką cenę

cost·ly [`kɔstlɪ] *adj* kosztowny; wspaniały, doskonały

cos·tume [`kɔstjum] *s* kostium, strój

co·sy [`kəuzɪ] *adj* przytulny, wygodny

cot 1. [kɔt] *s* lekkie łóżko (polo we, dziecięce); koja (na statku

cot 2. [kɔt] *s* szopa, szałas; poe chata

co·te·rie [`kəutərɪ] *s* koteria

cot·tage [`kɔtɪdʒ] *s* domek, chata ~ piano pianino

cot·tag·er [`kɔtɪdʒə(r)] *s* właścicie ⟨posiadacz własnego⟩ domku wieśniak

cot·ton [`kɔtn] *s* bawełna, wyró bawełniany; wata

cot·ton-wool ['kɔtn'wul] *s* wata

couch [kautʃ] *s* kanapa, tapczan legowisko; *vi* leżeć w ukryciu czaić się; *vt* wyrażać, formuło wać

cough [kɔf] *s* kaszel; *vi* kaszleć *vt* ~ out ⟨up⟩ wykrztusić, wy kaszleć

could *zob* can 1.

coun·cil [`kaunsl] *s* rada (jako ze spół); narada

coun·cil·lor [`kaunslə(r)] *s* członek rady, radny

coun·sel [`kaunsl] *s* rada, porada narada; radca, doradca, rzecznik adwokat; *vt* radzić

coun·sel·lor [`kaunslə(r)] *s* radca adwokat

count 1. [kaunt] *vt vi* rachować liczyć (się); uważać za; być uważanym za; ~ on ⟨upon⟩ sb, sth liczyć na kogoś, coś; ~ out odliczyć; nie brać w rachubę; (u bokwie) wyliczyć, uznać za pokonanego; *s* rachunek, rachuba

count 2. [kaunt] *s* hrabia (nie angielski)

count·able [`kauntəbl] *adj* obliczalny, dający się policzyć

coun·te·nance [`kauntɪnəns] *s* wyraz twarzy, twarz, fizjonomia opanowanie; kontenans; zachęta poparcie; to put out of ~ zdetonować, stropić; *vt* popierać zachęcać

coun·ter 1. [`kauntə(r)] *s* lada, kon tuar; kantor; prowadzący rachunki; liczman; żeton

coun·ter 2. [ˈkaʊntə(r)] *adj* przeciwny, przeciwległy, przeciwstawny; *adv* przeciwnie, w przeciwnym kierunku; *vt vi* sprzeciwiać się, przeciwdziałać, krzyżować (plany); odparować (cios), kontrować

coun·ter·act [ˈkaʊntəˈrækt] *vt* przeciwdziałać

coun·ter·at·tack [ˈkaʊntər əˈtæk] *s* kontratak

coun·ter·bal·ance [ˈkaʊntəbæləns] *s* przeciwwaga; *vt* [ˈkaʊntəˈbæləns] równoważyć

coun·ter·feit [ˈkaʊntəfɪt] *s* podrobienie, fałszerstwo, imitacja; *adj* podrobiony, fałszywy; *vt* podrabiać, fałszować; udawać

coun·ter·mand [ˈkaʊntəˈmand] *vt* odwołać (np. zamówienie, rozkaz); *s* odwołanie

coun·ter·pane [ˈkaʊntəpeɪn] *s* kołdra

coun·ter·part [ˈkaʊntəpat] *s* odpowiednik, pendant; kopia, duplikat

coun·ter·point [ˈkaʊntəpɔɪnt] *s muz.* kontrapunkt

coun·ter·poise [ˈkaʊntəpɔɪz] *s* przeciwwaga; równowaga; *vt* równoważyć, wyrównywać

coun·ter·rev·o·lu·tion [ˈkaʊntə ˈrevəˈluʃn] *s* kontrrewolucja

coun·ter·rev·o·lu·tion·a·ry [ˈkaʊntə ˈrevəˈluʃnərɪ] *adj* kontrrewolucyjny; *s* kontrrewolucjonista

coun·ter·weight [ˈkaʊntəweɪt] *s* przeciwwaga

count·ess [ˈkaʊntɪs] *s* hrabina

count·less [ˈkaʊntləs] *adj* niezliczony

coun·try [ˈkʌntrɪ] *s* kraj; ojczyzna; wieś; prowincja; teren; ~ gentleman obywatel ziemski; to go into the ~ wyjechać na wieś; to go to the ~ przeprowadzić powszechne wybory

coun·try·man [ˈkʌntrɪmən] *s* wieśniak; rodak

coun·try·side [ˈkʌntrɪsaɪd] *s* okolica, krajobraz

coun·ty [ˈkaʊntɪ] *s* hrabstwo; *am.* okręg administracyjny; ~ town stolica hrabstwa; *am.* główne miasto okręgu administracyjnego

coup [ku] *s* wyczyn, mistrzowskie posunięcie; ~ d'état [ˈku deɪˈta] zamach stanu

cou·ple [ˈkʌpl] *s* para (np. małżeńska); a ~ of parę, kilka; *vt vi* łączyć (się) parami, kojarzyć (się); *techn.* sprzęgać, sczepiać, spajać, lutować

cou·plet [ˈkʌplət] *s* dwuwiersz

cou·pling [ˈkʌplɪŋ] *s techn.* złącze

cou·pon [ˈkupən] *s* kupon, odcinek, talon

cour·age [ˈkʌrɪdʒ] *s* odwaga, męstwo

cou·ra·geous [kəˈreɪdʒəs] *adj* odważny, mężny

course [kɔs] *s* kurs; bieg; ciąg; tok, przebieg; bieżnia; tor; danie (na stole); in due ~ we właściwym czasie; of ~ oczywiście; a matter of ~ rzecz oczywista

court [kɔt] *s* dwór; dziedziniec, plac; izba sądowa, sąd; pałac; sala, hala; *sport* boisko, kort; zaloty; *vt* zalecać się (sb do kogoś); szukać (sth czegoś); zabiegać (sth o coś)

cour·te·ous [ˈkɜtɪəs] *adj* grzeczny, uprzejmy

cour·te·sy [ˈkɜtəsɪ] *s* grzeczność, uprzejmość

cour·ti·er [ˈkɔtɪə(r)] *s* dworzanin

court·ly [ˈkɔtlɪ] *adj* dworski, wytworny

court-mar·tial [ˈkɔt ˈmaʃl] *s* sąd wojenny; *vt* postawić przed sądem wojennym

court·ship [ˈkɔtʃɪp] *s* zaloty

court·yard [ˈkɔtjad] *s* dziedziniec, podwórze

cous·in [ˈkʌzn] *s* kuzyn; first ~ brat stryjeczny, siostra stryjeczna; brat cioteczny, siostra cioteczna; second ~ dalszy krewny cov·e·nant [ˈkʌvnənt] s umowa, przymierze, związek, pakt

cov·er [ˈkʌvə(r)] vt pokrywać; przykryć, nakryć, okryć; ukryć, osłaniać; s pokrycie, przykrywka; okładka; narzuta; nakrycie; ochrona, osłona; przen. płaszczyk

cov·er·ing [ˈkʌvərɪŋ] s przykrycie; osłona

cov·er·let [ˈkʌvələt] s przykrycie, kołdra, kapa

cov·ert [ˈkʌvət] adj ukryty, potajemny; ukradkowy; s schronienie, legowisko

cov·et [ˈkʌvɪt] vt pożądać

cov·et·ous [ˈkʌvətəs] adj pożądliwy; zawistny

cow 1. [kau] s krowa; samica (różnych ssaków)

cow 2. [kau] vt straszyć

coward [ˈkauəd] s tchórz

cow·ard·ice [ˈkauədɪs] s tchórzostwo

cow·ard·ly [ˈkauədlɪ] adj tchórzliwy

cow·boy [ˈkaubɔɪ] s pastuch; am. kowboj

cow·er [ˈkauə(r)] vi przysiąść, przycupnąć

cox·comb [ˈkokskəum] s fircyk; pyszałek

cox·swain [ˈkoksn] s sternik

coy [kɔɪ] adj nieśmiały, wstydliwy; zaciszny

co·zy [ˈkəuzɪ] adj = cosy

crab [kræb] s krab; astr. Crab Rak

crack [kræk] vt vi trzaskać, roztrzaskać; trzeszczeć; pękać; spowodować pęknięcie; łupać; s trzask; uderzenie; pęknięcie; szczelina, rysa; adj attr pot. wspaniały, pierwszorzędny; wojsk. szturmowy

cracked [krækt] pp i adj potrzaskany; przen. zwariowany

crack·er [ˈkrækə(r)] s petarda; (zw. pl ~s) dziadek do orzechów; pl ~s krakersy

crack·le [ˈkrækl] vi skrzypieć,

trzaskać; s trzaski; skrzypienie

cra·dle [ˈkreɪdl] s kołyska; przen. kolebka; vt kłaść do kołyski, kołysać; przen. wychowywać niemowlę

craft [krɑːft] s zręczność, biegłość; przebiegłość; rzemiosło; cech; (pl ~) statek, samolot (zw. zbior. statki, samoloty)

crafts·man [ˈkrɑːftsmən] s rzemieślnik

craft·y [ˈkrɑːftɪ] adj sprytny, zręczny; przebiegły, podstępny

crag [kræg] s skała (urwista)

cram [kræm] vt vi przepełnić, tłoczyć (się), zapchać (się); pot. (o uczeniu się) kuć

cramp [kræmp] s kurcz; techn. klamra, imadło; przen. hamulec, ograniczenie; vt wywołać kurcz; zwierać; przen. krępować, ograniczać

crane [kreɪn] s zool. żuraw; techn. dźwig, żuraw

crank[1] [kræŋk] s korba

crank[2] [kræŋk] s dziwak; dziwactwo

crape [kreɪp] s krepa

crash [kræʃ] s trzask, łomot; gwałtowny upadek; nagłe zderzenie, katastrofa, kraksa; krach, bankructwo; vi trzasnąć, huknąć; spaść z hukiem, rozbić się, ulec katastrofie; vt zgnieść, rozbić, zniszczyć

cra·ter [ˈkreɪtə(r)] s krater, lej

crave [kreɪv] vt vi pragnąć, pożądać (sth, for sth czegoś); usilnie prosić (sth o coś)

cra·ven [ˈkreɪvn] s tchórz, nikczemnik; adj tchórzliwy, nikczemny

craw·fish [ˈkrɔːfɪʃ] = crayfish

crawl [krɔl] vi pełzać, czołgać się; s pełzanie; pływanie kraulem

cray·fish [ˈkreɪfɪʃ] s rak; langusta

cray·on [ˈkreɪən] s kredka, pastel; vt malować kredką, pastelamf; szkicować

aze [kreɪz] vt szaleć; vt doprowadzać do szału; s szaleństwo,
szał

a·zy [ˈkreɪzɪ] adj szalony, zwariowany

reak [krik] vt skrzypieć, trzeszczeć; s skrzypienie, trzeszczenie

ream [krim] s śmietana; krem;
pasta; przen. śmietanka; adj attr
kremowy; vt zbierać śmietankę

ream·y [ˈkrimɪ] adj śmietankowy,
kremowy

rease [kris] s fałda, zmarszczka;
kant (spodni); vt vi marszczyć
(się), miąć (się)

re·ate [kriˈeɪt] vt tworzyć, stwarzać; kreować; wywołać

re·a·tion [kriˈeɪʃn] s tworzenie,
stworzenie; kreacja

re·a·tive [kriˈeɪtɪv] adj twórczy

re·a·tor [kriˈeɪtə(r)] s twórca,
stwórca

rea·ture [ˈkritʃə(r)] s stworzenie,
stwór; kreatura; twór

rèche [kreɪʃ] s żłobek (dla dzieci)

re·dence [ˈkridəns] s wiara, zaufanie

re·den·tials [kriˈdenʃlz] s pl listy
uwierzytelniające

ed·i·ble [ˈkredəbl] adj wiarygodny

red·it [ˈkredɪt] s kredyt; zaufanie; uznanie, pochwała; honor;
zaszczyt; handl. letter of ~ akredytywa; vt kredytować; ufać;
przypisywać (sb with sth komuś
coś); handl. uznawać rachunek

red·it·a·ble [ˈkredɪtəbl] adj zaszczytny, chlubny

red·i·tor [ˈkredɪtə(r)] s wierzyciel

re·du·li·ty [krəˈdjulətɪ] s łatwowierność

re·du·lous [ˈkredjuləs] adj łatwowierny

reed [krid] s wiara; wyznanie
wiary, credo

reek [krik] s zatoczka; am. rzeczka

reep [krip], crept, crept [krept]
vi czołgać się, pełzać; wkradać
się; (o roślinach) piąć się; (o skórze) cierpnąć; my flesh ~s ciarki

mnie przechodzą

creep·er [ˈkripə(r)] s bot. pnącze;
pot. lizus

creep·y [ˈkripɪ] adj pełzający; wy-
wołujący ⟨mający⟩ ciarki

cre·ma·tion [krɪˈmeɪʃn] s palenie
zwłok, kremacja

crem·a·to·ri·um [ˈkreməˈtɔrɪəm] s
(pl crematoria [ˈkreməˈtɔrɪə])
krematorium

crept zob creep

cres·cent [ˈkresnt] s sierp księżyca, półksiężyc; adj rosnący; mający kształt półksiężyca

crest [krest] s grzebień (np. koguta), czub, grzywa; grzbiet (fali,
góry itp.); herb

crev·ice [ˈkrevɪs] s szczelina, rysa

crew 1. [kru] s załoga, ekipa

crew 2. zob. crow 2.

crib 1. [krɪb] s żłób; łóżko dziecięce; vt zamknąć

crib 2. [krɪb] s plagiat; pot. ściągaczka; vt vi pot. ściągać (ćwi-
czenia szkolne itp.)

crick [krɪk] s bolesny skurcz;
kurcz (np. w karku)

crick·et 1. [ˈkrɪkɪt] s świerszcz

crick·et 2. [ˈkrɪkɪt] s sport krykiet

crime [kraɪm] s zbrodnia

crim·i·nal [ˈkrɪmənl] adj zbrodniczy, kryminalny; s zbrodniarz

crim·son [ˈkrɪmzn] s karmazyn,
purpura; adj karmazynowy; vt vi
barwić (się) na karmazyn; przen.
rumienić się

cringe [krɪndʒ] vi kulić się; nisko
się kłaniać, płaszczyć się (to sb
przed kimś); s uniżoność, pła-
szczenie się

crin·kle [ˈkrɪŋkl] s fałda, zmarszczka; vt vi marszczyć (się), fałdować (się), zwijać (się)

crip·ple [ˈkrɪpl] s kaleka, inwalida;
vt przyprawiać o kalectwo; paraliżować; uszkadzać

cri·sis [ˈkraɪsɪs] s (pl crises [ˈkraɪ-
sɪz]) kryzys

crisp [krɪsp], crisp·y [ˈkrɪspɪ] adj
kędzierzawy; kruchy; (o powietrzu) orzeźwiający; żywy, jędrny

(np. styl); *vt vi* zwijać (się), skręcać (się); stawać się kruchym

cri·te·ri·on [kraɪˈtɪərɪən] *s* (*pl* **criteria** [kraɪˈtɪərɪə]) kryterium

crit·ic [ˈkrɪtɪk] *s* krytyk; recenzent

crit·i·cal [ˈkrɪtɪkl] *adj* krytyczny

crit·i·cism [ˈkrɪtɪsɪzm] *s* krytyka; krytycyzm; recenzja, ocena

crit·i·cize [ˈkrɪtɪsaɪz] *vt* krytykować; recenzować

cri·tique [krɪˈtiːk] *s* krytyka; recenzja

croak [krəuk] *vi* (*o żabach*) rechotać; (*o wronach*) krakać; *pot.* zdechnąć, wykitować; *s* rechot, krakanie

cro·chet [ˈkrəuʃeɪ] *s* robota szydełkowa; *vt vi* szydełkować

crock·er·y [ˈkrɔkərɪ] *s zbior.* naczynia (gliniane, fajansowe itp.)

croc·o·dile [ˈkrɔkədaɪl] *s zool.* krokodyl

cro·ny [ˈkrəunɪ] *s pot.* bliski przyjaciel, kompan

crook [kruk] *s* hak; zagięcie; kij (pasterski); *pot.* oszust; **by hook or by ~** wszelkimi sposobami; *vt vi* skrzywić (się), zgiąć (się)

crook·ed 1. [krukt] *pp zob.* **crook** *v*

crook·ed 2. [ˈkrukɪd] *adj* kręty, krzywy, zgięty; nieuczciwy, przewrotny

crop [krɔp] *s* urodzaj, zbiór, plon; masa, stos; krótko ostrzyżone włosy; *vt* ścinać, strzyc; skubać; zbierać (plon); uprawiać, siać, sadzić; *vi* obrodzić, dawać plon; **~ up** zjawić się nagle

cross [krɔs] *s dosł. i przen.* krzyż; skrzyżowanie; *adj* krzyżowy; poprzeczny; przecinający (się), krzyżujący (się); niepomyślny, przeciwny; zły, rozgniewany; **to be ~** gniewać się (**with sb na kogoś**); *vt* krzyżować (ręce, rasy, plany itd.); przecinać; przejść (**sth przez coś**); przejechać (**sth przez coś**); przechodzić, przeprawić się na drugą stronę; przekreślić; udaremnić; **~ off, out** skreślić, wykreślić; *vr* **~ oneself** przeżegnać się; *vi* krzyżować się,

przecinać się; rozmijać się

cross-bar [ˈkrɔsbɑː(r)] *s* poprzeczk

cross-breed [ˈkrɔsbriːd] *vt* krzyżować (gatunki, rasy); *s* krzyżów ka (ras, gatunków); mieszanie

cross-coun·try [ˈkrɔsˈkʌntrɪ] *a attr i adv* na przełaj

cross-ex·am·i·na·tion [ˈkrɔs ɪgˈzæm ˈneɪʃn] *s* badanie (sądowe) z pomocą krzyżowych pytań

cross-ex·am·ine [ˈkrɔs ɪgˈzæmɪn] *vt* badać za pomocą krzyżowyc pytań

cross·ing [ˈkrɔsɪŋ] *s* skrzyżowani przejście przez ulicę; przepłyni cie przez morze; przeprawa

cross-ref·er·ence [ˈkrɔs ˈrefrns] odsyłacz

cross-roads [ˈkrɔsrəudz] *s pl* skrzy żowanie dróg, rozdroże; *dosł. przen.* rozstaje

cross-sec·tion [ˈkrɔs ˈsekʃn] *s* prze krój

cross-word [ˈkrɔswɜːd] *s* (*także* puzzle) krzyżówka

crotch [krɔtʃ] *s anat.* krocze; ro widlenie; drzewo rozwidlone

crotch·et [ˈkrɔtʃɪt] *s* hak; kapry dziwactwo; *muz.* ćwierćnuta

crouch [krautʃ] *vi* przysiąść, sk lić się, kucnąć; *s* kucnięcie, sk lenie się

crow 1. [krəu] *s* wrona, gawron

crow 2. [krəu] *vi* piać; triumfowa (**over sb** nad kimś)

crow·bar [ˈkrəubɑː(r)] *s* łom, drą żelazny

crowd [kraud] *s* tłum, tłok; sto (rzeczy); *vt vi* tłoczyć (się), pcha (się), zapchać

crown [kraun] *s* korona; wieniec szczyt; ciemię; *vt* koronowa wieńczyć

cru·cial [ˈkruːʃl] *adj* decydując, krytyczny

cru·ci·ble [ˈkruːsəbl] *s* tygiel; prze ciężka próba

cru·ci·fy [ˈkruːsɪfaɪ] *vt* ukrzyżowa

crude [kruːd] *adj* surowy, niedo rzały; nie obrobiony; nieokrzesa ny, szorstki, brutalny

cru·el [ˈkruːl] *adj* okrutny

ru·el·ty [ˈkruːltɪ] s okrucieństwo

ru·et [ˈkruːɪt] s flaszeczka (na ocet, oliwę itp.)

ruise [kruːz] vi (zw. o statku) krążyć; s krążenie po morzu, podróż morska, rejs

ruis·er [ˈkruːzə(r)] s krążownik

rumb [krʌm] s okruszyna; przen. odrobina; vt kruszyć

rum·ble [ˈkrʌmbl] vt vi kruszyć (się), rozpadać się

rumb·y [ˈkrʌmɪ] adj pulchny

rum·ple [ˈkrʌmpl] vt vi miąć (się), marszczyć (się), gnieść (się)

runch [krʌntʃ] vt gryźć, chrupać; vi chrzęścić, skrzypieć; s chrupanie; chrzest, skrzypienie

ru·sade [kruːˈseɪd] s hist. wojna krzyżowa, krucjata (także przen.); vi uczestniczyć w wyprawie krzyżowej

rush [krʌʃ] vt vi gnieść (się), miażdżyć; niszczyć; tłoczyć (się); s tłok, ścisk; kruszenie, miażdżenie

rust [krʌst] s skórka (np. na chlebie); skorupa; strup; osad; vt vi pokrywać (się) skorupą, zaskorupiać się

rutch [krʌtʃ] s kula (dla kaleki)

ry [kraɪ] vi krzyczeć; płakać; s krzyk; wołanie; hasło; płacz

rys·tal [ˈkrɪstl] s kryształ; adj kryształowy; krystaliczny

rys·tal·lize [ˈkrɪstəlaɪz] vt vi krystalizować (się)

ub [kʌb] s szczenię, młode (u zwierząt)

ube [kjuːb] s sześcian; kostka (lodu, cukru); vt mat. podnosić do sześcianu

u·bic [ˈkjuːbɪk] adj sześcienny, kubiczny

uck·oo [ˈkuːku] s kukułka

u·cum·ber [ˈkjuːkʌmbə(r)] s ogórek

ud·dle [ˈkʌdl] vt vi tulić (się)

udg·el [ˈkʌdʒl] s pałka, maczuga; vt okładać pałką

ue 1. [kjuː] s kij bilardowy

ue 2. [kjuː] s napomknienie, wskazówka; teatr replika

cuff 1. [kʌf] s mankiet

cuff 2. [kʌf] s uderzenie dłonią ⟨pięścią⟩; kułak; vt uderzyć pięścią ⟨dłonią⟩

cu·li·na·ry [ˈkʌlɪnrɪ] adj kulinarny

cull [kʌl] vt zbierać, zrywać (kwiaty itp.); przebierać

cul·mi·nate [ˈkʌlmɪneɪt] vi osiągać szczyt

cul·pa·ble [ˈkʌlpəbl] adj winny; karygodny

cul·prit [ˈkʌlprɪt] s winowajca; podsądny

cult [kʌlt] s kult, cześć

cul·ti·vate [ˈkʌltɪveɪt] vt dosł. i przen. kultywować, uprawiać

cul·ti·vat·ed [ˈkʌltɪveɪtɪd] zob. **cultivate**; adj kulturalny, wytworny, wyrobiony

cul·tur·al [ˈkʌltʃərl] adj kulturalny

cul·ture [ˈkʌltʃə(r)] s kultura; uprawa; hodowla

cul·tured [ˈkʌltʃəd] adj kulturalny, wykształcony

cum·ber [ˈkʌmbə(r)] vt obciążać; zawadzać; krępować

cum·ber·some [ˈkʌmbəsəm] adj uciążliwy, nieporęczny

cum·min, cum·in [ˈkʌmɪn] s kmin(ek)

cu·mu·late [ˈkjuːmjuleɪt] vt vi gromadzić (się), kumulować (się)

cu·mu·la·tive [ˈkjuːmjuleɪtɪv] adj kumulacyjny, skumulowany, łączny

cun·ning [ˈkʌnɪŋ] adj podstępny, chytry; sprytny; zręczny; s chytrość; spryt; zręczność

cup [kʌp] s filiżanka; kubek; kielich; (także sport) puchar

cup·board [ˈkʌbəd] s kredens; szafka

cup·fi·nal [ˈkʌp ˈfaɪnl] s sport finał(y) (np. mistrzostw)

cu·pid·i·ty [kjuːˈpɪdɪtɪ] s chciwość, zachłanność

cu·po·la [ˈkjuːpələ] s kopuła

cur [kɜ(r)] s kundel; przen. łajdak

curate [ˈkjuərət] s wikary

cu·ra·tor [kjuːˈreɪtə(r)] s opiekun; kustosz

curb·stone [`kɜbstəun] s = kerb-stone

curd [kɜd] s (zw. pl ~s) twaróg; zsiadłe mleko

cur·dle [`kɜdl] vt vi ścinać (się); (o mleku) zsiadać się; (o krwi) krzepnąć; przen. ścinać krew w żyłach

cure [kjuə(r)] vt leczyć; wędzić, konserwować; wulkanizować; s kuracja; lekarstwo; wyleczenie; konserwowanie; wulkanizacja

cur·few [`kɜfju] s godzina policyjna; hist. dzwon wieczorny

cu·ri·os·i·ty [ˌkjuəriˈosətɪ] s ciekawość; ciekawostka, osobliwość; unikat

cu·ri·ous [`kjuəriəs] adj ciekawy; osobliwy

curl [kɜl] s zwój, skręt; lok, pukiel; vt vi kręcić (się), zwijać (się); fryzować; falować

curl·y [`kɜlɪ] adj kędzierzawy, (o włosach, o wodzie) falujący

cur·rant [`kʌrənt] s porzeczka; rodzynek

cur·ren·cy [`kʌrənsɪ] s obieg; powszechne użycie (wyrazów); panowanie (poglądów); waluta

cur·rent [`kʌrənt] adj bieżący; obiegowy; powszechny; aktualny; s prąd; strumień; bieg; elektr. alternating ~ (AC) prąd zmienny; direct ~ (DC) prąd stały

cur·ric·u·lum [kəˈrɪkjuləm] s (pl curricula [kəˈrɪkjulə]) program (nauki)

curse [kɜs] s przekleństwo; klątwa; vt vi przeklinać, kląć

cur·so·ry [`kɜsərɪ] adj pobieżny, powierzchowny

curt [kɜt] adj krótki, zwięzły; szorstki

cur·tail [kɜˈteɪl] vt skracać, obcinać, uszczuplać

cur·tain [`kɜtn] s kurtyna, zasłona, firanka, kotara

curt·s(e)y [`kɜtsɪ] s dyg

curve [kɜv] s krzywa; wygięcie; zakręt; vt vi krzywić (się), zginać (się), zakręcać

cush·ion [`kuʃn] s poduszka (na kanapę); podkładka, wyściółka

cus·tard [`kʌstəd] s krem (deserowy)

cus·to·dy [`kʌstədɪ] s ochrona, opieka; areszt

cus·tom [`kʌstəm] s zwyczaj; nawyk; stałe kupowanie (w jednym sklepie); pl ~s cło; pl Customs urząd celny

cus·tom·a·ry [`kʌstəmərɪ] adj zwyczajowy; zwyczajny

cus·tom·er [`kʌstəmə(r)] s klient

cus·tom·house [`kʌstəmhaus] s urząd celny

*****cut** [kʌt], cut, cut [kʌt] vt krajać, ciąć, przecinać, ścinać; rąbać; skracać; obniżać, redukować (ceny, płace itp.); kosić, strzyc; ignorować; vi ciąć, dać się krajać; ~ down obciąć; ściąć; ~ in, into wtrącić się; wtargnąć; ~ off odciąć, wyłączyć; przerwać; ~ out wyciąć; opuścić; odrzucić; przestać (palić, pić itp.); ~ up pokrajać, posiekać; to ~ open rozciąć; to ~ short przerwać; pot. to ~ and run szybko uciec, zwiać; s cięcie; krój; rana cięta, szrama; obcięcie, obniżenie (ceny, płacy itp.); odcięty kawałek (np. mięsa); short ~ najkrótsza droga (na przełaj), skrót

cute [kjut] adj bystry, zdolny, sprytny; am. miły, pociągający

cut·let [`kʌtlət] s kotlet

cut·ter [`kʌtə(r)] s przecinacz, przykrawacz; krojczy; kamieniarz; przyrząd do krajania; mors. kuter

cut·throat [`kʌtθrəut] s morderca, bandyta; adj bandycki; morderczy

cy·a·nide [`saɪənaɪd] s cyjanek

cy·cle [`saɪkl] s cykl; rower; vi jeździć rowerem

cy·cling [`saɪklɪŋ] s kolarstwo

cy·clist [`saɪklɪst] s kolarz

cy·clone [`saɪkləun] s cyklon

cy·clo·pae·di·a [ˌsaɪkləuˈpidɪə] s encyklopedia

cyl·in·der [ˈsɪlɪndə(r)] s walec, wałek; *techn.* cylinder

cym·bal [ˈsɪmbl] s *muz.* czynel

cyn·ic [ˈsɪnɪk] adj cyniczny; s cynik

cyn·i·cal [ˈsɪnɪkl] adj cyniczny

cyn·i·cism [ˈsɪnɪsɪzm] s cynizm

cy·press [ˈsaɪprəs] s cyprys

czar [zɑ(r)] s car

Czech [tʃek] adj czeski; s Czech

d

D, d [di] czwarta litera alfabetu angielskiego; *skr.* penny, pence

dab [dæb] vt vi lekko uderzać dłonią, dotknąć, przytknąć, musnąć, przyłożyć; s lekkie uderzenie, dotknięcie, muśnięcie

dab·ble [ˈdæbl] vi pluskać się; babrać się; interesować się powierzchownie (in, at sth czymś); vt moczyć; chlapać

dad [dæd], **dad·dy** [ˈdædɪ] s tatko, tatuś

daf·fo·dil [ˈdæfədɪl] s *bot.* żółty narcyz, żonkil

dag·ger [ˈdægə(r)] s sztylet; vt zasztyletować

dai·ly [ˈdeɪlɪ] adj dzienny, codzienny; adv dziennie, codziennie; s dziennik, gazeta

dain·ty [ˈdeɪntɪ] adj wykwintny; delikatny; filigranowy; wybredny; s przysmak, frykas; pl dainties łakocie

dair·y [ˈdeərɪ] s mleczarnia; gospodarstwo mleczne

dai·sy [ˈdeɪzɪ] s *bot.* stokrotka

dal·ly [ˈdælɪ] vi próżnować, zabawiać się głupstwami; figlować, igrać

dam [dæm] s tama, grobla; vt zagrodzić, przegrodzić tamą

dam·age [ˈdæmɪdʒ] s szkoda, uszkodzenie; pl ~s odszkodowanie; vt uszkodzić, popsuć; zaszkodzić (sb komuś)

damn [dæm] vt potępiać, przeklinać; ganić

damned [dæmd] pp i adj pot. uj. przeklęty, cholerny; adv pot. uj. cholernie, wściekle, diabelnie

damp [dæmp] adj wilgotny, parny; s wilgoć; *przen.* przygnębienie; vt zwilżyć; stłumić; ~ down przytłumić; zniechęcić

dance [dɑns] vt vi tańczyć; s taniec; zabawa, bal

danc·er [ˈdɑnsə(r)] s tancerz

danc·ing [ˈdɑnsɪŋ] s taniec; dansing; adj attr taneczny

dan·de·li·on [ˈdændɪlaɪən] s *bot.* mlecz

dan·druff [ˈdændrʌf] s łupież

dan·dy [ˈdændɪ] s elegant, strojniś

Dane [deɪn] s Duńczyk

dan·ger [ˈdeɪndʒə(r)] s niebezpieczeństwo

dan·ger·ous [ˈdeɪndʒərəs] adj niebezpieczny

dan·gle [ˈdæŋgl] vt vi huśtać (się), dyndać; nadskakiwać (about ⟨after, around⟩ sb komuś); nęcić (sth before sb kogoś czymś)

Dan·ish [ˈdeɪnɪʃ] adj duński; s język duński

dap·per [ˈdæpə(r)] adj żywy, zwinny; elegancko ubrany; fertyczny

dap·ple [ˈdæpl] adj cętkowany, łaciaty; vt nakrapiać (farbą), cętkować

*dare [deə(r)], **dared** [deəd] lub † **durst** [dɜst], **dared** [deəd] vt vi śmieć, odważyć się, stawiać czoło, odważnie podjąć się czegoś; wyzwać; I ~ say śmiem twierdzić, sądzę; I ~ swear założę się; I ~ you to say it again! tylko spróbuj powiedzieć to jeszcze raz!

dare·dev·il [´deə devl] s śmiałek;
adj attr odważny do szaleństwa

dar·ing [´deərɪŋ] *adj* śmiały, odważny; s śmiałość, odwaga

dark [dak] *adj* ciemny; ponury;
ukryty; **it is growing** ~ robi się
ciemno; **to keep sth** ~ trzymać
coś w tajemnicy; s ciemność,
zmrok

dark·en [´dakən] *vi vt* ciemnieć,
zaciemniać (się); zasępiać (się)

dark·ness [´daknəs] s ciemność;
ciemnota

dar·ling [´dalɪŋ] s ukochany, ulubieniec, *pieszcz.* kochanie; *adj*
drogi, kochany

darn [dan] *vt* cerować

dart [dat] s żądło; strzałka; nagły
ruch, zryw; *vt vi* rzucić (się),
cisnąć

dash [dæʃ] *vt* rzucić, cisnąć; roztrzaskać; spryskać, ochlapać;
zniweczyć; **zmieszać** (coś z
czymś); wprawić w zakłopotanie, zmieszać (kogoś); *vi* uderzyć
się; rzucić się; przebiec; ~ **off**
szybko nakreślić; ~ **out** wykreślić; wybiec; s cios, atak, napaść;
werwa; plusk; domieszka; barw-
na plamka; *druk.* myślnik; **to
make a** ~ rzucić się (**at sb, sth**
na kogoś, coś)

data *zob.* **datum**

date 1. [deɪt] s data; *am.* spotkanie (umówione), *pot.* randka; **to**
~ **do** tej pory, po dzień dzisiejszy; **out of** ~ przestarzały, niemodny; **up to** ~ nowoczesny,
modny; *vt vi* datować (się)

date 2. [deɪt] s daktyl

dat·er [´deɪtə(r)] s datownik

da·tive [´deɪtɪv] s *gram.* celownik

da·tum [´deɪtəm] s (*pl* **data** [´deɪtə])
dany fakt ⟨szczegół itp.⟩; *zw. pl*
data dane

daub [dɔb] *vt* mazać, bazgrać; ob-
lepiać; pokrywać; s smar, plama;
pot. bohomaz

daugh·ter [´dɔtə(r)] s córka

daugh·ter-in-law [´dɔtr ɪn lɔ] s synowa

daunt [dɔnt] *vt* zastraszyć, nastraszyć; zrazić

daw·dle [´dɔdl] *vi* mitrężyć, marnować czas, guzdrać się; *vt* ~
away marnować (czas)

dawn [dɔn] s świt; *vi* świtać

day [deɪ] s dzień; doba; ~ **of**
dzień wolny (od pracy); **work**
by the ~ praca na dniówki; by
~ **za dnia;** by ~ **dzień v**
dzień; the ~ **before yesterday**
przedwczoraj; the ~ **after** na
zajutrz; the **other** ~ kilka dni
temu; **this** ~ **week** od dziś za ty
dzień

day·break [´deɪbreɪk] s brzask

day·light [´deɪlaɪt] s światło dzien
ne

day-nurs·er·y [´deɪ nɜsərɪ] s żło
bek (dla dzieci)

day·time [´deɪtaɪm] s (biały) dzien

daze [deɪz] *vt* oszałamiać, ogłupiać

daz·zle [´dæzl] *vt* oślepić (bla
skiem), olśnić

dead [ded] *adj* zmarły, *dosł.*
przen. martwy; całkowity, bez
względny, pewny; głuchy, obojęt
ny (**to sth** na coś); ~ **certainty**
zupełna pewność; ~ **hours głucha
noc;** ~ **loss kompletna strata; t**
be ~ nie funkcjonować; **to come**
to a ~ **stop** nagle zatrzymać się
adv całkowicie, kompletnie; ~
drunk kompletnie pijany; ~
tired śmiertelnie zmęczony; ~
martwota; *w zwrotach:* **in the** ~
of night w głęboką noc; **in th**
~ **of winter** w pełni zimy; *pl* th
~ zmarli

dead·lock [´dedlok] s zastój, impas
martwy punkt

dead·ly [´dedlɪ] *adj* śmiertelny; ~
adv śmiertelnie

deaf [def] *adj* głuchy; ~ **and dum**
głuchoniemy; **to turn a** ~ **ea**
nie słuchać (**to sb, sth** kogo
czegoś)

deaf·en [´defn] *vt* ogłuszać

deaf-mute [´def´mjut] s głuchonie
my

***deal** [dil], **dealt, dealt** [delt] *v*

dzielić; rozdawać (dary, karty), (także ~ out) wydzielać; zadawać (cios); *vi* załatwiać (with sth coś), mieć do czynienia, rozprawiać się (with sb z kimś); handlować (in sth czymś); postępować (by ⟨with⟩ sb z kimś), traktować (by ⟨with⟩ sb kogoś); zajmować się (with sth czymś); dotyczyć (with sth czegoś); *s* interes, sprawa; postępowanie; rozdanie kart; część; a good ⟨great⟩ ~ wielka ilość, dużo

deal·er [ˈdiːlə(r)] *s* kupiec, handlarz; rozdający karty (w grze); plain ~ człowiek szczery ⟨prostolinijny⟩

dean [diːn] *s* dziekan

dear [dɪə(r)] *adj* drogi; *adv* drogo; *int* ~ me! oh ~! Boże mój!, czyżby?, ojej!

dearth [dɜːθ] *s* niedostatek; drożyzna

death [deθ] *s* śmierć

death-rate [ˈdeθreɪt] *s* śmiertelność

de·bar [dɪˈbɑː(r)] *vt* wykluczyć, odsunąć; zakazać

de·bark [dɪˈbɑːk] = disembark

de·bar·ka·tion [ˌdiːbɑːˈkeɪʃn] *s* wyładowanie (towaru); wysadzenie na ląd; wylądowanie

de·base [dɪˈbeɪs] *vt* obniżać (wartość); poniżać

de·bate [dɪˈbeɪt] *vt vi* omawiać, obmyślać, debatować (sth, on sth nad czymś); *s* debata, dyskusja

de·bauch [dɪˈbɔːtʃ] *vt* psuć, deprawować; *s* rozpusta

de·bauch·er·y [dɪˈbɔːtʃərɪ] *s* rozpusta, rozwiązłość

de·ben·ture [dɪˈbentʃə(r)] *s* obligacja

de·bil·i·tate [dɪˈbɪlɪteɪt] *vt* podciąć siły, osłabić

de·bil·i·ty [dɪˈbɪlɪtɪ] *s* niemoc, osłabienie

deb·it [ˈdebɪt] *s* strona rachunku „winien"; *vt* obciążyć (rachunek) kwotą

de·bris [ˈdeɪbriː] *s* zbior. gruzy, rumowisko

debt [det] *s* dług

debt·or [ˈdetə(r)] *s* dłużnik

de·bunk [dɪˈbʌŋk] *vt* pot. odbrązawiać, demaskować

de·but [ˈdeɪbjuː] *s* debiut

dec·ade [ˈdekeɪd] *s* dekada; dziesiątka

dec·a·dence [ˈdekədəns] *s* dekadencja, upadek

de·cant·er [dɪˈkæntə(r)] *s* karafka

de·cay [dɪˈkeɪ] *vi* gnić, rozpadać się, niszczeć; podupadać; *s* upadek, schyłek; gnicie, rozkład

de·cease [dɪˈsiːs] *vi* umierać; *s* zgon

de·ceased [dɪˈsiːst] *adj* zmarły; *s* nieboszczyk

de·ceit [dɪˈsiːt] *s* fałsz, oszustwo

de·ceive [dɪˈsiːv] *vt* zwodzić, oszukiwać

De·cem·ber [dɪˈsembə(r)] *s* grudzień

de·cen·cy [ˈdiːsnsɪ] *s* przyzwoitość

de·cent [ˈdiːsnt] *adj* dosł. i przen. przyzwoity; a ~ income przyzwoity dochód

de·cep·tion [dɪˈsepʃn] *s* oszukaństwo; okłamanie

de·cep·tive [dɪˈseptɪv] *adj* zwodniczy, oszukańczy

de·cide [dɪˈsaɪd] *vt* rozstrzygać, decydować (sth o czymś); *vi* postanawiać, decydować się (on sth na coś)

de·cid·ed [dɪˈsaɪdɪd] *pp i adj* zdecydowany; stanowczy; bezsporny

de·cid·u·ous [dɪˈsɪdʒʊəs] *adj* (o drzewie) liściasty

de·ci·mal [ˈdesɪml] *adj* dziesiętny

de·ci·pher [dɪˈsaɪfə(r)] *vi* odcyfrować; rozwiązać (zagadkę)

de·ci·sion [dɪˈsɪʒn] *s* decyzja; zdecydowanie

de·ci·sive [dɪˈsaɪsɪv] *adj* decydujący; stanowczy

deck [dek] *vt* pokrywać; zdobić; *s* pokład; piętro (w tramwaju, autobusie)

de·claim [dɪˈkleɪm] *vt* deklamować

de·cla·ma·tion [ˌdekləˈmeɪʃn] *s* deklamacja

dec·la·ra·tion [ˌdekləˈreɪʃn] *s* deklaracja; wypowiedzenie

de·clare [dɪˈkleə(r)] *vt vi* oznajmiać, deklarować (się), oświadczać (się); wypowiadać (wojnę);
zgłaszać (do oclenia)

de·clen·sion [dɪˈklenʃn] *s* odchylenie; upadek; *gram.* deklinacja

de·cline [dɪˈklaɪn] *vi* opaść, obniżać się; zmarnieć; chylić się ku
upadkowi, podupadać; *vt* schylać; uchylać; odrzucać (prośbę,
wniosek); *gram.* deklinować; *s*
upadek; zanik; schyłek

de·cliv·i·ty [dɪˈklɪvətɪ] *s* pochyłość

de·com·pose [ˈdiːkəmˈpəʊz] *vt vi*
rozkładać (się)

dec·o·rate [ˈdekəreɪt] *vt* dekoro-
wać (*także* kogoś orderem); malować (pokój)

de·co·ra·tor [ˈdekəreɪtə(r)] *s* dekorator; malarz pokojowy

de·co·rous [ˈdekərəs] *adj* przyzwoity, odpowiedni, stosowny

de·coy [dɪˈkɔɪ] *vt* wabić; wciągać
w pułapkę; *s* [ˈdiːkɔɪ] przynęta;
pułapka

de·crease [dɪˈkriːs] *vt vi* zmniejszać (się), obniżać (się), ubywać;
s [ˈdiːkriːs] ubytek, pomniejszenie

de·cree [dɪˈkriː] *s* dekret, rozporządzenie, wyrok, postanowienie;
zarządzenie; *vt* postanawiać, de-
kretować, zarządzać; (*o losie*)
zrządzić

de·crep·it [dɪˈkrepɪt] *adj* rozpada-
jący się; (*o człowieku*) zgrzybiały

de·cry [dɪˈkraɪ] *vt* popsuć opinię,
oczernić

ded·i·cate [ˈdedɪkeɪt] *vt* dedykować, poświęcać

ded·i·ca·tion [ˌdedɪˈkeɪʃn] *s* dedykacja; poświęcenie

de·duce [dɪˈdjuːs] *vt* wyprowadzać;
wnioskować

de·duct [dɪˈdʌkt] *vt* odliczać, odciągać, odejmować, potrącać

de·duc·tion [dɪˈdʌkʃn] *s* dedukcja;
wniosek; odliczenie, potrącenie;
rabat

deed [diːd] *s* dzieło, czyn, uczynek;
akt (prawny), dokument

deem [diːm] *vt vi* uważać, sądzić

deep [diːp] *adj* głęboki; pochłonięty (in sth czymś); *s* głębia; *adv*
głęboko

deep·en [ˈdiːpən] *vt vi* pogłębiać
(się)

deer [dɪə(r)] *s* jeleń, łania itp;
zbior. zwierzyna płowa

def·a·ma·tion [ˌdefəˈmeɪʃn] *s* zniesławienie

de·fame [dɪˈfeɪm] *vt* zniesławiać

de·fault [dɪˈfɔːlt] *s* uchybienie (np.
obowiązkom), zaniedbanie; brak;
nieobecność; *prawn.* niestawiennictwo; by ~ z powodu nieobec-
ności, zaocznie; *vi* zaniedbać; u-
chybić; nie dotrzymać zobowiązania; nie stawić się w sądzie;
vt skazać zaocznie

de·feat [dɪˈfiːt] *s* porażka; zniszczenie; *prawn.* anulowanie, kasacja; *vt* pokonać, pobić, zniszczyć;
udaremnić; *prawn.* anulować,
skasować

de·fect [dɪˈfekt] *s* brak, wada, defekt

de·fec·tive [dɪˈfektɪv] *adj* wadliwy; *gram.* ułomny

de·fence, *am.* de·fense [dɪˈfens] *s*
obrona; *prawn.* strona pozwana;
obrońca

de·fend [dɪˈfend] *vt* bronić

de·fend·ant [dɪˈfendənt] *s* *prawn.*
pozwany

de·fense = defence

de·fen·sive [dɪˈfensɪv] *adj* obronny; *s* defensywa; on the ~ w de-
fensywie

de·fer 1. [dɪˈfɜː(r)] *vt* odwlekać, odkładać

de·fer 2. [dɪˈfɜː(r)] *vi* ustępować,
ulegać (przez szacunek); mieć
wzgląd (to sth na coś)

def·er·ence [ˈdefərəns] *s* szacunek,
respekt; uleganie

de·fi·ance [dɪˈfaɪəns] *s* wyzwanie;
opór

de·fi·ant [dɪˈfaɪənt] *adj* wyzywający; oporny

de·fi·cien·cy [dɪˈfɪʃnsɪ] *s* brak, niedostatek, niedobór; słabość

de·fi·cient [dɪˈfɪʃnt] *adj* niedostateczny, wykazujący brak 〈niedobór〉

ef·fi·cit ['defəsıt] s deficyt; niedobór

e·file 1. [dı'faıl] vt zanieczyszczać; profanować

e·file 2. ['dıfaıl] vt defilować; s wąwóz; przełęcz

e·fine [dı'faın] vt określać, definiować

ef·i·nite ['defnıt] adj określony; stanowczy

e·fi·ni·tion ['defə'nıʃn] s definicja, określenie

e·fin·i·tive [dı'fınıtıv] adj definitywny, stanowczy

e·fla·tion [dı'fleıʃn] s wypuszczenie powietrza; fin. deflacja

e·form [dı'fom] vt zniekształcać; szpecić

e·form·i·ty [dı'fomətı] vt zniekształcenie; kalectwo; brzydota

e·fraud [dı'frod] vt oszukiwać; nieuczciwie pozbawić (sb of sth kogoś czegoś)

e·fray [dı'freı] vt opłacać, pokrywać koszty

e·frost [dı'frost] vt vi odmrażać (się); rozmrażać (się)

eft [deft] adj zwinny, zgrabny, zręczny

e·funct [dı'fʌŋkt] adj zmarły; nieistniejący, zlikwidowany

e·fy [dı'faı] vt przeciwstawiać się, opierać się (sb, sth komuś, czemuś); wyzywać; to ~ description nie dać się opisać; być nie do opisania

e·gen·er·a·cy [dı'dʒenərəsı] s zwyrodnienie, degeneracja

e·gen·er·ate [dı'dʒenərət] adj zwyrodniały; zdegenerowany; s zwyrodnialec; degenerat; vi [dı'dʒenəreıt] wyrodnieć, degenerować się

eg·ra·da·tion ['degrə'deıʃn] s degradacja; poniżenie, upodlenie

e·grade [dı'greıd] vt vi degradować (się); poniżać (się), upadlać; nikczemnieć

e·gree [dı'gri] s stopień; by ~s stopniowo

deign [deın] vt raczyć (coś zrobić)

de·i·ty ['deıətı] s bóstwo

de·ject [dı'dʒekt] vt zniechęcić, przygnębić

de·jec·tion [dı'dʒekʃn] s zniechęcenie, przygnębienie

de·lay [dı'leı] vt zwlekać; vt odkładać; wstrzymywać; s zwłoka

del·e·gate ['delıgeıt] vt delegować; zlecać, udzielać; s ['delıgət] delegat

del·e·ga·tion ['delı'geıʃn] s delegacja

de·lib·er·ate [dı'lıbəreıt] vi rozmyślać, naradzać się (on 〈upon〉 sth nad czymś); vt rozważać (sth coś); adj [dı'lıbrət] rozmyślny; rozważny.

de·lib·er·a·tion [dı'lıbə'reıʃn] s rozważanie; narada; przezorność, rozwaga

del·i·ca·cy ['delıkəsı] s delikatność; wrażliwość; delikates

del·i·cate ['delıkət] adj delikatny, czuły; wątły

de·li·cious [dı'lıʃəs] adj rozkoszny, wyborny

de·light [dı'laıt] vt vi radować (się), zachwycać (się), rozkoszować się (in sth czymś); to be ~ed być zachwyconym, mieć wielką przyjemność (at 〈with〉 sth w czymś); s rozkosz, radość

de·light·ful [dı'laıtfl] adj rozkoszny, czarujący

de·lin·e·ate [dı'lınıeıt] vt naszkicować, nakreślić

de·lin·quen·cy [dı'lıŋkwənsı] s zaniedbanie obowiązku; przestępczość; wykroczenie

de·lin·quent [dı'lıŋkwənt] s delikwent; winowajca; przestępca; adj winny zaniedbania obowiązków; przestępczy

de·lir·i·ous [dı'lırıəs] adj majaczący

de·liv·er [dı'lıvə(r)] vt uwolnić, wybawić; przekazać, doręczyć, oddać, dostarczyć; wygłosić (mowę); wymierzyć (cios); wydać (rozkaz, bitwę); pomóc przy po-

rodzie, odebrać (dziecko); **to be
~ed of a child** urodzić dziecko
de·liv·er·y [dɪˈlɪvrɪ] *s* doręczenie,
oddanie, wydanie, dostawa; wygłoszenie (mowy); poród
de·lude [dɪˈlud] *vt* łudzić, zwodzić,
oszukiwać
del·uge [ˈdeljudʒ] *s dost. i przen.*
potop
de·lu·sion [dɪˈluʒn] *s* złuda, złudzenie
dem·a·gog·ic [ˈdeməˈgodʒɪk] *adj* demagogiczny
dem·a·gogue [ˈdeməgog] *s* demagog
de·mand [dɪˈmand] *vt* żądać; wymagać; pytać; *s* żądanie; wymaganie; zapotrzebowanie, popyt
(for sth na coś)
de·mean·our [dɪˈminə(r)] *s* zachowanie (się), postawa
dem·i·john [ˈdemɪdʒon] *s* gąsior,
butla
de·mil·i·ta·rize [ˈdiˈmɪlɪtəraɪz] *vt*
demilitaryzować
de·mo·bi·lize [dɪˈməublaɪz] *vt* demobilizować
de·moc·ra·cy [dɪˈmokrəsɪ] *s* demokracja
dem·o·crat·ic [ˈdeməˈkrætɪk] *adj*
demokratyczny
de·mol·ish [dɪˈmolɪʃ] *vt* burzyć, demolować; obalać
dem·o·li·tion [ˈdeməˈlɪʃn] *s* zburzenie, rozbiórka; obalenie
de·mon [ˈdimən] *s* demon
dem·on·strate [ˈdemənstreɪt] *vt vi*
wykazywać, udowadniać; demonstrować
dem·on·stra·tion [ˈdemənˈstreɪʃn] *s*
przeprowadzenie dowodu; demonstracja
de·mon·stra·tive [diˈmonstrətɪv] *adj*
demonstracyjny; udowadniający;
gram. wskazujący (zaimek)
de·mor·al·i·za·tion [diˈmorəlaɪˈzeɪʃn]
s demoralizacja, zdeprawowanie
den [den] *s* pieczara, nora, jaskinia; *przen.* schronienie
de·na·tur·ate [diˈneɪtʃəreɪt], **de·na·
·ture** [diˈneɪtʃə(r)] *vt* denaturować, skażać
de·na·tured [ˈdɪˈneɪtʃəd] *adj* skażo

ny (np. alkohol)
de·ni·al [dɪˈnaɪl] *s* zaprzeczenie, odmowa
den·im [ˈdenɪm] *s* teksas; *pl ~*
pot. dżinsy
den·i·zen [ˈdenɪzn] *s* mieszkaniec
de·nom·i·nate [dɪˈnomɪneɪt] *vt* na
zwać; określić
de·nom·i·na·tion [dɪˈnomɪˈneɪʃn] *s*
nazwa; określenie; *rel.* wyznanie
jednostka (wagi itp.)
de·note [dɪˈnəut] *vt* oznaczać
de·nounce [dɪˈnauns] *vt* denuncjować, donosić, oskarżać; wypowiadać (np. umowę)
dense [dens] *adj* gęsty; spoisty
den·si·ty [ˈdensətɪ] *s* gęstość; spoistość
den·tal [ˈdentl] *adj* zębowy, dentystyczny; *gram.* (o głosce) zębowy
den·ti·frice [ˈdentɪfrɪs] *s* pasta ⟨pro
szek⟩ do zębów
den·tist [ˈdentɪst] *s* dentysta
den·ture [ˈdentʃə(r)] *s* sztuczna
szczęka, proteza
de·nude [dɪˈnjud] *vt* obnażyć, ogo
łocić
de·nun·ci·a·tion [dɪˈnansɪˈeɪʃn] *s*
denuncjacja; oskarżenie; wypowiedzenie (np. umowy)
de·ny [dɪˈnaɪ] *vt* zaprzeczyć; odmówić; wyprzeć się (**sb, sth** kogoś, czegoś)
de·part [dɪˈpat] *vi* wyruszać, odjeżdżać; odstąpić (**from sth** od
czegoś); odbiegać (**od** tematu
itp.)
de·part·ment [dɪˈpatmənt] *s* departament; wydział, katedra; oddział; *am.* ministerstwo; **~ store**
dom towarowy
de·par·ture [dɪˈpatʃə(r)] *s* odstępstwo; odejście, odjazd; **point o**
~ punkt wyjścia
de·pend [dɪˈpend] *vi* zależeć (**on sb**
sth od kogoś, czegoś); liczyć, po
legać (**on sb, sth** na kimś, czymś
de·pend·ence [dɪˈpendəns] *s* zależ
ność; zaufanie

desertion

de·pend·en·cy [dɪˈpendənsɪ] s zależność; podległe terytorium; przyległość

de·pend·ent [dɪˈpendənt] adj zależny (on sb, sth od kogoś, czegoś), podlegający; s człowiek zależny od kogoś (będący na czyimś utrzymaniu); służący

de·pict [dɪˈpɪkt] vt malować, opisywać

de·plor·a·ble [dɪˈplɔrəbl] adj godny pożałowania

de·plore [dɪˈplɔ(r)] vt opłakiwać; wyrazić żal

de·port [dɪˈpɔt] vt deportować; vr ~ oneself zachowywać się

de·pose [dɪˈpəuz] vt usuwać, składać (z tronu, urzędu); vi składać zeznanie

de·pos·it [dɪˈpozɪt] s depozyt; zastaw, kaucja; osad; złoże; vt deponować; składać; chem. strącać

dep·o·si·tion [ˌdepəˈzɪʃn] s zeznanie; złożenie (z tronu, urzędu)

de·pos·i·tor [dɪˈpozɪtə(r)] s depozytor

de·pot [ˈdepəu] s skład; am. [ˈdipəu] dworzec (kolejowy, autobusowy)

de·prave [dɪˈpreɪv] vt deprawować

dep·re·cate [ˈdeprəkeɪt] vt potępiać, dezaprobować, ganić; odżegnywać się (sth od czegoś)

de·pre·ci·ate [dɪˈpriʃɪeɪt] vt vi deprecjonować (się)

de·press [dɪˈpres] vt tłumić, hamować; gnębić, przygnębiać; obniżać; naciskać

de·pres·sion [dɪˈpreʃn] s depresja, przygnębienie; obniżenie; zastój, kryzys

de·priv·al [dɪˈpraɪvl] s pozbawienie; złożenie (z urzędu)

dep·ri·va·tion [ˌdeprɪˈveɪʃn] = deprival

de·prive [dɪˈpraɪv] vt pozbawiać (sb of sth kogoś czegoś); złożyć (z urzędu)

depth [depθ] s głębokość, głąb, głębia

dep·u·ta·tion [ˌdepjuˈteɪʃn] s deputacja

dep·u·ty [ˈdepjutɪ] s delegat; zastępca, wice-

de·rail [dɪˈreɪl] vt vi wykoleić (się)

de·range [dɪˈreɪndʒ] vt wprowadzać nieład, psuć, dezorganizować; doprowadzać do obłędu

de·ranged [dɪˈreɪndʒd] pp i adj umysłowo chory

de·range·ment [dɪˈreɪndʒmənt] s nieporządek; rozstrój (żołądka); obłęd

der·e·lict [ˈderəlɪkt] adj opuszczony, bezpański; niedbały

de·ride [dɪˈraɪd] vt wyśmiewać, szydzić

de·ri·sion [dɪˈrɪʒn] s wyśmiewanie, wyszydzanie

de·ri·sive [dɪˈraɪsɪv] adj kpiący, szyderczy

der·i·va·tion [ˌderɪˈveɪʃn] s pochodzenie; gram. derywacja

de·rive [dɪˈraɪv] vt dobywać, czerpać, wyprowadzać; vi pochodzić

der·o·gate [ˈderəgeɪt] vi pomniejszać (from sth coś), przynosić ujmę

de·rog·a·to·ry [dɪˈrogətrɪ] adj pomniejszający (from sth coś), przynoszący ujmę

de·scend [dɪˈsend] vt schodzić; spadać; wyprowadzać; vi pochodzić wywodzić się; vt zejść (a hill etc. z góry itp.)

de·scend·ant [dɪˈsendənt] s potomek

de·scent [dɪˈsent] s zejście, zstąpienie; stok; spadek; pochodzenie

de·scribe [dɪˈskraɪb] vt opisywać, określić

de·scrip·tion [dɪˈskrɪpʃn] s opis

de·scrip·tive [dɪˈskrɪptɪv] adj opisowy; ~ geometry geometria wykreślna

des·e·crate [ˈdesəkreɪt] vt profanować, plugawić

des·ert 1. [ˈdezət] s pustynia; adj attr pustynny

de·sert 2. [dɪˈzət] vt opuszczać; vi dezerterować

de·ser·tion [dɪˈzɜʃn] s opuszczenie; dezercja

de·serve [dɪ'zɜv] *vt vi* zasłużyć (sobie, się)

de·sign [dɪ'zaɪn] *s* plan; zamiar; cel; wzór; szkic; *vt* planować, zamierzać; przeznaczać; projektować; szkicować; rysować

de·sig·nate [ˈdezɪgneɪt] *vt* desygnować, wyznaczać

de·sign·ed·ly [dɪ'zaɪnɪdlɪ] *adv* umyślnie, celowo

de·sign·er [dɪ'zaɪnə(r)] *s* rysownik, kreślarz; projektant

de·sir·a·ble [dɪ'zaɪərəbl] *adj* pożądany; pociągający

de·sire [dɪ'zaɪə(r)] *s* pragnienie, życzenie; żądza; *vt* pragnąć, życzyć sobie, pożądać

de·sir·ous [dɪ'zaɪərəs] *adj* pragnący; to be ~ of sth pragnąć czegoś

de·sist [dɪ'zɪst] *vi* zaniechać, zaprzestać (from sth czegoś)

desk [desk] *s* pulpit; biurko; (*w szkole*) ławka

des·o·late [ˈdesəleɪt] *vt* pustoszyć, niszczyć; trapić; *adj* [ˈdesələt] opustoszały; samotny; niepocieszony, stroskany

des·o·la·tion [ˌdesəˈleɪʃn] *s* spustoszenie; pustka, osamotnienie; strapienie

de·spair [dɪ'speə(r)] *s* rozpacz; *vi* rozpaczać, tracić nadzieję (of sth na coś)

des·patch [dɪ'spætʃ] *vt s* = dispatch

des·pe·rate [ˈdespərət] *adj* rozpaczliwy, beznadziejny; zdesperowany

des·per·a·tion [ˌdespəˈreɪʃn] *s* rozpacz

des·pi·ca·ble [dɪ'spɪkəbl] *adj* godny pogardy, podły

de·spise [dɪ'spaɪz] *vt* pogardzać

de·spite [dɪ'spaɪt] *praep* mimo, wbrew

de·spond·ent [dɪ'spɒndənt] *adj* przygnębiony, zniechęcony

des·pot [ˈdespɒt] *s* despota

des·sert [dɪ'zɜt] *s* deser

des·ti·na·tion [ˌdestɪˈneɪʃn] *s* cel, przeznaczenie, miejsce przeznaczenia, adres

des·tine [ˈdestɪn] *vt* przeznaczać

des·ti·ny [ˈdestɪnɪ] *s* przeznaczenie

des·ti·tute [ˈdestɪtjut] *adj* cierpiący na brak (czegoś); pozbawiony środków do życia; ogołocony

des·ti·tu·tion [ˌdestɪˈtjuʃn] *s* nędza

de·stroy [dɪ'strɔɪ] *vt* niszczyć, burzyć

de·stroy·er [dɪ'strɔɪə(r)] *s mors.* niszczyciel; † kontrtorpedowiec

de·struc·tion [dɪ'strʌkʃn] *s* zniszczenie, zburzenie; zabicie

de·struc·tive [dɪ'strʌktɪv] *adj* niszczycielski; destrukcyjny, zgubny

des·ul·to·ry [ˈdesltərɪ] *adj* przypadkowy, bezładny, chaotyczny

de·tach [dɪ'tætʃ] *vt* oddzielać, odłączać, odrywać; odkomenderować

de·tach·ment [dɪ'tætʃmənt] *s* oddzielenie; odłączenie, oderwanie; oddział; odosobnienie; bezstronność; *wojsk.* on ~ odkomenderowany

de·tail [ˈditeɪl] *s* szczegół; in ~ szczegółowo

de·tain [dɪ'teɪn] *vt* zatrzymywać; wstrzymywać; trzymać w areszcie

de·tect [dɪ'tekt] *vt* odkrywać; wykrywać

de·tec·tion [dɪ'tekʃn] *s* odkrycie, wykrycie

de·tec·tive [dɪ'tektɪv] *adj* wywiadowczy; detektywistyczny; *s* detektyw

de·ten·tion [dɪ'tenʃn] *s* zatrzymanie, wstrzymanie; areszt

de·ter [dɪ'tɜ(r)] *vt* odstraszać, powstrzymywać (from sth od czegoś)

de·te·ri·o·rate [dɪ'tɪərɪəreɪt] *vt vi* zepsuć (się), pogorszyć (się); deprecjonować; tracić na wartości; podupaść

de·ter·mi·nant [dɪ'tɜmɪnənt] *s mat.* wyznacznik; *adj* decydujący; miarodajny

de·ter·mi·na·tion [dɪ'tɜmɪˈneɪʃn]

określenie; postanowienie; zdecydowanie

de·ter·mine [dɪ'tɜmɪn] *vt vi* określać, ograniczać; decydować (się); postanawiać **(on sth** coś); rozstrzygać; skłaniać (się) **(to do sth** do zrobienia czegoś); **~d** zdecydowany **(on sth** na coś)

de·test [dɪ'test] *vt* nienawidzić (nie cierpieć) **(sb, sth** kogoś, czegoś)

de·test·a·ble [dɪ'testəbl] *adj* nienawistny, wstrętny

de·throne [dɪ'θrəun] *vt* detronizować

det·o·nate ['detəneɪt] *vt* wywoływać detonację; *vi* eksplodować

det·o·na·tion ['detə'neɪʃn] *s* detonacja

de·tract [dɪ'trækt] *vt vi* odciągać; pomniejszać **(from sth** coś); szkodzić **(from sb's reputation** czyjejś reputacji)

det·ri·ment ['detrɪmənt] *s* szkoda; **to the ~ of sb** ze szkodą ⟨z krzywdą⟩ dla **kogoś**

det·ri·men·tal ['detrɪ'mentl] *adj* szkodliwy

deuce 1. [djus] *s* diabeł, licho

deuce 2. [djus] *s* dwójka (w kartach itp.); *sport* (*w tenisie*) równowaga

dev·as·tate ['devəsteɪt] *vt* pustoszyć, dewastować

de·vel·op [dɪ'veləp] *vt vi* rozwijać **(się);** rozrastać się; nabawić się (choroby); popaść (w nałóg, zwyczaj); *fot.* wywoływać

de·vel·op·ment [dɪ'veləpmənt] *s* rozwój; *fot.* wywoływanie

de·vi·ate ['divɪeɪt] *vi* zboczyć, odchylić się

de·vice [dɪ'vaɪs] *s* plan, pomysł; urządzenie, przyrząd; dewiza; godło

dev·il ['devl] *s* diabeł

de·vi·ous ['divɪəs] *adj* okrężny; *dosł. i przen.* kręty

de·vise [dɪ'vaɪz] *vt* wymyślić, wynaleźć

de·void [dɪ'vɔɪd] *adj* próżny, pozbawiony **(of sth** czegoś)

de·volve [dɪ'volv] *vt* przenosić, przekazać (prawa, odpowiedzialność itp.)

de·vote [dɪ'vəut] *vt* poświęcać, oddawać się (czemuś)

de·vot·ed [dɪ'vəutɪd] *pp i adj* poświęcony, poświęcający się, oddany

de·vo·tion [dɪ'vəuʃn] *s* poświęcenie, oddanie (się); religijność; *pl* **~s** modlitwy

de·vour [dɪ'vauə(r)] *vt* pożerać

de·vout [dɪ'vaut] *adj* pobożny; szczery

dew [dju] *s* rosa

dex·ter·i·ty ['dek'sterətɪ] *s* zręczność

dex·ter·ous, dex·trous ['dekstrəs] *adj* zręczny

di·a·bol·ic(al) ['daɪə'bolɪk(l)] *adj* diabelski, diaboliczny

di·ag·nose ['daɪəg'nəuz] *vt* rozpoznać (chorobę)

di·ag·no·sis ['daɪəg'nəusɪs] *s* (*pl* **diagnoses** ['daɪəg'nəusiz]) diagnoza

di·ag·o·nal [daɪ'ægənl] *adj* przekątny; *s* przekątna

di·a·gram ['daɪəgræm] *s* diagram, wykres

di·al ['daɪl] *s* tarcza; zegar słoneczny; *vt* nakręcać numer (na tarczy telefonu)

di·a·lect ['daɪəlekt] *s* dialekt

di·a·lec·ti·cal ['daɪə'lektɪkl] *adj* dialektyczny; **~ materialism** materializm dialektyczny

di·a·lec·tics ['daɪə'lektɪks] *s* dialektyka

di·a·logue ['daɪəlog] *s* dialog

di·am·e·ter [daɪ'æmɪtə(r)] *s* średnica

di·a·mond ['daɪəmənd] *s* diament; karo (w kartach)

di·a·phragm ['daɪəfræm] *s* przegroda; *anat.* przepona; *fot. fiz.* przesłona

di·ar·rhoe·a ['daɪə'rɪə] *s med.* biegunka

di·a·ry ['daɪərɪ] *s* dziennik, pamiętnik

dice zob. **die** 2.

dic·tate [dɪk`teɪt] vt vi dyktować; narzucać; rozkazywać; s nakaz (np. sumienia)

dic·ta·tion [dɪk`teɪʃn] s dyktando; dyktat

dic·ta·tor [`dɪk`teɪtə(r)] s dyktator

dic·ta·tor·ship [`dɪk`teɪtəʃɪp] s dyktatura; ~ **of the proletariat** dyktatura proletariatu

dic·tion [`dɪkʃn] s dykcja; wysławianie się

dic·tion·a·ry [`dɪkʃnrɪ] s słownik

did zob. **do**

di·dac·tic [dɪ`dæktɪk] adj dydaktyczny

di·dac·tics [dɪ`dæktɪks] s dydaktyka

die 1. [daɪ] vi umierać; ~ **away** ⟨**down**⟩ zamierać, zanikać; ~ **out** wymierać, wygasać

die 2. [daɪ] s (pl **dice** [daɪs]) kość do gry; techn. (pl **dies** [daɪz]) sztanca, matryca

diet 1. [`daɪət] s dieta; vr ~ **oneself** być na diecie

diet 2. [`daɪət] s sejm, parlament; sesja

di·e·ta·ry [`daɪətrɪ] adj dietetyczny; s wyżywienie

di·e·tet·ic [`daɪə`tetɪk] adj dietetyczny

dif·fer [`dɪfə(r)] vi różnić się (**from sb, sth** od kogoś, czegoś); być innego zdania, nie zgadzać się

dif·fer·ence [`dɪfrns] s różnica; spór

dif·fer·ent [`dɪfrnt] adj różny, odmienny

dif·fer·en·ti·ate [`dɪfə`renʃɪeɪt] vt vi różnicować (się), różnić się; odróżniać; mat. różniczkować

dif·fi·cult [`dɪfɪklt] adj trudny

dif·fi·cul·ty [`dɪfɪkltɪ] s trudność

dif·fi·dent [`dɪfɪdənt] adj nie dowierzający własnym umiejętnościom; bojaźliwy

dif·fuse [dɪ`fjuz] vt vi rozlewać; rozsiewać; rozprzestrzeniać (się); rozpowszechniać (się); fiz. przenikać; rozpraszać (się); adj [dɪ`fjus] rozprzestrzeniony; rozlany;

rozsiany; (o stylu) rozwlekły; fiz. rozproszony

dif·fu·sion [dɪ`fjuʒn] s rozlanie; rozproszenie (się); rozpowszechnianie (się); rozwlekłość (stylu); fiz. dyfuzja

***dig** [dɪg], **dug, dug** [dʌg] vt vi kopać, ryć, wryć się; wbić; grzebać (**for sth** w poszukiwaniu czegoś); ciężko nad czymś pracować, przeprowadzać badania

di·gest 1. [daɪ`dʒest] vt trawić; przen. obmyślić; streścić; pojąć; porządkować, klasyfikować; vi być strawnym

di·gest 2. [`daɪdʒəst] s zbiór; wybór; wyciąg; streszczenie; kompendium

di·gest·i·ble [daɪ`dʒestəbl] adj strawny

di·ges·tion [daɪ`dʒestʃn] s trawienie

di·ges·tive [daɪ`dʒestɪv] adj anat. trawienny; (o potrawie itp.) strawny

dig·it [`dɪdʒɪt] s cyfra; anat. palec

dig·ni·fied [`dɪgnɪfaɪd] adj godny, pełen godności

dig·ni·ty [`dɪgnətɪ] s godność

di·gress [daɪ`gres] vi odbiegać (od tematu); zbaczać (z drogi)

di·gres·sion [daɪ`greʃn] s dygresja

dike [daɪk] s tama; przekop

dil·i·gence [`dɪlɪdʒəns] s pilność

dil·i·gent [`dɪlɪdʒənt] adj pilny

dill [dɪl] s bot. koper

di·lute [daɪ`ljut] vt rozcieńczać; adj rozcieńczony

di·lu·tion [daɪ`ljuʃn] s rozcieńczenie; roztwór

dim [dɪm] adj przyćmiony; mętny; wyblakły; niejasny; matowy; vt vi przyćmiewać; zaciemniać (się), zamazać (się)

dime [daɪm] s am. moneta 10-centowa

di·men·sion [dɪ`menʃn] s wymiar, rozmiar

di·min·ish [dɪ`mɪnɪʃ] vt vi zmniejszać (się), pomniejszać (się), obniżać (się)

dim·i·nu·tion [dɪmɪ`njuʃn] s zmniej-

szanie, pomniejszenie; redukcja;
obniżka

lin [dɪn] s łoskot, hałas; vt ogłuszać; vi hałasować

line [daɪn] vi jeść obiad

lin·gy [ˈdɪndʒɪ] adj niechlujny,
brudny; mętny; ciemny

lin·ing-car [ˈdaɪnɪŋ kɑ(r)] s wagon
restauracyjny

lin·ing-room [ˈdaɪnɪŋ rum] s jadalnia

lin·ner [ˈdɪnə(r)] s obiad (główny
posiłek dnia, zw. wieczorem)

lin·ner-jack·et [ˈdɪnə dʒækɪt] s

lip [dɪp] vt vi zanurzać (się), zamoczyć (się); pochylać (się); opadać; s kąpiel, nurkowanie; zanurzenie; opadnięcie, pochylenie

li·plo·ma [dɪˈpləʊmə] s dyplom

di·plo·ma·cy [dɪˈpləʊməsɪ] s dyplomacja

dip·lo·mat [ˈdɪpləmæt] s dyplomata

dip·lo·mat·ic [ˈdɪpləˈmætɪk] adj dyplomatyczny

di·plo·ma·tist [dɪˈpləʊmətɪst] s dyplomata

dire [ˈdaɪə(r)] adj straszny, okropny

di·rect [dɪˈrekt] adj prosty, bezpośredni; elektr. ~ current prąd
stały; vt kierować, zarządzać;
wskazać; zlecić; adresować; muz.
dyrygować

di·rec·tion [dɪˈrekʃn] s kierunek;
kierownictwo; zarządzanie; adres; instrukcja, wskazówka

di·rect·ly [dɪˈrektlɪ] adv prosto,
wprost; bezpośrednio; zaraz,
wkrótce; conj skoro tylko

di·rec·tor [dɪˈrektə(r)] s dyrektor,
kierownik, zarządca; muz. dyrygent; reżyser

di·rec·to·ry [dɪˈrektrɪ] s książka
adresowa ⟨telefoniczna itp.⟩; am.
zarząd, dyrekcja

dir·i·gi·ble [ˈdɪrɪdʒəbl] adj sterowny, ze sterem; s sterowiec

dirt [dɜt] s brud; błoto

dirt-cheap [ˈdɜtˈtʃɪp] adj pot. śmiesznie tani

dirt·y [ˈdɜtɪ] adj brudny; przen.
podły, wstrętny

dis·a·bil·i·ty [ˈdɪsəˈbɪlətɪ] s niezdolność, niemożność; inwalidztwo

dis·a·ble [dɪsˈeɪbl] vt uczynić niezdolnym, pozbawić sił, obezwładnić; uszkodzić; prawn. ubezwłasnowolnić; ~d soldier inwalida
wojenny

dis·ad·van·tage [ˈdɪsədˈvɑntɪdʒ] s
wada; niekorzyść; niekorzystne
położenie; szkoda

dis·af·fect [ˈdɪsəˈfekt] vt zrażać,
odpychać

dis·af·fec·tion [ˈdɪsəˈfekʃn] s niezadowolenie, niechęć

dis·a·gree [ˈdɪsəˈgri] vi nie zgadzać
się; nie odpowiadać; (o potrawie
itp.) nie służyć

dis·a·gree·a·ble [ˈdɪsəˈgrɪəbl] adj
nieprzyjemny

dis·a·gree·ment [ˈdɪsəˈgrimənt] s
niezgoda; niezgodność

dis·al·low [ˈdɪsəˈlaʊ] vt nie pozwalać; nie aprobować

dis·ap·pear [ˈdɪsəˈpɪə(r)] vi znikać;
zginąć

dis·ap·pear·ance [ˈdɪsəˈpɪərns] s
zniknięcie; zginięcie

dis·ap·point [ˈdɪsəˈpɔɪnt] vt rozczarować, zawieść; to be ~ed zawieść się (in sb, sth na kimś, na
czymś); być rozczarowanym, doznać zawodu (at sth w czymś)

dis·ap·point·ment [ˈdɪsəˈpɔɪntmənt]
s rozczarowanie, zawód

dis·ap·prov·al [ˈdɪsəˈpruvl] s dezaprobata

dis·ap·prove [ˈdɪsəˈpruv] vt vi dezaprobować, nie pochwalać

dis·arm [dɪsˈɑm] vt vi rozbroić
(się)

dis·ap·pear·ance [ˈdɪsəˈpɪərns] s
rozbrojenie

dis·ar·range [ˈdɪsəˈreɪndʒ] vt wprowadzać nieład, rozprzęgać

dis·ar·ray [ˈdɪsəˈreɪ] vt wprowadzać zamieszanie, dezorganizować; s zamęt, nieład

dis·as·ter [dɪˈzɑstə(r)] s nieszczęście, klęska

dis·as·trous [dɪˈzɑːstrəs] *adj* nieszczęsny, zgubny

dis·a·vow [ˈdɪsəˈvaʊ] *vt* wyrzec, wyprzeć się

dis·band [dɪsˈbænd] *vt vi* rozpuścić, rozproszyć (się), rozejść się

dis·be·lief [ˈdɪsbɪˈliːf] *s* niewiara

dis·be·lieve [ˈdɪsbɪˈliːv] *vt vi* nie wierzyć, nie dowierzać

dis·bur·den [dɪsˈbɜːdn] *vt* odciążyć, uwolnić od ciężaru

dis·burse [dɪsˈbɜːs] *vt* wypłacić, wyłożyć (pieniądze)

disc [dɪsk] *s* = disk

dis·card [dɪˈskɑːd] *vt* odsunąć; odrzucić, zarzucić

dis·cern [dɪˈsɜːn] *vt* rozróżniać; spostrzegać

dis·cern·ment [dɪˈsɜːnmənt] *s* zdolność rozróżnienia; bystrość (umysłu), wnikliwość

dis·charge [dɪsˈtʃɑːdʒ] *vt vi* wyładowywać; wypuszczać; wydzielać; spełniać (obowiązki); zwalniać; spłacać; wystrzelić; odbarwić; *s* [ˈdɪstʃɑːdʒ] wyładowanie; zwolnienie; spełnienie (obowiązku); wydzielanie; wystrzał; spłata

dis·ci·ple [dɪˈsaɪpl] *s* uczeń

dis·ci·pline [ˈdɪsəplɪn] *s* dyscyplina; kara; *vt* utrzymywać w karności, ćwiczyć; karać

dis·claim [dɪˈskleɪm] *vt* wypierać się; zrzekać się (sth czegoś)

dis·close [dɪsˈkləʊz] *vt* odsłaniać, odkrywać, ujawniać

dis·clo·sure [dɪsˈkləʊʒə(r)] *s* odsłonięcie, odkrycie, ujawnienie

dis·col·our [dɪsˈkʌlə(r)] *vt vi* odbarwić (się)

dis·com·fit [dɪsˈkʌmfɪt] *vt* zmieszać; udaremnić; † pobić

dis·com·fort [dɪsˈkʌmfət] *s* niewygoda; złe samopoczucie; niepokój

dis·con·cert [ˈdɪskənˈsɜːt] *vt* wyprowadzić z równowagi; zdenerwować, zmieszać; udaremnić

dis·con·nect [ˈdɪskəˈnekt] *vt* rozłączyć, odłączyć

dis·con·nect·ed [ˈdɪskəˈnektɪd] *pp i*

adj pozbawiony związku, chaotyczny

dis·con·tent [ˈdɪskənˈtent] *s* niezadowolenie; *adj* niezadowolony; *vt* budzić niezadowolenie (sb w kimś)

dis·con·tin·ue [ˈdɪskənˈtɪnjuː] *vi* przestać, przerwać; *vt* ustać skończyć się

dis·cord [ˈdɪskɔːd] *s* niezgoda, dysharmonia; *muz.* dysonans

dis·count [ˈdɪskaʊnt] *s bank.* dyskonto; *vt* [dɪˈskaʊnt] dyskontować

dis·cour·age [dɪˈskʌrɪdʒ] *vt* zniechęcić (sb from sth kogoś do czegoś)

dis·course [ˈdɪskɔːs] *s* mowa; rozprawa; rozmowa; *vt* [dɪˈskɔːs] rozprawiać, rozmawiać

dis·cov·er [dɪˈskʌvə(r)] *vt* odkrywać

dis·cov·er·y [dɪˈskʌvrɪ] *s* odkrycie; wynalazek

dis·cred·it [dɪˈskredɪt] *s* zła sława; niedowierzanie, nieufność; *vt* dyskredytować; nie ufać, nie dawać wiary

dis·creet [dɪˈskriːt] *adj* dyskretny; roztropny

dis·crep·an·cy [dɪˈskrepənsɪ] *s* rozbieżność, niezgodność

dis·cre·tion [dɪˈskreʃn] *s* dyskrecja, takt; oględność, rozsądek; własne uznanie, wolna wola; at sb's ~ zależnie od czyjegoś uznania

dis·crim·i·nate [dɪˈskrɪmɪneɪt] *vt* rozróżniać; dyskryminować

dis·crim·i·nat·ing [dɪˈskrɪmɪneɪtɪŋ] *adj* bystry, spostrzegawczy; szczególny

dis·crim·i·na·tion [dɪˈskrɪmɪˈneɪʃn] *s* dyskryminacja; rozróżnienie, rozeznanie; roztropność

dis·cus [ˈdɪskəs] *s sport.* dysk

dis·cuss [dɪˈskʌs] *vt* dyskutować (sth nad czymś), roztrząsać, omawiać

dis·cus·sion [dɪˈskʌʃn] *s* dyskusja, omówienie

dis·dain [dɪs`deɪn] vt pogardzać; s pogarda

dis·ease [dɪ`ziz] s choroba

dis·em·bark [`dɪsɪm`bak] vt wyładować, wysadzać na ląd; vi wysiadać ze statku

dis·en·chant [`dɪsɪn`tʃant] vt rozczarować; odczarować

dis·en·gage [`dɪsɪn`geɪdʒ] vt vi uwolnić (się), odłączyć (się), rozluźniać (się)

dis·en·tan·gle [`dɪsɪn`tæŋgl] vt vi rozwikłać (się), rozplątać (się)

dis·es·tab·lish [`dɪsɪ`stæblɪʃ] vt oddzielić (kościół od państwa)

dis·fa·vour [dɪs`feɪvə(r)] s niełaska; vt nieprzychylnie traktować

dis·fig·ure [dɪs`fɪgə(r)] vt zniekształcić, szpecić

dis·fran·chise [dɪs`fræntʃaɪz] vt pozbawić praw obywatelskich (zw. prawa głosowania)

dis·grace [dɪs`greɪs] s hańba; niełaska; vt okryć hańbą; pozbawić łaski

dis·guise [dɪs`gaɪz] s przebranie; udawanie, maska; vt przebierać; maskować

dis·gust [dɪs`gʌst] s wstręt; vt napełniać wstrętem; to be ~ed czuć wstręt (with sth do czegoś)

dish [dɪʃ] s półmisek; danie

dis·har·mo·ny [dɪs`haməni] s dosł. i przen. dysharmonia

dis·heart·en [dɪs`hatn] vt zniechęcić, odebrać odwagę

dis·hon·est [dɪs`ɔnɪst] adj nieuczciwy

dis·hon·our [dɪs`ɔnə(r)] s hańba; niehonorowanie (np. czeku); vt hańbić; nie honorować (czeku)

dis·hon·our·a·ble [dɪs`ɔnrəbl] adj bez honoru; haniebny

dis·il·lu·sion [`dɪsɪ`luʒn] s rozczarowanie; vt rozczarować

dis·in·cli·na·tion [`dɪsɪnklɪ`neɪʃn] s niechęć

dis·in·cline [`dɪsɪn`klaɪn] vt odstręczać; to be ~d nie mieć chęci, nie być skłonnym

dis·in·fect [`dɪsɪn`fekt] vt dezynfekować

dis·in·her·it [`dɪsɪn`herɪt] vt wydziedziczyć

dis·in·te·grate [dɪs`ɪntɪgreɪt] vt vi rozkładać (się), rozdrabniać, rozpadać się

dis·in·ter·est·ed [dɪs`ɪntrəstɪd] adj bezinteresowny, bezstronny

dis·join [dɪs`dʒɔɪn] vt vi rozłączyć (się)

dis·joint [`dɪs`dʒɔɪnt] vt zwichnąć, wywichnąć; rozłączyć; zakłócić (rytm)

disk [dɪsk] s tarcza (np. słońca); krążek; płyta (gramofonowa)

dis·like [dɪs`laɪk] vt nie lubić; s niechęć, antypatia

dis·lo·cate [`dɪsləkeɪt] vt przesunąć, przemieścić; zwichnąć; zaburzyć

dis·lo·ca·tion [`dɪslə`keɪʃn] s przesunięcie, przemieszczenie; zaburzenie; zwichnięcie

dis·lodge [dɪs`lodʒ] vt usunąć; wysiedlić; wyprzeć (nieprzyjaciela)

dis·loy·al [dɪs`lɔɪl] adj nielojalny, niewierny

dis·mal [`dɪzml] adj ponury, przygnębiający

dis·man·tle [dɪs`mæntl] vt ogołocić, pozbawić (np. części); zdemontować

dis·may [dɪs`meɪ] vt przerażać; konsternować; s przerażenie, konsternacja

dis·mem·ber [dɪs`membə(r)] vt rozczłonkować, rozebrać na części

dis·miss [dɪs`mɪs] vt pozbyć się; odsunąć; zwolnić; porzucić

dis·mis·sal [dɪs`mɪsl] s odsunięcie; porzucenie; zwolnienie, odprawa, dymisja

dis·mount [`dɪs`maunt] vi zsiadać z konia; vt demontować; wysadzać (np. z siodła)

dis·o·be·dient [`dɪsə`bidɪənt] adj nieposłuszny

dis·o·bey [`dɪsə`beɪ] vt nie słuchać (sb kogoś), naruszać (przepisy);

vi sprzeciwiać się (komuś, rozkazom)

dis·or·der [dɪs'ɔːdə(r)] *s* nieporządek; zamieszki; *med.* zaburzenie; *vt* wprowadzić nieporządek; rozstroić

dis·or·der·ly [dɪs'ɔːdəlɪ] *adj* nieporządny; zakłócający porządek (publiczny); niesforny; rozwiązły

dis·own [dɪs'əʊn] *vt* nie uznawać, wypierać się

dis·par·age [dɪ'spærɪdʒ] *vt* ujemnie wyrażać się (sb, sth o kimś, czymś), dyskredytować, uwłaczać

dis·par·i·ty [dɪ'spærətɪ] *s* nierówność, różnica

dis·pas·sion·ate [dɪ'spæʃnət] *adj* beznamiętny; bezstronny, obiektywny

dis·patch [dɪ'spætʃ] *vt* wysłać; załatwić; *s* przesyłka, ekspedycja; załatwienie; pośpiech

dis·pel [dɪ'spel] *vt* rozpędzić, rozproszyć, rozwiać

dis·pen·sa·ry [dɪ'spensərɪ] *s* apteka; przychodnia

dis·pense [dɪ'spens] *vt* wydawać, rozdzielać; wymierzać (sprawiedliwość); zwalniać, udzielać dyspensy; (*o lekarstwach*) sporządzać i wydawać; *vi* obchodzić się (**with** sth bez czegoś)

dis·perse [dɪ'spɜːs] *vt vi* rozpędzić; rozproszyć (się); rozsypać (się), rozsiać; rozbiec się

dis·per·sion [dɪ'spɜːʃn] *s* rozproszenie (się); rozejście się; *fiz.* rozszczepienie, dyspersja; rozrzut

dis·place [dɪ'spleɪs] *vt* przenieść, przesunąć, przełożyć, przestawić; usuwać, wypierać; zastępować; ~d **person** wysiedleniec, uchodźca

dis·place·ment [dɪ'spleɪsmənt] *s* przemieszczenie, przesunięcie; zastąpienie, wyparcie; *mors.* wyporność

dis·play [dɪ'spleɪ] *vt* rozwinąć, ujawnić, wystawić na pokaz, pokazać; *s* pokaz, wystawa; manifestowanie, popis

dis·please [dɪ'spliːz] *vt* nie podobać się (**sb** komuś), urazić, narazić się (**sb** komuś)

dis·pleas·ure [dɪ'spleʒə(r)] *s* niezadowolenie, gniew

dis·po·sal [dɪ'spəʊzl] *s* rozporządzanie (**of** sth czymś); rozkład; pozbycie się; usunięcie; **at sb's ~** do czyjejś dyspozycji

dis·pose [dɪ'spəʊz] *vt vi* rozkładać; rozporządzać, dysponować (**of** sth) czymś); usuwać, pozbywać się (**of** sth czegoś); rozprawić się (**of** sb, sth z kimś, czymś); skłonić (**sb to** sth kogoś do czegoś)

dis·po·si·tion [,dɪspə'zɪʃn] *s* rozmieszczenie, rozkład; dyspozycja; usposobienie, skłonność; zarządzenie

dis·pos·sess [,dɪspə'zes] *vt* wywłaszczyć

dis·pro·por·tion·ate [,dɪsprə'pɔːʃnət] *adj* nieproporcjonalny

dis·prove [dɪs'pruːv] *vt* zbijać, obalać (twierdzenie, zarzuty)

dis·pu·ta·ble [dɪ'spjuːtəbl] *adj* sporny

dis·pute [dɪ'spjuːt] *vt vi* rozprawiać, dyskutować (sth ⟨about, on sth⟩ nad czymś); kwestionować; walczyć (sth o coś); spierać się, kłócić się; *s* ['dɪspjuːt] spór, dysputa, dyskusja; kłótnia

dis·qual·i·fy [dɪs'kwɒlɪfaɪ] *vt* dyskwalifikować

dis·qui·et [dɪs'kwaɪət] *adj* niespokojny; *s* niepokój; *vt* niepokoić

dis·re·gard [,dɪsrɪ'gɑːd] *vt* lekceważyć, nie zważać (sth na coś); *s* lekceważenie

dis·rep·u·ta·ble [dɪs'repjʊtəbl] *adj* haniebny, niecny; (*o człowieku*) mający złą opinię; (*o ubraniu itp.*) nędzny, zdarty, zniszczony

dis·re·pute ['dɪsrɪ'pjuːt] *s* zła reputacja, niesława

dis·rupt ['dɪs'rʌpt] *vt* rozrywać, rozwalić

dis·sat·is·fac·tion ['dɪ,sætɪs'fækʃn] *s* niezadowolenie

dis·sat·is·fy [dɪˈsætɪsfaɪ] vt wywoływać niezadowolenie (sb u kogoś)

dis·sem·ble [dɪˈsembl] vt vi ukrywać; udawać

dis·sem·i·nate [dɪˈsemɪneɪt] vt rozsiewać

dis·sen·sion [dɪˈsenʃn] s niezgoda

dis·sent [dɪˈsent] vi nie zgadzać się, mieć odmienne poglądy; s różnica zdań ⟨poglądów⟩; herezja

dis·sent·er [dɪˈsentə(r)] s dysydent, heretyk

dis·sim·i·lar [ˈdɪˈsɪmlə(r)] adj niepodobny

dis·sim·u·late [dɪˈsɪmjuleɪt] vt vi maskować (się), ukrywać; udawać

dis·si·pate [ˈdɪsɪpeɪt] vt vi rozpraszać (się); marnować (się), trwonić

dis·so·ci·ate [dɪˈsəuʃɪeɪt] vt rozdzielać, rozłączać; vr ~ oneself zrywać związek

dis·sol·u·ble [dɪˈsɒljubl] adj rozpuszczalny; (o związku itd.) rozerwalny

dis·so·lute [ˈdɪsəljut] adj rozwiązły

dis·so·lu·tion [ˈdɪsəˈluʃn] s rozkład; rozwiązanie (np. spółki)

dis·solve [dɪˈzɒlv] vt vi rozpuszczać (się); rozkładać (się); rozwiązywać (się); zrywać; zanikać

dis·suade [dɪˈsweɪd] vt odradzać (sb from sth komuś coś)

dis·taff [ˈdɪstɑf] s kądziel; on the ~ side po kądzieli

dis·tance [ˈdɪstəns] s odległość; dosł. i przen. dystans; vt dystansować; oddalać

dis·tant [ˈdɪstənt] adj odległy

dis·taste [dɪsˈteɪst] s niesmak, wstręt (for sth do czegoś)

dis·tend [dɪsˈtend] vt vi rozciągać (się); rozdymać (się)

dis·til [dɪsˈtɪl] vt vi destylować (się); sączyć (się)

dis·tinct [dɪsˈtɪŋkt] adj różny; wyraźny, dobitny

dis·tinc·tion [dɪsˈtɪŋkʃn] s odróżnienie; różnica, wyróżnienie (się), odznaczenie

dis·tinc·tive [dɪsˈtɪŋktɪv] adj odróżniający; wyraźny, znamienny

dis·tin·guish [dɪsˈtɪŋgwɪʃ] vt odróżniać, rozróżniać; wyróżniać; vr ~ oneself odznaczać się

dis·tin·guished [dɪsˈtɪŋgwɪʃt] adj wybitny, znakomity; dystyngowany

dis·tort [dɪsˈtɔt] vt przekręcać, zniekształcać

dis·tract [dɪsˈtrækt] vt odciągać, odrywać (uwagę), rozpraszać; oszałamiać

dis·tract·ed [dɪsˈtræktɪd] adj roztargniony

dis·trac·tion [dɪsˈtrækʃn] s roztargnienie; rozrywka; rozterka

dis·tress [dɪsˈtres] s nieszczęście, niedola, strapienie; bieda; krytyczna sytuacja; vt unieszczęśliwiać; trapić

dis·trib·ute [dɪsˈtrɪbjut] vt rozdzielać, rozprowadzać, rozmieszczać

dis·tri·bu·tion [ˈdɪstrɪˈbjuʃn] s rozdział, rozkład, dystrybucja

dis·trib·u·tor [dɪsˈtrɪbjutə(r)] s rozdzielca; handl. rozprowadzający; elektr. rozdzielacz

dis·trict [ˈdɪstrɪkt] s okręg, obwód; dzielnica; okolica

dis·trust [dɪsˈtrʌst] vt nie dowierzać; s nieufność

dis·turb [dɪsˈtɜb] vt niepokoić, przeszkadzać; zakłócać

dis·turb·ance [dɪsˈtɜbəns] s zaburzenie, zakłócenie; niepokój

dis·u·nite [ˈdɪsjuˈnaɪt] vt vi rozłączać (się), rozdzielać (się)

dis·use [dɪsˈjus] s nieużywanie; zarzucenie; odzwyczajenie; to fall ⟨come⟩ into ~ wyjść z użycia; vt [dɪsˈjuz] zarzucić, zaprzestać (używania)

ditch [dɪtʃ] s rów, kanał

dit·ty [ˈdɪtɪ] s piosenka

di·va·gate [ˈdaɪvəgeɪt] vi błąkać się; odbiegać od tematu

dive [daɪv] vi zanurzyć (się), pogrążyć (się); pot. dać nura; nurkować; lotn. pikować; s nurkowanie, skok do wody

div·er [ˈdaɪvə(r)] s nurek

di·verge [daɪ'vɜdʒ] *vt* odbiegać,
rozbiegać się

di·verse [daɪ'vɜs] *adj* rozmaity; odmienny

di·ver·si·fy ['daɪ'vɜsɪfaɪ] *vt* urozmaicać

di·ver·sion [daɪ'vɜʃn] *s* odchylenie,
odwrócenie; objazd; rozrywka;
wojsk. dywersja

di·ver·si·ty ['daɪ'vɜsətɪ] *s* rozmaitość; urozmaicenie

di·vert ['daɪ'vɜt] *vt* odchylać, odciągać; zmieniać kierunek; zabawiać; odwracać uwagę

di·vest [daɪ'vest] *vt* rozbierać (of
sth z czegoś); pozbawiać (of sth
czegoś)

di·vide [dɪ'vaɪd] *vt vi* dzielić (się);
s geogr. dział wód

div·i·dend ['dɪvɪdend] *s fin.* dywidenda; *mat.* dzielna

div·i·na·tion ['dɪvɪ'neɪʃn] *s* wróże-
nie; wróżba

di·vine 1. [dɪ'vaɪn] *vt* przepowiadać; domyślać się, zgadywać; *vi*
wróżyć

di·vine 2. [dɪ'vaɪn] *adj* boski; *s*
duchowny

di·vin·i·ty [dɪ'vɪnɪtɪ] *s* bóstwo; boskość; teologia

di·vis·i·ble [dɪ'vɪzəbl] *adj* podzielny

di·vi·sion [dɪ'vɪʒn] *s* podział; dział;
przegroda; niezgoda; *mat.* dzielenie; *wojsk.* dywizja; *polit.* głosowanie (w parlamencie)

ii·vi·sor [dɪ'vaɪzə(r)] *s mat.* dzielnik

di·vorce [dɪ'vos] *s* rozwód; *vt* rozwieść; *vi* rozwieść się (sb z kimś)

diz·zy ['dɪzɪ] *adj* zawrotny, oszałamiający; cierpiący na zawrót
głowy

do [du], did [dɪd], done [dʌn], 3
pers sing praes does [dʌz] *vt vi*
robić, czynić, sporządzać, wykonywać; skończyć; mieć się, czuć
się; wystarczyć, ujść; *pot.* zwiedzać; odgrywać (rolę); nabierać,
oszukiwać; pełnić (obowiązek);
przynosić (np. zaszczyt); załatwić;
przyznawać (np. rację); uporządkować; przebywać (odległość); do
away usunąć, znieść (with sth

coś); do up zapakować; uporządkować; przyrządzić; wykończyć;
do without sth obejść się be:
czegoś; do with sth zadówolić si⟨
(czymś); to be done for ⟨up⟩ by⟨
wykończonym, być zmordowa
nym; to be doing well prospero
wać, rozwijać się, cieszyć się po
wodzeniem; to be doing badl⟨
nie mieć powodzenia; how do yo⟨
do? dzień dobry, miło mi poznać
v aux tworzy formę pytającą ⟨
przeczącą *w czasach Present Sim*
ple i Simple Past: do you lik⟨
him? czy lubisz go?; I did no⟨
like him nie lubiłam go; *zaste*
puje orzeczenie: you play bette⟨
than he does grasz lepiej od niego; do you smoke? — I do ⟨⟩
don't⟩ czy palisz? ~ tak, pal⟨
⟨nie, nie palę⟩; *w zdaniach py*
tających: you don't like her, do
you? nie lubisz jej, prawda?; you
like her, don't you? lubisz ją, nie-
prawdaż?; *oznacza emfazę:* I di⟨
go przecież ⟨jednak⟩ poszedłem
do come! bardzo proszę, przyjdź⟨

do·cile ['dəusaɪl] *adj* uległy, posłuszny; łagodny; pojętny

do·cil·i·ty [dəu'sɪlɪtɪ] *s* uległość
posłuszeństwo; pojętność

dock 1. [dok] *s* dok; *vt* umieścić ⟨
doku, dokować

dock 2. [dok] *s* ława oskarżonych

dock 3. [dok] *vt* obcinać; kasować; ~ a horse ⟨a dog⟩ przycinać ogon koniowi ⟨psu⟩

dock·er ['dokə(r)] *s* robotnik portowy

dock·yard ['dokjad] *s* stocznia

doc·tor ['doktə(r)] *s* doktor

doc·u·ment ['dokjumənt] *s* dokument

dodge [dodʒ] *vt vi* wymijać; używać wykrętów; wymykać się; *s*
wykręt; sztuczka; unik

dodg·er ['dodʒə(r)] *s* krętacz, spry-
ciarz

does *zob.* do

dog [dog] *s* pies; *vt* tropić, śledzić

dog-cheap ['dogtʃip] *adj i adv pot.*
tani ⟨tanio⟩ jak barszcz

down

dog·ged [´dɔgɪd] *adj* uparty, zawzięty

dog·ma [´dɔgmə] *s* dogmat

dog·mat·ic [dɔg´mætɪk] *adj* dogmatyczny

do·ing [´duɪŋ] *ppraes i s* sprawa, sprawka; czyn, trud; *pl* ~s poczynania

dole [dəul] *s* część, cząstka; zasiłek (dla bezrobotnych), zapomoga; † los; to be on the ~ pobierać zasiłek; *vt* (*zw.* ~ out) wydzielać

doll [dɔl] *s* lalka

dol·lar [´dɔlə(r)] *s* dolar

do·main [dəu´meɪn] *s* domena; posiadłość, majątek ziemski

dome [dəum] *s* kopuła; sklepienie

do·mes·tic [də´mestɪk] *adj* domowy; wewnętrzny; krajowy, rodzimy; *s* służący

do·mes·ti·cate [də´mestɪkeɪt] *vt* oswajać; cywilizować; przywiązywać do domu

dom·i·cile [´dɔmɪsaɪl] *s* miejsce zamieszkania

dom·i·nant [´dɔmɪnənt] *adj* panujący, dominujący

dom·i·nate [´dɔmɪneɪt] *vt vi* panować; górować (**sb, sth** 〈**over sb, sth**〉 nad kimś, czymś)

dom·i·neer [´dɔmɪ´nɪə(r)] *vi* tyranizować, okazywać swą władzę

do·min·ion [də´mɪnɪən] *s* władza; dominium

dom·i·no [´dɔmɪnəu] *s* domino; *pl* ~es gra w domino

do·na·tion [dəu´neɪʃn] *s* dar

done *zob.* **do**

don·key [´dɔŋkɪ] *s* osioł

doom [dum] *s* los, przeznaczenie; † *prawn.* wyrok; *vt lit.* skazać, osądzać

door [dɔ(r)] *s* drzwi; within ~s w domu; out of ~s poza domem, na dworze

door·keep·er [´dɔ˙kipə(r)] *s* dozorca, portier

door·way [´dɔweɪ] *s* brama, wejście

dope [dəup] *s* smar; lakier; narko-

tyk; *vt* narkotyzować; dawać środek podniecający

dor·mant [´dɔmənt] *adj* śpiący; bezczynny; w stanie zawieszenia

dor·mi·to·ry [´dɔmɪtrɪ] *s* sala sypialna; *am.* bursa

dose [dəus] *s* doza, dawka; *vt* dawkować

dot [dɔt] *s* kropka; *vt* stawiać kropkę; kropkować; usiać (**with sth** czymś)

doub·le [´dʌbl] *adj* podwójny, dwojaki, dwoisty; *s* podwójna ilość; sobowtór; dublet; *sport* gra podwójna, debel; *vt* podwoić, złożyć we dwoje; *teatr* dublować; (w kartach) kontrować; *vi* podwoić (się); to ~ up zgiąć (się), złożyć (się); *adv* podwójnie; we dwoje (jechać, spać itd.); ~ as long dwa razy taki długi

doub·le-bass [´dʌbl´beɪs] *s muz.* kontrabas

doub·le-deal·er [´dʌbl´dilə(r)] *s* człowiek dwulicowy, krętacz

doub·le-mean·ing [´dʌbl´minɪŋ] *adj* dwuznaczny; *s* dwuznacznik

doubt [daut] *s* wątpliwość; out of ~, without 〈beyond, no〉 ~ bez wątpienia; *vt vi* wątpić (**sth** w coś; **of** 〈**about**〉 **sth** o czymś)

doubt·ful [´dautfl] *adj* wątpliwy; niepewny, niezdecydowany; podejrzany

dough [dəu] *s* ciasto

dove [dʌv] *s* gołąb

dove·cot [´dʌvkɔt] *s* gołębnik

dow·a·ger [´dauɪdʒə(r)] *s* wdowa (dziedzicząca tytuł lub dobra)

dow·dy [´daudɪ] *adj* (*zw.* o kobiecie) o zaniedbanym wyglądzie, niemodnie ubrana

down 1. [daun] *adv* w dole, w dół, nisko; ~ to aż po; to be ~ być powalonym, leżeć; być na liście; opaść; zawziąć się (on sb na kogoś); być przygnębionym; *praep* w dół, na dół; po, z, wzdłuż; *adj* w dół, na dół; skierowany 〈w dół; ~ train pociąg ze stolicy na prowincję; vt pot. rozłożyć, położyć (przeciwnika); zrzucić, strącić; ~ tools zastrajkować

down 2. [daun] s pagórkowata, nie zalesiona okolica; wydma

down 3. [daun] s puch; meszek

down·cast [ˈdaunkɑst] adj przygnębiony

down·fall [ˈdaunfɔl] s upadek; zguba

down·hill [ˈdaunˈhil] adv z góry na dół; s [ˈdaunhil] pochyłość, spadek

down·pour [ˈdaunpɔ] s ulewa

down·right [ˈdaunrait] adj całkowity; szczery, otwarty; istny; oczywisty; adv całkowicie, w pełni; otwarcie; po prostu

down·stairs [ˈdaunˈsteəz] adv w dół, na dół, ze schodów; na dole podeptany; przen. uciskany

down·trod·den [ˈdaunˈtrodn] adj podeptany; przen. uciskany

down·ward [ˈdaunwəd] adv ku dołowi, w dół; adj attr skierowany ⟨poruszający się⟩ w dół, na dół

down·wards = downward adv

dow·ry [ˈdauəri] s posag; talent

doze [dəuz] vi drzemać; s drzemka

doz·en [ˈdʌzn] s tuzin; baker's ~ trzynaście

drab [dræb] adj bury, brudnoszary; bezbarwny; monotonny, nudny; s bury kolor; bure sukno; monotonia, nuda

draft [drɑft] s rysunek, szkic; projekt; handl. trata; ciągnięcie; wojsk. oddział wyborowy; am. pobór; **beast of** ~ zwierzę pociągowe; vt szkicować; projektować; wojsk. odkomenderować

drafts·man [ˈdrɑftsmən] s rysownik, kreślarz

drag [dræg] vt vi wlec (się), ciągnąć (się)

drag·on [ˈdrægən] s smok

drag·on·fly [ˈdrægənflai] s zool. ważka

drain [drein] vt suszyć, drenować, odprowadzać wodę; vi (także ~ away) wyciekać; s dren, ściek, rów odwadniający; med. sączek

dra·ma [ˈdrɑmə] s dramat

dra·mat·ic [drəˈmætik] adj dramatyczny

dram·a·tist [ˈdræmətist] s dramaturg

drank zob. **drink**

drape [dreip] vt vi drapować (się)

dra·per·y [ˈdreipəri] s zbior. materiały tekstylne; handel tekstyliami; draperia

dras·tic [ˈdræstik] adj drastyczny; silnie działający, drakoński

draught [drɑft] s przeciąg; ciąg; łyk; rysunek (= draft); połów, zarzucenie sieci; pl ~s warcaby

draughts·man 1. zob. **draftsman**

draughts·man 2. [ˈdrɑftsmən] s pionek w warcabach

*draw [drɔ], **drew** [dru], **drawn** [drɔn] vt vi ciągnąć, przyciągać, ściągać, nadciągać; otrzymywać; czerpać; pobierać; (o złotach, herbacie) zaparzać, naciągać; rysować; ~ away odbierać; odciągać; oddalać się; ~ back cofać (się); ~ forth wywoływać; ~ in wciągać; ~ near zbliżać się; ~ off ściągać; wycofywać się; ~ on naciągać; przyciągać; nadchodzić; ~ out wyciągać, wydobywać wydłużać (się); sporządzić (np. plan); ~ round gromadzić się dookoła; ~ up podciągnąć; zestawić; sformułować; ustawić (się) w szeregu; zatrzymać (się), stanąć

draw·back [ˈdrɔbæk] s przeszkoda; wada, ujemna strona; handl. cło zwrotne

draw·bridge [ˈdrɔbridʒ] s most zwodzony

draw·er [ˈdrɔə(r)] s rysownik; handl. trasant; [drɔ(r)] szuflada; **chest of** ~s komoda; pl ~s [drɔz] kalesony, majtki

draw·ing [ˈdrɔiŋ] s rysunek; lekcja rysunków

drop

draw·ing-room [ˈdrɔːɪŋrum] s salon

drawl [drɔːl] vt vi przeciągać, cedzić (słowa)

drawn zob. draw

dread [dred] s strach; adj straszny; vt bać się

dread·ful [ˈdredfl] adj straszny

dread·nought [ˈdrednɔt] s mors. pancernik

*dream [driːm], dreamt, dreamt [dremt] lub dreamed, dreamed [driːmd] vt vi marzyć, śnić, widzieć we śnie; s sen, marzenie

dreamt zob. dream

drear·y [ˈdrɪərɪ] adj mroczny, ponury

dregs [dregz] s pl odpadki; dosł. i przen. męty, osad

drench [drentʃ] vt przemoczyć

dress [dres] vt vi ubierać (się); stroić, ozdabiać; przyrządzać; opatrzyć (ranę); zdobić; oporządzać; włożyć strój wieczorowy; ~ up wystroić (się); s ubranie, strój; evening ~ smoking, suknia wieczorowa; full ~ strój uroczysty; frak; ~ coat frak

dress·ing [ˈdresɪŋ] s ubieranie się, toaleta; przyprawa (sos, farsz itp.); oporządzenie; dekoracja; opatrunek

dress·ing-case [ˈdresɪŋkeɪs] s neseser

dress·ing-gown [ˈdresɪŋɡaʊn] s szlafrok

dress·ing-sta·tion [ˈdresɪŋ steɪʃn] s punkt opatrunkowy

dress·ing-ta·ble [ˈdresɪŋteɪbl] s toaleta (mebel)

dress·ma·ker [ˈdresmeɪkə(r)] s krawiec damski

dress·y [ˈdresɪ] adj wystrojony; lubiący się stroić; szykowny

drew zob. draw

drib·ble [ˈdrɪbl] vi kapać; ślinić się; vt odcedzić

drift [drɪft] s prąd; mors. dryf; unoszenie się z prądem; zaspa; zawierucha; dążność; bieg (wypadków); tok (myśli); vt vi nieść; nawiać, nanieść; dążyć; mors.

dryfować; unosić się bezwładnie; zmierzać

drill 1. [drɪl] s świder; wojsk. musztra; vt vi świdrować; drylować, musztrować (się), ćwiczyć (się), odbywać ćwiczenie

drill 2. [drɪl] s bruzda; siewnik; vt siać (rzędami)

drill 3. [drɪl] s drelich

*drink [drɪŋk], drank [dræŋk], drunk [drʌŋk] vt vi pić; ~ up ⟨off⟩ wypić; s napój, picie, kieliszek trunku; soft ~ napój bezalkoholowy; strong ~ trunek; to have a ~ napić się

drip [drɪp] vi kapać; ociekać

*drive [draɪv], drove [drəʊv], driven [ˈdrɪvn] vt vi pędzić, jechać; popędzać, zagnać; wprawiać w ruch; wieźć; powozić, kierować; wbijać; doprowadzać; zmierzać (at sth do czegoś); ~ sb mad doprowadzić kogoś do szału; przen. ~ sth home to sb przekonać, uzmysłowić coś komuś; ~ in wpędzić; wbić; s jazda, przejażdżka; napęd, energia; nagonka; wjazd, dojazd, droga dojazdowa; am. akcja, kampania

driv·el [ˈdrɪvl] vi ślinić się; pleść głupstwa; s ślina ciekąca z ust; gadanie od rzeczy

driv·en zob. drive

driv·er [ˈdraɪvə(r)] s woźnica; kierowca; maszynista; poganiacz

driz·zle [ˈdrɪzl] vi mżyć; s drobny deszcz, mżawka

droll [drəʊl] adj zabawny, dziwaczny

drone 1. [drəʊn] vt vi buczeć, brzęczeć; mruczeć; s truteń; warkot, brzęczenie

droop [druːp] vi opadać, obwisać; omdlewać

drop [drɒp] vi kapać; spaść, padać; opadać; cichnąć, słabnąć; ustać; ~ into a habit popaść w nałóg; vt spuścić, opuścić; upuścić, zrzucić; zniżać; podrzucić, odwieźć (kogoś, coś); zaprzestać; ~ asleep zasnąć; pot. ~ in wpaść;

odwiedzić (on sb kogoś); ~ off ⟨away⟩ odpadać, zmniejszać się; zasnąć; zamierać; ~ out zniknąć, wycofać się; usunąć; wypuścić; s kropla; obniżenie, spadek; zniżka (cen); pl ~s cukierki, dropsy

drought [draut] s posucha

drove zob. **drive**

drown [draun] vt topić; vi tonąć

drowse [drauz] vi drzemać; vt usypiać; s drzemka

drow·sy [ˈdrauzɪ] adj senny, ospały, usypiający

drub [drʌb] vt poturbować, wygrzmocić

drudge [drʌdʒ] vi ciężko pracować, harować; s przen. wół roboczy

drudg·er·y [ˈdrʌdʒərɪ] s ciężka, niewdzięczna praca, harówka

drug [drʌg] s lek, lekarstwo; narkotyk; vt narkotyzować

drug·gist [ˈdrʌgɪst] s aptekarz

drug-store [ˈdrʌgstɔ(r)] s am. drogeria (z działem sprzedaży lekarstw, kosmetyków, czasopism i napojów chłodzących)

drum [drʌm] s bęben; werbel; vi bębnić

drum·mer [ˈdrʌmə(r)] s dobosz

drunk 1. zob. **drink**

drunk 2. [drʌŋk] adj praed pijany

drunk·ard [ˈdrʌŋkəd] s pijak

drunk·en [ˈdrʌŋkən] adj attr pijany

dry [draɪ] adj suchy, uschnięty; oschły; bezalkoholowy; vt suszyć; wycierać; vi schnąć ~ up wysuszyć; wyschnąć

dry-clean·ing [ˈdraɪˈklɪnɪŋ] s pranie chemiczne

du·al [ˈdjul] adj dwoisty, podwójny

dub 1. [dʌb] vt pasować na rycerza; nazywać (sb sth kogoś czymś); przezywać

dub 2. [dʌb] vt kin. dubbingować

du·bi·ous [ˈdjubɪəs] adj wątpliwy, dwuznaczny; niepewny

duch·ess [ˈdʌtʃɪs] s księżna

duch·y [ˈdʌtʃɪ] s księstwo

duck 1. [dʌk] s zool. kaczka

duck 2. [dʌk] vt vi zanurzyć (się) dać nurka; zgiąć się, zrobić unik

duct [dʌkt] s kanał, przewód

dud [dʌd] s niewypał; pl ~s ciuchy, łachy

due [dju] adj należny; dłużny, zobowiązany; spowodowany (to sth czymś); spodziewany; odpowiedni; handl. płatny; s należność, opłata

du·el [ˈdjul] s pojedynek

dug zob. **dig**

dug-out [ˈdʌg aut] s wojsk. ziemianka, schron

duke [djuk] s książę

dul·ci·mer [ˈdʌlsɪmə(r)] s muz. cymbały

dull [dʌl] adj mętny; nudny; tępy; matowy; posępny; stłumiony; vt stępić; stłumić; vi stępieć; zmatowieć

du·ly [ˈdjulɪ] adv należycie, słusznie; w porę

dumb [dʌm] adj niemy; ~ show pantomima; to strike sb ~ wprawić kogoś w osłupienie

dumb·found [dʌmˈfaund] vt ogłuszyć, oszołomić; odebrać mowę

dum·my [ˈdʌmɪ] s manekin; statysta, figurant; imitacja, makieta; pozór; smoczek; adj attr podrobiony, udany, naśladujący

dump [dʌmp] vt zrzucać, zsypywać; wywalać; handl. zbywać towar na zasadzie dumpingu; s stos; hałda; śmietnik

dump·ing [ˈdʌmpɪŋ] s handl. dumping

dump·y [ˈdʌmpɪ] adj przysadkowaty, pękaty

dunce [dʌns] s (o uczniu) osioł, nieuk

dune [djun] s wydma piaszczysta

dung [dʌŋ] s gnój, nawóz

dun·geon [ˈdʌndʒən] s wieża; loch, ciemnica

dupe [djup] s ofiara oszustwa; pot. dudek, naiwniaczek; vt oszukać, okpić

du·pli·cate [ˈdjuplɪkət] adj podwójny; s duplikat; vt [`djuplɪkeɪt] kopiować, odbijać, powielać

du·pli·ca·tor [`djuplɪkeɪtə(r)] s powielacz

du·plic·i·ty [dju`plɪsətɪ] s dwulicowość

du·ra·ble [`djuərəbl] adj trwały; stały

du·ra·tion [dju`reɪʃn] s czas trwania

dur·ing [`djuərɪŋ] praep podczas, przez, za

dusk [dʌsk] s zmierzch

dusk·y [`dʌskɪ] adj ciemny

dust [dʌst] s pył, kurz, proch; vt zakurzyć, posypać prochem; czyścić z kurzu, z prochu, ścierać

dust·bin [`dʌstbɪn] s skrzynia na śmieci

dust·y [`dʌstɪ] adj zakurzony; nudny; niejasny, mglisty

Dutch [dʌtʃ] adj holenderski; język holenderski

Dutch·man [`dʌtʃmən] s (pl Dutchmen [`dʌtʃmən]) Holender

du·ti·a·ble [`djutɪəbl] adj podlegający ocleniu

du·ti·ful [`djutɪfl] adj obowiązkowy, sumienny; pełen szacunku, uległy

du·ty [`djutɪ] s obowiązek, powinność; służba; należność podatkowa; cło; off ~ po służbie; on ~ na służbie, na dyżurze

dwarf [dwɔf] s karzeł; adj attr karłowaty; vt powstrzymać wzrost; pomniejszyć

*dwell [dwel], dwelt, dwelt [dwelt] vi mieszkać; zatrzymywać się; rozwodzić się (on sth nad czymś); kłaść nacisk

dwell·er [`dwelə(r)] s mieszkaniec

dwell·ing [`dwelɪŋ] s mieszkanie

dwelt zob. dwell

dwin·dle [`dwɪndl] vi zanikać, zmniejszać się

dye [daɪ] s barwa, farba; vt vi barwić (się), farbować (się)

dye-stuff [`daɪstʌf] s barwnik

dy·ing zob. die

dyke = dike

dy·nam·ic [daɪ`næmɪk] adj dynamiczny; s pl ~s dynamika

dy·na·mite [`daɪnəmaɪt] s dynamit; vt wysadzać dynamitem

dy·nas·tic [dɪ`næstɪk] adj dynastyczny

dyn·as·ty [`dɪnəstɪ] s dynastia

e

each [itʃ] adj pron każdy; ~ other nawzajem

ea·ger [`igə(r)] adj żądny (for ⟨after⟩ sth czegoś); skory, gorliwy; (o pragnieniu itp.) gorący; to be ~ to do sth bardzo pragnąć coś zrobić

ea·gle [`igl] s orzeł

ear [ɪə(r)] s ucho

earl [ɜl] s hrabia (tylko angielski)

ear·ly [`ɜlɪ] adj wczesny; adv wcześnie

ear·mark [`ɪəmak] s (u zwierząt domowych) piętno, kolczyk; przen. znak (rozpoznawczy); vt znaczyć, znakować; przen. przeznaczać

earn [ɜn] vt zarabiać; zasługiwać

ear·nest [`ɜnɪst] adj poważny; szczery; gorliwy; s w zwrocie: in ~ na serio, poważnie

earn·ing [`ɜnɪŋ] s zarobek, dochód

ear-phone [`ɪəfəun] s słuchawka

ear-ring [`ɪərɪŋ] s kolczyk

earth [ɜθ] s ziemia; świat, kula ziemska; what on ~! cóż to znowu?; elektr. uziemienie; vt vi zakopać ⟨zagrzebać⟩ (się) w ziemi; okopać; *elektr.* uziemić

earth·en [`ɜθn] *adj* ziemny; gliniany

earth·en·ware [`ɜθnweə(r)] *s* zbiór. wyroby garncarskie

earth·ly [`ɜθlɪ] *adj* ziemski

earth·quake [`ɜθkweɪk] *s* trzęsienie ziemi; wstrząs

earth·work [`ɜθwɜk] *s* robota ziemna; nasyp

ease [iz] *s* lekkość, swoboda; wygoda; at ~ spokojnie, wygodnie; at ~! *wojsk.* spocznij!; **ill at** ~ niedobrze, nieswojo; *vt* łagodzić; uspokajać; uwalniać

ea·sel [`izl] *s* sztaluga

eas·i·ness [`izɪnəs] *s* lekkość, wygoda, swoboda; beztroska

east [ist] *s* wschód; *adj* wschodni; *adv* na wschód, na wschodzie

East·er [`istə(r)] *s* Wielkanoc

east·ern [`istən] *adj* wschodni

east·ward [`istwəd] *adj* wschodni, zwrócony ku wschodowi; *adv (także* ~s) ku wschodowi, na wschód

eas·y [`izɪ] *adj* łatwy; swobodny; wygodny; spokojny; ~ of access łatwo dostępny; *adv* łatwo; lekko; swobodnie

eas·y-chair [`izɪtʃeə(r)] *s* fotel

*****eat** [it], ate [et], eaten [`itn] *vt vi* jeść; ~ up zjeść, pożreć, pochłonąć

eat·a·ble [`itəbl] *adj* jadalny; *s pl* ~s artykuły spożywcze, prowiant

eat·en *zob.* eat

eaves [ivz] *s pl* okap

eaves·drop [`ivzdrop] *vi* podsłuchiwać

ebb [eb] *s* odpływ (morza); ubytek (np. sił); *vi (o morzu)* odpływać; słabnąć, ubywać

eb·on·y [`ebənɪ] *s* heban

ec·cen·tric [ɪk`sentrɪk] *adj* ekscentryczny, dziwaczny; *s* dziwak, ekscentryk

ec·cle·si·as·tic [ɪ`klizɪ`æstɪk] *adj* kościelny, duchowny; *s* osoba duchowna, duchowny

ech·o [`ekəʊ] *s* echo; *vt vi* odbijać

się echem; powtarzać (**sb, sth za** kimś, czymś)

e·clipse [ɪ`klɪps] *s* zaćmienie; przyćmienie; *vt* zaćmiewać

e·co·nom·ic [`ikə`nomɪk] *adj* ekonomiczny

e·co·nom·i·cal [`ikə`nomɪkl] *adj* ekonomiczny, oszczędny

e·co·nom·ics [`ikə`nomɪks] *s* ekonomia, ekonomika

e·con·o·mist [ɪ`konəmɪst] *s* ekonomista

e·con·o·mize [ɪ`konəmaɪz] *vt vi* oszczędzać, oszczędnie gospodarować

e·con·o·my [ɪ`konəmɪ] *s* ekonomia, gospodarka; organizacja; struktura; oszczędność

ec·sta·sy [`ekstəsɪ] *s* ekstaza, zachwyt

ec·stat·ic [ɪk`stætɪk] *adj* ekstatyczny, pełen zachwytu

ed·dy [`edɪ] *s* wir; *vi* wirować

E·den [`idn] *s* raj

edge [edʒ] *s* brzeg, krawędź, kant; ostrze; *vt* ostrzyć, toczyć; obsadzać; obszywać; **to** ~ one's way przeciskać się; wśliznąć się

edg·ing [`edʒɪŋ] *s* brzeg, rąbek

ed·i·ble [`edəbl] *adj* jadalny

e·dict [`idɪkt] *s* edykt

ed·i·fice [`edɪfɪs] *s* gmach

ed·i·fy [`edɪfaɪ] *vt* oddziaływać (moralnie, budująco), pouczać

ed·it [`edɪt] *vt* wydawać; redagować

e·di·tion [ɪ`dɪʃn] *s* wydanie; nakład

ed·i·tor [`edɪtə(r)] *s* wydawca; redaktor

ed·i·tor·i·al [`edɪ`tɔrɪəl] *adj* wydawniczy; redakcyjny; *s* artykuł wstępny (od redakcji)

ed·u·cate [`edʒukeɪt] *vt* wychowywać; kształcić

ed·u·ca·tion [`edʒu`keɪʃn] *s* wykształcenie, nauka; oświata; wychowanie; szkolenie

ed·u·ca·tion·al [`edʒu`keɪʃnl] *adj*

wychowawczy, oświatowy, kształ-cący

eel [il] s węgorz

ef·face [ɪˈfeɪs] vt ścierać, zacie-rać, zmazywać; *przen.* przyćmie-wać

ef·fect [ɪˈfekt] s wynik, skutek; efekt; oddziaływanie; pl ~s do-bytek, ruchomości; papiery war-tościowe; in ~ rzeczywiście; to no ~ bezskutecznie; to give ⟨to bring to, to carry into⟩ ~ do-konać, uskutecznić, wprowadzić w życie; vt spowodować, wyko-nać, spełnić

ef·fec·tive [ɪˈfektɪv] adj efektyw-ny; efektowny; am. mający moc prawną, obowiązujący

ef·fem·i·nate [ɪˈfemɪnət] adj znie-wieściały

ef·fer·vesce [ˌefəˈves] vt musować, pienić się; (o człowieku) tryskać (życiem)

ef·fi·ca·cious [ˌefɪˈkeɪʃəs] adj sku-teczny

ef·fi·ca·cy [ˈefɪkəsɪ] s skuteczność

ef·fi·cien·cy [ɪˈfɪʃnsɪ] s wydajność, sprawność; skuteczność

ef·fi·cient [ɪˈfɪʃnt] adj wydajny, sprawny; skuteczny

ef·figy [ˈefɪdʒɪ] s podobizna, wize-runek

ef·fort [ˈefət] s wysiłek; próba

ef·front·er·y [ɪˈfrʌntərɪ] s bezczel-ność

ef·fu·sion [ɪˈfjuʒn] s wylew; wy-dzielanie; pl ~s przen. wynurze-nia

egg [eg] s jajko

e·go [ˈegəʊ] s jaźń

e·go·ism [ˈegəʊɪzm] s egoizm

e·go·ist [ˈegəʊɪst] s egoista

e·go·tism [ˈegətɪzm] s egotyzm

E·gyp·tian [ɪˈdʒɪpʃn] adj egipski; s Egipcjanin

ei·der·down [ˈaɪdədaʊn] s puch; kołdra puchowa

eight [eɪt] num osiem; s ósemka

eight·een [ˈeɪˈtin] num osiemnaś-cie; s osiemnastka

eight·eenth [ˈeɪˈtinθ] adj osiemnas-ty

eighth [eɪtθ] adj ósmy

eight·i·eth [ˈeɪtɪəθ] adj osiemdzie-siąty

eight·y [ˈeɪtɪ] num osiemdziesiąt; s osiemdziesiątka

ei·ther [ˈaɪðə(r)], am. [ˈiðər] adj pron jeden lub drugi, jeden z dwóch, każdy z dwóch; obaj, obie, oboje; którykolwiek z dwóch; conj ~ ... or albo ..., albo; z przeczeniem: ani ..., ani; adv z przeczeniem: też (nie)

e·jac·u·late [ɪˈdʒækjuleɪt] vt wy-trysnąć; wykrzyknąć, wydać (o-krzyk)

e·ject [ɪˈdʒekt] vt wyrzucić, wy-dzielić; usunąć, wydalić

eke [ik] vt (zw. ~ out) sztuko-wać, nadrabiać, uzupełniać

e·lab·o·rate [ɪˈlæbəreɪt] vt wypra-cować; adj [ɪˈlæbrət] wypracowa-ny; wymyślny, wyszukany

e·lapse [ɪˈlæps] vi (o czasie) upły-wać, mijać

e·las·tic [ɪˈlæstɪk] adj elastyczny; gumowy; s guma (np. do poń-czoch)

el·bow [ˈelbəʊ] s łokieć; vt popy-chać, szturchać łokciem; ~ sb out wypchnąć kogoś

eld·er [ˈeldə(r)] adj starszy

el·der·ly [ˈeldəlɪ] adj podstarzały

eld·est [ˈeldɪst] adj najstarszy (w rodzinie)

e·lect [ɪˈlekt] vt wybierać; adj wy-brany, nowo obrany

e·lec·tion [ɪˈlekʃn] s wybór, wybo-ry; general ~ wybory powszech-ne

e·lec·tion·eer [ɪˈlekʃənˈɪə(r)] vi agi-tować, przeprowadzać kampanię wyborczą

e·lec·tor [ɪˈlektə(r)] s wyborca

e·lec·tor·ate [ˈɪlektrət] s zbior. wy-borcy

e·lec·tric(al) [ɪˈlektrɪk(l)] adj elek-tryczny

e·lec·tri·cian [ɪˈlekˈtrɪʃn] s elektro-technik

e·lec·tric·i·ty [ɪ'lek'trɪsətɪ] s elektryczność

e·lec·tri·fi·ca·tion [ɪ'lektrɪfɪ'keɪʃn] s elektryfikacja

e·lec·tri·fy [ɪ'lektrɪfaɪ] vt elektryfikować

e·lec·tro·cute [ɪ'lektrəkjut] vt uśmiercić na krześle elektrycznym; śmiertelnie porazić prądem

e·lec·trol·y·sis [ɪ'lek'trolǝsɪs] s elektroliza

e·lec·tro·plate [ɪ'lektrǝupleɪt] vt platerować, galwanizować; s zbiór. platery

el·e·gance ['elɪgǝns] s elegancja

el·e·gi·ac ['elɪ'dʒaɪǝk] adj elegijny

el·e·gy ['elǝdʒɪ] s elegia

el·e·ment ['elǝmǝnt] s element; żywioł; składnik; chem. pierwiastek

el·e·men·tal ['elǝ'mentl] adj żywiołowy; podstawowy

el·e·men·ta·ry ['elǝ'mentrɪ] adj elementarny; podstawowy

el·e·phant ['elǝfnt] s słoń

el·e·vate ['elǝveɪt] vt podnieść, podwyższyć, dźwignąć

el·e·va·tion ['elǝ'veɪʃn] s podniesienie, wzniesienie, wysokość; dostojeństwo

el·e·va·tor ['elǝveɪtǝ(r)] s elewator; am. winda

e·lev·en [ɪ'levn] num jedenaście; s jedenastka

e·lev·enth [ɪ'levnθ] adj jedenasty

elf [elf] s (pl elves [elvz]) elf

e·lic·it [ɪ'lɪsɪt] vt ujawniać, wydobywać, wyciągać na światło dzienne; wywoływać

el·i·gi·ble ['elɪdʒǝbl] adj wybieralny; godny wyboru, odpowiedni

e·lim·i·nate [ɪ'lɪmɪneɪt] vt eliminować, usuwać, wykluczać, znieść

e·lim·i·na·tion [ɪ'lɪmɪ'neɪʃn] s eliminacja, usunięcie, wykluczenie, zniesienie

elk [elk] s łoś

elm [elm] s bot. wiąz

el·o·cu·tion ['elǝ'kjuʃn] s wysławia-

nie się, dykcja

e·lon·gate ['ɪloŋgeɪt] vt vi wydłużyć (się)

el·o·quence ['elǝkwǝns] s elokwencja, krasomówstwo

else [els] adv prócz tego, ponadto, jeszcze (inny); or ~ bo inaczej; sb ~ ktoś inny; sth ~ coś innego

else·where ['els'weǝ(r)] adv gdzie indziej

e·lu·ci·date [ɪ'lusɪdeɪt] vt wyświetlić, wyjaśnić

e·lude [ɪ'lud] vt wymijać, obejść (np. prawo); ujść (sth czemuś)

e·lu·sive [ɪ'lusɪv] adj nieuchwytny, wykrętny

elves zob. elf

e·ma·ci·ate [ɪ'meɪʃɪeɪt] vt wyniszczyć (fizycznie), wycieńczyć

em·a·nate ['emǝneɪt] vi emanować, promieniować; wyłaniać się; pochodzić (from sth od czegoś)

e·man·ci·pate [ɪ'mænsɪpeɪt] vt emancypować, wyzwolić

e·mas·cu·late [ɪ'mæskjuleɪt] vt wykastrować; zniewieścić; wyjałowić; adj [ɪ'mæskjulǝt] zniewieściały; wyjałowiony

em·balm [ɪm'bam] vt balsamować; nasycać aromatem

em·bank·ment [ɪm'bæŋkmǝnt] s wał, tama; nabrzeże, bulwar

em·bar·go [ɪm'bagǝu] s embargo, zakaz

em·bark [ɪm'bak] vt ładować na statek; brać na pokład; vi wsiadać na statek; przen. przedsięwziąć (on ⟨upon⟩ sth coś); wdać się (in sth w coś)

em·bar·ka·tion ['emba'keɪʃn] s ładowanie (wsiadanie) na statek

em·bar·rass [ɪm'bærǝs] vt wprawić w zakłopotanie; sprawić kłopot; przeszkadzać; krępować

em·bas·sy ['embǝsɪ] s ambasada; misja

em·bed [ɪm'bed] vt osadzić, wryć, wkopać, wbić; wyłożyć (np. cementem)

em·bel·lish [ɪm'belɪʃ] vt upiększyć

em·bers [`embəz] s pl żarzące się
węgle; przen. zgliszcza

m·bez·zle [ım`bezl] vt sprzenie-
wierzyć

em·bit·ter [ım`bıtə(r)] vt rozgory-
czyć; zatruć (życie); rozjątrzyć

em·blem [`embləm] s emblemat

em·bod·i·ment [ım`bodımənt] s u-
cieleśnienie, wcielenie

em·bod·y [ım`bodı] vt ucieleśniać;
urzeczywistniać; wcielać; formułować, wyrażać (w słowach, czy-
nach); zawierać

em·boss [ım`bos] vt wytłaczać; wy-
kuwać; zdobić płaskorzeźbą

em·brace [ım`breıs] vt vi obejmo-
wać (się), uścisnąć (się); ogarniać; zawierać; przyjmować (np.
światopogląd); s uścisk, objęcie

em·broi·der [ım`broıdə(r)] vt haf-
tować; przen. upiększać

em·broi·de·ry [ım`broıdərı] s haft;
przen. upiększenie

em·broil [ım`broıl] vt powikłać; u-
wikłać

em·bry·o [`embrıəʋ] s embrion

e·mend [ı`mend] vt poprawiać
(tekst)

em·er·ald [`emərld] s szmaragd

e·merge [ı`mɜdʒ] vi wynurzać się,
wyłaniać się, ukazywać się

e·mer·gence [ı`mɜdʒəns] s pojawie-
nie się, powstanie

e·mer·gen·cy [ı`mɜdʒənsı] s stan
wyjątkowy, krytyczne położenie,
gwałtowna potrzeba; ~ exit wyjście zapasowe (np. na wypadek
pożaru)

em·i·grant [`emıgrənt] s emigrant

em·i·grate [`emıgreıt] vi emigro-
wać

emigré [`emıgreı] s emigrant poli-
tyczny

em·i·nence [`emınəns] s wysokie
położenie, wzniesienie; eminencja; wybitność, znakomitość

em·i·nent [`emınənt] adj wybitny,
znakomity, sławny

em·is·sa·ry [`emısrı] s emisariusz

e·mis·sion [ı`mıʃn] s emisja; wy-
dzielanie, wysyłanie

e·mit [ı`mıt] vt emitować; wydzie-
lać, wysyłać

e·mo·tion [ı`məʋʃn] s wzruszenie,
uczucie

e·mo·ti·onal [ı`məʋʃnl] adj emocjo-
nalny

em·per·or [`empərə(r)] s cesarz, im-
perator

em·pha·sis [`emfəsıs] s nacisk, u-
wydatnienie, emfaza

em·pha·size [`emfəsaız] vt podkre-
ślać, kłaść nacisk

em·phat·ic [ım`fætık] adj emfatycz-
ny; dobitny; wymówiony z na-
ciskiem; kategoryczny; wymowny

em·pire [`empaıə(r)] s imperium,
cesarstwo

em·ploy [ım`plɔı] vt zatrudniać; u-
żywać

em·ploy·ee [`emplɔı`i] s pracownik

em·ploy·er [ım`plɔıə(r)] s praco-
dawca, szef

em·ploy·ment [ım`plɔımənt] s za-
jęcie, zatrudnienie; zastosowanie, użycie

em·pow·er [ım`paʋə(r)] vt dać wła-
dzę, upoważnić

em·press [`emprəs] s cesarzowa

emp·ty [`emptı] adj pusty, czczy,
próżny; vt vi opróżnić (się)

em·u·late [`emjʋleıt] vt rywalizo-
wać (sb z kimś)

en·a·ble [ı`neıbl] vt dać możność,
umożliwić

en·act [ı`nækt] vt ustanowić (de-
kret)

en·act·ment [ı`næktmənt] s prze-
prowadzenie ustawy; zarządzenie,
dekret

en·am·el [ı`næml] s emalia; lakier;
vt emaliować; lakierować

en·camp [ın`kæmp] vt rozkładać
obozem; vi rozłożyć się obozem,
obozować

en·camp·ment [ın`kæmpmənt] s
rozłożenie się obozem; obozowisko

en·cash [ın`kæʃ] vt spieniężyć
(czek), zrealizować (weksel); inkasować

en·chain [ɪn`tʃeɪn] vt zakuć w łańcuchy, uwiązać na łańcuchu; *przen.* ujarzmić

en·chant [ɪn`tʃɑnt] vt oczarować; zaczarować

en·cir·cle [ɪn`sɜkl] vt okrążyć, otoczyć

en·close [ɪn`kləʊz] vt ogrodzić, otoczyć; zawierać; załączyć

en·clo·sure [ɪn`kləʊʒə(r)] s ogrodzenie, ogrodzone miejsce; załącznik

en·com·pass [ɪn`kʌmpəs] vt otaczać, obejmować; zawierać

en·core [`ɒŋkɔ(r)] int bis!; s bis, bisowanie; vt vi bisować

en·coun·ter [ɪn`kaʊntə(r)] vt natknąć się (sb na kogoś); s spotkanie; starcie, potyczka

en·cour·age [ɪn`kʌrɪdʒ] vt zachęcać; popierać; dodawać odwagi

en·croach [ɪn`krəʊtʃ] vi wdzierać się, wkraczać (on (upon) sth do czegoś); bezprawnie naruszać (on (upon) sth coś)

en·crust [ɪn`krʌst] vt inkrustować; vi zaskorupić się

en·cum·ber [ɪn`kʌmbə(r)] vt zawalić, zatłoczyć; obciążyć; utrudnić, zawadzać

en·cy·clo·pae·di·a [ɪn`saɪklə`pidɪə] s encyklopedia

end [end] s koniec; kres; cel; ~ on rzędem; on ~ pionowo, sztorcem; z rzędu; to no ~ bezcelowo; to be at an ~ być skończonym; to bring to an ~ położyć kres; to serve an ~ odpowiadać celowi; to the ~ that w tym celu, aby; vt kończyć; ~ off (up) zakończyć; vi kończyć się (in sth czymś)

en·dan·ger [ɪn`deɪndʒə(r)] vt narażać na niebezpieczeństwo

en·dear [ɪn`dɪə(r)] vt uczynić drogim (to sb dla kogoś); zdobyć czyjeś serce

en·deav·our [ɪn`devə(r)] vi usiłować, starać się; dążyć (after sth do czegoś); s dążenie, staranie, zabiegi

end·ing [`endɪŋ] s zakończenie; *gram.* końcówka

end·less [`endləs] adj nie kończący się, ustawiczny

en·dorse [ɪn`dɔs] vt potwierdzić, podpisać się (sth pod czymś); zaaprobować; *handl.* indosować

en·dow [ɪn`daʊ] vt wyposażyć, zaopatrzyć (with sth w coś); obdarzyć; ufundować

en·dow·ment [ɪn`daʊmənt] s wyposażenie, dotacja; pl ~s zdolności

en·dur·ance [ɪn`djʊərns] s wytrzymałość, cierpliwość; past (beyond) ~ nie do zniesienia

en·dure [ɪn`djʊə(r)] vt znosić, cierpieć, wytrzymywać; vi przetrwać

en·dur·ing [ɪn`djʊərɪŋ] adj trwały; wytrzymały

en·e·my [`enəmɪ] s wróg, przeciwnik

en·er·gy [`enədʒɪ] s energia

en·er·vate [`enəveɪt] vt osłabić

en·fee·ble [ɪn`fibl] vt osłabić

en·fold [ɪn`fəʊld] vt otulić, zawinąć; objąć

en·force [ɪn`fɔs] vt narzucić pod przymusem (sth on sb coś komuś); ustawowo wprowadzić w życie

en·fran·chise [ɪn`fræntʃaɪz] vt obdarzyć prawami (obywatelskimi, wyborczymi); wyzwolić; uwłaszczyć

en·gage [ɪn`geɪdʒ] vt vi angażować (się); zobowiązywać (się); zajmować (się); najmować, przyjmować do pracy; *wojsk.* nawiązać walkę, atakować; to be ~d mieć zajęcie, pracować, krzątać się (in sth koło czegoś); to become ~d zaręczyć się (to sb z kimś)

en·gage·ment [ɪn`geɪdʒmənt] s zobowiązanie; obietnica; umowa; przyjęcie do pracy; najęcie, zatrudnienie; zaręczyny; *wojsk.* rozpoczęcie bitwy

en·gag·ing [ɪn`geɪdʒɪŋ] adj ujmujący, miły

en·gen·der [ɪn`dʒendə(r)] vt rodzić; powodować

en·gine ['endʒɪn] s maszyna; lokomotywa; silnik

en·gine-driv·er ['endʒɪn draɪvə(r)]
s maszynista

en·gi·neer [ˌendʒɪ'nɪə(r)] s mechanik; technik; inżynier; *wojsk.* saper; *am.* maszynista; *vt* budować
(drogi, mosty), montować; planować, projektować; *pot.* kombinować

en·gi·neer·ing [ˌendʒɪ'nɪərɪŋ] s in-
żyniera; mechanika; technika;
pot. pl ~s kombinacje, machinacje

Eng·lish ['ɪŋglɪʃ] *adj* angielski; s
język angielski; *pl* the ~ Anglicy

Eng·lish·man ['ɪŋglɪʃmən] s (*pl* Eng-
lishmen ['ɪŋglɪʃmən]) Anglik

Eng·lish·wom·an ['ɪŋglɪʃwumən] s
(*pl* Englishwomen ['ɪŋglɪʃwɪmɪn])
Angielka

en·grave [ɪn'greɪv] *vt* ryć, grawerować

en·grav·ing [ɪn'greɪvɪŋ] s grawero-
wanie; sztych

en·gross [ɪn'grəus] *vt handl.* zmo-
nopolizować; wykupić hurtem;
opanować, pochłonąć; odpisać
(dokument) dużymi literami

en·gulf [ɪn'gʌlf] *vt* pochłonąć

en·hance [ɪn'hɑns] *vt* powiększyć,
podwyższyć, uwydatnić

e·nig·ma [ɪ'nɪgmə] s zagadka

e·nig·mat·ic [ˌenɪg'mætɪk] *adj* zagadkowy

en·join [ɪn'dʒɔɪn] *vt* nakazać; gorąco polecać (**sth on sb** coś komuś)

en·joy [ɪn'dʒɔɪ] *vt* znajdować przyjemność, zasmakować (**sth** w
czymś); mieć, cieszyć się (np.
good health dobrym zdrowiem);
korzystać (**sth** z czegoś); *vr* ~
oneself dobrze się bawić

en·joy·a·ble [ɪn'dʒɔɪəbl] *adj* przyjemny, rozkoszny

en·joy·ment [ɪn'dʒɔɪmənt] s przyjemność, uciecha; korzystanie
(**of sth** z czegoś)

en·large [ɪn'lɑdʒ] *vt vi* powiększać

(się); rozszerzać (się); rozwodzić
się (**on** ⟨**upon**⟩ **sth** nad czymś)

en·light·en [ɪn'laɪtn] *vt* oświecać,
uświadamiać, objaśniać

en·light·en·ment [ɪn'laɪtnmənt] s
oświecenie

en·list [ɪn'lɪst] *vt* zwerbować; zjednać sobie; *vi* zaciągnąć się do
wojska

en·li·ven [ɪn'laɪvn] *vt* ożywić

en·mi·ty ['enmətɪ] s wrogość

en·noble [ɪ'nəubl] *vt* uszlachetnić;
nobilitować

e·nor·mi·ty [ɪ'nɔmətɪ] s potworność; ogrom, ogromne rozmiary

e·nor·mous [ɪ'nɔməs] *adj* ogromny

en·ough [ɪ'nʌf] *adv* dość, dosyć;
be good ~ to ... bądź tak dobry
i ...; to be stupid ~ to ... być na
tyle głupim, aby ...

en·quire, en·quir·y = inquire, inquiry

en·rage [ɪn'reɪdʒ] *vt* doprowadzić
do wściekłości

en·rich [ɪn'rɪtʃ] *vt* wzbogacić; ulep-
szyć; ozdobić

en·rol(l) [ɪn'rəul] *vt* zarejestrować;
wciągnąć na listę członków;
zwerbować; *vi* zapisać się (np. na
kurs); zaciągnąć się (np. do wojska)

en·shrine [ɪn'ʃraɪn] *vt* zamknąć w
sanktuarium; przechowywać pie-
czołowicie (**ze czcią**)

en·sign ['ensaɪn] s oznaka, insygnia, odznaka; chorągiew; *mors.*
bandera; † *wojsk.* chorąży

en·slave [ɪn'sleɪv] *vt* zrobić nie-
wolnikiem, ujarzmić

en·snare [ɪn'sneə(r)] *vt dosł.* i
przen. chwycić w sidła

en·sue [ɪn'sju] *vi* nastąpić, wynik-
nąć

en·sure [ɪn'ʃuə(r)] *vt* zapewnić; zabezpieczyć

en·tail [ɪn'teɪl] *vt* pociągnąć za sobą, powodować; wymagać (**sth on
sb** czegoś od kogoś)

en·tan·gle [ɪn'tæŋgl] *vt* uwikłać,
zaplątać; usidlić

en·tente [õ'tõt] s *polit.* porozumienie

en·ter [ˈentə(r)] *vt vi* wchodzić, wkraczać, wjechać; wstępować **(sth ⟨into sth⟩** do czegoś, np. a **school ⟨university⟩** do szkoły ⟨na uniwersytet⟩); wpisywać (się); zgłaszać (się); przeniknąć; przystępować **(on ⟨upon⟩ sth** do czegoś, np. **upon one's duties** do obowiązków); ~ **into a contract** zawierać umowę; ~ **a protest** zgłosić protest

en·ter·ic [enˈterɪk] *adj* jelitowy; ~ **(fever)** tyfus brzuszny

en·ter·prise [ˈentəpraɪz] *s* przedsięwzięcie, inicjatywa; *handl.* przedsiębiorstwo

en·ter·pris·ing [ˈentəpraɪzɪŋ] *adj* przedsiębiorczy

en·ter·tain [ˈentəˈteɪn] *vt* zabawiać; przyjmować (gości); żywić (uczucie, nadzieję); podtrzymywać, utrzymywać (np. korespondencję); *vi* prowadzić życie towarzyskie

en·ter·tain·ment [ˈentəˈteɪnmənt] *s* rozrywka; przedstawienie (rozrywkowe); przyjęcie, uczta

en·throne [ɪnˈθrəʊn] *vt* osadzić na tronie

en·thu·si·asm [ɪnˈθjuːzɪæzm] *s* entuzjazm

en·thu·si·as·tic [ɪnˈθjuːzɪˈæstɪk] *adj* zachwycony, entuzjastyczny, zapalony; **to be ~** zachwycać się **(about ⟨over⟩ sth** czymś)

en·tice [ɪnˈtaɪs] *vt* uwodzić, nęcić, kusić

en·tice·ment [ɪnˈtaɪsmənt] *s* poneta; urok; wabienie

en·tire [ɪnˈtaɪə(r)] *adj* cały, całkowity

en·tire·ly [ɪnˈtaɪəlɪ] *adv* całkowicie, wyłącznie

en·ti·tle [ɪnˈtaɪtl] *vt* tytułować; upoważniać; mianować

en·ti·ty [ˈentətɪ] *s* jednostka, wyodrębniona całość; istnienie, byt; rzecz realnie istniejąca

en·trails [ˈentreɪlz] *s pl* wnętrzności

en·train [enˈtreɪn] *vt* ładować do pociągu (*zw.* wojsko); *vi* (*zw.* o

wojsku) wsiadać do pociągu

en·trance 1. [ˈentrns] *s* wejście, wjazd; wstęp, dostęp

en·trance 2. [ɪnˈtrɑːns] *vt* wprowadzać w trans; zachwycić

en·trap [ɪnˈtræp] *vt* schwytać w pułapkę, usidlić

en·treat [ɪnˈtriːt] *vt vi* błagać

en·treat·y [ɪnˈtriːtɪ] *s* błaganie

en·trench [ɪnˈtrentʃ] *vt wojsk.* okopać, umocnić okopami

en·trust [ɪnˈtrʌst] *vt* powierzyć

en·try [ˈentrɪ] *s* wstęp, wjazd, wejście; hasło (w słowniku); notatka; pozycja (w księdze, spisie)

en·twine [ɪnˈtwaɪn] *vt* oplatać, owijać; splatać

e·nu·mer·ate [ɪˈnjuːməreɪt] *vt* wyliczać

e·nun·ci·ate [ɪˈnʌnsɪeɪt] *vt* wypowiedzieć, oświadczyć, głosić

en·ve·lop [ɪnˈveləp] *vt* owinąć; objąć; *wojsk.* otoczyć

en·ve·lope [ˈenvələup] *s* koperta; otoczka

en·vi·able [ˈenvɪəbl] *adj* godny pozazdroszczenia

en·vi·ous [ˈenvɪəs] *adj* zazdrosny, zawistny **(of sb, sth** o kogoś, coś)

en·vi·ron [ɪnˈvaɪərn] *vt* otaczać

en·vi·ron·ment [ɪnˈvaɪərnmənt] *s* otoczenie, środowisko

en·vi·rons [ˈenvɪrɒnz] *s pl* okolice

en·vis·age [ɪnˈvɪzɪdʒ] *vt* patrzeć w oczy, stać w obliczu **(sth** czegoś); rozpatrywać

en·voy [ˈenvɔɪ] *s* poseł pełnomocny; wysłannik (dyplomatyczny)

en·vy [ˈenvɪ] *s* zazdrość, zawiść; przedmiot zazdrości; *vt* zazdrościć

en·wrap [ɪnˈræp] *vt* zawijać, owijać; *przen.* pogrążyć

e·phem·er·al [ɪˈfemərl] *adj* efemeryczny

ep·ic [ˈepɪk] *adj* epicki; *s* epos, poemat epicki; *pot.* długa powieść; długi film przygodowy

ep·i·dem·ic [epɪˈdemɪk] *adj* epidemiczny; *s* epidemia

pis·co·pal [ɪ'pɪskəpl] *adj* episkopalny, biskupi

p·i·sode [`epɪsəud] *s* epizod

pit·o·me [ɪ'pɪtəmɪ] *s* skrót, wyciąg, streszczenie

poch [`ipok] *s* epoka

qual [`ikwl] *adj* równy; **to be ~** równać się; dorównywać; stać na wysokości zadania; *s* człowiek równy innemu; he has no **~s** on nie ma sobie równych; **to live as ~s** żyć jak równy z równym; *vt* równać się; dorównywać (sb komuś); **not to be ~led** nie do porównania, niezrównany

qual·i·ty [ɪ'kwolətɪ] *s* równość

qual·ize [`ikwəlaɪz] *vt* wyrównywać

qua·nim·i·ty [`ekwə'nɪmətɪ] *s* równowaga ducha

qua·tion [ɪ'kweɪʃn] *s* wyrównanie; *mat.* równanie

qua·tor [ɪ'kweɪtə(r)] *s* równik

ques·tri·an [ɪ'kwestrɪən] *adj* konny; *s* jeździec

quil·i·brist [ɪ'kwɪlɪbrɪst] *s* ekwilibrysta

qui·lib·ri·um [`ikwɪ'lɪbrɪəm] *s* równowaga

qui·nox [`ikwɪnoks] *s* zrównanie dnia z nocą

quip [ɪ'kwɪp] *vt* zaopatrzyć, wyposażyć (**with** sth w coś)

eq·ui·ta·ble [`ekwɪtəbl] *adj* sprawiedliwy, słuszny, bezstronny

eq·ui·ty [`ekwətɪ] *s* sprawiedliwość, słuszność

quiv·a·lent [ɪ'kwɪvələnt] *adj* równoważny, równowartościowy; *s* równoważnik, równowartość

quiv·o·cal [ɪ'kwɪvokl] *adj* dwuznaczny; podejrzany

e·ra [`ɪərə] *s* era

e·rad·i·cate [ɪ'rædɪkeɪt] *vt* wykorzenić

e·rase [ɪ'reɪz] *vt* zeskrobać, zetrzeć (gumą); wymazać

e·raser [ɪ'reɪzə(r)] *s* guma (do wycierania); nożyk (do zeskrobywania)

ere [ɪə(r)] *praep lit.* przed; *adv* †

wcześniej; *conj* † zanim; **~ long** wkrótce; **~ now** już przedtem

e·rect [ɪ'rekt] *adj* prosty, wyprostowany; *vt* wyprostować; wznieść, zbudować

e·rot·ic [ɪ'rotɪk] *adj* erotyczny; *s lit.* erotyk

err [3(r)] *vi* błądzić, mylić się

er·rand [`erənd] *s* sprawunek; zlecenie; **to run ~s** chodzić na posyłki

er·rant [`erənt] *adj* błądzący; błędny; wędrowny

er·ra·ta = erratum

er·rat·ic [ɪ'rætɪk] *adj* wędrujący; niepewny; kapryśny, nieobliczalny; *geol.* narzutowy

er·ra·tum [e'rɑtəm] *s* (*pl* errata [e'rɑtə]) błąd drukarski

er·ro·neous [ɪ'rəunɪəs] *adj* mylny, błędny

er·ror [`erə(r)] *s* omyłka, błąd

er·u·dite [`eru:daɪt] *adj* (*o człowieku*) uczony, wykształcony; *s* erudyta

er·u·di·tion [`eru:'dɪʃn] *s* erudycja

e·rup·tion [ɪ'rʌpʃn] *s* wybuch; *med.* wysypka

es·ca·la·tor [`eskəleɪtə(r)] *s* schody ruchome

es·ca·pade [`eskə'peɪd] *s* eskapada

es·cape [ɪ'skeɪp] *vt vi* umknąć; ujść, uciec; uniknąć; ulatniać się; *s* ucieczka; wyciek; ujście; ratunek (przed śmiercią, chorobą), ocalenie; **to make one's ~** wymknąć się, uciec

es·cort [`eskɔt] *s* eskorta, straż; mężczyzna towarzyszący kobiecie; *vt* [ɪ'skɔt] eskortować; towarzyszyć

es·pe·cial [ɪ'speʃl] *adj* specjalny, osobliwy

es·pi·o·nage [`espɪənɑ3] *s* szpiegostwo

es·pouse [ɪ'spauz] *vt* poślubić; zostać orędownikiem (sth czegoś)

es·py [ɪ'spaɪ] *vt* spostrzec; wyśledzić

es·quire [ɪ'skwaɪə(r)] *s* dawny szlachecki tytuł w Anglii, obecnie w adresach tytuł grzecznościowy (*skr.* Esq.)

es·say [`eseɪ] s szkic; próba; esej; wypracowanie szkolne; *vi vt* [ɪ`seɪ] próbować; poddawać próbie

es·sence [`esns] s istota, sedno; esencja, wyciąg

es·sen·tial [ɪ`senʃl] *adj* istotny, zasadniczy; niezbędny; *s pl* ∼s rzeczy niezbędne; zasady, podstawy

es·tab·lish [ɪ`stæblɪʃ] *vt* założyć; ustanowić, ustalić; *vr* ∼ oneself osiedlić się, urządzić się

es·tab·lish·ment [ɪ`stæblɪʃmənt] s urządzenie, założenie, ustanowienie; instytucja, zakład

es·tate [ɪ`steɪt] s stan; majątek, własność, posiadłość ziemska; real ∼ nieruchomość

es·teem [ɪ`stim] *vt* cenić, szanować; doceniać; poczytywać ⟨uważać⟩ (sth za coś); s szacunek

es·ti·mate [`estɪmeɪt] *vt* szacować; s [`estɪmət] szacunek, ocena

es·ti·ma·tion [ˌestɪ`meɪʃn] s ocena, oszacowanie; osąd, opinia

es·trange [ɪ`streɪndʒ] *vt* zrazić sobie, odsunąć od siebie, odstręczyć; *prawn.* odseparować

es·trange·ment [ɪ`streɪndʒmənt] s oddalenie się (dwóch osób od siebie), oziębienie stosunków; *prawn.* separacja

es·tu·a·ry [`estʃuərɪ] s ujście (wielkiej rzeki)

etch [etʃ] *vt vi* ryć (w metalu), trawić (metal)

etch·ing [`etʃɪŋ] s grawerowanie; akwaforta

e·ter·nal [ɪ`tɜnl] *adj* wieczny

e·ter·ni·ty [ɪ`tɜnətɪ] s wieczność

e·ther [`iθə(r)] s eter

eth·i·c(al) [`eθɪk(l)] *adj* etyczny

eth·ics [`eθɪks] s etyka

et·y·mol·o·gy [ˌetɪ`molədʒɪ] s etymologia

eu·gen·ic [juˈdʒenɪk] *adj* eugeniczny

eu·gen·ics [juˈdʒenɪks] s eugenika

eu·lo·gize [`julədʒaɪz] *vt* chwalić, sławić

eu·lo·gy [`julədʒɪ] s pochwalna mowa, pochwała

Eu·ro·pe·an [ˌjuərə`pɪən] *adj* europejski; s Europejczyk

e·vac·u·ate [ɪ`vækjueɪt] *vt* wypróżniać; ewakuować

e·vade [ɪ`veɪd] *vt* unikać; uchylać się (sth od czegoś); obchodzić (np. ustawę)

e·val·u·ate [ɪ`væljueɪt] *vt* szacować

e·van·gel·ic(al) [ˌivæn`dʒelɪk(l)] *adj* ewangeliczny; ewangelicki; s ewangelik

e·vap·o·rate [ɪ`væpəreɪt] *vt* odparować; *vi* parować, ulatniać się

e·va·sion [ɪ`veɪʒn] s unikanie, uchylanie się (of sth od czegoś); obchodzenie (np. ustawy), omijanie (np. prawdy); wykręt

eve [iv] s wigilia; przeddzień

e·ven 1. [`ivn] *adj* równy, gładki; *vt* (*także* to ∼ out) wyrównywać, wygładzać; *adv* równo; właśnie; nawet

e·ven 2. [`ivn] s *poet.* wieczór

eve·ning [`ivnɪŋ] s wieczór; this ∼ dziś wieczór; in the ∼ wieczorem; on Sunday ∼ w niedzielę wieczór

e·vent [ɪ`vent] s zdarzenie, wydarzenie; wypadek, przypadek

e·ven·tu·al [ɪ`ventʃuəl] *adj* ewentualny, możliwy; ostateczny

e·ven·tu·al·ly [ɪ`ventʃulɪ] *adv* ostatecznie, w końcu

ev·er [`evə(r)] *adv* zawsze; kiedyś; kiedykolwiek; ∼ so much bardzo; ∼ so long wieki całe; for ∼ na zawsze; hardly ∼ bardzo rzadko; prawie nigdy; as ∼ I can jak tylko mogę; what ∼ do you mean? co u licha masz na myśli?

ev·er·green [`evəgrin] *adj* wiecznie zielony; s wiecznie zielone drzewo ⟨zielona roślina⟩

ev·er·last·ing [ˌevə`lastɪŋ] *adj* wieczny, wiekuisty; stały

eve·ry [`evrɪ] *adj* każdy, wszelki; ∼ day codziennie; ∼ other co drugi; ∼ ten minutes co dziesięć minut

exception

eve·ry·bod·y [ˈevrɪbodɪ] *pron* każdy, wszyscy

eve·ry·day [ˈevrɪdeɪ] *adj attr* codzienny; pospolity

eve·ry·one [ˈevrɪwʌn] *pron* każdy, wszyscy

eve·ry·thing [ˈevrɪθɪŋ] *pron* wszystko

eve·ry·way [ˈevrɪweɪ] *adv* na wszystkie sposoby; pod każdym względem

ve·ry·where [ˈevrɪweə(r)] *adv* wszędzie

e·vict [ɪˈvɪkt] *vt* wyrzucać; wysiedlać, eksmitować

·vic·tion [ɪˈvɪkʃn] *s* wysiedlenie, eksmisja

·vi·dence [ˈevɪdəns] *s* oczywistość; dowód, materiał dowodowy; zeznanie; świadectwo; *vt vi* unaocznić; dowodzić; świadczyć

ev·i·dent [ˈevɪdənt] *adj* oczywisty, jawny

ev·i·den·tial [ˌevɪˈdenʃl] *adj* dowodowy; świadczący (**of** sth o czymś)

·vil [ɪvl] *adj* zły; nieszczęsny; *s* zło

·vince [ɪˈvɪns] *vt* przejawiać, ujawniać

·vis·cer·ate [ɪˈvɪsəreɪt] *vt* patroszyć; *przen.* wyjaławiać

·voke [ɪˈvəʊk] *vt* wywoływać

·vo·lu·tion [ˌivəˈluʃn] *s* ewolucja, rozwój

·volve [ɪˈvolv] *vt vi* rozwijać (się); wydzielać (się), wypływać

·x·a·cer·bate [ɪgˈzæsəbeɪt] *vt* rozjątrzyć; pogorszyć

·x·act [ɪgˈzækt] *adj* ścisły, dokładny; *vt* egzekwować, wymagać, wymuszać

·x·ac·tion [ɪgˈzækʃn] *s* wymaganie (nadmierne), wymuszanie; ściąganie (np. podatków)

x·act·i·tude [ɪgˈzæktɪtjud] *s* dokładność, ścisłość

x·ag·ger·ate [ɪgˈzædʒəreɪt] *vt vi* przesadzać

x·alt [ɪgˈzɔlt] *vt* wywyższać, wynosić (ponad innych); wychwalać

ex·al·ta·tion [ˌegzɔlˈteɪʃn] *s* wywyższanie; zachwyt; egzaltacja

ex·am [ɪgˈzæm] *s* *pot.* = **examination**

ex·am·i·na·tion [ɪgˌzæmɪˈneɪʃn] *s* egzamin; badanie (np. lekarskie); przesłuchanie (np. sądowe); kontrola; **to pass an ~** zdać egzamin; **to take ⟨to sit for⟩ an ~** przystępować do egzaminu, zdawać egzamin

ex·am·ine [ɪgˈzæmɪn] *vt* egzaminować; badać; kontrolować; przesłuchiwać

ex·am·in·er [ɪgˈzæmɪnə(r)] *s* egzaminator; inspektor

ex·am·ple [ɪgˈzampl] *s* przykład, wzór; **for ~** na przykład; **to set an ~** dać przykład

ex·as·per·ate [ɪgˈzaspəreɪt] *vt* rozdrażniać, irytować

ex·ca·vate [ˈekskəveɪt] *vt* wykopywać; prowadzić wykopaliska

ex·ca·va·tion [ˌekskəˈveɪʃn] *s* wykopywanie; prace wykopaliskowe

ex·ca·va·tor [ˈekskəveɪtə(r)] *s* ekskawator, koparka

ex·ceed [ɪkˈsid] *vt* przewyższać, przekraczać

ex·ceed·ing [ɪkˈsidɪŋ] *adj* nadzwyczajny, niezmierny

ex·cel [ɪkˈsel] *vt* przewyższać; *vi* wyróżniać się, wybijać się (**in** ⟨**at**⟩ sth w czymś)

ex·cel·lence [ˈeksləns] *s* wspaniałość, doskonałość; wyższość

Ex·cel·len·cy [ˈekslənsɪ] *s* Ekscelencja

ex·cel·lent [ˈekslənt] *adj* wspaniały, doskonały

ex·cept [ɪkˈsept] *praep* wyjąwszy, poza, oprócz; **~ for** pomijając, abstrahując od; *vt* wyłączyć, wykluczyć; zastrzec; *vi* sprzeciwiać się, stawiać zarzuty (**against** sth czemuś)

ex·cept·ing [ɪkˈseptɪŋ] *praep* wyjąwszy, oprócz

ex·cep·tion [ɪkˈsepʃn] *s* wyjątek; zarzut, sprzeciw

ex·cep·tion·al [ɪk`sepʃnl] adj wy-
jątkowy

ex·cess [ɪk`ses] s eksces; przekro-
czenie; nadwyżka; nadmiar, brak
umiaru; in ~ of ponad, więcej
niż

ex·cess·ive [ɪk`sesɪv] adj nadmier-
ny; nieumiarkowany

ex·change [ɪks`tʃeɪndʒ] s wymiana;
giełda; kurs (na giełdzie); centrala telefoniczna; foreign ~ wa-
luta obca, dewizy; zob. bill; vt
wymieniać (sth for sth coś na
coś)

ex·cheq·uer [ɪks`tʃekə(r)] s skarb
państwa; bryt. the Exchequer
ministerstwo finansów

ex·cise [`eksaɪz] s akcyza

ex·cit·a·ble [ɪk`saɪtəbl] adj pobud-
liwy

ex·cite [ɪk`saɪt] vt podniecać,
pobudzać; wzniecać; to get ~d
denerwować się

ex·cite·ment [ɪk`saɪtmənt] s podnie-
cenie, zdenerwowanie

ex·claim [ɪk`skleɪm] vt vi zawołać,
wykrzyknąć

ex·cla·ma·tion [ˌeksklə`meɪʃn] s
okrzyk; mark ⟨point⟩ of ~ wykrzyknik

ex·clude [ɪk`sklud] vt wykluczyć,
wyłączyć

ex·clu·sion [ɪk`skluʒn] s wyklucze-
nie, wyłączenie

ex·clu·sive [ɪk`sklusɪv] adj wyłącz-
ny; ekskluzywny; am. wyborowy; ~ of wyłączając

ex·cur·sion [ɪk`skɜʃn] s wycieczka

ex·cuse [ɪk`skjus] s wymówka, u-
sprawiedliwienie; vt [ɪk`skjuz]
wybaczać, usprawiedliwiać; u-
walniać (from sth od czegoś); ~
me przepraszam

ex·e·cra·ble [`eksɪkrəbl] adj prze-
klęty, wstrętny

ex·e·cute [`eksɪkjut] vt wykonać;
stracić (skazańca)

ex·e·cu·tion [ˌeksɪ`kjuʃn] s wyko-
nanie; spustoszenie; egzekucja

ex·e·cu·tion·er [ˌeksɪ`kjuʃnə(r)] s
kat

ex·ec·u·tive [ɪg`zekjutɪv] adj wyko-
nawczy; s egzekutywa; wykonawca; am. urzędnik (na kierowni-
czym stanowisku)

ex·ec·u·tor [`eksɪkjutə(r)] s wyko-
nawca; [ɪg`zekjutə(r)] wykonaw-
ca testamentu

ex·em·pla·ry [ɪg`zemplərɪ] adj wzo-
rowy; przykładowy

ex·em·pli·fy [ɪg`zemplɪfaɪ] vt ilus-
trować na przykładzie; być przy-
kładem (sth czegoś)

ex·empt [ɪg`zempt] adj wolny,
zwolniony; vt zwolnić (from sth
od czegoś)

ex·emp·tion [ɪg`zempʃn] s zwolnie-
nie (from sth od czegoś)

ex·er·cise [`eksəsaɪz] s ćwiczenie;
zadanie (np. w podręczniku);
posługiwanie się, użycie; wykonywanie, pełnienie (np. obowiązków), praktykowanie; vt vi ćwiczyć; używać; wykonywać, pełnić, praktykować; wywierać (np.
wpływ)

ex·er·cise-book [`eksəsaɪzbuk] s
zeszyt (do ćwiczeń szkolnych)

ex·ert [ɪg`zɜt] vt wytężać (siły);
wywierać (np. nacisk); stosować;
vr ~ oneself wysilać się (for sth
nad czymś)

ex·er·tion [ɪg`zɜʃn] s wysiłek, na-
tężenie; stosowanie, użycie

ex·ha·la·tion [ˌekshə`leɪʃn] s wydy-
chanie; parowanie; wyziew; wybuch (gniewu)

ex·hale [eks`heɪl] vt vi parować,
wydychać; wydzielać (się); da
upust

ex·haust [ɪg`zɔst] vt wyczerpać,
wypróżnić; s wylot; wydech, wy
ziew

ex·haus·tion [ɪg`zɔstʃn] s wyczer
panie, opróżnienie

ex·haus·tive [ɪg`zɔstɪv] adj wyczer
pujący

ex·hib·it [ɪg`zɪbɪt] vt pokazywa
wystawiać, eksponować; przed
kładać; s eksponat; wystawa, po
kaz

explicit

x·hi·bi·tion [ˈeksɪˈbɪʃn] s pokaz; wystawa; stypendium (studenckie)

x·hi·bi·tion·er [ˈeksɪˈbɪʃnə(r)] s stypendysta

x·hib·i·tor [ɪgˈzɪbɪtə(r)] s wystawca

x·hil·a·rate [ɪgˈzɪləreɪt] vt rozweselić, ożywiać

x·hort [ɪgˈzɔt] vt upominać; namawiać; popierać

x·hor·ta·tion [ˈeksɔˈteɪʃn] s upomnienie; namowa; rel. egzorta

x·hu·ma·tion [ˈeksjuˈmeɪʃn] s ekshumacja

x·hume [ɪgˈzjum] vt ekshumować

x·i·gence [ˈekˈsɪdʒəns] s wymaganie; gwałtowna potrzeba, krytyczne położenie

x·i·gent [ˈekˈsɪdʒənt] adj wymagający; naglący

x·ig·u·ous [egˈzɪgjuəs] adj nikły, znikomy

x·ile [ˈegzaɪl] s wygnanie; emigrant, wygnaniec; vt skazać na wygnanie

x·ist [ɪgˈzɪst] vi istnieć, znajdować się; egzystować, żyć

x·ist·ence [ɪgˈzɪstəns] s istnienie, byt; to come into ~ zacząć istnieć, powstać

x·it [ˈeksɪt] vi 3 pers sing łac. (o aktorze) wychodzi; s wyjście; ujście

x·on·er·ate [ɪgˈzonəreɪt] vt usprawiedliwić, uniewinnić, uwolnić (od winy, obowiązku)

x·or·bi·tant [ɪgˈzɔbɪtənt] adj nadmierny, wygórowany

x·ot·ic [ɪgˈzotɪk] adj egzotyczny

x·pand [ɪkˈspænd] vt vi rozszerzać (się), rozprzestrzeniać (się); rozwijać (się)

x·panse [ɪkˈspæns] s przestrzeń, obszar

x·pan·sion [ɪkˈspænʃn] s ekspansja, rozszerzanie (się); rozwój; rozrost

x·pan·sive [ɪkˈspænsɪv] adj ekspansywny; rozszerzalny; obszerny

ex·pa·tri·ate [eksˈpætrɪeɪt] vt wygnać z kraju

ex·pect [ɪkˈspekt] vt oczekiwać, spodziewać się; przypuszczać, sądzić

ex·pec·ta·tion [ˈekspekˈteɪʃn] s oczekiwanie, nadzieja; prawdopodobieństwo

ex·pe·di·ent [ɪkˈspidɪənt] adj celowy, stosowny; korzystny; s środek, sposób, wybieg

ex·pe·di·tion [ˈekspɪˈdɪʃn] s wyprawa, ekspedycja; zręczność, szybkość (w działaniu)

ex·pe·di·tious [ˈekspɪˈdɪʃəs] adj sprawny, szybki (w działaniu)

ex·pel [ɪkˈspel] vt wypędzić, wyrzucić

ex·pend [ɪkˈspend] vt wydawać (pieniądze); zużywać; ~ care dokładać starań

ex·pend·i·ture [ɪkˈspendɪtʃə(r)] s wydatkowanie, wydatek; zużycie

ex·pense [ɪkˈspens] s koszt, wydatek; at the ~ of kosztem

ex·pen·sive [ɪkˈspensɪv] adj drogi, kosztowny

ex·pe·ri·ence [ɪkˈspɪərɪəns] s doświadczenie, przeżycie; vt doświadczać, przeżywać

ex·per·i·ment [ɪkˈsperɪmənt] s doświadczenie, eksperyment; vi [ɪkˈsperɪment] eksperymentować, robić doświadczenia

ex·pert [ˈekspɜt] s ekspert, rzeczoznawca; adj biegły

ex·pi·ate [ˈekspɪeɪt] vt pokutować (sth za coś)

ex·pi·ra·tion [ˈekspɪˈreɪʃn] s upływ; wygaśnięcie (np. terminu); zgon

ex·pire [ɪkˈspaɪə(r)] vi wydychać; upływać; wygasać; umrzeć

ex·plain [ɪkˈspleɪn] vt wyjaśniać, tłumaczyć

ex·pla·na·tion [ˈekspləˈneɪʃn] s wyjaśnienie, wytłumaczenie

ex·plan·a·tory [ɪkˈsplænətrɪ] adj wyjaśniający

ex·plic·it [ɪkˈsplɪsɪt] adj wyraźny, jasno postawiony, kategoryczny; szczery

ex·plode [ɪk`spləud] *vi* wybuchnąć, eksplodować; *vt* wysadzać w powietrze; *przen.* obalać (np. teorię)

ex·ploit 1. [ɪk`splɔɪt] *vt* wyzyskiwać; eksploatować

ex·ploit 2. [`eksplɔɪt] *s* wyczyn; czyn bohaterski

ex·plo·ra·tion [`eksplə`reɪʃn] *s* badanie, eksploracja

ex·plore [ɪk`splɔ(r)] *vt vi* badać, poszukiwać

ex·plor·er [ɪk`splɔrə(r)] *s* badacz, odkrywca

ex·plo·sion [ɪk`spləuʒn] *s* wybuch

ex·plo·sive [ɪk`spləusɪv] *adj* wybuchowy; *s* materiał wybuchowy

ex·po·nent [ɪk`spəunənt] *s* wyraziciel; przedstawiciel; *mat.* wykładnik potęgowy

ex·port [`ekspɔt] *s* wywóz; *vt* [ɪk`spɔt] eksportować

ex·pose [ɪk`spəuz] *vt* wystawiać; narażać; demaskować; *fot.* naświetlać

ex·po·si·tion [`ekspə`zɪʃn] *s* wystawienie; *am.* wystawa; wykład, wyjaśnienie; *fot.* naświetlanie; porzucenie (dziecka)

ex·pos·tu·late [ɪk`spostʃuleɪt] *vi* robić wyrzuty (**with sb** komuś, **about** sth z powodu czegoś)

ex·pos·tu·la·tion [ɪk`spostʃu`leɪʃn] *s* robienie wyrzutów, wymówki

ex·po·sure [ɪk`spəuʒə(r)] *s* wystawienie, wystawa; odsłonięcie, zdemaskowanie; *fot.* czas naświetlania; porzucenie (dziecka)

ex·pound [ɪk`spaund] *vt* wytłumaczyć, wyjaśnić

ex·press [ɪk`spres] *adj* wyraźny; specjalny; terminowy; szybki; pospieszny (**pociąg**); *s* specjalny posłaniec; pociąg pospieszny; list ekspresowy; *adv* pospiesznie, ekspresem; umyślnie, specjalnie; *vt* wyciskać; wyrażać; *vr* ~ **oneself** wypowiedzieć się

ex·pres·sion [ɪk`spreʃn] *s* wyrażenie, wyraz; wyrażanie się; wyciskanie

ex·pres·sive [ɪk`spresɪv] *adj* wyrazisty; wyrażający (**of sth** coś)

ex·pro·pri·ate [eks`prəuprɪeɪt] *v* wywłaszczać; zagarnąć (czyją własność)

ex·pul·sion [ɪk`spʌlʃn] *s* wypędzenie, wydalenie

ex·punge [ɪk`spʌndʒ] *vt* wykreślić, skasować

ex·pur·gate [`ekspəgeɪt] *vt* oczyścić, okroić (np. tekst książki), przeprowadzić czystkę

ex·qui·site [ek`skwɪzɪt] *adj* wyborny; wytworny

ex·tant [`ek`stænt] *adj* jeszcze istniejący, zachowany (np. dokument, książka)

ex·ta·sy *s* = **ecstasy**

ex·tem·po·rize [ek`stempəraɪz] *vt vi* improwizować

ex·tend [ɪk`stend] *vt vi* rozciągać (się); rozszerzać (się); przedłużać (się); rozwijać (się); okazywać, wyrażać

ex·ten·sion [ɪk`stenʃn] *s* rozciągnięcie, rozszerzenie (się), przedłużenie (się); rozwinięcie, rozwój, dobudówka; university ~ popularne eksternistyczne kursy uniwersyteckie; ~ (telephone) (numer, telefon) wewnętrzny

ex·ten·sive [ɪk`stensɪv] *adj* rozległy, obszerny

ex·tent [ɪk`stent] *s* rozciągłość, rozmiar, zasięg; to some ~ w pewnej mierze, do pewnego stopnia

ex·ten·u·ate [ɪk`stenjueɪt] *vt* pomniejszać, osłabiać, łagodzić

ex·te·ri·or [ek`strərɪə(r)] *adj* zewnętrzny; *s* strona zewnętrzna, powierzchowność

ex·ter·mi·nate [ɪk`stɜmɪneɪt] *vt* niszczyć, tępić

ex·ter·mi·na·tion [ɪk`stɜmɪ`neɪʃn] *s* zniszczenie, zagłada

ex·ter·nal [ek`stɜnl] *adj* zewnętrzny; zagraniczny

ex·ter·ri·to·ri·al [`eks`terɪ`tɔrɪəl] *adj* eksterytorialny

face

ex·tinct [ɪk`stɪŋkt] *adj* wygasły, wymarły

ex·tinc·tion [ɪk`stɪŋkʃn] *s* wygaszenie; wygaśnięcie; wymarcie, zanik; wytępienie; skasowanie

ex·tin·guish [ɪk`stɪŋgwɪʃ] *vt* gasić; niszczyć; kasować; unicestwiać

ex·tin·guish·er [ɪk`stɪŋgwɪʃə(r)] *s* gaśnica

ex·tir·pate [`ekstəpeɪt] *vt* wykorzenić, wytrzebić, wytępić

ex·tol [ɪk`stəul] *vt* wynosić (ponad innych), wychwalać

ex·tort [ɪk`stɔt] *vt* wymuszać; wydzierać

ex·tor·tion [ɪk`stɔʃn] *s* wymuszenie

ex·tra 1. [`ekstrə] *adj* oddzielny, specjalny, dodatkowy, nadzwyczajny; *adv* ponad (normę); oddzielnie, specjalnie, dodatkowo; *s* dodatek, dopłata

ex·tra- 2. [`ekstrə] *praef* poza-

ex·tract [ɪk`strækt] *vt* wyciągać; wydobywać; *chem.* ekstrahować; *s* [`ekstrækt] wyciąg, ekstrakt; wyjątek (z książki)

ex·trac·tion [ɪk`strækʃn] *s* wyjęcie, wydobycie, wyciągnięcie; pochodzenie

ex·tra·di·tion [`ekstrə`dɪʃn] *s* ekstradycja

ex·traor·di·na·ry [ɪk`strɔdnrɪ] *adj* nadzwyczajny, niezwykły

ex·trav·a·gant [ɪk`strævəgənt] *adj* ekstrawagancki; przesadny; nadmierny; rozrzutny

ex·treme [ɪk`strim] *adj* krańcowy, skrajny, ostateczny; *s* kraniec; krańcowość, skrajność, ostateczność

ex·treme·ly [ɪk`strimlɪ] *adv* niezmiernie; nadzwyczajnie

ex·trem·ist [ɪk`strimɪst] *s* ekstremista

ex·trem·i·ty [ɪk`stremətɪ] *s* koniec; skrajność; ostateczność; skrajna nędza; krytyczne położenie; *anat.* kończyna

ex·tri·cate [`ekstrɪkeɪt] *vt* wyplątać; *chem.* wyzwolić

ex·u·ber·ance [ɪg`zjubərəns] *s* obfitość, bogactwo

ex·ult [ɪg`zʌlt] *vi* radować się, triumfować

ex·ult·ant [ɪg`zʌltənt] *adj* pełen radości, triumfujący

ex-voto [`eks `vəutəu] *s rel.* wotum

eye [aɪ] *s* oko; ucho igielne; oczko, otworek; **to keep an ~** pilnować (on sb kogoś), mieć na oku; *vt* wpatrywać się (sb, sth w kogoś, coś), mierzyć wzrokiem

eye·ball [`aɪbɔl] *s* gałka oczna

eye·brow [`aɪbrau] *s* brew

eye·glass [`aɪglas] *s* monokl; *techn.* okular; *pl ~es* [`aɪglasɪz] binokle

eye·lid [`aɪlɪd] *s* powieka

eye·piece [`aɪpis] *s* okular

eye·sore [`aɪsɔ(r)] *s* ohyda, obrzydliwość

f

fa·ble [`feɪbl] *s* bajka

fab·ric [`fæbrɪk] *s* wyrób; tkanina; budowla, gmach; konstrukcja, struktura

fab·ri·cate [`fæbrɪkeɪt] *vt* fabrykować, wytwarzać; zmyślić

fab·u·lous [`fæbjuləs] *adj* bajeczny, baśniowy

face [feɪs] *s* twarz; mina; wygląd; powierzchnia; przednia strona; tarcza (zegara); *przen.* śmiałość, czelność; **~ value** wartość nominalna; **in the ~ of** wobec, w obliczu (czegoś); wbrew; **to pull a ~** robić grymas; wykrzywiać się; **to put on a ~** zrobić odpowiednią minę; **to set one's ~ against sth** przeciwstawić się czemuś; *vt* obrócić się twarzą, spoglądać twarzą w twarz, znajdować się naprzeciw (sb kogoś); **stawiać czoło** (sth czemuś); **to be ~d with** natknąć się (np. **difficulties** na trudności); **~ the risk** być narażonym na ryzyko, liczyć się z ryzykiem; *vi* ~ **up** stawiać czoło (to sth czemuś)

fa·ce·tious [fə`siʃəs] *adj* zabawny, żartobliwy

fa·cil·i·tate [fə`siliteit] *vt* ułatwić

fa·cil·i·ty [fə`siləti] *s* łatwość; zręczność; *pl* **facilities** korzyści, ułatwienia, udogodnienia

fac·sim·i·le [fæk`siməli] *s* kopia, odpis

fact [fækt] *s* fakt; **a matter of ~** rzecz naturalna, oczywisty fakt; **as a matter of ⟨in point of⟩ ~** w istocie rzeczy, ściśle mówiąc; **in ~** faktycznie

fac·tion [`fækʃn] *s* frakcja, odłam, klika

fac·tious [`fækʃəs] *adj* frakcyjny

fac·ti·tious [fæk`tiʃəs] *adj* sztuczny, nieoryginalny

fac·tor [`fæktə(r)] *s* czynnik; agent (handlowy); *mat.* mnożnik

fac·to·ry [`fæktrɪ] *s* fabryka; faktoria

fac·tu·al [`fæktʃuəl] *adj* faktyczny

fac·ul·ty [`fækltɪ] *s* talent, uzdolnienie; fakultet; *am.* grono profesorskie

fad [fæd] *s* fantazja, kaprys, chwilowa moda

fade [feid] *vi* blednąć, więdnąć, zanikać, blaknąć; ~ **away** zanikać, marnieć

fag [fæg] *s* ciężka praca, *pot.* harówka; ciężko pracujący; (*w szkołach angielskich*) uczeń usługujący starszym kolegom; *vi* ciężko pracować; usługiwać; *vt* używać do posług; męczyć, eksploatować

fag-end [`fæg end] *s* ogryzek; niedopałek

fag-got [`fægət] *s* wiązka, pęk (chrustu itp.)

fail [feil] *vi* nie zdołać; nie udać się; zaniedbać, nie uczynić; zawieść; brakować; zbankrutować; zepsuć się; zanikać, słabnąć, zamierać; **not to ~** nie omieszkać; **he ~ed to pass the examination** nie udało mu się zdać egzaminu; **he ~ed in the examination** nie zdał egzaminu; **he never ~s to come in time** nie zdarza mu się nie przyjść na czas; *vt* zrobić zawód (sb komuś); **his memory ~s him** pamięć go zawodzi; *s w zwrocie*: **without ~** na pewno, niechybnie

fail·ing [`feiliŋ] *s* brak, słabość, ułomność, wada; *praep* w braku; bez; ~ **his assistance** bez jego pomocy

fail·ure [`feiljə(r)] *s* uchybienie, zaniedbanie; fiasko, niepowodzenie; niewypłacalność, bankructwo; wada, defekt, brak; bankrut życiowy; **to be a ~ as a writer** okazać się kiepskim pisarzem

faint [feint] *adj* słaby; lekki, nikły; blady, niewyraźny; *s* omdlenie; *vi* (*także* ~ **away**) mdleć, słabnąć

fair 1. [feə(r)] *adj* jasny; blond; sprawiedliwy, prawy, uczciwy; odpowiedni, możliwy, dostateczny; czysty, bez skazy; (*o morzu*) spokojny; (*o stopniu*) dostateczny; ~ **copy** czystopis; ~ **play** uczciwa gra; uczciwe ⟨honorowe⟩ postępowanie; *adv* uczciwie, otwarcie; czysto; delikatnie; **to bid ~** dobrze się zapowiadać; **to write ~** przepisać na czysto

fair 2. [feə(r)] *s* jarmark; targ (międzynarodowe)

fair·y [`feəri] *adj* czarodziejski, bajeczny; *s* czarodziejka, wieszczka

fair·y·land [`feərilænd] *s* kraina czarów

air·y-tale [ˈfeərɪteɪl] s bajka
aith [feɪθ] s wiara; ufność; **to
keep ~** dotrzymywać słowa (**with
sb** komuś)
aith·ful [ˈfeɪθfl] adj wierny; uczciwy, sumienny
aith·less [ˈfeɪθləs] adj wiarołomny,
niewierny
ake [feɪk] s fałszerstwo, oszustwo;
pot. kant; vt fałszować, podrabiać; zmyślać
al·con [ˈfɔlkən] s sokół
fall [fɔl], **fell** [fel], **fallen** [ˈfɔlən]
vi padać; wpadać; opadać; upaść,
runąć; podupadać, marnieć; przypadać, zdarzać się; **~ away** odpadać; **~ back** upaść do tyłu;
wojsk. cofać się; uciekać się (on
⟨upon⟩ sth do czegoś; **~ down**
upaść, zwalić się; **~ in** zapaść
się; natknąć się (**with sb na kogoś**); zgodzić się (**with sth na
coś**); dostosować się (**with sth
do czegoś**); **~ off** odpadać; ubywać, zanikać; **~ out** wypadać;
~ through przepadać, kończyć
się fiaskiem; **to ~ asleep** zasnąć; **to ~ due** zapadać; (o terminie płatności) przypadać; **to ~
dumb** oniemieć; **to ~ ill** zachorować; **to ~ in love** zakochać się
(**with sb** w kimś); **to ~ short** nie
wystarczać, brakować; nie dopisać; nie osiągać (of sth czegoś);
zawieść (of expectations nadzieje); s upadek; zwalenie się; o-
padanie; spadek; opad; (zw. pl
~s) wodospad; am. jesień
al·la·cy [ˈfæləsɪ] s złudzenie, złuda; błąd, błędne rozumowanie
all·en zob. **fall**; adj upadły; po-
legły; leżący
al·low [ˈfæləʊ] adj ugorowy; s
ugór
alse [fɔls] adj fałszywy; kłamliwy; zdradliwy; obłudny
alse·hood [ˈfɔlshʊd] s kłamstwo,
nieprawda; kłamliwość
al·si·fy [ˈfɔlsɪfaɪ] vt fałszować;
zawodzić (nadzieje itp.)
al·ter [ˈfɔltə(r)] vi chwiać się;

drżeć; jąkać się, mamrotać
fame [feɪm] s sława; wieść
fa·mil·iar [fəˈmɪlɪə(r)] adj dobrze
zaznajomiony, obeznany; dobrze
znany; spoufalony
fa·mil·i·ar·i·ty [fəˈmɪlɪˈærətɪ] s poufałość, zażyłość; znajomość, o-
beznanie
fa·mil·iar·ize [fəˈmɪliəraɪz] vt za-
znajamiać, popularyzować
fam·i·ly [ˈfæmlɪ] s rodzina; adj attr
rodzinny; **in a ~ way** poufale;
in the ~ way (o kobiecie) w cią-
ży
fam·ine [ˈfæmɪn] s głód; brak
fa·mous [ˈfeɪməs] adj sławny
fan 1. [fæn] s wachlarz; wentylator; vt wachlować, owiewać;
rozniecać
fan 2. [fæn] s pot. entuzjasta; sport
kibic
fa·nat·ic(al) [fəˈnætɪk(l)] adj fanatyczny; s fanatyk
fan·ci·ful [ˈfænsɪfl] adj fantastyczny; fantazyjny; dziwaczny; kapryśny
fan·cy [ˈfænsɪ] s fantazja, upodobanie, kaprys; **to take a ~** upodobać sobie (to sth coś); adj attr
fantastyczny; fantazyjny, ekstrawagancki; **~ articles** galanteria;
~ ball bal kostiumowy; **~ dress**
strój na bal kostiumowy; **~ work**
robótki ręczne (np. haftowanie);
vt wyobrażać sobie, roić sobie;
upodobać sobie
fang [fæŋ] s jadowity ząb (węża);
kieł (zw. psi)
fan·tas·tic [fænˈtæstɪk] adj fantastyczny
fan·ta·sy [ˈfæntəsɪ] s fantazja, wyobraźnia; kaprys
far [fɑ(r)] adj (comp **farther**
[ˈfɑðə(r)] lub **further** [ˈfɜðə(r)],
sup **farthest** [ˈfɑðɪst] lub **furthest**
[ˈfɜðɪst]) daleki; adv daleko; **~
from** it bynajmniej, pot. gdzie
tam!; **as ~ as** aż do; o ile; by
~ o wiele, znacznie; **in so ~ as**
o tyle, że; **so ⟨thus⟩ ~** dotąd,
dotychczas, na razie
farce [fɑs] s farsa

fare [feə(r)] s opłata za podróż;
pasażer; jedzenie, wikt; bill of
~ jadłospis; vi podróżować; czuć
się, mieć się; how do you ~?,
how does it ~ with you? jak ci
się powodzi?

fare·well [ˈfeəˈwel] s pożegnanie;
int żegnaj(cie)!; adj attr pożegnalny

farm [fam] s gospodarstwo wiejskie; vt vi uprawiać ziemię, prowadzić gospodarstwo rolne; dzierżawić (ziemię)

farm·er [ˈfamə(r)] s rolnik, farmer;
dzierżawca

farm-hand [ˈfamhænd] s robotnik
rolny

farm·yard [ˈfamjad] s podwórko
gospodarskie

far-off [ˈfar ˈɔf] adj attr odległy

far-sight·ed [ˈfaˈsaɪtɪd] adj dalekowzroczny

far·ther zob. far

far·thest zob. far

far·thing [ˈfaðɪŋ] s ćwierć pensa;
przen. grosz

fas·ci·nate [ˈfæsɪneɪt] vt czarować,
urzekać, fascynować

fas·ci·na·tion [ˈfæsɪˈneɪʃn] s ocza-
rowanie, urzeczenie, fascynacja

fas·cism [ˈfæʃɪzm] s faszyzm

fas·cist [ˈfæʃɪst] s faszysta

fash·ion [ˈfæʃn] s moda; styl; wzór;
zwyczaj; fason; after the ~ of
na wzór; out of ~ niemodny;
vt kształtować, urabiać, modelować

fash·ion·a·ble [ˈfæʃnəbl] adj modny, wytworny

fast 1. [fast] adj szybki; mocny,
trwały; przymocowany; to make
~ umocować; the watch is ~
zegarek się spieszy; adv szybko;
mocno, trwale

fast 2. [fast] s post; vi pościć

fast·en [ˈfasn] vt vi przymocować
(się); zamknąć (się); chwycić
się (on {upon} sth czegoś); spinać (się), wiązać (się)

fast·en·er [ˈfasnə(r)] s zszywka (do
papieru; spinacz; zatrzask; klam-

ra; suwak; zasuwa

fas·tid·i·ous [fəˈstɪdɪəs] adj gry▯
maśny, wybredny (about sth ▯
czymś)

fat [fæt] adj tłusty; gruby; tucz▯
ny; s sadło, tłuszcz; vi tyć; ▯
tuczyć

fa·tal [ˈfeɪtl] adj fatalny, zgubny▯
nieuchronny

fa·tal·i·ty [fəˈtæləti] s fatalnoś▯
nieszczęśliwy wypadek, nieszcz▯
ście; zgubny wpływ

fate [feɪt] s fatum, przeznaczeni▯
los

fate·ful [ˈfeɪtfl] adj fatalny, nie▯
szczęsny; proroczy; nieuchronn▯

fa·ther [ˈfaðə(r)] s ojciec

fa·ther-in-law [ˈfaðr ɪn lɔ] s (▯
~s-in-law [ˈfaðəz ɪn lɔ]) teść

fa·ther·land [ˈfaðəlænd] s kraj o▯
czysty, ojczyzna

fa·ther·ly [ˈfaðəlɪ] adj ojcowsk▯
adv po ojcowsku

fath·om [ˈfæðəm] s sążeń (miar▯
głębokości lub objętości); vt mie▯
rzyć głębokość; przen. zgłębiać▯

fath·om·less [ˈfæðəmləs] adj nie▯
zmierzony, bezdenny

fa·tigue [fəˈtig] s znużenie; trud▯
vt nużyć, męczyć

fat·ten [ˈfætn] vt tuczyć; użyźnia▯
vi tyć

fat·ty [ˈfætɪ] adj chem tłuszczowy▯
oleisty, tłusty; s tłuścioch

fault [fɔlt] s brak, wada; uchybie▯
nie; omyłka; wina; to find ▯
krytykować (with sb, sth kogo▯
coś)

fault·less [ˈfɔltləs] adj bezbłędny▯
nienaganny, bez zarzutu

fault·y [ˈfɔltɪ] adj wadliwy, błęd▯
ny

fau·na [ˈfɔnə] s fauna

fa·vour [ˈfeɪvə(r)] s łaska, łask▯
wość, przychylność; przysług▯
uprzejmość; in ~ na korzyść, n▯
rzecz; out of ~ w niełasce; ▯
sprzyjać, faworyzować; zaszcz▯
cać

fa·vour·a·ble [ˈfeɪvrəbl] adj życzl▯
wy, przychylny, sprzyjający

a·vour·ite [`feɪvrɪt] adj ulubiony; s ulubieniec

ear [ɪɪə(r)] s strach, obawa; vt bać się, obawiać się

ear·ful [`fɪəfl] adj straszny; bojaźliwy

ea·si·ble [`fizəbl] adj wykonalny, możliwy

east [fist] s uczta; uroczystość; vi ucztować; obchodzić uroczystość; vt gościć, częstować

eat [fit] s wyczyn, czyn (bohaterski)

eath·er [`feðə(r)] s pióro (ptasie); vt upierzyć, stroić w pióra; vi opierzyć się

eath·er·weight [`feðəweɪt] s sport waga piórkowa

ea·ture [`fitʃə(r)] s rys, cecha, znamię; osobliwość, właściwość; ~ film film długometrażowy; vt znamionować, cechować; uwydatniać; opisywać; grać jedną z głównych ról (w filmie)

eb·ru·ar·y [`februərɪ] s luty

ed zob. **feed**

ed·er·al [`fedrl] adj związkowy, federalny

ed·er·ate [`fedrət] adj federacyjny; vt vi [`fedəreɪt] jednoczyć (się)

ed·er·a·tion [ˌfedə`reɪʃn] s federacja

ed·er·a·tive [`fedrtɪv] adj federalny, związkowy

ee [ti] s zapłata; opłata; honorarium; wpisowe

ee·ble [`fibl] adj słaby

Xeed [fid], **fed, fed** [fed] vt vi karmić (się), żywić się; paść (się); zasilać; ~ up tuczyć; **to be fed up** mieć dość (**with** sth czegoś), mieć powyżej uszu; s pokarm, pasza; techn. zasilanie

Xeel [fil], **felt, felt** [felt] vt vi czuć (się), odczuwać; dotykać, macać; dawać się odczuć; wydawać się, robić wrażenie; szukać po omacku (**for** ⟨after, about⟩ sth czegoś); współczuć (**for** sb komuś); ~ **like** skłaniać się, mieć ochotę; wyglą-

dać na coś; **I don't ~ like dancing** nie mam ochoty tańczyć; ~ **one's way** iść po omacku; s czucie, odczucie, dotyk

feel·ing [`filɪŋ] s czucie, dotyk; uczucie, wrażenie; emocja

feet zob. **foot**

feign [feɪn] vt udawać

fe·lic·i·tate [fə`lɪsɪteɪt] vt gratulować (**sb on** ⟨upon⟩ sth komuś czegoś)

fe·lic·i·ty [fə`lɪsətɪ] s błogość, szczęście; trafność (zwrotu); trafny zwrot ⟨wyraz⟩

fell 1. zob. **fall**

fell 2. [fel] vt wyrąbać (drzewo), powalić

fel·low [`feləʊ] s towarzysz, kolega; człowiek równy komuś ⟨podobny do kogoś⟩; rzecz (np. skarpetka) do pary; członek (towarzystwa naukowego, kolegium uniwersyteckiego); pot. gość, typ, facet; ~ **citizen** współobywatel; ~ **creature** bliźni; ~ **soldier** towarzysz broni; ~ **worker** towarzysz pracy

fel·low·ship [`feləʊʃɪp] s towarzystwo, koleżeństwo; wspólnota, współudział; korporacja, bractwo; członkostwo (towarzystwa naukowego itp.)

fel·on [`felən] s przestępca

felt 1. zob. **feel**

felt 2. [felt] s wojłok; filc

fe·male [`fimeɪl] adj żeński, kobiecy, płci żeńskiej; zool. samiczy; s kobieta, niewiasta; zool. samica

fem·i·nine [`femənɪn] adj żeński (rodzaj, rym), niewieści, kobiecy

fen [fen] s bagno, trzęsawisko

fence [fens] s ogrodzenie, płot; sport szermierka; przen. **to sit on the ~** zachować neutralność, nie angażować się; vt ogrodzić; vi fechtować, uprawiać szermierkę

fend·er [`fendə(r)] s zderzak; błot-

nik; krata przed kominkiem; zasłona

fen·land [ˈfenlænd] *s* bagnista okolica

fer·ment [ˈfɜmənt] *s* ferment; *vt*
[fəˈment] poddawać fermentacji,
wywoływać ferment; *vi* fermentować, burzyć się

fern [fɜn] *s* *bot.* paproć

fe·ro·cious [fəˈrəʊʃəs] *adj* srogi,
dziki

fe·roc·i·ty [fəˈrɒsəti] *s* srogość, dzi-
kość

fer·ro·con·crete [ˈferəʊ ˈkɒŋkrit] *s*
żelazobeton

fer·ry [ˈferi] *s* prom; *vt vi* przeprawiać (się) ⟨przewozić⟩ promem
⟨łodzią⟩; *lotn.* dostawiać drogą
powietrzną

fer·ry-boat [ˈferibəʊt] *s* prom

fer·ry·man [ˈferimən] *s* przewoźnik

fer·tile [ˈfɜtail] *adj* żyzny, płodny

fer·til·i·ty [fəˈtiləti] *s* żyzność,
płodność

fer·til·ize [ˈfɜtilaiz] *vt* użyźniać; nawozić; zapładniać

fer·til·iz·er [ˈfɜtilaizə(r)] *s* nawóz

fer·vent [ˈfɜvənt] *adj* żarliwy, gorący

fer·vour [ˈfɜvə(r)] *s* żarliwość, namiętność

fes·ter [ˈfestə(r)] *vi* ropieć; gnić;
jątrzyć się; *vt* powodować gnicie ⟨ropienie⟩; *s* ropień

fes·ti·val [ˈfestivl] *adj* świąteczny;
s święto, uroczystość; festiwal

fes·tive [ˈfestiv] *adj* uroczysty; wesoły

fes·tiv·i·ty [feˈstivəti] *s* uroczystość; wesołość, zabawa

fetch [fetʃ] *vt* pójść po coś, przynieść, przywieźć; uzyskać (kwo-
tę), osiągać (cenę); wzruszać, oddziaływać na wyobraźnię; rozdrażnić; *vi* dotrzeć, dobrnąć

fet·ter [ˈfetə(r)] *vt* skuć, spętać,
związać; *s pl* ~s pęta, kajdany,
więzy

feud 1. [fjud] *s* waśń rodowa

feud 2. [fjud] *s* lenno

feu·dal [ˈfjudl] *adj* feudalny

feu·dal·ism [ˈfjudlizm] *s* feuda[
lizm

fe·ver [ˈfivə(r)] *s* gorączka; roz[
goręczkowanie

few [fju] *adj i pron* mało, niewie[
le; a ~ nieco, kilku

fi·bre [ˈfaibə(r)] *s* włókno; natura[
struktura

fi·brous [ˈfaibrəs] *adj* włóknisty

fickle [ˈfikl] *adj* zmienny; pło[
chy

fic·tion [ˈfikʃn] *s* fikcja, wymys[
beletrystyka

fic·ti·tious [fikˈtiʃəs] *adj* fikcyjny[
zmyślony

fid·dle [ˈfidl] *s pot.* skrzypki; *vt v*
grać na skrzypkach, rzępolić; ~
away spędzać czas na niczym

fid·dler [ˈfidlə(r)]*s* skrzypek, gra[
jek

fid·dle·stick [ˈfidlstik] *s* smyczek[
pl ~s *pot.* bzdury

fi·del·i·ty [fiˈdeləti] *s* wierność

fid·get [ˈfidʒit] *vt vi* denerwowa[
(się), wiercić się; *s* człowiek nie[
spokojny, *pot.* wiercipięta; *pl* ~[
niespokojne ruchy, zdenerwowa[
nie

field [fild] *s* pole; boisko; teren[
domena

fiend [find] *s* diabeł; fanatyk

fierce [fiəs] *adj* srogi; dziki; zago[
rzały; gwałtowny

fi·er·y [ˈfaiəri] *adj* ognisty, pło[
mienny; porywczy

fif·teen [ˈfifˈtin] *num* piętnaście;
piętnastka

fif·teenth [ˈfifˈtinθ] *adj* piętna[
sty

fifth [fifθ] *adj* piąty

fif·ti·eth [ˈfiftiəθ] *adj* pięćdziesią[
ty

fif·ty [ˈfifti] *num* pięćdziesiąt;
pięćdziesiątka

fig 1. [fig] *s bot.* figa

fig 2. [fig] *s pot.* strój; samopo[
czucie

*fight [fait], **fought, fought** [fɔ[
vt vi walczyć, zwalczać; ~ bac[

odeprzeć, zwalczyć; ~ out rozstrzygnąć drogą walki; s walka,
bitwa

ght·er [ˈfaɪtə(r)] s żołnierz; bojownik; *lotn.* myśliwiec

ig·u·ra·tive [ˈfɪgjʊrətɪv] *adj* obrazowy; przenośny; symboliczny

ig·ure [ˈfɪgə(r)] s figura, kształt;
wykres; obraz, rycina; posąg;
postać; liczba, cyfra; *vt vi* tworzyć, kształtować, przedstawiać;
figurować; obliczać, oceniać; ~
out wypracować; wyliczyć; zrozumieć; ~ up policzyć, zsumować

ile 1. [faɪl] s kartoteka, akta; kla-
syfikator; rocznik (pisma); plik
papierów; *vt* układać papiery;
rejestrować; trzymać kartotekę

ile 2. [faɪl] s pilnik; *vt* piłować

ile 3. [faɪl] s rząd; in ~ rzędem,
gęsiego; *vi* iść w rzędzie

il·ial [ˈfɪlɪəl] *adj* synowski

il·i·gree [ˈfɪlɪgri] s filigran; *adj
attr* filigranowy

ill [fɪl] *vt vi* napełniać (się); spełniać, pełnić; wykonywać; ~ in
wypełniać; ~ out zapełniać (się);
wydymać (się), pęcznieć; ~ up
napełnić (się); s pełna ilość; ładunek, porcja; to eat one's ~
najeść się do syta

ill·ing [ˈfɪlɪŋ] s materiał wypeł-
niający; plomba; zapas (np. ben-
zyny); ładunek; farsz

ill·ing-sta·tion [ˈfɪlɪŋ steɪʃn] s stacja benzynowa

il·lip [ˈfɪlɪp] s przytyczek; bodziec; *vt* dać przytyczka; pobudzić, przyspieszyć

ilm [fɪlm] s film; błona; powłoka;
bielmo; *vt vi* filmować; pokrywać (się) emulsją

il·ter [ˈfɪltə(r)] s filtr, sączek; *vt
vi* filtrować, sączyć (się)

ilth [fɪlθ] s brud, plugastwo; sprośność

ilth·y [ˈfɪlθɪ] *adj* brudny, plugawy; sprośny

il·trate [ˈfɪltreɪt] *vt vi* filtrować,

sączyć (się); s przesącz

fi·nal [ˈfaɪnl] *adj* końcowy, ostateczny; s finał; in ~ w końcu

fi·nance [ˈfaɪnæns] s (*także pl* ~s)
finanse; *vt* finansować

fi·nan·cial [ˈfaɪˈnænʃl] *adj* finansowy

fi·nan·cier [ˈfaɪˈnænsɪə(r)] s finansista

*find [faɪnd], **found, found** [faʊnd]
vt znajdować, odkrywać; natra-
fiać, zastać; konstatować, stwierdzać, orzekać; ~ sb guilty uznać
kogoś winnym; s odkrycie; rzecz
znaleziona

find·ing [ˈfaɪndɪŋ] s odkrycie;
rzecz znaleziona; *pl* ~s wyniki,
wnioski, dane

fine 1. [faɪn] *adj* piękny; delikatny, wytworny; czysty, oczyszczo-
ny; precyzyjny; *pot.* świetny;
adv pięknie, dobrze

fine 2. [faɪn] s grzywna, kara pieniężna; in ~ ostatecznie, koniec
końców; *vt* ukarać grzywną

fin·ger [ˈfɪŋgə(r)] s palec (u ręki);
vt dotykać palcami, macać

fin·ger-print [ˈfɪŋgəprɪnt] s odcisk
palca

fin·ish [ˈfɪnɪʃ] *vt vi* kończyć (się),
przestać; ~ off wykończyć; ~
up dokończyć, doprowadzić do
końca; s zakończenie, koniec;
wykończenie; *sport* finisz; *techn.*
apretura

fi·nite [ˈfaɪnaɪt] *adj* ograniczony;
mat. skończony; *gram.* określony

Finn [fɪn] s Fin

Fin·nish [ˈfɪnɪʃ] *adj* fiński; s język fiński

fir [fɜ(r)] s *bot.* jodła; ~ branch
jedlina

fire [ˈfaɪə(r)] s ogień, pożar, żar;
zapał; to be on ~ płonąć; to
catch ⟨take⟩ ~ zapalić się; to
set on ~, to set ~ to podpalić;
vt vi zapalić (się), płonąć; wybuchnąć; strzelać, dać ognia;
wzniecić; *pot.* wyrzucić (z po-

sady); ~ off wystrzelić; ~ up wybuchnąć (gniewem)

fire-arm [`faɪərəm] s (zw. pl ~s) broń palna

fire-brand [`faɪəbrænd] s głownia, zarzewie; podżegacz

fire-bri·gade [`faɪə brɪgeɪd] s straż pożarna

fire-en·gine [`faɪərendʒɪn] s wóz straży pożarnej, sikawka

fire-ex·tin·guish·er [`faɪər ɪkstɪŋwɪʃə(r)] s gaśnica

fire·man [`faɪəmən] s strażak; palacz

fire-place [`faɪəpleɪs] s kominek; palenisko

fire-proof [`faɪəpruf] adj ognio-trwały

fire·side [`faɪəsaɪd] s miejsce przy kominku; przen. ognisko domowe

fire·work [`faɪəwɜk] s fajerwerk; pl ~s sztuczne ognie

firm 1. [fɜm] s firma, przedsiębiorstwo

firm 2. [fɜm] adj mocny, trwały; jędrny; energiczny; stały; stanowczy; vt umocnić, osadzić

fir·ma·ment [`fɜməmənt] s firmament

first [fɜst] num adj pierwszy; ~ floor bryt. pierwsze piętro, am. parter; ~ name imię chrzestne; ~ night premiera; ~ thing przede wszystkim, zaraz; s (o człowieku, rzeczy) pierwszy; at (the) ~ najpierw, na początku; from ~ to last od początku do końca; adv najpierw, początkowo, po pierwsze; ~ of all przede wszystkim

first·ly [`fɜstlɪ] adv po pierwsze, najpierw

first-rate [`fɜst`reɪt] adj pierwszorzędny, pierwszej kategorii

fish [fɪʃ] s (pl ~es, zbior. the ~) ryba; vt vi łowić ryby; poławiać; przen. polować, czyhać (for sth na coś)

fish-bone [`fɪʃbəun] s ość

fish·er [`fɪʃə(r)], **fish·er·man** [`fɪʃə mən] s rybak

fish·ing [`fɪʃɪŋ] s rybołówstwo; wędkarstwo; połów

fish·ing-rod [`fɪʃɪŋrɒd] s wędka

fish·mon·ger [`fɪʃmʌŋgə(r)] s handlarz rybami

fist [fɪst] s pięść

fit 1. [fɪt] adj odpowiedni, nadający się, zdatny (for sth do czegoś); w dobrej formie; zdolny, gotów; to feel ~ czuć się na siłach; to keep ~ zachowywać dobrą kondycję; vt dostosować, dopasować; pasować, być dostosowanym; (o ubraniu) leżeć; być stosownym; zaopatrzyć, wyposażyć; vi nadawać się, mieć kwalifikacje (into (for) sth do czegoś); ~ in wprawiać; pasować; uzgadniać; ~ on nakładać, przypasowywać, przymierzać (ubranie); ~ out zaopatrzyć, wyekwipować (with sth w coś); s dostosowanie, dopasowanie; krój (ubrania)

fit 2. [fɪt] s atak (np. choroby), przystęp (np. złego humoru)

fit·ful [`fɪtfl] adj spazmatyczny; kapryśny

fit-out [`fɪtaut] s wyposażenie, ekwipunek

fit·ter [`fɪtə(r)] s monter, mechanik

fit·ting [`fɪtɪŋ] s zmontowanie, zainstalowanie; wyposażenie, oprawa; pl ~s instalacje; armatura; przybory, części składowe

five [faɪv] num pięć; ~ o'clock (tea) podwieczorek; s piątka

fix [fɪks] vt przymocować; wyznaczyć, ustalić; utkwić (wzrok); założyć (np. siedzibę); wbić; wpoić; naprawić, uporządkować; urządzić, przygotować; am. załatwić; fot. techn. utrwalić; vi skrzepnąć; zdecydować się (on (upon) sth na coś); ~ up urządzić; wygładzić, uporządkować; s kłopot, położenie bez wyjścia

flab·by [`flæbɪ] adj zwiotczały; słaby

flag 1. [flæg] s flaga, bandera

flag 2. [flæg] s płyta chodnikowa; vt wykładać płytami

flag 3. [flæg] *vi* zwisać, opadać; słabnąć

flag·el·late [`flædʒıleıt] *vt* biczować

fla·grant [`fleıgrənt] *adj* rażący, skandaliczny; (*zw.* o przestępcy) notoryczny

flag·ship [`flægʃıp] *s* okręt admiralski

flag-staff [`flægstaf] *s* drzewce (flagi)

flail [fleıl] *s* cep

flake [fleık] *s* płatek; łuska; *vt vi* łuszczyć (się); (o *śniegu* itd.) sypać płatkami

flame [fleım] *s* płomień; *vi* płonąć; ~ out zapłonąć (gniewem); ~ up spłonąć rumieńcem

flank [flæŋk] *s* bok; skrzydło, *wojsk.* flanka; *vt wojsk.* strzec flanki, oskrzydlać; znajdować się z boku (czegoś)

flan·nel [`flænl] *s* flanela; *s pl* ~s ubranie flanelowe

flap [flæp] *vi* trzepotać (skrzydłami); *vt* klapnąć, trzepnąć; *s* lekkie uderzenie, klaps; trzepot; klapa, klapka

flare [fleə(r)] *vi* migotać, błyskać; *s* błysk, światło migające; sygnał świetlny; wybuch (płomienia, gniewu)

flash [flæʃ] *vi vt* błysnąć, błyszczeć, świecić; sygnalizować światłem; mignąć, przemknąć; nadawać (np. przez radio); *s* błysk, przebłysk (np. talentu)

flash-light [`flæʃlaıt] *s* światło sygnalizacyjne; latarka elektryczna; *fot.* flesz

flask [flask] *s* flaszka (kieszonkowa); butla; *chem.* kolba

flat [flæt] *adj* płaski; płytki; nudny, monotonny; stanowczy; *s* płaszczyzna; równina; nizina; mielizna; mieszkanie, apartament; *muz.* bemol; the ~ of the hand dłoń; block of ~s blok mieszkalny

flat-i·ron [`flætaıən] *s* żelazko do prasowania

flat·ten [`flætn] *vt vi* spłaszczyć

(się), wyrównać

flat·ter [`flætə(r)] *vt* pochlebiać

flat·ter·y [`flætərı] *s* pochlebstwo

flaunt [flɒnt] *vt vi* wystawiać na pokaz; dumnie powiewać; paradować; pysznić się (sth czymś)

fla·vour [`fleıvə(r)] *s* zapach; posmak, smak; *vt* nadawać posmak, przyprawiać; *vi* mieć posmak, trącić (of sth czymś)

flaw [flɔ] *s* szczelina; rysa; skaza, wada; *vt vi* rozszczepiać (się), rysować się, pękać; uszkodzić

flax [flæks] *s bot.* len

flax·en [`flæksn] *adj* lniany; płowy, słomkowy (kolor)

flea [fli] *s* pchła

fleck [flek] *s* plamka, cętka; *vt* pokrywać plamkami, cętkować

fled *zob.* flee

fledg(e)·ling [`fledʒlıŋ] *s* świeżo opierzony ptak; *przen.* żółtodziób

*flee [fli], fled, fled [fled] *vi vt* uciekać, omijać, unikać

fleece [flis] *s* runo; *vt* strzyc (owcę); *przen.* oskubać (kogoś), ograbić

fleet 1. [flit] *s* flota

fleet 2. [flit] *vi poet.* mknąć

Flem·ish [`flemıʃ] *adj* flamandzki

flesh [fleʃ] *s* mięso, ciało

flesh·y [`fleʃı] *adj* mięsisty, tłusty

flew *zob.* fly 2.

flex·i·ble [`fleksəbl] *adj* elastyczny, gietki

flex·ion [`flekʃn] *s* zgięcie; *gram.* fleksja

flick·er [`flıkə(r)] *vi* migotać; drgać; *s* migotanie; drganie

fli·er [`flaıə(r)] *s* lotnik

flight 1. [flaıt] *s* lot, przelot; wzlot; bieg; stado (ptaków); eskadra (samolotów); ~ of stairs kondygnacja schodów

flight 2. [flaıt] *s* ucieczka

flim·sy [`flımzı] *adj* cienki, słaby, kruchy; błahy

flinch [flıntʃ] *vi* cofać się, uchylać się

*fling [flıŋ], flung, flung [flʌŋ] *vt vi* rzucać (się), ciskać, miotać; to ~ open gwałtownie otworzyć

flint [flɪnt] s krzemień; kamień (do zapalniczki)

flip·pant [ˈflɪpənt] adj niepoważny, swobodny, nonszalancki, lekceważący

flirt [flɜːt] vi vt flirtować; machać; przytyknąć; s flirciarz, kokietka

flir·ta·tion [flɜːˈteɪʃn] s flirt

flit [flɪt] vi przelatywać, przemknąć; pot. przeprowadzać (się)

flitch [flɪtʃ] s połeć (np. słoniny)

float [fləʊt] vi płynąć, bujać ⟨unosić się⟩ (na wodzie, w powietrzu); (o pogłosce) rozchodzić się; vt spławiać, nieść (po wodzie); puszczać w obieg; rozpisać (pożyczkę); wprowadzać (w życie); s coś unoszącego się na powierzchni wody (pływak u wędki, tratwa itp.)

float·a·tion s = flotation

flock 1. [flɒk] s kłak, kosmyk

flock 2. [flɒk] s stado; przen. tłum; vi gromadzić się tłumnie, tłoczyć się

floe [fləʊ] s pole lodowe, kra

flog [flɒg] vt chłostać, smagać

flood [flʌd] s powódź, potop, zalew; wylew; przypływ; przen. potok (łez itp.); vt zalać, zatopić; vi wezbrać, wylać

flood·light [ˈflʌdlaɪt] s snop światła, światło reflektorów; vt oświetlić reflektorami

floor [flɔː(r)] s podłoga; piętro

flo·ra [ˈflɔːrə] s flora

flor·id [ˈflɒrɪd] adj kwiecisty; ozdobny

flor·ist [ˈflɒrɪst] s sprzedawca kwiatów

flo·ta·tion [fləʊˈteɪʃn] s unoszenie się; spławianie; uruchomienie (przedsiębiorstwa)

flot·sam [ˈflɒtsəm] s pływające po morzu szczątki rozbitego statku; zob. jetsam

flounce 1. [flaʊns] vi miotać ⟨rzucać⟩ się; s miotanie się; żachnięcie

flounce 2. [flaʊns] s falbana

floun·der [ˈflaʊndə(r)] vi brnąć potykać się

flour [flaʊə(r)] s mąka

flour·ish [ˈflʌrɪʃ] vi kwitnąć; pro sperować; być w rozkwicie brzmieć; vt wymachiwać; zdobi (ornamentem); s fanfara; ozdoba

flow [fləʊ] vi płynąć, spływać, wy pływać; (o krwi) krążyć; (o wło sach) falować; s płynięcie, prze pływ; prąd; przypływ (morza) potok

flow·er [ˈflaʊə(r)] s kwiat; vi kwi nąć; vt zdobić kwiatami

flow·er·y [ˈflaʊərɪ] adj kwiecisty

flown zob. fly 2.

flu [fluː] s pot. grypa

fluc·tu·ate [ˈflʌktʃueɪt] vi waha się

flue 1. [fluː] s komin

flue 2. = flu

flu·en·cy [ˈfluːənsɪ] s płynność, bie głość

flu·ent [ˈfluːənt] adj płynny, biegł

fluff [flʌf] s puch

fluff·y [ˈflʌfɪ] adj puszysty

flu·id [ˈfluːɪd] adj płynny; s płyn

flung zob. fling

flur·ry [ˈflʌrɪ] s wichura; am. ule wa; podniecenie, poruszenie, ner wowy pośpiech; vt podniecić, po ruszyć, zdenerwować

flush [flʌʃ] vi vt trysnąć; (o krw napłynąć do twarzy; zaczerwie nić się, zarumienić się; rozpło mienić (się); spłukiwać, zalewa adj wezbrany; opływający (o sth w coś); obfity; równy, na tym samym poziomie; s stru mień; napływ; wybuch; rozkwit podniecenie; rumieniec

flus·ter [ˈflʌstə(r)] vt vi denerwo wać (się), wzburzyć (się); s pod niecenie, wzburzenie

flute [fluːt] s muz. flet

flut·ter [ˈflʌtə(r)] vt vi trzepota (się); machać; drgać; dygotać niepokoić (się); s trzepot; drga nie; niepokój, podniecenie

flux [flʌks] s dosł. i przen. potok strumień; prąd; bieg wody; przy pływ; ciągłe zmiany, płynność

fly 1. [flaɪ] s mucha

fly 2. [flaɪ], **flew** [flu], **flown** [fləun] vi vt latać, lecieć, fruwać; pospieszyć; uciekać; powiewać; puszczać (np. latawca); ~ into a passion wpaść w pasję; ~ open nagle się otworzyć; s lot; klapa; rozporek

fly·er ['flaɪə(r)] s lotnik

fly·ing-boat ['flaɪɪŋbəut] s wodnopłatowiec, hydroplan

fly·pa·per ['flaɪ peɪpə(r)] s lep na muchy

foal [fəul] s źrebię

foam [fəum] s piana; vi pienić się

foam·y ['fəumɪ] adj pienisty, spieniony

fo·cus ['fəukəs] s (pl foci ['fəusaɪ] lub ~es ['fəukəsɪz]) fiz. ognisko; siedlisko, centrum, skupienie; vt vi ogniskować (się), skupiać (się)

fod·der ['fɒdə(r)] s pasza; vt karmić (bydło)

foe [fəu] s wróg

fog [fɒg] s mgła; vt zamglić

fo·gey ['fəugɪ] s (zw. old ~) człowiek staroświecki

fog·gy ['fɒgɪ] adj mglisty

fog-horn ['fɒghɔːn] s okrętowa syrena (mgłowa)

fo·gy s = **fogey**

foi·ble ['fɔɪbl] s słabostka

foist [fɔɪst] vt podsunąć (skrycie), podrzucić

fold 1. [fəuld] s dosł. i przen. owczarnia

fold 2. [fəuld] s zagięcie, fałda, zakładka; vt vi składać (się), zaginać (się); zawijać; tulić

fold·er ['fəuldə(r)] s teczka; broszurka, ulotka (np. reklamowa), folder

fold·ing ['fəuldɪŋ] adj składany, przystosowany do składania

fo·li·age ['fəulɪɪdʒ] s liście, listowie

folk [fəuk] s zbior. ludzie; lud, naród; adj attr ludowy

folk·lore ['fəuklɔː(r)] s folklor

fol·low ['fɒləu] vt vi następować, iść (sb za kimś); śledzić; wykonywać ⟨uprawiać⟩ (a profession zawód); podążać (a path ścieżką, sb's thought za czyjąś myślą); wynikać; być zwolennikiem; stosować się (sth do czegoś); słuchać, rozumieć (sb kogoś); ~ in sb's footsteps iść w czyjeś ślady; ~ out doprowadzić do końca; ~ up uporczywie coś robić, nie ustawać (w czymś)

fol·low·er ['fɒləuə(r)] s zwolennik; uczeń; członek świty

fol·ly ['fɒlɪ] s szaleństwo

fo·ment [fə'ment] vt podżegać, podsycać; med. nagrzewać

fond [fɒnd] adj czuły; miły; zamiłowany; **to be** ~ lubić (of sb, sth kogoś, coś)

fon·dle ['fɒndl] vt vi pieścić (się)

fond·ness ['fɒndnəs] s czułość; zamiłowanie (for sth do czegoś)

font [fɒnt] s chrzcielnica

food [fud] s żywność, pokarm, wyżywienie, jedzenie

food-stuff ['fudstʌf] s artykuły spożywcze

fool [ful] s głupiec, wariat; vt błaznować, wygłupiać się; vt robić błazna (sb z kogoś); okpić; wyłudzać (sb out of sth coś od kogoś)

fool·ish ['fulɪʃ] adj głupi

fools·cap ['fulskæp] s papier kancelaryjny

foot [fut] s (pl feet [fit]) stopa; noga; spód, dół; stopa (miara długości); **on** ~ piechotą, pieszo

foot·ball ['futbɔl] s piłka nożna, futbol; piłka futbolowa

foot·hold ['futhəuld] s oparcie dla stóp; przen. mocna podstawa

foot·ing ['futɪŋ] s oparcie dla stóp; ostoja, punkt oparcia;. poziom; stopa (wojenna, pokojowa); wzajemny stosunek; **on a friendly** ~ na przyjacielskiej stopie, w przyjaznych stosunkach

foot·man ['futmən] s lokaj

foot·mark ['futmak] s ślad (stopy)

foot·note ['futnəut] s odnośnik

foot·path ['futpaθ] s ścieżka; chodnik

foot·print ['futprɪnt] s = **footmark**

foot·wear [ˈfutweə] s obuwie

for [fə(r), fə(r)] *praep* dla; za; zamiast; jako; na; z powodu; przez; do; z; po; co do; mimo, wbrew; jak na; ~ all that mimo wszystko; ~ ever, ~ good na zawsze, na dobre; ~ instance (example) na przykład; ~ 5 miles na przestrzeni 5 mil; ~ years przez całe lata; what ~? na co?, po co?; conj ponieważ, gdyż, bowiem

for·age [ˈforidʒ] s furaż; furażowanie; *vt vi* furażować; grabić

for·bade zob. **forbid**

forbear 1. [ˈfɔbeə(r)] s przodek, antenat

*for·bear** 2. [fəˈbeə(r)], **forbore** [fəˈbɔ(r)], **forborne** [fəˈbɔn] *vt vi* znosić cierpliwie, pobłażać; powstrzymać się (sth ⟨doing sth, from sth⟩ od czegoś)

*for·bid** [fəˈbid], **forbade** [fəˈbeid], **forbidden** [fəˈbidn] *vt* zakazywać, zabraniać, nie pozwalać

for·bore, for·borne zob. **forbear** 2.

force [fɔs] s siła, moc, przemoc; *pl* ~s siły zbrojne; *vt* forsować, brać siłą; zmuszać, wymuszać; narzucać

forced [fɔst] *adj* przymusowy; wymuszony; forsowny

for·ci·ble [ˈfɔsəbl] *adj* gwałtowny; przymusowy; mocny; przekonywający

ford [fɔd] s bród; *vt* przejść w bród

fore [fɔ(r)] s przód, przednia część; **to the** ~ ku przodowi, na przedzie, na widoku, (o pieniądzach) pod ręką; *adj* przedni

fore·arm [ˈfɔram] s przedramię

fore·bear = **forbear** 1.

fore·bode [fɔˈbəud] *vt* przewidywać, przeczuwać; zapowiadać, wróżyć

*fore·cast** [fɔˈkast], ~, ~ *lub* ~ed, ~ed [fɔˈkastid] *vt* przewidywać, zapowiadać; s [ˈfɔkast] przewidywanie, prognoza

fore·fa·ther [ˈfɔfaðə(r)] s przodek, antenat

fore·fin·ger [ˈfɔfiŋgə(r)] s palec wskazujący

*fore·go** 1. [fɔˈgəu], **forewent** [fɔˈwent], **foregone** [fɔˈgon] *vi* po przedzać

fore·go 2. = **forgo**

fore·go·ing [fɔˈgəuiŋ] *adj* poprzedni, powyższy

fore·gone [fɔˈgon] *pp i adj* z góry powzięty, przesądzony; *adj att* [ˈfɔgon] a ~ **conclusion** wiadomy wniosek, nieunikniony wynik

fore·ground [ˈfɔgraund] s przedni plan

fore·head [ˈforid] s czoło

for·eign [ˈforin] *adj* obcy, cudzoziemski, zagraniczny; **Foreign Office** ministerstwo spraw zagranicznych; **Foreign Secretary** minister spraw zagranicznych

for·eign·er [ˈforinə(r)] s obcokrajowiec, cudzoziemiec

fore·land [ˈfɔlənd] s przylądek

fore·man [ˈfɔmən] s nadzorca, brygadzista; *prawn.* starszy ławy przysięgłych

fore·most [ˈfɔməust] *adj* przedni najważniejszy, pierwszy, czołowy

fore·noon [ˈfɔnun] s przedpołudnie

fore·run·ner [ˈfɔrʌnə(r)] s prekursor, zwiastun

*fore·see** [fɔˈsi], **foresaw** [fɔˈsɔ], **foreseen** [fɔˈsin] *vt* przewidywać

fore·seen zob. **foresee**

fore·shad·ow [fɔˈʃædəu] *vt* zapowiadać

fore·sight [ˈfɔsait] s przewidywanie; przezorność

for·est [ˈforist] s las; *vt* zalesiać

fore·stall [fɔˈstɔl] *vt* wyprzedzić, ubiec

for·est·er [ˈforistə(r)] s leśniczy

*fore·tell** [fɔˈtel], **foretold, foretold** [fɔˈtəuld] *vt* przepowiadać, wróżyć

for·ev·er [fəˈrevə(r)] *adv* na zawsze, wciąż

fore·went zob. **forego**

fore·word [ˈfɔwɜd] s wstęp, przedmowa

for·feit [ˈfɔːfɪt] vt stracić, zaprzepaścić; s grzywna; utrata przez konfiskatę, przepadek (mienia); zastaw, fant

for·feit·ure [ˈfɔːfɪtʃə(r)] s utrata; grzywna; konfiskata

for·gave zob. forgive

forge [fɔːdʒ] s kuźnia; piec hutniczy; vt kuć; fałszować, podrabiać; zmyślać

for·ger [ˈfɔːdʒə(r)] s fałszerz

for·ger·y [ˈfɔːdʒərɪ] s fałszerstwo

*****for·get** [fəˈget], forgot [fəˈgɒt], forgotten [fəˈgɒtn] vt vi zapominać; opuszczać, pomijać

for·get·ful [fəˈgetfl] adj zapominający, niepomny, nie zważający (of sth na coś); pot. zapominalski

for·get-me-not [fəˈget mɪ nɒt] s bot. niezapominajka

*****for·give** [fəˈgɪv], forgave [fəˈgeɪv], forgiven [fəˈgɪvn] vt przebaczać, odpuszczać, darować

*****for·go** [fəˈgəu], forwent [fəˈwent], forgone [fəˈgɒn] vt zrzec się; powstrzymać się (sth od czegoś); obejść się (sth bez czegoś)

for·got zob. forget

for·got·ten zob. forget

fork [fɔːk] s widelec; widły; rozwidlenie; vt rozwidlać się

for·lorn [fəˈlɔːn] adj opuszczony; stracony; beznadziejny; ~ hope oddział szturmowy skazany na stracenie; z góry stracona sprawa

form [fɔːm] s forma, kształt; formalność; formularz; ławka; klasa; vt vi formować (się), tworzyć (się); urabiać (np. opinię)

for·mal [ˈfɔːml] adj formalny; oficjalny; zewnętrzny

for·mal·i·ty [fɔːˈmælətɪ] s formalność; etykieta, ceremonialność

for·ma·tion [fɔːˈmeɪʃn] s formowanie ⟨kształtowanie, tworzenie, wytwarzanie⟩ się; budowa, powstawanie; wojsk. geol. formacja

for·mer [ˈfɔːmə(r)] adj poprzedni, pierwszy (z dwu); dawny, były

for·mi·da·ble [ˈfɔːmɪdəbl] adj straszny, groźny

for·mu·la [ˈfɔːmjulə] s (pl formulae [ˈfɔːmjuliː] lub formulas [ˈfɔːmjuləz]) formułka; przepis; mat. chem. wzór

for·mu·late [ˈfɔːmjuleɪt] vt formułować

*****for·sake** [fəˈseɪk], forsook [fəˈsuk], forsaken [fəˈseɪkn] vt opuszczać, porzucać

forth [fɔːθ] adv naprzód; and so ~ i tak dalej

forth·com·ing [fɔːθˈkʌmɪŋ] adj zbliżający się, mający się ukazać

forth·right [ˈfɔːθraɪt] adj prosty; szczery; adv prosto, otwarcie; szczerze; natychmiast

forth·with [fɔːθˈwɪθ] adv bezzwłocznie

for·ti·eth [ˈfɔːtɪəθ] adj czterdziesty

for·ti·fy [ˈfɔːtɪfaɪ] vt wzmacniać, pokrzepiać; popierać; fortyfikować

for·ti·tude [ˈfɔːtɪtjuːd] s męstwo, hart ducha

fort·night [ˈfɔːtnaɪt] s dwa tygodnie

fort·night·ly [ˈfɔːtnaɪtlɪ] adj dwutygodniowy; adv co dwa tygodnie; s dwutygodnik

for·tress [ˈfɔːtrəs] s forteca

for·tu·nate [ˈfɔːtʃunət] adj szczęśliwy, pomyślny

for·tune [ˈfɔːtʃən] s los, szczęście, przypadek; majątek; by ~ przypadkowo

for·tune-tel·ler [ˈfɔːtʃən telə(r)] s wróżbita

for·ty [ˈfɔːtɪ] num czterdzieści; s czterdziestka

for·ward [ˈfɔːwəd] adj przedni; skierowany do przodu; przedwczesny; wczesny; gotów, chętny; postępowy; pewny siebie, arogancki; adv (także ~s) naprzód, dalej; z góry; to come ~ wystąpić; zgłosić się; vt przyspieszać; popierać; wysyłać, ekspediować; s sport napastnik

for·wards zob. forward adv

for·went *zob.* **forgo**

fos·sil ['fosl] *adj* skamieniały; *s* skamieniałość

fos·ter ['fostə(r)] *vt* pielęgnować; żywić (np. nadzieję); podniecać, podsycać

fos·ter-broth·er ['fostə brʌðə(r)] *s* mleczny brat

fos·ter-child ['fostə tʃaɪld] *s* przybrane dziecko

fos·ter-fath·er ['fostə faðə(r)] *s* wychowawca, opiekun

fos·ter-moth·er ['fostə mʌðə(r)] *s* mamka, piastunka

fought *zob.* **fight**

foul [faul] *adj* zgniły; cuchnący; plugawy, wstrętny; sprośny; *sport* nieprzepisowy; nieuczciwy, niehonorowy; ~ **copy** brulion; *s* nieuczciwe postępowanie; *sport* faul; *vt vi* brudzić (się), kalać; zatkać; zderzyć się

found 1. *zob.* **find**

found 2. [faund] *vt* zakładać; opierać (np. na faktach)

found 3. [faund] *vt* odlewać, topić (metal)

foun·da·tion [faun'deɪʃn] *s* podstawa, fundament; założenie; fundacja

found·er 1. ['faundə(r)] *s* założyciel

found·er 2. ['faundə(r)] *s* giser, odlewnik

found·er 3. ['faundə(r)] *vi* zatonąć; zawalić się, zapaść się; *vt* zatopić

found·ling ['faundlɪŋ] *s* podrzutek

found·ry ['faundrɪ] *s* odlewnia

fount [faunt] *s* źródło; zbiornik

foun·tain ['fauntɪn] *s* fontanna; *przen.* źródło; zbiornik

foun·tain-pen ['fauntɪnpen] *s* pióro wieczne

four [fɔ(r)] *num* cztery; *s* czwórka; **on all** ~**s** na czworakach

four·fold ['fɔfəuld] *adj* czterokrotny; *adv* czterokrotnie

four·teen ['fɔ'tin] *num* czternaście; *s* czternastka

four·teenth ['fɔ'tinθ] *adj* czternasty

fourth [fɔθ] *adj* czwarty

fowl [faul] *s* ptak (domowy, dziki); *zbior.* drób, ptactwo

fox [foks] *s* lis

frac·tion ['frækʃn] *s* ułamek; frakcja

frac·ture ['fræktʃə(r)] *s* złamanie; *vt vi* złamać (się), pęknąć

frag·ile ['frædʒaɪl] *adj* kruchy, łamliwy; wątły

frag·ment ['frægmənt] *s* fragment

fra·grance ['freɪgrəns] *s* zapach

frail [freɪl] *adj* kruchy, łamliwy; wątły; przelotny

frame [freɪm] *s* rama, oprawa; struktura, szkielet, zrąb; system, porządek; *vt* oprawiać w ramę; tworzyć, kształtować; konstruować; dostosowywać

frame-work ['freɪmwɔk] *s* praca ramowa; zrąb, struktura

fran·chise ['fræntʃaɪz] *s* prawo wyborcze; przywilej; *am.* koncesja

frank [fræŋk] *adj* otwarty, szczery

fran·tic ['fræntɪk] *adj* szalony, zapamiętały

fra·ter·nal [frə'tɜnl] *adj* braterski, bratni

fra·ter·ni·ty [frə'tɜnətɪ] *s* braterstwo; bractwo

frat·er·nize ['frætənaɪz] *vi* bratać się

fraud [frɔd] *s* oszustwo; oszust

fraught [frɔt] *adj* naładowany, pełny, brzemienny

fray [freɪ] *vt vi* strzępić (się)

freak [frik] *s* kaprys, wybryk (także natury); fenomen

freck·le ['frekl] *s* pieg, plamka; *vt vi* pokryć (się) plamkami, piegami

free [fri] *adj* wolny; hojny; niezależny, swobodny; bezpłatny; *vt* uwolnić, wyzwolić

free·dom ['fridəm] *s* wolność; swoboda; prawo (of sth do czegoś); ~ **of a city** honorowe obywatelstwo miasta

*****freeze** [friz], **froze** [frəuz], **frozen**

[frəuzn] *vi* marznąć, zamarzać; *vt* zamrażać

freez·er [ˈfriːzə(r)] *s* chłodnia, zamrażalnia; zamrażarka

freez·ing-point [ˈfriːziŋpɔint] *s* punkt zamarzania

freight [freit] *s* fracht; przewóz; ładunek; *vt* frachtować; ładować (na statek); obciążać; przewozić

freight-train [freit trein] *s am.* pociąg towarowy

French [frentʃ] *adj* francuski; *s* język francuski

French·man [ˈfrentʃmən] *s* (*pl* Frenchmen [ˈfrentʃmən]) Francuz

fren·zy [ˈfrenzi] *s* szaleństwo

fre·quen·cy [ˈfriːkwənsi] *s* częstość; częstotliwość

fre·quent [ˈfriːkwənt] *adj* częsty; *vt* [friˈkwent] uczęszczać; nawiedzać, odwiedzać, bywać

fresh [freʃ] *adj* świeży, nowy; **rzeš·ki**; ~ **water** słodka woda; *adv* świeżo, niedawno

fret [fret] *vt vi* denerwować (się); gryźć (się), wgryzać się

fret·ful [ˈfretfl] *adj* drażliwy, nerwowy

fri·a·ble [ˈfraiəbl] *adj* miałki, kruchy

fri·ar [ˈfraiə(r)] *s* mnich

fric·tion [ˈfrikʃn] *s* tarcie, nacieranie

Fri·day [ˈfraidi] *s* piątek

fried *zob.* fry 1.

friend [frend] *s* przyjaciel, kolega; **to be ~s with sb** przyjaźnić się z kimś

friend·ly [ˈfrendli] *adj* przyjazny, przychylny; ~ **society** towarzystwo wzajemnej pomocy

friend·ship [ˈfrendʃip] *s* przyjaźń

fright [frait] *s* strach; **to take ~** przestraszyć się (**at sth** czegoś)

fright·en [ˈfraitn] *vt* straszyć, nastraszyć; ~ **away** ⟨**off**⟩ odstraszyć

fright·ful [ˈfraitfl] *adj* straszny

frig·id [ˈfridʒid] *adj* zimny, chłodny; przen. oziębły

frill [fril] *s* falbanka, kryza; *vt* zdobić kryzą; plisować

fringe [frindʒ] *s* frędzla; grzywka; rąbek, skraj; peryferie; *vt* ozdabiać frędzlami; obrębiać; *vi* graniczyć (**upon sth** z czymś)

frit·ter [ˈfritə(r)] *vt* rozdrabniać, marnować (np. czas na drobiazgi)

fri·vol·i·ty [friˈvɒləti] *s* lekkomyślność; błahość, błahostka

friv·o·lous [ˈfrivələs] *adj* frywolny; lekkomyślny; błahy

fro [frəu] *adv w zwrocie*: **to and ~** tam i z powrotem

frock [frok] *s* suknia, sukienka; habit

frock-coat [ˈfrokˈkəut] *s* surdut

frog [frog] *s zool.* żaba

frog·man [ˈfrogmən] *s* płetwonurek

frol·ic [ˈfrolik] *s* swawola, zabawa; figiel; *adj* (*także* ~**some**) swawolny, figlarny; *vi* swawolić, dokazywać

from [from, frəm] *praep* od, z

front [frʌnt] *s* front, czoło, przód; **in ~ of** przed; **to have the ~** mieć czelność; *adj attr* frontowy, przedni, czołowy; *vt* stać frontem; *vt* stawiać czoło

fron·tier [ˈfrʌntiə(r)] *s* granica

frost [frost] *s* mróz

frost·y [ˈfrosti] *adj* mroźny, lodowaty

froth [froθ] *s* piana; *vi* pienić się

frown [fraun] *vi* marszczyć brwi; krzywo patrzeć (**at** ⟨**on**⟩ **sb** na kogoś); *s* kose spojrzenie, wyraz niezadowolenia

froze *zob.* freeze

fru·gal [ˈfruːgl] *adj* oszczędny (**of sth** w czymś); (*o jedzeniu*) skromny

fruit [fruːt] *s* owoc, płód; *zbior.* owoce

fruit·ful [ˈfruːtfl] *adj* owocny; płodny

frus·trate [frʌˈstreit] *vt* zniweczyć; udaremnić

fry 1. [frai] *vt vi* smażyć (się)

fry 2. [frai] *s zbior.* drobne rybki, narybek; *przen.* dzieciarnia

fry·ing-pan [ˈfraiiŋpæn] *s* patelnia

fu·el [ˈfjuːl] *s* opał, paliwo

fu·gi·tive [ˈfjudʒətɪv] *adj* zbiegły;. przelotny; *s* zbieg

ful·crum [ˈfʌlkrəm] *s* (*pl* **fulcra** [ˈfʌlkrə]) punkt podparcia ⟨obrotu, zawieszenia⟩

ful·fil [fulˈfɪl] *vt* spełnić

full [ful] *adj* pełny; najedzony; obfity; kompletny; ~ **up** przepełniony, pełny po brzegi; ~ **stop** kropka; *s* pełnia; **in** ~ w całości; **to the** ~ w całej pełni

fum·ble [ˈfʌmbl] *vi* szperać, grzebać, gmerać (**at** ⟨**in, with**⟩ **sth** w czymś); *vt pot.* partaczyć

fume [fjum] *s* dym (gryzący); wybuch (gniewu); *vi* dymić; złościć się

fun [fʌn] *s* wesołość, zabawa; **to make** ~ żartować sobie (**of sb, sth** z kogoś, czegoś)

func·tion [ˈfʌŋkʃn] *s* funkcja, czynność; *vi* funkcjonować, działać

func·tion·a·ry [ˈfʌŋkʃnərɪ] *s* funkcjonariusz

fund [fʌnd] *s* fundusz zapomogowy; zapas, zasób

fun·da·men·tal [ˌfʌndəˈmentl] *adj* podstawowy; *s* podstawa, zasada

fu·ner·al [ˈfjunrəl] *adj* pogrzebowy, żałobny; *s* pogrzeb

fun·gus [ˈfʌŋɡəs] *s* (*pl* **fungi** [ˈfʌndʒaɪ]) grzyb

fu·nic·u·lar [fjuˈnɪkjulə(r)]ʃ *adj* ⟨o *kolejce*⟩ linowy

fun·nel [ˈfʌnl] *s* lejek; komin (statku ⟨maszyny parowej⟩)

fun·ny [ˈfʌnɪ] *adj* zabawny, wesoły, śmieszny; dziwny

fur [fɜ(r)] *s* futro, sierść

fu·ri·ous [ˈfjuərɪəs] *adj* wściekły, szalony

fur·nace [ˈfɜnɪs] *s* piec (do celów

przemysłowych); **blast** ~ **piec** hutniczy

fur·nish [ˈfɜnɪʃ] *vt* zaopatrywać (**with sth** w coś); dostarczać; meblować

fur·ni·ture [ˈfɜnɪtʃə(r)] *s zbior.* meble, wyposażenie; **a piece of** ~ mebel

fu·ro·re [fjuˈrɔrɪ] *s* furora

fur·ri·er [ˈfʌrɪə(r)] *s* kuśnierz

fur·row [ˈfʌrəu] *s* bruzda; zmarszczka; *vt* robić bruzdy; żłobić

fur·ther 1. *zob.* **far**

fur·ther 2. [ˈfɜðə(r)] *vt* popierać

fur·ther·more [ˈfɜðəˈmɔ(r)] *adv* co więcej, ponadto

fur·thest [ˈfɜðɪst] *zob.* **far**

fur·tive [ˈfɜtɪv] *adj* ukradkowy, potajemny

fu·ry [ˈfjuərɪ] *s* szał, furia; siła (burzy)

fuse [fjuz] *vt vi* stopić (się), roztapiać (się), stapiać (się); *s* zapalnik, lont; *elektr.* bezpiecznik

fu·se·lage [ˈfjuzlaʒ] *s lotn.* kadłub (samolotu)

fu·sion [ˈfjuʒn] *s* fuzja, zlanie (się), stopienie (się)

fuss [fʌs] *s* hałas, rwetes; krzątanina; *vt vi* robić hałas, awanturować się; wiercić się; niepokoić (się); zabiegać (**over** ⟨**around**⟩ **sb, sth** koło kogoś, czegoś)

fuss·y [ˈfʌsɪ] *adj* hałaśliwy, niespokojny; kapryśny; drobiazgowy

fust·y [ˈfʌstɪ] *adj* stęchły; zacofany; przestarzały

fu·tile [ˈfjutaɪl] *adj* daremny; błahy

fu·ture [ˈfjutʃə(r)] *adj* przyszły; *s* przyszłość; *gram.* czas przyszły

fu·tu·ri·ty [fjuˈtjuərətɪ] *s* przyszłość

fuze = **fuse**

g

gab·ble [`gæbl] vi bełkotać, mamrotać; s bełkot

ga·ble [`geɪbl] s szczyt (ściany)

gad·fly [`gædflaɪ] s giez

gag [gæg] vt kneblować usta; s knebel

gage 1. [geɪdʒ] s rękojmia; vt zastawiać; ręczyć (sth czymś)

gage 2. = gauge

gai·e·ty [`geɪətɪ] s wesołość

gai·ly [`geɪlɪ] adv wesoło

gain [geɪn] s zysk; zarobek; wzrost; korzyść; vt vi zyskać; zarobić; wyprzedzić; (o zegarku) spieszyć się; zdobyć, osiągnąć; ~ ground przen. robić postępy; ~ over przeciągnąć na swoją stronę; ~ the upper hand wziąć górę

gain·ing [`geɪnɪŋ] s (zw. pl ~s) zysk, dochody

*gain·say [`geɪn`seɪ], gainsaid, gainsaid [`geɪn`sed] vt przeczyć, oponować

gait [geɪt] s chód

gai·ter [`geɪtə(r)] s (zw. pl ~s) kamasz(e)

ga·la [`gɑːlə] s gala; adj attr galowy

gale [geɪl] s wichura, sztorm

gall 1. [gɔːl] s żółć; przen. gorycz

gall 2. [gɔːl] s otarcie skóry, odparzenie; vt ocierać, odparzyć (skórę); drażnić

gal·lant [`gælənt] adj dzielny, rycerski; wspaniały; szarmancki, wytworny; s galant; elegant

gal·lant·ry [`gæləntrɪ] s dzielność, rycerskość; szarmanckie postępowanie, galanteria, wytworność

gal·ler·y [`gælərɪ] s galeria; korytarz, pasaż

gal·ley [`gælɪ] s galeria; pl ~s (także przen.) galery, ciężkie roboty

gal·lon [`gælən] s galon (bryt. = = 4,54 l; am. = 3,78 l)

gal·lop [`gæləp] vi galopować; s galop

gal·lows [`gæləʊz] s szubienica

ga·loot [gə`luːt] s pot. niedołęga, safanduła

ga·losh [gə`lɒʃ] s kalosz

gal·va·nize [`gælvənaɪz] vt galwanizować

gam·ble [`gæmbl] vi uprawiać hazard; ryzykować; s hazard; ryzyko

gam·bol [`gæmbl] vi podskakiwać, swawolić; s wesoły podskok; pl ~s koziołki

game [geɪm] s gra; rozrywka, zabawa; sport rozgrywka, partia; zwierzyna, dziczyzna; pl ~s zawody

game·ster [`geɪmstə(r)] s gracz, karciarz

gam·mon 1. [`gæmən] s szynka (wędzona)

gam·mon 2. [`gæmən] s pot. blaga, nabieranie, oszustwo; vt vi oszukiwać; bzdurzyć; udawać

gam·ut [`gæmət] s muz. przen. skala, zakres

gang [gæŋ] s grupa (ludzi), drużyna; ekipa; szajka, banda

gang·board [`gæŋbɔd] s mors. pomost, kładka

gan·grene [`gæŋgriːn] s gangrena; vt gangrenować; vi ulegać gangrenie

gang·ster [`gæŋstə(r)] s gangster

gang·way [`gæŋweɪ] s przejście (między rzędami krzeseł itp.); mors. schodnia

gaol [dʒeɪl] s więzienie

gaol·er [`dʒeɪlə(r)] s dozorca więzienny

gap [gæp] s luka, wyrwa, przerwa; odstęp; przen. przepaść

gape [geɪp] vi ziewać; gapić się, rozdziawiać usta; ziać, stać otworem; rozłazić się

ga·rage [`gærɑːʒ] s garaż; vt garażować

garb [gɑːb] s odzież, strój; vt odziewać, ubierać, stroić

gar·bage [ˈgabɪdʒ] s zbior. odpadki, śmieci

gar·den [ˈgadn] s ogród; vt pracować w ogrodzie

gar·den·er [ˈgadnə(r)] s ogrodnik

gar·den·par·ty [ˈgadnpatɪ] s przyjęcie na świeżym powietrzu

gar·gle [ˈgagl] vt vi płukać gardło

gar·ish [ˈgærɪʃ] adj jaskrawy, krzykliwy

gar·land [ˈgaland] s girlanda; wieniec

gar·lic [ˈgalɪk] s czosnek

gar·ment [ˈgamənt] s artykuł odzieżowy; pl ~s odzież

gar·ner [ˈganə(r)] s spichrz; zbiór; vt przechowywać, gromadzić

gar·nish [ˈganɪʃ] vt zdobić; garnirować; s ozdoba; przybranie

gar·ret [ˈgærət] s poddasze, mansarda, strych

gar·ri·son [ˈgærɪsn] s wojsk. garnizon

gar·ter [ˈgatə(r)] s podwiązka

gas [gæs] s gaz, am. pot. benzyna; vt zagazować, zatruć gazem

gas·me·ter [ˈgæsmitə(r)] s gazomierz

gas·o·line [ˈgæsəlɪn] s gazolina; am. benzyna

gasp [gasp] vi ciężko dyszeć, łapać oddech; stracić oddech; s ciężki oddech, dyszenie, łapanie tchu

gas-range [ˈgæs reɪndʒ], **gas-stove** [ˈgæs stəuv] s kuchenka gazowa

gate [geɪt] s brama, wrota, furtka; zasuwa; tama

gate·way [ˈgeɪtweɪ] s brama wejściowa, wjazd, furtka

gath·er [ˈgæðə(r)] vt vi zbierać (się); wnioskować; (o rzece) wzbierać; (o wrzodzie) nabierać; narastać

gath·er·ing [ˈgæðərɪŋ] s zebranie; gromada; zbiór; med. ropień

gaud·y [ˈgɔdɪ] adj (o barwie) jaskrawy; (o stroju) krzykliwy; pompatyczny; wystrojony, paradny

gauge [geɪdʒ] s przyrząd pomiaro-

wy; miara; skala; rozmiar, wymiar; kaliber; szerokość toru; sprawdzian; vt mierzyć; szacować

gaunt [gɔnt] adj chudy, nędzny ponury

gaunt·let [ˈgɔntlət] s rękawica

gauze [gɔz] s gaza; siatka druciana; mgiełka

gave zob. **give**

gawk [gɔk] s ciemięga, gamoń

gay [geɪ] adj wesoły; (o barwie) żywy

gaze [geɪz] vi uporczywie patrzeć, gapić się (at sth na coś); s spojrzenie, uporczywy wzrok

ga·zette [gəˈzet] s dziennik urzędowy

gaz·et·teer [ˈgæzəˈtɪə(r)] s słownik nazw geograficznych; am. dziennikarz

gear [gɪə(r)] s przekładnia; mechanizm; bieg (w aucie); zbior. narzędzia, przybory; uprząż; in ~ włączony, w ruchu, na biegu; out of ~ wyłączony, nie działający; popsuty; vt vi włączyć (się); zazębić (się)

gear-box [ˈgɪəboks] s skrzynka biegów

gear-wheel [ˈgɪəwɪl] s koło zębate

geese zob. **goose**

gem [dʒem] s klejnot

gen·der [ˈdʒendə(r)] s gram. rodzaj

gen·e·al·o·gy [ˈdʒɪnɪˈæələdʒɪ] s genealogia

gen·e·ra zob. **genus**

gen·er·al [ˈdʒenrl] adj ogólny; powszechny; główny; ogólnikowy; s generał

gen·er·al·ize [ˈdʒenrəlaɪz] vt uogólniać; upowszechniać

gen·er·ate [ˈdʒenəreɪt] vt rodzić, wytwarzać; powodować

gen·er·a·tion [ˈdʒenəˈreɪʃn] s pokolenie; wytwarzanie; powstawanie

gen·er·os·i·ty [ˈdʒenəˈrosətɪ] s szlachetność; wielkoduszność; szczodrość

gen·er·ous [ˈdʒenrəs] adj szlachetny; wielkoduszny; szczodry

ge·net·ics [dʒɪˈnetɪks] s genetyka

ge·nial [ˈdʒɪnɪəl] adj radosny; mi-

ły; uprzejmy; towarzyski; (*o powietrzu*) łagodny

gen·i·tive [ˈdʒenətɪv] *s gram.* dopełniacz

ge·nius [ˈdʒiːnɪəs] *s* (*pl* ~es [ˈdʒiːnɪəsɪz]) geniusz, człowiek genialny; (*tylko sing*) zdolność; talent; (*pl* genii [ˈdʒiːnɪaɪ]) duch, demon

gen·o·cide [ˈdʒenəsaɪd] *s* ludobójstwo

gen·til·i·ty [dʒenˈtɪlətɪ] *s* szlacheckie urodzenie; dobre maniery; (*ironicznie*) „lepsze" towarzystwo

gen·tle [ˈdʒentl] *adj* delikatny, łagodny; szlachetny; szlachecki

gen·tle·man [ˈdʒentlmən] *s* (*pl* gentlemen [ˈdʒentlmən] dżentelmen; szlachcic; pan; mężczyzna

gen·tle·wom·an [ˈdʒentlwʊmən] *s* (*pl* gentlewomen [ˈdʒentlwɪmɪn]) dama, szlachcianka, kobieta z towarzystwa

gen·try [ˈdʒentrɪ] *s* szlachta, ziemiaństwo

gen·u·ine [ˈdʒenjuɪn] *adj* prawdziwy; oryginalny; autentyczny; szczery

ge·nus [ˈdʒiːnəs] *s* (*pl* genera [ˈdʒenərə]) (*zw.* biol.) rodzaj, klasa

ge·od·e·sy [dʒɪˈɒdəsɪ] *s* geodezja

ge·o·graph·ic(al) [ˌdʒɪəˈɡræfɪk(l)] *adj* geograficzny

ge·o·ra·phy [dʒɪˈɒɡrəfɪ] *s* geografia

ge·o·log·ic(al) [ˌdʒɪəˈlɒdʒɪk(l)] *adj* geologiczny

ge·ol·o·gy [dʒɪˈɒlədʒɪ] *s* geologia

ge·o·met·ric(al) [ˌdʒɪəˈmetrɪk(l)] *adj* geometryczny

ge·om·e·try [dʒɪˈɒmətrɪ] *s* geometria

germ [dʒɜːm] *s* zarodek, zalążek; zarazek

Ger·man [ˈdʒɜːmən] *adj* niemiecki; *s* Niemiec; język niemiecki

ger·mi·nate [ˈdʒɜːmɪneɪt] *vi* kiełkować; *vt* powodować kiełkowanie

ger·on·tol·og·y [ˌdʒerɒnˈtɒlədʒɪ] *s* gerontologia

ges·tic·u·late [dʒɪˈstɪkjʊleɪt] *vt* gestykulować

ges·ture [ˈdʒestʃə(r)] *s* gest

***get** [get], got, got [got] *vt vi* dostać, otrzymać; nabyć, zdobyć, wziąć; przynieść, podać, dostarczyć; dostać się, dojść; stać się; wpływać, zmuszać, nakłaniać; **I cannot ~ him to do his work** nie mogę go zmusić do pracy; **he got the engine to move** puścił silnik w ruch; **I got my hair cut** dałem sobie ostrzyc włosy; **I got my work finished** skończyłem pracę; uporałem się ze swoją pracą; **he got his leg broken** złamał sobie nogę; **to ~ sth ready** przygotować coś; **I have got** pot. = **I have; have you got a watch?** czy masz zegarek?; **I have got to** = **I must; it has got to be done** to musi być zrobione; *z bezokolicznikiem:* **to ~ to know** dowiedzieć się; **to ~ to like** polubić; *z imiesłowem biernym:* **to ~ married** ożenić się, wyjść za mąż; **to ~ dressed** ubrać się; *z rzeczownikiem:* **to ~ rid** uwolnić się, pozbyć się (**of sth** czegoś); *z przymiotnikiem:* **to ~ old** zestarzeć się; **to ~ ready** przygotować (się); **it's ~ting late** robi się późno; *z przyimkami i przysłówkami:* **~ about** chodzić, poruszać się (**z miejsca na miejsce**); (*o wiadomościach; także* **~ abroad**) rozchodzić się; **~ across** przeprawić się (na drugą stronę); znaleźć zrozumienie ⟨oddźwięk⟩ (**to sb** u kogoś); **~ ahead** posuwać się naprzód, robić postępy; **~ along** posuwać (się), robić postępy; współżyć; dawać sobie radę; **~ away** usunąć ⟨się⟩, oddalić się, umknąć; **~ back** wracać; otrzymać z powrotem; **~ down** ściągać (na dół), opuszczać (się); schodzić; dobierać ⟨zabierać⟩ się (**to sth** do czegoś); **~ in** wejść, wjechać, dostać się (do wnętrza); wnieść, wprowadzić, wcisnąć; zbierać, zwozić (plony); **~ off** schodzić, złazić; wysiadać; zdejmować; usuwać (się); wyruszyć; wysłać, wyprawić; wymknąć się; ~ on nakładać; posuwać (się) naprzód; mieć powodzenie; robić postępy; współżyć; easy to ~ on with łatwy w pożyciu; ~ out wydostać ⟨wydobyć⟩ (się); wyjść, wysiąść; wyprowadzić, wyciągnąć, wyrwać ⟨wykręcić⟩ (się); ~ over przenieść; pokonać, przemóc; ukończyć, załatwić (sth coś); przejść na drugą stronę; ~ through przedostać się; przeprowadzić; skończyć, uporać się (with sth z czymś); zdać (egzamin); połączyć się (telefonicznie); ~ together zebrać (się), zejść się; ~ under pokonać, opanować; ~ up podnieść (się), wstać; doprowadzić do porządku, urządzić; ubrać; dojść, dotrzeć; wystawić (sztukę w teatrze)

gew·gaw [`gju gə] s błyskotka

gey·ser [`gizə(r)] s geol. gejzer; piecyk gazowy (do grzania wody)

ghast·ly [`gastlɪ] adj straszny, upiorny; adv strasznie, upiornie

gher·kin [`gɜkɪn] s korniszon

ghost [gəust] s duch, cień, widmo

gi·ant [`dʒaɪənt] s olbrzym; adj attr olbrzymi

gib·bet [`dʒɪbɪt] s szubienica; śmierć na szubienicy

gibe [dʒaɪb] vi kpić (at sb z kogoś); s kpina

gid·di·ness [`gɪdɪnəs] s zawrót głowy; roztrzepanie; lekkomyślność

gid·dy [`gɪdɪ] adj zawrotny; oszołomiony; roztrzepany; lekkomyślny; to feel ~ mieć zawrót głowy

gift [gɪft] s prezent, dar; uzdolnienie (for sth do czegoś)

gift·ed [`gɪftɪd] adj utalentowany

gi·gan·tic [dʒaɪ`gæntɪk] adj olbrzymi

gig·gle [`gɪgl] vi chichotać; s chichot

gild 1. = guild

gild 2. [gɪld] vt złocić, pozłacać

gilt [gɪlt] s pozłota; adj pozłacany

gin [dʒɪn] s dżyn

gin·ger [`dʒɪndʒə(r)] s imbir

gip·sy [`dʒɪpsɪ] s Cygan

gi·raffe [dʒɪ`raf] s żyrafa

*gird [gɜd], ~ed, ~ed [`gɜdɪd] lub girt, girt [gɜt] s opasać, otoczyć

gir·dle [`gɜdl] s pas; vt opasać

girl [gɜl] s dziewczynka, dziewczyna, pot. kobieta; Girl Guide harcerka

girt [gɜt] zob. gird; s obwód; vt mierzyć obwód

gist [dʒɪst] s istota rzeczy, sens

*give [gɪv], gave [geɪv], ~n [`gɪvn] vt dawać; oddawać, poświęcać; vi ustąpić, poddać się; rozpaść się; z rzeczownikami: to ~ ground cofać się, ustępować; to ~ a guess zgadywać; to ~ a look spojrzeć; to ~ offence obrazić; to ~ pain sprawiać ból; to ~ rise dać początek; to ~ way ustąpić; z przysłówkami: ~ away wydawać, zdradzać; oddawać, rozdawać; ~ forth wydawać, wydzielać; ~ in wręczać, podawać; poddać się, ustępować, ulegać; ~ off wydzielać, wydawać; ~ out wydawać, rozdawać; ogłaszać, rozgłaszać; (o zapasie) wyczerpywać się; ~ over przekazać, przesłać; zaprzestać, zaniechać; ~ up opuścić; zaniechać; zrezygnować; oddać (się)

giv·en zob. give

gla·cial [`gleɪʃl] adj lodowy, lodowaty; geol. lodowcowy

gla·cier [`glæsɪə(r)] s lodowiec

glad [glæd] adj rad; radosny, wesoły; I am ~ to see you cieszę się, że cię widzę

glad·den [`glædn] vt radować, weselić

glade [gleɪd] s przesieka, polana

gladi·olus [`glædɪ`əuləs] s bot. gladiolus, mieczyk

glam·our [`glæmə(r)] s blask, urok, świetność

glance [glans] vi spoglądać (at sth na coś); s spojrzenie; to take ⟨cast⟩ a ~ spojrzeć (at sth na coś)

gland [glænd] s gruczoł

glare [gleə(r)] vi błyszczeć, jasno świecić, razić; patrzeć (z blaskiem w oczach, ze złością); s blask; dzikie ⟨piorunujące⟩ spojrzenie; uporczywy wzrok

glass [glas] s szkło; szklanka; przedmiot ze szkła; pl ~es okulary

glass·ful [ˈglasfl] s szklanka (pełna czegoś)

glass·house [ˈglashaus] s cieplarnia; szklarnia

glass-works [ˈglas wɜks] s pl huta szkła

glaze [gleɪz] s szkliwo; emalia; glazura; vt vi szklić (się); pokrywać (się) emalią ⟨glazurą⟩; glazurować; ~d frost gołoledź

gla·zier [ˈgleɪzɪə(r)] s szklarz

gleam [glim] vi połyskiwać, migotać, błyszczeć; s błysk, promień, blask

glean [glin] vt vi zbierać (kłosy); przen. skrzętnie zbierać, starannie wybierać

glee [gli] s radość, wesołość

glen [glen] s dolina (górska)

glib [glɪb] adj gładki, (o mowie) płynny

glide [glaɪd] vi ślizgać się, sunąć; szybować; (o czasie) upływać; s ślizganie się; lotn. szybowanie, ślizg; gram. głoska przejściowa

glid·er [ˈglaɪdər()] s lotn. szybowiec

glim·mer [ˈglɪmə(r)] vi migotać; s migotanie, światełko

glimpse [glɪmps] vi ujrzeć w przelocie (at ⟨on⟩ sth coś); s przelotne spojrzenie; to catch a ~ ujrzeć w przelocie (of sth coś)

glit·ter [ˈglɪtə(r)] vi lśnić, błyszczeć, połyskiwać; s blask, połysk

gloat [gləut] vi napawać się, nasycać wzrok (over ⟨on⟩ sth widokiem czegoś)

globe [gləub] s glob; kula (ziemska); globus; klosz

glob·al [ˈgləubl] adj ogólny, globalny; ogólnoświatowy

gloom [glum] s mrok; przen. smutek, przygnębienie; vt vi zaciemniać (się); przen. posępnieć

gloom·y [ˈglumɪ] adj mroczny; przen. posępny

glor·i·fy [ˈglɔrɪfaɪ] vt sławić, gloryfikować

glo·ri·ous [ˈglɔrɪəs] adj sławny, chlubny; wspaniały

glo·ry [ˈglɔrɪ] s sława, chluba; wspaniałość; vi chlubić się (in sth czymś)

gloss 1. [glos] s połysk; blichtr; vt nadawać połysk; przen. upiększać

gloss 2. [glos] s glosa, objaśnienie

glos·sa·ry [ˈglosərɪ] s glosariusz

gloss·y [ˈglosɪ] adj lśniący, połyskujący; gładki

glove [glʌv] s rękawiczka

glow [gləu] vi płonąć, żarzyć się; promieniować; s żar; jasność; żarliwość

glow-worm [ˈgləuwɜm] s robaczek świętojański

glue [glu] s klej; vt kleić

glum [glʌm] adj ponury

glut [glʌt] vt nasycić, napełnić do syta; przesycić; s nasycenie, przesyt

glu·ti·nous [ˈglutɪnəs] adj kleisty

glut·ton [ˈglʌtn] s żarłok

glut·ton·y [ˈglʌtnɪ] s żarłoczność, obżarstwo

gnash [næʃ] vt zgrzytać

gnat [næt] s komar

gnaw [nɔ] vt vi gryźć, ogryzać; wgryzać się

gnome [nəum] s gnom

*__go__ [gəu], went [went], gone [gon], 3 pers sing praes goes [gəuz] vi iść, pójść, chodzić, poruszać się, jechać; udać się; pójść sobie, przepaść, zniknąć; stać się, przeobrazić się; obchodzić się (without sth bez czegoś); to let go puścić; to go to make stanowić, składać się (sth na coś); z przymiotnikami: to go bad zepsuć się; to go mad zwariować; to go red poczerwienieć; to go wrong spotkać się z niepowodzeniem, nie udać się; zepsuć się; *z przysłówkami i przyimkami:* go about krążyć, chodzić tu i tam; przystąpić, zabierać się (sth do czegoś); go after starać się, ubiegać się o coś; go ahead posuwać się naprzód; dalej coś robić; zaczynać; go along iść ⟨posuwać się⟩ naprzód; go asunder rozpaść się; go back wrócić; cofnąć (on one's word swoje słowo); go down schodzić; opadać; zmniejszać się; (o *słońcu*) zachodzić; go in wchodzić; zabierać się (for sth do czegoś); uprawiać, zajmować się (for sth czymś); zasiadać (for an exam do egzaminu); go off odejść; (o *broni*) wystrzelić; przeminąć; wypaść, (o *przedstawieniu, zawodach itp.*) udać się; go on posuwać się naprzód; kontynuować (with sth coś, doing sth robienie czegoś); trwać; dziać się; zachowywać się; go out wyjechać, wyjść; kończyć się; niknąć, gasnąć; go over przejść na drugą stronę; przejrzeć, zbadać, powtórzyć (sth coś); go through (o *uchwale itp.*) przejść; dobrnąć do końca (with sth czegoś); go under ulec; zginąć; zniknąć; zatonąć; go up podejść; wejść na górę; podnieść się; to go up in flames spłonąć; *s* ruch; werwa, życie; próba; posunięcie; to have a go spróbować (at sth czegoś)

goad [gəud] *vt* kłuć; dawać bodźca, popędzać, pobudzać; *s* bodziec

goal [gəul] *s* cel; *sport* gol, bramka

goal-keep·er [`gəulkipə(r)] *s sport* bramkarz

goat [gəut] *s* koza, kozioł

go-be·tween [`gəu bitwin] *s* pośrednik

god [god] *s* bóg, bóstwo; **God** Bóg

god·daugh·ter [`goddətə(r)] *s* chrześniaczka

god·dess [`godis] *s* bogini

god·fath·er [`godfaðə(r)] *s* ojciec chrzestny

god·moth·er [`godmʌðə(r)] *s* matka chrzestna

god·send [`godsend] *s* niespodzianka, „dar niebios"

god·son [`godsʌn] *s* chrześniak

goes *zob.* go

gog·gle [`gogl] *vi* wytrzeszczać oczy; *s pl* ~s gogle

gold [gəuld] *s* złoto; *attr* złoty

gold-dig·ger [`gəulddigə(r)] *s* poszukiwacz złota

gold·en [`gəuldn] *adj* złoty; złocisty

gold-field [`gəuldfild] *s* pole złotodajne, złoże złota

gold-mine [`gəuldmain] *s* kopalnia złota

gold·smith [`gəuldsmiθ] *s* złotnik

golf [golf] *s* (*gra*) golf

gone *zob.* go

good [gud] *adj* dobry (*comp* better [`betə(r)] lepszy, *sup* best [best] najlepszy); (o *dzieciach*) grzeczny; (o *dokumencie*) ważny; spory; właściwy; ~ at sth biegły w czymś, zdolny do czegoś; to make ~ naprawić; wyrównać; wynagrodzić; (*przy powitaniu*) ~ morning, ~ afternoon dzień dobry; ~ evening dobry wieczór; ~ night dobranoc; *s* dobro; *pl* ~s dobra, własność; towary; ~s train pociąg towarowy; ~s van wóz dostawczy; for ~ na dobre, na zawsze; to be some ~ na coś się przydać; to be no ~ nie przydać się na nic; what's the ~ of it? na co się to przyda?

good-bye [`gud`bai] *int* do widzenia!

good-look·ing [`gud`lukiŋ] *adj* przystojny

good·ly [`gudli] *adj* piękny; spory, niemały

good-na·tured [`gud`neitʃəd] *adj* dobroduszny

good·ness [`gudnəs] *s* dobroć; ~ gracious!, my ~! *int* mój Boże!

goods *zob.* good

ood·will ['gudˌwɪl] s dobra wola; *handl.* majątek i reputacja firmy

oose [gus] s (*pl* geese [gis]) gęś

oose·ber·ry ['guzbrɪ] s agrest

ore [gɔ(r)] *vt* bóść

orge [gɔdʒ] s czeluść, parów; † gardło; *vt vi pot.* żarłocznie jeść

or·geous ['gɔdʒəs] *adj* wspaniały, okazały

os·pel ['gospl] s ewangelia

os·sa·mer ['gosəmə(r)] s babie lato, pajęczyna

os·sip ['gosɪp] s plotka; plotkarstwo; plotkarz, plotkarka; *vi* plotkować

ot *zob.* get

Goth·ic ['goθɪk] *adj* gotycki; gocki; s gotyk; pismo gotyckie; język gocki

got·ten ['gotn] *am. pp* od get

gourd [guəd] s tykwa

gout [gaut] s podagra

gov·ern ['gʌvn] *vt vi* rządzić, sprawować rządy, panować (*także* nad sobą ⟨uczuciami⟩)

gov·ern·ment ['gʌvmənt] s rząd, władze; gubernia, prowincja

gov·er·nor ['gʌvnə(r)] s gubernator; dyrektor naczelny; naczelnik; członek zarządu

gown [gaun] s suknia, toga

grab [græb] *vt* porywać, chwytać; grabić

grace [greɪs] s gracja, wdzięk; łaska, łaskawość; *vt* zdobić; zaszczycać

grace·ful ['greɪsfl] *adj* pełen wdzięku, powabny; łaskawy

gra·cious ['greɪʃəs] *adj* łaskawy; good ~! mój Boże!

grade [greɪd] s stopień; gatunek; ranga, szczebel służbowy; *am.* klasa (w szkole podstawowej)

grad·u·al ['grædʒuəl] *adj* stopniowy

grad·u·ate ['grædʒueɪt] *vt* stopniować; oznaczać stopniami, znaczyć według skali; nadawać stopień naukowy; *vi* stopniowo przechodzić (w coś); otrzymać stopień

naukowy; s ['grædʒuət] absolwent wyższej uczelni ze stopniem naukowym

grad·u·a·tion ['grædʒu`eɪʃn] s stopniowanie; ukończenie studiów ze stopniem naukowym

graft 1. [graft] *vt* szczepić; s *bot.* szczep; *med.* przeszczep

graft 2. [graft] s wymuszenie, nieuczciwy zysk, łapówka; *vi* nieuczciwie zdobywać pieniądze (wymuszeniem, przekupstwem itp.)

grain [greɪn] s ziarno; *zbior.* zboże

gram·mar ['græmə(r)] s gramatyka

gram·mar-school ['græməskul] s *bryt.* szkoła średnia

gramo·phone ['græməfəun] s gramofon

gran·a·ry ['grænərɪ] s spichlerz

grand [grænd] *adj* wielki; wytworny, wspaniały; uroczysty; główny; ~ piano fortepian

grand·child ['græntʃaɪld] s wnuk, wnuczka

gran·deur ['grændʒə(r)] s wielkość, majestatyczność

grand·fath·er ['grændfaðə(r)] s dziadek

gran·di·ose ['grændɪəus] *adj* wspaniały, majestatyczny

grand·moth·er ['grændmʌðə(r)] s babka

gran·ite ['grænɪt] s granit

grant [grant] *vt* użyczać; spełniać (prośbę); nadawać (własność); przyznawać (rację); s akt łaski; dar, darowizna; subwencja; to take for ~ed przyjąć za rzecz oczywistą, przesądzić

gran·u·lar ['grænjulə(r)] *adj* ziarnisty

gran·u·late ['grænjuleɪt] *vt vi* granulować (się), nadawać ⟨przybierać⟩ postać ziarnistą

grape [greɪp] s winogrono

grape-fruit ['greɪpfrut] s grejpfrut

graph [græf] s wykres

graph·ic ['græfɪk] *adj* graficzny

graph·ite ['græfaɪt] s grafit

grap·ple [ˈgræpl] *vt* zahaczyć; *vi* chwycić; zmagać się; *s* chwyt; walka wręcz, zmaganie

grasp [grɑsp] *vt* uchwycić, ścisnąć, mocno objąć; pojąć; zrozumieć; *vi* chwytać się (at sth czegoś); *s* chwyt, uścisk; władza; pojmowanie; zasięg (ręki)

grasp·ing [ˈgrɑspɪŋ] *adj* chciwy, zachłanny

grass [grɑs] *s* trawa; ~ widow słomiana wdowa; ~ widower słomiany wdowiec; (w napisie) keep off the ~ nie deptać trawników

grass·hop·per [ˈgrɑshɔpə(r)] *s* konik polny

grass-snake [ˈgrɑs sneɪk] *s* zool. zaskroniec

grate 1. [greɪt] *s* krata; ruszt, palenisko; *vt* zakratować

grate 2. [greɪt] *vt* skrobać, ucierać (na tarce); skrzypieć, zgrzytać

grate·ful [ˈgreɪtfl] *adj* wdzięczny; miły

grat·i·fi·ca·tion [ˌgrætɪfɪˈkeɪʃn] *s* wynagrodzenie; zadośćuczynienie; zadowolenie

grat·i·fy [ˈgrætɪfaɪ] *vt* wynagrodzić; zadośćuczynić; zadowolić

grat·ing [ˈgreɪtɪŋ] *ppraes i s* okratowanie

gra·tis [ˈgreɪtɪs] *adv* darmo, bezpłatnie

grat·i·tude [ˈgrætɪtjud] *s* wdzięczność

gra·tu·i·tous [grəˈtjuɪtəs] *adj* bezpłatny; dobrowolny; bezpodstawny

gra·tu·i·ty [grəˈtjuɪtɪ] *s* wynagrodzenie, napiwek

grave 1. [greɪv] *s* grób

grave 2. [greɪv] *adj* poważny; ważny

grav·el [ˈgrævl] *s* żwir

grave-stone [ˈgreɪvstəʊn] *s* płyta nagrobna; nagrobek

grave·yard [ˈgreɪvjɑd] *s* cmentarz

grav·i·ta·tion [ˌgrævɪˈteɪʃn] *s* ciążenie

grav·i·ty [ˈgrævətɪ] *s* waga, powaga; fiz. ciężkość, ciężar (gatun-

kowy); przyciąganie ziemskie; specific ~ ciężar właściwy; centre of ~ środek ciężkości

gra·vy [ˈgreɪvɪ] *s* sos od pieczeni

gray = grey

graze 1. [greɪz] *vt vi* paść (się)

graze 2. [greɪz] *vt* lekko dotknąć, musnąć; drasnąć

grease [gris] *s* tłuszcz; smar; *vt* tłuścić; smarować

greas·y [ˈgrisɪ] *adj* tłusty; zatłuszczony; brudny; wstrętny

great [greɪt] *adj* wielki, duży; pot. wspaniały; ~ in ⟨on⟩ sth zamiłowany w czymś; ~ at sth uzdolniony do czegoś

greed [grid] *s* chciwość, żądza (władzy)

greed·y [ˈgridɪ] *adj* chciwy; żarłoczny

Greek [grik] *adj* grecki; *s* Grek; język grecki

green [grin] *adj* zielony; niedojrzały; przen. niedoświadczony; *s* zieleń, łąka; pl ~s warzywa; *vt vi* zielenić się, pokrywać (się) zielenią

green·horn [ˈgrinhɔn] *s* pot. żółtodziób, nowicjusz

green·house [ˈgrinhaʊs] *s* cieplarnia

greet [grit] *vt* witać, kłaniać się, pozdrawiać

greet·ing [ˈgritɪŋ] *ppraes i s* przywitanie, pozdrowienie

gre·nade [grɪˈneɪd] *s* wojsk. granat

grew zob. grow

grey [greɪ] *adj* szary, siwy; *s* szary kolor

grey·hound [ˈgreɪhaʊnd] *s* zool. chart

grid [grid] *s* ruszt; krata; elektr. geogr. siatka; sieć wysokiego napięcia

grief [grif] *s* zmartwienie; żal; nieszczęście; to come to ~ spotkać się z nieszczęściem ⟨niepowodzeniem⟩, źle się skończyć

griev·ance [ˈgrivns] *s* skarga, powód do skargi, krzywda

grieve [griv] *vt vi* martwić (się) sprawiać ⟨odczuwać⟩ przykrość

griev·ous [`gri:vəs] *adj* krzywdzący; bolesny, przykry

grill [gril] *s* krata, ruszt; mięso z rusztu; bufet; *vt vi* smażyć (się) na ruszcie

grim [grim] *adj* ponury; srogi, nieubłagany

gri·mace [gri`meis] *s* grymas; *vi* robić grymasy

grime [graim] *s* brud; *vt* brudzić, brukać

grim·y [`graimi] *adj* brudny

grin [grin] *vi* szczerzyć zęby, uśmiechać się (szeroko); *s* (szeroki) uśmiech, szczerzenie zębów

*grind [graind], **ground**, **ground** [graund] *vt* mleć, ucierać, miażdżyć; ostrzyć; szlifować; toczyć; *vi* dać się zemleć; *pot.* wkuwać; harować

grind·stone [`graindstəun] *s* kamień szlifierski

grip [grip] *vt* chwycić (dłonią), ująć; ścisnąć; opanować; działać (sb na kogoś); *s* chwyt; ujęcie; uścisk; *przen.* władza, szpony; opanowanie, oddziaływanie

grit [grit] *s* piasek, żwir; *przen.* stanowczość, wytrwałość

griz·zled [`grizld] *adj* posiwiały

griz·zly [`grizli] *s zool.* grizzly

groan [grəun] *vi* jęczeć; *s* jęk

groats [grəuts] *s pl* krupy, kasza

gro·cer [`grəusə(r)] *s* właściciel sklepu spożywczego ⟨kolonialnego⟩

gro·cer·y [`grəusri] *s* sklep z towarami spożywczymi ⟨kolonialnymi⟩

groom [grum] *s* stajenny; szambelan; pan młody

groove [gruv] *s* rowek, bruzda; wpust; *przen.* szablon, rutyna; *vt* żłobić

grope [grəup] *vt vi* szukać ⟨iść⟩ po omacku

gross [grəus] *adj* gruby, duży; ordynarny; całkowity; *handl.* brutto; *s* gros (= 12 tuzinów); **in** ⟨**by**⟩ **the ~** hurtem, ogółem

gro·tesque [grəu`tesk] *adj* groteskowy; *s* groteska

ground 1. *zob.* **grind**

ground 2. [graund] *s* podstawa, podłoże; grunt, ziemia; dno (morza); tło; teren, plac; **~ floor** parter; *vt* gruntować; opierać; uczyć (podstaw); *elektr.* uziemić

group [grup] *s* grupa; *vt vi* grupować (się)

grove [grəuv] *s* gaj, lasek

grov·el [`grovl] *vi* pełzać, płaszczyć się

*grow [grəu], **grew** [gru], **grown** [grəun] *vi* rosnąć, wzrastać; stawać się; wzmagać się; *vt* hodować, sadzić; zapuszczać (np. brodę); **to ~ old** starzeć się; **it is ~ing dark** ściemnia się; **~ up** wyrastać, dorastać, dojrzewać

growl [graul] *vi* warczeć, mruczeć, burczeć; *s* warczenie, pomruk

grown-up [`grəunʌp] *adj* dorosły; *s* dorosły człowiek

growth [grəuθ] *s* rośnięcie; wzrost; rozwój; hodowla; porost; narośl

grub [grʌb] *vt vi* ryć, grzebać; karczować; *s* robak, czerw

grudge [grʌdʒ] *s* złość, niechęć, uraza; *vt* czuć urazę, zazdrościć; skąpić, żałować (sb, sth komuś czegoś); **to bear sb a ~** czuć urazę do kogoś

gru·el [`gruəl] *s* kaszka, kleik

grue·some [`grusəm] *adj* straszny, budzący zgrozę

grum·ble [`grʌmbl] *vt vi* szemrać, gderać, narzekać (at sb, sth na kogoś, coś)

grum·bler [`grʌmblə(r)] *s* gderacz, zrzęda

grunt [grʌnt] *vt vi* chrząkać; *s* chrząkanie

guar·an·tee [ˌgærən`ti] *s* poręczyciel; gwarancja; *vt* gwarantować, ręczyć

guar·an·ty [`gærənti] *s prawn.* = guarantee

guard [gad] *s* straż, warta; baczność; stróż, wartownik, strażnik; ochrona, osłona; *bryt.* konduktor (kolejowy); *pl* ~s gwardia; *vt* pilnować, osłaniać, ochraniać; *vi* strzec się; zabezpieczać się (against sth przed czymś)

guard·i·an [ˈgɑdɪən] *s* opiekun, stróż

gue·ril·la [gəˈrɪlə] *s* partyzantka; partyzant

guess [ges] *vt vi* zgadywać; przypuszczać, domyślać się, sądzić; *s* zgadywanie; przypuszczenie, domysł; to give ⟨make⟩ a ~ zgadnąć; at ~ na chybił trafił, na oko

guest [gest] *s* gość

guid·ance [ˈgɑɪdns] *s* kierownictwo; informacja

guide [gaɪd] *s* kierownik; (*także* o książce) przewodnik; poradnik; doradca; *vt* kierować, prowadzić

guild [gɪld] *s* gildia, cech

guile [gaɪl] *s* podstęp, oszustwo

guile·less [ˈgaɪlləs] *adj* otwarty, szczery

guil·lo·tine [ˈgɪləˈtin] *s* gilotyna

guilt·y [ˈgɪltɪ] *adj* winny; ~ conscience nieczyste sumienie

guin·ea [ˈgɪnɪ] *s* gwinea (= 21 szylingów)

gui·tar [gɪˈtɑ(r)] *s* gitara

gulf [gʌlf] *s* zatoka; otchłań; wir

gull [gʌl] *s* mewa

gul·let [ˈgʌlɪt] *s* przełyk; gardziel

gul·li·ble [ˈgʌləbl] *adj* naiwny, łatwowierny

gul·ly [ˈgʌlɪ] *s* ściek, kanał; żleb

gulp [gʌlp] *vt* chłeptać, łykać (*także* łzy); powstrzymywać (łzy); *s* łyk; at one ~ jednym haustem

gum 1. [gʌm] *s* dziąsło

gum 2. [gʌm] *s* guma; klej roślinny; *vt* lepić, gumować

gun [gʌn] *s* działo; strzelba, karabin; rewolwer; strzelec

gun·boat [ˈgʌnbəut] *s* *wojsk.* kanonierka

gun·ner [ˈgʌnə(r)] *s* kanonier

gun·pow·der [ˈgʌnpaudə(r)] *s* proch strzelniczy

gur·gle [ˈgɜgl] *vi* bulgotać; *s* bulgotanie

gush [gʌʃ] *vi* wylewać, tryskać; *s* wylew, wytrysk

gust [gʌst] *s* poryw wiatru; gwałtowna ulewa; *przen.* wybuch uczucia

gut [gʌt] *pl* ~s wnętrzności, jelita; *pot.* odwaga, energia

gut·ter [ˈgʌtə(r)] *s* ściek, rynna

gut·ter·snipe [ˈgʌtəsnaɪp] *s* dziecko ulicy

gut·tur·al [ˈgʌtərl] *adj* gardłowy (dźwięk)

guy [gaɪ] *s* kukła, straszydło; *am. pot.* typ, facet

gym·na·si·um [dʒɪmˈneɪzɪəm] *s* sala gimnastyczna

gym·nas·tic [dʒɪmˈnæstɪk] *adj* gimnastyczny; *s pl* ~s gimnastyka

gynae·colo·gist [ˈgaɪnɪˈkolədʒɪst] *s* ginekolog

gyp·sy [ˈdʒɪpsɪ] *s* = **gipsy**

h

hab·er·dash·er [ˈhæbədæʃə(r)] *s* kupiec pasmanteryjny i galanteryjny

hab·it [ˈhæbɪt] *s* zwyczaj; nawyk, przyzwyczajenie; nałóg; budowa ciała; habit (zakonny); † (*zw.* ~

of mind) usposobienie; to be in the ~ of mieć zwyczaj ⟨nałóg⟩; to fall ⟨get⟩ into the ~ of popaść w nawyk ⟨nałóg⟩; to break off the ~ odzwyczaić się; *vt* odziewać

hab·i·ta·tion [ˈhæbɪˈteɪʃn] s mieszkanie, zamieszkiwanie; miejsce zamieszkania

ha·bit·u·al [həˈbɪtjuəl] adj zwykły, zwyczajny; nałogowy; notoryczny

hack 1. [hæk] s oskard, kilof; cięcie; vt ciosać, rąbać, siekać

hack 2. [hæk] s koń wynajęty; szkapa; przen. pot. wyrobnik, murzyn; ~ writer pismak; vt wynajmować; banalizować; vi pracować jak wyrobnik

hack·ney [ˈhæknɪ] s koń wynajęty; dorożka; vt banalizować, pospolitować

hack·neyed [ˈhæknɪd] pp i adj oklepany, banalny, szablonowy

had zob. **have**

hadn't [hædnt] = **had not**; zob. **have**

haem·or·rhage [ˈhemərɪdʒ] s krwawienie, krwotok

hag [hæg] s wiedźma; jędza

hag·gard [ˈhægəd] adj wynędzniały, wychudzony; (o wzroku) nieprzytomny

hail 1. [heɪl] s grad; vi (o gradzie) padać

hail 2. [heɪl] vt witać; wołać; obwołać; vi pochodzić, przybywać (skądś); s powitanie

hair [heə] s włos; zbior. włosy

hair·cut [ˈheəkʌt] s strzyżenie

hair·dress·er [ˈheədresə(r)] s fryzjer

hair·y [ˈheərɪ] adj włochaty, owłosiony

hale [heɪl] adj (zw. ~ and hearty) (o starszych ludziach) czerstwy, krzepki

half [haf] s (pl **halves** [havz]) połowa; **one and a ~** półtora; **to go halves** dzielić się (z kimś) na pół; adj pół; **a mile** pół mili; adv na pół, po połowie

half-back [ˈhafbæk] s sport. obrońca, pomocnik

half-broth·er [ˈhafbrʌðə(r)] s przyrodni brat

half-crown [ˈhafkraun] s półkoronówka (= dwa i pół szylinga)

half-heart·ed [ˈhafhatɪd] adj niezdecydowany, bez zapału

half-pen·ny [ˈheɪpnɪ] s (pl **half-pence** [ˈheɪpəns]) pół pensa

half-sis·ter [ˈhafsɪstə(r)] s przyrodnia siostra

half-time [ˈhafˈtaɪm] s system pracy na pół dniówki; ~ **worker** półetatowy pracownik

half-way [ˈhafˈweɪ] adv w połowie drogi; adj attr znajdujący się w połowie drogi; przen. połowiczny

hall [hɔl] s hall; sala; hala; westybul; dwór, gmach

hall·mark [ˈhɔlmak] s stempel probierczy; przen. znamię

hal·lo! [həˈləu] int halo!; cześć!, czołem!

hal·low [ˈhæləu] vt święcić, poświęcać

hal·lu·ci·na·tion [həˈlusɪˈneɪʃn] s halucynacja

ha·lo [ˈheɪləu] s aureola; obwódka

halt [hɔlt] vt vi zatrzymać (się); wahać się; † chromać; s zatrzymanie się, postój

hal·ter [ˈhɔltə(r)] s stryczek; postronek

halves zob. **half**

ham [hæm] s szynka

ham·burg·er [ˈhæmbɜgə(r)] s mielony kotlet wołowy (zw. podawany w przekrojonej bułce)

ham·let [ˈhæmlət] s wioska

ham·mer [ˈhæmə(r)] s młot, młotek; vt bić młotem, kuć, wbijać; przen. zadać klęskę; vi walić ⟨tłuc⟩ (at sth w coś)

ham·mock [ˈhæmək] s hamak

ham·per [ˈhæmpə(r)] vt przeszkadzać, hamować, krępować

hand [hænd] s ręka, dłoń; pracownik; pl ~s siły robocze, obsługa; załoga; pismo; legible ~ czytelne pismo; at ~ pod ręką; blisko; wkrótce; by ~ ręcznie; in ~ w posiadaniu; w robocie; pod kontrolą; on ~ w ręku; w posiadaniu; on all ~s ze wszystkich stron; on the one ⟨other⟩ ~ z jednej ⟨drugiej⟩ strony; out of

~ z miejsca, bezzwłocznie; poza kontrolą; **to be a good ~ at** sth umieć coś dobrze zrobić; **to bear** ⟨**lend, give**⟩ sb a ~ przyjść komuś z pomocą; **to get** sth **off one's ~s** pozbyć się czegoś; u- wolnić się od czegoś; **to have a ~ in** sth maczać palce w czymś; **to live from ~ to mouth** żyć z dnia na dzień; **to shake ~s** ści- skać dłoń (na powitanie); *vt* ⟨*także* ~ **in**⟩ włączyć; ~ **on** po- dać dalej; ~ **out** wydać, wypła- cić; ~ **over** przekazać, dostar- czyć

hand-bag [`hændbæg] s torebka damska

hand-bill [`hændbɪl] s ulotka

hand-book [`hændbʊk] s podręcz- nik; poradnik

hand-cuff [`hændkʌf] s zw. pl ~s kajdany; vt zakuć w kajdany

hand-ful [`hændfʊl] s garść (pełna czegoś); garstka (np. osób)

hand-i-cap [`hændɪkæp] s zawada, przeszkoda, obciążenie; *sport* handicap; vt *sport* dodatkowo obciążać (zawodnika), (obciąże- niem) wyrównywać szanse (za- wodników); przeszkadzać, utrud- niać (sb komuś); upośledzać, sta- wiać w gorszym położeniu

hand-i-craft [`hændɪkrɑft] s ręko- dzieło; rzemiosło

hand-i-work [`hændɪwɜk] s robota ręczna

hand-ker-chief [`hæŋkətʃɪf] s chust- ka (*także* na szyję); chusteczka (do nosa)

han-dle [`hændl] vt trzymać w rę- ku, dotykać ręką (palcami) (sth czegoś); obracać, manipulować (sth czymś); kierować (sth czymś); mieć do czynienia, traktować, ob- chodzić się (sb, sth z kimś, czymś); załatwiać (np. orders za- mówienia); handlować (sth czymś); s rączka, rękojeść, u- chwyt, trzonek; klamka (u drzwi); ucho (garnka itp.)

han-dle-bar [`hændlbɑ(r)] s kie- rownica (roweru)

hand-made [`hænd`meɪd] *adj* ręcz- nie zrobiony ⟨wykonany⟩

hand-rail [`hændreɪl] s poręcz

hand-some [`hænsəm] *adj* ładny, przystojny; hojny

hand-work [`hændwɜk] s praca ręczna ⟨fizyczna⟩

hand-writ-ing [`hændraɪtɪŋ] s cha- rakter pisma, pismo

hand-y [`hændɪ] *adj* będący pod ręką; podręczny; zręczny, spryt- ny; wygodny, poręczny

***hang** [hæŋ], hung, hung [hʌŋ] (*gdy mowa o egzekucji, samobój- stwie:* **hanged, hanged** [hæŋd]) *vt* wieszać, zwieszać; wisieć, zwi- sać; zależeć (**on** sb, sth od kogoś, czegoś); ~ **about** ⟨*am. także* a- **round**⟩ trzymać się w pobliżu, wałęsać się, *pot.* obijać się; ~ **back** wahać się, ociągać się; ~ **on** uporczywie trzymać się, cze- piać się (to sth czegoś); ~ **out** zwisać na zewnątrz, wychylać się; wywieszać; ~ **together** trzy- mać się razem; ~ **up** powiesić, zawiesić; wstrzymać (np. plan)

hang-er [`hæŋə(r)] s wieszak, wie- szadło

hang-er-on [`hæŋər `ɒn] s (pl ~s-on) pochlebca, pieczeniarz; intruz

hang-ing [`hæŋɪŋ] s (zw. pl ~s) draperia, kotara

hang-man [`hæŋmən] s (pl hang- men [`hæŋmən]) kat

hang-over [`hæŋəʊvə(r)] s przeży- tek; *pot.* kac

hank-er [`hæŋkə(r)] vi pożądać ⟨pragnąć⟩ (**after** ⟨**for**⟩ sth czegoś); tęsknić (**after** ⟨**for**⟩ sth, sb za czymś, kimś, do czegoś, kogoś)

hap-haz-ard [hæp`hæzəd] s czysty przypadek, los szczęścia; at ⟨by⟩ ~ na chybił trafił; *adj* przypad- kowy; *adv* przypadkowo, na ślepo

hap-less [`hæpləs] *adj* nieszczęśli- wy, nieszczęsny

hap-pen [`hæpn] vi zdarzyć się, trafić się, stać się, dziać się; ~ **to do** sth przypadkowo coś zro- bić; natknąć się ⟨natrafić⟩ (**on** ⟨**upon**⟩ sth na coś)

hatch

ap·pen·ing [`hæpniŋ] s wydarzenie; przedstawienie, happening

ap·pi·ness [`hæpinəs] s szczęście

ap·py [`hæpi] s szczęśliwy; radosny; zadowolony; (o *pomyśle itp.*) trafny, udany

a·rangue [hə`ræŋ] s przemowa, tyrada, oracja; *vt vi* przemawiać (**sb do kogoś**), wygłaszać tyradę ⟨oracje⟩

ar·ass [`hærəs] *vt* niepokoić, dręczyć

ar·bin·ger [`habindʒə(r)] s zwiastun; *vt* zwiastować

ar·bour [`habə(r)] s *dosł.* i *przen.* przystań; port; schronienie; *vi* zawijać (do portu); chronić się; *vt* przygarnąć, dać przytułek; być siedliskiem (np. brudu); żywić (np. uczucie)

ard [had] *adj* twardy; surowy, srogi; ostry; trudny, ciężki; silny, mocny; ~ **worker** człowiek ciężko pracujący; ~ **and fast** bezwzględny, surowy; nienaruszalny; *adv* mocno, twardo; wytrwale, usilnie; ciężko, z trudem; intensywnie; nadmiernie (bez umiaru); ~ **by** ⟨**upon**⟩ tuż (obok); ~ **on** ⟨**after, behind**⟩ śladem, tuż za; **to be** ~ **up** być bez pieniędzy

ard·en [`hadn] *vt* hartować, wzmacniać; znieczulać; *techn.* utwardzać; *vi* twardnieć; hartować się; *pot.* (o *cenach*) stabilizować się, ustalać się

ar·di·hood [`hadihud] s odwaga; zuchwalstwo, bezczelność

ard·ly [`hadli] *adv* surowo, twardo; z trudem; ledwo; **I can** ~ **say** trudno mi powiedzieć; ~ **anybody** mało kto; ~ **ever** rzadko, prawie nigdy; **I** ~ **know** nie bardzo wiem

ard·ness [`hadnəs] s twardość; wytrzymałość, odporność; trudność; surowość, ostrość

ard·ship [`hadʃip] s męka, znój, trud; ciężkie doświadczenie; nędza, niedostatek

ard·ware [`hadweə(r)] s zbior. towary żelazne

har·dy [`hadi] *adj* śmiały; wytrzymały

hare [heə(r)] s zając

hark [hak] *vt* uważnie słuchać; *int.* słuchaj!, uwaga!

har·le·quin [`haləkwin] s arlekin

harm [ham] s szkoda, krzywda; skaleczenie; **to do** ~ zaszkodzić; *vt* szkodzić, krzywdzić; skaleczyć

harm·ful [`hamfl] *adj* szkodliwy

har·mo·ni·ous [ha`məuniəs] *adj* harmonijny, zgodny; melodyjny

har·mo·ny [`haməni] s (*także muz.*) harmonia, zgodność

har·ness [`hanis] s uprząż, zaprzęg; *vt* zaprzęgać

harp [hap] s harfa; *vi* grać na harfie; uporczywie powtarzać jedno i to samo (**on sth na ten sam temat**)

har·poon [/ha`pun] s harpun; *vt* ugodzić harpunem

har·row [`hærəu] s brona; *vt* bronować; *przen.* dręczyć, ranić (uczucia)

har·ry [`hæri] *vt* pustoszyć, grabić; dręczyć

harsh [haʃ] *adj* szorstki; opryskliwy, nieuprzejmy; przykry (dla oka, ucha itp.); (o *opinii, klimacie itd.*) surowy

har·vest [`havist] s żniwo; *dosł.* i *przen.* żniwo, plon; *vt* zbierać (zboże, plon)

has *zob.* **have**

hash [hæʃ] *vt* siekać (mięso); s siekane mięso; *przen. pot.* bigos, galimatias

hasn't [`hæznt] = **has not**; *zob.* **have**

hasp [hæsp] s skobel, zasuwka; klamra

haste [heist] s pośpiech; **to make** ~ śpieszyć się

has·ten [`heisn] *vt* przyśpieszać; ponaglać; *vi* śpieszyć się

hast·y [`heisti] *adj* pośpieszny; porywczy; nie przemyślany, pochopny

hat [hæt] s kapelusz

hatch 1. [hætʃ] s *mors.* luk; klapa; właz

hatch 2. [hætʃ] *vt vi* wysiadywać (jaja), wylęgać (pisklęta); *vi* wylęgać się; *s* wyleganie; wyląg

hatch·et [ˈhætʃɪt] *s* toporek; *am.* to bury the ~ pogodzić się

hate [heɪt] *vt* nienawidzić; nie znosić; *s* nienawiść

hath [hæθ] *†* = has

ha·tred [ˈheɪtrɪd] *s* nienawiść

haugh·ty [ˈhɔtɪ] *adj* wyniosły, pyszny

haul [hɔl] *vt vi* ciągnąć; wlec; *mors.* holować; przewozić; *s* ciągnienie; holowanie; połów; przewóz

haunch [hɔntʃ] *s* biodro

haunt [hɔnt] *vt* nawiedzać; (*o duchach*) straszyć; odwiedzać, bywać (**a place** w jakimś miejscu); (*o myślach*) prześladować; *s* miejsce częstych odwiedzin; kryjówka; spelunka

***have** [hæv, həv], **had**, **had** [hæd, həd], 3 *pers sing praes* **has** [hæz] *vt* mieć; miewać; posiadać; otrzymać, nabyć; kazać ⟨dać⟩ (coś zrobić); spowodować (zrobienie czegoś); kazać (**sb do sth** komuś coś zrobić); twierdzić; życzyć sobie, chcieć; znosić,* pozwalać na coś; *przed bezokolicznikiem* z to: musieć; to ~ **a good time** dobrze się bawić; to ~ **dinner** jeść obiad; to ~ **a bath** wykąpać się; to ~ **a drink** napić się; to ~ **a walk** przejść się; **do you** ~ **tea for breakfast?** czy pijasz herbatę na śniadanie?; **do you often** ~ **colds?** czy często się zaziębiasz?; **I must** ~ **my watch repaired** muszę dać zegarek do naprawy; **I had my watch stolen** ukradziono mi zegarek; **let me** ~ **it** daj mi to; **G. B. Shaw has it** G. B. Shaw twierdzi; **I** ~ **to go** muszę iść; **I would** ~ **you know** chciałem, żebyś wiedział; **I won't** ~ **such** conduct nie znoszę takiego zachowania; ~ **on** mieć na sobie; mieć w planie; ~ **out** dać sobie usunąć (np.

zęby); ~ **up** wprowadzić na górę; wezwać do sądu (na przesłuchanie)

ha·ven [ˈheɪvn] *s dosł. i przen.* przystań

haven't [ˈhævnt] = **have not**

hav·oc [ˈhævək] *s* spustoszenie; t **play** ~ pustoszyć, szerzyć zniszczenie

hawk 1. [hɔk] *s* jastrząb

hawk 2. [hɔk] *vt* sprzedawać n ulicy (lub krążąc od domu do domu)

hawk 3. [hɔk] *vi* chrząkać

hawk·er [ˈhɔkə(r)] *s* sprzedawc uliczny; domokrążca

haw·thorn [ˈhɔθən] *s* głóg

hay [heɪ] *s* siano; **to make** ~ ko sić, grabić i suszyć siano; *przen* robić bałagan; szerzyć zamiesza nie (**of sth** w czymś)

hay·cock [ˈheɪkok] *s* kopa siana

hay·stack [ˈheɪstæk] *s* stóg siana

haz·ard [ˈhæzəd] *s* hazard, ryzyk niebezpieczeństwo; traf; *vt* ryzy kować, narażać (się) na niebez pieczeństwo

haz·ard·ous [ˈhæzədəs] *adj* hazar dowy, ryzykowny, niebezpieczny

haze [heɪz] *s* lekka mgła, mgiełka *przen.* niepewność

ha·zel [ˈheɪzl] *s bot.* leszczyna *adj attr* leszczynowy; ~ nu orzech laskowy

ha·zy [ˈheɪzɪ] *adj* zamglony, *dosł* i *przen.* mglisty

H-bomb [ˈeɪtʃ bom] *s* bomba wodo rowa

he [hi] *pron* on

head [hed] *s* głowa; główka (np szpilki, sałaty itd.); łeb (zwierzę cia); szef, kierownik, naczelnik nagłówek; rubryka, dział, punk dziedzina; *prawn.* paragraf szczyt, góra, górna część; przóc czoło (listy, pochodu); **at the** ⟨ na czele; **to bring to a** ~ dopro wadzić do rozstrzygającego (ku minacyjnego) momentu; **to kee one's** ~ nie tracić głowy; t make ~ against sth stawić czoło ⟨opór⟩ czemuś; *vt* prowadzić, przewodzić, stać ⟨być, iść⟩ na czele; *sport* (*w piłce nożnej*) uderzyć głową; nadawać kierunek; zatytułować (np. rozdział); stawiać czoło, sprzeciwiać się (sth czemuś); *vi* zdążać, brać kurs (for sth na coś), zmierzać (for sth ku czemuś)

head·ache [ˈhedeɪk] *s* ból głowy

head·ing [ˈhedɪŋ] *s* nagłówek; dział; rubryka; *mors.* kurs

head·land [ˈhedlənd] *s* przylądek, cypel

head·light [ˈhedlaɪt] *s* przednie światło ⟨reflektor⟩ (lokomotywy, samochodu itp.)

head·line [ˈhedlaɪn] *s.* nagłówek, tytuł (w gazecie); *pl* ~s *radio* wiadomości w skrócie

head·long [ˈhedlɒŋ] *adj* gwałtowny, nagły; nierozważny; *adv* nagle, na łeb na szyję, na oślep; (*upaść itd.*) głową naprzód

head·man [ˈhedmən] *s* (*pl* headmen [ˈhedmən]) przewodnik; przywódca, wódz

head·mas·ter [ˈhedˈmɑːstə(r)] *s* dyrektor szkoły

head·phones [ˈhedfəʊnz] *s pl* słuchawki (do radia itp.)

head·quar·ters [ˈhedˈkwɔːtəz] *s pl wojsk.* kwatera główna; dowództwo

heads·man [ˈhedzmən] *s* (*pl* headsmen [ˈhedzmən]) kat

head·way [ˈhedweɪ] *s* ruch naprzód, postęp

head·y [ˈhedɪ] *adj* gwałtowny; (*o trunku itp.*) oszałamiający

heal [hiːl] *vt vi* leczyć (się); goić (się); łagodzić

health [helθ] *s* zdrowie; ~ insurance ubezpieczenie na wypadek choroby; ~ resort uzdrowisko

health·y [ˈhelθɪ] *adj* zdrowy

heap [hiːp] *s* stos, kupa; *pot.* masa, mnóstwo; *vt* (*także* ~ up) ułożyć ⟨usypać⟩ stos ⟨kopiec⟩ (sth z czegoś); (*także* ~ up) gromadzić; ładować

*hear [hɪə(r)], heard, heard [hɜːd] *vt vi* słuchać, słyszeć; przesłuchać, przepytać; dowiedzieć się, otrzymać wiadomość

hear·er [ˈhɪərə(r)] *s* słuchacz

hear·ing [ˈhɪərɪŋ] *ppraes i s* słuch; posłuchanie; przesłuchanie; słyszenie (czegoś); it was said in my ~ powiedziano to w mojej obecności

hear·say [ˈhɪəseɪ] *s* wieść; pogłoska; from ~ ze słyszenia

hearse [hɜːs] *s* karawan

heart [hɑːt] *s* serce; *przen.* dusza; rdzeń; środek, sedno; *przen.* otucha, męstwo, odwaga; *pl* ~s kier (w kartach); ~ to ~ szczerze; to have sth at ~ mieć coś na sercu; I cannot find it in my ~ nie mogę się na to zdobyć, nie mam odwagi; by ~ na pamięć

heart-break·ing [ˈhɑːtbreɪkɪŋ] *adj* rozdzierający serce

heart-brok·en [ˈhɑːtbrəʊkn] *s* ze złamanym sercem, zgnębiony

heart·burn [ˈhɑːtbɜːn] *s* zgaga

heart·en [ˈhɑːtn] *vt* (*także* ~ up) dodać otuchy ⟨serca, odwagi⟩; *vi* (*także* ~ up) nabrać odwagi

hearth [hɑːθ] *s* palenisko; kominek; *przen.* ognisko domowe

heart·sick [ˈhɑːtsɪk] *adj* przygnębiony, przybity, strapiony

heart·y [ˈhɑːtɪ] *adj* serdeczny, szczery (*o posiłku*) solidny; krzepki; (*o glebie*) żyzny

heat [hiːt] *s* gorąco, żar, upał; *fiz.* ciepło; *przen.* zapał; ogień; pasja; at a ~ naraz, za jednym zamachem; trial ⟨preliminary⟩ ~s zawody eliminacyjne; *vt vi* grzać ⟨ogrzewać, rozgrzewać⟩ (się); palić ⟨rozpalić⟩ (się)

heat·er [ˈhiːtə(r)] *s* ogrzewacz, grzejnik, grzałka, piec, kaloryfer

heath [hiːθ] *s* wrzosowisko

hea·then [ˈhiːðn] *adj* pogański; *s* (*pl* the ~) poganin

heather

heath·er [ˈheðə(r)] s wrzos

heat·ing [ˈhiːtɪŋ] s ogrzewanie

*heave [hiːv], **hove, hove** [həuv] *lub* **heaved, heaved** [hiːvd] *vt vi* podnosić (się), dźwigać (się); (*o falach itp.*) unosić (się) i opadać; wydać **(a groan** jęk); wydymać (się); *s* podniesienie ⟨dźwignięcie⟩ (się); nabrzmienie

heav·en [ˈhevn] s niebo, niebiosa; **for ~'s sake!** na miłość boską!; **good ~(s)!** wielkie nieba!

heav·i·ness [ˈhevɪnəs] s ciężkość; ociężałość

heav·y [ˈhevɪ] *adj* ciężki; ociężały; (*o ciosie itd.*) silny, mocny; (*o stracie itd.*) duży, wielki; (*o śnie*) głęboki; (*o posiłku*) obfity; (*o kobiecie*) ciężarna; (*o morzu*) wzburzony; (*o niebie*) zachmurzony; (*o deszczu*) rzęsisty; **to lie** ⟨**hang**⟩ **~ ciążyć**; (*o czasie*) dłużyć się

heav·y·weight [ˈhevɪweɪt] s *sport* waga ciężka; bokser ciężkiej wagi

He·brew [ˈhiːbruː] *adj* hebrajski; *s* Izraelita; język hebrajski

heck·le [ˈhekl] *vt* dręczyć ⟨przerywać mówcy⟩ (pytaniami, okrzykami)

hec·tic [ˈhektɪk] *adj* gorączkowy, rozgorączkowany; niszczący

he'd [hiːd] **= he had; he would**

hedge [hedʒ] s żywopłot, ogrodzenie; *vt* ogradzać

hedge·hog [ˈhedʒhog] s *zool.* jeż

heed [hiːd] *vt* uważać ⟨baczyć⟩ **(sb, sth** na kogoś, coś); *s* uwaga; baczenie; **to take ~** zważać (**of sth** na coś)

heed·ful [ˈhiːdfl] *adj* baczny, uważny, dbały

heed·less [ˈhiːdləs] *adj* nieuważny, niedbały, nieostrożny

heel [hiːl] s pięta; obcas; **to take to one's ~s** uciec, *pot.* wziąć nogi za pas

heel·tap [ˈhiːltæp] s flek

he·ge·mo·ny [hɪˈgemənɪ] s hegemonia

heif·er [ˈhefə(r)] s jałówka

height [haɪt] s wysokość; wzrost (człowieka); szczyt; pełnia; punkt kulminacyjny; wzniesienie (terenu)

height·en [ˈhaɪtn] *vt vi* podwyższyć (się); podnieść (się), wzmóc, powiększyć

hei·nous [ˈheɪnəs] *adj* (*o zbrodni itp.*) potworny, ohydny

heir [eə(r)] s dziedzic, spadkobierca

heir·ess [ˈeəres] s dziedziczka

heir·loom [ˈeəluːm] s coś dziedziczonego w rodzinie, scheda (klejnot, talent itp.)

held *zob.* **hold**

hell [hel] s piekło; *int* do diabła!

he'll [hiːl] **= he will, he shall**

hel·lo [heˈləu] *int* halo!

helm [helm] s *dosł. i przen.* ster

hel·met [ˈhelmɪt] s hełm (żołnierza, policjanta itp.); kask

helms·man [ˈhelmzmən] s (*pl* **helmsmen** [ˈhelmzmən]) sternik

help [help] s pomoc; rada, ratunek; pomocnik; służący; **to be of ~** być pomocnym; **to be past ~** być w beznadziejnym stanie; **there is no ~ for it** na to nie ma rady; *vt* pomagać, wspierać, ratować; częstować **(to sth** czymś); wstrzymać się; zapobiec; dać radę; **~ yourself** poczęstuj się (**to sth** czymś); **I can't ~ laughing** nie mogę się powstrzymać od śmiechu; **I can't ~ it** nic na to nie poradzę

help·ful [ˈhelpfl] *adj* pomocny, użyteczny

help·less [ˈhelpləs] *adj* bez oparcia, bezradny

help·mate [ˈhelpmeɪt] s towarzysz, partner; współmałżonek

hem, [hem] *vt* rąbek, obwódka; *vt* obrębić, obszyć; **~ in** otoczyć, okrążyć

hem·i·sphere [ˈhemɪsfɪə(r)] s półkula

hemp [hemp] s konopie

hem·stitch [ˈhemstɪtʃ] s mereżka; *vt* mereżkować

en [hen] s kura; samica (ptaków)

ence [hens] adv a więc; stąd, odtąd

ence-forth [ˈhensˈfɔːθ], **hence-for-
ward** [ˈhensˈfɔwəd] adv odtąd, na
przyszłość

ench-man [ˈhentʃmən] s (pl hench-
men [ˈhentʃmən]) stronnik, ślepo oddany zwolennik

her [hɜ(r), ɜ(r)] pron ją, jej; pot.
ona

her-ald [ˈherld] s herold; zwiastun;
vt zwiastować

her-ald-ry [ˈherldrɪ] s heraldyka

herb [hɜb] s zioło

herd [hɜd] s stado; motłoch; vt vi
żyć w stadach, gromadzić (się)

herds-man [ˈhɜdzmən] s (pl herds-
men [ˈhɜdzmən]) pastuch, pasterz

here [hɪə(r)] adv tu, tutaj; oto;
from ~ stąd; in ~ tu (wewnątrz);
near ~ niedaleko stąd, tuż obok;
up to ~ dotąd

here-a-bout(s) [ˈhɪərəˈbaut(s)] adv
w pobliżu, gdzieś tutaj

here-af-ter [hɪərˈaftə(r)] adv następnie, w przyszłości; poniżej

here-by [hɪəˈbaɪ] adv przez to; przy
tym; tym sposobem

he-red-i-ta-ry [hɪˈredɪtrɪ] adj dziedziczny

he-red-i-ty [hɪˈredətɪ] s dziedzicz-
ność

here-in [ˈhɪərˈɪn] adv w tym; tu
(wewnątrz)

here-of [ˈhɪərˈov] adv tego, niniej-
szego (np. dokumentu)

here's [hɪəz] = here is; here has

her-e-sy [ˈherəsɪ] s herezja

her-e-tic [ˈherətɪk] s heretyk

he-ret-i-cal [hɪˈretɪkl] adj heretycki

here-up-on [ˈhɪərəˈpon] adv na to
co do tego; następnie

here-with [ˈhɪəˈwɪð] adv niniejszym, z niniejszym

her-i-ta-ble [ˈherɪtəbl] adj dziedziczny

her-i-tage [ˈherɪtɪdʒ] s dziedzictwo,
spadek

her-met-ic [hɜˈmetɪk] adj hermetyczny

her-mit [ˈhɜmɪt] s pustelnik

he-ro [ˈhɪərəu] s (pl ~es [ˈhɪərəuz])
bohater

he-ro-ic [hɪˈrəuɪk] adj bohaterski,
heroiczny

her-o-ine [ˈherəuɪn] s bohaterka

her-o-ism [ˈherəuɪzm] s bohaterstwo

her-on [ˈherən] s zool. czapla

her-ring [ˈherɪŋ] s zool. śledź

hers [hɜz] pron jej

her-self [hɜˈself] pron ona sama;
(ona) sobie (siebie, się); by ~
sama (jedna), samodzielnie

he's [hiz] = he is; he has

hes-i-tant [ˈhezɪtənt] adj niezdecydowany, niepewny

hes-i-tate [ˈhezɪteɪt] vi wahać się,
być niezdecydowanym

hes-i-ta-tion [ˈhezɪˈteɪʃn] s wahanie,
niezdecydowanie

***hew** [hju], hewed [hjud], hewn
[hjun] vt rąbać, ciosać; wyrąbać
sobie (np. ścieżkę)

hew-er [ˈhjuə(r)] s drwal; kamieniarz; rębacz

hey-day [ˈheɪdeɪ] s punkt szczytowy; pełny rozkwit

hi-ber-nate [ˈhaɪbəneɪt] vi zimować, znajdować się w śnie zi-
mowym

hic-cup, hic-cough [ˈhɪkʌp] s czkawka; vi mieć czkawkę

hid, hid-den zob. hide 2.

hide 1. [haɪd] s (nie wyprawiona)
skóra

***hide 2.** [haɪd], **hid** [hɪd], **hidden**
[ˈhɪdn] vt vi ukrywać (się), cho-
wać (się)

hide-and-seek [ˈhaɪdəndˈsiːk] s zabawa w chowanego

hid-e-ous [ˈhɪdɪəs] adj wstrętny,
ohydny, odrażający

hi-er-arch-y [ˈhaɪərɑːkɪ] s hierarchia

hi-er-o-glyph [ˈhaɪərəglɪf] s hieroglif

high [haɪ] adj wysoki; wybitny;

skrajny, szczytowy; górny; **głów-ny**; wzniosły; (o głosie) cienki; (o opinii) pochlebny; (o wietrze) silny; (o barwach) żywy; ~ **af-fairs** ważne sprawy; ~ **day** jasny dzień; ~ **hand** arbitralne postępowanie, wyniosłość; ~ **life** życie wyższych sfer, wytworny świat; ~ **seas** pełne morze; ~ **spirits** radosny nastrój; ~ **tide** przypływ; ~ **water** najwyższy stan wody; ~ **words** gwałtowne ⟨ostre⟩ słowa; **to run** ~ (o cenach) iść w górę; (o morzu, uczuciach) być wzburzonym

high·brow [ˈhaɪbrau] s (zw. pretensjonalny) intelektualista

high·flown [ˈhaɪˈfləun] adj górnolotny

high-hand·ed [ˈhaɪˈhændɪd] adj władczy, despotyczny, arbitralny

High·land·er [ˈhaɪləndə(r)] s góral szkocki

high·ly [ˈhaɪlɪ] adv wysoko; wysoce, w wysokim stopniu; wielce, w dużej mierze; wyniośle

high·ness [ˈhaɪnəs] s wysokość; **Your Highness** Wasza Wysokość

high·road [ˈhaɪrəud] s gościniec, szosa

high·way [ˈhaɪweɪ] s szosa, główny szlak

high·way·man [ˈhaɪweɪmən] s (pl **highwaymen** [ˈhaɪweɪmən]) rozbójnik

hike [haɪk] vi odbywać pieszą wycieczkę ⟨wędrówkę⟩; s piesza wycieczka, wędrówka

hik·er [ˈhaɪkə(r)] s turysta (pieszy)

hi·la·ri·ous [hɪˈleərɪəs] adj wesoły

hi·lar·i·ty [hɪˈlærətɪ] s wesołość

hill [hɪl] s wzgórze, pagórek

hill·side [ˈhɪlsaɪd] s stok, zbocze

hill·y [ˈhɪlɪ] adj pagórkowaty

hilt [hɪlt] s rękojeść

him [hɪm] pron jemu, mu, jego, go; pot. on

him·self [hɪmˈself] pron on sam, jego samego, (on) sobie ⟨siebie, się⟩; **by** ~ sam (jeden), samodzielnie

hind 1. [haɪnd] s łania

hind 2. [haɪnd] adj tylny

hin·der [ˈhɪndə(r)] vt przeszkadzać, powstrzymywać (**sb from doing sth** kogoś od zrobienia czegoś)

hin·drance [ˈhɪndrns] s przeszkod.

hinge [hɪndʒ] s zawias(a); przem. punkt zaczepienia, oś (problem. itp.); vt umocować na zawiasach; vi obracać się (on sth dokoła czegoś); przen. zależeć (on sth od czegoś)

hint [hɪnt] s aluzja, przytyk, docinek; napomknienie, wzmianka; vt vi napomknąć (sth ⟨at sth⟩ o czymś), zrobić aluzję (at sth d czegoś)

hip [hɪp] s biodro

hire [ˈhaɪə(r)] s najem; opłata z najem; vt najmować

hire·ling [ˈhaɪəlɪŋ] s najmita, na jemnik

his [hɪz] pron jego

hiss [hɪs] vi syczeć; vt wygwizdać s syk; wygwizdanie

his·to·ri·an [hɪˈstɔrɪən] s historyk

his·tor·ic(al) [hɪˈstɔrɪk(l)] adj historyczny

his·to·ry [ˈhɪstrɪ] s historia, dzieje

his·tri·on·ic [ˈhɪstrɪˈɒnɪk] adj aktor ski, teatralny; komediancki

*hit, hit, hit [hɪt] vt vi uderzyć (się); trafić; ugodzić (at sth v coś); ~ **off** uchwycić (np. podobieństwo); s uderzenie; celny strzał; traf; aluzja, przytyk; trafna uwaga; sukces, udana próba

hitch [hɪtʃ] vt szarpnąć, przyciągnąć, podciągnąć; posunąć; przymocować, przyczepić; vi przyczepić ⟨zaczepić⟩ się; s nerwowy ruch; szarpnięcie; zaciśnięcie, zatrzymanie; zwłoka; przeszkoda komplikacja

hitch-hike [ˈhɪtʃ haɪk] s podróż autostopem; vi podróżować autostopem

hitch-hik·er [ˈhɪtʃ haɪkə(r)] s autostopowicz

hith·er [ˈhɪðə(r)] adv tu, do tego miejsca, dotąd

hith·er·to [ˈhɪðəˈtuː] *adv* dotychczas, dotąd

hive [haɪv] *s* ul; *przen.* mrowisko (ludzkie); *vt* umieszczać (pszczoły) w ulu; *przen.* gromadzić; *vi* wchodzić do ula; *przen.* żyć w gromadzie

hoar [hɔ(r)] *adj* siwy

hoard [hɔd] *s* zapas; skarb; *vt* gromadzić ⟨zbierać⟩ (np. zapasy), ciułać, odkładać (pieniądze)

hoard·ing [ˈhɔdɪŋ] *s* płot, parkan; deski do naklejania afiszów

hoar·frost [ˈhɔfrost] *s* szron

hoarse [hɔs] *adj* ochrypły, chrapliwy

hoar·y [ˈhɔrɪ] *adj* oszroniony; siwy; sędziwy

hoax [həʊks] *s* mistyfikacja, oszustwo, *pot.* kawał; *vt* mistyfikować, *pot.* nabierać

hob·ble [ˈhobl] *vi* kuleć, utykać; *vt* pętać ⟨konia⟩; *s* utykanie, kuśtykanie; pęta (dla konia)

hob·by [ˈhobɪ] *s* ulubione zajęcie, rozrywka, konik, pasja, hobby; † konik, kucyk

hob·nail [ˈhobneɪl] *s* ćwiek

hob·nailed [ˈhobneɪld] *adj* podbity ćwiekami

hock·ey [ˈhokɪ] *s* hokej; field ⟨ice⟩ ~ hokej na trawie ⟨na lodzie⟩

hoe [həʊ] *s* motyka; graca; *vt vi* kopać motyką; gracować

hog [hog] *s* wieprz, świnia

hoist [hɔɪst] *vt* (*także* ~ up) podnieść, podciągnąć w górę, wywiesić (flagę)

*hold 1. [həʊld], held, held [held] *vt vi* trzymać (się); zawierać, mieścić; utrzymywać (się); odbywać (np. zebranie); obchodzić (np. święto); twierdzić, uważać (sb guilty kogoś za winnego, sth to be good że coś jest dobre); obstawać (to sth przy czymś); powstrzymać, hamować; to ~ good ⟨true⟩ utrzymywać się w mocy; to ~ one's ground trzymać się mocno, nie ustępować; to ~ one's own stać na

swoim, nie poddawać się; to ~ true być nadal ważnym; to ~ one's tongue milczeć; *z przysłówkami:* ~ back powstrzymywać (się); taić; ociągać się; ~ in hamować (się); ~ off trzymać (się) z dala, powstrzymywać (się); ~ on trzymać (się) mocno, trwać (to sth przy czymś); wytrzymywać; ~ out wyciągać; ofiarowywać, dawać; wytrzymywać; ~ over odkładać, odraczać; ~ up podtrzymywać; podnosić; zatrzymywać; hamować; wystawiać (np. to derision na pośmiewisko); *s* chwyt, uchwyt; trzymanie; wpływ (over sb na kogoś); to catch ⟨get, lay⟩ ~ pochwycić, opanować (of sth coś); to keep ~ mocno trzymać (of sth coś); to lose ⟨leave⟩ one's ~ stracić panowanie (of sth nad czymś)

hold 2. [həʊld] *s* ładownia (statku)

hold·er [ˈhəʊldə(r)] *s* posiadacz; właściciel; dzierżawca; okaziciel; rączka (pióra), oprawka, obsadka; naczynie, zbiornik

hold·ing [ˈhəʊldɪŋ] *ppraes i s* władanie; posiadłość; dzierżawa; *handl.* portfel (papierów wartościowych)

hold-up [ˈhəʊldʌp] *s* zatrzymanie (ruchu); napad (rabunkowy)

hole [həʊl] *s* dziura, dół, otwór; nora, jama; *vt* dziurawić, wiercić, drążyć

hol·i·day [ˈholədɪ] *s* święto; dzień wolny od pracy; (*zw. pl* ~s) wakacje; urlop; ferie

hol·low [ˈholəʊ] *s* puste miejsce, dziura, wydrążenie, jama; kotlina, dolina; *adj* pusty, wydrążony, wklęsły; (o policzkach, oczach) zapadnięty; (o zębie) dziurawy; *przen.* czczy; nieszczery, fałszywy; (o dźwięku) głuchy; *vt* wydrążyć, wyżłobić; *adv pot.* całkowicie

holm [həʊm] *s* ostrów, kępa

hol·ster [ˈhəʊlstə(r)] *s* kabura, olstro

ho·ly [ˈhəʊlɪ] *adj* święty, poświęcony; ~ orders święcenia

hom·age [ˈhɔmɪdʒ] *s* hołd; **to pay ~** składać hołd

home [həʊm] *s* dom (rodzinny), ognisko domowe; mieszkanie; przytułek; kraj (rodzinny), ojczyzna; **at ~** w domu; w kraju; **to make oneself ~** rozgościć się, nie krępować się; *adj* domowy, rodzinny; miejscowy; wewnętrzny, krajowy; **Home Office** ministerstwo spraw wewnętrznych; **Home Secretary** minister spraw wewnętrznych; **Home Rule** autonomia; *adv* do domu; do kraju; w domu, w kraju; **to bring ~** unaocznić, wyjaśnić

home·less [ˈhəʊmləs] *adj* bezdomny

home·ly [ˈhəʊmlɪ] *adj* przytulny, swojski; prosty, pospolity; (np. *o rysach twarzy*) nieładny

home-made [ˈhəʊmˈmeɪd] *adj* domowego ⟨krajowego⟩ wyrobu

home·sick [ˈhəʊmsɪk] *adj* cierpiący na nostalgię

home·spun [ˈhəʊmspʌn] *adj* przędzony ⟨tkany⟩ ręcznie (w domu); prosty, domowy; *s* samodział

home·stead [ˈhəʊmsted] *s* zabudowania gospodarskie; gospodarstwo rolne

home·ward(s) [ˈhəʊmwəd(z)] *adv* ku domowi

home·work [ˈhəʊmwɜːk] *s* praca domowa (*zw.* szkolna)

hom·i·cide [ˈhɔmɪsaɪd] *s* zabójca; zabójstwo

ho·mo·ge·ne·ous [ˌhəʊməˈdʒiːnɪəs] *adj* jednorodny, homogeniczny

hom·o·nym [ˈhɔmənɪm] *s* homonim

ho·mun·cule [hoˈmʌŋkjul], **ho·mun·cu·lus** [hoˈmʌŋkjuləs] *s* człowieczek, karzeł

hon·est [ˈɔnɪst] *adj* uczciwy, prawy; szczery; porządny

hon·es·ty [ˈɔnɪstɪ] *s* uczciwość, prawość; szczerość

hon·ey [ˈhʌnɪ] *s* miód; (*mówiąc do kogoś*) kochanie

hon·our [ˈɔnə(r)] *s* honor, cześć; zaszczyt, odznaczenie; **to pass the exam with ~s** zdać egzamin z odznaczeniem; **in ~ of** na cześć; *vt* honorować; czcić; zaszczycać

hon·our·a·ble [ˈɔnrbl] *adj* szanowny, czcigodny; honorowy, zaszczytny; prawy

hood [hud] *s* kaptur; nakrycie, osłona, daszek

hood·wink [ˈhudwɪŋk] *vt* zawiązać oczy; *przen.* zmylić

hoof [huf] *s* (*pl* ~s [hufs] *lub* **hooves** [huvz]) kopyto; **cattle on the ~** żywiec

hook [huk] *s* hak; haczyk; sierp; ostry zakręt; *geogr.* cypel; ~ **and eye** konik i haftka; *vt vi* zahaczyć (się), zaczepić (się); zagiąć (się); złapać (męża), złowić (rybę)

hoop [hup] *s* obręcz; *vt* otoczyć ⟨ścisnąć⟩ obręczą

hoop·ing-cough [ˈhupɪŋkɔf] *s* koklusz

hoot [hut] *vi* huczeć, hukać (**at** na kogoś); (*o syrenie*) wyć; (*o klaksonie*) trąbić; wygwizdać (**at sb** kogoś); *vt* wygwizdać (**an actor** aktora); ~ **down** zagłuszyć gwizdaniem

hoot·er [ˈhutə(r)] *s* syrena; klakson; gwizdek

hooves *zob.* **hoof**

hop 1. [hop] *s* skok; *pot.* potańcówka; *vi* skakać, podskakiwać

hop 2. [hop] *s* (*także pl* ~s) chmiel; *vt vi* zbierać chmiel

hope [həʊp] *s* nadzieja; *vi* mieć ⟨żywić⟩ nadzieję; spodziewać się (**for sth** czegoś)

hope·ful [ˈhəʊpfl] *adj* pełen nadziei, ufny; obiecujący

hope·less [ˈhəʊpləs] *adj* beznadziejny; zrozpaczony

horde [hɔd] *s* horda

ho·ri·zon [həˈraɪzn] *s* horyzont, widnokrąg

hor·i·zon·tal [ˈhɔrɪˈzɔntl] *adj* horyzontalny, poziomy

horn [hɔn] s róg, rożek; klakson

horn·y [ˈhɔnɪ] *adj* rogowy; rogowaty

hor·ri·ble [ˈhɔrəbl] *adj* straszny, okropny

hor·rid [ˈhɔrɪd] *adj* straszny, odrażający; *pot.* niemiły

hor·ri·fy [ˈhɔrəfaɪ] *vt* przerażać

hor·ror [ˈhɔrə(r)] s odraza; przerażenie; okropność

horse [hɔs] s koń; *zbior.* konnica, jazda

horse·back [ˈhɔsbæk] s grzbiet koński; on ~ konno

horse·pow·er [ˈhɔspauə(r)] s *techn.* koń parowy (miara mocy)

horse·race [ˈhɔsreɪs], horse·rac·ing [ˈhɔsreɪsɪŋ] s wyścigi konne

horse·rad·ish [ˈhɔsrædɪʃ] s chrzan

horse·shoe [ˈhɔʃʃu] s podkowa

hor·ti·cul·ture [ˈhɔtɪkʌltʃə(r)] s ogrodnictwo

hose [həuz] s wąż (gumowy, do polewania itp.); *zbior.* wyroby pończosznicze; pończochy; trykoty; *vt* polewać z węża

ho·sier [ˈhəuzɪə(r)] s handlarz wyrobami trykotarskimi, pończosznik

ho·sier·y [ˈhəuzɪərɪ] s *zbior.* artykuły ⟨wyroby⟩ trykotarskie, trykotaże; pończochy i skarpetki

hos·pice [ˈhɔspɪs] s schronisko; przytułek

hos·pi·ta·ble [həˈspɪtəbl] *adj* gościnny

hos·pi·tal [ˈhɔspɪtl] s szpital

hos·pi·tal·i·ty [ˌhɔspɪˈtælətɪ] s gościnność

host 1. [həust] s orszak, zastęp; masa, mnóstwo; tłum (np. przyjaciół)

host 2. [həust] s gospodarz, pan domu; właściciel gospody

hos·tage [ˈhɔstɪdʒ] s zakładnik

hos·tel [ˈhɔstl] s dom akademicki, bursa; dom noclegowy

host·ess [ˈhəustɪs] s gospodyni, pani domu

hos·tile [ˈhɔstaɪl] *adj* wrogi (to sb, sth komuś, czemuś)

hos·til·i·ty [hɔˈstɪlətɪ] s wrogość; *pl* hostilities działania ⟨kroki⟩ wojenne

hot [hɔt] *adj* gorący, palący; świeżo upieczony; (*także o tropie*) świeży; (*także o anegdocie*) pieprzny; namiętny, pobudliwy; (*także o sporze*) zawzięty; a ~ temper gwałtowne usposobienie; to get ~ over sth roznamiętnić się czymś

hot·bed [ˈhotbed] s inspekty

hotch·potch [ˈhɔtʃpotʃ] s mieszanina; *przen.* bigos, groch z kapustą

ho·tel [həuˈtel] s hotel

hot·house [ˈhothaus] s cieplarnia, oranżeria

hound [haund] s pies myśliwski; *vt* szczuć (psami), ścigać, tropić

hour [auə(r)] s godzina; office ~s godziny urzędowe; small ~s wczesne godziny po północy; after ~s czas po godzinach urzędowania; at the eleventh ~ w ostatniej chwili

hour·ly [ˈauəlɪ] *adj* godzinny, cogodzinny; ciągły; *adv* co godzina; ciągle

house [haus] s dom; gospodarstwo (domowe); izba (w parlamencie); dom handlowy, firma, zakład; dynastia; teatr, widownia; to keep ~ prowadzić dom ⟨gospodarstwo⟩; *vt* [hauz] przyjąć do domu, gościć, umieścić pod dachem; dać mieszkanie; zaopatrzyć w mieszkania (people ludzi); magazynować, przechowywać (sth coś)

house·break·er [ˈhausbreɪkə(r)] s włamywacz; robotnik zatrudniony przy rozbiórce starych domów

house·hold [ˈhaushəuld] s *zbior.* domownicy; gospodarstwo domowe; ~ goods artykuły gospodarstwa domowego

house·keep·er [ˈhauskipə(r)] s pani domu; gospodyni (służąca); kierownik działu gospodarczego

house·maid [ˈhausmeɪd] s pomocnica domowa, pokojówka

house·wife [`hauswaɪf] s gospodyni

hove zob. **heave** v

hov·el [`hovl] s rudera; buda, szopa

hov·er [`hovə(r)] vi unosić się ⟨wisieć⟩ w powietrzu; krążyć, kręcić się **(about sb, sth** dokoła kogoś, czegoś); przen. wahać się

how [hau] adv jak, w jaki sposób; ~ **much** ⟨**many**⟩ ile; przed przymiotnikiem: jaki; ~ **nice he is!** jaki⟨ż⟩ on miły!

how·ev·er [hau`evə(r)] adv jakkolwiek, jakimkolwiek sposobem; jednakowoż, jednak, tym niemniej; natomiast; conj chociaż, choćby, żeby

howl [haul] vi wyć; s wycie, ryk

hub [hʌb] s piasta (u koła); przen. centrum, ośrodek

huck·ster [`hʌkstə(r)] s kramarz; vi kupczyć, targować się

hud·dle [`hʌdl] vt vi nagromadzić, zwalić na kupę; ~ **together** stłoczyć (się); ~ **up** zwinąć (się) w kłębek; s kupa, tłum; natłok

hue 1. [hju] s zabarwienie, odcień

hue 2. [hju] s w zwrocie: ~ **and cry** krzykliwa pogoń za ściganym człowiekiem ⟨zwierzęciem⟩; przen. larum

hug [hʌg] vt tulić, ściskać, obejmować; trzymać się blisko **(sth** czegoś); s objęcie, uścisk

huge [hjudʒ] adj olbrzymi, ogromny

hull 1. [hʌl] s kadłub, zrąb

hull 2. [hʌl] s łuska, łupina, strąk; vt łuszczyć, łuskać

hum [hʌm] vt vi brzęczeć, buczeć, warkotać; mruczeć; s brzęczenie, warkot, pomruk

hu·man [`hjumən] adj ludzki; ~ **being** człowiek; s istota ludzka

hu·mane [hju`meɪn] adj humanitarny, ludzki; humanistyczny

hu·man·ism [`hjumənɪzm] s humanizm

hu·man·i·tar·i·an [hju`mænɪˈteərɪən] adj humanitarny, filantropijny; s filantrop

hu·man·i·ty [hju`mænətɪ] s ludzkość; humanitarność; pl **humanities** humanistyka

hum·ble [`hʌmbl] adj pokorny; skromny; niskiego stanu; vt upokarzać, poniżać

hum·bug [`hʌmbʌg] s oszustwo, blaga; oszust, blagier; brednie; vt vi blagować, oszukiwać

hum·drum [`hʌmdrʌm] adj jednostajny, banalny, nudny; s jednostajność, banalność; nudziarz, nieciekawy człowiek

hu·mid [`hjumɪd] adj wilgotny

hu·mid·i·ty [hju`mɪdətɪ] s wilgoć, wilgotność

hu·mil·i·ate [hju`mɪlɪeɪt] vt upokarzać, poniżać

hu·mil·i·ty [hju`mɪlətɪ] s pokora

hu·mor·ist [`hjumərɪst] s humorysta

hu·mor·ous [`hjumərəs] adj humorystyczny, zabawny, śmieszny

hu·mour [`hjumə(r)] s humor; nastrój; **out of** ~ w złym nastroju ⟨humorze⟩; vt dogadzać, pobłażać, folgować

hump [hʌmp] s garb; pot. chandra; vt zgarbić; wygiąć (w łuk); vr ~ **oneself** zgarbić się; wygiąć się w łuk

hump·back [`hʌmpbæk] s garb; garbus

hunch [hʌntʃ] s garb; pajda (chleba itp.)

hun·dred [`hʌndrəd] num sto; s setka

hun·dredth [`hʌndrədθ] adj setny; s jedna setna

hun·dred·weight [`hʌndrədweɪt] s cetnar

hung zob. **hang**

Hun·ga·ri·an [hʌŋ`geərɪən] adj węgierski; s Węgier; język węgierski

hun·ger [`hʌŋgə(r)] s głód **(for sth** czegoś); vi głodować; pożądać **(after** ⟨**for**⟩ **sth** czegoś)

hun·gry [`hʌŋgrɪ] adj głodny, wygłodzony; **to be** ~ **for sth** pragnąć ⟨pożądać⟩ czegoś

hunt [hʌnt] *vt vi* polować (**animals**
na zwierzynę); ścigać (**sb** ⟨**for**
sb⟩ kogoś); poszukiwać (**after**
⟨**for**⟩ **sb, sth** kogoś, czegoś); ~
down dopaść, pojmać (**sb** kogoś);
~ **out** wygnać; wyszukać; *s* polowanie; pościg; poszukiwanie

hunt·er [ˈhʌntə(r)] *s* myśliwy

hunt·ing [ˈhʌntɪŋ] *s* polowanie, pościg; *attr* myśliwski

hur·dle [ˈhɜdl] *s* płot, płotek; *sport*
pl ~**s** (*także* ~-**race**) bieg przez
płotki

hurl [hɜl] *vt* miotać; ciskać; *s* rzut

hur·ri·cane [ˈhʌrɪkən] *s* huragan

hur·ried [ˈhʌrɪd] *pp i adj* pospieszny

hur·ry [ˈhʌrɪ] *s* pośpiech; *vt vi*
przyspieszać, ponaglić; (*także*
~ **up**) spieszyć się

*hurt [hɜt], **hurt, hurt** [hɜt] *vt vi*
skaleczyć, zranić; zaszkodzić, u-
szkodzić; urazić, dotknąć; boleć;
s skaleczenie, rana; ból; uszkodzenie, krzywda, szkoda, uraz
(psychiczny)

hus·band [ˈhʌzbənd] *s* mąż, małżonek; *vt* oszczędnie gospodarować
(**sth** czymś)

hus·band·ry [ˈhʌzbəndrɪ] *s* gospodarka; uprawa roli

hush [hʌʃ] *vt vi* uciszyć; ucich-
nąć; ~ **up** zataić, zatuszować; *s*
cisza; *int* cicho! sza!

husk [hʌsk] *s* łuska, łupina; *vt*
łuszczyć, łuskać

husk·y [ˈhʌskɪ] *adj* pokryty łupi-
ną; łuskowaty; krzepki, czerstwy; (*o głosie*) ochrypły

hus·tle [ˈhʌsl] *s* rwetes, krzątanina, bieganina, popychanie (się);

vt vi tłoczyć (się), popychać (się),
szturchać

hut [hʌt] *s* chata, szałas

hy·a·cinth [ˈhaɪəsɪnθ] *s* hiacynt

hy·ae·na [haɪˈinə] *s* hiena

hy·brid [ˈhaɪbrɪd] *s* hybryda, hy-
bryd, krzyżówka

hy·drau·lic [haɪˈdrɒlɪk] *adj* hydrauliczny

hy·dro·gen [ˈhaɪdrədʒən] *s chem.*
wodór; ~ **bomb** bomba wodorowa

hy·dro·plane [ˈhaɪdrəpleɪn] *s lotn.*
wodnopłatowiec

hy·e·na = hyaena

hy·giene [ˈhaɪdʒin] *s* higiena

hy·gi·en·ic [ˈhaɪdʒinɪk] *adj* higieniczny

hymn [hɪm] *s* hymn

hy·per·bo·le [haɪˈpɜbəlɪ] *s* hiperbola, przesadnia

hy·phen [ˈhaɪfn] *s gram.* łącznik

hyp·no·sis [hɪpˈnəʊsɪs] *s* hipnoza

hyp·not·ic [hɪpˈnɒtɪk] *adj* hipnotyczny

hyp·no·tize [ˈhɪpnətaɪz] *vt* hipnotyzować

hy·poc·ri·sy [hɪˈpɒkrəsɪ] *s* hipokryzja, obłuda

hyp·o·crite [ˈhɪpəkrɪt] *s* hipokryta

hy·po·der·mic [ˈhaɪpəˈdɜmɪk] *adj*
podskórny

hy·poth·e·sis [ˈhaɪˈpɒθəsɪs] *s* (*pl*
hypotheses [ˈhaɪˈpɒθəsiːz]) hipoteza

hys·te·ri·a [hɪˈstɪərɪə] *s* histeria

hys·ter·ical [hɪˈsterɪkl] *adj* histeryczny

hys·ter·ics [hɪˈsterɪks] *s* napad his-
terii

i

I [aɪ] *pron* ja

ice [aɪs] *s* lód; = **ice-cream**

ice·berg [ˈaɪsbɜːg] *s* góra lodowa

ice·bound [ˈaɪsbaund] *adj* skuty lodem; uwięziony w lodach

ice·break·er [ˈaɪsbreɪkə(r)] *s* łamacz lodów, lodołamacz

ice-cream [aɪsˈkriːm] *s* lody

i·ci·cle [ˈaɪsɪkl] *s* sopel

icon [ˈaɪkɔn] *s* ikona

i·cy [ˈaɪsɪ] *adj* lodowaty

I'd [aɪd] = I had; I should; I would

i·de·a [aɪˈdɪə] *s* idea; pojęcie, myśl, pomysł; **I don't get the ~** nie rozumiem; **I have the ⟨an⟩ ~ that ...** mam wrażenie ⟨wydaje mi się⟩, że ...

i·de·al [aɪˈdɪəl] *adj* idealny; *s* ideał

i·de·al·ism [aɪˈdɪəlɪzəm] *s* idealizm

i·de·al·ize [aɪˈdɪəlaɪz] *vt* idealizować

i·den·ti·c(al) [aɪˈdentɪk(l)] *adj* identyczny

i·den·ti·fy [aɪˈdentɪfaɪ] *vt* utożsamiać, identyfikować; rozpoznać

i·den·ti·ty [aɪˈdentətɪ] *s* identyczność, tożsamość; **~ card** dowód osobisty, legitymacja

i·de·o·log·i·cal [ˈaɪdɪəˈlɔdʒɪkl] *adj* ideologiczny

i·de·ol·o·gy [ˈaɪdɪˈɔlədʒɪ] *s* ideologia

id·i·o·cy [ˈɪdɪəsɪ] *s* idiotyzm; niedorozwój umysłowy

id·i·om [ˈɪdɪəm] *s* idiom, wyrażenie idiomatyczne; język danego kraju; dialekt, narzecze; właściwość językowa, styl

id·i·o·mat·ic [ˈɪdɪəˈmætɪk] *adj* idiomatyczny

id·i·ot [ˈɪdɪət] *s* idiota

id·i·ot·ic [ˈɪdɪˈɔtɪk] *adj* idiotyczny

i·dle [ˈaɪdl] *adj* leniwy; bezczynny; bez pracy; daremny; próżny; bezpodstawny; błahy, bezwartościowy; *vi* leniuchować, próżno-

wać; *vt* (*także* ~ **away**) marnować

i·dler [ˈaɪdlə(r)] *s* próżniak, leń, nierób, wałkoń

i·dol [ˈaɪdl] *s* bożyszcze, bożek

i·dol·a·try [aɪˈdɔlətrɪ] *s* bałwochwalstwo

i·dol·ize [ˈaɪdlaɪz] *vt* ubóstwiać, czcić bałwochwalczo

i·dyll [ˈɪdl] *s* sielanka

if [ɪf] *conj* jeżeli, jeśli, o ile; gdyby, jeśli by; *w zdaniach pytających zależnych:* czy; **I wonder if he is there** ciekaw jestem, czy on tam jest; **if I knew** gdybym wiedział; **if necessary** w razie potrzeby; **if not** w przeciwnym wypadku ⟨razie⟩; **if so** w takim razie ⟨wypadku⟩; **as if** jak gdyby

ig·ni·tion [ɪgˈnɪʃn] *s* palenie się, zapalenie; zapłon

ig·no·ble [ɪgˈnəubl] *adj* podły, haniebny

ig·no·min·i·ous [ˈɪgnəˈmɪnɪəs] *adj* haniebny, sromotny

ig·no·min·y [ˈɪgnəmɪnɪ] *s* podłość, hańba

ig·no·ra·mus [ˈɪgnəˈreɪməs] *s* nieuk, ignorant

ig·no·rance [ˈɪgnərəns] *s* ignorancja; nieznajomość (of sth czegoś)

ig·no·rant [ˈɪgnərnt] *adj* nie wiedzący (of sth o czymś), nieświadomy (of sth czegoś); niewykształcony, ciemny

ig·nore [ɪgˈnɔː(r)] *vt* ignorować, nie zwracać uwagi, nie zważać

ill [ɪl] *adj* (*comp* worse [wɜːs], *sup* worst [wɜːst]) zły, niedobry, szkodliwy; *praed* chory (with sth na coś); **to fall ⟨get, be taken⟩ ~** zachorować; *adv* źle; niedostatecznie, niewłaściwie; ledwo, z trudem; *s* zło

I'll [aɪl] = I shall, I will

il·le·gal [ɪˈligl] *adj* bezprawny, nieprawny, nielegalny

il·le·gi·ble [ɪˈledʒəbl] *adj* nieczytelny

il·le·git·i·mate [ˈɪlɪˈdʒɪtɪmət] *adj* nieprawny; (*o dziecku*) nieślubny

ill·fated [ˈɪlˈfeɪtɪd] *adj* nieszczęsny, nieszczęśliwy

il·lib·er·al [ɪˈlɪbrl] *adj* nieliberalny; ograniczony (umysłowo); skąpy

il·lic·it [ɪˈlɪsɪt] *adj* nielegalny, zakazany

il·lit·er·a·cy [ɪˈlɪtrəsɪ] *s* analfabetyzm, nieuctwo

il·lit·er·ate [ɪˈlɪtrət] *adj* niepiśmienny; *s* analfabeta

ill·ness [ˈɪlnəs] *s* choroba

il·log·i·cal [ɪˈlodʒɪkl] *adj* nielogiczny

ill·tem·pered [ˈɪlˈtempəd] *adj* zły, rozdrażniony; o złym usposobieniu

ill·timed [ˈɪlˈtaɪmd] *adj* będący nie na czasie ⟨nie w porę⟩; niefortunny

ill·treat [ˈɪlˈtriːt] *vt* źle traktować, maltretować

il·lu·mi·nate [ɪˈluːmɪneɪt] *vt* oświetlać; oświecać, rozjaśniać; iluminować

il·lu·mi·na·tion [ɪˈluːmɪˈneɪʃn] *s* oświetlenie; oświecenie, rozjaśnienie; iluminacja

il·lu·mine [ɪˈluːmɪn] = **illuminate**

il·lu·sion [ɪˈluːʒn] *s* złudzenie, iluzja

il·lu·sive [ɪˈluːsɪv] *adj* złudny, zwodniczy

il·lu·so·ry [ɪˈluːsərɪ] *adj* iluzoryczny, nierzeczywisty

il·lus·trate [ˈɪləstreɪt] *vt* ilustrować; objaśniać

il·lus·tra·tion [ˈɪləˈstreɪʃn] *s* ilustracja

il·lus·tra·tive [ˈɪləstrətɪv] *adj* ilustrujący (of sth coś)

il·lus·tri·ous [ɪˈlʌstrɪəs] *adj* wybitny, znamienity

I'm [aɪm] = **I am**

im·age [ˈɪmɪdʒ] *s* obraz, podobizna, posąg; wyobrażenie

im·age·ry [ˈɪmɪdʒrɪ] *s* obrazowość (opisu itp.); zbior. obrazy, wizerunki

im·ag·i·na·ble [ɪˈmædʒnəbl] *adj* dający się wyobrazić, wyobrażalny

im·ag·i·nar·y [ɪˈmædʒnrɪ] *adj* urojony, wyimaginowany

im·ag·i·na·tion [ɪˈmædʒɪˈneɪʃn] *s* imaginacja, wyobraźnia

im·ag·i·na·tive [ɪˈmædʒnətɪv] *adj* obdarzony wyobraźnią, pomysłowy

im·ag·ine [ɪˈmædʒɪn] *vt* wyobrażać sobie; przypuszczać; mieć wrażenie

im·be·cile [ˈɪmbəsɪl] *adj* niedorozwinięty umysłowo; *s* imbecyl, idiota

im·bibe [ɪmˈbaɪb] *vt* wchłaniać, absorbować, wsysać, wdychać

im·bro·glio [ɪmˈbrəʊlɪəʊ] *s* powikłanie, zawikłana sytuacja

im·bue [ɪmˈbjuː] *vt* napawać; nasycać; wpajać

im·i·tate [ˈɪmɪteɪt] *vt* naśladować, imitować

im·i·ta·tion [ˈɪmɪˈteɪʃn] *s* imitacja, naśladownictwo

im·i·ta·tive [ˈɪmɪtətɪv] *adj* naśladowczy, naśladujący (of sth coś)

im·mac·u·late [ɪˈmækjulət] *adj* niepokalany, nieskazitelny

im·ma·te·ri·al [ˈɪməˈtɪərɪəl] *adj* niematerialny; nieistotny

im·ma·ture [ˈɪməˈtjuə(r)] *adj* niedojrzały, nierozwinięty

im·meas·ur·a·ble [ɪˈmeʒrəbl] *adj* niezmierzony, niezmierny, bezgraniczny

im·me·di·ate [ɪˈmiːdɪət] *adj* bezpośredni; najbliższy; natychmiastowy; bezzwłoczny; pilny

im·me·di·ate·ly [ɪˈmiːdɪətlɪ] *adv* bezpośrednio; natychmiast; tuż obok

im·me·mo·ri·al [ˈɪməˈmɔːrɪəl] *adj* odwieczny; from time ∼ od niepamiętnych czasów

im·mense [ɪˈmens] *adj* ogromny, niezmierny

im·merse [ɪˈmɜs] vt zanurzyć; pogrążyć

im·mi·grant [ˈɪmɪgrənt] s imigrant; adj imigrujący

im·mi·grate [ˈɪmɪgreɪt] vi imigrować

im·mi·gra·tion [ˌɪmɪˈgreɪʃn] s imigracja

im·mi·nence [ˈɪmɪnəns] s bezpośrednia bliskość (w czasie), bezpośrednie zagrożenie

im·mi·nent [ˈɪmɪnənt] adj zbliżający się, bezpośrednio zagrażający

im·mo·bile [ɪˈməʊbaɪl] adj nieruchomy, unieruchomiony

im·mo·bil·i·ty [ˌɪməˈbɪlətɪ] s nieruchomość, bezruch

im·mod·er·ate [ɪˈmɒdrət] adj nieumiarkowany, nadmierny

im·mod·est [ɪˈmɒdɪst] adj nieskromny, nieprzyzwoity

im·mor·al [ɪˈmɒrl] adj niemoralny

im·mo·ral·i·ty [ˌɪməˈrælətɪ] s niemoralność

im·mor·tal [ɪˈmɔtl] adj nieśmiertelny

im·mor·tal·i·ty [ˌɪmɔˈtælətɪ] s nieśmiertelność

im·mov·a·ble [ɪˈmuvəbl] adj nieruchomy, niewzruszony; s pl ~s nieruchomości

im·mune [ɪˈmjun] adj odporny (from ⟨against⟩ sth na coś); wolny (np. od obowiązku)

im·mu·ni·ty [ɪˈmjunətɪ] s odporność; immunitet, nietykalność; wolność (np. od obowiązku)

im·mu·nize [ˈɪmjunaɪz] vt uodpornić, immunizować

im·mu·ta·ble [ɪˈmjutəbl] adj niezmienny, stały

imp [ɪmp] s diabełek, chochlik; (o dziecku) diablę

im·pact [ˈɪmpækt] s uderzenie, zderzenie; wpływ, oddziaływanie, działanie

im·pair [ɪmˈpeə(r)] vt uszkodzić; osłabić, nadwątlić

im·pal·pa·ble [ɪmˈpælpəbl] adj niewyczuwalny; nieuchwytny, niepojęty

im·part [ɪmˈpɑt] vt użyczyć, udzielić; przekazać

im·par·tial [ɪmˈpɑʃl] adj bezstronny

im·par·ti·al·i·ty [ˈɪmˌpɑʃɪˈælətɪ] s bezstronność

im·pas·sioned [ɪmˈpæʃnd] adj namiętny, roznamiętniony

im·pas·sive [ɪmˈpæsɪv] adj beznamiętny; nieczuły

im·pa·tience [ɪmˈpeɪʃns] s niecierpliwość, zniecierpliwienie (of sth czymś)

im·pa·tient [ɪmˈpeɪʃnt] adj niecierpliwy, zniecierpliwiony (of sth czymś)

im·peach [ɪmˈpitʃ] vt kwestionować; podać w wątpliwość; oskarżyć

im·pec·ca·ble [ɪmˈpekəbl] adj bezgrzeszny; nienaganny

im·pe·cu·ni·ous [ˌɪmpɪˈkjunɪəs] adj niezamożny, ubogi, bez pieniędzy

im·pede [ɪmˈpid] vt zatrzymywać; przeszkadzać, krępować

im·ped·i·ment [ɪmˈpedɪmənt] s przeszkoda, zawada

im·pel [ɪmˈpel] vt zmusić, skłonić; poruszyć, uruchomić

im·pend [ɪmˈpend] vi bezpośrednio zagrażać; dost. i przen. wisieć (over sb nad kimś)

im·pen·e·tra·ble [ɪmˈpenɪtrəbl] adj nieprzenikliwy, nieprzepuszczalny; niezgłębiony; niedostępny

im·per·a·tive [ɪmˈperətɪv] adj rozkazujący; naglący, niezbędny; władczy; s gram. tryb rozkazujący

im·per·cep·ti·ble [ˌɪmpəˈseptəbl] adj niedostrzegalny; nieuchwytny

im·per·fect [ɪmˈpɜfɪkt] adj niedoskonały, wadliwy; gram. niedokonany; s gram. czas przeszły niedokonany

im·per·fec·tion [ˌɪmpəˈfekʃn] s niedoskonałość, wadliwość; wada

im·pe·ri·al [ɪmˈpɪərɪəl] adj cesarski; majestatyczny, królewski

m·pe·ri·al·ism [ɪmˈpɪərɪəlɪzm] s
imperializm

m·pe·ri·al·ist [ɪmˈpɪərɪəlɪst] s imperialista; attr imperialistyczny

m·per·il [ɪmˈperl] vt narażać na
niebezpieczeństwo

m·pe·ri·ous [ɪmˈpɪərɪəs] adj rozkazujący, władczy; naglący, naka-
zujący

m·per·ish·a·ble [ɪmˈperɪʃəbl] adj
wieczny, trwały, niezniszczalny

m·per·me·a·ble [ɪmˈpɜːmɪəbl] adj
nieprzenikniony, nieprzepuszczalny

m·per·son·al [ɪmˈpɜːsnl] adj nieosobowy, bezosobowy

m·per·so·nate [ɪmˈpɜːsneɪt] vt ucieleśniać, personifikować, uosabiać; odgrywać (rolę)

m·per·son·a·tion [ɪmˌpɜːsnˈeɪʃn] s
ucieleśnienie, uosobienie; odgry-
wanie (roli)

m·per·ti·nence [ɪmˈpɜːtɪnəns] s impertynencja; niestosowność

m·per·ti·nent [ɪmˈpɜːtɪnənt] s impertynencki; niestosowny, nie
na miejscu

m·per·turb·a·ble [ˈɪmpəˈtɜːbəbl] adj
niewzruszony

m·per·vi·ous [ɪmˈpɜːvɪəs] adj nieprzepuszczalny; nieczuły ⟨głuchy⟩
(to sth na coś)

m·pet·u·os·i·ty [ɪmˈpetʃʊˈɒsɪtɪ] s
porywczość, impulsywność, popędliwość

m·pet·u·ous [ɪmˈpetʃʊəs] adj porywczy, impulsywny, popędliwy

m·pe·tus [ˈɪmpɪtəs] s bodziec, pęd,
impuls; rozpęd, impet

m·pi·ous [ˈɪmpɪəs] adj bezbożny

m·pla·ca·ble [ɪmˈplækəbl] adj nieubłagany, nieugięty

imp·lant [ɪmˈplɑːnt] vt sadzić;
przen. wpajać, wszczepiać

im·ple·ment [ˈɪmpləmənt] s narzędzie, sprzęt; pl ~s przybory

im·pli·cate [ˈɪmplɪkeɪt] vt wplątać,
wciągnąć, uwikłać; włączać; zawierać; pociągać za sobą; implikować

im·pli·ca·tion [ˈɪmplɪˈkeɪʃn] s włączenie; wplątanie, uwikłanie; su-

gestia, (ukryte) znaczenie, impli-
kacja

im·plic·it [ɪmˈplɪsɪt] adj dający się
wywnioskować, domniemany;
niezaprzeczalny, bezwzględny

im·plore [ɪmˈplɔː(r)] vt błagać

im·ply [ɪmˈplaɪ] vt mieścić ⟨kryć,
zawierać⟩ w sobie; oznaczać, implikować; dawać do zrozumienia;
zakładać

im·po·lite [ˈɪmpəˈlaɪt] adj nieuprzejmy, niegrzeczny

im·pol·i·tic [ɪmˈpɒlətɪk] adj niepolityczny; niezręczny; nierozsądny

im·port [ɪmˈpɔːt] vt importować;
znaczyć, oznaczać; s [ˈɪmpɔːt]
import; znaczenie, treść; doniosłość

im·por·tance [ɪmˈpɔːtns] s znaczenie, ważność

im·por·tant [ɪmˈpɔːtnt] adj ważny,
znaczący, doniosły

im·por·ta·tion [ˈɪmpɔːˈteɪʃn] s im-
portowanie, przywóz

im·por·tu·nate [ɪmˈpɔːtʃʊnət] s natarczywy, natrętny; naglący

im·por·tune [ɪmˈpɔːtʃuːn] vt dokuczać, molestować; nudzić (sb for
sth kogoś o coś)

im·por·tu·ni·ty [ˈɪmpəˈtjuːnətɪ] s
natarczywość, natręctwo, na-
przykrzanie się

im·pose [ɪmˈpəʊz] vt nakładać, nakazywać, narzucać (sth on sb
coś komuś); vi oszukiwać, naciągać (on ⟨upon⟩ sb kogoś)

im·pos·ing [ɪmˈpəʊzɪŋ] ppraes i adj
imponujący, okazały

im·po·si·tion [ˈɪmpəˈzɪʃn] s nałożenie, narzucenie; okpienie, nacią-
ganie

im·pos·si·bil·i·ty [ɪmˌpɒsəˈbɪlətɪ] s
niemożliwość

im·pos·si·ble [ɪmˈpɒsəbl] adj niemożliwy

im·post [ˈɪmpəʊst] s podatek, cło;
sport dodatkowe obciążenie konia

im·pos·tor [ɪmˈpɒstə(r)] s oszust

im·pos·ture [ɪmˈpɒstʃə(r)] s oszustwo

im·po·tence [ˈɪmpətəns] s niemoc, impotencja; nieudolność

im·po·tent [ˈɪmpətənt] adj bezsilny; nieudolny; s impotent

im·pov·er·ish [ɪmˈpovərɪʃ] vt doprowadzić do ubóstwa, zubożyć; wyniszczyć; osłabić

im·prac·ti·ca·ble [ɪmˈpræktɪkəbl] adj niewykonalny; (o drodze, terenie) nie do przebycia; krnąbrny

im·pre·cate [ˈɪmprɪkeɪt] vt przeklinać; złorzeczyć

im·preg·na·ble [ɪmˈpregnəbl] adj nie do zdobycia, niepokonany; niezachwiany, niewzruszony

im·preg·nate [ˈɪmpregneɪt] vt impregnować; zaszczepić, wpoić, wdrożyć

im·press [ɪmˈpres] vt pozostawić, odcisnąć, wycisnąć (odbicie); zrobić ⟨wywrzeć⟩ wrażenie (sb na kimś); wryć ⟨wbić⟩ (w pamięć); wpoić, zasugerować; przymusowo wcielić do wojska; rekwirować; s [ˈɪmpres] odbicie, odcisk; piętno

im·pres·sion [ɪmˈpreʃn] s odbicie, odcisk; znak, piętno; wrażenie; druk. odbitka; nakład

im·pres·sive [ɪmˈpresɪv] adj robiący ⟨wywołujący⟩ wrażenie, uderzający, imponujący

im·press·ment [ɪmˈpresmənt] s przymusowe wcielenie do wojska; rekwizycja

im·print [ɪmˈprɪnt] vt odbijać, wytłaczać, wyciskać, pozostawić odbitkę ⟨odcisk⟩; wryć ⟨wbić⟩ w pamięć; s [ˈɪmprɪnt] odbicie, odcisk; piętno; nadruk (firmowy)

im·pris·on [ɪmˈprɪzn] vt uwięzić

im·pris·on·ment [ɪmˈprɪznmənt] s uwięzienie

im·prob·a·bil·i·ty [ˈɪmˌprobəˈbɪlətɪ] s nieprawdopodobieństwo

im·prob·a·ble [ɪmˈprobəbl] adj nieprawdopodobny

im·promp·tu [ɪmˈpromptju] adj improwizowany; adv (robić coś) improwizując

im·prop·er [ɪmˈpropə(r)] adj niewłaściwy, nieodpowiedni; nieprzywoity

im·pro·pri·e·ty [ˈɪmprəˈpraɪətɪ] s niewłaściwość; nieprzyzwoitość

im·prove [ɪmˈpruv] vt vi poprawić ⟨udoskonalić, ulepszyć⟩ (się); u lepszyć, upiększyć (on ⟨upon⟩ sth coś); podnieść (wartość, jakość itd.); zyskać na wartość ⟨jakości itd.⟩

im·prove·ment [ɪmˈpruvmənt] poprawa; ulepszenie, udoskonalenie; podniesienie wartości ⟨jakości itd.⟩

im·prov·i·dent [ɪmˈprovɪdənt] ad nieprzezorny, nieprzewidujący; lekkomyślny

im·pro·vise [ˈɪmprəvaɪz] vt vi im prowizować

im·pru·dence [ɪmˈprudəns] s nie opatrzność, nieroztropność

im·pu·dence [ˈɪmpjudəns] s bez wstyd, zuchwalstwo

im·pugn [ɪmˈpjun] vt kwestionować, zbijać (twierdzenie)

im·pulse [ˈɪmpʌls] s impuls, bodziec, odruch

im·pul·sive [ɪmˈpʌlsɪv] adj impulsywny; (o sile) napędowy

im·pu·ni·ty [ɪmˈpjunətɪ] s bezkarność

im·pure [ɪmˈpjuə(r)] adj nieczysty; zanieczyszczony

im·pu·ri·ty [ɪmˈpjuərətɪ] s nieczystość; zanieczyszczenie

im·pu·ta·tion [ˈɪmpjuˈteɪʃn] s przypisywanie (np. winy), zarzut

im·pute [ɪmˈpjut] vt przypisywać (np. winę), zarzucać

in [ɪn] praep określa miejsce: w, we, wewnątrz, na, do; czas: w ciągu, w czasie, za; **in a month** za miesiąc; **in a word** jednym słowem; **in fact** faktycznie; **in honour** ku czci; **in ink** atramentem; **in order that** ażeby; **in pairs** parami; **in short** pokrótce ⟨krótko mówiąc⟩; **in so far** o tyle, o ile; **in that** w tym, że; o tyle, że; **in the morning** rano; **written in my hand** pisane moją ręką; **in writing** na piśmie ⟨pisemnie⟩; adv w środku, wewnątrz, w domu; do środka, do wewnątrz ⟨wnętrza⟩; **to be in** być wewnątrz ⟨w domu⟩; **the train** ⟨**bus etc.**⟩ **is in** pociąg ⟨autobus itd.⟩ przyjechał; **to be in for sth** stać przed czymś (spodziewanym), oczekiwać czegoś; **to come in** wejść; **s** *polit.* (*zw.* **pl**) **the ins** partia rządząca; **the ins and outs** wszystkie dane ⟨szczegóły, tajniki⟩ (sprawy)

in·a·bil·i·ty [ˌɪnəˈbɪlətɪ] *s* niezdolność, niemożność

in·ac·ces·si·ble [ˌɪnækˈsesəbl] *adj* niedostępny, nieprzystępny

in·ac·cu·ra·cy [ɪnˈækjərəsɪ] *s* niedokładność

in·ac·cu·rate [ɪnˈækjərət] *adj* niedokładny

in·ac·tion [ɪnˈækʃn] *s* bezczynność

in·ac·tive [ɪnˈæktɪv] *adj* bezczynny, bierny

in·ac·tiv·i·ty [ˌɪnækˈtɪvətɪ] *s* bezczynność, bierność

in·ad·e·qua·cy [ɪnˈædɪkwəsɪ] *s* nieodpowiedniość, niewystarczalność

in·ad·e·quate [ɪnˈædɪkwət] *adj* nieodpowiedni, niedostateczny

in·ad·mis·si·ble [ˌɪnədˈmɪsəbl] *adj* niedopuszczalny

in·ad·vert·ent [ˌɪnədˈvɜːtnt] *adj* niebaczny, nieuważny, niedbały

in·a·li·en·a·ble [ɪnˈeɪlɪənəbl] *adj prawn.* niepozbywalny, nieprzenośny

in·ane [ɪˈneɪn] *adj* próżny; głupi; bezmyślny

in·an·i·mate [ɪnˈænɪmət] *adj* nieożywiony, bezduszny, martwy

in·a·ni·tion [ˌɪnəˈnɪʃn] *s* wyczerpanie, wycieńczenie (*zw.* z głodu)

in·an·i·ty [ɪnˈænətɪ] *s* próżność; głupota, bezmyślność

in·ap·pli·ca·ble [ɪnˈæplɪkəbl] *adj* nie dający się zastosować, nieodpowiedni

in·ap·pro·pri·ate [ˌɪnəˈprəʊprɪət] *adj* niestosowny, niewłaściwy

in·apt [ɪnˈæpt] *adj* niezdolny, niezdatny; nieodpowiedni

in·ar·tic·u·late [ˌɪnɑːˈtɪkjʊlət] *adj* niewyraźny; nieartykułowany; mówiący niewyraźnie

in·as·much [ˌɪnəzˈmʌtʃ] *adv* w połączeniu z **as:** ~ **as** o tyle, że; o tyle, o ile; jako; że; ponieważ; wobec tego, że

in·at·ten·tive [ˌɪnəˈtentɪv] *adj* nieuważny, niebaczny

in·au·di·ble [ɪnˈɔːdəbl] *adj* niesłyszalny

in·au·gu·ral [ɪˈnɔːgjʊrl] *adj* inauguracyjny, wstępny

in·au·gu·rate [ɪˈnɔːgjʊreɪt] *vt* inaugurować; wprowadzać, intronizować; rozpoczynać

in·au·gu·ra·tion [ɪˌnɔːgjʊˈreɪʃn] *s* inauguracja; wprowadzenie

in·born [ˈɪnbɔn] *adj* wrodzony

in·bred [ˈɪnbred] *adj* wpojony

in·cal·cu·la·ble [ɪnˈkælkjʊləbl] *adj* nieobliczalny; nie dający się przewidzieć

in·can·des·cent [ˌɪnkænˈdesnt] *adj* żarzący się; ~ **lamp** żarówka

in·can·ta·tion [ˌɪnkænˈteɪʃn] *s* zaklęcie, formuła czarodziejska

in·ca·pa·ble [ɪnˈkeɪpəbl] *adj* niezdolny (**of sth** do czegoś)

in·ca·pac·i·tate [ˌɪnkəˈpæsəteɪt] *vt* uczynić niezdolnym (**from** ⟨**for**⟩ **sth** do czegoś)

in·ca·pac·i·ty [ˌɪnkəˈpæsətɪ] *s* niezdolność, nieudolność

in·car·nate [ɪnˈkɑːnət] *adj* wcielony; *vt* wcielić

in·car·na·tion [ˌɪnkɑːˈneɪʃn] *s* wcielenie

in·cen·di·ar·y [ɪnˈsendɪərɪ] *adj* zapalający; palny; podżegający; *s* podpalacz; podżegacz

in·cense 1. [ˈɪnsens] *s* kadzidło; *przen.* pochlebstwo; *vt vi* okadzić; palić kadzidło

in·cense 2. [ɪnˈsens] *vt* rozdrażnić, rozzłościć

in·cen·tive [ɪnˈsentɪv] *adj* podniecający; *s* podnieta

in·cep·tion [ɪnˈsepʃn] *s* początek, zapoczątkowanie

in·cep·tive [ɪnˈseptɪv] *adj* początkowy

in·cer·ti·tude [ɪn'sɜːtɪtjud] s niepewność

in·ces·sant [ɪn'sesnt] adj nieprzerwany, nieustający

in·cest ['ɪnsest] s kazirodztwo

in·ces·tu·ous [ɪn'sestʃuəs] adj kazirodczy

inch [ɪntʃ] s cal; by ~es po trochu; ~ by ~ stopniowo

in·ci·dent ['ɪnsɪdənt] adj związany (to sth z czymś), wynikający (to sth z czegoś); fiz. padający (np. promień); s zajście, wypadek, incydent

in·ci·den·tal [ɪnsɪ'dentl] adj przypadkowy, przygodny, uboczny; związany (to sth z czymś), wynikający (to sth z czegoś)

in·cin·er·ate [ɪn'sɪnəreɪt] vt spalić na popiół

in·cip·i·ence [ɪn'sɪpɪəns] s początek, zaczątek

in·cip·i·ent [ɪn'sɪpɪənt] adj zaczynający się, początkowy

in·ci·sion [ɪn'sɪʒn] s wcięcie, nacięcie

in·ci·sive [ɪn'saɪsɪv] adj tnący, ostry; przenikliwy; cięty ‹

in·ci·sor [ɪn'saɪzə(r)] s siekacz (ząb)

in·cite [ɪn'saɪt] vt pobudzać, podniecać; namawiać, podburzać

in·cite·ment [ɪn'saɪtmənt] s podnieta, bodziec; namowa, podburzanie

in·ci·vil·i·ty [ɪnsɪ'vɪlətɪ] s niegrzeczność

in·clem·en·cy [ɪn'klemənsɪ] s surowość, ostrość

in·cli·na·tion [ɪnklɪ'neɪʃn] s nachylenie; pochyłość; skłonność

in·cline [ɪn'klaɪn] vt vi nachylać (się), przychylać (się), skłaniać (się); s ['ɪnklaɪn] nachylenie, pochyłość, stok

in·close [ɪn'kləʊz] = enclose

in·clude [ɪn'klud] vt włączać, zawierać

in·clu·sion [ɪn'kluʒn] s włączenie

in·clu·sive [ɪn'klusɪv] adj zawierający w sobie; obejmujący; (o sumie) globalny; from ... to ... ~

od ... do ... włącznie; ~ of ... łącznie z ...; liczony włącznie (sth z czymś)

in·co·her·ent ['ɪnkəʊ'hɪərnt] adj nie powiązany, bez związku; chaotyczny, bezładny, niesystematyczny

in·com·bus·ti·ble [ɪnkəm'bʌstəbl] adj niepalny

in·come ['ɪnkəm] s dochód

in·com·ing [ɪn'kʌmɪŋ] adj przybywający, nadchodzący; s nadejście, przybycie; dopływ; pl ~s dochody, wpływy

in·com·men·su·rate ['ɪnkə'menʃərət] adj niewspółmierny, nieproporcjonalny

in·com·pat·i·ble [ɪnkəm'pætəbl] adj nie dający się pogodzić, sprzeczny

in·com·pe·tence,   in·com·pe·ten·cy [ɪn'kompɪtəns(ɪ)] s niekompetencja; nieudolność; niezdolność

in·com·plete [ɪnkəm'plit] adj niepełny, nie zakończony; niedoskonały

in·com·pre·hen·si·ble ['ɪn'komprɪ'hensəbl] adj niezrozumiały

in·con·ceiv·a·ble ['ɪnkən'sivəbl] adj niepojęty

in·con·gru·i·ty ['ɪnkoŋ'gruətɪ] s brak związku; niezgodność; niestosowność, niewłaściwość

in·con·gru·ous ['ɪn'koŋgruəs] adj nie mający związku; niezgodny; niestosowny, niewłaściwy; dziwaczny; bezsensowny

in·con·se·quent [ɪn'konsɪkwənt] adj niekonsekwentny, nielogiczny

in·con·sid·er·a·ble ['ɪnkən'sɪdrəbl] adj nieznaczny

in·con·sid·er·ate ['ɪnkən'sɪdrət] adj nierozważny, lekkomyślny; nie okazujący względów ‹szacunku›; nieuprzejmy

in·con·sist·ence,   in·con·sist·en·cy [ɪnkən'sɪstəns(ɪ)] s niekonsekwencja; niezgodność, sprzeczność

con·sist·ent ['ɪnkən'sɪstənt] *adj* niekonsekwenty; niezgodny, sprzeczny

con·sol·a·ble ['ɪnkən'səuləbl] *adj* niepocieszony

con·spic·u·ous ['ɪnkən'spɪkjuəs] *adj* niepokaźny, nie rzucający się w oczy, niepozorny

con·stan·cy ['ɪn'konstənsɪ] *s* niestałość, zmienność

con·test·a·ble ['ɪnkən'testəbl] *adj* niezaprzeczalny, bezsporny

con·ti·nence [ɪn'kontɪnəns] *s* niewstrzemięźliwość, niepowściągliwość

con·tro·vert·i·ble ['ɪnkontrə'vɜt əbl] *adj* niezbity, bezsporny

con·ven·ience ['ɪnkən'vinɪəns] *s* niewygoda; kłopot; *vt* sprawiać kłopot, przeszkadzać (**sb** komuś)

con·ven·ient ['ɪnkən'vinɪənt] *adj* niewygodny; kłopotliwy, uciążliwy

cor·po·rate [ɪn'kɔpəreɪt] *vt* wcielić, włączyć; łączyć (w sobie); nadać samorząd; zarejestrować, zalegalizować; *vi* złączyć się, zjednoczyć się; *adj* [ɪn'kɔpərət] wcielony; zarejestrowany; zrzeszony; ~ **body** korporacja

cor·po·ra·tion [ɪn'kɔpə'reɪʃn] *s* wcielenie; zrzeszenie; *handl.* rejestracja, zalegalizowanie; nadanie samorządu

cor·rect ['ɪnkə'rekt] *adj* nieprawidłowy, błędny, mylny, wadliwy; niestosowny

cor·ri·gi·ble [ɪn'korɪdʒəbl] *adj* niepoprawny

cor·rupt·i·ble ['ɪnkə'rʌptəbl] *adj* nie ulegający zepsuciu; nieprzekupny

crease [ɪn'kris] *vt* zwiększać, wzmagać; podnosić, podwyższać; *vi* wzrastać; zwiększać (wzmagać) się; *s* [ɪn'kris] wzrost, przyrost; powiększenie się; podwyżka; **to be on the** ~ wzrastać

creas·ing·ly [ɪn'krisɪŋlɪ] *adv* coraz (to) więcej (bardziej)

cred·i·ble [ɪn'kredəbl] *adj* niewiarygodny, nieprawdopodobny

cre·du·li·ty ['ɪnkrɪ'djulətɪ] *s* niedowierzanie, nieufność

cred·u·lous [ɪn'kredjuləs] *adj* niedowierzający, nieufny

cre·ment ['ɪnkrəmənt] *s* wzrost, powiększenie się; *(także mat.)* przyrost; dochód

crim·i·nate [ɪn'krɪmɪneɪt] *vt* inkryminować, obwiniać

croach [ɪn'krəutʃ] = encroach

crust [ɪn'krʌst] = encrust

cu·ba·tion ['ɪnkju'beɪʃn] *s* inkubacja, wylęganie

cu·bus ['ɪnkjubəs] *s* (*pl* incubi ['ɪnkjubaɪ] *lub* ~es) zmora, zły duch; *przen.* udręka, koszmar

cul·cate ['ɪnkʌlkeɪt] *vt* wpajać, wdrażać

cul·pate ['ɪnkʌlpeɪt] *vt* obwiniać, oskarżać

cum·bent [ɪn'kʌmbənt] *adj* ciążący (**on sb** na kimś); obowiązujący (**kogoś**); **it is** ~ **on me to** jest moim obowiązkiem

cur [ɪn'kɜ(r)] *vt* narazić się (**sth** na coś); ściągnąć na siebie (gniew itd.); zaciągnąć (dług)

cur·a·ble [ɪn'kjuərəbl] *adj* nieuleczalny

cur·sion [ɪn'kɜʃn] *s* najazd, napad, wtargnięcie

debt·ed [ɪn'detɪd] *adj* zadłużony; zobowiązany

de·cent [ɪn'disnt] *adj* nieprzyzwoity

de·ci·sion ['ɪndɪ'sɪʒn] *s* niezdecydowanie, chwiejność

de·ci·sive ['ɪndɪ'saɪsɪv] *adj* niezdecydowany, chwiejny; nie rozstrzygnięty, nie rozstrzygający

deed [ɪn'did] *adv* rzeczywiście, faktycznie, naprawdę; *dla podkreślenia:* **I am very glad** ~ ogromnie się cieszę; **yes,** ~ jeszcze jak!; **no,** ~ bynajmniej!; żadną miarą!; *dla wyrażenia zdziwienia, oburzenia, ironii:* czyżby?; gdzież tam?!; nie ma mowy!

de·fat·i·ga·ble ['ɪndɪ'fætɪgəbl] *adj* niezmordowany

in·de·fen·si·ble [ˌɪndɪˈfensəbl] *adj* nie dający się obronić

in·def·i·nite [ɪnˈdefnɪt] *adj* nieokreślony, niewyraźny; nieograniczony

in·del·i·ble [ɪnˈdeləbl] *adj* nie dający się zetrzeć ⟨zmazać, zmyć⟩; niezatarty; (*o ołówku*) chemiczny

in·dem·ni·fy [ɪnˈdemnɪfaɪ] *vt* wynagrodzić, dać odszkodowanie (**sb for sth** komuś za coś); zabezpieczyć (**sb from** ⟨**against**⟩ **sth** kogoś przed czymś)

in·dem·ni·ty [ɪnˈdemnɪtɪ] *s* odszkodowanie; zabezpieczenie; wynagrodzenie, kompensata; *prawn.* zwolnienie (od kary)

in·dent 1. [ɪnˈdent] *vt* nacinać, wycinać, wyrzynać (w ząbki); wcinać, karbować; *handl.* zamawiać (towar); *druk.* wcinać (wiersz); *s* [ˈɪndent] wcięcie, nacięcie; karbowanie; *handl.* zamówienie

in·dent 2. [ɪnˈdent] *vt* wgnieść, zrobić wgłębienie; wtłoczyć; *s* [ˈɪndent] wgłębienie

in·den·ta·tion [ˌɪndenˈteɪʃn] *s* nacięcie, wcięcie

in·den·tion [ɪnˈdenʃn] *s* wcięcie wiersza, akapit

in·den·ture [ɪnˈdentʃə(r)] *s* obustronna umowa (pisemna), kontrakt; dokument (handlowy); *vt* zakontraktować, związać umową

in·de·pend·ence [ˌɪndɪˈpendəns] *s* niezależność, niepodległość; **Independence Day** święto narodowe USA (4 lipca)

in·de·pend·ent [ˌɪndɪˈpendənt] *adj* niezależny, niepodległy, niezawisły

in·de·scrib·a·ble [ˌɪndɪˈskraɪbəbl] *adj* nie do opisania

in·de·ter·mi·nate [ˌɪndɪˈtɜːmɪnət] *adj* nieokreślony, niewyraźny

in·de·ter·mi·na·tion [ˌɪndɪˈtɜːmɪˈneɪʃn] *s* nieokreślony charakter; niezdecydowanie

in·dex [ˈɪndeks] *s* (*pl* ~**es** [ˈɪndeksɪz] *lub* **indices** [ˈɪndɪsiːz]) wskaź-

nik; wykaz, rejestr, indeks; palec wskazujący; *mat.* wykładnik potęgowy; *fiz.* współczynnik

In·di·an [ˈɪndɪən] *adj* indyjski, hinduski; indlański; ~ **corn** kukurydza; ~ **ink** tusz; ~ **summer** babie lato; ~ **weed** tytoń; **in** ~ **file** rzędem, gęsiego; *s* Indianin; Hindus

in·di·a-rub·ber [ˈɪndɪəˈrʌbə(r)] kauczuk, guma; guma ⟨gumka do wycierania⟩

in·di·cate [ˈɪndɪkeɪt] *vt* wskazywać (**sth** coś **na coś**), oznaczać; wykazywać; zalecać

in·di·ca·tion [ˌɪndɪˈkeɪʃn] *s* wskazanie, wskazówka, oznaka

in·dic·a·tive [ɪnˈdɪkətɪv] *adj* wskazujący (**of sth na coś**); *s gram.* tryb oznajmujący

in·di·ca·tor [ˈɪndɪkeɪtə(r)] *s* informator; *techn.* wskazówka

in·dict [ɪnˈdaɪt] *vt* oskarżać

in·dict·ment [ɪnˈdaɪtmənt] *s* oskarżenie

in·dif·fer·ence [ɪnˈdɪfrns] *s* obojętność; błahość, marność

in·dif·fer·ent [ɪnˈdɪfrnt] *adj* obojętny (**to sb, sth dla kogoś, na coś**); błahy, marny

in·di·gence [ˈɪndɪdʒəns(ɪ)] *s* ubóstwo

in·di·gent [ˈɪndɪdʒənt] *adj* ubogi

in·di·gest·i·ble [ˌɪndɪˈdʒestəbl] *adj* niestrawny

in·di·ges·tion [ˌɪndɪˈdʒestʃn] *s* niestrawność

in·dig·nant [ɪnˈdɪgnənt] *adj* oburzony (**with sb na kogoś, at sth** na coś)

in·dig·na·tion [ˌɪndɪgˈneɪʃn] *s* oburzenie (**with sb na kogoś, at sth** na coś) ·

in·dig·ni·ty [ɪnˈdɪgnətɪ] *s* obelga, zniewaga

in·di·rect [ˌɪndɪˈrekt] *adj* pośredni, nieuczciwy, wykrętny; okrężny; *gram.* zależny; ~ **object** *gram.* dopełnienie dalsze

in·dis·creet [ˌɪndɪˈskriːt] *adj* niedy-

skretny; nieroztropny; nieostrożny

in·dis·cre·tion ['ındı'skreʃn] s niedyskrecja; nieroztropność, nieostrożność

in·dis·crim·i·nate ['ındı'skrımınət]
adj niewymagający, niewybred-
ny; pomieszany, bezładny; (robiony) na oślep (bez wyboru)

in·dis·pen·sa·ble ['ındı'spensəbl]
adj niezbędny, konieczny, nieza-
stąpiony

in·dis·pose ['ındı'spəuz] vt źle u-
sposobić (zrazić) (towards sb, sth
do kogoś, czegoś); zniechęcić (sb
towards sth (to do sth) do czegoś (do zrobienia czegoś))

in·dis·posed ['ındı'spəuzd] adj niedysponowany, niezdrów; niechętny

in·dis·po·si·tion ['ın'dıspə'zıʃn] s
niedyspozycja; niechęć

in·dis·pu·ta·ble ['ındı'spjutəbl] adj
niewątpliwy, bezsporny

in·dis·so·lu·ble ['ındı'soljubl] adj
nierozpuszczalny; nierozerwalny

in·dis·tinct ['ındı'stıŋkt] adj niewyraźny, niejasny

in·dis·tin·guish·a·ble ['ındı'stıŋwıʃ
əbl] adj nie dający się odróżnić,
nieuchwytny (np. dla oka)

in·di·vid·u·al ['ındı'vıdʒuəl] adj
indywidualny; pojedynczy, poszczególny; s jednostka; indywiduum

in·di·vid·u·al·ism ['ındı'vıdʒuəl
ızm] s indywidualizm

in·di·vid·u·al·i·ty ['ındı'vıdʒu'ælətı]
s indywidualność

in·di·vis·i·ble ['ındı'vızəbl] adj niepodzielny

in·doc·ile [ın'dəusaıl] adj nieule-
gły, nieposłuszny, niesforny; niepojętny

in·do·lence ['ındələns] s lenistwo,
opieszałość

in·dom·i·ta·ble [ın'domıtəbl] adj
nieposkromiony

In·do·ne·sian ['ındəu'nizıən] adj indonezyjski; s Indonezyjczyk

in·door [ın'dɔ(r)] adj znajdujący

się (robiony) w domu, domowy;
~ care opieka (leczenie) w za-
kładzie (przytułku)

in·doors [ın'dɔz] adv w (wewnątrz)
domu; pod dachem; (wchodzić)
do domu

in·dorse [ın'dɔs] = endorse

in·duce [ın'djus] vt skłonić, namówić; wnioskować; wywołać, powodować; elektr. indukować

in·duce·ment [ın'djusmənt] s pobudka; powab

in·duc·tion [ın'dʌkʃn] s indukcja;
wstęp; wprowadzenie (na urząd;
med. wywołanie (choroby)

in·dulge [ın'dʌldʒ] vt pobłażać, dogadzać, folgować (sb in sth komuś w czymś); vi oddawać się
(ulegać, dawać upust) (in sth
czemuś), zażywać (in sth czegoś);
zaspokoić (in sth coś)

in·dul·gence [ın'dʌldʒəns] s pobłażanie, folgowanie, uleganie; zaspokojenie; oddawanie się (in sth
czemuś), dogadzanie sobie; rel.
odpust

in·dul·gent [ın'dʌldʒənt] adj pobłażliwy, ulegający

in·dus·tri·al [ın'dʌstrıəl] adj przemysłowy; s = industrialist

in·dus·tri·al·ist [ın'dʌstrıəlıst] s
przemysłowiec; człowiek pracujący w przemyśle

in·dus·tri·al·i·za·tion [ın'dʌstrıəlaı
zeıʃn] s industrializacja

in·dus·tri·al·ize [ın'dʌstrıəlaız] vt
uprzemysłowić

in·dus·tri·ous [ın'dʌstrıəs] adj pracowity, skrzętny

in·dus·try ['ındəstrı] s przemysł;
pracowitość, skrzętność

in·e·bri·ate [ı'nıbrıət] adj oszołomiony alkoholem; vt [ı'nıbrıeıt]
upić, odurzyć

in·ed·i·ble [ın'edəbl] adj niejadal-
ny

in·ef·fa·ble [ın'efəbl] adj niewypowiedziany, niewysłowiony

in·ef·fec·tive ['ını'fektıv] adj bezskuteczny, daremny; nieefektywny

in·ef·fec·tu·al ['ɪnɪ'fektʃʋəl] = **ineffective**

in·ef·fi·ca·cious ['ɪnefɪ'keɪʃəs] *adj* nie działający, nieskuteczny

in·ef·fi·cient ['ɪnɪ'fɪʃnt] *adj* nieudolny; niewydajny, nieefektywny

in·el·i·gi·ble [ɪn'elɪdʒəbl] *adj* niewybieralny; nie do przyjęcia; nie nadający się, nieodpowiedni

in·ept [ɪ'nept] *adj* niedorzeczny, głupi; nie na miejscu; nietrafny

in·e·qual·i·ty ['ɪnɪ'kwolətɪ] *s* nierówność

in·eq·ui·ty [ɪn'ekwətɪ] *s* niesprawiedliwość

in·ert [ɪ'nɜt] *adj* bezwładny; bez ruchu; *chem.* obojętny

in·er·tia [ɪ'nɜʃə] *s* bezwład, bezczynność, inercja; *fiz.* bezwładność

in·es·cap·a·ble ['ɪnɪ'skeɪpəbl] *adj* nieunikniony

in·es·ti·ma·ble [ɪn'estɪməbl] *adj* nieoceniony

in·ev·i·ta·ble [ɪn'evɪtəbl] *adj* nieunikniony

in·ex·act ['ɪnɪg'zækt] *adj* niedokładny, nieścisły

in·ex·act·i·tude ['ɪnɪg'zæktɪtjud] *s* niedokładność, nieścisłość

in·ex·cus·a·ble ['ɪnɪk'skjuzəbl] *adj* niewybaczalny

in·ex·haust·i·ble ['ɪnɪg'zɔstəbl] *adj* niewyczerpany

in·ex·o·ra·ble [ɪ'negzərəbl] *adj* nieubłagany

in·ex·pen·sive ['ɪnɪk'spensɪv] *adj* niedrogi

in·ex·pe·ri·enced ['ɪnɪk'spɪərɪənst] *adj* niedoświadczony

in·ex·pert [ɪn'ekspɜt] *adj* niewprawny

in·ex·pli·ca·ble ['ɪnɪk'splɪkəbl] *adj* niewytłumaczalny, niewyjaśniony

in·ex·plic·it ['ɪnɪk'splɪsɪt] *adj* niewyraźny, niejasny

in·ex·press·i·ble ['ɪnɪk'spresəbl] *adj*

niewypowiedziany, niewymowny niewysłowiony

in·ex·pres·sive ['ɪnɪk'spresɪv] *ad* pozbawiony wyrazu

in·ex·tri·ca·ble [ɪn'ekstrɪkəbl] *ad.* nie dający się rozwikłać, bez wyjścia

in·fal·li·bil·i·ty ['ɪn'fælə'bɪlətɪ] s nieomylność; niezawodność

in·fal·li·ble [ɪn'fæləbl] *adj* nieomylny; niezawodny

in·fa·mous ['ɪnfəməs] *adj* mający złą sławę; nikczemny, haniebny

in·fa·my ['ɪnfəmɪ] *s* niesława; infamia; nikczemność; hańba

in·fan·cy ['ɪnfənsɪ] *s* dzieciństwo, niemowlęctwo; *prawn.* niepełnoletność

in·fant ['ɪnfənt] *s* niemowlę; dziecko (do 7 lat); *prawn.* niepełnoletni; ~ **school** przedszkole

in·fan·tile ['ɪnfəntaɪl] *adj* infantylny; dziecięcy, niemowlęcy

in·fan·try ['ɪnfəntrɪ] *s wojsk.* piechota

in·fat·u·ate [ɪn'fætʃʋeɪt] *vt* pozbawić rozsądku, zawrócić głowę, zaślepić; rozkochać; **to be ~d** mieć zawróconą głowę, szaleć (**with sb, sth** za kimś, czymś)

in·fat·u·a·tion [ɪn'fætʃʋ'eɪʃn] *s* szaleńcza miłość; zaślepienie ⟨odurzenie⟩ (kimś, czymś)

in·fect [ɪn'fekt] *vt* zarazić; zakazić; zatruć

in·fec·tion [ɪn'fekʃn] *s* zaraza; zakażenie; zatruwanie

in·fec·tious [ɪn'fekʃəs] *adj* zaraźliwy, zakaźny

in·fec·tive [ɪn'fektɪv] = **infectious**

in·fer [ɪn'fɜ(r)] *vt* wnioskować; zawierać ⟨nasuwać⟩ pojęcie (**sth** czegoś)

in·fer·ence ['ɪnfərəns] *s* wniosek, wywód

in·fe·ri·or [ɪn'fɪərɪə(r)] *adj* niższy, gorszy (**to sb, sth** od kogoś, czegoś); *s* podwładny

in·fe·ri·or·i·ty ['ɪnfɪərɪ'orətɪ] *s* niższość, słabość; ~ **complex** kompleks niższości

a∙fer∙nal [ɪnˈfɜnl] *adj* piekielny

a∙fest [ɪnˈfest] *vt* niepokoić, trapić; nawiedzać; (*o robactwie*) roić się (**sth w czymś**)

a∙fi∙del [ˈɪnfɪdl] *adj rel.* niewierny; *s rel.* niewierny

a∙fi∙del∙i∙ty [ˈɪnfɪˈdelətɪ] *s* niewierność (*zw.* małżeńska); *rel.* niewiara

a∙fil∙trate [ˈɪnfɪltreɪt] *vt vi* przesączać (się); nasycać; przenikać

a∙fi∙nite [ˈɪnfɪnɪt] *adj* nieograniczony, bezkresny, bezmierny, nieskończony; niezliczony

a∙fin∙i∙tes∙i∙mal [ˈɪnˈfɪnɪˈtesɪml] *adj* nieskończenie mały

i∙fin∙i∙tive [ɪnˈfɪnɪtɪv] *adj* nieokreślony; *s gram.* bezokolicznik

a∙fin∙i∙ty [ɪnˈfɪnətɪ] *s* (*także mat.*) nieskończoność; bezkres, bezgraniczność

a∙firm [ˈɪnˈfɜm] *adj* bezsilny, słaby, niedołężny

a∙fir∙ma∙ry [ɪnˈfɜmərɪ] *s* szpital; izba chorych; lecznica

a∙fir∙mi∙ty [ɪnˈfɜmɪtɪ] *s* niemoc, ułomność, niedołęstwo

a∙flame [ɪnˈfleɪm] *vt vi* rozpalić (się); podniecić (się), rozdrażnić (się); rozbudzić (**sb with sth** coś w kimś)

a∙flam∙ma∙ble [ɪnˈflæməbl] *adj* zapalny, łatwo palny; *przen.* zapalczywy; *s* materiał łatwo palny

a∙flam∙ma∙tion [ˈɪnfləˈmeɪʃn] *s* zapalenie (się), rozniecenie

a∙flam∙ma∙to∙ry [ɪnˈflæmətrɪ] *adj* zapalny, zapalający; *przen.* podżegający

a∙flate [ɪnˈfleɪt] *vt* wydymać, nadymać; napompować (dętkę itp.); podnosić (np. ceny)

a∙fla∙tion [ɪnˈfleɪʃn] *s* nadymanie, napompowanie; *fin.* inflacja

a∙flect [ɪnˈflekt] *vt* zginać; *fiz.* załamywać; *gram.* odmieniać (części mowy); modulować (głos)

a∙flec∙tion [ɪnˈflekʃn] = **inflexion**

a∙flex∙i∙ble [ɪnˈfleksəbl] *adj* nieugięty; sztywny

a∙flex∙ion [ɪnˈflekʃn] *s* zgięcie; *fiz.*
załamanie; *gram.* fleksja; modulacja (głosu)

in∙flict [ɪnˈflɪkt] *vt* zadać (np. cios); nałożyć (np. karę); narzucić (**sth on** ⟨**upon**⟩ **sb** coś komuś)

in∙flu∙ence [ˈɪnfluəns] *s* wpływ; działanie, oddziaływanie; *vt* wpływać ⟨działać, oddziaływać⟩ (**sb, sth na** kogoś, coś)

in∙flu∙en∙tial [ˈɪnfluˈenʃl] *adj* wpływowy

in∙flux [ˈɪnflʌks] *s* napływ, dopływ, przypływ; wlot

in∙form [ɪnˈfɔm] *vt* informować, zawiadomić (**sb of sth** kogoś o czymś); natchnąć ⟨ożywić⟩ (**sb with sth** kogoś czymś); *vi* denuncjować (**against sb** kogoś)

in∙for∙mal [ɪnˈfɔml] *adj* nieoficjalny, nieurzędowy, swobodny; nieformalny, nieprzepisowy

in∙form∙ant [ɪnˈfɔmənt] *s* informator; donosiciel

in∙for∙ma∙tion [ˈɪnfəˈmeɪʃn] *s* informacja, wiadomość; doniesienie, denuncjacja; **a piece of** ∼ wiadomość; **to get** ∼ poinformować się

in∙form∙a∙tive [ɪnˈfɔmətɪv] *adj* informacyjny; pouczający

in∙fra∙red [ˈɪnfrəˈred] *adj* podczerwony

in∙fre∙quent [ɪnˈfrikwənt] *adj* nieczęsty

in∙fringe [ɪnˈfrɪndʒ] *vt* naruszyć, przekroczyć (*także vi* ∼ **on** ⟨**upon**⟩ **sth** coś)

in∙fu∙ri∙ate [ɪnˈfjuərɪeɪt] *vt* doprowadzać do szału, rozjuszyć

in∙fuse [ɪnˈfjuz] *vt* natchnąć (**sb with sth** kogoś czymś); wlać; zaparzyć (np. herbatę)

in∙fu∙sion [ɪnˈfjuʒn] *s* wlewanie; napar; nalewka; domieszka; natchnięcie ⟨napełnienie⟩ (**of sth into** sb kogoś czymś)

in∙gen∙ious [ɪnˈdʒɪnɪəs] *adj* pomysłowy, wynalazczy

in·ge·nu·i·ty ['ɪndʒɪ'njuɪtɪ] s pomysłowość, wynalazczość

in·gen·u·ous [ɪn'dʒenjuəs] adj otwarty, szczery; niewinny, naiwny

in·got ['ɪŋgət] s sztaba (kruszcu)

in·grain ['ɪn'greɪn] vt utrwalić, trwale ufarbować

in·grained [ɪn'greɪnd] pp i adj zakorzeniony, zatwardziały

in·gra·ti·ate [ɪn'greɪʃɪeɪt] vr ~ oneself zyskać sobie łaskę (with sb czyjąś), ująć sobie (with sb kogoś)

in·grat·i·tude [ɪn'grætɪtjud] s niewdzięczność

in·gre·di·ent [ɪn'gridɪənt] s składnik

in·gress ['ɪngrəs] s wejście; prawo wstępu

in·hab·it [ɪn'hæbɪt] vt zamieszkiwać

in·hab·it·ant [ɪn'hæbɪtənt] s mieszkaniec

in·ha·la·tion ['ɪnhə'leɪʃn] s inhalacje; wdychanie

in·hale [ɪn'heɪl] vt wdychać, wchłaniać, wciągać (np. zapach)

in·her·ent [ɪn'hɪərnt] adj tkwiący, wrodzony, nieodłączny (in sth od czegoś); właściwy (in sb, sth komuś, czemuś)

in·her·it [ɪn'herɪt] vt vi dziedziczyć, być spadkobiercą

in·her·it·ance [ɪn'herɪtəns] s dziedzictwo, spadek, spuścizna

in·hib·it [ɪn'hɪbɪt] vt powstrzymywać, hamować, zakazywać (sb from doing sth komuś zrobienia czegoś)

in·hi·bi·tion ['ɪnɪ'bɪʃn] s zahamowanie, powstrzymanie; zakaz; hamulec (psychiczny)

in·hos·pi·ta·ble ['ɪnhɒ'spɪtəbl] adj niegościnny

in·hu·man [ɪn'hjumən] adj nieludzki

in·hu·mane ['ɪnhju'meɪn] adj niehumanitarny

in·hu·ma·tion ['ɪnhju'meɪʃn] s po-

chowanie, pogrzebanie, pogrze'

in·im·i·cal [ɪ'nɪmɪkl] adj wrog
szkodliwy

in·im·i·ta·ble [ɪ'nɪmɪtəbl] adj n
do naśladowania; niezrównany

in·iq·ui·tous [ɪ'nɪkwɪtəs] adj ni
sprawiedliwy; niegodziwy

in·iq·ui·ty [ɪ'nɪkwətɪ] s niespra
wiedliwość; niegodziwość

in·i·tial [ɪ'nɪʃl] adj początkow
wstępny; s pl ~s inicjały; para
fa; vt podpisywać inicjałami; p
rafować

in·i·ti·ate [ɪ'nɪʃɪeɪt] vt inicjowa
zapoczątkować; wprowadz
⟨wtajemniczać, wdrażać⟩ (sb in
sth kogoś w coś); adj [ɪ'nɪʃɪə
wtajemniczony; świeżo wprowa
dzony; s nowicjusz

in·i·ti·a·tion [ɪ'nɪʃɪ'eɪʃn] s zainicj
wanie, zapoczątkowanie; wpro
wadzenie; wtajemniczenie

in·i·ti·a·tive [ɪ'nɪʃətɪv] adj począ
kowy, wstępny; s inicjatyw
przedsiębiorczość; on one's ~
czyjejś inicjatywy

in·ject [ɪn'dʒekt] vt zastrzykną
wstrzykiwać

in·jec·tion [ɪn'dʒekʃn] s zastrzyk

in·ju·di·cious ['ɪndʒu'dɪʃəs] adj ni
rozsądny; nieoględny

in·junc·tion [ɪn'dʒʌŋkʃn] s naka
zalecenie

in·jure ['ɪndʒə(r)] vt uszkodzi
skrzywdzić; skaleczyć, zrani
obrazić

in·ju·ri·ous [ɪn'dʒuərɪəs] adj szkod
liwy, krzywdzący; obraźliwy

in·ju·ry ['ɪndʒərɪ] s uszkodzenie
obraza; krzywda, szkoda

in·jus·tice [ɪn'dʒʌstɪs] s niespra
wiedliwość

ink [ɪŋk] s atrament; farba dru
karska; vt plamić, znaczyć atra
mentem; powlekać farbą drukar
ską

ink·ling ['ɪŋklɪŋ] s domysł, prze
czucie, podejrzenie

ink·pad ['ɪŋkpæd] s poduszka d
stempli

ink·pot ['ɪŋkpɒt] = inkstand

ink-stand [ˈɪŋkstænd] s kałamarz

ink-well [ˈɪŋk wel] s kałamarz w ławce szkolnej

in-laid [ɪnˈleɪd] adj wyłożony (czymś), inkrustowany

in-land [ˈɪnlənd] adj attr znajdujący się ⟨położony⟩ w głębi kraju (z dala od morza); wewnętrzny, krajowy; s wnętrze ⟨głąb⟩ kraju

in-let [ˈɪnlet] s wstawka, wpustka; mała zatoka; wlot, wejście; otwór

in-mate [ˈɪnmeɪt] s lokator, mieszkaniec, domownik; pensjonariusz; (w więzieniu) więzień; (w szpitalu) pacjent

in-most [ˈɪnməʊst] adj ukryty ⟨utajony⟩ w głębi; najskrytszy

inn [ɪn] s gospoda, zajazd

in-nate [ɪˈneɪt] adj wrodzony, przyrodzony

in-ner [ˈɪnə(r)] adj wewnętrzny

in-ner-most [ˈɪnəməʊst] = **inmost**

inn-keep-er [ˈɪn kipə(r)] s właściciel gospody ⟨zajazdu⟩

in-no-cence [ˈɪnəsns] s niewinność; prostoduszność, naiwność; nieszkodliwość

in-no-cent [ˈɪnəsnt] adj niewinny; prostoduszny, naiwny; nieszkodliwy; s niewiniątko; prostaczek; półgłówek

in-noc-u-ous [ɪˈnokjuəs] adj nieszkodliwy

in-no-va-tion [ˌɪnəˈveɪʃn] s innowacja

in-no-va-tor [ˈɪnəveɪtə(r)] s innowator

in-nu-en-do [ˌɪnjuˈendəʊ] s insynuacja

in-nu-mer-a-ble [ɪˈnjumrəbl] adj niezliczony

in-oc-u-late [ɪˈnokjuleɪt] vt szczepić, zaszczepiać

in-oc-u-la-tion [ɪˌnokjuˈleɪʃn] s szczepienie, zaszczepianie

in-o-dor-ous [ɪnˈəʊdərəs] adj bezwonny

in-of-fen-sive [ˌɪnəˈfensɪv] adj nieszkodliwy; nie drażniący

in-op-por-tune [ˌɪnˈopətʃun] adj niewczesny, nieodpowiedni, nie na czasie

in-or-di-nate [ɪˈnodɪnət] adj nie uporządkowany; nieumiarkowany; przesadny, nadmierny

in-or-gan-ic [ˌɪnoˈgænɪk] adj nieorganiczny

in-quest [ˈɪnkwest] s badanie, śledztwo

in-quire [ɪnˈkwaɪə(r)] vi pytać ⟨informować⟩ się (about ⟨after, for⟩ sth o coś); dowiadywać się (of sb od kogoś); badać, śledzić (into sth coś); dochodzić, dociekać (into sth czegoś); vt pytać (sth o coś)

in-quir-er [ɪnˈkwaɪərə(r)] s pytający; prowadzący śledztwo

in-quir-y [ɪnˈkwaɪərɪ] s pytanie; badanie, śledztwo; zasięganie informacji; to make inquiries zasięgać informacji

in-qui-si-tion [ˌɪnkwɪˈzɪʃn] s badanie, śledztwo; hist. inkwizycja

in-quis-i-tive [ɪnˈkwɪzətɪv] adj ciekawy, wścibski

in-road [ˈɪnrəʊd] s najazd, napad

in-rush [ˈɪnrʌʃ] s wdarcie się; napór

in-sane [ɪnˈseɪn] adj umysłowo chory, obłąkany

in-san-i-ty [ɪnˈsænətɪ] s obłęd, szaleństwo; choroba umysłowa

in-sa-tia-ble [ɪnˈseɪʃəbl] adj nienasycony

in-scribe [ɪnˈskraɪb] vt wpisać, zapisać; wyryć (napis); zadedykować (sth to sb coś komuś)

in-scrip-tion [ɪnˈskrɪpʃn] s napis; dedykacja

in-scru-ta-ble [ɪnˈskrutəbl] adj niezbadany, nieprzenikniony

in-sect [ˈɪnsekt] s owad, insekt

in-sec-ti-cide [ɪnˈsektɪsaɪd] s środek owadobójczy

in-se-cure [ˌɪnsɪˈkjʊə(r)] adj niepewny

in-sen-sate [ɪnˈsenseɪt] adj nieczuły; nierozumny

in-sen-si-bil-i-ty [ɪnˌsensəˈbɪlətɪ] s omdlenie, nieprzytomność; nieczułość ⟨niewrażliwość⟩ **(to sth na coś)**

in·sen·si·ble [ɪnˈsensəbl] *adj* nie-przytomny, bez zmysłów; nie-wrażliwy, nieczuły; niedostrze-galny

in·sen·si·tive [ɪnˈsensətɪv] *adj* nie-czuły ⟨niewrażliwy⟩ **(to sth na coś)**

in·sep·a·ra·ble [ɪnˈseprəbl] *adj* nie-rozłączny, nieodłączny

in·sert [ɪnˈsɜt] *vt* wstawić, włożyć, wsunąć, wprowadzić; zamieścić

in·ser·tion [ɪnˈsɜʃn] *s* wstawka, wkładka; wstawienie, włożenie, wsunięcie; ogłoszenie (w gaze-cie); dopisek

in·set [ˈɪnset] *s* wstawka, wkładka; *vt* [ˈɪnˈset] wstawić, wkleić

in·side [ɪnˈsaɪd] *s* wnętrze; ~ out wewnętrzną stroną na wierzch; na lewą stronę; *adj attr* wewnę-trzny; *adv i praep* wewnątrz, do wnętrza

in·sid·i·ous [ɪnˈsɪdɪəs] *adj* podstęp-ny, zdradziecki, zdradliwy

in·sight [ˈɪnsaɪt] *s* wgląd **(into sth w coś)**; intuicja

in·sig·ni·a [ɪnˈsɪgnɪə] *s pl* insygnia

in·sig·nif·i·cant [ˌɪnsɪgˈnɪfɪkənt] *adj* nic nie znaczący, nieistotny, ma-ło ważny

in·sin·cere [ˌɪnsɪnˈsɪə(r)] *adj* nie-szczery

in·sin·cer·i·ty [ˌɪnsɪnˈserətɪ] *s* nie-szczerość

in·sin·u·ate [ɪnˈsɪnjueɪt] *vt* insy-nuować; *vr* ~ **oneself** wkraść ⟨wśliznąć⟩ się

in·sin·u·a·tion [ɪnˌsɪnjuˈeɪʃn] *s* insy-nuacja; wśliznięcie się

in·sip·id [ɪnˈsɪpɪd] *adj* bez smaku, mdły; tępy (umysłowo); bez-barwny

in·sist [ɪnˈsɪst] *vi* nalegać, nasta-wać; upierać się, obstawać; kłaść nacisk; domagać się **(on ⟨upon⟩ sth czegoś)**

in·sist·ence [ɪnˈsɪstəns] *s* nalega-nie; uporczywość; domaganie się

in·sist·ent [ɪnˈsɪstənt] *adj* uporcz[y]wy; naglący

in·so·lence [ˈɪnsələns] *s* zuchwa[l]-stwo, bezczelność

in·sol·u·ble [ɪnˈsoljubl] *adj* niero[z]puszczalny; nierozwiązalny

in·sol·ven·cy [ɪnˈsolvənsɪ] *s* niewy[]płacalność

in·sol·vent [ɪnˈsolvənt] *adj* niewy[]płacalny; *s* bankrut

in·som·ni·a [ɪnˈsomnɪə] *s* bezsen[]ność

in·so·much [ˌɪnsəʊˈmʌtʃ] *adv* o ty[]le, do tego stopnia

in·spect [ɪnˈspekt] *vt* doglądać, do[]zorować; badać, kontrolować; w[]zytować

in·spec·tion [ɪnˈspekʃn] *s* inspe[k]cja, dozór; badanie, kontrola

in·spi·ra·tion [ˌɪnspəˈreɪʃn] *s* n[]tchnienie; wdech

in·spire [ɪnˈspaɪə(r)] *vt* natchną[ć], pobudzić **(sb with sth kogoś** [do] **czegoś)**; wzbudzić **(sth coś,** s[] **with sth w kimś)**; inspir[o]wać **(sb with sth kogoś czymś[)**; wdychać

in·sta·bil·i·ty [ˌɪnstəˈbɪlətɪ] *s* nie[]stałość

in·stall [ɪnˈstɔl] *vt* wprowadzać n[a] urząd; instalować, urządzać

in·stal·la·tion [ˌɪnstəˈleɪʃn] *s* wpro[]wadzenie na urząd; instalacj[a,] urządzenie

in·stall·ment [ɪnˈstɔlmənt] *s* rat[a;] felieton; odcinek (powieści); z[e]szyt (publikacji)

in·stance [ˈɪnstəns] *s* wypade[k,] przykład; instancja; nalegani[e,] żądanie; **for** ~ na przykład

in·stant [ˈɪnstənt] *adj* natychmia[]stowy, nagły, naglący; bieżąc[y] (miesiąc); *s* chwila

in·stan·ta·ne·ous [ˌɪnstənˈteɪnɪə[s]] *adj* momentalny; natychmiasto[]wy

in·stant·ly [ˈɪnstəntlɪ] *adv* natyc[h]miast

in·stead [ɪnˈsted] *adv* na miejsce; ~ ⟨zamiast⟩ tego; *praep* ~ **of** za[]miast ⟨w miejsce⟩ **(sb, sth kogo[ś,]** czegoś)

n·sti·gate [ˈɪnstɪgeɪt] *vt* podżegać, podjudzać; wywołać (np. bunt)

n·sti·ga·tion [ˌɪnstɪˈgeɪʃn] *s* podżeganie, prowokacja, namowa

n·stil [ɪnˈstɪl] *vt* wsączać; wpajać (np. zasady)

n·stinct [ˈɪnstɪŋkt] *s* instynkt; *adj* ożywiony ⟨przepojony⟩ (czymś)

n·stinc·tive [ɪnˈstɪŋktɪv] *adj* instynktowny

n·sti·tute [ˈɪnstɪtjuːt] *s* instytut; *vt* zakładać; urządzać; ustanawiać; zaprowadzać; wszczynać

n·sti·tu·tion [ˌɪnstɪˈtjuːʃn] *s* instytucja, zakład; związek, towarzystwo; ustanowienie, założenie; zwyczaj (powszechny)

n·struct [ɪnˈstrʌkt] *vt* instruować, informować; zlecać; uczyć (**in sth** czegoś)

n·struc·tion [ɪnˈstrʌkʃn] *s* instrukcja; wskazówka; polecenie; nauka, szkolenie

n·struc·tive [ɪnˈstrʌktɪv] *adj* pouczający

n·struc·tor [ɪnˈstrʌktə(r)] *s* instruktor, nauczyciel

n·stru·ment [ˈɪnstrumənt] *s* instrument; przyrząd, aparat; *dosł. i przen.* narzędzie

n·stru·men·tal [ˌɪnstruˈmentl] *adj* służący za narzędzie; pomocny; **to be ~ in sth** doprowadzić ⟨przyczynić się⟩ do czegoś; *s gram.* narzędnik

n·sub·or·di·nate [ˌɪnsəˈbɔːdɪnət] *adj* nieposłuszny, niekarny

n·sub·or·di·na·tion [ˌɪnsəbɔːdɪˈneɪʃn] *s* niesubordynacja, niekarność, nieposłuszeństwo

n·suf·fer·a·ble [ɪnˈsʌfrəbl] *adj* nieznośny

n·suf·fi·cien·cy [ˌɪnsəˈfɪʃnsɪ] *s* niedostatek; *med.* niedomoga

n·suf·fi·cient [ˌɪnsəˈfɪʃnt] *adj* niewystarczalny, niedostateczny

n·su·lar [ˈɪnsjulə(r)] *adj* wyspiarski; *przen.* mający ograniczony światopogląd

n·su·late [ˈɪnsjuleɪt] *vt* izolować

in·su·la·tion [ˌɪnsjuˈleɪʃn] *s* izolacja

in·sult [ɪnˈsʌlt] *vt* lżyć, znieważać, obrażać; *s* [ˈɪnsʌlt] obraza, zniewaga

in·su·per·a·ble [ɪnˈsjuːprəbl] *adj* niepokonany, niezwyciężony; nie do przezwyciężenia

in·sup·port·a·ble [ˌɪnsəˈpɔːtəbl] *adj* nie do zniesienia

in·sur·ance [ɪnˈʃʊərns] *s* ubezpieczenie

in·sure [ɪnˈʃʊə(r)] *vt vi* ubezpieczać (się)

in·sur·gence [ɪnˈsɜːdʒəns] *s* powstanie, insurekcja

in·sur·gent [ɪnˈsɜːdʒənt] *adj* powstańczy; *s* powstaniec

in·sur·mount·a·ble [ˌɪnsəˈmaʊntəbl] *adj* nie do pokonania, nieprzezwyciężony

in·sur·rec·tion [ˌɪnsəˈrekʃn] *s* powstanie

in·sur·rec·tion·ist [ˌɪnsəˈrekʃnɪst] *s* powstaniec

in·sus·cep·ti·ble [ˌɪnsəˈseptəbl] *adj* nieczuły (**to sth** na coś); niepodatny ⟨odporny⟩ (**of sth** na coś)

in·tact [ɪnˈtækt] *adj* nietknięty, nienaruszony, dziewiczy

in·take [ˈɪnteɪk] *s* wsysanie, pobieranie (np. wody); ilość spożyta ⟨zużyta, pobrana⟩; wlot; napływ, dopływ

in·tan·gi·ble [ɪnˈtændʒəbl] *adj* niedotykalny; nieuchwytny

in·te·ger [ˈɪntɪdʒə(r)] *s* całość; *mat.* liczba całkowita

in·te·gral [ˈɪntɪgrəl] *adj* integralny; *s mat.* całka; całość

in·te·grate [ˈɪntɪgreɪt] *vt* scalić, uzupełnić; *mat.* całkować

in·te·gra·tion [ˌɪntɪˈgreɪʃn] *s* scalenie, integracja; *mat.* całkowanie

in·teg·ri·ty [ɪnˈtegrətɪ] *s* integralność; rzetelność, prawość

in·tel·lect [ˈɪntəlekt] *s* intelekt, umysł

in·tel·lec·tu·al [ˌɪntəˈlektʃuəl] *adj* intelektualny, umysłowy; *s* intelektualista, pracownik umysłowy

in·tel·li·gence [ɪnˈtelɪdʒəns] *s* inte-

ligencja; informacja; wywiad; ~
service służba wywiadowcza

in·tel·li·genc·er [ɪnˈtelɪdʒənsə(r)] s
agent obcego wywiadu, szpieg

in·tel·li·gent [ɪnˈtelɪdʒənt] adj inteligentny

in·tel·li·gent·si·a [ɪnˈtelɪˈdʒentsɪə] s
zbiór. inteligencja, warstwy wykształcone

in·tel·li·gi·ble [ɪnˈtelɪdʒəbl] adj zrozumiały

in·tem·per·ance [ɪnˈtemprəns] s
nieumiarkowanie, niepowściągliwość

in·tem·per·ate [ɪnˈtempərət] adj
nieumiarkowany, niepohamowany

in·tend [ɪnˈtend] vt zamierzać, zamyślać; przeznaczać; mieć na myśli ⟨na celu⟩; chcieć

in·tense [ɪnˈtens] adj intensywny; napięty; silny; usilny; wytężony; (o uczuciu) żywy

in·ten·si·fi·ca·tion [ɪnˈtensɪfɪˈkeɪʃn] s intensyfikacja, wzmacnianie, wzmaganie

in·ten·si·fy [ɪnˈtensɪfaɪ] vt vi
wzmocnić (się), napiąć, pogłębiać (się), wzmagać (się)

in·ten·si·ty [ɪnˈtensətɪ] s intensywność

in·ten·sive [ɪnˈtensɪv] adj wzmożony, intensywny

in·tent [ɪnˈtent] adj uważny; zajęty, zaprzątnięty; zdecydowany, zawzięty (on ⟨upon⟩ sth na coś); s zamiar, intencja, plan; to all ~s and purposes w istocie, faktycznie

in·ten·tion [ɪnˈtenʃn] s zamiar, cel

in·ten·tion·al [ɪnˈtenʃnl] adj celowy, umyślny

in·ter [ɪnˈtɜ(r)] vt grzebać, chować (zmarłego)

in·ter·act [ˈɪntərˈækt] vi oddziaływać (na siebie) wzajemnie

in·ter·cede [ˈɪntəˈsid] vi interweniować, wstawiać się (with sb for sb, sth u kogoś za kimś, czymś)

in·ter·cept [ˈɪntəˈsept] vt prze-

chwycić, przejąć; przerwać, zagrodzić; odciąć

in·ter·ces·sion [ˈɪntəˈseʃn] s wstawiennictwo

in·ter·change [ˈɪntəˈtʃeɪndʒ] vt wymieniać (między sobą); zamieniać (coś na coś); zmieniać (się kolejno; s [ˈɪntətʃeɪndʒ] wzajemna wymiana, kolejna zmiana

in·ter·course [ˈɪntəkɔs] s obcowanie, stosunek (wzajemny), związek; to have ⟨hold⟩ ~ utrzymywać stosunki (with sb z kimś)

in·ter·dict [ˈɪntəˈdɪkt] vt zabronić, zakazać; s [ˈɪntədɪkt] = **interdiction**

in·ter·dic·tion [ˈɪntəˈdɪkʃn] s zakaz; hist. interdykt

in·ter·est [ˈɪntrəst] s interes, zysk, udział (np. w zyskach); dobro (publiczne itd.); handl. odsetki; zainteresowanie; to take an ~, interesować się (in sth czymś); vt interesować; vr ~ oneself interesować się (in sth czymś)

in·ter·est·ing [ˈɪntrəstɪŋ] ppraes adj interesujący, zajmujący, ciekawy

in·ter·fere [ˈɪntəˈfɪə(r)] vi mieszać ⟨wtrącać, wdawać⟩ się (with sth w coś); przeszkadzać (zawadzać) (with sth czemuś), kolidować

in·ter·fer·ence [ˈɪntəˈfɪərns] s mieszanie ⟨wtrącanie⟩ się, ingerencja, wkraczanie; przeszkoda, kolizja

in·ter·im [ˈɪntərɪm] s okres przejściowy; adj przejściowy

in·te·ri·or [ɪnˈtɪərɪə(r)] adj wewnętrzny; ~ design architektura wnętrz; s wnętrze; środek ⟨głąb⟩ kraju

in·ter·jec·tion [ˈɪntəˈdʒekʃn] s okrzyk; gram. wykrzyknik

in·ter·lace [ˈɪntəˈleɪs] vt vi przeplatać (się)

in·ter·lock [ˈɪntəˈlok] vt vi spleść (się), sprząc ⟨złączyć⟩ (się)

in·ter·loc·u·tor [ˈɪntəˈlokjutə(r)] rozmówca

intimacy

·ter·lude [`ɪntəlud] *s (także muz.)* interludium; przerwa

·ter·mar·riage [`ɪntə`mærɪdʒ] *s* małżeństwo mieszane; małżeństwo w obrębie rodu ⟨plemienia⟩

·ter·me·di·a·ry [`ɪntə`midɪərɪ] *adj* pośredni; pośredniczący; *s* pośrednik

·ter·me·di·ate [`ɪntə`midɪət] *adj* pośredni; ~ **examination** egzamin składany w połowie studiów uniwersyteckich; *s* etap ⟨produkt itd.⟩ pośredni; stadium pośrednie

·ter·ment [ɪn`tɜmənt] *s* pogrzeb

·ter·mi·na·ble [ɪn`tɜmɪnəbl] *adj* nie kończący się

·ter·min·gle [`ɪntə`mɪŋgl] *vt vi* mieszać (się), splatać (się)

·ter·mis·sion [`ɪntə`mɪʃn] *s* przerwa, pauza

·ter·mit·tent [`ɪntə`mɪtnt] *adj* przerywany, sporadyczny

·ter·mix [`ɪntə`mɪks] *vt vi* mieszać (się)

·tern 1. [ɪn`tɜn] *vt* internować

·tern 2. [`ɪntɜn] *s am.* lekarz-stażysta (mieszkający na terenie kliniki); student w internacie

·ter·nal [ɪn`tɜnl] *adj* wewnętrzny; krajowy, domowy

·ter·na·tion·al [`ɪntə`næʃnl] *adj* międzynarodowy; *s sport* zawody międzynarodowe; uczestnik zawodów międzynarodowych; **the International** Międzynarodówka

·ter·na·tio·nale [`ɪntə`næʃən`al] *s* Międzynarodówka (hymn)

·ter·na·tion·al·ism [`ɪntə`næʃnlɪzm] *s* internacjonalizm

·ter·na·tion·al·ize [`ɪntə`næʃnəlaɪz] *vt* umiędzynarodowić

·ter·ne·cine [`ɪntə`nisaɪn] *adj* morderczy

·tern·ment [ɪn`tɜnmənt] *s* internowanie; ~ **camp** obóz koncentracyjny

·ter·pel·late [ɪn`tɜpɪleɪt] *vt* interpelować

·ter·play [`ɪntəpleɪ] *s* obustronna gra; wzajemne oddziaływanie

in·ter·po·late [ɪn`tɜpəleɪt] *vt* wstawić (do tekstu); *mat.* interpolować

in·ter·pose [`ɪntə`pəuz] *vt vi* wstawiać, wtrącać (się); użyć (autorytetu itp.); interweniować

in·ter·pret [ɪn`tɜprɪt] *vt* tłumaczyć, objaśniać; interpretować; *vi* tłumaczyć ustnie (np. na odczycie)

in·ter·pre·ta·tion [ɪn`tɜprɪ`teɪʃn] *s* tłumaczenie; objaśnienie, interpretacja

in·ter·pret·er [ɪn`tɜprɪtə(r)] *s* tłumacz (ustny)

in·ter·ro·gate [ɪn`terəgeɪt] *vt* pytać, indagować, przesłuchiwać

in·ter·ro·ga·tion [ɪn`terə`geɪʃn] *s* pytanie, indagacja, przesłuchanie; *gram.* note of ~ pytajnik

in·ter·rog·a·tive [`ɪntə`rogətɪv] *adj (także gram.)* pytający

in·ter·rupt [`ɪntə`rʌpt] *vt* przerywać

in·ter·sect [`ɪntə`sekt] *vt* przecinać

in·ter·sperse [`ɪntə`spɜs] *vt* rozsypać ⟨rozrzucić⟩ (między czymś), przemieszczać; urozmaicić

in·ter·twine [`ɪntə`twaɪn] *vt vi* przeplatać (się)

in·ter·val [`ɪntəvl] *s* przerwa, odstęp; *muz.* interwał; at ~s z przerwami, tu i ówdzie

in·ter·vene [`ɪntə`vin] *vi* interweniować; ingerować ⟨wdawać się, wkraczać⟩ (w coś); wydarzyć się; upłynąć

in·ter·ven·tion [`ɪntə`venʃn] *s* interwencja, wkroczenie (w coś)

in·ter·view [`ɪntəvju] *s* wywiad (zw. dziennikarski); *vt* przeprowadzić wywiad (sb z kimś)

*in·ter·weave [`ɪntə`wiv], **interwove** [`ɪntə`wəuv], **interwoven** [`ɪntə`wəuvən] *vt vt* tkać, przeplatać (się), przetykać

in·tes·tine [ɪn`testɪn] *adj* wewnętrzny; *s pl* ~s wnętrzności, jelita

in·ti·ma·cy [`ɪntɪməsɪ] *s* poufałość, intymność

in·ti·mate ['ɪntɪmət] *adj* poufały, intymny, zażyły; gruntowny; *vt* ['ɪntɪmeɪt] podać do wiadomości; dać do zrozumienia

in·ti·ma·tion [ˌɪntɪ'meɪʃn] *s* podanie do wiadomości; zasugerowanie; napomknięcie

in·tim·i·date [ɪn'tɪmɪdeɪt] *vt* zastraszyć, onieśmielić

in·tim·i·da·tion [ɪnˌtɪmɪ'deɪʃn] *s* zastraszenie, onieśmielenie

in·to ['ɪntu, 'ɪntə] *praep dla oznaczenia ruchu i kierunku:* w, do; far ~ the night do późna w nocy; *dla oznaczenia przemiany i podziału:* na, w; to turn ~ gold zmienić w złoto; to divide ~ groups dzielić na grupy

in·tol·er·a·ble [ɪn'tɒlərəbl] *adj* nieznośny

in·tol·er·ance [ɪn'tɒlərns] *s.* nietolerancja

in·tol·er·ant [ɪn'tɒlərnt] *adj* nietolerancyjny

in·to·na·tion [ˌɪntə'neɪʃn] *s* intonacja

in·tone [ɪn'təun] *vt* intonować

in·tox·i·cant [ɪn'tɒksɪkənt] *adj* odurzający, alkoholowy; *s* środek odurzający, napój alkoholowy

in·tox·i·cate [ɪn'tɒksɪkeɪt] *vt* odurzyć, upić

in·tox·i·ca·tion [ɪnˌtɒksɪ'keɪʃn] *s* odurzenie, upicie; *med.* zatrucie

in·trac·ta·ble [ɪn'træktəbl] *adj* krnąbrny; oporny, niepodatny

in·tran·si·gent [ɪn'trænsɪdʒənt] *adj* nieprzejednany; *s* człowiek nieprzejednany

in·tran·si·tive [ɪn'trænsɪtɪv] *adj gram.* nieprzechodni

in·tra·ve·nous [ˌɪntrə'viːnəs] *adj* dożylny

in·trench = **entrench**

in·trep·id [ɪn'trepɪd] *adj* nieustraszony

in·tri·ca·cy ['ɪntrɪkəsɪ] *s* zawiłość, gmatwanina

in·tri·cate ['ɪntrɪkət] *adj* skomplikowany, zawiły

in·trigue [ɪn'triːg] *s* intryga; *vt* intrygować

in·trin·sic [ɪn'trɪnsɪk] *adj* wewnętrzny, głęboki; istotny, faktyczny

in·tro·duce ['ɪntrə'djuːs] *vt* wprowadzić; przedstawić (sb to sb kogoś komuś); przedłożyć (np wniosek)

in·tro·duc·tion ['ɪntrə'dʌkʃn] *s* wprowadzenie; przedstawienie; przedłożenie; wstęp, przedmowa

in·tro·duc·to·ry ['ɪntrə'dʌktrɪ] *adj* wstępny, wprowadzający; polecający

in·tro·spect ['ɪntrə'spekt] *vi* obserwować samego siebie, oddawać się introspekcji

in·trude [ɪn'truːd] *vi* wtrącać się; ⟨wkraczać⟩ (into sth do czegoś); przeszkadzać, narzucać się (o ⟨upon⟩ sb komuś); zakłócać (o ⟨upon⟩ sth coś); *vt* narzucać (sth on ⟨upon⟩ sb komuś coś)

in·trud·er [ɪn'truːdə(r)] *s* intruz, natręt

in·tru·sion [ɪn'truːʒn] *s* bezprawne wkroczenie ⟨wtargnięcie⟩ (w coś ⟨gdzieś⟩); narzucanie (się); wcięcie

in·tru·sive [ɪn'truːzɪv] *adj* narzucający się, natrętny; wtrącony

in·trust = **entrust**

in·tu·i·tion ['ɪntjuː'ɪʃn] *s* intuicja

in·tu·i·tive [ɪn'tjuːtɪv] *adj* intuicyjny

in·un·date ['ɪnəndeɪt] *vt* zalać, zatopić

in·un·da·tion ['ɪnən'deɪʃn] *s* zalew, powódź

in·ure [ɪ'njuə(r)] *vt* przyzwyczajać, zaprawiać, hartować

in·vade [ɪn'veɪd] *vt* najechać, wtargnąć (a country do kraju)

in·va·lid 1. ['ɪnvəlɪd] *adj* chory, ułomny, niezdolny do pracy; człowiek chory, kaleka, inwalid

in·va·lid 2. [ɪn'vælɪd] *adj* nieważny, nieprawomocny

in·val·i·date [ɪn'vælɪdeɪt] *vt* unieważnić

in·val·u·a·ble [ɪnˈvæljubl] *adj* bezcenny, nieoceniony

in·var·i·a·ble [ɪnˈveərɪəbl] *adj* niezmienny

in·va·sion [ɪnˈveɪʒn] *s* inwazja

in·vec·tive [ɪnˈvektɪv] *s* inwektywa, obelga

in·veigh [ɪnˈveɪ] *vi* gromić, kląć (against sb, sth kogoś, coś)

in·vei·gle [ɪnˈvigl] *vt* uwodzić; wabić

in·vent [ɪnˈvent] *vt* wynajdować, wymyślić; zmyślić

in·ven·tion [ɪnˈvenʃn] *s* wynalazek; wymysł

in·ven·tive [ɪnˈventɪv] *adj* wynalazczy, pomysłowy

in·ven·tor [ɪnˈventə(r)] *s* wynalazca

in·ven·to·ry [ˈɪnvəntrɪ] *s* inwentarz

in·verse [ˈɪnˈvɜs] *adj* odwrotny; *s* odwrotność

in·ver·sion [ɪnˈvɜʃn] *s* odwrócenie, inwersja

in·vert [ɪnˈvɜt] *vt* odwrócić, przestawić

in·ver·te·brate [ɪnˈvɜtəbreɪt] *adj* *zool.* bezkręgowy; *przen.* bez kręgosłupa; *s* *zool.* bezkręgowiec

in·vest [ɪnˈvest] *vt* odziewać, ubierać (sb in sth w coś); otaczać (sb with sth czymś); inwestować, wkładać; wyposażyć, obdarzyć (with sth w coś); nadać (sb with sth komuś coś — np. przywilej, władzę)

in·ves·ti·gate [ɪnˈvestɪgeɪt] *vt* badać; dochodzić ⟨dociekać⟩ (sth czegoś); prowadzić śledztwo

in·ves·ti·ga·tion [ɪnˈvestɪˈgeɪʃn] *s* badanie, dociekanie, śledztwo

in·vest·ment [ɪnˈvestmənt] *s* inwestycja, lokata; odzianie, szata; *wojsk.* oblężenie

in·vet·er·ate [ɪnˈvetərət] *adj* zastarzały; głęboko zakorzeniony; uporczywy; nałogowy

in·vid·i·ous [ɪnˈvɪdɪəs] *adj* nienawistny, budzący zawiść

in·vig·i·late [ɪnˈvɪdʒɪleɪt] *vt* nadzorować przy egzaminie ⟨egzamin⟩

in·vig·o·rate [ɪnˈvɪgəreɪt] *vt* wzmacniać, pokrzepiać, orzeźwić

in·vin·ci·ble [ɪnˈvɪnsəbl] *adj* niezwyciężony

in·vi·o·la·ble [ɪnˈvaɪələbl] *adj* nienaruszalny, nietykalny

in·vi·o·late [ɪnˈvaɪələt] *adj* nienaruszony, nietknięty

in·vis·i·ble [ɪnˈvɪzəbl] *adj* niewidzialny, niewidoczny

in·vi·ta·tion [ˈɪnvɪˈteɪʃn] *s* zaproszenie

in·vite [ɪnˈvaɪt] *vt* zapraszać; zachęcać (sth do czegoś); wywoływać, powodować

in·voice [ˈɪnvɔɪs] *s* *handl.* faktura

in·voke [ɪnˈvəuk] *vt* wzywać, zaklinać

in·vol·un·tar·y [ɪnˈvɒləntrɪ] *adj* mimowolny

in·vo·lu·tion [ˈɪnvəˈluʃn] *s* powikłanie, zawiłość

in·volve [ɪnˈvɒlv] *vt* obejmować; zwijać; wciągać, pociągać za sobą; wmieszać, wplątać; uwikłać; komplikować, gmatwać

in·volved [ɪnˈvɒlvd] *pp i adj* zawiły; wplątany

in·vul·ner·a·ble [ɪnˈvʌlnrəbl] *adj* nie do zranienia, niewrażliwy (na ciosy itp.); nienaruszalny

in·ward [ˈɪnwəd] *adj* wewnętrzny; duchowy; skryty; skierowany do wewnątrz; *adv* (także ~s) do wnętrza, w głąb, w głębi; w duchu

i·o·dine [ˈaɪədin] *s* *chem.* jod; *pot.* jodyna (zw. tincture of ~)

i·o·ta [aɪˈəutə] *s* (litera) jota; odrobina

I·ra·ni·an [ɪˈreɪnɪən] *adj* irański, perski; *s* Irańczyk, Pers

i·ras·ci·ble [ɪˈræsəbl] *adj* drażliwy, skłonny do gniewu

I·rish [ˈaɪrɪʃ] *adj* irlandzki

I·rish·man [ˈaɪərɪʃmən] (pl Irishmen [ˈaɪərɪʃmən]) *s* Irlandczyk

irk·some [ˈɜksəm] *adj* nużący, przykry

i·ron [ˈaɪən] *s* żelazo; żelazko (do prasowania); pl ~s kajdanki; cast ~ żeliwo; *vt* okuć, podkuć;

prasować (np. bieliznę); zakuć w kajdany

i·ron·clad [ˈaɪənklæd] *adj* opancerzony, pancerny; *s mors.* pancernik

i·ron·found·ry [ˈaɪənfaʊndrɪ] *s* huta, odlewnia żelaza

i·ron·ic(al) [aɪˈrɒnɪk(l)] *adj* ironiczny

i·ron·mon·ger [ˈaɪənmʌŋgə(r)] *s* handlarz towarami żelaznymi

i·ron·side [ˈaɪənsaɪd] *s przen.* człowiek „z żelaza"; *hist.* żołnierz armii Cromwella

i·ron·work [ˈaɪənwək] *s* konstrukcja żelazna; *zbior.* wyroby żelazne; *pl* ~s huta

i·ro·ny [ˈaɪərənɪ] *s* ironia

ir·ra·di·ate [ɪˈreɪdɪeɪt] *vt* oświetlać; naświetlać (promieniami); wyjaśniać (kwestię, sprawę itd.); *vi* promieniować

ir·ra·tion·al [ɪˈræʃnl] *adj* irracjonalny; nierozumny

ir·rec·on·cil·a·ble [ɪˈrekənˈsaɪləbl] *adj* nieprzejednany; nie dający się pogodzić

ir·re·cov·er·a·ble [ˈɪrɪˈkʌvrəbl] *adj* bezpowrotnie stracony, nie do odzyskania; nie do naprawienia

ir·ref·u·ta·ble [ˈɪrɪˈfjuːtəbl] *adj* niezbity, nieodparty

ir·reg·u·lar [ɪˈregjʊlə(r)] *adj* nieregularny, nieprawidłowy, nierówny; nieporządny; nielegalny

ir·reg·u·lar·i·ty [ˈɪˈregjʊˈlærətɪ] *s* nieregularność, nieprawidłowość, nierówność; nieporządek; naruszanie norm ⟨przepisów itd.⟩

ir·re·li·gious [ˈɪrɪˈlɪdʒəs] *adj* niewierzący; bezbożny

ir·re·me·di·a·ble [ˈɪrɪˈmiːdɪəbl] *adj* nie do naprawienia

ir·re·mov·a·ble [ˈɪrɪˈmuːvəbl] *adj* nieusuwalny, nie do usunięcia

ir·rep·a·ra·ble [ɪˈreprəbl] *adj* nie do

naprawienia, niepowetowany

ir·re·press·i·ble [ˈɪrɪˈpresəbl] *ad* niepowstrzymany, nie do opano wania; nieodparty

ir·re·proach·a·ble [ˈɪrɪˈprəʊtʃəb adj* nienaganny

ir·re·sist·i·ble [ˈɪrɪˈzɪstəbl] *adj* nie odparty

ir·res·o·lute [ɪˈrezəluːt] *adj* niezde cydowany

ir·re·spec·tive [ˈɪrɪˈspektɪv] *adj* ni biorący pod uwagę; niezależny *adv* niezależnie; ~ of bez wzglę du na, niezależnie od

ir·re·spon·si·ble [ˈɪrɪˈsponsəbl] *ad* nieodpowiedzialny, lekkomyślny

ir·re·triev·a·ble [ˈɪrɪˈtriːvəbl] *ad* niepowetowany, bezpowrotny

ir·rev·er·ent [ɪˈrevərənt] *adj* nie o kazujący szacunku, lekceważący

ir·rev·o·ca·ble [ɪˈrevəkəbl] *adj* nie odwołalny

ir·ri·gate [ˈɪrɪgeɪt] *vt* nawadniać *med.* przepłukiwać

ir·ri·ga·tion [ˈɪrɪˈgeɪʃn] *s* nawod nienie; *med.* przepłukiwanie, iry gacja

ir·ri·ta·ble [ˈɪrɪtəbl] *adj* skłonn do gniewu, drażliwy

ir·ri·tate [ˈɪrɪteɪt] *vt* irytować, roz drażniać

ir·ri·ta·tion [ˈɪrɪˈteɪʃn] *s* irytacja rozdrażnienie

is [ɪz] *zob.* **be**

is·land [ˈaɪlənd] *s* wyspa

is·land·er [ˈaɪləndə(r)] *s* wyspiarz

isle [aɪl] *s* wyspa

is·let [ˈaɪlət] *s* wysepka

isn't [ɪznt] = **is not**; *zob.* **be**

i·so·late [ˈaɪsəleɪt] *vt* izolować ⟨od osobnić, wyodrębnić⟩ **(from st** od czegoś)

i·so·la·tion [ˈaɪsəˈleɪʃn] *s* izolacja odosobnienie

i·sos·ce·les [aɪˈsosliːz] *adj* mat równoramienny (trójkąt)

i·so·tope [ˈaɪsətəʊp] *s fiz.* izotop

Is·ra·el·ite [ˈɪzrɪəlaɪt] *s* Izraelita

is·sue [ˈɪʃuː] *s* wyjście; ujście; u pływ; wynik, rezultat; potom stwo; kwestia, zagadnienie; emi

sja; przydział; nakład, **wydanie**;
wydawanie; in the ~ w końcu;
matter at ~ sprawa sporna; **to
bring to an** ~ doprowadzić do
końca; **to join ⟨take⟩** ~ zacząć
się spierać; *vt* wypuszczać; wydawać; emitować; *vi* wychodzić;
uchodzić; wypadać; pochodzić;
wynikać, wypływać

sth·mus [ˈɪsməs] *s* przesmyk

it [ɪt] *pron* ono, to; *(gdy zastępuje rzeczowniki nieżywotne i na-
zwy zwierząt)* on, ona

tal·ian [ɪˈtælɪən] *adj* włoski; *s*
Włoch; język włoski

tal·ics [ɪˈtælɪks] *s pl* kursywa,
pismo pochyłe

tch [ɪtʃ] *vi* swędzić; *s* swędzenie;
med. świerzb; *pot.* chętka

·tem [ˈaɪtəm] *s* przedmiot; punkt;
szczegół; pozycja (w rachunku

itd.); *adv* podobnie, tak samo

i·tem·ize [ˈaɪtəmaɪz] *vt* wyszczególniać

it·er·ate [ˈɪtəreɪt] *vt* powtarzać

i·tin·er·ant [aɪˈtɪnərənt] *adj* wędrowny

i·tin·er·ar·y [aɪˈtɪnərɪ] *adj* wędrowny; *s* trasa ⟨plan⟩ podróży;
przewodnik (książka); dziennik
podróży

i·tin·er·ate [aɪˈtɪnəreɪt] *vi* wędrować

its [ɪts] *pron (w odniesieniu do
dziecka, zwierząt i rzeczy)* jego,
jej, swój

it's [ɪts] = **it is**; zob. **be**

it·self [ɪtˈself] *pron* samo, sobie,
siebie, się; by ~ samo (jedno)

I've [aɪv] = **I have**

i·vo·ry [ˈaɪvrɪ] *s* kość słoniowa

i·vy [ˈaɪvɪ] *s* bluszcz

j

ab·ber [ˈdʒæbə(r)] *vt vi* trajkotać,
paplać; *s* paplanie, trajkotanie

ack, jack [dʒæk] *s zdrob.* od
John Jaś; chłopak; *(także* **jack
tar**) *(prosty)* marynarz; służący;
walet (w kartach); lewar, pod-
nośnik; *mors.* bandera; **Jack of
all trades** majster do wszystkiego; **Jack in office** biurokrata;
pot. ważniak; **cheap Jack** wędrowny przekupień; **Union Jack**
narodowa flaga brytyjska; **eve-
ryman jack** każdy bez wyjątku

ack·al [ˈdʒækəl] *s zool.* szakal

ack·ass [ˈdʒækæs] *s dosł. i przen.*
osioł

ack·boot [ˈdʒækbut] *s* but z wy-
soką cholewką

ack·daw [ˈdʒækdɔ] *s zool.* kawka

ack·et [ˈdʒækɪt] *s* żakiet, kurtka,
marynarka, kaftan; obwoluta;
teczka (na akta); skórka, łupina;

okładzina, koszulka, osłona

jack-o'-lantern [ˈdʒækəˈlæntən] *s*
błędny ognik

jade [dʒeɪd] *s* szkapa; *vt vi* zmordować (się), zmęczyć (się)

jad·ed [ˈdʒeɪdɪd] *pp i adj* sterany

jag [dʒæg] *s* szczerba, wyrwa;
cypel; ząb (np. piły); strzęp (materiału, kartki itd.); występ
(skalny); *vt* karbować; szczerbić;
wyrzynać; strzępić

jag·ged [ˈdʒægɪd] *pp i adj* szczerbaty; strzępiasty, ząbkowany

jag·uar [ˈdʒægjuə(r)] *s zool.* jaguar

jail [dʒeɪl] *s am.* więzienie

jail·er [ˈdʒeɪlə(r)] *s am.* dozorca
więzienny

jam 1. [dʒæm] *s* dżem, konfitura

jam 2. [dʒæm] *vt* zaciskać, wciskać; stłoczyć; zatykać, blokować; zagłuszać (transmisję radiową); *vi* zaklinować się; zaciąć

się; s ucisk, ścisk; zator; zacięcie się

jam·bo·ree [ˈdʒæmbəˌriː] s zlot harcerski; jamboree

jan·gle [ˈdʒæŋgl] s brzęk; klekot; vt vi brzęczeć, dzwonić, klekotać

jan·i·tor [ˈdʒænɪtə(r)] s odźwierny, dozorca, portier

Jan·u·a·ry [ˈdʒænjuərɪ] s styczeń

Jap·a·nese [ˌdʒæpəˈniːz] adj japoński; s Japończyk; język japoński

jar 1. [dʒɑː(r)] s słój, słoik, dzban

jar 2. [dʒɑː(r)] vi zgrzytać, brzęczeć; kłócić się; vt drażnić ⟨razić⟩ (np. ucho); szarpać (działać na) nerwy; wstrząsać; s zgrzyt; wstrząs; kłótnia

jas·mine [ˈdʒæzmɪn] s jaśmin

jas·per [ˈdʒæspə(r)] s miner. jaspis

jaun·dice [ˈdʒɔːndɪs] s med. żółtaczka; przen. zazdrość, zawiść

jaunt [dʒɔːnt] vi wybrać się na wycieczkę; s (krótka) wycieczka

jaun·ty [ˈdʒɔːntɪ] s żwawy, wesoły, beztroski

jave·lin [ˈdʒævlɪn] s sport oszczep

jaw [dʒɔː] s szczęka

jaw·bone [ˈdʒɔː bəun] s kość szczękowa

jazz [dʒæz] s dżez, jazz; muzyka dżezowa ⟨jazzowa⟩

jeal·ous [ˈdʒeləs] adj zazdrosny (of sb, sth o kogoś, coś), zawistny

jeal·ous·y [ˈdʒeləsɪ] s zazdrość, zawiść

jeep [dʒiːp] s dżip, jeep, łazik (samochód wojskowy)

jeer [dʒɪə(r)] vi szydzić (at sb, sth z kogoś, czegoś); s szyderstwo

jel·ly [ˈdʒelɪ] s galareta, kisiel

jel·ly-fish [ˈdʒelɪ fɪʃ] s zool. meduza

jen·ny [ˈdʒenɪ] s techn. przędzarka (maszyna)

jeop·ard·ize [ˈdʒepədaɪz] vt narazić na niebezpieczeństwo, ryzykować (sth coś, czymś)

jeop·ard·y [ˈdʒepədɪ] s niebezpieczeństwo, ryzyko

jerk [dʒɜːk] vt szarpnąć, targnąć;

cisnąć, pchnąć; vi szarpać się nagle poruszyć się; s szarpnięcie targnięcie, pchnięcie; skurcz drgawka

jerk·y [ˈdʒɜːkɪ] adj szarpiący, szarpany; konwulsyjny

jer·sey [ˈdʒɜːzɪ] s sweter, golf

jest [dʒest] s żart; pośmiewisko; v żartować (**about sb, sth z kogoś czegoś**)

jest·er [ˈdʒestə(r)] s żartowniś; bła zen

jet [dʒet] s struga, wytrysk; dy sza; odrzutowiec; adj attr od rzutowy; vt vi tryskać

jet-plane [ˈdʒetpleɪn] s odrzutowiec

jet-pro·pelled [ˈdʒet prəˈpeld] ad odrzutowy; ~ **plane** odrzutowiec

jet·sam [ˈdʒetsəm] s części ładunku wyrzucane za burtę (z powodu awarii); przen. **flotsam** and ~ wyrzutki społeczeństwa, roz bitki życiowe; rzeczy bez war tości

jet·ti·son [ˈdʒetɪsn] s zrzut poza burtę; vt wyrzucać za burtę

jet·ty [ˈdʒetɪ] s molo; falochron

Jew [dʒuː] s Żyd

jew·el [ˈdʒuːl] s klejnot; vt zdobić klejnotami

jew·el·ler [ˈdʒuːlə(r)] s jubiler

jew·el·ler·y [ˈdʒuːlrɪ] s biżuteria handel biżuterią

Jew·ess [dʒuˈes] s Żydówka

Jew·ish [ˈdʒuːɪʃ] adj żydowski

jib [dʒɪb] vi (o koniu) płoszyć si ⟨stawać dęba⟩; przen. wzbraniać się (**at sth przed czymś**)

jibe = **gibe**

jif·fy [ˈdʒɪfɪ] s pot. chwilka

jig [dʒɪg] s skoczny taniec (giga)

jig·saw [ˈdʒɪgsɔː] s laubzega; ~ **puz zle układanka**

jin·gle [ˈdʒɪŋgl] vt vi dźwięczeć brzęczeć, pobrzękiwać; s dzwo nienie, brzęk, dźwięczenie

jin·go [ˈdʒɪŋgəu] s szowinista

jin·go·ism [ˈdʒɪŋgəuɪzm] s szowi nizm

job [dʒɔb] s robota, zajęcie, praca

sprawa; interes; **by the ~ na
akord; odd ~s okazyjna ⟨doryw-
cza⟩ praca; out of a ~ bezrobotny; to make a good ~ of sth**
dobrze sobie z .czymś poradzić;
vt vi pracować na akord; pracować dorywczo; nadużywać władzy; uprawiać machinacje handlowe; wynajmować (konia, wóz)

ob·ber ['dʒɔbə(r)] *s* wyrobnik, robotnik akordowy; drobny spekulant (handlowy, giełdowy); aferzysta; pośrednik

ob·less ['dʒɔbləs] *adj* bezrobotny

ock·ey ['dʒɔkɪ] *s* dżokej; szachraj;
vt vi oszukiwać, szachrować

o·cose [dʒəu'kəus] *adj* zabawny,
dowcipkujący, wesoły

oc·u·lar ['dʒɔkjulə(r)] *adj* figlarny, wesoły

oc·und ['dʒɔkənd] *adj* wesoły, pogodny

og [dʒɔg] *vt* potrącać, popychać;
potrząsać; *vi* ⟨*zw.* ~ **on** ⟨**along**⟩⟩
posuwać się ⟨jechać⟩ naprzód; *s*
popchnięcie; szturchnięcie; wolny kłus

og·gle ['dʒɔgl] *vt* potrząsać; podrzucać; *vi* trząść się

oin [dʒɔɪn] *vt vi* połączyć, przyłączyć (się) (sb do kogoś); wstąpić (np. **the party do partii**);
spoić; związać (się), zetknąć się;
to ~ hands wziąć się za ręce;
przystąpić do wspólnego dzieła;
~ up zaciągnąć się (do wojska)

oin·er ['dʒɔɪnə(r)] *s* stolarz

oint [dʒɔɪnt] *adj* łączny, wspólny;
s połączenie, spojenie; pieczeń,
udziec; *anat.* staw; **out of ~**
zwichnięty; *przen.* zepsuty; *vt*
złożyć, zestawić, spoić; rozczłonkować

oint·ly ['dʒɔɪntlɪ] *adv* łącznie

oint-stock ['dʒɔɪnt'stɔk] *adj attr:*
~ company spółka akcyjna

oke [dʒəuk] *s* żart, dowcip; **to
crack a ~** *pot.* palnąć dowcip;
vt żartować (**about** ⟨**at**⟩ **sb, sth**
z kogoś, czegoś)

ol·ly ['dʒɔlɪ] *adj* wesoły; podo-

chocony; przyjemny; *pot.* **nie lada;** *adv pot.* bardzo, szalenie

jolt [dʒəult] *vt* wstrząsać, podrzucać; *vi* (o *wozie*) jechać z turko-
tem, trząść się; *s* wstrząs, szarpnięcie, podrzucanie

jos·tle ['dʒɔsl] *vt vi* popychać, rozpychać (się), potrącać; *s* popchnięcie, potrącenie

jot [dʒɔt] *s* jota, odrobina; *vt*
⟨*zw.* ~ **down**⟩ skreślić w paru
słowach, pośpiesznie zapisać

jour·nal ['dʒɜnl] *s* dziennik; żurnal

jour·nal·ese ['dʒɜnl'iz] *s* język
⟨styl⟩ dziennikarski

jour·nal·ism ['dʒɜnlɪzm] *s* dziennikarstwo

jour·nal·ist ['dʒɜnlɪst] *s* dziennikarz

jour·ney ['dʒɜnɪ] *s* podróż (*zw.* lądowa); *vi* podróżować

jour·ney·man ['dʒɜnɪmən] *s* czeladnik

jo·vi·al ['dʒəuvɪəl] *adj* jowialny,
wesoły

jowl [dʒaul] *s* szczęka; policzek

joy [dʒɔɪ] *s* radość, uciecha; *vt vi*
radować (się)

joy·ful ['dʒɔɪfl] *adj* radosny

ju·bi·lant ['dʒubɪlənt] *adj* radujący
się, rozradowany

ju·bi·late ['dʒubɪleɪt] *vi* radować
się, triumfować

ju·bi·lee ['dʒubɪli] *s* jubileusz

judge [dʒʌdʒ] *vt vi* sądzić, osądzać;
uważać; *s* sędzia

judge·ment ['dʒʌdʒmənt] *s* sąd;
wyrok; osąd; opinia, zdanie; rozsądek; **to pass ~** wyrokować,
osądzać (**on** ⟨**upon**⟩ **sb, sth** kogoś,
coś)

ju·di·ca·ture ['dʒudɪkətʃə(r)] *s* sądownictwo, wymiar sprawiedli-
wości

ju·di·cial [dʒu'dɪʃl] *adj* sądowy,
sędziowski; rozsądny, krytyczny

ju·di·cious [dʒu'dɪʃəs] *adj* rozsądny, rozważny

jug [dʒʌg] *s* dzban, garnek; *pot.*
(o *więzieniu*) paka

jug·ful ['dʒʌgful] *s* pełny dzban
⟨garnek⟩

jug·gle [ˈdʒʌgl] vi żonglować; manipulować **(with sth** czymś); vt zwodzić, mamić; wyłudzić **(sb out of sth** coś od kogoś); s sztuczka, kuglarstwo, żonglerka

jug·gler [ˈdʒʌglə(r)] s kuglarz, żongler; oszust

juice [dʒus] s sok; przen. treść, istota

juic·y [ˈdʒusɪ] adj soczysty

Ju·ly [dʒuˈlaɪ] s lipiec

jum·ble [ˈdʒʌmbl] s mieszanina, bałagan; przen. „groch z kapustą"; vt vi pomieszać (się), narobić bałaganu, wprowadzić zamęt

jump [dʒʌmp] vi skakać, podskakiwać; skoczyć ⟨napaść⟩ ⟨on ⟨upon⟩ sb na kogoś⟩; to ~ at ⟨to⟩ **a conclusion** wyciągnąć pochopny wniosek; vt przeskoczyć; wstrząsnąć; s skok, podskok; wstrząs

jump·er 1. [ˈdʒʌmpə(r)] s skoczek

jump·er 2. [ˈdʒʌmpə(r)] s damska bluzka; damski sweterek; mors. bluza

junc·tion [ˈdʒʌŋkʃn] s połączenie; węzeł kolejowy; stacja węzłowa; skrzyżowanie

junc·ture [ˈdʒʌŋktʃə(r)] s połączenie, spojenie; stan rzeczy ⟨spraw⟩; krytyczna chwila; zbieg okoliczności; **at this ~** w tych okolicznościach

June [dʒun] s czerwiec

jun·gle [ˈdʒʌŋgl] s dżungla

jun·ior [ˈdʒunɪə(r)] adj młodszy (wiekiem, stanowiskiem); s junior; młodszy student ⟨uczeń⟩ podwładny

junk 1. [dʒʌŋk] s zbior. pot. rupiecie, złom; przen. nonsens; mors. stara lina okrętowa; solone mięso

junk 2. [dʒʌŋk] s dżonka

ju·ris·dic·tion [ˈdʒuərɪsˈdɪkʃn] s jurysdykcja

jury [ˈdʒuərɪ] s sąd przysięgłych; jury

just [dʒʌst] adj sprawiedliwy; słuszny; właściwy; adv właśnie; w sam raz; po prostu; zaledwie

jus·tice [ˈdʒʌstɪs] s sprawiedliwość (w tytułach) sędzia

jus·ti·fi·ca·tion [ˈdʒʌstɪfɪˈkeɪʃn] usprawiedliwienie

jus·ti·fy [ˈdʒʌstɪfaɪ] vt usprawiedliwić; uzasadnić

jut [dʒʌt] vi sterczeć, wystawać; s występ (np. muru)

jute [dʒut] s bot. juta

ju·ve·nile [ˈdʒuvənaɪl] adj młodzieńczy, młodociany, małoletni; młodzieżowy; s młodzieniec, wyrostek

jux·ta·pose [ˈdʒʌkstəˈpəʊz] vt ustawić obok siebie, zestawić

jux·ta·po·si·tion [ˈdʒʌkstəpəˈzɪʃn] ustawienie obok siebie, zestawienie

k

kan·ga·roo [ˈkæŋgəˈru] s kangur

keel [kil] s mors. kil

keen [kin] adj ostry; tnący; przejmujący, przenikliwy; gorliwy, zapalony, gwałtownie pożądający (on sth czegoś); bystry, żywy; pot. to be ~ on sb, sth przepadać za kimś, czymś

***keep** [kip] **kept, kept** [kept] vt trzymać (się); utrzymywać; dotrzymywać; przechowywać; przestrzegać (np. zasady); prowadzić (np. księgi); obchodzić (np. święto); pilnować; hodować; po wstrzymywać; zachowywać (pozory, tajemnicę); chronić (sb from sth kogoś przed czymś); pozostawać (the house, one's bed w domu, w łóżku); z *przymiotnikiem*: to ~ a door ⟨eyes⟩ open trzymać ⟨mieć⟩ drzwi ⟨oczy⟩ otwarte; z *imiesłowem*: to ~ sb waiting kazać komuś czekać; *vi* trzymać ⟨mieć⟩ się; ściśle stosować się (at ⟨to⟩ sth do czegoś); pozostawać; zachowywać się; stale ⟨wciąż⟩ coś robić; uporczywie kontynuować (at sth coś); to ~ clear trzymać się z dala (of sth od czegoś); to ~ to the right ⟨left⟩ iść ⟨jechać, płynąć⟩ na prawo ⟨lewo⟩; to ~ to one's bed pozostawać w łóżku; to ~ to one's room nie wychodzić z pokoju; to ~ cool zachowywać zimną krew; to ~ working ⟨studying⟩ ciągle pracować ⟨uczyć się⟩; to ~ silent milczeć; to ~ smiling stale się uśmiechać, zachowywać pogodę ducha; z *przysłówkami*: ~ away trzymać (się) z dala; nie dawać się zbliżyć; ~ back powstrzymywać (się); nie ujawniać; nie zbliżać się; ~ down trzymać w ryzach; tłumić; utrzymywać na niskim poziomie; ~ off trzymać (się) na uboczu, nie dopuszczać; ~ on kontynuować; he ~s on working on w dalszym ciągu pracuje; ~ out trzymać (się) na zewnątrz, nie puszczać do środka; ~ under = ~ down; ~ up podtrzymywać; trzymać do góry; utrzymywać (się); trzymać (się) na odpowiednim poziomie; nie tracić ducha; dotrzymywać kroku (with sb komuś), nadążać

eep·er [ˈkiːpə(r)] s stróż, dozorca; opiekun; kustosz; prowadzący (sklep, zakład)

.eep·ing [ˈkiːpɪŋ] s utrzymanie, opieka; przechowanie; to be in ~ zgadzać się, harmonizować; to be out of ~ nie zgadzać się, nie

licować

keep·sake [ˈkiːpseɪk] s upominek, pamiątka

keg [keg] s beczułka

ken·nel [ˈkenl] s psia buda; psiarnia

kept zob. **keep**

kerb [kɜːb] s krawężnik

ker·chief [ˈkɜːtʃɪf] s chustka (na głowę)

ker·nel [ˈkɜːnl] s jądro ⟨ziarno⟩ (owocu); sedno (sprawy)

ket·tle [ˈketl] s kocioł; imbryk

ket·tle-drum [ˈketldrʌm] s *muz.* kocioł

key [kiː] s klucz; klawisz; *arch.* klin; *muz.* klucz, tonacja; *vt* ~ up nastroić (instrumenty, kogoś do czegoś)

key·board [ˈkiːbɔːd] s klawiatura

key·hole [ˈkiːhəul] s dziurka od klucza

key·note [ˈkiːnəut] s *muz.* tonika; *przen.* myśl przewodnia

khak·i [ˈkɑːkɪ] s tkanina o barwie ochronnej; mundur o barwie khaki; żołnierz w mundurze khaki; *adj* (o kolorze) khaki

kick [kɪk] *vt vi* kopać, wierzgać; *pot.* buntować się, opierać się (against ⟨at⟩ sth czemuś); *pot.* ~ away odpędzić; *pot.* ~ out wypędzić; ~ up podnieść ⟨wzniecić, narobić⟩ (a dust ⟨noise, fuss⟩ kurzu ⟨hałasu, wrzawy⟩); s kopniak; uderzenie; skarga, protest

kick-off [ˈkɪk ɒf] s sport pierwszy strzał (początek gry w piłkę nożną)

kid [kɪd] s koźlę; skóra koźla; *pot.* dziecko, smyk

kid·dy [ˈkɪdɪ] s *pot.* (o dziecku) mały, brzdąc

kid-glove [ˈkɪd ˈglʌv] s rękawiczka z koźlej skóry

kid·nap [ˈkɪdnæp] *vt* porywać (dziecko), uprowadzić

kid·nap·per [ˈkɪdnæpə(r)] s kidnaper

kid·ney [ˈkɪdnɪ] s nerka; *pot.* rodzaj, natura, pokrój (człowie-ka)

kill [kɪl] vt zabijać; kasować ⟨wy-rzucać⟩ (część tekstu)

kiln [kɪln] s piec przemysłowy (do suszenia, wypalania)

kil·o·gramme [`kɪləgræm] s kilo-gram

kil·o·me·tre [`kɪləmɪtə(r)] s kilo-metr

kil·o·watt [`kɪləwɒt]. s kilowat

kilt [kɪlt] s męska spódnica szkocka

kin [kɪn] s † ród; zbior. krewni; next of ~ najbliższy krewny; adj spokrewniony

kind [kaɪnd] s rodzaj; gatunek; na-tura; jakość; a ~ of coś w rodza-ju; nothing of the ~ nic podob-nego; what ~ of...? jakiego ro-dzaju...?, co za...?; to pay in ~ płacić -w naturze ⟨w towarze⟩; adj miły, uprzejmy, łaskawy; very ~ of you bardzo uprzejmie z pańskiej ⟨twojej⟩ strony; adv pot. ~ of poniekąd, do pewne-go stopnia

kin·der·gar·ten [`kɪndəgatn] s przedszkole

kin·dle [`kɪndl] vt vi rozpalić (się), rozżarzyć (się), rozniecić (się), podniecić

kind·ly [`kaɪndlɪ] adj dobry, do-brotliwy, uczynny, łaskawy, miły

kind·ness [`kaɪndnəs] s uprzej-mość, dobroć; przysługa

kin·dred [`kɪndrəd] s pokrewień-stwo; zbior. krewni; adj attr pokrewny

king [kɪŋ] s król

king·dom [`kɪŋdəm] s królestwo

kins·folk [`kɪnzfəuk] s zbior. krew-ni, rodzeństwo

kins·man [`kɪnzmən] s (pl kins-men [`kɪnzmən]) krewny

kins·wom·an [`kɪnzwumən] s (pl kinswomen [`kɪnzwimɪn]) krew-na

kip·per [`kɪpə(r)] s ryba wędzo-na (zw. śledź)

kirk [kɜk] s szkoc. kościół

kiss [kɪs] s pocałunek; vt vi ca-łować (się)

kit [kɪt] s wyposażenie, ekwipu-nek; komplet narzędzi; plecak worek ⟨torba⟩ (na rzeczy, na rzędzia); cebrzyk; paczka

kit·bag [`kɪt bæg] s torba podróż na, plecak

kitch·en [`kɪtʃɪn] s kuchnia; ~ garden ogród warzywny

kite [kaɪt] s zool. kania; lata wiec; to fly a ~ puszczać lataw ca

kith [kɪθ] s w zwrocie: ~ and ki zbior. przyjaciele i krewni

kit·ten [`kɪtn] s kotek

kit·ty [`kɪtɪ] = kitten

knack [næk] s sztuka (robieni czegoś), spryt, zręczność

knag [næg] s sęk

knap·sack [`næpsæk] s plecak

knave [neɪv] s nikczemnik, łaj dak; walet (w kartach)

knav·er·y [`neɪvərɪ] s nikczem ność, łajdactwo

knav·ish [`neɪvɪʃ] adj nikczemny łajdacki

knead [nid] vt miesić, ugniatać mieszać

knee [ni] s kolano

*kneel [nil], knelt, knelt [nelt] v klękać, klęczeć

knell [nel] s podzwonne; vi dzwo nić (umarłemu); vt dzwonić (st obwieszczając coś)

knelt zob. kneel

knew zob. know

knick·er·bock·ers [`nɪkəbɒkəz], po knick·ers [`nɪkəz] s pl spodni spięte pod kolanami; pumpy

knife [naɪf] s (pl knives [naɪvz] nóż

knight [naɪt] s rycerz; szlachci kawaler orderu; koń (w sza chach); vt nadać szlachectw ⟨tytuł, order⟩

knight·hood [`naɪthud] s rycer stwo; tytuł szlachecki

*knit, knit, knit [nɪt] lub knitted

knitted ['nɪtɪd] vt dziać, robić na drutach; składać, wiązać, spajać, łączyć; ściągać (brwi)

nives zob. knife

nob [nob] s gałka; guz; sęk; kawałek (np. cukru)

nock [nok] vi pukać, stukać (at the door do drzwi), uderzyć się (against sth o coś); vt uderzyć, walnąć; ~ about pot. rozbijać ⟨wałęsać⟩ się; ~ down powalić, zwalić z nóg; przejechać (kogoś); ~ off strącić; strzepnąć; potrącić (sumę pieniężną); skończyć (pracę); ~ out wybić, wytrząsnąć; pokonać; ~ over przewrócić; ~ together zbić (np. deski); sklecić; uderzać o siebie; ~ up podbić ku górze; pot. zmajstrować; znużyć; zderzyć się (against sb, sth z kimś; czymś); s stuk, uderzenie

nock-out ['nokaut] s nokaut (w boksie)

noll [nəul] s pagórek

not [not] s węzeł, pętla; sęk;

guz, narośl; przen. powikłanie; vt robić węzeł; wiązać; przen. komplikować

knot-ty ['notɪ] adj węzłowaty; przen. zawiły, kłopotliwy

***know** [nəu], knew [nju], known [nəun] vt vi znać; rozpoznać, poznać; wiedzieć, dowiedzieć się (about ⟨of⟩ sb, sth o kimś, czymś); doświadczać, zaznać (czegoś); umieć, potrafić (coś zrobić); to get to ~ dowiedzieć się

know-ing ['nəuɪŋ] ppraes i adj rozumny, bystry; chytry; zręczny

know-ing-ly ['nəuɪŋlɪ] adv ze znajomością rzeczy; naumyślnie; chytrze, zręcznie

knowl-edge ['nolɪdʒ] s wiedza, znajomość; wiadomość, świadomość; to my ~ o ile mi wiadomo

known zob. know

knuck-le ['nʌkl] s kostka (palca); vi ~ down ⟨under⟩ ulec, ustąpić

ko-dak ['kəudæk] s kodak; vt fotografować kodakiem

kohl-ra-bi ['kəul'rabɪ] s kalarepa

---

l

a-bel ['leɪbl] s napis, naklejka, etykieta; vt nakleić (zaopatrzyć w) etykietę ⟨nalepkę, naklejkę⟩; przen. określić (mianem), nazwać

a-bi-al ['leɪbɪəl] adj wargowy

a-bor-a-to-ry [lə'borətrɪ] s laboratorium, pracownia

a-bo-ri-ous [lə'bɔːrɪəs] adj pracowity; żmudny; wypracowany

a-bour ['leɪbə(r)] s praca, trud; klasa pracująca, świat pracy; siła robocza; bóle porodowe, poród; Labour Party Partia Pracy (w Anglii); vi ciężko pracować, mozolić się (at sth nad czymś), po-

nosić trudy; uginać się (under sth pod ciężarem czegoś); cierpieć (under sth z powodu czegoś); z trudem poruszać się; (o kobiecie) rodzić; vt starannie opracować, wypielęgnować; szczegółowo rozważać, dokładnie omawiać

la-bour-er ['leɪbərə(r)] s robotnik, wyrobnik

la-bour-ite ['leɪbəraɪt] s członek Partii Pracy

lab-y-rinth ['læbərɪnθ] s labirynt

lace [leɪs] s lamówka; sznurowadło; koronka; vt sznurować; obszyć lamówką; ozdobić koronką

lac·er·ate ['læsəreɪt] vt szarpać, rwać, rozrywać, rozdrapywać; kaleczyć; przen. zranić (uczucia)

lack [læk] s brak, niedostatek; for ~ z braku; vt vi brakować; odczuwać brak, nie posiadać, nie mieć; I ~ money brak mi pieniędzy

lack·ey ['læki] s lokaj

la·con·ic [lə'kɔnɪk] adj lakoniczny

lac·quer ['lækə(r)] s lakier; vt lakierować

lac·tic ['læktɪk] adj mleczny

lad [læd] s chłopiec, chłopak

lad·der ['lædə(r)] s drabina; spuszczone oczko (w pończosze); przen. drabina społeczna; vt (o pończosze) puszczać oczko

*lade [leɪd], laded ['leɪdɪd], laded lub laden ['leɪdn] vt ładować; czerpać, wygarniać

lad·en ['leɪdn] pp i adj obciążony, obarczony; pogrążony (w smutku)

la·dle ['leɪdl] s łyżka wazowa, chochla; vt rozlewać ⟨czerpać⟩ (chochlą)

la·dy ['leɪdɪ] s dama, pani; tytuł szlachecki; lady's ⟨ladies'⟩ man kobieciarz

la·dy·bird ['leɪdɪbəd] s biedronka

lag [læg] vt zwlekać, opóźniać się, (także ~ behind) wlec. się z tyłu

lag·gard ['lægəd] adj powolny, ospały; s maruder, człowiek opieszały

laid zob. lay 1.

lain zob. lie 1.

lair [leə(r)] s legowisko, nora, matecznik; przen. melina

lake [leɪk] s jezioro

lamb [læm] s jagnię, baranek

lame [leɪm] adj chromy, ułomny; wadliwy; nieprzekonywający, mętny; ~ duck pechowiec; bankrut życiowy ⟨giełdowy⟩; vt uczynić kaleką, okaleczyć; popsuć, sparaliżować

la·ment [lə'ment] s skarga, la-

ment; vt vi opłakiwać (sb, st ⟨over sb, sth⟩ kogoś, coś), la mentować

lam·en·ta·ble ['læməntəbl] adj (płakany, godny pożałowania

lam·i·na ['læmɪnə] s (pl ~ ['læmɪni]) blaszka

lamp [læmp] s lampa

lam·poon [læm'pun] s pamfle paszkwil; vt napisać paszkw (sb, sth na kogoś, coś)

lamp-post ['læmp pəust] s słup la tarni, latarnia (uliczna)

lamp·shade ['læmp ʃeɪd] s abażu

lance [lɑns] s lanca, kopia; me lancet

land [lænd] s ziemia, ląd; kra własność ziemska, rola; by drogą lądową; vt wysadzać ⟨wy ładowywać⟩ na ląd; zdobyć (na grodę itp.); pot. wpakować (ko goś w kłopot itd.); vi lądowa wysiadać, przybywać; traf (gdzieś)

land·ed ['lændɪd] pp i adj ziem ski; ~ proprietor właścicie ziemski

land·hold·er ['lændhəuldə(r)] s wła ściciel gruntu, gospodarz

land·ing ['lændɪŋ] s lądowanie zejście (ze statku) na ląd; po dest; wojsk. desant

land·ing-place ['lændɪŋpleɪs] przystań

land·la·dy ['lændleɪdɪ] s właści cielka domu czynszowego ⟨per sjonatu, hotelu, gospody⟩; gospo dyni; dziedziczka

land·lord ['lændlɔd] s dziedzi właściciel domu czynszoweg ⟨pensjonatu, hotelu, gospody⟩

land·mark ['lændmɑk] s kamie graniczny; przen. znak orienta cyjny; wydarzenie epokow punkt zwrotny

land·own·er ['lændəunə(r)] s wła ciciel ziemski

land·scape ['lændskeɪp] s krajob raz, pejzaż

lane [leɪn] s droga polna, droż na; uliczka, zaułek

an·guage [ˈlæŋgwɪdʒ] s język, mowa; styl

an·guid [ˈlæŋgwɪd] adj osłabiony, znużony; powolny; tęskny

an·guish [ˈlæŋgwɪʃ] vi więdnąć, słabnąć, marnieć; usychać z tęsknoty (after ⟨for⟩ sb, sth za kimś, czymś)

n·guor [ˈlæŋgə(r)] s osłabienie, znużenie, powolność; tęsknota

ank [læŋk] adj chudy; cienki i długi; mizerny; (o włosach) prosty

n·tern [ˈlæntən] s latarnia

p 1. [læp] s poła; łono; in ⟨on⟩ sb's ~ na kolanach u kogoś; sport okrążenie (bieżni); vt otoczyć; objąć; owinąć, otulić; nakładać (over sth na coś); sport zdystansować

ap 2. [læp] vt vi mlaskać; chłeptać; chlupotać

p-dog [ˈlæp dog] s piesek pokojowy

·pel [ləˈpel] s klapa (marynarki)

pse [læps] s upływ ⟨odstęp⟩ (czasu); błąd, omyłka; odstępstwo; uchybienie; obniżenie; vi opadać; wpadać ⟨zapadać, popadać, wdawać się⟩ (w coś); odstępować (od wiary itp.); mijać; upływać; mylić się; zaniedbywać (coś)

r·ce·ny [ˈlasnɪ] s (drobna) kradzież

rd [lad] s smalec, słonina; vt szpikować

rd·er [ˈladə(r)] s spiżarnia

rge [ladʒ] adj duży, rozległy, obszerny; liczny; obfity; szeroki, swobodny; s tylko z przyimkiem: at ~ na wolności; na szerokim świecie; w pełnym ujęciu; adv w zwrocie: by and ~ w ogóle, ogólnie biorąc

rge·ly [ˈladʒlɪ] adv wielce, w dużej mierze, przeważnie

rk 1. [lak] s skowronek

rk 2. [lak] s pot. figiel, żart; vi pot. figlować

lash 1. [læʃ] s bicz, bat; uderzenie biczem; kara chłosty; vt vi uderzać biczem, chłostać ⟨smagać⟩ (także biczem satyry)

lash 2. [læʃ] = eyelash

lass [læs] s szkoc. i poet. dziewczę, dziewczyna

las·si·tude [ˈlæsɪtjud] s znużenie

last 1. [last] s kopyto (szewskie), prawidło

last 2. [last] vi trwać, utrzymywać się; przetrwać; starczyć (na pewien czas)

last 3. [last] adj ostatni; miniony, zeszły, ubiegły; ostateczny, końcowy; ~ but one przedostatni; ~ but not least rzecz nie mniej ważna; s ostatnia rzecz, ostatek, koniec; at ~ na koniec, wreszcie; to breathe one's ~ wyzionąć ducha; to the very ~ do samego końca; adv po raz ostatni; ostatnio; ostatecznie

last·ing [ˈlastɪŋ] ppraes i adj trwały

latch [lætʃ] s klamka; zatrzask, zasuwka

latch-key [ˈlætʃki] s klucz (zw. od zatrzasku)

late [leɪt] adj późny, spóźniony; niedawny, świeżo miniony; dawny, były; (o zmarłym) świętej pamięci; to be ~ spóźnić się; of ~ ostatnimi czasy; adv późno, do późna; ostatnio; przedtem, niegdyś

late·ly [ˈleɪtlɪ] adv ostatnio, niedawno temu

la·tent [ˈleɪtnt] adj ukryty, utajony

lat·er [ˈleɪtə(r)] adj (comp od late) późniejszy; adv później; ~ on później, w dalszym ciągu, poniżej

lat·er·al [ˈlætrl] adj boczny

lat·est [ˈleɪtəst] adj (sup od late) najpóźniejszy; najnowszy

lath [laθ] s listwa; deszczułka

lathe [leɪð] s tokarka, tokarnia

lath·er [ˈlaðə(r)] s piana mydlana; vt vi mydlić (się), pienić się

Lat·in [ˈlætɪn] *adj* łaciński: **s** łacina

lat·i·tude [ˈlætɪtjud] *s geogr.* szerokość; *przen.* swoboda, tolerancja, liberalizm

lat·ter [ˈlætə(r)] *adj* (ten) ostatni ⟨drugi⟩ (z dwóch); późniejszy, nowszy; końcowy

lat·tice [ˈlætɪs] **s** krata; *vt* okratować

laud·a·ble [ˈlɔdəbl] *adj* godny pochwały

laugh [laf] *vi* śmiać się (**at sth** z czegoś); wyśmiewać (**at sb** kogoś); *s* śmiech; **to break into a** ~ roześmiać się; **to raise a** ~ wywołać wesołość

laugh·ing-stock [ˈlafɪŋstok] *s* pośmiewisko

laugh·ter [ˈlaftə(r)] *s* śmiech; **to cry with** ~ uśmiać się do łez

launch [lɔntʃ] *vt* puszczać, spuszczać; zrzucać; ciskać, miotać; uruchamiać; lansować; wodować; wszczynać ⟨śledztwo⟩; *vi* zapędzić się, puścić się (dokądś); (*także* ~ **out**) wypłynąć na morze; zaangażować się (w coś); *s* wodowanie; łódź motorowa, szalupa

laun·dress [ˈlɔndrəs] *s* praczka

laun·dry [ˈlɔndrɪ] *s* pralnia; bielizna do prania ⟨z pralni⟩

lau·re·ate [ˈlɔrɪət] *s* laureat

lau·rel [ˈlɔrl] *s* wawrzyn

lav·a·to·ry [ˈlævətrɪ] *s* umywalnia (*zw.* z ustępem)

lav·en·der [ˈlævəndə(r)] *s* lawenda

lav·ish [ˈlævɪʃ] *adj* rozrzutny, hojny; suty, obfity; *vt* hojnie darzyć, szafować

law [lɔ] *s* prawo; zasada, ustawa; system prawny; wiedza prawnicza; ~ **court** sąd; **to go to** ~ wnosić skargę sądową; **a man of** ~ prawnik

law·ful [ˈlɔfl] *adj* prawny, legalny; sprawiedliwy

law·less [ˈlɔləs] *adj* bezprawny; samowolny

lawn [lɔn] *s* murawa, trawnik

law·suit [ˈlɔsut] *s* sprawa sądow⟨ proces

law·yer [ˈlɔjə(r)] *s* prawnik; adwo⟨ kat

lax [læks] *adj* luźny; swobodn⟨ rozwiązły; niedbały

lax·a·tive [ˈlæksətɪv] *s med.* śr⟨ dek przeczyszczający

*lay 1. [leɪ], **laid, laid** [leɪd] ⟨ kłaść, ułożyć, nałożyć; uciszy⟨ uspokoić; założyć się (o coś⟨ przedłożyć, przedstawić (np. proś⟨ bę); **to** ~ **bare** obnażyć; **to** ⟨ **claim** zgłaszać roszczenie; **to** ⟨ **open** wyjawić; **to** ~ **siege** oble⟨ gać; **to** ~ **stress** ⟨**emphasis**⟩ kłaś⟨ nacisk; **to** ~ **the table** nakry⟨ do stołu; **to** ~ **waste** spustoszy⟨ *z przyimkami:* ~ **aside** ⟨awa⟨ by⟩ odłożyć; ~ **down** składać; ⟨ stanawiać; ~ **in** odkładać (na za⟨ pas), magazynować; ~ **on** nakła⟨ dać; powlekać; zakładać (np. in⟨ stalację); ~ **out** wykładać, wy⟨ dawać; ułożyć; planować, zapro⟨ jektować; ~ **up** zbierać, groma⟨ dzić, ciułać; przechowywać; **t** ⟨ **be laid up** być złożonym chor⟨ bą

lay 2. [leɪ] *adj* świecki, laicki

lay 3. [leɪ] *s* pieśń

lay 4. *zob.* **lie 1.**

lay·er [ˈleɪə(r)] *s* warstwa, pokła⟨ instalator

lay·man [ˈleɪmən] *s* (*pl* **layme**⟨ [ˈleɪmən]) człowiek świecki; la⟨

lay-out [ˈleɪ aut] *s* plan; układ (t⟨ pograficzny)

la·zi·ness [ˈleɪzɪnəs] *s* lenistwo

la·zy [ˈleɪzɪ] *adj* leniwy

la·zy-bones [ˈleɪzɪ bəunz] *s* leniuc⟨

*lead 1. [lid], **led, led** [led] *vt* pro⟨ wadzić, dowodzić, kierować; n⟨ mówić, zasugerować, przekona⟨ nasunąć (przypuszczenie); wie⟨ ⟨pędzić⟩ ⟨życie⟩; *vi* przewodzi⟨ prowadzić (np. do celu); *s* ki⟨ rownictwo, przewodnictwo; prz⟨ kład; smycz; wyjście (w ka⟨ tach)

ead 2. [led] s ołów; grafit (w o-
łówku); ~ pencil ołówek

ead·en ['ledn] adj ołowiany

ead·er ['liːdə(r)] s kierownik,
przywódca, lider; artykuł wstępny (w gazecie)

ead·er·ship ['liːdəʃɪp] s przywódz-
two

ead·ing ['liːdɪŋ] ppraes i adj kierowniczy, przewodzący, główny

eaf [liːf] s (pl leaves [liːvz]) liść;
kartka

eaf·let ['liːflət] s listek; ulotka

eague 1. [liːg] s liga

eague 2. [liːg] s mila

eak [liːk] vt cieknąć, przeciekać,
sączyć się; s wyciek, upływ;
nieszczelność

eak·age ['liːkɪdʒ] s przeciekanie,
upływ

eak·y ['liːkɪ] adj nieszczelny

ean 1. [liːn] adj dosł. i przen.
chudy

lean 2. [liːn], leant, leant [lent]
lub ~ed, ~ed vt vi nachylać się,
pochylać się, opierać (się); ~
out wychylać się

leap [liːp], leapt, leapt [lept] lub
~ed, ~ed vi skakać; vt przeskoczyć; s skok, podskok

ap·year ['liːp jɜ(r)] s rok przestępny

learn [lɜn], learnt, learnt [lɜnt] lub
~ed, ~ed [lɜnt], vt vi uczyć
się; dowiadywać się

earn·ed ['lɜnɪd] adj uczony

earn·ing ['lɜnɪŋ] s nauka, wiedza,
erudycja

earnt zob. learn

ase [liːs] s dzierżawa, najem; vt
dzierżawić, najmować

ase·hold ['liːshəʊld] s dzierżawa;
adj dzierżawny, wydzierżawio-
ny

ash [liːʃ] s smycz

east [liːst] adj (sup od little) najmniejszy; adv najmniej; s
najmniejsza rzecz; at ~ przynajmniej; not in the ~ bynajmniej; ~ common multiple najmniejsza wspólna wielokrotna

leath·er ['leðə(r)] s skóra (wyprawiona)

*leave 1. [liːv], left, left [left] vt
zostawiać, opuszczać; to ~ sb
alone dać komuś spokój; to ~
behind pozostawić za sobą, zapomnieć (coś) wziąć; ~ off przerwać, zaniechać, zaprzestać; ~
out opuścić; przeoczyć; zaniedbać; ~ over odłożyć na później,
pozostawić; vi odchodzić, odjeżdżać (for a place dokądś)

leave 2. [liːv] s pozwolenie; rozstanie, pożegnanie; zwolnienie;
urlop; to take French ~ ulotnić
się po angielsku, odejść bez po-
żegnania; to take ~ pożegnać się
(of sb z kimś)

leav·en ['levn] s drożdże; zaczyn;
przen. ferment; vt zakwasić

leaves zob. leaf

lec·ture ['lektʃə(r)] s odczyt, wykład; vi wygłaszać odczyt, wykładać (on sth coś); vt odbywać
⟨mieć⟩ wykłady; robić wymówki, udzielić nagany

lec·tur·er ['lektʃərə(r)] s prelegent,
wykładowca

led zob. lead 1.

ledge [ledʒ] s występ (np. muru),
gzyms, krawędź; listwa

ledg·er ['ledʒə(r)] s handl. księga
główna, rejestr

leech [liːtʃ] s pijawka

leek [liːk] s bot. por

leer [lɪə(r)] vi patrzeć z ukosa,
łypać okiem (at sb na kogoś)

lees [liːz] s pl fusy, osad, męty

left 1. zob. leave 1.

left 2. [left] adj lewy; adv na lewo; s lewa strona; on the ~
po lewej stronie

left·ist ['leftɪst] s lewicowiec; adj
lewicowy

left·o·ver ['left`əʊvə(r)] adj attr
pozostały; s pozostałość

leg [leg] s noga, nóżka

leg·a·cy ['legəsɪ] s spadek, legat

le·gal ['liːgl] adj prawny; prawniczy; ustawowy; legalny

le·gal·ize [ˈliglaɪz] vt legalizować

le·ga·tion [lɪˈgeɪʃn] s poselstwo

leg·end [ˈledʒənd] s legenda

leg·ging [ˈlegɪŋ] s sztylpa

leg·i·ble [ˈledʒəbl] adj czytelny

le·gion [ˈlidʒən] s legion, legia

le·gion·ary [ˈlidʒənrɪ] s legionista

leg·is·la·tion [ˈledʒɪsˈleɪʃn] s ustawodawstwo, prawodawstwo

leg·is·la·tive [ˈledʒɪslətɪv] adj ustawodawczy, prawodawczy

leg·is·la·ture [ˈledʒɪsleɪtʃə(r)] s władza ustawodawcza

le·git·i·mate [lɪˈdʒɪtɪmət] adj prawny; prawowity, ślubny; prawidłowy; vt [lɪˈdʒɪtɪmeɪt] legalizować; uzasadniać; uznać ⟨wykazać⟩ ślubne pochodzenie

lei·sure [ˈleʒə(r)] s czas wolny od pracy; at ~ bez pośpiechu; to be at ~ mieć wolny czas, nie pracować

lei·sured [ˈleʒəd] adj nie pracujący, bezczynny

lei·sure·ly [ˈleʒəlɪ] adj powolny; mający wolny czas; adv powoli, bez pośpiechu

lem·on [ˈlemən] s cytryna

*lend [lend], lent, lent [lent] vt pożyczać, użyczać; udzielać; nadawać, przydawać; to ~ an ear posłuchać; to ~ a hand przyjść z pomocą

lend·ing-li·brar·y [ˈlendɪŋ laɪbrərɪ] s wypożyczalnia książek

length [leŋθ] s długość; odległość; trwanie; at ~ na koniec; szczegółowo, obszernie; at full ~ na całą długość, w całej rozciągłości; at some ~ dość szczegółowo, dość obszernie; to go to the ~ of ... posunąć się aż do ...

length·en [ˈleŋθən] vt vi przedłużyć (się), wydłużać (się), rozciągnąć (się)

length·ways [ˈleŋθweɪz] adv na długość, wzdłuż

length·wise = lengthways

length·y [ˈleŋθɪ] adj przydługi, rozwlekły

le·ni·ent [ˈliniənt] adj łagodny, pobłażliwy

Len·in·ism [ˈlenɪnɪzm] s leninizm

Len·in·ist [ˈlenɪnɪst] adj leninowski

lens [lenz] s soczewka

lent 1. zob. lend

Lent 2. [lent] s rel. Wielki Post ~ term semestr wiosenny (na u czelni)

len·til [ˈlentl] s soczewica

leop·ard [ˈlepəd] s zool. lampart

lep·er [ˈlepə(r)] s trędowaty

lep·ro·sy [ˈleprəsɪ] s trąd

lese-maj·es·ty [ˈliz ˈmædʒəstɪ] prawn. obraza majestatu

less [les] adj (comp od little mniejszy; adv mniej; none the ~ tym niemniej, niemniej jed nak; s coś mniejszego; the ~ the better im mniej, tym le piej

les·see [leˈsi] s dzierżawca

less·en [ˈlesn] vt vi zmniejsza (się), obniżać, osłabiać, maleć ubywać

less·er [ˈlesə(r)] adj mniejszy, po mniejszy

les·son [ˈlesn] s lekcja; nauczka to do one's ~s odrabiać lek cje

lest [lest] conj ażeby nie

*let, let, let [let] vt pozwalać; do puszczać, puszczać; dawać; zo stawiać; najmować; to ~ alon zostawić w spokoju, dać spokój to ~ fall upuścić; to ~ go wy puścić, zwolnić; to ~ know da znać, zawiadomić; to ~ onese go pofolgować sobie, dać się po nieść; z przyimkami: ~ dow spuścić; porzucić, pozostawi własnemu losowi; obniżać; ~ i wpuścić; ~ off wypuścić; wy strzelić; wybaczyć; ~ out wy puścić; wynajać; ~ throug przepuścić; zob. alone

le·thar·gic [lɪˈθadʒɪk] adj letargi czny

eth·ar·gy ['leθədʒɪ] *s* letarg

et·ter ['letə(r)] *s* litera; list; **to the ~** dosłownie; *pl* **~s** literatura piękna, beletrystyka; **man of ~s** literat, pisarz; *vt* oznaczyć literami

et·ter-box ['letəbɔks] *s* skrzynka na listy

et·tered ['letəd] *pp i adj* wykształcony, oczytany

et·tuce ['letɪs] *s* sałata ogrodowa

eu·kae·mi·a [lu'kimɪə] *s med.* białaczka

ev·el ['levl] *s* poziom, płaszczyzna; **on a ~ with ... na tym samym poziomie co ...**; *adj* poziomy; równy; zrównoważony; *vt* wyrównywać; spoziomować; kierować, nastawiać

ev·er ['livə(r)] *s* dźwignia; lewar

ev·i·ty ['levətɪ] *s* lekkość; lekkomyślność

ev·y ['levɪ] *s* ściąganie ⟨nakładanie⟩ (podatków itp.); pobór (rekruta), zaciąg; *vt* ściągać ⟨nakładać⟩ (podatki itp.); zaciągnąć (rekruta), werbować

ewd [lud] *adj* sprośny, lubieżny

ex·i·cal ['leksɪkl] *adj* leksykalny

·a·bil·i·ty [laɪə'bɪlətɪ] *s* zobowiązanie, obowiązek; *prawn.* odpowiedzialność; skłonność; **lia·bilities** *handl.* pasywa, obciążenie

·a·ble ['laɪəbl] *adj* zobowiązany; odpowiedzialny; podlegający (**to sth** czemuś); narażony (**to sth na coś**); skłonny, podatny (**to sth na coś**); **the weather is ~ to change** pogoda może się zmienić

·ai·son [li'eɪzn] *s* stosunek (miłosny), romans; *wojsk.* łączność; **~ officer** oficer łącznikowy

·ar ['laɪə(r)] *s* kłamca

·bel ['laɪbl] *s* paszkwil, potwarz; *vt* napisać paszkwil, zniesławić, rzucić potwarz

lib·er·al ['lɪbṛl] *adj* liberalny; swobodny; wyrozumiały; hojny; obfity; *s* liberał

lib·er·al·ism ['lɪbṛlɪzm] *s* liberalizm

lib·er·al·i·ty ['lɪbə'rælətɪ] *s* wielkoduszność, tolerancja, wyrozumiałość; szczodrość

lib·er·ate ['lɪbəreɪt] *vt* uwolnić, wyzwolić

lib·er·a·tion ['lɪbə'reɪʃn] *s* uwolnienie, wyzwolenie

lib·er·tine ['lɪbətɪn] *s* libertyn, wolnomyśliciel; rozpustnik

lib·er·ty ['lɪbətɪ] *s* wolność; **to be at ~** być wolnym; **to set sb at ~** uwolnić kogoś; **to take the ~ of doing sth** pozwolić sobie na zrobienie czegoś; **to take liberties** pozwolić sobie (**with sth na coś**) nie krępować się

li·bra·ri·an [laɪ'breərɪən] *s* bibliotekarz

li·brar·y ['laɪbṛɪ] *s* biblioteka; seria wydawnicza

lice *zob.* **louse**

li·cence ['laɪsns] *s* licencja, koncesja; pozwolenie; rozwiązłość; **driving ~** prawo jazdy; *vt* (*także* **license**) dawać licencję, ⟨patent, koncesję⟩, zezwalać

li·cense *zob.* **licence** *vt*

li·cen·tious [laɪ'senʃəs] *adj* rozwiązły

li·chen ['laɪkən] *s med.* liszaj; *bot.* porost

lick [lɪk] *vt* lizać, oblizywać; *pot.* sprawić lanie, pobić; *przen.* **to ~ into shape** wykształcić, okrzesać (kogoś); *s* lizanie; odrobina; *pot.* uderzenie

lid [lɪd] *s* wieko, pokrywa; powieka

•lie 1. [laɪ], **lay** [leɪ], **lain** [leɪn] *vt* leżeć; być (**idle, under suspicion** bezczynnym, podejrzanym; (*o widoku, dolinie itd.*) rozciągać się; rozpościerać się; (*o statku*) stać na kotwicy; **it ~s to zależy** (**with sb od kogoś**); **to**

~ heavy ciążyć; ~ down położyć się; ~ over być w zawieszeniu, zostać odroczonym; ~ up leżeć w łóżku, chorować

lie 2. [laɪ], lied, lied [laɪd] *vi* kłamać; okłamywać (**to sb** kogoś); *s* kłamstwo; **to give the ~ za**zarzucać kłamstwo, zadać kłam (**sb** komuś)

liege [liːdʒ] *adj* lenny, lenniczy; *s* lennik, wasal

li·en [liən] *s prawn.* prawo zastawu

lieu·ten·ant [lefˈtenənt], *mors.* [leˈtenənt], *am.* [luːˈtenənt] *s* porucznik; zastępca; **second ~** podporucznik

life [laɪf] *s* (*pl* **lives** [laɪvz]) życie; ożywienie, werwa; żywot, życiorys; **Life Guards** straż przyboczna (królewska); ~ **insurance** ubezpieczenie na życie; **true to** ~ wierny rzeczywistości, naturalny; **for ~ na całe życie, dożywotnio**

life-belt [ˈlaɪf belt] *s* pas ratunkowy

life-boat [ˈlaɪf bəut] *s* łódź ratunkowa

life·long [ˈlaɪf lɒŋ] *adj* trwający całe życie

life-sen·tence [ˈlaɪf sentəns] *s* wyrok dożywotniego więzienia

life-size [ˈlaɪf saɪz] *adj* naturalnej wielkości

life·time [ˈlaɪftaɪm] *s* (całe) życie; **in sb's ~** w przeciągu ⟨za⟩ czyjegoś życia

lift [lɪft] *vt vi* podnieść (się); ukraść, *pot.* ściągnąć; *s* podniesienie; winda; **air ~ most po**wietrzny; **to give sb a ~ pod**wieźć kogoś (autem itp.)

lig·a·ment [ˈlɪgəmənt] *s anat.* wiązadło

lig·a·ture [ˈlɪgətʃə(r)] *s* związanie, podwiązanie, przewiązanie; *muz. druk.* ligatura

light 1. [laɪt] *adj* lekki; nie obciążony; mało ważny, błahy; lekkomyślny, beztroski; *adv* lekko

*light 2.** [laɪt], lit, lit [lɪt] *lu* ~ed, ~ed [ˈlaɪtɪd] *vt vi* zaświecić, świecić, zapalić (się), oświetlać; rozjaśnić (się); ~ up za świecić; zapłonąć; rozjaśnić się *s* światło, oświetlenie; światł dzienne; jasność; ogień; **to brin** to ~ wydobyć na światło dzien ne; **to come to ~** wyjść na jaw *adj* jasny

*light 3.** [laɪt], lighted, lighte [ˈlaɪtɪd] *lub* lit, lit [lɪt] *vi* na tknąć się ⟨natrafić⟩ (**upon sb**, st na kogoś, coś); zstąpić; (**o pta ku**) osiąść; (*o wzroku*) paść

light·en 1. [ˈlaɪtn] *vt vi* oświetlać rozjaśniać (się); błyskać się

light·en 2. [ˈlaɪtn] *vt* ulżyć; uczy nić lżejszym; odciążyć, złagodzi *vi* pozbyć się ciężaru (ładunku) stać się lżejszym

light·er 1. [ˈlaɪtə(r)] *s* zapalniczka *mors.* lichtuga

light·er 2. [ˈlaɪtə(r)] *s* galar

light-heart·ed [ˈlaɪtˈhɑːtɪd] *adj* we soły, niefrasobliwy

light·house [ˈlaɪt haus] *s* latarni morska

light-mind·ed [ˈlaɪtˈmaɪndɪd] *ad* lekkomyślny

light·ning [ˈlaɪtnɪŋ] *s* piorun, bły skawica

light·ning-con·duc·tor [ˈlaɪtnɪŋ kən dʌktə(r)], **light·ning-rod** [ˈlaɪtŋ rod] *s* piorunochron

light-weight [ˈlaɪt weɪt] *s* człowie bez znaczenia; *adj* (*o bokserze* wagi lekkiej

like 1. [laɪk] *adj* podobny; **in ~** manner podobnie; **it is just ~** him **to** na niego wygląda, to d niego pasuje; **it looks ~ rai** będzie padać; **I don't feel ~ working** nie chce mi się praco wać; *adv w zwrotach:* ~ **enough** very ~ prawdopodobnie; *con* podobnie, podobnie jak; **to b** ~ ... wyglądać jak ...; **people ~** you ludzie tacy, jak wy; *s* rzec podobna ⟨taka sama⟩; coś po

dobnego; and the ~ i tym po-
dobne rzeczy

ike 2. [laɪk] *vt* lubić; ~ **better**
woleć; mieć upodobanie ⟨przy-
jemność, zamiłowanie⟩; **I** ~ **this**
lubię to; to mi się podoba; **I**
should ~ **to** go chciałbym pójść;
I should ~ **you** to do this for
me chciałbym, ażebyś to dla
mnie zrobił

ike·li·hood ['laɪklɪhud] *s* prawdopodobieństwo

ike·ly ['laɪklɪ] *adj* możliwy ⟨od-
powiedni, nadający się⟩ (kandydat, plan itd.); prawdopodobny;
he is ~ **to** come on prawdopodobnie przyjdzie; *adv* prawdopodobnie, pewnie (*zw.* most ~, very
~); as ~ as not prawie na pewno

ik·en ['laɪkən] *vt* upodabniać; porównywać

ike·ness ['laɪknəs] *s* podobieństwo;
podobizna, portret; **in the** ~ **of...**
na podobieństwo...

ike·wise ['laɪkwaɪz] *adv* podobnie,
również; ponadto

ik·ing ['laɪkɪŋ] *ppraes i s* gust,
upodobanie, pociąg (**for** sth do
czegoś)

l·lac ['laɪlək] *s bot.* bez; *adj* (*o
kolorze*) lila

l·ly ['lɪlɪ] *s bot.* lilia; ~ **of the
valley** konwalia

imb [lɪm] *s* kończyna; członek
(ciała)

ime 1. [laɪm] *s* wapno

ime 2. [laɪm] *s* lipa (drzewo i
kwiat)

ime 3. [laɪm] *s* limona (drzewo i
owoc)

ime·light ['laɪmlaɪt] *s* światło wa-
pienne; *przen.* in the ~ na widoku (publicznym), w świetle reflektorów

im·er·ick ['lɪmərɪk] *s* limeryk,
fraszka

ime·stone ['laɪmstəun] *s* wapień

im·it ['lɪmɪt] *s* granica; limit; *vt*
ograniczać

im·i·ta·tion [ˌlɪmɪ'teɪʃn] *s* ograni-

czenie; zastrzeżenie; *prawn.* pre-
kluzja

limp 1. [lɪmp] *adj* wiotki, słaby,
bez energii

limp 2. [lɪmp] *vi* chromać, utykać
na nogę, kuśtykać

lim·pid ['lɪmpɪd] *adj* przezroczysty, klarowny

lim·y ['laɪmɪ] *adj* wapnisty; kleisty

lin·den ['lɪndən] *s bot.* lipa

line 1. [laɪn] *s* linia; lina, sznur;
sznurek u wędki; szereg, rząd,
pot. kolejka; granica; kurs, kierunek; zajęcie, rodzaj zaintere-
sowania; linia postępowania, wytyczna; wiersz, linia, linijka;
dziedzina, specjalność; *handl.*
branża; *vt* liniować; kreślić; u-
stawiać w rząd (szpaler); *vt* (*także* ~ **up**) stawać ⟨ustawiać się⟩
w rzędzie

line 2. [laɪn] *vt* wyścielić, wyłożyć; podszyć (podszewką)

lin·e·age ['lɪnɪɪdʒ] *s* rodowód, pochodzenie

lin·e·al ['lɪnɪəl] *adj* pochodzący w
prostej linii

line·man ['laɪnmən] *s* dróżnik (kolejowy); monter (linii telegrafi-
cznej ⟨telefonicznej⟩)

lin·en ['lɪnɪn] *s* płótno; *zbior.* bielizna

lin·er ['laɪnə(r)] *s* liniowiec, statek żeglugi liniowej; samolot re-
gularnej linii pasażerskiej

lines·man ['laɪnzmən] *s* (*pl* lines-
men ['laɪnzmən]) żołnierz linio-
wy; dróżnik (kolejowy); *sport* sędzia liniowy

lin·ger ['lɪŋɡə(r)] *vi* zwlekać, o-
ciągać się; zasiedzieć się, przeciągać pobyt; (*także* ~ **on**)
trwać, przeciągać się

lin·gual ['lɪŋɡwl] *adj* językowy

lin·guist ['lɪŋɡwɪst] *s* lingwista

lin·i·ment ['lɪnɪmənt] *s* płyn (leczniczy), maść

lin·ing ['laɪnɪŋ] *s* podszewka, podkład, podbicie; okładzina, obudowa

link [lɪŋk] s ogniwo; więź; vt vi łączyć (się), wiązać (się), przyłączyć (się)

lin·seed ['lɪnsɪd] s siemię lniane; ~ oil olej lniany

lint [lɪnt] s szarpie, płótno opatrunkowe

li·on ['laɪən] s lew

li·on·ize ['laɪənaɪz] vt traktować kogoś jako znakomitość, ubóstwiać; oglądać ⟨pokazywać⟩ osobliwości miasta

lip [lɪp] s warga; brzeg, skraj; pl ~s usta

lip·stick ['lɪp stɪk] s kredka do ust, szminka

li·queur [lɪ'kjuə(r)] s likier

liq·uid ['lɪkwɪd] adj płynny; s płyn, ciecz

liq·ui·date ['lɪkwɪdeɪt] vt vi likwidować (się)

liq·uor ['lɪkə(r)] s napój alkoholowy

lisp [lɪsp] vi seplenić; s seplenienie

list [lɪst] s lista, spis; vt umieszczać na liście, spisywać

lis·ten ['lɪsn] vi słuchać (to sb, sth kogoś, czegoś), przysłuchiwać się (to sb, sth komuś, czemuś), nadsłuchiwać (for sth czegoś); ~ in słuchać radia

lis·ten·er ['lɪsnə(r)] s słuchacz; radiosłuchacz

list·less ['lɪstləs] adj obojętny, apatyczny

lit zob. **light** 2., 3

lit·er·a·cy ['lɪtrəsɪ] s umiejętność czytania i pisania

lit·er·al ['lɪtrl] adj literalny, dosłowny; literowy

lit·er·ar·y ['lɪtrɪ] adj literacki

lit·er·ate ['lɪtrət] adj (o człowieku) piśmienny

lit·er·a·ture ['lɪtrətʃə(r)] s literatura, piśmiennictwo

lithe [laɪð] adj giętki, gibki

lit·i·gant ['lɪtɪgənt] adj procesujący się; s strona procesująca się

lit·i·gate ['lɪtɪgeɪt] vi procesować się; vt kwestionować

lit·i·ga·tion [lɪtɪ'geɪʃn] s spór, sprawa sądowa

lit·mus ['lɪtməs] s chem. lakmus

lit·ter ['lɪtə(r)] s śmiecie, odpadki; nieporządek; wyściółka; miot, młode; vt podścielać; zaśmiecać

lit·tle ['lɪtl] adj (comp **less** [les] sup **least** [list]) mały, drobny; krótki; mało, niewiele; ~ bread mało ⟨trochę⟩ chleba; adv mało; he sees me very ~ on mnie mało ⟨rzadko⟩ widuje; s mała ilość; mało, niewiele; a ~ niewiele, trochę; ~ by ~ stopniowo, po trochu

lit·tle·ness ['lɪtlnəs] s małość, mały rozmiar

live 1. [lɪv] vi żyć; mieszkać; przebywać; przetrwać; ~ on żyć nadal, przetrwać; ~ on sth żyć z czegoś ⟨czymś⟩; ~ through ⟨over⟩ przeżyć (war wojnę); to ~ to be ⟨to see⟩ doczekać (się); to ~ up to sth żyć stosownie do czegoś ⟨zgodnie z czymś⟩; long ~! niech żyje!; vt prowadzić ⟨pędzić⟩ (a happy life szczęśliwe życie itd.)

live 2. [laɪv] adj attr żywy; ~ coal żarzące się węgle

live·li·hood ['laɪvlɪhud] s pl środki utrzymania ⟨do życia⟩

live·long ['lɪvlɒŋ] adj (o dniu, roku itp.) cały, długi

live·ly ['laɪvlɪ] adj żywy, ożywiony

liv·en ['laɪvn] vt vi (także ~ up) ożywiać (się)

liv·er ['lɪvə(r)] s wątroba

liv·er·y ['lɪvərɪ] s liberia

live-stock ['laɪvstɒk] s żywy inwentarz

liv·id ['lɪvɪd] adj siny

liv·ing ['lɪvɪŋ] ppraes i adj żyjący, żywy; within ~ memory za ludzkiej pamięci; s życie, tryb życia; ~ conditions warunki ży

loggerhead

cia; ~ **standard** stopa życiowa;
utrzymanie; **to make ⟨earn one's⟩**
~ zarabiać na życie; ~ **wage**
płaca wystarczająca na utrzymanie

iz·ard [ˈlɪzəd] s zool. jaszczur-
ka

la·ma [ˈlɑːmə] s zool. lama

oad [ləud] s ciężar, obciążenie, ładunek; vt ładować, obciążać; obsypać (darami, pochwałami); obrzucać (obelgami)

oaf 1. [ləuf] s (pl loaves [ləuvz])
bochenek (chleba); główka ⟨gło-
wa⟩ (cukru, sałaty itd.)

oaf 2. [ləuf] vi wałęsać się; s wałęsanie się, próżniactwo

oaf·er [ˈləufə(r)] s włóczęga, próżniak, nierób

oan [ləun] s pożyczka; zapożycze-
nie; vt pożyczyć (sth to sb coś
komuś)

oath [ləuθ] adj niechętny; **to be**
~ **to do sth** z niechęcią coś robić; **nothing** ~ chętnie

oathe [ləuð] vt czuć wstręt, ⟨o-
brzydzenie⟩ (sb, sth do kogoś,
czegoś)

oath·some [ˈləuðsəm] adj wstrętny, ohydny

oaves zob. **loaf 1.**

ob·by [ˈlɒbɪ] s westybul, hall;
poczekalnia; kuluar (w parlamencie); vt urabiać posłów w ku-
luarach

lobe [ləub] s płat, płatek

lob·ster [ˈlɒbstə(r)] s zool. homar

lo·cal [ˈləukl] adj miejscowy; ~
government samorząd

lo·cal·i·ty [ləuˈkælətɪ] s miejscowość; położenie; rejon

lo·cal·ize [ˈləuklaɪz] vt lokalizować

lo·cate [ləˈkeɪt] vt umieścić, ulokować; zlokalizować; osiedlić;
am. **to be** ~**d** mieszkać

lo·ca·tion [ləuˈkeɪʃn] s zlokalizo-
wanie, umiejscowienie; ulokowa-
nie, umieszczenie; miejsce zamieszkania; położenie

lo·ck 1. [lɒk] s zamek, zamknięcie;
śluza; vt vi zamykać (się) na

klucz; otaczać (np. o górach);
przen. więzić; unieruchomić; zaciskać (się), zwierać (się); przechodzić ⟨przeprowadzać⟩ przez
śluzę (up, **down** w górę, w dół);
~ **in** zamykać wewnątrz; ~ **out**
wykluczyć; nie puścić (kogoś) do
wewnątrz, zastosować lokaut; ~
up zamknąć (na klucz); uwięzić;
trzymać pod kluczem

lock 2. [lɒk] s lok, kędzior

lock·er [ˈlɒkə(r)] s kabina; szafka

lock-out [ˈlɒkaut] s lokaut

lock·smith [ˈlɒksmɪθ] s ślusarz

lock-up [ˈlɒkʌp] s zamknięcie na
klucz (zw. bramy na noc); areszt,
pot. koza

lo·co·mo·tion [ˌləukəˈməuʃn] s lokomocja

lo·co·mo·tive [ˌləukəˈməutɪv] s lokomotywa; adj ruchomy

lo·cust [ˈləukəst] s szarańcza

lo·cu·tion [ləˈkjuːʃn] s powiedzenie, zwrot

lodge [lɒdʒ] vt umieszczać, przyjmować pod dach, zakwaterować;
deponować, dawać na przechowanie; wnosić (np. protest, skargę); składać (np. oświadczenie);
wbić, wsadzić; vi mieszkać, znaleźć nocleg, ulokować się; s domek (dozorcy, służbowy, myśliwski); loża (masońska); stróżów-
ka, portiernia; kryjówka, nora

lodg·er [ˈlɒdʒə(r)] s lokator

lodg·ing [ˈlɒdʒɪŋ] s zakwaterowanie, pomieszczenie; pl ~s wynaj-
mowane mieszkanie ⟨umeblowa-
ne⟩

loft [lɒft] s poddasze, strych

loft·i·ness [ˈlɒftɪnəs] s wysokość;
wzniosłość; wyniosłość

lof·ty [ˈlɒftɪ] adj wysoki; wzniosły; wyniosły

log [lɒg] s kłoda, kloc; mors. log

log·book [ˈlɒgbuk] s mors. dziennik
okrętowy

log·ger·head [ˈlɒgəhed] s bałwan,
tępak; pot. **to be at** ~**s** kłócić
się, brać się za łby

log·ic ['lodʒɪk] s logika

log-roll·ing ['logrəʊlɪŋ] s popieranie siebie nawzajem; kumoterstwo; *am.* wzajemna pomoc (finansowa lub polityczna)

loin [lɔɪn] s, pl ~s lędźwie; (także ~ chop) polędwica

loi·ter ['lɔɪtə(r)] vi wałęsać się, włóczyć się

loi·ter·er ['lɔɪtərə(r)] s włóczęga, łazik

loll [lol] vi (także ~ about ⟨around⟩) rozwalać się, przybierać niedbałą pozę; (o psie) wywieszać (it's tongue język)

lone [ləʊn] adj attr samotny; odludny

lone·li·ness ['ləʊnlɪnəs] s samotność, osamotnienie

lone·ly ['ləʊnlɪ] adj samotny; odludny

lone·some ['ləʊnsəm] = **lonely**

long 1. [loŋ] adj długi; **he is ~ in doing that** on to długo robi; **he won't be ~** on niedługo przyjdzie; adv długo; dawno; **before ~** wkrótce; **so ~!** do widzenia!; **~ ago** ⟨**since**⟩ dawno temu; s długi ⟨dłuższy⟩ czas; **for ~** na długo; **it won't take ~ to** nie potrwa długo

long 2. [loŋ] vi pragnąć, łaknąć (**for sth** czegoś); tęsknić (**after** ⟨**for**⟩ **sb, sth** za kimś, czymś), mieć wielką chęć

lon·gev·i·ty [lon'dʒevətɪ] s długowieczność

long·ing ['loŋɪŋ] ppraes i s chęć, pragnienie; tęsknota

lon·gi·tude ['londʒɪtjud] s długość geograficzna

long-leg·ged ['loŋlegd] adj długonogi

long-range ['loŋreɪndʒ] adj attr dalekosiężny; długofalowy

long·shore·man ['loŋ ʃɔmən] s tragarz, robotnik portowy

long-sight·ed ['loŋ'saɪtɪd] adj dalekowzroczny

long-wave ['loŋweɪv] adj attr długofalowy

long·ways ['loŋ weɪz], **long·wise** ['loŋ waɪz] adv wzdłuż; na długość

look [luk] s spojrzenie; wygląd mina, wyraz (twarzy); **to have a ~ at sth** spojrzeć na coś; **to give sb a kind ~** spojrzeć na kogoś życzliwie; **good ~s** piękna twarz uroda; vi patrzeć; wyglądać **~ about** rozglądać się; **~ after** doglądać, pilnować (**sb, sth** kogoś, czegoś); **~ ahead** patrzeć przed siebie, przewidywać; **~ at** patrzeć (**sb, sth na** kogoś, coś); **~ for** szukać (**sb, sth** kogoś, czegoś); **~ forward** oczekiwać, wypatrywać (**to sth** czegoś); **~ in** wpaść (**on** ⟨**upon**⟩ **sb** do kogoś); oglądać (**to the TV** telewizję); **~ into** zaglądać (**a room** do pokoju itd.); badać (**sth** coś); **~ like** wyglądać jak (**sb, sth** ktoś, coś); **it ~s like rain** zanosi się na deszcz; **~ on** przypatrywać się (**sb, sth** komuś, czemuś); **~ on** ⟨**upon**⟩ patrzeć na (**sb, sth as ...** kogoś, coś jak na ...); uważać ⟨mieć⟩ (**sb, sth as ...** kogoś za ...); **~ out** wyglądać; mieć się na baczności; wypatrywać (**for sb** kogoś); **~ over** przeglądać (**sth** coś); **~ round** rozglądać się; **~ through** przejrzeć (**a book** książkę); patrzeć przez (**a window** okno); przezierać; **his greed ~ed through his eyes** chciwość wyzierała mu z oczu; **~ to** pilnować (**sth** czegoś), uważać (**sth na** coś); **~ to it that ...** uważać, ażeby ...; **~ up** patrzeć w górę; szukać (czegoś w książce itp.); **~ up to sb** traktować kogoś z szacunkiem; vt patrzeć, spojrzeć (**sb in the face** komuś w oczy); wyglądać (**sb, sth na** kogoś, coś)

look·er-on ['lukəron] s (pl ~s-on ['lukəzon]) widz

look·ing-glass ['lukɪŋ glas] s lustro, lusterko

look-out ['lukaut] s widok, perspektywa; czujność; **to be on the ~** pilnować, czatować

oom 1. [lum] s warsztat tkacki

oom 2. [lum] vt majaczyć, zarysowywać się (np. na horyzoncie); wyłaniać się; przen. zagrażać; to ~ large wywołać ⟨budzić⟩ niepokój

oop [lup] s pętla; węzeł; vt robić pętlę ⟨węzeł⟩; to ~ the ~ ⟨o samolocie⟩ wykonać pętlę

oop-hole ['lup həul] s otwór ⟨strzelnica⟩ w murze; przen. wykręt, furtka

oose [lus] adj luźny, swobodny; niedbały; rozwiązły; at a ~ end zaniedbany; bez zajęcia; to break ~ zerwać ⟨urwać, uwolnić⟩ (się); to come ~ rozluźnić się; to let ~ puścić na wolność; przen. dać upust; vt rozluźnić, rozwiązać, puścić

oos·en ['lusn] vt vi rozluźnić (się), popuścić, rozwiązać; działać rozwalniająco

oot [lut] vt vi grabić; s grabież, łupy

op 1. [lop] vt obcinać, obrzynać

op 2. [lop] vt zwieszać, opuszczać; vi zwisać

ope [ləup] s skok, sus; vi biec susami

o·qua·cious [ləu'kweɪʃəs] adj gadatliwy

ord [lɔd] s lord; pan, dziedzic

ord·ly ['lɔdlɪ] adj wielkopański; wyniosły

ore [lɔ(r)] s wiedza, nauka

or·ry ['lɔrɪ] s ciężarówka; platforma kolejowa

*lose [luz], lost, lost [lost] vt stracić, zgubić; to ~ heart upaść na duchu; to ~ one's heart to sb oddać komuś serce, zakochać się w kimś; ~ oneself, to ~ one's way zabłądzić, zabłąkać się; to ~ sight stracić z oczu (of sth coś); to ~ weight stracić na wadze; to be ⟨to go⟩ lost zaginąć; pójść na marne; to be lost to all sense of honour stracić wszelkie poczucie honoru; vi przyprawić o stratę; zmarnować (okazję itp.); przegrać (mecz itp.); (o zegarku)

spóźniać się

loss [los] s strata, zguba; utrata, ubytek; to be at a ~ być w kłopocie, nie wiedzieć, co robić

lost zob. lose

lot [lot] s los, dola; udział; część; partia (towaru); parcela, działka; wielka ilość; pot. banda, paczka; a ~ of people gromada ludzi; a ~ of money (także pl ~s of money) masa pieniędzy; a good ⟨quite a⟩ ~ sporo; a ~ more znacznie więcej

lo·tion ['ləuʃn] s płyn leczniczy

lot·ter·y ['lɔtərɪ] s loteria

lo·tus ['ləutəs] s bot. lotos

loud [laud] adj głośny; adv głośno

loud-speak·er ['laud`spikə(r)] s głośnik, megafon

lounge [laundʒ] vi bezczynnie spędzać czas; wygodnie siedzieć ⟨leżeć⟩; wałęsać się, próżnować; s wypoczynek, relaks; wałęsanie się; pokój klubowy; świetlica; kanapa, tapczan

lounge-suit ['laundʒ sut] s garnitur na co dzień

louse [laus] s (pl lice [laɪs]) wesz

lous·y ['lauzɪ] adj wszawy, zawszony; pot. wstrętny

lout [laut] s gbur, prostak

love [lʌv] s miłość; zamiłowanie; ukochany; to fall in ~ zakochać się (with sb w kimś); to make ~ kochać się ⟨pot. spać⟩ (to sb z kimś); for ~ bezinteresownie; dla zabawy ⟨przyjemności⟩; in ~ zakochany; vt vi kochać, lubić (bardzo); I should ~ bardzo bym chciał (to do this to zrobić)

lov·a·ble ['lʌvəbl] adj dający się lubić ⟨kochać⟩; miły

love-af·fair ['lʌv əfeə(r)] s romans

love·ly ['lʌvlɪ] adj miły; uroczy

lov·er ['lʌvə(r)] s kochanek; amator, wielbiciel

low 1. [ləu] adj niski; nizinny; słaby; skromny; marny; przygnębiony; (o głosie) cichy; pospoli-

low

ty, wulgarny; podły; *adv* nisko;
cicho; podle, marnie

low 2. [ləu] *vi* ryczeć; *s* ryk

low·er 1. *adj* comp od **low 1.**

low·er 2. [`ləuə(r)] *vt vi* zniżyć (się),
opuścić (się); zmniejszyć (się);
poniżyć

low-grade [`ləugreid] *adj attr* nis-
kogatunkowy, niskoprocentowy

low·land [`ləuland] *s* nizina

low·ly [`ləuli] *adj* korny, skrom-
ny; *adv* kornie; skromnie; nisko

loy·al [`lɔil] *adj* lojalny

loy·al·ty [`lɔilti] *s* lojalność

lub·ber [`lʌbə(r)] *s* ślamazara, nie-
dołęga

lu·bri·cant [`lubrikənt] *s* smar; *adj*
smarujący

lub·ri·cate [`lubrikeit] *vt* smaro-
wać, oliwić

lu·cent [`lusnt] *adj* lśniący; prze-
zroczysty

lu·cid [`lusid] *adj* jasny; lśniący;
przezroczysty

lu·cid·i·ty [lu`sidəti] *s* jasność;
blask; przezroczystość

luck [lʌk] *s* szczęście, traf; **good
~** szczęście; **bad ~** pech

luck·y [`lʌki] *adj* szczęśliwy, po-
myślny

lu·cra·tive [`lukrətiv] *adj* dochodo-
wy, intratny

lu·di·crous [`ludikrəs] *adj* śmiesz-
ny, niedorzeczny

lug [lʌg] *vt* ciągnąć, wlec, szarpać (at sth czymś)

lug·gage [`lʌgidʒ] *s* bagaż

lu·gu·bri·ous [lu`gubriəs] *adj* po-
nury, żałobny

luke·warm [`luk`wɔm] *adj* letni,
ciepławy; *przen.* obojętny

lull [lʌl] *vt vi* usypiać; uśmierzać;
uspokajać (się); *s* okres spokoju,
chwila ciszy

lull·a·by [`lʌləbai] *s* kołysanka

lum·ber [`lʌmbə(r)] *s* drewno, bu-
dulec; *zbior.* stare meble, *pot.*
graty, rupiecie

lum·ber-room [`lʌmbərum] *s* ru-

pieciarnia

lu·mi·nar·y [`luminəri] *s* ciało
świetlne; luminarz

lu·mi·nous [`luminəs] *adj* świetl-
ny, lśniący; jasny, zrozumiały

lump [lʌmp] *s* kawałek; bryła; *pot*
niedołęga, mazgaj; **~ sugar** cukier w kostkach; **~ sum** suma
globalna, ryczałt; **by ⟨in⟩ the ~**
hurtem; *vt* zwalać na stos ⟨ku-
pę⟩; scalić; *vi* zbić się

lu·na·cy [`lunəsi] *s* szaleństwo, ob-
łęd

lu·nar [`lunə(r)] *adj* księżycowy
chem. **~ caustic** lapis

lu·na·tic [`lunətik] *adj* obłąkany
szalony; *s* obłąkaniec, wariat

lunch [lʌntʃ] *s* drugie śniadanie,
lunch; *vi* spożywać lunch

lunch·eon [`lʌntʃən] = **lunch** *s*

lung [lʌŋ] *s* płuco

lurch 1. [lɜtʃ] *s w zwrocie:* **to
leave sb in the ~** opuścić kogoś
w ciężkiej sytuacji

lurch 2. [lɜtʃ] *vi* przechylić ⟨za-
chwiać⟩ się; słaniać się; *s* przechylenie się; chwiejny chód

lure [luə(r)] *vt* nęcić, wabić; *s*
przynęta; pułapka; powab

lu·rid [`luərid] *adj* ponury, u-
piorny, niesamowity

lurk [lɜk] *vi* czaić się, czyhać (for
sb na kogoś); *s* ukrycie; **to be
on the ~** czaić się

lus·cious [`lʌʃəs] *adj* przesłodzo-
ny, ckliwy; soczysty

lust [lʌst] *vi* pożądać (after ⟨for⟩
sth czegoś); *s* pożądliwość, lu-
bieżność, żądza

lus·tre [`lʌstə(r)] *s* blask, połysk;
przen. świetność

lus·trous [`lʌstrəs] *adj* połyskują-
cy, lśniący

lust·y [`lʌsti] *adj* tęgi; żwawy,
pełen wigoru

lute [lut] *s muz.* lutnia

lux·u·ri·ant [lʌg`zuəriənt] *adj* ob-
fity, bujny; (o stylu) kwiecisty

ux·u·ri·ous [ləg'ʒuərɪəs] *adj* luksusowy, bogaty

ux·u·ry ['lʌkʃərɪ] *s* przepych, zbytek, luksus; obfitość; *adj attr* luksusowy

ye [laɪ] *s* ług

y·ing ['laɪɪŋ] *ppraes i adj* kłamliwy

ynch [lɪntʃ] *vt* linczować; *s* lincz

lynx [lɪŋks] *s* zool. ryś

ly·oph·i·li·za·tion ['laɪofələ'zeɪʃn] *s* liofilizacja

ly·oph·i·lize [laɪ'ofə'laɪz] *vt* liofilizować

lyre ['laɪə(r)] *s* muz. lira

lyr·ic ['lɪrɪk] *adj* liryczny; *s* utwór liryczny

lyr·i·cal ['lɪrɪkl] *adj* liryczny

ly·sol ['laɪsol] *s* chem. lizol

m

ma'am [mæm] *s* proszę pani, słucham panią (*służba do pani domu, personel sklepu do klientki itd.*)

mace [meɪs] *s* maczuga; buława

mach·i·na·tion ['mækɪ'neɪʃn] *s* machinacja, intryga, knowanie

ma·chine [mə'ʃin] *s* maszyna; agricultural ∼s maszyny rolnicze; *vt* wykonywać maszynowo; *adj attr* maszynowy

ma·chine-gun [mə'ʃingʌn] *s* karabin maszynowy

ma·chin·er·y [mə'ʃinrɪ] *s* maszyneria, mechanizm

mack·er·el ['mækrl] *s* makrela

mack·in·tosh ['mækɪntoʃ] *s* płaszcz nieprzemakalny

mad [mæd] *adj* szalony, obłąkany; zwariowany (after ⟨about, for, on⟩ sth na punkcie czegoś); wściekły; to go ∼ zwariować; to drive ∼ doprowadzić do szaleństwa

mad·am ['mædəm] *s w zwrotach grzecznościowych:* (Szanowna) Pani!

mad·cap ['mædkæp] *s* narwaniec, człowiek postrzelony

mad·den ['mædn] *vt* doprowadzić do szaleństwa ⟨szału⟩; *vi* szaleć

made zob. make

mad·ness ['mædnəs] *s* szaleństwo,

obłęd, furia

mag·a·zine ['mægə'zin] *s* magazyn, skład; wojsk. skład broni; periodyk, czasopismo

mag·got ['mægət] *s* larwa; chimera; kaprys

ma·gi zob. magus

mag·ic ['mædʒɪk] *adj* magiczny, czarodziejski; *s* magia, czary

ma·gi·cian [mə'dʒɪʃn] *s* czarodziej, magik, iluzjonista

mag·is·trate ['mædʒɪstreɪt] *s* sędzia pokoju

mag·na·nim·i·ty ['mægnə'nɪmətɪ] *s* wspaniałomyślność

mag·nate ['mægneɪt] *s* magnat

mag·ne·sia [mæg'niʃə] *s* magnezja

mag·net ['mægnɪt] *s* magnes

mag·net·ic [mæg'netɪk] *adj* magnetyczny

mag·net·ize ['mægnɪtaɪz] *vt* magnetyzować

mag·nif·i·cence [mæg'nɪfɪsns] *s* wspaniałość; świetność

mag·nif·i·cent [mæg'nɪfɪsnt] *adj* wspaniały

mag·ni·fi·er ['mægnɪfaɪə(r)] *s* wzmacniacz; szkło powiększające

mag·ni·fy ['mægnɪfaɪ] *vt* wzmacniać; powiększać

mag·ni·tude ['mægnɪtjud] *s* ogrom, wielkość

mag·pie [ˈmæɡpaɪ] s sroka; *przen.* gaduła

ma·gus [ˈmeɪɡəs] s (*pl* **magi** [ˈmeɪdʒaɪ]) mag, mędrzec Wschodu

ma·hog·a·ny [məˈhoɡənɪ] s mahoń

maid [meɪd] s *lit.* dziewczyna; † panna; służąca; ∼ **of honour** dama dworu

maid·en [ˈmeɪdn] s *lit.* dziewica, panna; *adj* dziewiczy; panieński

maid-serv·ant [ˈmeɪd sɜːvənt] s służąca, pokojówka

mail 1. [meɪl] s poczta; *vt* wysyłać pocztą

mail 2. [meɪl] s pancerz; **coat of** ∼ kolczuga; ∼**ed fist** *przen.* zbrojna pięść ⟨siła⟩

maim [meɪm] *vt* okaleczyć

main [meɪn] *adj* główny, przeważający, najważniejszy; s główna rura (wodociągu, gazu); *pl* ∼s kanalizacja; *elektr.* główna linia; *poet.* pełne morze; **in the** ∼ głównie, przeważnie; **with might and** ∼ z całych sił

main·land [ˈmeɪnlænd] s ląd stały

main·spring [ˈmeɪnsprɪŋ] s główna sprężyna ⟨zegara⟩; *przen.* główny motyw ⟨działania⟩

main·stay [ˈmeɪnsteɪ] s *mors.* sztag grotmasztu; *przen.* ostoja

main·tain [meɪnˈteɪn] *vt* podtrzymywać; utrzymywać; zachowywać; twierdzić

main·te·nance [ˈmeɪntɪnəns] s utrzymanie; utrzymywanie; konserwacja; podtrzymywanie, podpora

maize [meɪz] s kukurydza

ma·jes·tic [məˈdʒestɪk] *adj* majestatyczny

maj·es·ty [ˈmædʒɪstɪ] s majestat

ma·jor [ˈmeɪdʒə(r)] *adj* większy, ważniejszy; główny; starszy; pełnoletni; *muz.* durowy, majorowy; s człowiek pełnoletni; *wojsk.* major

ma·jor·i·ty [məˈdʒɒrətɪ] s większość; pełnoletność

*****make** [meɪk], **made, made** [meɪd]

vt vi robić, tworzyć, produkować, sporządzać; szyć ⟨ubranie⟩; piec ⟨chleb itd.⟩; zrobić ⟨ugotować, przygotować⟩ coś do jedzenia ⟨picia⟩; narobić ⟨hałasu, kłopotu itd.⟩; ustalić, ustanowić; powodować, doprowadzać; kazać; posłać ⟨a bed łóżko⟩; zawrzeć ⟨peace pokój⟩; wygłaszać ⟨a speech mowę⟩; okazać się ⟨a good soldier dobrym żołnierzem⟩; wybierać się; udawać się, kierować się ⟨for a place dokądś⟩; zrozumieć, wywnioskować; przerobić, przetworzyć ⟨sth into sth coś na coś⟩; *mat.* wynosić; to ∼ **acquainted** zaznajomić; to ∼ **believe** udawać, stwarzać pozory; wmawiać; to ∼ **friends** zaprzyjaźnić się; to ∼ **good** naprawić; to ∼ **hay** przewracać siano; *przen.* wprowadzać zamieszanie ⟨of sth do czegoś⟩; to ∼ **known** podać do wiadomości; to ∼ **little** lekceważyć ⟨of sth coś⟩; to ∼ **merry** zabawiać się, weselić się; to ∼ **much of sth** wysoko coś cenić, przywiązywać wagę do czegoś; to ∼ **ready** przygotowywać się; to ∼ **sure** upewnić się; to ∼ **understood** dać do zrozumienia; to ∼ **oneself understood** porozumieć się; **I cannot** ∼ **either head or tail of it** w żaden sposób nie mogę tego pojąć; **that** ∼**s me think** to mi daje do myślenia, to mnie zastanawia; **what do you** ∼ **the time?** która może być godzina?; to ∼ **it** uzgadniać, umawiać się ⟨5 o'clock na godzinę piątą⟩; *pot.* **I made it** udało mi się; zdążyłem; z *przyimkami i przysłówkami:* ∼ **away** oddalić się, uciec; usunąć, skończyć z czymś; sprzeniewierzyć; zaprzepaścić ⟨with sth coś⟩; ∼ **off** zwiać, uciec; ∼ **out** wystawić ⟨np. rachunek⟩, sporządzić ⟨np. spis⟩; zrozumieć, odgadnąć; odczytać; rozpoznać; ∼ **over** przenieść; przekazać ⟨np. własność⟩; ∼ **up** sporządzić; szminkować

(się); odrobić, powetować (komuś, sobie) (for sth coś); załagodzić, pogodzić; ~ it up pogodzić
się (with sb z kimś); ~ up one's
mind postanowić; s wyrób; budowa, forma; fason, krój

nake-be·lieve [ˈmeɪk bɪliv] s pozór, symulowanie; adj attr pozorny, udany; zmyślony

mak·er [ˈmeɪkə(r)] s twórca; wytwórca, konstruktor; sprawca

make·shift [ˈmeɪkʃɪft] s środek zastępczy; namiastka; adj attr
tymczasowy, zastępczy, prowizoryczny

make-up [ˈmeɪk ʌp] s makijaż,
charakteryzacja; struktura

mak·ing [ˈmeɪkɪŋ] ppraes i s zrobienie, tworzenie; przetwarzanie,
produkcja; skład; pl ~s zarobek,
dochody; pl ~s zadatki (np. of
a writer na pisarza)

mal·ad·just·ment [ˈmæləˈdʒʌstmənt]
s złe przystosowanie, niedopaso-
wanie

mal·ad·min·is·tra·tion [ˈmælədmɪnɪˈstreɪʃn] s zły zarząd; zła (wa-
dliwa) gospodarka

mal·a·dy [ˈmælədɪ] s choroba

mal·con·tent [ˈmælkəntent] s malkontent; adj niezadowolony

male [meɪl] adj męski, płci męskiej; zool. samczy; s mężczyzna; zool. samiec

mal·e·dic·tion [ˈmælɪˈdɪkʃn] s przekleństwo

ma·lev·o·lence [məˈlevjəns] s zła
wola, nieżyczliwość •

mal·fea·sance [mælˈfizns] s prawn.
wykroczenie (zw. służbowe)

mal·ice [ˈmælɪs] s złość, złośliwość, złe zamiary

ma·li·cious [məˈlɪʃəs] adj złośliwy

ma·lign [məˈlaɪn] adj złośliwy;
szkodliwy; vt oczerniać (sb kogoś)

ma·lig·nant [məˈlɪgnənt] adj złośliwy, jadowity

ma·lig·ni·ty [məˈlɪgnətɪ] s złośliwość, jadowitość

ma·lin·ger [məˈlɪŋgə(r)] vi udawać chorego, symulować

mal·let [ˈmælɪt] s drewniany młotek

mal·nu·tri·tion [ˈmælnjuˈtrɪʃn] s
niedożywienie

mal·prac·tice [mælˈpræktɪs] s
postępowanie niezgodne z prawem, nadużycie

malt [mɔlt] s słód

mal·treat [mælˈtriːt] vt maltretować; źle traktować

mam·mal [ˈmæml] s zool. ssak

mam·moth [ˈmæməθ] s mamut

mam·my [ˈmæmɪ] s zdrob. mamusia, mateczka

man [mæn] s (pl men [men])
człowiek; mężczyzna; mąż; prosty żołnierz; robotnik; (w szachach) pionek, figura; best ~
drużba; ~ in the street szary
⟨przeciętny⟩ człowiek; to a ~
do ostatniego człowieka, co do
jednego, wszyscy; vt obsadzić
(np. załogą)

man·a·cle [ˈmænəkl] s (zw. pl ~s)
kajdany

man·age [ˈmænɪdʒ] vt zarządzać,
kierować, prowadzić; poskromić,
utrzymywać w karności; zdołać
⟨potrafić⟩ (coś zrobić), dać sobie
radę (sth z czymś); posługiwać
się (sth czymś), obchodzić się (sb,
sth z kimś, czymś); vi poradzić
sobie; gospodarować

man·age·ment [ˈmænɪdʒmənt] s
zarząd; umiejętne postępowanie,
kierowanie; posługiwanie się

man·ag·er [ˈmænɪdʒə(r)] s zarządca; kierownik; impresario

man·da·rin [ˈmændərɪn] s man-
daryn

man·date [ˈmændeɪt] s mandat;
vt powierzyć zarząd (terytorium)
na podstawie mandatu

man·do·lin [ˈmændəlɪn] s muz.
mandolina

mane [meɪn] s grzywa

man·ful [ˈmænfl] adj mężny, nieustraszony

man·ger [ˈmeɪndʒə(r)] s żłób

man·gle 1. [ˈmæŋgl] s magiel; vt
maglować

man·gle 2. [ˈmæŋgl] *vt* krajać; kaleczyć; szarpać; zniekształcać

man·gy [ˈmeɪndʒɪ] *adj* (o *zwierzętach*) parszywy; *przen.* plugawy, nędzny

man·hood [ˈmænhʊd] *s* męskość; wiek męski; męstwo; *zbior.* mężczyźni, ludność płci męskiej

ma·ni·a [ˈmeɪnɪə] *s* mania

ma·ni·ac [ˈmeɪnɪæk] *s* maniak

man·i·fest [ˈmænɪfest] *adj* oczywisty, jawny; *vt* ujawniać, manifestować

man·i·fes·to [ˈmænɪˈfestəʊ] *s* (pl ~s, ~es) manifest

man·i·fold [ˈmænɪfəʊld] *adj* różnorodny, wieloraki; *vt* powielać

ma·nip·u·late [məˈnɪpjʊleɪt] *vt* manipulować (sth czymś); zręcznie urabiać (sb kogoś); zręcznie pokierować (sth czymś)

man·kind [ˈmænˈkaɪnd] *s* ludzkość, rodzaj ludzki; [ˈmænkaɪnd] *zbior.* mężczyźni

man·like [ˈmænlaɪk] *adj* męski, właściwy mężczyźnie

man·ly [ˈmænlɪ] *adj* męski; mężny, dzielny

man·ner [ˈmænə(r)] *s* sposób; rodzaj; zwyczaj, sposób bycia, maniera; in a ~ poniekąd; do pewnego stopnia; *pl* ~s obyczaje, maniery, zachowanie się

ma·noeu·vre [məˈnuːvə(r)] *s* manewr, posunięcie; *vi* manewrować; *vt* manipulować

man-of-war [ˈmæn əv ˈwɔː(r)] † *s* (pl **men-of-war** [ˈmæn əv ˈwɔː(r)]) okręt wojenny

man·or [ˈmænə(r)] *s* dwór z majątkiem ziemskim

man·pow·er [ˈmænpaʊə(r)] *s* ludzka siła robocza; rezerwy ⟨zasoby⟩ ludzkie (np. dla armii)

man·sion [ˈmænʃn] *s* pałac, dwór; (zw. pl ~s) dom czynszowy

man·slaugh·ter [ˈmænslɔːtə(r)] *s* zabójstwo

man·tel [ˈmæntl], **man·tel·piece** [ˈmæntlpɪs] *s* obramowanie ⟨okap⟩ kominka

man·tle [ˈmæntl] *s* płaszcz; okrycie, pokrycie; *vt* *vi* otulić płaszczem; okryć (się), pokryć (się)

man·trap [ˈmæntræp] *s* potrzask, zasadzka

man·u·al [ˈmænjʊəl] *adj* ręczny (o *pracy*) fizyczny; *s* podręcznik

man·u·fac·ture [ˈmænjʊˈfæktʃə(r)] *s* produkcja; fabrykat; *vt* fabrykować, wytwarzać

man·u·fac·tur·er [ˈmænjʊˈfæktʃərə(r)] *s* fabrykant

ma·nure [məˈnjʊə(r)] *s* nawóz; *vt* nawozić

man·u·script [ˈmænjʊskrɪpt] *s* rękopis

man·y [ˈmenɪ] *adj* (comp **more** [mɔː(r)], sup **most** [məʊst]) dużo, wiele, wielu, liczni; ~ a niejeden; ~ a time nieraz; a good ⟨great⟩ ~ liczni, wielka ilość; as ~ ~ tyle; as ~ as nie mniej niż; aż; how ~? ile?; *s* pl the ~ wielka ilość, masa, tłum

man·y-sid·ed [ˈmenɪ ˈsaɪdɪd] *adj* wszechstronny; wielostronny

map [mæp] *s* mapa; *vt* sporządzać mapę (sth czegoś), znaczyć na mapie; ~ out planować

ma·ple [ˈmeɪpl] *s* klon

mar [mɑː(r)] *vt* psuć, niszczyć

ma·raud [məˈrɔd] *vi* włóczyć się w celach rabunkowych, grasować; *vt* rabować, łupić

ma·raud·er [məˈrɔːdə(r)] *s* maruder

mar·ble [ˈmɑːbl] *s* marmur; kulka (do gier)

march 1. [mɑːtʃ] *s* marsz, pochód; ~ **past** defilada; *vi* maszerować; ~ **past** defilować; *vt* prowadzić

March 2. [mɑːtʃ] *s* marzec

mar·chion·ess [ˈmɑːʃəˈnes] *s* markiza

mare [meə(r)] *s* klacz

mar·ga·rine [ˈmɑːdʒəˈriːn] *s* margaryna

marge [mɑːdʒ] = **margarine**, **margin**

mar·gin [ˈmɑːdʒɪn] *s* margines; krawędź; luz, rezerwa

mar·gin·al [ˈmɑːdʒɪnl] *adj* marginesowy

mass

mar·i·gold [`mærɪgəuld] s bot. nogietek

na·rine [mə`rin] s flota, marynarka (handlowa); marynarz (na okręcie wojennym); pejzaż morski; adj morski, dotyczący marynarki

nar·i·ner [`mærɪnə(r)] s marynarz

mar·i·tal [`mærɪtl] adj małżeński

mar·i·time [`mærɪtaɪm] adj morski; nadmorski

mark 1. [mak] s marka (pieniądz)

mark 2. [mak] s znak, oznaka; ślad, piętno; oznakowanie; ocena (szkolna), nota; cel; wyróżnienie; man of ~ wybitny człowiek; to be up to ⟨below⟩ the ~ być ⟨nie być⟩ na wysokości zadania ⟨na poziomie⟩; to miss the ~ chybić celu; wide of the ~ daleki od celu, nietrafny, od rzeczy; vt oznaczać, określać; oceniać; zwracać uwagę (sth na coś); notować; wyznaczać; cechować; ~ off oddzielać, wydzielać; ~ out wyznaczać, wyróżniać; przeznaczać

marked [makt] pp i adj wybitny, wyraźny

mark·ed·ly [`makɪdlɪ] adv wybitnie, wyraźnie, dobitnie

mar·ket [`makɪt] s rynek, targ; zbyt; vi vt znajdować zbyt, wystawiać na sprzedaż, sprzedawać

mar·ket·a·ble [`makɪtəbl] adj pokupny, sprzedażny

marks·man [`maksmən] s wybitny strzelec

ma·roon 1. [mə`run] vt wysadzić ze statku i pozostawić na odludnej wyspie, odosobnić; vt kręcić się, pot. pętać się; s człowiek pozostawiony na odludnej wyspie; zbiegły z niewoli Murzyn

ma·roon 2. [mə`run] adj kasztanowy; s kolor kasztanowy

marque [mak] s w zwrocie: letters of ~s pl list kaperski

mar·quee [ma`kiː] s markiza, daszek ogrodowy; duży namiot

mar·riage [`mærɪdʒ] s małżeństwo, ślub

mar·ried [`mærɪd] pp i adj żonaty; zamężna; małżeński

mar·row [`mærəu] s szpik, rdzeń; przen. istota rzeczy

mar·ry [`mærɪ] vt żenić się (sb z kimś), wychodzić za mąż (sb za kogoś), wydawać za mąż, żenić; kojarzyć

marsh [maʃ] s bagno

mar·shal [`maʃl] s marszałek; mistrz ceremonii; vt formować (szyki); ustawiać, uporządkować; wprowadzić (uroczyście)

marsh·y [`maʃɪ] adj bagnisty

mar·tial [`maʃl] adj wojenny; wojowniczy, wojskowy

mar·tyr [`matə(r)] s męczennik

mar·vel [`mavl] s cud, cudo; fenomen; vi zdumiewać się (at sb, sth kimś, czymś)

mar·vel·lous [`mavləs] adj cudowny, zdumiewający

Marx·ism [`maksɪzm] s marksizm

Marx·ist [`maksɪst] adj marksistowski; s marksista

mas·cu·line [`mæskjulɪn] adj męski, rodzaju męskiego, płci męskiej

mash [mæʃ] s papka, miazga; mieszanka pokarmowa; zacier; vt tłuc; gnieść; ~ed potatoes kartofle purée

mask [mask] s maska; przen. pozór, pretekst; vt vi maskować (się)

ma·son [`meɪsn] s murarz, kamieniarz; mason; vt murować, budować (z kamienia)

ma·son·ry [`meɪsnrɪ] s murarska ⟨kamieniarska⟩ robota; obmurowanie; masoneria

masque [mask] s maska (utwór sceniczny)

mas·quer·ade [`mæskə`reɪd] s maskarada

mass 1. [mæs] s masa; pl ~es masy (pracujące); adj attr masowy; vt vi masować, gromadzić (się)

mass 2. [mæs] s msza; high ~ suma

mas·sa·cre [`mæsəkə(r)] s masakra; vt masakrować

mas·sage [`mæsɑʒ] s masaż; vt masować

mas·seur [mæ`sɜ(r)] s masażysta

mas·seuse [mæ`sɜz] s masażystka

mas·sive [`mæsıv] adj masywny

mass·y [`mæsı] adj masywny, solidny, ciężki

mast [mɑst] s maszt

mas·ter [`mɑstə(r)] s mistrz (także w rzemiośle, sztuce); majster; nauczyciel; pan, gospodarz, szef; magister (stopień naukowy); (także ~ mariner) kapitan statku handlowego; panicz (z dodaniem imienia); vt panować, opanować; poskramiać; kierować

mas·ter·ful [`mɑstəfl] adj władczy

mas·ter·hood [`mɑstəhud] s mistrzostwo

mas·ter·ly [`mɑstəlı] adj mistrzowski

mas·ter·piece [`mɑstəpis] s arcydzieło

mas·ter·ship [`mɑstəʃıp] s mistrzostwo; władza, panowanie, zwierzchnictwo; stanowisko nauczyciela

mas·ter·y [`mɑstərı] s władza, władanie, panowanie; mistrzostwo

mas·ti·cate [`mæstıkeıt] vt żuć; miażdżyć

mas·tiff [`mæstıf] s brytan

mat 1. [mæt] s mata, słomianka; vt vi spleść (się), splątać (się)

mat 2. [mæt] adj matowy

match 1. [mætʃ] s zapałka

match 2. [mætʃ] s odpowiedni dobór ⟨zestawienie⟩ osób ⟨rzeczy⟩; rzecz lub osoba dobrana ⟨dopasowana⟩; małżonek, małżonka; para małżeńska, małżeństwo; sport zawody, mecz; to be a good ~ dorównywać, dobrze pasować ⟨for sb, sth do kogoś, czegoś⟩; to be no ~ nie dorównywać; to be more than a ~ przewyższać, mieć przewagę ⟨for sb nad kimś⟩; to find ⟨meet⟩ one's ~ znaleźć równego sobie; to

make a good ~ dobrze się ożenić; vt dobierać rzeczy sobie odpowiadające, zestawiać, łączyć kojarzyć (małżeństwo); dorównywać (sb, sth komuś, czemuś) być dobrze dobranym; pasować (sb, sth do kogoś, czegoś); ti and dress to ~ krawat i ubra nie dobrane (do koloru)

match·less [`mætʃləs] adj niezrównany, nieprześcigniony

mate 1. [meıt] s (w szachach) mat vt dać mata

mate 2. [meıt] s towarzysz, kolega; małżonek; pomocnik; mors niższy oficer, mat

ma·te·ri·al [mə`tıərıəl] adj materialny; cielesny; istotny, rzeczo wy; ważny; s materiał; raw ~ surowiec; pl ~s przybory

ma·te·ri·al·ism [mə`tıərıəlızm] s materializm

ma·te·ri·al·is·tic [mə`tıərıə`lıstık] adj materialistyczny

ma·te·ri·al·ize [mə`tıərıəlaız] vt v zmaterializować (się), ucieleśnić (się), urzeczywistnić (się)

ma·ter·ni·ty [mə`tɜnətı] s macierzyństwo; ~ hospital szpital położniczy

math·e·mat·i·cal [`mæθə`mætıkl] adj matematyczny

math·e·ma·ti·cian [`mæθəmə`tıʃn] s matematyk

math·e·mat·ics [`mæθə`mætıks] s matematyka

mat·i·née [`mætıneı] s popołudniowe przedstawienie teatralne

ma·tric [mə`trık] s pot. = matriculation

ma·tric·u·late [mə`trıkjuleıt] vt vi immatrykulować (się), zapisywać (się) na wyższą uczelnię; zdawać egzamin wstępny na wyższą uczelnię

ma·tric·u·la·tion [mə`trıkju`leıʃn] s immatrykulacja; egzamin wstępny na wyższą uczelnię

mat·ri·mo·ni·al [`mætrı`məunıəl] adj matrymonialny, małżeński

mat·ri·mo·ny [`mætrımənı] s stan

małżeński; małżeństwo, ślub;
mariasz (w kartach)

ma·tron [ˈmeɪtrən] s matrona;
przełożona

mat·ter [ˈmætə(r)] s materia; substancja; istota; sprawa; rzecz;
kwestia, temat; med. ropa; a ~
of course rzecz zrozumiała sama
przez się; as a ~ of fact w istocie rzeczy; for that ~ jeśli o to
chodzi; in the ~ of co do, co
się tyczy; it's no laughing ~ to
nie żarty; no ~ mniejsza o to,
to nie ma znaczenia; printed ~
druki; reading ~ lektura; to
make much ~ of sth robić z
czegoś wielką sprawę; what's
the ~? o co chodzi?; what's the
~ with him? co się z nim dzieje?; vi mieć znaczenie; it does
not ~ to nie ma znaczenia;

mat·ter-of-fact [ˈmætərəvˈfækt] adj
attr rzeczowy, realny, praktyczny, prozaiczny

mat·ting [ˈmætɪŋ] s materiał na
maty, mata; rogoża

mat·tock [ˈmætək] s kilof

mat·tress [ˈmætrəs] s materac

na·ture [ˈmətʃʊə(r)] adj dojrzały;
handl. płatny; vi dojrzewać; vt
przyspieszać dojrzewanie

na·tu·ri·ty [məˈtʃʊərətɪ] s dojrzałość; handl. termin płatności

maud·lin [ˈmɔdlɪn] adj ckliwy,
rzewny

maul [mɔl] vt tłuc; kaleczyć, zniekształcać; miażdżyć krytyką

mau·so·le·um [ˈmɔsəˈlɪəm] s mau-
zoleum

nauve [məʊv] adj różowoliliowy;
s kolor różowoliliowy

mawk·ish [ˈmɔkɪʃ] adj ckliwy, sentymentalny

max·im [ˈmæksɪm] s maksyma

max·i·mum [ˈmæksɪməm] s (pl
maxima [ˈmæksɪmə], ~s) maksimum; adj attr maksymalny

may 1. [meɪ] v aux (p might
[maɪt]) I ~ mogę, wolno mi; he
~ be back soon może szybko

wróci; long ~ he live oby długo żył

May 2. [meɪ] s maj

may·be [ˈmeɪbɪ] adv być może

May-Day [ˈmeɪ deɪ] s święto 1 Ma-
ja; ~ watchwords hasła pierw-
szomajowe

may·or [meə(r)] s mer, burmistrz

maze [meɪz] s labirynt, gmatwanina; oszołomienie; wprowadzenie w błąd; vt sprowadzić na
manowce, wprowadzić w błąd;
oszołomić

mazy [ˈmeɪzɪ] adj powikłany; zde-
zorientowany

me [mi] pron mi, mnie; pot. ja;
with ~ ze mną; pot. it's me
to ja

mead 1. [mid] s miód (pitny)

mead 2. [mid] s poet. łąka

mead·ow [ˈmedəʊ] s łąka

mea·gre [ˈmigə(r)] adj chudy, cienki; pot. marny

meal 1. [mil] s mąka (nie pytlowa-
na)

meal 2. [mil] s posiłek; jedzenie

mean 1. [min] adj podły, niski,
nędzny, marny

mean 2. [min] adj średni, pośredni; s przeciętna, średnia; pl ~s
środki utrzymania, zasoby pieniężne; (zw. pl ~s, w znacz.
sing) środek; by this ~s tym
sposobem; by ~s of za pomocą;
by no ~s w żaden sposób; man
of ~s człowiek zamożny

*mean 3. [min], meant, meant
[ment] vt vi myśleć (coś), mieć
na myśli; znaczyć, mieć znaczenie; mieć zamiar, zamierzać;
przeznaczać (sth for sb coś dla
kogoś); to ~ business poważnie
traktować sprawę; to ~ well
mieć dobrą wolę, odnosić się
życzliwie

me·an·der [mɪˈændə(r)] s kręta linia, zakręt; vi tworzyć zakręty,
wić się

mean·ing [ˈminɪŋ] s znaczenie,
sens, treść

meant zob. mean

mean·time [ˈmin-taɪm] adv tymczasem; w międzyczasie; *s w zwrocie:* **in the ~** tymczasem; w międzyczasie

mean·while ['min'waɪl] = **meantime**

mea·sles ['mizlz] *s med.* odra

meas·ure ['meʒə(r)] *s* miara; miarka; środek, sposób, zabieg; *lit.* metrum; *muz.* takt; stopień; to **~ na miarę; in a ⟨some⟩ ~** do pewnego stopnia; **in great ⟨large⟩ ~** w znacznym stopniu; **out of ~** nadmiernie; *mat.* **the greatest common ~** największy wspólny dzielnik; *vt* mierzyć, mieć wymiar; szacować; **~ off ⟨out⟩** odmierzać

meas·ure·ment ['meʒəmənt] *s* pomiar; miara, wymiar, rozmiar

meat [mit] *s* mięso (jadalne); † posiłek, potrawa

me·chan·ic [mɪ'kænɪk] *s* mechanik; technik

me·chan·i·cal [mɪ'kænɪkl] *adj* mechaniczny; maszynowy

me·chan·ics [mɪ'kænɪks] *s* mechanika

mech·an·ism [mekənɪzm] *s* mechanizm

med·al ['medl] *s* medal

med·dle ['medl] *vi* mieszać się; wtrącać się **(with ⟨in⟩ sth** do czegoś)

med·dle·some ['medlsm] *adj* wścibski

me·di·ae·val [/medr'ivl] = **medieval**

me·di·al ['midɪəl] *adj* środkowy; średni; pośredni

me·di·ate ['midɪeɪt] *vi vt* pośredniczyć; doprowadzić pośrednictwem (sth do czegoś)

me·di·a·tor ['midɪeɪtə(r)] *s* pośrednik, rozjemca

med·i·cal ['medɪkl] *adj* lekarski, medyczny

me·dic·a·ment [mɪ'dɪkəmənt] *s* lek, lekarstwo

med·i·cine ['medsn] *s* medycyna; lekarstwo

med·i·cine-man ['medsn mæn] *s* znachor, czarownik

me·di·e·val [/medr'ivl] *adj* średni wieczny

me·di·o·cre [/midr'əukə(r)] *ad* przeciętny, mierny

me·di·oc·ri·ty [/midr'okrətɪ] *s* prze ciętność, mierność

med·i·tate ['medɪteɪt] *vt vi* rozmy ślać, rozważać; planować

med·i·ta·tive ['medɪtətɪv] *adj* od dany rozmyślaniom, medytacyj ny, kontemplacyjny

med·i·ter·ra·ne·an [/medɪtə'reɪnɪər *adj* śródziemny; śródziemnomor ski

me·di·um ['midɪəm] *s* (*pl* medi ['midɪə], **~s**) środek; sposób ośrodek; środowisko; medium **through ⟨by⟩ the ~ of** za po mocą ⟨pośrednictwem⟩; *adj* att środkowy, średni

med·ley ['medlɪ] *s* mieszanina rozmaitości; *muz.* potpourri; *ad* różnorodny; pstry

meek [mik] *adj* łagodny; potul ny

*meet [mit], **met**, **met** [met] *vt v* spotykać (się); zobaczyć si (with sb z kimś); zbierać ⟨gro madzić⟩ się; stykać ⟨łączyć⟩ się odpowiadać (gustom, wymaga niom), zgadzać się; spełniać, za spokajać; stawić czoło, spojrzee w oczy (np. niebezpieczeństwu) stosować się; *handl.* honorowa ⟨spłacić⟩ (np. weksel); natknąć się, natrafić (sb, sth ⟨with sb sth⟩ na kogoś, coś); wyjść na przeciw (komuś); *s* styk; spot kanie ⟨zbiórka⟩ (myśliwych itd.

meet·ing ['mitɪŋ] *s* spotkanie, zejś cie się, zetknięcie się; zebranie wiec, zbiórka

meg·a·phone ['megəfəun] *s* mega fon

mel·an·chol·y ['melənkolɪ] *s* me lancholia; *adj* melancholijny

mel·io·rate ['miliəreɪt] *vt vi* ulep szać (się), uszlachetniać (się)

mel·low ['meləu] *adj* dojrzały; so czysty; pełny; miękki; (*o czło wieku*) pogodny; *vt* zmiękczyć łagodzić; *vi* mięknąć, łagodnieć; (np. *o winie, owocu*) dojrzewać

me·lo·di·ous [mə'ləudɪəs] *adj* melodyjny

mel·o·dra·ma ['melədramə] *s* melodramat

mel·o·dy ['melədɪ] *s* melodia

melt [melt] *vt* topić, roztapiać, przetapiać; rozpuszczać; *vi* topnieć, rozpuszczać się; *przen.* rozpływać się; *s* stop, wytop

melt·ing-point ['meltɪŋ pɔɪnt] *s* temperatura topnienia

mem·ber ['membə(r)] *s* członek (np. organizacji); człon

mem·ber·ship ['membəʃɪp] *s* członkostwo

mem·brane ['membreɪn] *s* błona

mem·oir ['memwa(r)] *s* rozprawa (naukowa); *pl* ~s życiorys; pamiętnik; seria (wydawnicza ⟨rozpraw naukowych⟩)

mem·o·ra·ble ['memrəbl] *adj* pamiętny

mem·o·ran·dum [/memə'rændəm] *s* memorandum; notatka

me·mo·ri·al [mə'mɔrɪəl] *adj* pamięciowy; pamiątkowy; *s* petycja; pomnik; *pl* ~s pamiętnik, kronika

mem·o·rize ['meməraɪz] *vt* zapamiętać, nauczyć się na pamięć

mem·o·ry ['memərɪ] *s* pamięć; wspomnienie

men *zob.* man

men·ace ['menəs] *s* groźba; *vt vi* grozić, zagrażać

me·nag·er·ie [mə'nædʒərɪ] *s* menażeria

mend [mend] *vt vi* naprawiać, poprawiać (się); *s* poprawa; naprawa

men·da·cious [men'deɪʃəs] *adj* kłamliwy, zakłamany

men·dac·i·ty [men'dæsətɪ] *s* kłamliwość, zakłamanie

men·di·cant ['mendɪkənt] *adj* żebraczy, żebrzący; *s* żebrak; mnich żebrzący

me·ni·al ['minɪəl] *adj* służebny; ~ work czarna robota; *s* służący, popychadło

men·in·gi·tis [/menɪn'dʒaɪtɪs] *s* zapalenie opon mózgowych

men·su·ra·tion ['mensju'reɪʃn] *s* pomiar

men·tal ['mentl] *adj* umysłowy; chory umysłowo; (*o szpitalu*) psychiatryczny

men·tal·i·ty [men'tælətɪ] *s* umysłowość, mentalność

men·tion ['menʃn] *s* wzmianka; *vt* wspominać, nadmieniać; don't ~ it! nie ma o czym mówić, nie ma za co, proszę bardzo!

mer·can·tile ['mɜkəntaɪl] *adj* handlowy

mer·ce·nar·y ['mɜsnrɪ] *adj* najemny; interesowny; *s* najemnik

mer·cer ['mɜsə(r)] *s* kupiec bławatny

mer·cer·y ['mɜsərɪ] *s* towary bławatne; handel towarami bławatnymi

mer·chan·dise ['mɜtʃəndaɪz] *s* zbiór. towar(y)

mer·chant ['mɜtʃənt] *s* kupiec, handlowiec; *adj* kupiecki, handlowy; ~ service marynarka handlowa

mer·chant·man ['mɜtʃəntmən] *s* statek handlowy

mer·ci·ful ['mɜsɪfl] *adj* litościwy, miłosierny

mer·ci·less ['mɜsɪləs] *adj* bezlitosny

mer·cu·ry ['mɜkjʊrɪ] *s* rtęć, żywe srebro; *przen.* żywość

mer·cy ['mɜsɪ] *s* miłosierdzie, litość; łaska; at the ~ of na łasce (czegoś)

mere [mɪə(r)] *adj* czczy, zwykły, zwyczajny; ~ words puste słowa; he is a ~ child on jest tylko (po prostu) dzieckiem

mere·ly ['mɪəlɪ] *adv* po prostu, jedynie; zaledwie

merge [mɜdʒ] *vt vi* łączyć (się), zlewać (się), stapiać (się)

merg·er ['mɜdʒə(r)] *s* fuzja, połączenie (się)

me·rid·i·an [mə'rɪdɪən] *adj* południowy; *przen.* szczytowy; *s* południk; zenit; *przen.* szczyt

merit

mer·it [ˈmerɪt] s zasługa; zaleta;
vt zasłużyć **(sth na coś)**

mer·i·to·ri·ous [ˌmerɪˈtɔːrɪəs] *adj*
zasłużony; chwalebny

mer·maid [ˈmɜːmeɪd] s syrena (z
baśni)

mer·ri·ment [ˈmerɪmənt] s wesołość, uciecha

mer·ry [ˈmerɪ] *adj* wesoły; miły;
to make ~ weselić ⟨bawić⟩ się

mer·ry-go-round [ˈmerɪ gəu raund]
s karuzela

me·seems [mɪˈsiːmz] *v impers* †
zdaje mi się

mesh [meʃ] s oko ⟨oczko⟩ (w sieci); *pl* ~es sieci; *vt vi* (dać się)
złapać w sieci; zazębiać (się)

mess [mes] s *wojsk.* kasyno; *mors.*
mesa; zamieszanie, nieporządek,
pot. bałagan; kłopot; *vt vi* zabrudzić; *pot.* zabałaganić; zaprzepaścić (sprawę); spartaczyć
(coś); żywić (np. **wojsko**); *vi*
wspólnie jadać

mes·sage [ˈmesɪdʒ] s posłanie, o-
rędzie; wiadomość, pismo; zlecenie

mes·sen·ger [ˈmesɪndʒə(r)] s posłaniec; zwiastun

mess·mate [ˈmesmeɪt] s *wojsk.*
mors. towarzysz przy stole

mess·y [ˈmesɪ] *adj* nieporządny,
brudny

mes·ti·zo [meˈstiːzəu] s Metys

met zob. **meet**

met·al [ˈmetl] s metal

me·tal·lic [məˈtælɪk] *adj* metaliczny

me·tal·lur·gy [mɪˈtælədʒɪ] s metalurgia

met·a·mor·pho·sis [ˌmetəˈmɔːfəsɪs] s
⟨*pl* **metamorphoses** [ˌmetəˈmɔːfə-
siːz]⟩ metamorfoza

met·a·phor [ˈmetəfə(r)] s metafo-
ra

met·a·phys·ics [ˌmetəˈfɪzɪks] s metafizyka

mete [miːt] *vt* zmierzyć; (*także* ~
out) wymierzyć (np. karę)

me·te·or [ˈmiːtɪə(r)] s meteor

me·te·or·ol·o·gy [ˌmiːtɪəˈrɒlədʒɪ] s
meteorologia

me·ter [ˈmiːtə(r)] s licznik (np. ga
zowy)

me·thinks [mɪˈθɪŋks] *v impers* (
methought) † zdaje mi się

meth·od [ˈmeθəd] s metoda

me·thod·i·cal [məˈθɒdɪkl] *adj* meto
dyczny

Meth·od·ist [ˈmeθədɪst] s metodys
ta

me·thought zob. **methinks**

meth·yl·at·ed [ˈmeθleɪtɪd] *pp i ad*
denaturowany, skażony

me·tic·u·lous [mɪˈtɪkjuləs] *adj* dro
biazgowy, skrupulatny

me·tre [ˈmiːtə(r)] s metr; metrum
(miara wiersza)

met·ric [ˈmetrɪk] *adj* metryczny

me·trop·o·lis [məˈtrɒpəlɪs] s stoli
ca, metropolia

met·ro·pol·i·tan [ˌmetrəˈpɒlɪtən] *ad*
stołeczny

met·tle [ˈmetl] s charakter, tem
perament; odwaga; zapał

mew 1. [mjuː] *vi* miauczeć

mew 2. [mjuː] s mewa

Mex·i·can [ˈmeksɪkən] *adj* meksy
kański; s Meksykanin

mice [maɪs] zob. **mouse**

mi·crobe [ˈmaɪkrəub] s mikrob

mi·cro·phone [ˈmaɪkrəfəun] s mikrofon

mi·cro·scope [ˈmaɪkrəskəup] s mikroskop

mid [mɪd] *adj* środkowy; in ~
summer w połowie lata; in ~
air w powietrzu

mid·day [ˈmɪdˈdeɪ] s południe

mid·dle [ˈmɪdl] s środek, połowa;
adj środkowy, średni

mid·dle-aged [ˈmɪdl ˈeɪdʒd] *adj* w
średnim wieku

mid·dle·man [ˈmɪdlmæn] s pośrednik

mid·dle-weight [ˈmɪdl weɪt] s *sport*
waga średnia

mid·dling [ˈmɪdlɪŋ] *adj* średni,
przeciętny; *adv* średnio, przeciętnie; *pot.* tak sobie, nieźle

midge [mɪdʒ] s *zool.* muszka

hidg·et [`mɪdʒɪt] s karzełek;
przen. maleństwo

mid·land [`mɪdlənd] adj środkowy,
znajdujący się wewnątrz kraju,
śródlądowy; s środkowa część
kraju

mid·night [`mɪdnaɪt] s północ; at
~ o północy; adj attr północny

mid·ship·man [`mɪdʃɪpmən] s mors.
bryt. podchorąży marynarki; am.
kadet marynarki

midst [mɪdst] s środek; in the ~
of w środku; pośród; wśród;
między, pomiędzy

mid·sum·mer [`mɪd`sʌmə(r)] s środek lata; ~ night noc świętojańska

mid·way [`mɪd`weɪ] adv w połowie ⟨w pół⟩ drogi; adj attr leżący w połowie drogi

mid·wife [`mɪdwaɪf] s (pl midwives
[`mɪdwaɪvz]) akuszerka

mid·win·ter [`mɪd`wɪntə(r)] s środek zimy

might 1. zob. may 1.

might 2. [maɪt] s potęga, moc

might·y [`maɪtɪ] adj potężny; adv
pot. bardzo, wielce

mi·grant [`maɪgrənt] adj wędrow-
ny, koczowniczy; s wędrowiec,
tułacz, koczownik; emigrant

mi·grate [maɪ`greɪt] vi wędrować,
koczować; przesiedlać się; emigrować

mi·gra·to·ry [`maɪgrətərɪ] = mi-
grant adj

mike [maɪk] s pot. = microphone

mil·age = mileage

mild [maɪld] adj łagodny, delikatny

mil·dew [`mɪldju] s pleśń

mile [maɪl] s mila

mile·age [`maɪlɪdʒ] s odległość w
milach

mile·stone [`maɪlstəun] s kamień
milowy

mi·lieu [`mɪlɪə] s środowisko, oto-
czenie

mil·i·tant [`mɪlɪtənt] adj bojowy,
wojowniczy

mil·i·tar·y [`mɪlɪtrɪ] adj wojsko-
wy; s zbior. the ~ wojskowi,
wojsko

mil·i·tate [`mɪlɪteɪt] vi walczyć
(against sb, sth z kimś, czymś)

mi·li·tia [mɪ`lɪʃə] s milicja

milk [mɪlk] s mleko; vt vi doić

milk·maid [`mɪlk meɪd] s dojarka;
mleczarka

milk·man [`mɪlkmən] s mleczarz

milk-tooth [`mɪlk tuθ] s ząb mlecz-
ny

milk·y [`mɪlkɪ] adj mleczny

mill [mɪl] s młyn; fabryka; walcownia; vt mleć; obrabiać; ubijać, ucierać; walcować; karbować

mil·len·ni·um [mɪ`lenɪəm] s tysiąc-
lecie

mill·er [`mɪlə(r)] s młynarz

mil·let [`mɪlɪt] s proso

mill-hand [`mɪl hænd] s robotnik
fabryczny

mil·li·me·tre [`mɪlɪmɪtə(r)] s mili-
metr

mil·li·ner [`mɪlɪnə(r)] s modyst-
ka

mil·lion [`mɪlɪən] s milion

mil·lion·aire [ˏmɪlɪə`neə(r)] s mi-
lioner

mill·stone [`mɪl stəun] s kamień
młyński

mime [maɪm] s mim (aktor i sztuka); vt grać mimicznie

mim·e·o·graph [`mɪmɪəugraf] s po-
wielacz; vt powielać

mim·ic [`mɪmɪk] adj mimiczny;
naśladowczy; s mimik; naśladowca; vt (p i pp mimicked [`mɪ-
mɪkt]) naśladować

mim·ic·ry [`mɪmɪkrɪ] s mimika;
naśladownictwo; bot. mimetyzm

mince [mɪns] vt krajać (drobno),
siekać, kruszyć; ~ one's words
mówić z afektacją ⟨sztucznie⟩;
not to ~ one's words mówić bez
ogródek ⟨prosto z mostu⟩; s siekanina

mince·meat [ˈmɪnsmit] s legumina
z mieszanych owoców i bakalii

minc·er [ˈmɪnsə(r)] s maszynka do
mięsa

mind [maɪnd] s umysł, rozum,
świadomość; myśl(i); pamięć;
zdanie, opinia; skłonność, ochota,
zamiar; decyzja; duch, psychika; absence of ~ roztargnienie;
presence of ~ przytomność u-
mysłu; peace of ~ spokój ducha;
state ⟨frame⟩ of ~ stan ducha, nastrój; turn of ~ mentalność; sound in ~ zdrowy na u-
myśle; to be of unsound ~ nie
być przy zdrowych zmysłach;
to be of sb's ~ podzielać czyjeś
zdanie; to bring ⟨to call⟩ to ~
przypomnieć sobie; to change
one's ~ zmienić zdanie ⟨zamiar⟩;
to enter sb's ~ przyjść komuś
na myśl; to go out of ~ wyjść
z pamięci; to have ⟨to keep, to
bear⟩ sb ⟨sth⟩ in ~ pamiętać o
kimś ⟨o czymś⟩; to have a good
⟨great⟩ ~ to ... mieć ⟨wielką⟩
ochotę ...; to make up ⟨to set⟩
one's ~ postanowić; to speak
one's ~ wypowiedzieć się, wy-
garnąć prawdę; to my ~ moim
zdaniem; vt vi uważać, baczyć,
zwracać uwagę; starać się; pamiętać; brać sobie do serca,
przejmować się (sth czymś);
sprzeciwiać się, mieć coś przeciw (sth czemuś); do you ~ if
I smoke?, do you ~ my smoking?
czy masz coś przeciwko temu,
żebym zapalił?, czy pozwolisz, że
zapalę?; I don't ~ jest mi obojętne, nie przeszkadza mi; never
~ mniejsza o to

mind·ful [ˈmaɪndfl] adj uważają-
cy (of sth na coś); troskliwy

mine 1. [maɪn] pron mój, moja,
moje, moi

mine 2. [maɪn] s kopalnia; mina;
vt kopać, wydobywać (rudę itd.);
zaminować

min·er [ˈmaɪnə(r)] s górnik

min·er·al [ˈmɪnrl] s minerał; pl

~s wody mineralne; adj minera
ny

min·er·al·o·gy [ˌmɪnəˈrælədʒɪ]
mineralogia

mine·sweep·er [ˈmaɪn swiːpə(r)]
poławiacz min, mors. trałc
wiec

mine·throw·er [ˈmaɪn θrəʊə(r)]
wojsk. moździerz

min·gle [ˈmɪŋgl] vt vi mieszać (się
obracać się (w towarzystwie)

min·ia·ture [ˈmɪnɪtʃə(r)] s minia
tura

min·i·mal [ˈmɪnɪml] adj minimal
ny

min·i·mize [ˈmɪnɪmaɪz] vt sprowa
dzić ⟨zredukować⟩ do minimun
pomniejszyć

min·i·mum [ˈmɪnɪməm] s (pl mi
nima [ˈmɪnɪmə]) minimum; ad
attr minimalny

min·ing [ˈmaɪnɪŋ] s górnictwo; za
minowanie

min·is·ter [ˈmɪnɪstə(r)] s minister
poseł; pastor; vi służyć (to s
komuś); przyczyniać się (to st
do czegoś); dbać (to sb's want
⟨pleasures⟩ o czyjeś potrzeb
⟨przyjemności⟩); odprawiać na
bożeństwo (w kościele protes
tanckim); vt udzielać (np. po
mocy)

min·is·te·ri·al [ˌmɪnɪˈstɪərɪəl] ac
ministerialny; usłużny; pomoc
ny; kościelny, duszpasterski

min·is·try [ˈmɪnɪstrɪ] s ministers
wo; pomoc, usługa; stan duchow
ny, kler, obowiązki duszpaster
skie

mink [mɪŋk] s norka; norki (fu
tro)

mi·nor [ˈmaɪnə(r)] adj mniejszy
podrzędny, drugorzędny; młod
szy (z rodzeństwa); s niepełno
letni

mi·nor·i·ty [maɪˈnɒrətɪ] s mniej
szość (np. narodowa); niepełno
letność

min·ster [ˈmɪnstə(r)] s kościół kla
sztorny; katedra

min·strel [´mɪnstrəl] s minstrel, bard

min·strel·sy [´mɪnstrlsɪ] s zbiór pieśni ⟨ballad⟩; *zbior.* minstrelowie; sztuka minstrelska

mint 1. [mɪnt] s mennica; *vt* bić monetę; *adj* czysty, nie używany

mint 2. [mɪnt] s *bot.* mięta

mi·nus [´maɪnəs] *praep* minus, mniej

min·ute 1. [´mɪnɪt] s minuta; notatka, zapisek; *pl* ~s protokół; **to keep the ~s** protokołować; **any ~ lada chwila; wait a ~!**, zaraz, zaraz!

mi·nute 2. [maɪ´njuːt] *adj* drobny, nieznaczny; szczegółowy

mir·a·cle [´mɪrəkl] s cud; *(także* ~ **play)** misterium (dramat średniowieczny)

mi·rac·u·lous [mɪ´rækjuləs] *adj* cudowny

mire [´maɪə(r)] s błoto; *vt vi* pogrążyć (się) w błocie, ubłocić

mir·ror [´mɪrə(r)] s lustro, zwierciadło; *vt* odzwierciedlać, odbijać obraz

mirth [mɜːθ] s radość, wesołość

mis·ad·ven·ture [´mɪsəd´ventʃə(r)] s nieszczęście, nieszczęśliwy wypadek, niepowodzenie

mis·al·li·ance [´mɪsə´laɪəns] s mezalians

mis·an·thrope [´mɪsnθrəup] s mizantrop

mis·an·thro·py [mɪs´ænθrəpɪ] s mizantropia

mis·ap·ply [´mɪsə´plaɪ] *vt* źle zastosować

mis·ap·pre·hend [´mɪs´æprɪ´hend] *vt* źle ⟨fałszywie⟩ zrozumieć

mis·be·have [´mɪsbɪ´heɪv] *vt (także vr* ~ **oneself)** źle ⟨nieodpowiednio⟩ prowadzić ⟨zachowywać⟩ się

mis·cal·cu·late [´mɪs´kælkjuleɪt] *vt* źle obliczyć; *vi* przeliczyć się

mis·car·riage [mɪs´kærɪdʒ] s niepowodzenie; zaginięcie (np. listu); poronienie; pomyłka

mis·car·ry [mɪs´kærɪ] *vi* nie udać się; chybić; doznać niepowodze-

nia; *(o statku, liście)* nie dojść; poronić

mis·cel·la·ne·ous [´mɪsə´leɪnɪəs] *adj* rozmaity; różnorodny

mis·cel·la·ny [mɪ´selənɪ] s zbieranina, zbiór rozmaitości

mis·chance [mɪs´tʃɑːns] s niepowodzenie, pech, nieszczęście

mis·chief [´mɪstʃɪf] s niegodziwość; szkoda; psota

mis·chie·vous [´mɪstʃɪvəs] *adj* złośliwy; szkodliwy; psotny

mis·con·cep·tion [´mɪskən´sepʃn] s błędne pojęcie ⟨zrozumienie⟩

mis·con·duct [mɪs´kɒndəkt] s złe prowadzenie się; złe kierownictwo; *vt* [´mɪskən´dʌkt] źle prowadzić ⟨kierować⟩; *vr* ~ **oneself** źle się prowadzić

mis·con·strue [´mɪskən´struː] *vt* mylnie objaśniać ⟨rozumieć⟩

mis·cre·ant [´mɪskrɪənt] *adj* nikczemny; s nikczemnik, łajdak

mi·ser [´maɪzə(r)] s skąpiec

mis·er·a·ble [´mɪzrəbl] *adj* godny litości, żałosny, nieszczęśliwy; nędzny, godny pogardy; przykry, wstrętny

mi·ser·ly [´maɪzəlɪ] *adj* skąpy

mis·er·y [´mɪzərɪ] s nędza; nieszczęście; cierpienie

misfit [´mɪsfɪt] s źle dobrane ubranie, zły krój; *przen.* człowiek nie przystosowany (do otoczenia)

mis·for·tune [´mɪs´fɒtʃən] s nieszczęście, zły los, pech

*mis·give [´mɪs´gɪv], **mis·gave** [´mɪs´geɪv], **mis·given** [´mɪs´gɪvn] *vt* wzbudzić obawę ⟨złe przeczucie⟩ (sb w kimś)

mis·giv·ing [´mɪs´gɪvɪŋ] *ppraes i s* niepokój; złe przeczucie

mis·gov·ern [´mɪs´gʌvən] *vt* źle rządzić

mis·guide [´mɪs´gaɪd] *vt* fałszywie kierować, wprowadzać w błąd

mis·han·dle [´mɪs´hændl] *vt* źle ⟨nieumiejętnie⟩ obchodzić się (sb, sth z kimś, czymś)

mis·hap [´mɪshæp] s niepowodzenie, nieszczęście, nieszczęśliwy wypadek

mis·in·form ['mɪsɪn'fɔm] vt źle poinformować

mis·lay ['mɪs'leɪ], **mislaid, mislaid** ['mɪs'leɪd] vt położyć nie na swoim miejscu, zapodziać

mis·lead ['mɪs'lid], **misled, misled** ['mɪs'led] vt wprowadzić w błąd, zmylić

mis·man·age ['mɪs'mænɪdʒ] vt źle zarządzać ⟨kierować⟩

mi·sog·y·nist [mɪ'sɔdʒɪnɪst] s wróg kobiet

mis·place [mɪs'pleɪs] vt źle u-mieścić ⟨ulokować⟩, położyć nie na swoim miejscu

mis·print ['mɪsprɪnt] s błąd drukarski; vt [mɪs'prɪnt] błędnie wydrukować

mis·pro·nounce ['mɪsprə'naʊns] vt błędnie wymawiać

mis·rep·re·sent ['mɪs'reprɪ'zent] vt fałszywie przedstawić, przekręcać

mis·rule [mɪs'rul] s złe rządy; vt źle rządzić

miss 1. [mɪs] vt chybić, nie trafić; opuścić, przepuścić; stracić (okazję); nie zastać ⟨sb kogoś⟩; spóźnić się (**the bus** ⟨**train**⟩ na autobus ⟨pociąg⟩); tęsknić (**sb** za kimś); odczuwać brak; zawodzić; nie dosłyszeć ⟨nie dostrzec, nie zrozumieć⟩ ⟨**sth** czegoś⟩; s chybiony strzał; nieudany krok

miss 2. [mɪs] s (przed imieniem ⟨nazwiskiem⟩) panna; panienka

mis·sha·pen [mɪs'ʃeɪpən] adj zniekształcony, niekształtny

mis·sile ['mɪsaɪl] s pocisk

mis·sion ['mɪʃn] s misja, posłannictwo, zlecenie

mis·sion·a·ry ['mɪʃnrɪ] s misjonarz

mis·spell [mɪs'spel], **mis·spelt, mis·spelt** [mɪs'spelt] vt napisać z błędem ortograficznym

mist [mɪst] s mgła, mgiełka; vt vi pokrywać (się) mgiełką, zamglić (się); zajść parą; mżyć

mis·take [mɪs'teɪk], **mis·took**

[mɪs'tʊk], **mis·tak·en** [mɪs'teɪkn] vt brać ⟨wziąć⟩ (**sb for sb else** kogoś za kogoś innego, **sth for sth else** coś za coś innego); pomylić się (**sth co do czegoś**); źle zrozumieć; s omyłka, błąd; **to make a ~** popełnić błąd

mis·tak·en [mɪs'teɪkən] pp i adj mylny, błędny; **to be ~** mylić się, być w błędzie

mis·ter ['mɪstə(r)] s (przed nazwiskiem) Pan; (w piśmie) skr. = Mr.

mis·tle·toe ['mɪsltəʊ] s bot. jemioła

mis·took zob. **mistake**

mis·tress ['mɪstrəs] s pani, pani domu; nauczycielka, guwernantka; kochanka; **Mistress** ['mɪsɪz] (przed nazwiskiem mężatki) Pani; (w piśmie) skr. = **Mrs.**

mis·trust ['mɪs'trʌst] s niedowierzanie, nieufność; vt niedowierzać, nie ufać

mist·y ['mɪstɪ] adj mglisty

mis·un·der·stand ['mɪs'ʌndə'stænd], **misunderstood, misunderstood** ['mɪs'ʌndə'stʊd] vt źle rozumieć

mis·un·der·stand·ing ['mɪs'ʌndə'stændɪŋ] s złe zrozumienie, nieporozumienie

mis·un·der·stood zob. **misunderstand**

mis·use [mɪs'juz] vt niewłaściwie używać; źle traktować; nadużywać; s [mɪs'jus] niewłaściwe użycie, nadużycie

mite [maɪt] s drobna rzecz, kruszynka; grosz (wdowi)

mit·i·gate ['mɪtɪgeɪt] vt łagodzić uspokajać

mi·tre ['maɪtə(r)] s infuła

mitt [mɪt] = **mitten**

mit·ten ['mɪtn] s rękawica (z jednym palcem); rękawiczka (bez palców), mitenka; sport rękawica bokserska

mix [mɪks] vt vi mieszać (się) preparować, przyrządzać (np. napoje); obcować (towarzysko); ~

money

up zmieszać, pomieszać; wplątać, uwikłać

mix·er [ˈmɪksə(r)] s barman; mikser; a good ~ człowiek towarzyski

mix·ture [ˈmɪkstʃə(r)] s mieszanina, mieszanka, mikstura

mix-up [ˈmɪks ʌp] s pomieszanie, zamieszanie, gmatwanina

moan [məʊn] vt vi jęczeć, lamentować, opłakiwać (sb kogoś); s jęk

moat [məʊt] s fosa

mob [mɒb] s tłum, pospólstwo, tłuszcza; vt (o tłumie) rzucać się (sb, sth na kogoś, coś); vi gromadzić się tłumnie

mo·bile [ˈməʊbaɪl] adj ruchomy; ruchliwy

mo·bil·i·ty [məʊˈbɪlətɪ] s ruchliwość

mo·bil·ize [ˈməʊbļaɪz] vt vi mobilizować (się)

mo·cha [ˈmɒkə] s (kawa) mokka

mock [mɒk] vt vi szydzić, wyśmiewać, żartować sobie (at sb, sth z kogoś, czegoś); s pośmiewisko, kpiny; adj attr podrobiony, udany, pozorny

mock·er·y [ˈmɒkərɪ] s szyderstwo; pośmiewisko

mock-he·ro·ic [ˈmɒkhɪˈrəʊɪk] adj heroikomiczny

mode [məʊd] s sposób; obyczaj; tryb (życia, postępowania); moda; gram. tryb

mod·el [ˈmɒdl] s model, wzór; modelka; vt modelować, kształtować, kopiować; vr ~ oneself wzorować się (on ⟨upon, after⟩ sb na kimś)

mod·er·ate [ˈmɒdəreɪt] vt vi poskramiać, hamować, powściągać, uspokajać (się); łagodzić; powstrzymywać (się); adj [ˈmɒdərət] umiarkowany, wstrzemięźliwy; przeciętny

mod·er·a·tion [ˈmɒdəˈreɪʃn] s umiarkowanie

mod·ern [ˈmɒdn] adj nowoczesny, nowożytny

mod·est [ˈmɒdɪst] adj skromny

mod·es·ty [ˈmɒdɪstɪ] s skromność

mod·i·fy [ˈmɒdɪfaɪ] vt modyfikować, zmieniać

mod·u·late [ˈmɒdjuleɪt] vt modulować

moiety [ˈmɔɪətɪ] s prawn. połowa

moist [mɔɪst] adj wilgotny

mois·ten [ˈmɔɪsn] vt zwilżyć; vi wilgotnieć

mois·ture [ˈmɔɪstʃə(r)] s wilgoć

mo·lar [ˈməʊlə(r)] adj trzonowy (ząb); s ząb trzonowy

mo·las·ses [məˈlæsɪz] s pl melasa

mold, molder = mould, moulder

mole 1. [məʊl] s zool. kret

mole 2. [məʊl] s molo, grobla

mole 3. [məʊl] s pieprzyk (na skórze)

mol·e·cule [ˈmɒlɪkjul] s fiz. cząsteczka

mole-hill [ˈməʊl hɪl] s kretowisko

mo·lest [məˈlest] vt molestować, dokuczać

mol·li·fy [ˈmɒlɪfaɪ] vt miękczyć; łagodzić

molt zob. **moult**

mol·ten [ˈməʊltən] adj stopiony, lity

mo·ment [ˈməʊmənt] s moment, chwila; znaczenie, ważność; at the ~ w tej ⟨właśnie⟩ chwili; for the ~ na razie; in a ~ za chwilę, po chwili; to the ~ co do minuty; of great ⟨little⟩ ~ bardzo ⟨nie bardzo⟩ ważny

mo·men·tar·y [ˈməʊməntrɪ] adj chwilowy

mo·men·tous [məˈmentəs] adj ważny, doniosły

mo·men·tum [məˈmentəm] s pęd, rozpęd; fiz. ilość ruchu

mon·arch [ˈmɒnək] s monarcha

mon·ar·chy [ˈmɒnəkɪ] s monarchia

mon·as·ter·y [ˈmɒnəstrɪ] s klasztor

Mon·day [ˈmʌndɪ] s poniedziałek

mon·e·tar·y [ˈmʌnɪtrɪ] adj monetarny

mon·ey [ˈmʌnɪ] s zbior. pieniądze; ready ~ gotówka

mon·ger [ˈmʌŋgə(r)] s handlarz, przekupień

mon·grel [ˈmʌŋgrəl] s kundel; mieszaniec; adj attr (o krwi, rasie) mieszany

mon·i·tor [ˈmɒnɪtə(r)] s monitor; najstarszy uczeń w klasie pilnujący porządku; urządzenie kontrolne; vi vt nasłuchiwać, kontrolować

mon·i·tor·ing [ˈmɒnɪtərɪŋ] s (w radiu) nasłuch

monk [mʌŋk] s mnich

mon·key [ˈmʌŋkɪ] s małpa

mon·key·ish [ˈmʌŋkɪɪʃ] adj małpi

monk·ish [ˈmʌŋkɪʃ] adj mnisi

mo·nog·a·my [məˈnɒgəmɪ] s monogamia

mon·o·logue [ˈmɒnəlɒg] s monolog

mo·nop·o·lize [məˈnɒpəlaɪz] vt monopolizować

mo·nop·o·ly [məˈnɒpəlɪ] s monopol

mo·not·o·nous [məˈnɒtənəs] adj monotonny

mon·ster [ˈmɒnstə(r)] s potwór; adj attr potworny; monstrualny

mon·stros·i·ty [mɒnˈstrɒsətɪ] s potworność

mon·strous [ˈmɒnstrəs] adj potworny; monstrualny

mon·tage [ˈmɒntɑːʒ] s fot. kino montaż

month [mʌnθ] s miesiąc

month·ly [ˈmʌnθlɪ] adj miesięczny; adv miesięcznie; co miesiąc; s miesięcznik

mon·u·ment [ˈmɒnjumənt] s pomnik

mood 1. [muːd] s nastrój, humor

mood 2. [muːd] s gram. tryb; muz. tonacja

mood·y [ˈmuːdɪ] adj nie w humorze, markotny; o zmiennym usposobieniu

moon [muːn] s księżyc; full ~ pełnia; once in a blue ~ bardzo rzadko, raz od wielkiego święta

moon·beam [ˈmuːnbiːm] s promień księżyca

moon·light [ˈmuːnlaɪt] s światło księżyca

moon·lit [ˈmuːnlɪt] adj oświetlony światłem księżyca

moon·shine [ˈmuːnʃaɪn] s światło księżyca; przen. rojenia

moon·shin·er [ˈmuːnʃaɪnə(r)] s pot. am. nielegalny producent ⟨przemytnik⟩ napojów alkoholowych

moor 1. [muə(r)] s otwarty teren, błonie; wrzosowisko; torfowisko

moor 2. [muə(r)] vt mors. cumować

Moor 3. [muə(r)] s Maur

moor·ings [ˈmuərɪŋz] s pl mors. cumy; miejsce cumowania

moor·land [ˈmuələnd] s pustynna okolica (zw. pokryta wrzosem, torfem itp.)

moot [muːt] vt rozważać, poddać pod dyskusję (sth coś); s hist. zgromadzenie, narada; adj attr sporny

mop 1. [mɒp] s zmywak na kiju (do podłogi, okien itd.); vt wycierać, zmywać

mop 2. [mɒp] s w zwrocie: ~s and mows grymasy, miny; vi w zwrocie: ~ and mow stroić miny, robić grymasy

mope [məup] vi być przygnębionym; s człowiek przygnębiony

mor·al [ˈmɒrl] adj moralny; s morał; pl ~s moralność

mo·rale [məˈrɑːl] s morale, duch (np. wojska)

mor·al·ist [ˈmɒrlɪst] s moralista

mo·ral·i·ty [məˈrælətɪ] s moralność; moralitet (dramat)

mor·al·ize [ˈmɒrlaɪz] vi moralizować; vt umoralniać

mo·rass [məˈræs] s bagno, trzęsawisko

mor·bid [ˈmɔːbɪd] adj chorobliwy; chorobowy

more [mɔ(r)] adj (comp od much, many) więcej; adv więcej, bardziej; s więcej; ~ and ~ coraz więcej; ~ or less mniej więcej; ~ than ponad; never ~ już nigdy; no ~ już nie, więcej nie;

motorist

dość; once ~ jeszcze raz; so much the ~ o tyle więcej; the ~ tym bardziej; the ~ ... the ~ im więcej ... tym więcej

more·o·ver [mɔrˈəuvə(r)] *adv* co więcej, prócz tego, ponadto

orn [mɔn] *s poet.* = morning

orn·ing [ˈmɔnɪŋ] *s* rano, poranek; przedpołudnie; good ~! dzień dobry!; in the ~ rano; this ~ dziś rano; ~ call wizyta przedpołudniowa; ~ coat żakiet

o·roc·co [məˈrɔkəu] *s* marokin (safian)

o·rose [məˈrəus] *adj* ponury, markotny

or·phol·o·gy [mɔˈfɔlədʒɪ] *s* morfologia

or·row [ˈmɔrəu] *s* † następny dzień; on the ~ nazajutrz

or·sel [ˈmɔsl] *s* kąsek

or·tal [ˈmɔtl] *adj* śmiertelny; *s* śmiertelnik

or·tal·i·ty [mɔˈtælətɪ] *s* śmiertelność

or·tar [ˈmɔtə(r)] *s* moździerz; zaprawa murarska

ort·gage [ˈmɔgɪdʒ] *s* zastaw; hipoteka; *vt* zastawić; obciążyć hipotecznie

or·ti·fy [ˈmɔtɪfaɪ] *vt* umartwiać, dręczyć, upokarzać; *vi* zamierać; ulegać gangrenie

or·tu·a·ry [ˈmɔtʃuərɪ] *adj* pogrzebowy; *s* kostnica

o·sa·ic [məuˈzeɪɪk] *s* mozaika

os·lem [ˈmɔzləm] *adj* muzułmański; *s* muzułmanin

osque [mɔsk] *s* meczet

os·qui·to [məˈskiːtəu] *s* (*pl* ~es) moskit

oss [mɔs] *s* mech

ost [məust] *adj* (*sup od* much, many) najwięcej, najbardziej; *adv* najbardziej, najwięcej; *s* największa ilość, przeważająca większość, maksimum; at (the) ~ najwyżej, w najlepszym razie; o make the ~ of sth wykorzystać coś maksymalnie; najkozystniej przedstawić

most·ly [ˈməustlɪ] *adv* najczęściej, przeważnie

mote [məut] *s* pyłek

mo·tel [məuˈtel] *s* motel

moth [mɔθ] *s* mól; ćma

moth·er [ˈmʌðə(r)] *s* matka; ~ country ojczyzna; ~ of pearl macica perłowa; ~ tongue mowa ojczysta

moth·er·hood [ˈmʌðəhud] *s* macierzyństwo

mother-in-law [ˈmʌðr in lɔ] *s* (*pl* mothers-in-law [ˈmʌðz ɪn lɔ]) teściowa, świekra

moth·er·ly [ˈmʌðəlɪ] *adj* macierzyński

motif [məuˈtif] *s* motyw

mo·tion [ˈməuʃn] *s* ruch; chód ⟨bieg⟩ (silnika); skinienie; gest; wniosek; ~ picture film; to carry a ~ przeprowadzić ⟨przyjąć⟩ wniosek; to put ⟨set⟩ in ~ wprawić w ruch; *vt vi* dać znak (ręką), skinąć

mo·ti·vate [ˈməutɪveɪt] *vt* być bodźcem (sb, sth dla kogoś, czegoś); powodować; motywować

mo·tive [ˈməutɪv] *adj* napędowy; *s* motyw; bodziec

mot·ley [ˈmɔtlɪ] *s* pstrokacizna; rozmaitości; strój błazeński; *adj* pstry; rozmaity

mo·tor [ˈməutə(r)] *s* motor; silnik; *adj* ruchowy, motoryczny; *vt vi* jechać ⟨wieźć⟩ samochodem ⟨motocyklem⟩

mo·tor·bi·cy·cle [ˈməutəbaɪsɪkl] *s* motocykl

mo·tor·bike [ˈməutəbaɪk] *s* pot. motocykl

mo·tor·boat [ˈməutəbəut] *s* łódź motorowa

mo·tor·bus [ˈməutəbʌs] *s* autobus

mo·tor·car [ˈmuətəkɑ(r)] *s* samochód

mo·tor·coach [ˈməutəkəutʃ] *s* autokar

mo·tor·cy·cle [ˈməutəsaɪkl] *s* motocykl

mo·tor·ist [ˈməutərɪst] *s* automobilista

mo·tor·man [`məutəmən] s (pl motormen [`məutəmən]) motorniczy

mo·tor-scoot·er [`məutə skutə(r)] s skuter

mo·tor·way [`məutəweı] s autostrada

mot·tle [`motl] vt pstrzyć, cętkować, nakrapiać; s cętka, (barwna) plamka

mot·to [`motəu] s (pl ~es, ~s) motto

mould 1. [məuld] s czarnoziem, ziemia ⟨gleba⟩ (luźna)

mould 2. [məuld] s pleśń; vi pleśnieć

mould 3. [məuld] s forma, odlew; typ ⟨pokrój⟩ (człowieka); vt odlewać; kształtować

mould·er [`məuldə(r)] vi butwieć, rozpadać się

moult [məult] vi linieć; s linienie

mound [maund] s nasyp, kopiec

mount 1. [maunt] s góra, szczyt (zw. przed nazwą)

mount 2. [maunt] vt vi wznosić (się), podnosić (się); wsiadać, sadzać ⟨na konia, rower itp.⟩; wspinać się, wchodzić do góry ⟨a ladder, the stairs etc. po drabinie; schodach itd.⟩; montować; ustawiać; oprawiać (np. klejnot); to ~ guard zaciągnąć wartę, stanąć na warcie; ~ed troops oddziały konne

moun·tain [`mauntın] s góra

moun·tain·eer [`mauntı`nıə(r)] s góral; alpinista

moun·tain·eer·ing [`mauntı`nıərıŋ] s sport alpinistyka, wspinaczka wysokogórska

moun·tain·ous [`mauntınəs] adj górzysty

moun·te·bank [`mauntıbæŋk] s szarlatan

mourn [mɔn] vt opłakiwać; vi być w żałobie; płakać ⟨lamentować⟩ ⟨for ⟨over⟩ sb nad kimś⟩

mourn·ful [`mɔnfl] adj żałobny

mourn·ing [`mɔnıŋ] s żałoba; przen. smutek; in deep ~ w głębokiej żałobie

mouse [maus] s (pl mice [maıs] mysz

mouse-trap [`maus træp] s pułapk na myszy

mous·tache [mə`staʃ] s wąsy

mouth [mauθ] s usta; pysk; ujśc (rzeki), wylot

mouth·ful [`mauθful] s kęs, łyk

mouth·piece [`mauθpis] s ustnı (np. instrumentu); wyrazicie rzecznik; muszla mikrofonu

mov·a·ble [`muvəbl] adj ruchom; s pl ~s ruchomości

move [muv] vt vi ruszać (por szać⟩ (się), być w ruchu, pos wać (się); przeprowadzać (się rozczulać, wzruszać; zachęca pobudzać; stawiać wniosek; in wnieść; wprowadzić (się); out wynieść; wyprowadzić (się s posunięcie, ruch; przeprowad ka; to be on the ~ być w r chu ⟨w marszu⟩

move·ment [`muvmənt] s rucł chód, bieg; muz. część utwor fraza

mov·ies [`muvız] s pl pot. kin let's go to the ~ chodźmy kina

*mow [məu], mowed [məud], mow [məun] vt kosić

mow·er [`məuə(r)] s kosiarz; (m szyna) kosiarka

mown zob. mow

much [mʌtʃ] adj i adv dużo, wı le; bardzo, wielce; ~ the sar mniej więcej taki sam ⟨to s mo⟩; as ~ tyleż; as ~ as ty samo, co; so ~ tyle; so ~ tł better ⟨worse⟩ tym lepiej ⟨g rzej⟩; he is not ~ of a poet jest słabym poetą; how ~? il

muck [mʌk] s gnój, nawóz; błot pot. paskudztwo; szmira

mud [mʌd] s błoto, muł

mud-bath [`mʌdbaθ] s kąpiel b rowinowa

mud·dle [`mʌdl] vt mącić, gma wać, bałaganić; zamroczyć; vi on ⟨along⟩ radzić sobie jakoś;

through wybrnąć z ciężkiej sytuacji; s powikłanie; bałagan, nieład; trudne położenie

mud·dy [ˈmʌdɪ] *adj* błotnisty; mętny, brudny

mud·guard [ˈmʌdgad] s błotnik

nuff 1. [mʌf] s zarękawek, mufka

nuff 1. [mʌf] *vt* fuszerować; s fuszerka; fuszer; mazgaj

nuf·fin [ˈmʌfɪn] s bułeczka (zw. na gorąco z masłem)

nuf·fle [ˈmʌfl] *vt* owijać, otulać; tłumić

nuf·fler [ˈmʌflə(r)] s szalik; tłumik; *sport* rękawica bokserska

nug [mʌg] s kubek, kufel; *pot.* gęba

nu·lat·to [mjuˈlætəu] s (pl ~es, ~s) Mulat

nul·ber·ry [ˈmʌlbrɪ] s morwa (owoc i drzewo)

nule [mjul] s *zool.* muł

nul·ti [ˈmʌltɪ] *praef* wielo-

nul·ti·form [ˈmʌltɪfɔm] *adj* wielokształtny

nul·ti·lat·er·al [ˈmʌltɪˈlætrl] *adj* wielostronny

nul·ti·ple [ˈmʌltɪpl] *adj* wieloraki; wielokrotny; złożony; s *mat.* wielokrotna; **least common ~** najmniejsza wspólna wielokrotna

nul·ti·plex [ˈmʌltɪpleks] = **multiple** *adj*

nul·ti·pli·ca·tion [ˈmʌltɪplɪˈkeɪʃn] s mnożenie (się); *mat.* **~ table** tabliczka mnożenia

nul·ti·pli·er [ˈmʌltɪplaɪə(r)] s *mat.* mnożnik; *fiz.* powielacz

nul·ti·ply [ˈmʌltɪplaɪ] *vt vi* mnożyć (się); rozmnażać się; **~ 4 by 6** pomnóż 4 przez 6

nul·ti·tude [ˈmʌltɪtjud] s mnóstwo; tłum

num 1. [mʌm] *adj* niemy, cichy; **to keep ~** milczeć; *int* sza!

num 2. [mʌm] *vt* grać w pantomimie

num 3. [mʌm] s *pot.* mamusia

num·ble [ˈmʌmbl] *vt vi* mruczeć,

mamrotać, bełkotać

mum·my 1. [ˈmʌmɪ] s mamusia

mum·my 2. [ˈmʌmɪ] s mumia

mumps [mʌmps] s *med.* świnka

munch [mʌntʃ] *vt vi* głośno żuć, chrupać

mun·dane [ˈmʌndeɪn] *adj* ziemski; światowy

mu·nic·i·pal [mjuˈnɪsɪpl] *adj* komunalny, miejski

mu·nic·i·pal·i·ty [mjuˈnɪsɪˈpælətɪ] s gmina samorządowa, zarząd miejski

mu·nif·i·cence [mjuˈnɪfɪsns] s hojność, szczodrość

mu·ni·tion [mjuˈnɪʃn] s (zw. pl ~s) sprzęt wojenny, amunicja

mu·ral [ˈmjuərl] *adj* ścienny; s malowidło ścienne

mur·der [ˈmɜdə(r)] s morderstwo; *vt* mordować

mur·der·er [ˈmɜdərə(r)] s morderca

murk·y [ˈmɜkɪ] *adj* mroczny

mur·mur [ˈmɜmə(r)] *vt vi* szeptać, mruczeć; szemrać; szumieć; s szept, szmer; szum; pomruk, mruczenie

mus·cle [ˈmʌsl] s mięsień

mus·cu·lar [ˈmʌskjulə(r)] *adj* muskularny; mięśniowy

muse 1. [mjuz] *vi* rozmyślać ⟨dumać⟩ (**on** ⟨about, upon⟩ **sth** o czymś)

muse 2. [mjuz] s muza

mu·se·um [mjuˈzɪəm] s muzeum

mush [mʌʃ] s kleik, papka

mush·room [ˈmʌʃrum] s grzyb; **of ~ growth** rosnący jak grzyby po deszczu

mu·sic [ˈmjuzɪk] s muzyka; *zbior.* nuty

mu·si·cal [ˈmjuzɪkl] *adj* muzyczny; muzykalny; dźwięczny; s komedia muzyczna

mu·sic-hall [ˈmjuzɪk hɔl] s teatr rewiowy ⟨rozmaitości⟩

mu·si·cian [mjuˈzɪʃn] s muzyk

musk [mʌsk] s piżmo

mus·lin [ˈmʌzlɪn] s muślin

must 1. [mʌst, məst] *v aux* nie-

odm. muszę, musisz itd.; I ~ muszę; I ~ not nie wolno mi, nie mogę

must 2. [mʌst] *s* pleśń

must 3. [mʌst] *s* moszcz

mus·tard [ˈmʌstəd] *s* musztarda

mus·ter [ˈmʌstə(r)] *vt vi* gromadzić (się); zbierać (się); *wojsk.* robić przegląd; *s wojsk.* przegląd; apel; zgromadzenie

mus·ty [ˈmʌstɪ] *adj* zapleśniały, stęchły

mu·ta·ble [ˈmjutəbl] *adj* zmienny

mute [mjut] *adj* niemy; *s* niemowa; *teatr* statysta

mu·ti·late [ˈmjutɪleɪt] *vt* kaleczyć; okroić, zniekształcić (tekst itp.)

mu·ti·neer [mjutɪˈnɪə(r)] *s* buntownik

mu·ti·ny [ˈmjutɪnɪ] *s* bunt

mut·ter [ˈmʌtə(r)] *vt vi* mruczeć, mamrotać; szemrać (at ⟨against⟩ sb, sth na kogoś, coś)

mut·ton [ˈmʌtn] *s* baranina

mu·tu·al [ˈmjutʃʊəl] *adj* wzajemny

muz·zle [ˈmʌzl] *s* pysk; kaganiec wylot lufy; *vt* nałożyć kaganiec

my [maɪ] *pron* mój, moja, moje moi

my·ope [ˈmaɪəup] *s* krótkowidz

my·o·pi·a [maɪˈəupɪə] *s* krótkowzroczność

myr·i·ad [ˈmɪrɪəd] *s* miriada

myr·tle [ˈmɜtl] *s bot.* mirt

my·self [maɪˈself] *pron* sam, ja sam; się; siebie, sobą, sobie; by ~ ja sam, sam jeden

mys·te·ri·ous [mɪˈstɪərɪəs] *adj* tajemniczy

mys·ter·y [ˈmɪstrɪ] *s* tajemnica

mys·tic [ˈmɪstɪc] *adj* mistyczny; s mistyk

mys·ti·fy [ˈmɪstɪfaɪ] *vt* mistyfikować

myth [mɪθ] *s* mit

myth·o·log·i·cal [ˈmɪθəˈlodʒɪkl] *ad* mitologiczny

my·thol·o·gy [mɪˈθolədʒɪ] *s* mitologia

n

nag [næg] *vt* dokuczać (komuś), dręczyć; *vi* gderać (at sb na kogoś)

nai·ad [ˈnaɪæd] *s* rusałka, najada

nail [neɪl] *s* paznokieć; pazur; gwóźdź; *vt* przybić gwoździem podbić gwoździami, przygwoździć; *przen.* przykuć (np. uwagę); *pot.* przydybać; ~ **down** przybić gwoździem; *przen.* trzymać (kogoś) za słowo

na·ïve [naɪˈiv] *adj* naiwny

na·ked [ˈneɪkɪd] *adj* nagi, goły

name [neɪm] *s* imię, nazwisko, nazwa; **family** ~ nazwisko; **first** ⟨Christian⟩ ~ imię; **full** ~ imię i nazwisko; **by** ~ na imię, po nazwisku; **to call sb** ~s obrzucać kogoś wyzwiskami; *vt* dawać imię, nazywać; wyznaczać, wymieniać

name-day [ˈneɪmdeɪ] *s* imieniny

name·less [ˈneɪmləs] *adj* bezimienny; nieznany; niewysłowiony; *uj* niesłychany

name·ly [ˈneɪmlɪ] *adv* mianowicie

name·sake [ˈneɪmseɪk] *s* imiennik

nap [næp] *s* drzemka; **to take a** ~ zdrzemnąć się; *vi* drzemać

na·palm [ˈneɪpɑm] *s* napalm

nape [neɪp] *s* kark

nap·kin ['næpkɪn] s serwetka;
pieluszka

nar·cot·ic [na'kotɪk] adj narkotyczny; s narkotyk

nar·co·tize ['nakətaɪz] vt narkotyzować

nar·rate [nə'reɪt] vt opowiadać

nar·ra·tion [nə'reɪʃn] s opowiadanie

nar·ra·tive ['nærətɪv] adj narra-
cyjny; s opowiadanie, opowieść

nar·row ['nærəu] adj wąski, ciasny, ścisły; to have a ~ escape
ledwo umknąć; vt vi zwężać
(się); ściągać ⟨kurczyć⟩ (się)

nar·row-gauge ['nærəugeɪdʒ] adj
attr wąskotorowy

nar·row-mind·ed ['nærəu 'maɪndɪd]
adj (umysłowo) ograniczony

na·sal ['neɪzl] adj nosowy; s gram.
głoska nosowa

nas·ty ['nastɪ] adj wstrętny, przykry; groźny; złośliwy; plugawy;
pot. świński

na·tal ['neɪtl] adj rodzinny; (o
dniu, miejscu) urodzenia

na·ta·tion [neɪ'teɪʃn] s pływanie

na·tion ['neɪʃn] s naród; państwo

na·tion·al ['næʃnl] adj narodowy;
państwowy; ~ service obowiąz-
kowa służba wojskowa; s poddany, obywatel państwa

na·tion·al·ism ['næʃnlɪzm] s nacjonalizm

na·tion·al·i·ty ['næʃn'ælətɪ] s narodowość; państwowość; przynależność państwowa, obywatelstwo

na·tion·al·i·za·tion ['næʃnlaɪ'zeɪʃn]
s upaństwowienie, nacjonalizacja; naturalizacja

na·tion·al·ize ['næʃnlaɪz] vt unarodowić; nacjonalizować, upaństwowić; naturalizować

na·tive ['neɪtɪv] adj rodzimy, rodzinny, ojczysty; wrodzony; krajowy, tubylczy; ~ land ojczyzna;
s tubylec, autochton; a ~ of
Warsaw rodowity warszawianin

na·tiv·i·ty [nə'tɪvətɪ] s narodzenie
(zw. Chrystusa)

nat·ty ['nætɪ] adj schludny, czysty

nat·u·ral ['nætʃərl] adj naturalny;
dziki, pierwotny; przyrodniczy;
przyrodzony, wrodzony; (o dziecku) nieślubny; ~ history przyroda; s muz. nuta naturalna;
muz. kasownik; idiota

nat·u·ral·ism ['nætʃrlɪzm] s naturalizm

nat·u·ral·ize ['nætʃrlaɪz] vt vi naturalizować (się)

na·ture ['neɪtʃə(r)] s natura, przyroda; istota; charakter; rodzaj;
by ~ z natury

naught [nɔt] s i pron nic; zero

naugh·ty ['nɔtɪ] adj (o dziecku)
niegrzeczny; nieprzyzwoity

nau·sea ['nɔsɪə] s nudności, mdłości; obrzydzenie

nau·se·ate ['nɔsɪeɪt] vt przyprawiać o mdłości, budzić wstręt;
czuć wstręt (sth do czegoś); vi
dostawać mdłości

nau·seous ['nɔsɪəs] adj przyprawiający o mdłości, obrzydliwy

nau·ti·cal ['nɔtɪkl] adj morski

na·val ['neɪvl] adj morski; dotyczący marynarki wojennej; okrętowy

nave 1. [neɪv] s nawa

nave 2. [neɪv] s piasta (u koła)

na·vel ['neɪvl] s anat. pępek

nav·i·ga·ble ['nævɪgəbl] adj spławny, nadający się do żeglugi

nav·i·gate ['nævɪgeɪt] vt vi żeglować, kierować statkiem ⟨samo-
lotem⟩; pilotować

nav·i·ga·tion ['nævɪ'geɪʃn] s żegluga, nawigacja

nav·vy ['nævɪ] s robotnik drogowy, wyrobnik

na·vy ['neɪvɪ] s marynarka wojenna; ~ cut tytoń fajkowy (drobno krajany)

navy-blue ['neɪvɪ'blu] adj granatowy; s kolor granatowy

nay [neɪ] adv † nie; nawet, co
więcej; to say ~ zaprzeczyć; s
sprzeciw (w głosowaniu)

near [nɪə(r)] *adj* bliski, blisko spokrewniony; trafny; dokładny; **to
have a ~ escape** ledwo uciec,
uniknąć o włos; *adv i praep* blisko, niedaleko, obok; **~ by** tuż
obok; **~ upon** blisko; tuż przed
⟨po⟩ czymś; prawie; **to come ~**
zbliżyć się; *vt* zbliżać się ⟨sth do
czegoś⟩

near·by [ˈnɪəbaɪ] *adj* bliski, sąsiedni

near·ly [ˈnɪəlɪ] *adv* blisko; prawie
(że)

neat [niːt] czysty, schludny; gustowny; grzeczny; miły; staranny,
porządny

neb·u·lous [ˈnebjuləs] *adj* mglisty,
zamglony

nec·es·sar·y [ˈnesəsrɪ] *adj* konieczny, niezbędny; **if ~** w razie potrzeby; **s** rzecz konieczna; *pl*
necessaries of life artykuły pierwszej potrzeby

ne·ces·si·tate [nɪˈsesɪteɪt] *vt* czynić koniecznym ⟨niezbędnym⟩;
wymagać

ne·ces·si·ty [nɪˈsesətɪ] *s* konieczność, potrzeba; bieda; **of ~** z ko-
nieczności; **to be under the ~ of
doing sth** być zmuszonym coś
zrobić

neck [nek] *s* szyja, kark; szyjka
(np. flaszki); przesmyk; cieśnina;
vt vi am. pot. obejmować (się)
za szyję; pieścić się

neck·lace [ˈnekləs] *s* naszyjnik

neck·tie [ˈnektaɪ] *s* krawat

ne·crol·o·gy [nɪˈkrɒlədʒɪ] *s* nekrolog; lista zgonów

need [niːd] *s* potrzeba; ubóstwo,
bieda; **to have ⟨stand in, be in⟩
~ of** potrzebować czegoś; *vt* potrzebować, wymagać (czegoś); *vi*
być w potrzebie; **I ~ not** nie
muszę

need·ful [ˈniːdfl] *adj* potrzebny, konieczny

nee·dle [ˈniːdl] *s* igła; iglica

need·less [ˈniːdləs] *adj* niepotrzebny, zbędny

nee·dle·work [ˈniːdlwɜːk] *s* robótka

(szycie, haftowanie)

need·n't [niːdnt] = **need not**

need·y [ˈniːdɪ] *adj* będący w potrzebie

ne'er [neə(r)] *poet.* = **never**

ne·ga·tion [nɪˈgeɪʃn] *s* przeczenie,
negacja

neg·a·tive [ˈnegətɪv] *adj* przeczący,
negatywny; *mat.* ujemny; *s* zaprzeczenie; odmowa; *gram.* forma przecząca; *mat.* wartość u-
jemna; *fot.* negatyw; **in the ~**
negatywnie, przecząco

neg·lect [nɪˈglekt] *vt* zaniedbywać,
lekceważyć; nie zrobić (sth czegoś); **s** zaniedbanie, lekceważenie, pominięcie

neg·li·gence [ˈneglɪdʒəns] *s* niedbalstwo, zaniedbanie

neg·li·gent [ˈneglɪdʒənt] *adj* niedbały, lekceważący; zaniedbany

neg·li·gi·ble [ˈneglɪdʒəbl] *adj* niegodny uwagi, mało znaczący

ne·go·ti·a·ble [nɪˈgəʊʃəbl] *adj*
handl. sprzedażny, możliwy do
spieniężenia; dający się opanować ⟨pokonać⟩

ne·go·ti·ate [nɪˈgəʊʃɪeɪt] *vt vi* załatwiać ⟨omawiać⟩ (sprawy polityczne, handlowe); prowadzić
rokowania ⟨pertraktować⟩ (sth w
sprawie czegoś); *handl.* puszczać
w obieg (np. weksel); realizować,
spieniężać; przezwyciężać, poko-
nywać

ne·go·ti·a·tion [nɪˈgəʊʃɪeɪʃn] *s* rokowania ⟨pertraktacje⟩ (polityczne, handlowe); *handl.* spieniężenie, realizowanie; pokonanie
(trudności)

Ne·gress [ˈniːgrəs] *s* Murzynka

Ne·gro [ˈniːgrəʊ] *s* (*pl* ~**es**) Murzyn

neigh [neɪ] *vi* rżeć

neigh·bour [ˈneɪbə(r)] *s* sąsiad; *v*
vi sąsiadować

neigh·bour·hood [ˈneɪbəhʊd] *s* sąsiedztwo; okolica

nei·ther [ˈnaɪðə(r), *am.* ˈniːðə(r)]
pron ani jeden, ani drugi, żaden z dwóch; *adv* ani; **~ ... no**

ani ..., ani; he could ~ eat nor drink nie mógł jeść, ani pić; *conj* też nie; he doesn't like it, ~ do I on tego nie lubi, i ja też nie

e·on [`niɔn] *s fiz.* neon (gaz); ~ sign neon (reklama); ~ lamp lampa neonowa

eph·ew [`nevju] *s* siostrzeniec; bratanek

erve [nɜv] *s* nerw; *przen.* siła, energia; opanowanie; tupet; to get on sb's ~s działać komuś na nerwy; *vt* wzmocnić, dodać otuchy; *vr* ~ oneself zebrać siły (for sth do czegoś), wziąć się w garść

erv·ous [`nɜvəs] *adj* nerwowy; niespokojny

est [nest] *s* gniazdo; *vi* wić gniazdo; gnieździć się

es·tle [`nesl] *vt* przycisnąć, przytulić; *vi* gnieździć się; tulić się, wygodnie się usadowić

et 1. [net] *adj* (o zysku itp.) czysty; netto; *vt* zarobić na czysto

et 2. [net] *s dosł. i przen.* sieć, siatka; *sport* net; *vt* łowić siecią (np. ryby)

et·tle [`netl] *s* pokrzywa; *vt* parzyć pokrzywą; *przen.* drażnić, irytować, docinać

et·work [`netwɜk] *s* sieć (kolejowa, radiowa itp.)

eu·ras·the·ni·a [`njuərəs`θiniə] *s* neurastenia

eu·rol·o·gy [njuə`rolədʒi] *s* neurologia

eu·ro·sis [njuə`rəusis] *s* (*pl* neuroses [njuə`rousiz]) *med.* nerwica

eu·ter [`njutə(r)] *adj gram.* nijaki (rodzaj); nieprzechodni (czasownik); neutralny; to stand ~ zachowywać neutralność

eu·tral [`njutrl] *adj* neutralny; nieokreślony

eu·tral·i·ty [nju`træləti] *s* neutralność

eu·tral·ize [`njutrlaiz] *vt* neutra-

lizować

neu·tron [`njutron] *s fiz.* neutron

nev·er [`nevə(r)] *adv* nigdy; bynajmniej

nev·er·more [`nevə`mɔ(r)] *adv* już nigdy, nigdy więcej

nev·er·the·less [`nevəðə`les] *adv* mimo wszystko 〈tego, to〉; (tym) niemniej

new [nju] *adj* nowy; świeży

new·com·er [`njukʌmə(r)] *s* przybysz

news [njuz] *s* nowość; nowina; wiadomość; kronika, aktualności

news·a·gent [`njuzeidʒənt] *s* właściciel kiosku z czasopismami

news·boy [`njuzbɔi] *s* gazeciarz

news·cast [`njuskast] *s* dziennik radiowy

news·pa·per [`njuspeipə(r)] *s* gazeta

news·reel [`njuzril] *s* kronika filmowa

news·ven·dor [`njuzvendə(r)] *s* sprzedawca gazet

news·y [`njuzi] *adj pot.* pełen najświeższych wiadomości, plotkarski

next [nekst] *adj* najbliższy; następny; ~ of kin najbliższy krewny; ~ to nothing prawie nic; *adv* następnie, z kolei, zaraz potem; *praep* tuż obok 〈przy〉; po (kimś, czymś)

nib [nib] *s* kolec; koniuszek, ostrze, szpic; stalówka

nib·ble [`nibl] *vt vi* gryźć, obgryzać, nadgryzać (sth 〈at sth〉 coś)

nice [nais] *adj* ładny; miły, przyjemny; wrażliwy; delikatny, subtelny; wybredny; skrupulatny

nice-look·ing [`naislukiŋ] *adj* przystojny; ładny

ni·ce·ty [`naisəti] *s* delikatność, subtelność; precyzja, dokładność; to a ~ możliwie najdokładniej, starannie, *przen.* na ostatni guzik; *pl* **niceties** drobiazgi, subtelności

niche [nɪtʃ] s nisza

nick [nɪk] s nacięcie, wcięcie; odpowiednia chwila; **in the ~ of time** w samą porę; **in the ~ of doing sth** w momencie robienia czegoś; *vt* nacinać, karbować; trafić, zgadnąć; **to ~ a train** zdążyć w ostatniej chwili na pociąg; **to ~ the time** zdążyć ⟨przyjść⟩ w samą porę

nick·el [`nɪkl] s nikiel; *am. pot.* pięciocentówka

nick·name [`nɪkneɪm] s przezwisko; przydomek; *vt* przezywać

niece [nis] s siostrzenica; bratanica

nig·gard [`nɪgəd] s skąpiec, sknera; *adj* skąpy

nig·ger [`nɪgə(r)] s *pog.* Murzyn

nigh [naɪ] *adj i adv poet.* = near

night [naɪt] s noc; wieczór; **by ⟨at⟩ ~** nocą, w nocy; **at ~** wieczorem; **last ~** ubiegłej nocy; wczoraj wieczorem; **the ~ before last** przedostatniej nocy; przedwczoraj wieczorem; **first ~** *teatr* premiera

night·fall [`naɪtfɔl] s zmierzch

night·in·gale [`naɪtɪŋgeɪl] s słowik

night·ly [`naɪtlɪ] *adj* nocny, conocny; wieczorny; powtarzający się co wieczór; *adv* co noc; co wieczór

night·mare [`naɪtmeə(r)] s koszmar (nocny)

night-time [`naɪttaɪm] s noc, pora nocna

ni·hil·ism [`naɪhɪlɪzm] s nihilizm

nil [nɪl] s nic; *sport* zero

nim·ble [`nɪmbl] *adj* zwinny, zgrabny; rączy; *(o umyśle)* bystry

nine [naɪn] *num* dziewięć; s dziewiątka

nine·pins [`naɪnpɪnz] s pl kręgle

nine·teen [`naɪn`tin] *num* dziewiętnaście; s dziewiętnastka

nine·teenth [`naɪn`tinθ] *adj* dziewiętnasty

nine·ti·eth [`naɪntɪəθ] *adj* dziewięćdziesiąty

nine·ty [`naɪntɪ] *num* dziewięćdzie-

siąt; s dziewięćdziesiątka

ninth [naɪnθ] *adj* dziewiąty

nip [nɪp] *vt* szczypnąć; ścisnąć; u cinać; zwarzyć ⟨zmrozić⟩ (rośl nę); **~ sth in the bud** zdusić co w zarodku

nip·ple [`nɪpl] s sutka; smoczek

ni·tric [`naɪtrɪk] *adj* azotowy

ni·tro·gen [`naɪtrədʒən] s azot

no [nəʊ] *adj* nie; żaden; **~ dou** niewątpliwie; **~ entrance wstę** wzbroniony; **~ end** bez końca **to ~ end** bez celu; **~ smokin** nie wolno palić; *adv* nie; s prze cząca odpowiedź; odmowa

no·bil·i·ty [nəʊ`bɪlɪtɪ] s szlachec two; szlachetność; szlachta, ary stokracja

no·ble [`nəʊbl] *adj* szlachetn; szlachecki; **s** = nobleman

no·ble·man [`nəʊblmən] s szlachc (wysokiego rodu), arystokrata

no·bod·y [`nəʊbədɪ] *pron* nikt; nic nie znaczący człowiek, zer

noc·tur·nal [nok`tɜnl] *adj* nocny

nod [nod] *vt* skinąć (to sb na k goś); ukłonić się, kiwnąć głow drzemać; *vi* kiwnąć ⟨skiną (one's head głową); s skinieni ukłon, kiwnięcie głową; drzen ka

noise [nɔɪz] s hałas; odgłos; szu

noi·some [`nɔɪsəm] *adj* szkodliw niezdrowy; wstrętny

nois·y [`nɔɪzɪ] *adj* hałaśliwy

no·mad [`nəʊmæd] s koczowni *adj* koczowniczy

no·mad·ic [nəʊ`mædɪk] *adj* kocz wniczy

nom·i·nal [`nomɪnl] *adj* nomina ny; imienny

nom·i·nate [`nomɪneɪt] *vt* mian wać; wyznaczyć; wysunąć jał kandydata

nom·i·na·tion [,nomɪ`neɪʃn] s n minacja; wyznaczenie; wysuni cie kandydatury

nom·i·na·tive [`nomnətɪv] s gra mianownik

non- [non] *praef* nie-; bez-

non·age [`nəʊnɪdʒ] s niepełnole ność

non·ag·gres·sion [ˈnonəˈgreʃn] s nieagresja; ~ **pact** pakt o nieagresji

non·cha·lant [ˈnonʃələnt] adj nonszalancki

non·com·ba·tant [ˈnonˈkombətənt] adj nie walczący; s żołnierz nieliniowy (np. sanitariusz)

non·com·mis·sioned [ˈnon kəˈmiʃnd] adj nie mający stopnia oficerskiego; ~ **officer** podoficer

non·con·form·ist [ˈnon kənˈfɔmist] s hist. dysydent

non·co·op·er·a·tion [ˈnonkəuˈopəˈreiʃn] s brak współdziałania, bierny opór

non·de·script [ˈnondiskript] adj nie dający się opisać ⟨określić⟩; dziwaczny; s osoba ⟨rzecz⟩ nieokreślonego wyglądu; człowiek bez określonego zajęcia; dziwak

none [nʌn] pron nikt, żaden, nic; ~ **of this** ⟨that⟩ nic z tego; ~ **of that!** dość tego!; adv wcale ⟨bynajmniej⟩ nie; **I feel** ~ **the better** wcale nie czuję się lepiej; ~ **the less** tym niemniej

non·en·ti·ty [nonˈentəti] s nicość; fikcja; człowiek bez znaczenia, zero

none·such = **nonsuch**

non·i·ron [ˈnonˈaiən] adj nie wymagający prasowania

non·par·ty [ˈnonˈpɑti] adj attr bezpartyjny

non·plus [nonˈplʌs] s zakłopotanie; impas; vt zakłopotać; zapędzić w kozi róg

non·res·i·dent [ˈnonˈrezidənt] adj (uczeń, lekarz itp.) dojeżdżający, zamiejscowy

non·sense [ˈnonsns] s niedorzeczność, nonsens

non·smok·er [ˈnonˈsməukə(r)] s niepalący; wagon ⟨przedział⟩ dla niepalących

non·stop [ˈnonˈstop] adj attr bezpośredni, bez postoju, bez lądowania; nieprzerwany

non·such [ˈnʌnsʌtʃ] s unikat; osoba ⟨rzecz⟩ niezrównana

noo·dle 1. [ˈnudl] s makaron

noo·dle 2. [ˈnudl] s głuptas

nook [nuk] s kąt, zakątek

noon [nun] s południe (pora dnia)

noon·day [ˈnundei] s = **noon**; adj attr południowy

noon·tide [ˈnuntaid] = **noonday**

noose [nus] s lasso, pętla; przen. sidła; vt złapać w pętlę ⟨w sidła⟩; wiązać na pętlę; przen. usidlić

nor [nɔ(r)] adv ani; także ⟨też⟩ nie; **he doesn't know her,** ~ **do I** on jej nie zna, ani ja ⟨i ja też nie⟩

norm [nɔm] s norma

nor·mal [ˈnɔml] adj normalny

north [nɔθ] s geogr. północ; adj północny; adv na północ, w kierunku północnym; na północy

north·er·ly [ˈnɔðəli] adj północny

north·ern [ˈnɔðən] adj północny

north·ward [ˈnɔθwəd] adj (o kierunku) północny; adv (także ~s) ku północy, na północ

north·west·er [ˈnɔθˈwestə(r)] s wiatr północno-zachodni

Nor·we·gian [nɔˈwidʒən] adj norweski; s Norweg; język norweski

nose [nəuz] s nos; vt vi czuć zapach ⟨sth czegoś⟩, wąchać ⟨i t sth coś⟩; węszyć ⟨sth ⟨after sth⟩ za czymś⟩; ~ **down** lotn. pikować; ~ **out** wywęszyć

nose-dive [ˈnəuzdaiv] vi (o samolocie) pikować; spadać prosto w dół; s lotn. pikowanie; nurkowanie

nose·gay [ˈnəuzgei] s bukiet

nos·tril [ˈnostril] s nozdrze

not [not] adv nie; ~ **at all** ⟨a bit⟩ ani trochę, wcale nie; ~ **a word** ani słowa

no·ta·bil·i·ty [ˈnəutəˈbiləti] s (o człowieku) znakomitość; znaczenie, sława

no·ta·ble [ˈnəutəbl] adj godny uwagi; wybitny, sławny

no·ta·ry [ˈnəutəri] s notariusz

no·ta·tion [nəuˈteiʃn] s oznaczanie

symbolami ⟨znakami⟩; system znaków

notch [nɔtʃ] s wcięcie, nacięcie; znak; vt nacinać, robić znaki ⟨nacięcia, karby⟩

note [nəut] s notatka, uwaga; bilecik, list; nota (dyplomatyczna); uwaga; znaczenie, sława; banknot; rachunek; znak, piętno; nuta; to make a ~ zanotować (of sth coś); to take a ~ zanotować sobie (of sth coś); zwrócić uwagę (of sth na coś); przyjąć do wiadomości (of sth coś); vt (także ~ down) notować, zapisywać; robić adnotacje; zwracać uwagę (na coś)

note·book [ˈnəutbuk] s notatnik, notes

not·ed [ˈnəutɪd] pp i adj znany, wybitny

note·pa·per [ˈnəut peɪpə(r)] s papier listowy

note·wor·thy [ˈnəutwɜːðɪ] adj godny uwagi, wybitny

noth·ing [ˈnʌθɪŋ] s nic; all to ~ wszystko na nic; for ~ bezpłatnie; bez powodu; na próżno; ~ at all w ogóle nic; (grzecznościowo) proszę, nie ma za co; ~ but ... nic (jak) tylko ...; nic oprócz ...; ~ much nic ważnego; ~ to speak of nie ma o czym mówić; nie warto wspominać; to say ~ of nie mówiąc o; pomijając; a co dopiero; there's ~ for it but... nie ma innej rady ⟨nic mi nie pozostaje⟩ jak tylko ...; adv wcale ⟨bynajmniej⟩ nie; this will help you ~ to ci wcale nie pomoże; I'm ~ the better for it wcale mi nie lepiej z tego powodu, nic na tym nie zyskuję

no·tice [ˈnəutɪs] s notatka, wiadomość, ogłoszenie; uwaga; spostrzeżenie; ostrzeżenie; wypowiedzenie; termin; at one month's ~ w terminie jednomiesięcznym; z jednomiesięcznym wypowiedzeniem; to bring sth to sb's ~ zwrócić komuś na coś uwagę, powiadomić kogoś o czymś; to come to sb's ~ dojść do czyjejś wiadomości; to come into ~ zwrócić na siebie uwagę, stać się znanym; to take ~ zwrócić uwagę, zauważyć (of sth coś); vt zauważyć, spostrzec; robić uwagi, komentować; wypowiedzieć (posadę itd.)

no·tice·a·ble [ˈnəutɪsəbl] adj widoczny, dostrzegalny; godny uwagi

no·tice·board [ˈnəutɪsbɔd] s tablica ogłoszeń

no·ti·fi·ca·tion [ˌnəutɪfɪˈkeɪʃn] s zawiadomienie ⟨ogłoszenie⟩ (of sth o czymś)

no·ti·fy [ˈnəutɪfaɪ] vt obwieścić (sth to sb coś komuś), zawiadomić (sb of sth kogoś o czymś)

no·tion [ˈnəuʃn] s pojęcie, wyobrażenie; myśl, pogląd; zamiar; kaprys

no·to·ri·e·ty [ˌnəutəˈraɪɪtɪ] s (zw. uj.) sława, rozgłos

no·tor·i·ous [nəuˈtɔːrɪəs] adj notoryczny; osławiony

not·with·stand·ing [ˌnɒtwɪθˈstændɪŋ] praep mimo, nie bacząc na; adv mimo to, niemniej jednak, jednakże

nought [nɔt] = naught

noun [naun] s gram. rzeczownik

nour·ish [ˈnʌrɪʃ] vt karmić, żywić (także uczucie); podtrzymywać

nour·ish·ment [ˈnʌrɪʃmənt] s pokarm; żywienie

nov·el [ˈnɒvl] s powieść; adv nowy, nieznany; oryginalny

nov·el·ist [ˈnɒvlɪst] s powieściopisarz

nov·el·ty [ˈnɒvltɪ] s nowość; oryginalność

No·vem·ber [nəuˈvembə(r)] s listopad

nov·ice [ˈnɒvɪs] s nowicjusz

now [nau] adv obecnie, teraz; ~ and again od czasu do czasu; every ~ and again co chwilę; just ~ dopiero co, przed chwi-

lą; otóż, przecież, no; s chwila
obecna; before ~ już; przedtem;
by ~ już; do tego czasu; from
~ on odtąd; w przyszłości; till
⟨until, up to⟩ ~ dotąd, dotychczas; conj ~ (that) teraz gdy;
skoro ⟨już⟩

now·a·days ['nauədeɪz] adv obecnie, w dzisiejszych czasach

no·where ['nəuweə(r)] adv nigdzie

nox·ious ['nɒkʃəs] adj szkodliwy,
niezdrowy

noz·zle ['nɒzl] s dziobek (np. imbryka); wylot (np. rury)

nu·cle·ar ['njuklɪə(r)] adj biol. fiz.
jądrowy, nuklearny

nu·cle·us ['njuklɪəs] s biol. fiz.
jądro; zawiązek

nude [njud] adj nagi; s akt (w
malarstwie, rzeźbie)

nudge [nʌdʒ] vt trącić łokciem
(dla zwrócenia czyjejś uwagi); s
trącenie łokciem

nug·get ['nʌgɪt] s bryłka (np. złota)

nui·sance ['njusns] s przykrość;
dokuczliwość; osoba ⟨rzecz⟩ do-
kuczliwa ⟨uciążliwa⟩; to be a ~
zawadzać, dokuczać, dawać się
we znaki; what a ~ that child
is! jakie to dziecko jest nieznoś-
ne!

null [nʌl] adj nie istniejący, niebyły; prawn. nieważny; prawn.
~ and void nie mający praw-
nego znaczenia

nul·li·fy ['nʌlɪfaɪ] vt unieważnić

numb [nʌm] adj zdrętwiały, bez
czucia

num·ber ['nʌmbə(r)] s liczba; numer; gram. liczebnik; a ~ of
dużo; in ~s w wielkich iloś-
ciach, gromadnie; without ~ bez

liku; vt liczyć; liczyć sobie; za-
liczyć (among ⟨in⟩ do); numerować

num·ber·less ['nʌmbələs] adj niezliczony

nu·mer·al ['njumərl] s cyfra;
gram. liczebnik; adj liczbowy

nu·mer·a·tor ['njuməreɪtə(r)] s
mat. licznik

nu·mer·ous ['njumərəs] adj liczny

nun [nʌn] s zakonnica

nun·ci·o ['nʌnsɪəu] s nuncjusz

nup·tial ['nʌpʃl] adj ślubny, małżeński

nurse [nɜs] s niańka, mamka; pielęgniarz, pielęgniarka; bona; vt
niańczyć, pielęgnować; karmić;
hodować; żywić (uczucie)

nurse·ling ['nɜslɪŋ] s osesek

nurs·er·y ['nɜsrɪ] s pokój dziecinny; szkółka drzew; (także day
~) żłobek; ~ school przedszkole

nur·ture ['nɜtʃə(r)] vt karmić; wychowywać; kształcić; s opieka,
wychowanie; kształcenie; pożywienie

nut [nʌt] s orzech

nut·meg ['nʌtmeg] s gałka muszkatołowa

nu·tri·ment ['njutrɪmənt] s pokarm, środek odżywczy

nu·tri·tion [nju'trɪʃn] s odżywianie

nu·tri·tious [nju'trɪʃəs] adj pożywny, odżywczy

nu·tri·tive ['njutrɪtɪv] adj odżywczy; s środek odżywczy

nut·shell ['nʌtʃel] s łupina orzecha; in a ~ jak najkrócej, w
paru słowach

ny·lon ['naɪlɒn] s nylon; pl ~s ny-
lony (pończochy)

nymph [nɪmf] s nimfa

O

O, o [əu] *s* zero

oak [əuk] *s* (*także* ~ **tree**) dąb

oak·en [ˈəukən] *adj* dębowy

oak·um [ˈəukəm] *s* pakuły

oar [ɔː(r)] *s* wiosło; **to pull a good** ~ dobrze wiosłować; *przen.* **to put in one's** ~ wtrącać się w nieswoje sprawy; *vt vi* wiosłować

oars·man [ˈɔːzmən] *s* wioślarz

o·a·sis [əuˈeɪsɪs] *s* (*pl* **oases** [əuˈeɪsiːz]) oaza

oat [əut] *s* (*zw.* *pl* ~**s**) owies

oath [əuθ] *s* przysięga; przekleństwo; **to take 〈make, swear〉 an** ~ przysięgać

oat·meal [ˈəutmiːl] *s* owsianka

ob·du·rate [ˈobdjuərət] *adj* nieczuły; zatwardziały; uparty

o·be·dience [əˈbiːdɪəns] *s* posłuszeństwo

o·be·dient [əˈbiːdɪənt] *adj* posłuszny

o·bei·sance [əuˈbeɪsns] *s* głęboki ukłon; hołd; **to make 〈pay〉** ~ złożyć hołd

ob·e·lisk [ˈobəlɪsk] *s* obelisk

o·bese [əuˈbiːs] *adj* otyły

o·bes·i·ty [əuˈbiːsəti] *s* otyłość

o·bey [əˈbeɪ] *vt vi* słuchać, być posłusznym, przestrzegać (praw itp.)

o·bit·u·ar·y [əˈbɪtʃuəri] *adj* pośmiertny, żałobny; *s* nekrolog; ~ **notice** klepsydra

ob·ject 1. [ˈobdʒɪkt] *s* przedmiot; rzecz; cel; *gram.* dopełnienie

ob·ject 2. [əbˈdʒekt] *vt vi* zarzucać 〈mieć do zarzucenia〉 (coś komuś); protestować, oponować; sprzeciwiać się (**to sth** czemuś)

ob·jec·tion [əbˈdʒekʃn] *s* zarzut; sprzeciw; przeszkoda, trudność; **I have no** ~ **to it** to nie mam nic przeciwko temu

ob·jec·tion·a·ble [əbˈdʒekʃnəbl] *adj* budzący sprzeciw; niewłaściwy;

niepożądany; naganny; wstrętny

ob·jec·tive [obˈdʒektɪv] *adj* obiektywny, bezstronny; przedmiotowy; *gram.* ~ **case** biernik; *s* cel; obiektyw

ob·jec·tiv·i·ty [ˈobdʒekˈtɪvəti] *s* obiektywność

ob·ject-les·son [ˈobdʒɪkt lesn] *s* lekcja poglądowa

ob·jec·tor [əbˈdʒektə(r)] *s* wnoszący sprzeciw, oponent; **conscientious** ~ człowiek uchylający się od służby wojskowej z powodu nakazów sumienia

ob·li·ga·tion [ˈobliˈgeɪʃn] *s* zobowiązanie; obligacja, dług; **to be under an** ~ być zobowiązanym; **to undertake an** ~ zobowiązać się

ob·lig·a·to·ry [əˈblɪgətri] *adj* obowiązujący, obowiązkowy, wiążący

o·blige [əˈblaɪdʒ] *vt* zobowiązywać, zmuszać; obowiązywać; mieć moc wiążącą; sprawić przyjemność, wyświadczyć grzeczność usłużyć (**sb with sth** komuś czymś)

o·blig·ing [əˈblaɪdʒɪŋ] *adj* uprzejmy

ob·lique [əˈbliːk] *adj* skośny, nachylony; pośredni; *przen.* wykrętny, nieszczery; *gram.* zależny

ob·liq·ui·ty [əˈblɪkwəti] *s* pochyłość, nachylenie; *przen.* nieszczerość, dwulicowość

ob·lit·er·ate [əˈblɪtəreɪt] *vt* zatrzeć, zetrzeć, wykreślić; zniszczyć

ob·liv·i·on [əˈblɪvɪən] *s* zapomnienie, niepamięć

ob·liv·i·ous [əˈblɪvɪəs] *adj* zapominający, niepomny; **to be** ~ nie pamiętać (**of sth** o czymś)

ob·long [ˈobloŋ] *adj* podłużny; prostokątny

b·lo·quy [ˈobləkwɪ] s obmowa, zniesławienie; hańba

o·nox·ious [əbˈnokʃəs] adj wstrętny, odpychający, przykry

boe [ˈəubəu] s muz. obój

b·scene [əbˈsin] adj nieprzyzwoity, obsceniczny

b·scen·i·ty [əbˈsenətɪ] s niemoralność, sprośność

b·scure [əbˈskjuə(r)] adj ciemny; niezrozumiały; nieznany; niejasny; niewyraźny; fiz. ~ rays promienie niewidzialne; vt zaciemniać; przyćmiewać

b·scu·ri·ty [əbˈskjuərətɪ] s ciemność; niezrozumiałość; zapomnienie; to live in ~ żyć z dala od świata

b·se·quies [ˈobsɪkwɪz] s pl uroczystości żałobne, uroczysty pogrzeb

b·se·qui·ous [əbˈsikwɪəs] adj służalczy, uległy

b·serv·ance [əbˈzəvəns] s przestrzeganie ⟨poszanowanie⟩ (prawa, zwyczaju itp.); obchodzenie ⟨świąt⟩; obrzęd, rytuał

b·serv·ant [əbˈzəvənt] adj przestrzegający; uważny, spostrzegawczy

b·ser·va·tion [ˈobzəˈveɪʃn] s obserwacja, spostrzeganie; spostrzegawczość; uwaga, spostrzeżenie

b·serv·a·to·ry [əbˈzəvətrɪ] s obserwatorium

b·serve [əbˈzəv] s obserwować; spostrzegać; zauważyć, zrobić uwagę ⟨spostrzeżenie⟩; przestrzegać (ustaw itd.); zachowywać (zwyczaj itp.); obchodzić (święta itp.)

b·serv·er [əbˈzəvə(r)] s obserwator; człowiek przestrzegający (prawa, zwyczaju itp.)

ob·sess [əbˈses] vt (o myślach) prześladować; (o duchach) nawiedzać; nie dawać spokoju (sb komuś)

ob·ses·sion [əbˈseʃn] s obsesja, opętanie; natręctwo (myślowe)

ob·so·lete [ˈobsəlit] adj przesta-

rzały, nie będący (już) w użyciu

ob·sta·cle [ˈobstəkl] s przeszkoda; ~ race bieg z przeszkodami

ob·stet·rics [əbˈstetrɪks] s położnictwo

ob·sti·na·cy [ˈobstɪnəsɪ] s upór, zawziętość

ob·sti·nate [ˈobstɪnət] adj uparty, zawzięty; uporczywy

ob·struct [əbˈstrʌkt] vt zagradzać; wywoływać zator; przeszkadzać; hamować; wstrzymywać; zatykać, zapychać; powodować zaparcie

ob·struc·tion [əbˈstrʌkʃn] s przeszkoda; zator; zatamowanie; obstrukcja, zaparcie; utrudnienie

ob·tain [əbˈteɪn] vt otrzymać, uzyskać, osiągnąć; vi utrzymywać się, trwać; być w użyciu ⟨w mocy⟩; panować

ob·tain·a·ble [əbˈteɪnəbl] adj osiągalny, możliwy do nabycia

ob·trude [əbˈtrud] vt narzucać (sth on ⟨upon⟩ sb coś komuś); vi narzucać się (on ⟨upon⟩ sb komuś)

ob·tru·sion [əbˈtruʒn] s narzucanie się (on sb komuś); natręctwo

ob·tru·sive [əbˈtrusɪv] adj narzucający się, natrętny

ob·tuse [əbˈtjus] adj przytępiony; tępy, głupi; mat. (o kącie) rozwarty

ob·vi·ate [ˈobvɪeɪt] vt zapobiec (sth czemuś); ustrzec się; ominąć (przeszkodę)

ob·vi·ous [ˈobvɪəs] adj oczywisty

oc·ca·sion [əˈkeɪʒn] s okazja, sposobność; powód, przyczyna; on ~ okazyjnie, przy sposobności; to rise to the ~ stanąć na wysokości zadania; to take ~ skorzystać ze sposobności; vt spowodować, wywołać, wzbudzić

oc·ca·sion·al [əˈkeɪʒnl] adj okolicznościowy; przypadkowy, nieregularny; rzadki

Oc·ci·dent [ˈoksɪdənt] s Zachod

oc·cult [oˈkʌlt] adj tajemny; okultystyczny

oc·cult·ism [o`kʌltɪzm] s okultyzm

oc·cu·pant [`okjupənt] s posiadacz; mieszkaniec, lokator, użytkownik; pasażer (w pojeździe); cku-pant

oc·cu·pa·tion [`okju`peɪʃn] s okupacja; zajęcie, zawód; zajmowanie ⟨zamieszkiwanie⟩ (lokalu itd.)

oc·cu·pa·tion·al [`okju`peɪʃnl] adj (o ryzyku, chorobie itp.) zawodowy

oc·cu·py [`okjupaɪ] vt okupować; zajmować; posiadać

oc·cur [ə`kɜ(r)] vi zdarzać się; trafiać się, występować; przychodzić na myśl

oc·cur·rence [ə`kʌrns] s wydarzenie, wypadek; występowanie

o·cean [`əuʃn] s ocean

o'clock [ə`klok]: six ~ szósta godzina; zob. clock

Oc·to·ber [ok`təubə(r)] s październik

oc·to·pus [`oktəpəs] s (pl ~es, octopi [`oktəpaɪ]) zool. ośmiornica

oc·u·lar [`okjulə(r)] adj oczny; naoczny; s okular

oc·u·list [`okjulɪst] s okulista

odd [od] adj dziwny, dziwaczny; (o liczbie) nieparzysty; dodatkowy, ponad normę, z okładem; zbywający; przypadkowy; ~ jobs drobne ⟨dorywcze⟩ zajęcia; an ~ shoe (jeden) but nie do pary

odd·i·ty [`odɪtɪ] s dziwactwo, osobliwość

odd·ments [`odmənts] s pl odpadki, resztki

odds [odz] s pl nierówność; nierówna ilość; nierówna szansa; przewaga; różnica; niezgoda; prawdopodobieństwo, możliwość; it is no ~ to obojętne; it makes no ~ to nie stanowi różnicy; what's the ~? jaka różnica?; czy to nie wszystko jedno?; to be at ~ kłócić się, być w sprzeczności; ~ and ends = oddments

ode [əud] s oda

o·di·ous [`əudɪəs] adj wstrętny,

nienawistny, ohydny

o·dour [`əudə(r)] s zapach, woń posmak; reputacja

o'er [ɔ(r)] poet. = over

of [ov, əv] praep od, z, ze, na służy do tworzenia dopełniacz i przydawki: author of the boo autor książki; a friend of min mój przyjaciel; the city of Lon don miasto Londyn; a man o tact człowiek taktowny; okre śla miejsce lub pochodzenie: man of London człowiek z Lon dynu, londyńczyk; czas: of nice day pewnego pięknego dnia of late ostatnio; przyczynę: die of typhus umrzeć na tyfus tworzywo: made of wood zrobic ny z drewna; zawartość: a bott of milk butelka mleka; przyna leżność, podział, udział: to b one of the party należeć do to warzystwa; one of us jeden nas; odległość: within one mil of the school w obrębie jedne mili od szkoły; stosunek: re gardless of his will bez wzgléd na jego wolę; it is kind of yo to uprzejmie z twojej strony wiek: a man of forty człowie czterdziestoletni; po przymiotni ku ⟨przysłówku⟩ w stopniu naj wyższym: the best of all najlep szy ze wszystkich

off [of] praep od, z, ze; od strony spoza; z dala; na boku; w od ległościι; to take the picture ~ the wall zdjąć obraz ze ściany to stand ~ the road stać w pe wnej odległości od drogi; to take 10% ~ the price potrącić 10% ceny; ~ the mark nietrafny, chy biony (strzał); to be ~ duty nie być na służbie; adv precz, her daleko, daleko od ⟨środka, celu głównego tematu itd.⟩; hands ~ precz z rękami!; the button is ~ guzik się urwał; the electricity is ~ elektryczność jest wyłączo na; I must be ~ muszę odejść you ought to keep ~ powinie-

...eś trzymać się na uboczu ⟨z ...ala⟩; this dish is ~ to danie ...est skreślone z karty; ~ and on, ...n and ~ od czasu do czasu; z ...rzerwami; *adj* dalszy, odległy; ...eżący obok; ~ **street** boczna u-...ca; ~ **day, day** ~ dzień wolny ...d pracy; **well** ~ zamożny

...**al** [ˈofl] *s zbior.* odpadki; mię-...o ⟨ryby⟩ najniższego gatunku ...np. podroby)

...**fence** [əˈfens] *s* obraza; zaczep-...a; przestępstwo, przekroczenie; ...o **take** ~ obrazić się (at sth z ...owodu czegoś); to **give** ~ obra-...ić ⟨dotknąć⟩ (to sb kogoś)

...**fend** [əˈfend] *vt* obrazić, ura-...ić; *vi* wykroczyć (**against** sth ...rzeciwko czemuś)

...**fend·er** [əˈfendə(r)] *s* obrażają-...y; winowajca, popełniający wy-...roczenie, przestępca; **first** ~ ...rzestępca karany po raz pierw-...zy

...**fen·sive** [əˈfensɪv] *adj* zaczep-...y, napastliwy; obraźliwy; odra-...ający; *s* ofensywa; **to be on the** ...~ być w ofensywie; **to take the** ...~ przejść do ofensywy

...**fer** [əˈfɜ(r)] *vt* ofiarować, ofe-...ować; przedkładać; proponować; ...okazywać gotowość; wystawiać ...na sprzedaż (**goods** towary); **to** ...~ **resistance** stawiać opór; *vi* ...wystąpić z propozycją; oświad-...czyć się; (*o okazji itp.*) trafić się; ...*s* propozycja, oferta (*także handl.*)

...**fer·ing** [ˈofrɪŋ] *ppraes i s* ofia-...ra; propozycja, oferta

...**f-hand** [of ˈhænd] *adv* szybko, z ...miejsca, bez przygotowania; bez-...ceremonialnie; *adj attr* szybki; ...improwizowany, zrobiony od rę-...ki; bezceremonialny

...**-fice** [ˈofɪs] *s* urząd, biuro; mi-...nisterstwo; urzędowanie, służba, ...posada, obowiązek służbowy; na-...bożeństwo; przysługa; **to be in** ~ ...piastować urząd, sprawować rzą-

dy; **to be out of** ~ być w opozy-
cji (np. o partii); **to take** ⟨**enter
upon**⟩ ~ objąć urząd

of·fi·cer [ˈofɪsə(r)] *s* oficer; urzędnik; funkcjonariusz

of·fi·cial [əˈfɪʃl] *adj* oficjalny, u-
rzędowy; *s* urzędnik

of·fi·ci·ate [əˈfɪʃɪeɪt] *vi* urzędować;
pełnić obowiązki (urzędowe, religijne itd.)

of·fi·cious [əˈfɪʃəs] *adj* półurzędowy; natrętny, narzucający się;
nadgorliwy

off-li·cence [ˈof laɪsns] *s bryt.* koncesja na sprzedaż alkoholu na
wynos

off-print [ˈof prɪnt] *s* odbitka (ar-
tykułu)

off·set [ˈofset] *s* odgałęzienie, odnoga; potomek; wynagrodzenie,
wyrównanie (straty, długu);
druk. offset; *vt* wyrównać, zrównoważyć, wynagrodzić; drukować offsetem

off·shoot [ˈofʃut] *s* odgałęzienie,
odrośl; potomek z bocznej li-
nii

off·spring [ˈofsprɪŋ] *s* potomek

of·ten [ˈofn] *adv* często

o·gle [ˈəʊgl] *vt* zerkać ⟨patrzeć za-
lotnie⟩ (sb na kogoś); *vi* robić o-
ko (at sb do kogoś); *s* zerkanie

o·gre [ˈəʊgə(r)] *s* ludożerca (w baj-
kach)

oil [ɔɪl] *s* oliwa, olej; farba olejna; nafta; **to strike** ~ trafić na
źródło nafty; *przen.* mieć szczęście; *przen.* **to pour** ~ **on the
flame** dolać oliwy do ognia; *vt*
smarować, oliwić

oil·cloth [ˈɔɪlkloθ] *s* cerata

oil-col·our [ˈɔɪl kʌlə(r)] *s* farba o-
lejna

oil-field [ˈɔɪl fild] *s* pole naftowe

oil-paint·ing [ˈɔɪl peɪntɪŋ] *s* malarstwo olejne; obraz olejny

oil·skin [ˈɔɪl skɪn] = **oilcloth**; *pl*
~**s** ubranie nieprzemakalne

oil·y [ˈɔɪlɪ] *adj* oleisty; natłuszczony; *przen.* gładki, pochlebczy, służalczy

oint·ment ['ɔɪntmənt] *s* maść

O.K., okay ['əu'keɪ] *adv pot.* dobrze, w porządku; *interj* dobrze!; *adj praed* (będący) w porządku ⟨w dobrym stanie, na miejscu⟩; *vt pot.* zaaprobować

old [əuld] *adj* stary; dawny; były; ~ age starość; ~ age pension renta starcza; ~ hand stary praktyk; ~ pupil były uczeń, absolwent; times of ~ dawno minione czasy

old-fash·ioned ['əuld'fæʃnd] *adj* staromodny; niemodny

ol·ive ['ɔlɪv] *s* oliwka; (*także* ~ -tree) drzewo oliwne

olive-branch ['ɔlɪvbrantʃ] *s* gałązka oliwna

Olym·pic [ə'lɪmpɪk] *adj* olimpijski; the ~ Games igrzyska olimpijskie

o·men ['əumen] *s* zły znak, wróżba, omen

om·i·nous ['ɔmɪnəs] *adj* złowieszczy, fatalny

o·mis·sion [ə'mɪʃn] *s* opuszczenie, przeoczenie; zaniedbanie

o·mit [ə'mɪt] *adj* opuścić, pominąć, przeoczyć

om·ni·bus ['ɔmnɪbəs] *s* omnibus

om·nip·o·tent [ɔm'nɪpətənt] *adj* wszechmocny

om·nis·cient [ɔm'nɪʃnt] *adj* wszechwiedzący

on [ɔn] *praep* na, nad, u, przy, po, w; on foot piechotą; on horseback konno; on Monday w poniedziałek; on my arrival po moim przybyciu; *adv* dalej, naprzód; na sobie; and so on i tak dalej; from now on od tej chwili (na przyszłość); read on czytaj dalej; with my overcoat on w palcie; the light is on światło jest zapalone; the play is on sztuka jest grana na scenie

once [wʌns] *adv* raz, jeden raz; kiedyś (w przyszłości); (*także* ~ upon a time) pewnego razu; nie-

gdyś; ~ again ⟨more⟩ jeszcze r ~ and again raz po raz; ~ all raz na zawsze; all at ~ gle; at ~ naraz, od razu, za natychmiast; równocześnie; c skoro, skoro już, skoro tylko raz; for this ~ tylko tym zem

one [wʌn] *num adj* jeden, je ny, niejaki, pewien; *pron* kt no ~ nikt; w połączeniu z t this, that i przymiotnikami: t this ~ ten; the red ~ ten cz wony; *pron impers* ~ lives ż się; ~ never knows nigdy wiadomo; *pron zastępczy:* I do want this book, give me anoth ~ nie chcę tej książki, daj inną

one-armed ['wʌn'amd] *adj* jedn ręki

one-eyed ['wʌn'aɪd] *adj* jednook

one·self [wʌn'self] *pron* sam, s jeden, bez pomocy; (*same*) siebie, się, sobie, sobą

one-sid·ed ['wʌn'saɪdɪd] *adj* jedr stronny

on·ion ['ʌnɪən] *s* cebula

on·look·er ['ɔnlukə(r)] *s* widz

on·ly ['əunlɪ] *adj* jedyny; *adv* t ko, jedynie; dopiero

on·rush ['ɔnrʌʃ] *s* napad; napó poryw

on·set ['ɔnset] *s* najście; zryw; p czątek

on·ward ['ɔnwəd] *adj* idący ⟨sk rowany⟩ naprzód ⟨ku przodow *adv* naprzód, dalej, ku przod wi

on·wards ['ɔnwədz] = onward *a*

ooze [uz] *s* muł, szlam; *vi* (*tak* ~ out ⟨away⟩) przeciekać, sącz się

o·pen ['əupən] *adj* otwarty; odsł nięty, obnażony; publiczn szczery; skłonny; ~ air wol ⟨świeże⟩ powietrze; ~ to dou wątpliwy; to lay ~ odsłonić, v jawnić; *vt vi* otwierać (się); ol jawiać, ogłaszać; rozpoczyna (się); *s* wolna przestrzeń, otwa.

te pole, świeże powietrze

o**·pen-heart·ed** [ˈəupənˈhɑtɪd] *adj*
szczery, serdeczny

o**·pen·ing** [ˈəupnɪŋ] *ppraes* i *s* otwór; otwarcie; początek; wolna
przestrzeń; wakans; okazja, szansa

o**·pen-mind·ed** [ˈəupənˈmaɪndɪd] *adj*
mający szerokie poglądy; bez u-
przedzeń, bezstronny

op**·er·a** [ˈɔprə] *s* opera

op**·er·a-glass** [ˈɔprəɡlɑs] *s* (*zw.* pl
~es) lornetka teatralna

op**·er·ate** [ˈɔpəreɪt] *vt vi* działać;
powodować działanie; oddziały-
wać; operować (**on** ⟨**upon**⟩ sb kogoś); wprawiać w ruch, obsługiwać (np. maszynę); spekulować
(**na** giełdzie); *am.* kierować
(czymś), eksploatować (coś)

op**·er·at·ic** [ˈɔpəˈrætɪk] *adj* opero-
wy

op**·er·a·tion** [ˈɔpəˈreɪʃn] *s* operacja;
działanie; *am.* kierownictwo, eksploatacja

op**·er·a·tive** [ˈɔprətɪv] *adj* czynny,
skuteczny, działający; obowiązujący; praktyczny; techniczny; o-
peracyjny; *s* robotnik obsługują-
cy maszynę

op**·er·a·tor** [ˈɔpəreɪtə(r)] *s* operator; robotnik (pracownik) obsłu-
gujący maszynę, aparat itd.; te-
lefonista; *am.* kierownik

op**·er·et·ta** [ˈɔpəˈretə] *s* operetka

o**·pin·ion** [əˈpɪnɪən] *s* opinia, zdanie, pogląd; **in my** ~ moim zdaniem; **public** ~ opinia publiczna;
~ **poll** badanie opinii (publicznej)

op**·por·tune** [ˈɔpətjun] *adj* dogodny; pomyślny; odpowiedni

op**·por·tun·ism** [ˈɔpəˈtjunɪzm] *s* o-
portunizm

op**·por·tu·ni·ty** [ˈɔpəˈtjunətɪ] *s* sposobność; **to take** ⟨**seize**⟩ **the** ~
skorzystać ze sposobności

op**·pose** [əˈpəuz] *vt* przeciwstawiać
⟨sprzeciwiać⟩ się (sb, sth komuś,
czemuś); oponować; **to be** ~**d**
sprzeciwiać się (**to** sb, sth ko-

muś, czemuś); stanowić przeciwieństwo (**to** sb, sth kogoś, czegoś)

op**·po·site** [ˈɔpəzɪt] *adj* przeciwległy, przeciwny; (znajdujący
się) naprzeciwko; *s* przeciwieństwo; *adv praep* naprzeciwko

op**·po·si·tion** [ˈɔpəˈzɪʃn] *s* opozycja, opór; przeciwstawienie

op**·press** [əˈpres] *vt* uciskać, gnębić; męczyć

op**·pres·sion** [əˈpreʃn] *s* ucisk; znużenie

op**·press·ive** [əˈpresɪv] *adj* uciska-
jący, gnębiący; ciążący; męczący;
(*o pogodzie*) duszny

op**·pro·bri·um** [əˈprəubrɪəm] *s* hańba, niesława

op**·tic** [ˈɔptɪk] *adj* optyczny

op**·tics** [ˈɔptɪks] *s* optyka

op**·ti·mism** [ˈɔptɪmɪzm] *s* optymizm

op**·ti·mis·tic** [ˈɔptɪˈmɪstɪk] *adj* op-
tymistyczny

op**·tion** [ˈɔpʃn] *s* prawo wyboru,
wybór

op**·tion·al** [ˈɔpʃnl] *adj* dowolny;
nadobowiązkowy, fakultatywny

op**·u·lence** [ˈɔpjuləns] *s* zamożność,
bógactwo, obfitość

or [ə(r)] *conj* lub, albo; bo inaczej;
czy; czyli

o**·ra·cle** [ˈɔrəkl] *s* wyrocznia

o**·ral** [ˈɔrl] *adj* ustny; *med.* doust-
ny

or**·ange** [ˈɔrɪndʒ] *s* pomarańcza;
adj attr (*o kolorze*) pomarańczo-
wy

or**·ange·ade** [ˈɔrɪnˈdʒeɪd] *s* oranżada

o**·rang-ou·tang** [əˈræŋ uˈtæŋ] *s* o-
rangutan

o**·ra·tion** [əˈreɪʃn] *s* mowa, uroczyste przemówienie

or**·a·tor** [ˈɔrətə(r)] *s* mówca, orator

or**·bit** [ˈɔbɪt] *s* orbita

or**·chard** [ˈɔtʃəd] *s* sad

or**·ches·tra** [ˈɔkɪstrə] *s* orkiestra;
teatr. parter

or**·chid** [ˈɔkɪd] *s bot.* storczyk

or**·dain** [ɔˈdeɪn] *vt* zarządzić; mianować; (*o losie itd.*) zrządzić; *rel.* wyświęcić (na księdza)

or·deal [ɔ'dil] *s* sąd Boży; próba (życiowa, ognia); ciężkie przeżycie

or·der ['ɔdə(r)] *vt* rozkazywać; zarządzać; zamawiać; porządkować; ~ away odprawić; ~ out kazać wyjść (**sb** komuś); *s* rozkaz; dekret, zarządzenie; porządek; zamówienie; cel, zamiar; order; *bank.* zlecenie; *biol. mat.* rząd; *pl* ~s święcenia kapłańskie; in working ~ zdatny do użytku; działający; out of ~ nie w porządku, zepsuty; made to ~ zrobiony na zamówienie; money ⟨postal⟩ ~ przekaz pieniężny; in ~ that, in ~ to ażeby

or·der·ly ['ɔdəlɪ] *adj* porządny; systematyczny; spokojny, zdyscyplinowany; *wojsk.* służbowy; *s* posługacz (w szpitalu); *wojsk.* ordynans

or·di·nal ['ɔdɪnl] *adj* porządkowy; *s gram.* liczebnik porządkowy

or·di·nance ['ɔdɲəns] *s* zarządzenie; *rel.* obrzęd

or·di·na·ry ['ɔdɲrɪ] *adj* zwyczajny; *s* rzecz zwyczajna; norma, przeciętność; in ~ stały, etatowy; **physician in** ~ lekarz nadworny

ord·nance ['ɔdɲəns] *s zbior.* armaty, artyleria; intendentura (wojskowa); uzbrojenie (broń i amunicja)

ord·nance-map ['ɔdɲəns mæp] *s* mapa sztabu generalnego

ore [ɔ(r)] *s geol.* ruda; kruszec

or·gan ['ɔgən] *s* organ; *muz.* organy

or·gan·ic [ɔ'gænɪk] *adj* organiczny

or·gan·ism ['ɔgənɪzm] *s* organizm

or·gan·i·za·tion ['ɔgənaɪ'zeɪʃn] *s* organizacja

or·gan·ize ['ɔgənaɪz] *vt* organizować

or·gy ['ɔdʒɪ] *s* orgia

o·ri·ent ['ɔrɪənt] *s lit.* wschód; *vt* = orientate

o·ri·en·tal ['ɔrɪ'entl] *adj* orientalny, wschodni; *s* mieszkaniec Bliskiego Wschodu

o·ri·en·tate ['ɔrɪənteɪt] *vt* orientować, nadawać kierunek; *vr* ~ oneself orientować się (w terenie według stron świata)

o·ri·en·ta·tion ['ɔrɪən'teɪʃn] *s* orientacja

or·i·fice ['ɔrəfɪs] *s* otwór, ujście, wylot

or·i·gin ['ɔrədʒɪn] *s* pochodzenie, początek, geneza

o·rig·i·nal [ə'rɪdʒnl] *adj* oryginalny; początkowy, pierwotny; *s* oryginał

o·rig·i·nal·i·ty [ə'rɪdʒə'nælətɪ] *s* oryginalność

o·rig·i·nate [ə'rɪdʒɪneɪt] *vt* dawać początek, zapoczątkowywać, tworzyć; *vi* powstawać (**in sth z** czegoś); pochodzić (**from sth** od czegoś)

o·rig·i·na·tion [ə'rɪdʒɪ'neɪʃn] *s* pochodzenie; powstawanie

o·rig·i·na·tor [ə'rɪdʒɪneɪtə(r)] *s* twórca, sprawca

or·na·ment ['ɔnəmənt] *s* ornament, ozdoba; *vt* ['ɔnəment] zdobić, upiększać

or·nate [ɔ'neɪt] *adj* zdobny; (*o stylu*) kwiecisty

or·phan ['ɔfən] *s* sierota; *adj* sierocy, osierocony

or·phan·age ['ɔfənɪdʒ] *s* sieroctwo; sierociniec

or·tho·dox ['ɔθədɔks] *adj* ortodoksyjny; *rel.* prawosławny

or·thog·ra·phy [ɔ'θɔgrəfɪ] *s* ortografia

os·cil·late ['ɔsɪleɪt] *vt* oscylować; wahać się

os·su·a·ry ['ɔsjərɪ] *s* kostnica

os·ten·si·ble [ɔ'stensəbl] *adj* pozorny, rzekomy

os·ten·ta·tion ['osten'teɪʃn] *s* ostentacja

os·ten·ta·tious ['osten'teɪʃəs] *adj* ostentacyjny

t·ler [`oslə(r)] s stajenny

·trich [`ostritʃ] s zool. struś

h·er [`ʌðə(r)] adj pron inny, drugi, jeszcze jeden; each ~ jeden drugiego, nawzajem; every ~ day co drugi dzień; on the ~ hand z drugiej strony; the ~ day onegdaj

h·er·wise [`ʌðəwaɪz] adv inaczej, w inny sposób; skądinąd, poza tym, z innych powodów; pod innym względem; w przeciwnym razie, bo inaczej

t·ter [`otə(r)] s zool. wydra

ught [ɔt] v aux powinienem, powinieneś itd.; it ~ to be done powinno się ⟨należy⟩ to zrobić

unce [auns] s uncja (jednostka ciężaru)

ur [`auə(r)] pron nasz (przed rzeczownikiem)

urs [`auəz] pron nasz (bez rzeczownika); this house is ~ ten dom jest nasz

ur·selves [a`selvz] pron sami, my sami; się, (samych) siebie, sobie, sobą

ust [aust] vt wyrzucić, usunąć, wyrugować

ut [aut] adv na zewnątrz; hen; precz; poza domem, na dworze; ~ with him! precz z nim!; he is ~ nie ma go w domu; the ministers are ~ ministrowie nie są u władzy; the fire is ~ ogień zgasł; the week is ~ tydzień minął; my patience is ~ moja cierpliwość się wyczerpała; the book is ~ książka wyszła drukiem; the secret is ~ tajemnica wyszła na jaw; the flowers are ~ kwiaty rozkwitły; praep w połączeniu z of poza; bez; z, przez; ~ of curiosity przez ciekawość; ~ of date przestarzały, niemodny; ~ of doors na świeżym powietrzu; ~ of doubt bez wątpienia; ~ of favour w niełasce; ~ of place nie na miejscu; ~ of reach poza zasięgiem; ~ of sight poza zasięgiem wzroku, niewidoczny; ~

of spite ze złości; ~ of work bez pracy, bezrobotny; adj zewnętrzny; sport nie na własnym boisku; s pl ~s nieobecni, ci, których już nie ma (w urzędzie, grze itd.); vt wyrzucić; sport znokautować

out·bal·ance [aut`bæləns] vt przeważyć

•out·bid [aut`bɪd], outbade [aut`beɪd], outbidden [aut`bɪdn] lub outbid, outbid vt przelicytować

out·break [`autbreɪk] s wybuch (wojny, epidemii, gniewu)

out·burst [`autbɜst] s wybuch (także śmiechu, gniewu itd.)

out·cast [`autkast] adj wypędzony, odepchnięty; s wyrzutek; banita

out·caste [`autkast] s człowiek wykluczony z kasty (w Indiach)

out·come [`autkʌm] s wynik

out·cry [`autkraɪ] s okrzyk, krzyk; wrzask

•out·do [aut`du], outdid [aut`dɪd], outdone [aut`dan] vt przewyższyć, prześcignąć

out·door [aut`dɔ(r)] adj attr będący poza domem; (np. o sportach) na świeżym powietrzu; pozazakładowy; (o ubraniu) wyjściowy

out·doors [aut`dɔz] adv na zewnątrz (domu), na świeżym powietrzu

out·er [`autə(r)] adj zewnętrzny; the ~ man zewnętrzny wygląd człowieka

out·er·most [`autəməust] adj najdalszy od centrum ⟨środka⟩

out·fit [`autfɪt] s wyposażenie, sprzęt, ekwipunek; komplet narzędzi

out·flow [`autfləu] s odpływ (np. wody)

•out·go [aut`gəu], outwent [aut`went], outgone [aut`gon] vt prześcignąć, wyprzedzić

out·go·ing [aut`gəuɪŋ] s wyjście, odejście; pl ~s wydatki; adj odchodzący; (o rządzie itp.) ustępujący

out·gone zob. outgo

*out·grow [aut`grəu], **outgrew** [aut`gru], **outgrown** [aut`grəun] *vt* przerastać (kogoś); wyrastać (np. z ubrania)

out·growth [`autgrəuθ] *s* wyrostek, narośl; wynik, następstwo

out·ing [`autɪŋ] *s* wycieczka, wypad

out·land·ish [aut`lændɪʃ] *adj* cudzoziemski, obcy; odległy

out·last [aut`last] *vt* trwać dłużej (sth niż coś); przetrwać, przeżyć

out·law [`autlɔ] *s* banita, człowiek wyjęty spod prawa; *vt* wyjąć spod prawa; zakazać

out·lay [`autleɪ] *s* wydatek

out·let [`autlet] *s* wylot, ujście

out·line [`autlaɪn] *s* zarys, szkic; *vt* zarysować, naszkicować

out·live [aut`lɪv] *vt* przeżyć, przetrwać

out·look [`autluk] *s* widok; pogląd; obserwacja, punkt obserwacyjny; **to be on the ~** rozglądać się (for sth za czymś), czatować

out·ly·ing [`autlaɪɪŋ] *adj* leżący na uboczu, oddalony

out·most [`autməust] *adj* = outermost; *s w zwrocie:* **at the ~** najwyżej

out·num·ber [aut`nʌmbə(r)] *vt* przewyższać liczebnie

out-of-date [`aut əv deɪt] *adj* przestarzały, niemodny

out-of-doors [`aut əv dɔz] *adj* = outdoor; *adv* = outdoors

out-of-the-way [`aut əv ðə `weɪ] *adj attr* leżący z dala od drogi, odległy, oddalony; niezwykły, dziwny

out·pa·tient [`autpeɪʃnt] *s* pacjent ambulatoryjny

out·post [`autpəust] *s* posterunek (wysunięty), przednia placówka

out·pour [aut`pɔ(r)] *vt vi* wylewać (się); *s* [`autpɔ(r)] wylew

out·put [`autput] *s* produkcja, wydajność; plon; *górn.* wydobycie

out·rage [`aut-reɪdʒ] *s* obraza (ciężka), zniewaga; pogwałcenie; *vt* [aut`reɪdʒ] znieważyć; pogwałcić; zhańbić; urągać (przyzwoitośc itd.)

out·ra·geous [aut`reɪdʒəs] *adj* o rażający, znieważający; skand liczny, niesłychany

out·ran *zob.* **outrun**

*out·ride [aut`raɪd], **out·rode** [a `rəud], **out·rid·den** [aut`rɪdn] prześcignąć (w jeździe), wyprz dzić; (*o statku*) przetrzymać (b rzę)

out·right [`aut-raɪt] *adj* otwart szczery, uczciwy; całkowity, z pełny; *adv* [aut`raɪt] otwarci szczerze, wprost; całkowicie, pełni; natychmiast, z miejsca

*out·run [aut`rʌn], **out·ran** [a `ræn], **out·run** [aut`rʌn] *vt* w przedzić w biegu, prześcignąc wykroczyć (sth poza coś)

out·set [`autset] *s* początek

out·side [aut`saɪd] *adv* zewnątr na zewnątrz; *praep* (*także* ~ o poza ⟨przed⟩ czymś; na zewnąt (czegoś); *s* zewnętrzna strona; ze wnętrzny wygląd; *adj* at [`autsaɪd] zewnętrzny; (*leżący, rc biony itd.*) poza domem

out·sid·er [aut`saɪdə(r)] *s* (człowiek postronny, obcy; laik; outsider

out·size [aut`saɪz] *adj* (*o rozmiarz* nietypowy; (*o sklepie*) dla nie typowych

out·skirts [`autskɜts] *s pl* kranieć peryferie, kresy

out·spo·ken [aut`spəukən] *adj* szcze ry, otwarty; mówiący szczerze powiedziany otwarcie

out·spread [aut`spred] *adj* rozpo starty

out·stand·ing [aut`stændɪŋ] *adj* wy bitny; wystający; zaległy, ni załatwiony

out·stay [aut`steɪ] *vt* pozostać dłu żej (sb niż ktoś), przetrzyma (sb kogoś)

out·stretch [aut`stretʃ] *vt* rozcią gać, rozpościerać

out·strip [aut`strip] *vt* prześcignąć przewyższyć

ut·vote [aut`vəut] *vt* przegłosować

ut·ward [`autwəd] *adj* zewnętrzny; skierowany na zewnątrz; widoczny; powierzchowny; odjeżdżający ⟨*zw.* za granicę⟩; (o podróży, bilecie *zw.* za granicę) docelowy; *s* strona zewnętrzna; powierzchowność; *adv* = outwards

ut·wards [`autwədz] *adv* po stronie zewnętrznej, na zewnątrz; poza granice (kraju, miasta)

ut·weigh [aut`wei] *vt* przeważyć; przewyższać

ut·went zob. **outgo**

ut·wit [aut`wit] *vt* przechytrzyć, podstępnie podejść (sb kogoś)

ut·work [`autwɜk] *s* praca wykonywana poza domem ⟨poza zakładem pracy⟩; praca chałupnicza; *wojsk.* umocnienie zewnętrzne

ut·worn [aut`wɔn] *adj* znoszony; przestarzały; znużony

·val [`əuvl] *adj* owalny; *s* owal

·va·ry [`əuvəri] *s* anat. jajnik

·va·tion [əu`vei∫n] *s* owacja

·ven [ʌvn] *s* piec

·ver 1. [`əuvə(r)] *praep* nad, ponad, powyżej; na, po, w; przez, poprzez; po drugiej stronie, za, poza, all ~ wszędzie, po całym (np. pokoju); *adv* na drugą stronę, po drugiej stronie; po powierzchni; całkowicie; od początku do końca; więcej, zbytnio, z okładem; ponownie, jeszcze raz, znowu; all ~ wszędzie, po całym ⟨świecie, mieście itd.⟩; od początku ⟨końca⟩ do końca; to be ~ minąć; it is ~ with him on jest skończony; ~ again raz jeszcze; ~ and again co jakiś czas

·ver 2. [`əuvə(r)] *praef* nad-, na-, prze-

·ver·all [`əuvər`ɔl] *adj* ogólny, kompletny; *s pl* ~s [`əuvərəls] kombinezon; kitel

·ver·ate zob **overeat**

·ver·awe [`əuvər`ɔ] *vt* trwożyć, przejmować strachem

o·ver·bal·ance [`əuvə`bæləns] *vt* przeważyć, przewrócić; *vi* stracić równowagę, przewrócić się; *s* przewaga

*o·ver·bear [`əuvə`beə(r)], **o·ver·bore** [`əuvə`bɔ(r)], **o·ver·borne** [`əuvə`bɔn] *vt* przemóc, pokonać; ciemiężyć; przewyższać; lekceważyć

o·ver·bear·ing [`əuvə`beəriŋ] *adj* dumny, wyniosły, butny; władczy; despotyczny

o·ver·board [`əuvəbɔd] *adv* za burtę; to throw ~ *przen.* porzucić, poniechać

o·ver·bore zob. **overbear**

o·ver·borne zob. **overbear**

o·ver·bur·den [`əuvə`bɜdn] *vt* przeciążyć

o·ver·came zob. **overcome**

*o·ver·cast, overcast, overcast [`əuvə`kast] *vt* pokryć; zasłonić; zaciemnić; przygnębić; *adj* pochmurny, posępny

o·ver·charge [`əuvə`t∫adʒ] *vt* przeładować, przeciążyć; zażądać zbyt wysokiej ceny; *s* przeciążenie; nałożenie ⟨żądanie⟩ nadmiernej ceny

o·ver·coat [`əuvəkəut] *s* palto, płaszcz

*o·ver·come [`əuvə`kʌm], **overcame** [`əuvə`keim], **overcome** *vt* przemóc, opanować, pokonać, przezwyciężyć

o·ver·crowd [`əuvə`kraud] *vt* przepełnić (ludźmi), zatłoczyć

*o·ver·do [`əuvə`du], **overdid** [`əuvə`did], **overdone** [`əuvə`dʌn] *vt* przebrać miarę; przekroczyć (granice przyzwoitości itd.); przesadzić ⟨w czymś⟩; przegotować, przesmażyć itp.; przeciążyć pracą

o·ver·draft [`əuvədraft] *s* handl. przekroczenie konta; czek bez pokrycia

over·dress [`əuvə`dres] *vt* *vi* stroić (się); ubierać (się) zbyt strojnie ⟨drogo⟩

o·ver·due [`əuvə`dju] *adj* opóźniony; *handl.* (*o terminie*) przekroczony; (*o rachunku*) zaległy

*o·ver·eat ['əuvər'it], overate ['əuvər'et], overeaten ['əuvər'itn] *vr* ~ oneself przejeść się

o·ver·es·ti·mate ['əuvər'estimeit] *vt* przecenić wartość ⟨znaczenie⟩ (sb, sth kogoś, czegoś); *s* ['əuvər'estimət] zbyt wysokie oszacowanie

o·ver·flow ['əuvə'fləu] *vt vi* przelewać się (sth przez coś); przepełniać, zalewać; (*o rzece*) wylewać; obfitować (with sth w coś); *s* ['əuvəfləu] zalew, wylew; nadmiar

*o·ver·grow ['əuvə'grəu], overgrew ['əuvə'gru], overgrown ['əuvə'grəun] *vt* porastać, zarastać; przerastać; *vi* szybko ⟨nadmiernie⟩ rosnąć

o·ver·growth ['əuvəgrəuθ] *s* pokrywa roślinna; zbyt szybki ⟨bujny⟩ wzrost; rozrost, przerost

*o·ver·hang ['əuvə'hæŋ], overhung, overhung ['əuvə'hʌŋ] *vt vi* zwisać, wisieć, wystawać; zagrażać, wisieć nad głową

o·ver·haul ['əuvə'həl] *vt* gruntownie przeszukać, dokładnie zbadać; poddać kapitalnemu remontowi; *s* ['əuvəhəl] gruntowny przegląd; general ~ remont kapitalny

o·ver·head ['əuvə'hed] *adv* nad głową, u góry; powyżej; *adj attr* ['əuvəhed] znajdujący się u góry ⟨nad głową⟩; górny; napowietrzny; *handl.* ~ charges ⟨costs⟩ koszty ogólne; *s pl* ~s ['əuvəhedz] koszty ogólne

*o·ver·hear ['əuvə'hɪə(r)] overheard, overheard ['əuvə'hɜd] *vt* podsłuchać

o·ver·hung *zob.* overhang

o·ver·land ['əuvə'lænd] *adv* lądem; *adj attr* ['əuvəlænd] lądowy

o·ver·lap ['əuvə'læp] *vt vi* zachodzić jedno na drugie ⟨na siebie⟩ (np. o dachówkach); (częściowo)

pokrywać się

o·ver·load ['əuvə'ləud] *vt* przeci żyć, przeładować; *s* ['əuvələu przeciążenie, przeładowanie

o·ver·look ['əuvə'luk] *vt* przeoczy pominąć; zamykać oczy (sth ı coś); wystawać ⟨wznosić się⟩ (st ponad coś); (*o oknie*) wychodz (the street etc. na ulicę itd. nadzorować

o·ver·night ['əuvə'nait] *adv* prze noc, na noc; (od) poprzednieg wieczoru

o·ver·paid *zob.* overpay

o·ver·pass ['əuvə'pas] *vt* przejś przejechać; przekroczyć; prze zwyciężyć; pominąć; *s* am. wi dukt

*o·ver·pay ['əuvə'pei], o·ver·pai o·ver·paid ['əuvə'peid] *vt* przepł cić, nadpłacić

o·ver·pop·u·late ['əuvə'popjuleit] ▪ przeludnić

o·ver·pow·er ['əuvə'pauə(r)] *vt* prze móc, pokonać; przytłoczyć, zmó (kogoś czymś)

o·ver·print ['əuvəprint] *s* nadruk vt ['əuvə'print] nadrukować

o·ver·pro·duc·tion ['əuvəprə'dʌkʃ s nadprodukcja

o·ver·ran *zob.* overrun

o·ver·rate ['əuvə'reit] *vt* przecen

*o·ver·ride ['əuvə'raid], overrod ['əuvə'rəud], overridden ['əuvə'ridn] *vt* przejechać; podeptać zajeżdżić (konia); *przen.* potrak tować z góry; odrzucić (np. pro pozycję); przełamać (np. opór)

o·ver·rule ['əuvə'rul] *vt* opanowa wziąć górę (sb, sth nad kimś czymś); *prawn.* unieważnić, od rzucić, uchylić; zlekceważyć

*o·ver·run ['əuvə'rʌn], overra ['əuvə'ræn], overrun ['əuvə'rʌn *vt* najechać (np. kraj); pokona spustoszyć; przekroczyć granic (sth czegoś); (*o wodzie*) zalewa (okolicę itd.)

o·ver·sea(s) ['əuvə'si(z)] *adv* za mo rzem, za morze; *adj attr* zamor ski o·ver·se·er [ˈəuvəsiə(r)] s nadzorca

o·ver·shad·ow [ˈəuvəˈʃædəu] vt dosł.
i przen. rzucać cień (sth na coś);
przyciemnić; zaćmić

o·ver·shoe [ˈəuvəʃu] s kalosz, bot

o·ver·sight [ˈəuvəsait] s przeoczenie; nadzór

o·ver·size [ˈəuvəˈsaiz] adj zbyt ⟨za⟩
duży

*o·ver·sleep [ˈəuvəˈslip], overslept,
overslept [ˈəuvəˈslept] vt prze-
spać; vi (także vr ~ oneself) zaspać

*o·ver·spread, overspread, over-
spread [ˈəuvəˈspred] vt pokrywać

o·ver·state [ˈəuvəˈsteit] vt przesadzić (sth w czymś)

o·ver·step [ˈəuvəˈstep] vt przekroczyć

o·ver·stock [ˈəuvəˈstok] vt przepełnić (zapasami), zapchać (towarem itd.)

o·ver·strain [ˈəuvəˈstrein] vt naciągnąć; dosł. i przen. przeciągnąć (strunę); przeciążyć (np. pracą); s [ˈəuvəstrein] wyczerpanie
(nadmierną pracą), przemęczenie

o·vert [ˈəuvɜt] adj otwarty, jawny

*o·ver·take [ˈəuvəˈteik], overtook
[ˈəuvəˈtuk], overtaken [ˈəuvəˈtei
kən] vt dopędzić, dosięgnąć; (zw.
o samochodzie) wyprzedzić; zaskoczyć; odrobić (zaległości)

o·ver·tax [ˈəuvəˈtæks] vt przeciążyć (podatkami); przecenić;
przen. przeliczyć się (z siłami
itd.)

*o·ver·throw [ˈəuvəˈθrəu], overthrew
[ˈəuvəˈθru], overthrown [ˈəuvə
ˈθrəun] vt przewrócić; obalić; pobić; zniweczyć; s [ˈəuvəθrəu] obalenie, przewrót

o·ver·time [ˈəuvətaim] s czas pracy nadprogramowej, godziny
nadliczbowe; adj attr nadliczbowy; adv nadliczbowo, nadprogra-
mowo

o·ver·took zob. overtake

o·ver·ture [ˈəuvətʃə(r)] s muz. u-
wertura; (zw. pl ~s) rokowania

wstępne; zabieganie o czyjeś
względy

o·ver·turn [ˈəuvəˈtɜn] vt vi przewrócić (się), obalić; s [ˈəuvətɜn]
obalenie, przewrót

o·ver·weigh [ˈəuvəˈwei] vt vi przeważać, więcej ważyć

o·ver·weight [ˈəuvəweit] s nadwyżka wagi

o·ver·whelm [ˈəuvəˈwelm] vt zalać,
zasypać; przygnieść; pognębić;
dosł. i przen. przytłoczyć; zakłopotać (hojnością itd.); (o uczuciach) ogarniać

o·ver·work [ˈəuvəˈwɜk] vt zmuszać
do nadmiernej pracy, przeciążać
pracą; vi przepracowywać się; s
[ˈouvəwɜk] przemęczenie, przepracowanie

o·ver·wrought [ˈəuvəˈrɔt] adj przemęczony; wyczerpany nerwowo;
(o stylu) mozolnie wypracowany

owe [əu] vt być winnym ⟨dłuż-
nym⟩; zawdzięczać (sth to sb coś
komuś)

ow·ing [ˈəuiŋ] adj należny; dłużny;
wynikający (to sth z czegoś);
praep ~ to dzięki, na skutek, z
powodu

owl [aul] s sowa

owl·ish [ˈauliʃ] adj sowi

own 1. [əun] adj własny; to be on
one's ~ być samodzielnym ⟨nie-
zależnym⟩; to have sth for one's
~ mieć coś na własność; to hold
one's ~ trzymać się, nie poddawać się

own 2. [əun] vt vi posiadać; wyznawać (winę itd.); przyznawać
(się); uznawać; ~ up pot. przyznawać się

own·er [ˈəunə(r)] s właściciel

own·er·ship [ˈəunəʃip] s posiadanie,
własność

ox [oks] s (pl oxen [ˈoksn]) wół

ox·ide [ˈoksaid] s chem. tlenek

ox·i·dize [ˈoksidaiz] vt vi utleniać
⟨oksydować⟩ się

Ox·o·ni·an [okˈsəuniən] adj oks-
fordzki; s Oksfordczyk

ox·tail [`ɔks teɪl] s ogon wołowy; ~ **soup** zupa ogonowa
ox·y·gen [`ɔksɪdʒən] s tlen
oys·ter [`ɔɪstə(r)] s ostryga
oys·ter-knife [`ɔɪstə naɪf] s nóż do otwierania (muszli) ostryg
oz = **ounce** (pl **ozs** = **ounces**)
o·zone [`əʊzəʊn] s chem. ozon pot. świeży luft, świeże powietrze

p

pa [pɑ] s pot. tatuś
pace [peɪs] s krok; chód; **to keep** ~ **with sb** dotrzymywać komuś kroku; vt vi kroczyć, stąpać
pa·ci·fic [pə`sɪfɪk] adj spokojny; pokojowy; s **the Pacific (Ocean)** Ocean Spokojny, Pacyfik
pac·i·fism [`pæsɪfɪzm] s pacyfizm
pac·i·fist [`pæsɪfɪst] s pacyfista
pac·i·fy [`pæsɪfaɪ] vt uspokajać; pacyfikować
pack [pæk] s pakiet; wiązka; pakunek, paczka; tłumok, bela; handl. partia towaru; gromada; sfora (psów), stado; pot. banda; talia (kart); vt vi (także ~ **up**) pakować (się); gromadzić ⟨tłoczyć, ścieśnić⟩ (się); zbierać (się) w stado ⟨sforę⟩; ~ **in** zapakować; ~ **off** odprawić, wyprawić (sb kogoś); zabrać się ⟨skądś⟩; ~ **out** wypakować, wyładować; ~ **up** spakować (się); pot. przen. przerwać pracę
pack·age [`pækɪdʒ] s pakiet, paczka, pakunek; opakowanie
pack·an·i·mal [`pækænəml] s zwierzę juczne
pack·et [`pækɪt] s pakiet, paczka, plik; (także ~-**boat**) statek pocztowy
pack·ing [`pækɪŋ] s pakowanie; opakowanie; materiał do pakowania ⟨uszczelnienia itp.⟩; uszczelka; med. tampon; zawijanie
pack·man [`pækmən] s domokrążca
pact [pækt] s pakt, umowa

pad 1. [pæd] s podkładka, wyściółka; poduszka (palca, łapy, łożyska maszyny, do pieczątek, do igieł); bibularz, blok (papieru, rysunkowy); vt wypychać, wyścielać; nabijać, obijać
pad 2. [pæd] s droga, ścieżka; wierzchowiec; vi chodzić pieszo, wędrować
pad·ding [`pædɪŋ] s wyściółka; podbicie; podszycie (płaszcza itd.); obicie
pad·dle 1. [`pædl] s wiosło; vt vi wiosłować
pad·dle 2. [`pædl] vi brodzić, taplać się w wodzie
pad·dle-wheel [`pædlwiːl] s łopatkowe koło napędowe (statku)
pad·dock [`pædək] s wybieg dla koni, wygon
pad·lock [`pædlɔk] s kłódka; vt zamykać na kłódkę
pa·gan [`peɪgən] adj pogański; s poganin
page 1. [peɪdʒ] s stronica
page 2. [peɪdʒ] s paź
pag·eant [`pædʒənt] s pokaz, widowisko; parada, korowód
paid zob. **pay**
pail [peɪl] s wiadro
pain [peɪn] s ból; troska; przykrość; † kara; pl ~**s** trud; bóle porodowe; **to take** ~**s** zadawać sobie trud; **to give** ~ zadawać ból, sprawiać przykrość; vt vi boleć, zadawać ból; gnębić, dręczyć; smucić; **I am** ~**ed to learn it** przykro mi, że się o tym dowiaduję

-ful ['peɪnfl] *adj* bolesny, rzykry

-s·tak·ing ['peɪnzteɪkɪŋ] *adj* racowity, dbały, staranny

-nt [peɪnt] *s* farba; szminka; *vt* ralować; szminkować; opisywać rzedstawiać obrazowo

-nt·er ['peɪntə(r)] *s* (artysta) malarz

-nt·ing ['peɪntɪŋ] *s* malarstwo; braz, malowidło

-r [peə(r)] *s* para; in ~s parami; *vi vt* łączyć (się) w pary, obierać (się) do pary; (o *zwierzętach*) parzyć się; ~ off rozdzielać na pary, odchodzić parami; pobrać się

jam·as [pə'dʒɑːməz] *s* am. = pyjamas

[pæl] *s* pot. towarzysz, kompan; *vi* (także ~ up) zaprzyjaźnić się (with sb z kimś)

·ace ['pælɪs] *s* pałac

·at·a·ble ['pælətəbl] *adj* smaczny, przyjemny

·a·tal ['pælətəl] *adj* podniebienny

·ate ['pælət] *s* podniebienie; ust

lav·er [pə'lɑːvə(r)] *s* pot. gadanina; *vi* paplać

le 1. [peɪl] *s* pal; granica; zares; within the ~ of w graniach ⟨w obrębie⟩ (czegoś); *vt* (także ~ in) ogrodzić, otoczyć

le 2. [peɪl] *adj* blady; to turn ~ blednąć; *vi* blednąć; *vt* powodować bladość

·ette ['pælɪt] *s* paleta

·i·sade ['pælɪseɪd] *s* palisada; *vt* otoczyć palisadą

l 1. [pɔl] *s* całun; *vt* okryć całunem

l 2. [pɔl] *vi* sprzykrzyć się ⟨obrzydnąć⟩ (on sb komuś)

·let 1. ['pælɪt] *s* siennik; nędzne łoże, barłóg

·let 2. ['pælɪt] = palette

·li·a·tive ['pælɪətɪv] *adj* uśmierzający, łagodzący; *s* środek łagodzący; półśrodek; wymówka, usprawiedliwienie

pal·lid ['pælɪd] *adj* blady

pal·lor ['pælə(r)] *s* bladość

palm 1. [pɑm] *s* palma; **Palm Sunday** Niedziela Palmowa

palm 2. [pɑm] *s* dłoń

palm·is·try ['pɑmɪstrɪ] *s* chiromancja

palm·y ['pɑmɪ] *adj* palmowy; pomyślny

pal·pa·ble ['pælpəbl] *adj* namacalny, wyczuwalny dotykiem

pal·pi·tate ['pælpɪteɪt] *vi* (o *sercu*) bić, kołatać; drżeć

pal·pi·ta·tion [ˌpælpɪ'teɪʃn] *s* silne bicie serca, palpitacja; drżenie

pal·sy ['pɔlzɪ] *s* paraliż; *vt* sparaliżować

pal·try ['pɔltrɪ] *adj* nędzny, lichy

pam·per ['pæmpə(r)] *vt* rozpieszczać, dogadzać

pam·phlet ['pæmflət] *s* broszura; pamflet

pam·phlet·eer [ˌpæmflə'tɪə(r)] *s* autor broszur; pamflecista

pan [pæn] *s* (także frying-~) patelnia; (także sauce-~) rondel

pan·cake ['pænkeɪk] *s* naleśnik

pan·cre·as ['pænkrɪəs] *s* anat. trzustka

pan·der ['pændə(r)] *vi* stręczyć; *s* stręczyciel, rajfur

pane [peɪn] *s* szyba; (kwadratowa) płaszczyzna; kratka (wzoru)

pan·e·gyr·ic [ˌpænɪ'dʒɪrɪk] *s* panegiryk

pan·el ['pænl] *s* płyta; filunek, kaseton; wstawka ⟨klin⟩ (w sukni); poduszka (u siodła); urzędowy wykaz lekarzy; *prawn.* skład sędziów przysięgłych; komisja (np. konkursowa); ~ discussion dyskusja rzeczoznawców; ~ patient pacjent korzystający z ubezpieczeń społecznych; *vt* zdobić płytkami, kasetonami itp.; wszywać wstawkę (do sukni)

pang [pæŋ] *s* ostry ból, spazm bólu; ~s of conscience wyrzuty sumienia

pan·ic ['pænɪk] *adj* paniczny; *s* panika

pan·ick·y [ˈpænɪkɪ] *adj pot.* paniczny, łatwo ulegający panice; alarmistyczny

pan·o·ram·a [ˌpænəˈrɑːmə] *s* panorama

pan·sy [ˈpænzɪ] *s bot.* bratek

pant [pænt] *vi* dyszeć; sapać; *(o sercu)* kołatać; *(o piersi)* falować; pożądać ⟨łaknąć⟩ **(for** ⟨**af·ter**⟩ **sth** czegoś); *s* dyszenie; sapanie; kołatanie (serca)

pan·ther [ˈpænθə(r)] *s* pantera

pan·to·mime [ˈpæntəmaɪm] *s* pantomima

pan·try [ˈpæntrɪ] *s* spiżarnia

pants [pænts] *s pl pot.* kalesony; *am.* spodnie

pa·pa [pəˈpɑː] *s zdrob.* tatuś

pa·pa·cy [ˈpeɪpəsɪ] *s* papiestwo

pa·pal [ˈpeɪpl] *adj* papieski

pa·per [ˈpeɪpə(r)] *s* papier; gazeta; czasopismo; tapeta; praca pisemna; referat, rozprawa; *pl* ~s papiery, dokumenty; *adj* papierowy; *vt* wyłożyć papierami; pakować ⟨zawijać⟩ w papier; tapetować

pa·per·back [ˈpeɪpə bæk] *s* książka broszurowana ⟨w papierowej okładce⟩

pa·per·clip [ˈpeɪpə klɪp] *s* spinacz do papieru

pa·per·weight [ˈpeɪpəweɪt] *s* przycisk

pa·pist [ˈpeɪpɪst] *s* papista

pap·ri·ka [ˈpæprɪkə] *s* papryka

par [pɑː(r)] *s handl.* parytet; równość; **at ~** na równi; above ⟨below⟩ **~** powyżej ⟨poniżej⟩ parytetu ⟨przeciętnej⟩; **to be on a ~** dorównywać **(with sb, sth** komuś, czemuś)

par·a·ble [ˈpærəbl] *s* przypowieść

pa·rab·o·la [pəˈræbələ] *s* parabola

par·a·chute [ˈpærəʃuːt] *s* spadochron; *adj attr* spadochronowy; *vt* zrzucić na spadochronie; *vi* spadać na spadochronie

par·a·chut·ist [ˈpærəʃuːtɪst] *s* spadochroniarz

pa·rade [pəˈreɪd] *s* parada; popis,

pokaz; *wojsk.* apel, przegląd; wystawiać na pokaz; *wojsk.* bić przegląd; *vi* paradować

par·a·dise [ˈpærədaɪs] *s* raj

par·a·dox [ˈpærədoks] *s* parad

par·af·fin [ˈpærəfɪn] *s* parafi (*także* ~ oil) nafta

par·a·gon [ˈpærəgən] *s* wzór cnoty)

par·a·graph [ˈpærəgrɑːf] *s* parag ustęp (w książce), akapit

par·al·lel [ˈpærəlel] *adj* równ gły; analogiczny; ~ bars sp drążki; *s* (linia) równoległa; powiednik; porównanie; *geo* równoleżnik

par·a·lyse [ˈpærəlaɪz] *vt* parali wać

pa·ral·y·sis [pəˈræləsɪs] *s* parali

par·a·mount [ˈpærəmaunt] *adj* n ważniejszy, główny

par·a·mour [ˈpærəmɔː(r)] *s* koc nek, kochanka

par·a·phrase [ˈpærəfreɪz] *s* pa fraza

par·a·site [ˈpærəsaɪt] *s* pasożyt

par·a·sit·ic [ˈpærəˈsɪtɪk] *adj* pa żytniczy

par·a·sol [ˈpærəsol] *s* parasolka słońca)

par·a·troops [ˈpærətruːps] *s pl* w ska spadochronowe

par·cel [ˈpɑːsl] *s* paczka; przes ka; partia (towaru); parcela; paczkować; dzielić; (*także* out) parcelować

parch [pɑːtʃ] *vt* suszyć, prażyć, lić (kawę); *vi* schnąć

parch·ment [ˈpɑːtʃmənt] *s* perg min

par·don [ˈpɑːdn] *s* przebaczenie; beg your ~ przepraszam; *r* odpust; *vt* przebaczać; ~ przepraszam

par·don·a·ble [ˈpɑːdnəbl] *adj* wyb czalny

par·ent [ˈpeərnt] *s* ojciec, matk *pl* ~s rodzice

par·ent·age [ˈpeərntɪdʒ] *s* poch dzenie, ród

pa·ren·tal [pə'rentl] *adj* rodzicielski

pa·ren·the·sis [pə'renθəsɪs] *s* nawias

par·ish ['pærɪʃ] *s* parafia; gmina; ~ register księga metrykalna

Pa·ri·sian [pə'rɪzɪən] *adj* paryski; *s* paryżanin

par·i·ty ['pærətɪ] *s* równość; parytet

park [pɑk] *s* park; parking; *wojsk.* park (artyleryjski itd.); *vt* parkować

park·ing ['pɑkɪŋ] *s* parkowanie; parking; ~ lot miejsce do parkowania; ~ meter licznik parkingowy

par·lance ['pɑləns] *s* mowa, język

par·ley ['pɑlɪ] *s* narada, rokowania; *vt* paktować, pertraktować

par·lia·ment ['pɑləmənt] *s* parlament

par·lia·men·tar·i·an ['pɑləmen'teərɪən] *adj* parlamentarny; *s* parlamentarz

par·lour ['pɑlə(r)] *s* salon, pokój przyjęć

par·lour-car ['pɑləkɑ(r)] *s am.* salonka (w pociągu)

par·lour-maid ['pɑlə məɪd] *s* pokojówka

pa·ro·chi·al [pə'rəʊkɪəl] *adj* parafialny; *przen.* ograniczony

par·o·dy ['pærədɪ] *s* parodia

pa·role [pə'rəʊl] *s* słowo honoru; *wojsk.* hasło; *vt* zwolnić z aresztu na słowo honoru ⟨warunkowo⟩

par·quet ['pɑkeɪ] *s* parkiet

par·ri·cide ['pærɪsaɪd] *s* ojcobójstwo; ojcobójca

par·rot ['pærət] *s* papuga; *vi* mówić jak papuga; *vt* powtarzać ⟨coś⟩ jak papuga

par·ry ['pærɪ] *vt* odparować, odpierać; *s* odparcie, odparowanie (np. ciosu)

parse [pɑz] *vt gram.* zrobić rozbiór ⟨a sentence zdania⟩

par·si·mo·ny ['pɑsɪmənɪ] *s* oszczęd

ność; skąpstwo

pars·ley ['pɑslɪ] *s* pietruszka

pars·nip ['pɑsnɪp] *s* pasternak

par·son ['pɑsn] *s* proboszcz, pastor

par·son·age ['pɑsnɪdʒ] *s* probostwo; plebania

part [pɑt] *s* część; udział, rola; strona; *pl* ~s okolica, strony; zdolności, talent; for my ~ co do mnie; for the most ~ przeważnie, po większej części; in great ~ w znacznej mierze; in ~ częściowo; on my ~ z mojej strony, co do mnie; to do one's ~ zrobić swoje; to take ~ brać udział ⟨pomagać⟩ (in sth w czymś); to take sth in good ~ brać coś za dobrą monetę; this is not my ~ to nie moja rzecz; *vt* dzielić, rozdzielać; rozrywać; to ~ company rozstawać się; *vi* rozdzielić się; rozłączyć się; rozejść się; rozstąpić się; rozstać się (from sb z kimś, with sth z czymś)

*•**par·take** [pɑ'teɪk], **partook** [pɑ'tʊk], **partaken** [pɑ'teɪkən] *vi* uczestniczyć (in ⟨of⟩ sth w czymś); spożywać (of sth coś); mieć w sobie (of sth coś); trącić (of sth czymś); *vt* podzielać (czyjś los itd.)

par·tial ['pɑʃl] *adj* częściowy; stronniczy; to be ~ to sth lubić coś, mieć słabość do czegoś

par·tial·i·ty ['pɑʃɪ'ælətɪ] *s* stronniczość; upodobanie (for sth do czegoś)

par·tic·i·pant [pɑ'tɪsɪpənt] *s* uczestnik

par·tic·i·pate [pɑ'tɪsɪpeɪt] *vi* uczestniczyć (in sth w czymś); podzielać (in sth coś)

par·ti·ci·ple ['pɑtəspl] *s gram.* imiesłów

par·ti·cle ['pɑtɪkl] *s* cząstka; *gram.* partykuła

par·tic·u·lar [pə'tɪkjʊlə(r)] *adj* szczególny, specjalny, specyficzny; szczegółowy, dokładny; wy

particularity

bredny; grymaśny, wymagający
(about sth pod względem czegoś);
nadzwyczajny, osobliwy; uważny, starranny; in ~ w szczegól-
ności; *s* szczegół

par·tic·u·lar·ity [pəˈtɪkjuˈlærətɪ] *s*
osobliwość; szczegół; szczegóło-
wość, dokładność; wybredność

part·ing [ˈpatɪŋ] *ppraes i s* rozdział; przedział; *geogr.* dział wodny; rozstanie, pożegnanie, o-
dejście

par·ti·san [ˈpatɪˈzæn] *s* zwolennik,
stronnik; partyzant

par·ti·tion [paˈtɪʃn] *s* podział; rozbiór (państwa); (oddzielona)
część; przedział; przepierzenie;
vt dzielić; ~ off oddzielać, od-
gradzać

part·ner [ˈpatnə(r)] *s* partner,
wspólnik, współuczestnik; *vt* być
czyimś partnerem (np. w tańcu)

part·ner·ship [ˈpatnəʃɪp] *s* współudział, współuczestnictwo; spółka

par·took *zob.* partake

par·tridge [ˈpatrɪdʒ] *s zool.* kuropatwa

part-time [ˈpattaɪm] *adj attr zw. w
połączeniach:* ~ worker (work)
pracownik (praca) na niepełnym
etacie; *adv* na niepełnym etacie

par·ty [ˈpatɪ] *s* partia; towarzystwo; grupa; zespół; przyjęcie towarzyskie, zabawa; strona (np. w
sądzie); współuczestnik; to be a
~ współuczestniczyć (to sth w
czymś)

pass [pas] *vt vi* przechodzić (przebiegać, przejeżdżać itd.) (obok
(przez coś)); mijać; przekraczać;
przewyższać; spędzać (czas)
przeżywać (through sth coś);
pominąć, przeoczyć, przepuścić;
zaniedbać; zdać (egzamin); zatwierdzić, przeprowadzić (uchwałę); (o uchwale) przejść; podać
dalej, posłać; (także ~ on) przekazać; wydać (wyrok, opinię);
zdarzyć się; być uważanym, u-
chodzić (for sth za coś); zacho-

dzić, dziać się; ~ away miną
zniknąć; umrzeć; ~ off mija
przemijać; ~ oneself off poda
wać się (as (for) sb, sth za ko
goś, coś); ~ out wyjść; zemdle
~ over przepuścić, pominą
przejść (np. na drugą stronę
przeminąć; *s* przejście; przepust
ka, paszport; złożenie (egzam
nu); krytyczna sytuacja; prze
smyk; przełęcz; *sport* podani
piłki; to bring to ~ dokonać (st
czegoś); to come to ~ zdarzyć si

pass·a·ble [ˈpasəbl] *adj* nadając
się do przejścia (przebycia, prze
prawy, przejazdu); znośny; (
stopniu) dostateczny

pas·sage [ˈpæsɪdʒ] *s* przejści
przejazd, przeprawa; korytarz; u
stęp (w książce); pasaż

pas·sen·ger [ˈpæsndʒə(r)] *s* pasa
żer

pass·er-by [ˈpasə ˈbaɪ] *s (pl* pas
sers-by [ˈpasəz ˈbaɪ]) przecho
dzień

pas·sing [ˈpasɪŋ] *adj* przemijając
przelotny; rzucony mimochodem

pas·sion [ˈpæʃn] *s* namiętność (pa
sja) (for sth do czegoś)

pas·sion·ate [ˈpæʃnət] *adj* namięt
ny; zapalczywy; żarliwy

pas·sive [ˈpæsɪv] *adj* bierny; *gram*
~ voice strona bierna

pass·port [ˈpaspɔt] *s* paszport

pass·word [ˈpaswɜd] *s* hasło

past [past] *adj* miniony, przeszły
ubiegły, ostatni (tydzień itd.);
przeszłość; *gram.* czas przeszły
praep za (czymś); obok; po; ~
all belief nie do wiary; ~ com
parison nie do porównania; ~
hope beznadziejny; ten ~ tw
dziesięć (minut) po drugiej; ~
work niezdolny (już) do pracy
a man ~ forty mężczyzna p
czterdziestce; *adv* obok, mimo
march ~ defilować

paste [peɪst] *s* ciasto; klej; pasta
vt kleić, lepić; ~ up naklejać
smarować pastą

aste·board [ˈpeɪstbɔd] s tektura, karton

as·tel [ˈpæstl] s pastel (kredka i obraz)

as·time [ˈpastaɪm] s rozrywka

as·tor [ˈpastə(r)] s pastor, duszpasterz

as·to·ral [ˈpastərl] adj pasterski; s sielanka (utwór); list pasterski

as·try [ˈpeɪstrɪ] s ciasto; zbior. wyroby cukiernicze

as·tur·a·ble [ˈpastʃərəbl] adj pastewny

as·ture [ˈpastʃə(r)] s pastwisko; pasza; vt vi paść (się)

ast·y 1. [ˈpæstɪ] s pasztet, pasztecik, pierożek

ast·y 2. [ˈpeɪstɪ] adj ciastowaty, papkowaty

at [pæt] s klepnięcie, klaps; tupot; krążek (np. masła); vt poklepywać; vi postukiwać, tupać; adj pot. szczęśliwy, trafny; adv pot. trafnie, w sam raz, akurat, w samą porę

atch [pætʃ] s łata, łatka; plaster; opatrunek na oku; skrawek; płat (np. ziemi); grządka; vt (także ~ up) łatać, naprawiać

atch·work [ˈpætʃwɜk] s łatanina; mieszanina (kawałków, skrawków); szachownica (np. pól)

at·ent [ˈpeɪtənt] s patent; przywilej; adj patentowy, opatentowany; otwarty, jawny, oczywisty; ~ leather skóra lakierowana; letters ~ patent (dokument); vt opatentować

a·ter·nal [pəˈtɜnl] adj ojcowski; (o krewnym) po ojcu

a·ter·ni·ty [pəˈtɜnətɪ] s ojcostwo; pochodzenie

ath [paθ] s (pl ~s [paðz]) ścieżka, droga (dla pieszych i przen.); tor (pocisku itd.)

a·thet·ic [pəˈθetɪk] adj patetyczny

a·thol·o·gy [pəˈθɔlədʒɪ] s patologia

pa·thos [ˈpeɪθɔs] s patos

pa·tience [ˈpeɪʃns] s cierpliwość

pa·tient [ˈpeɪʃnt] adj cierpliwy; s pacjent

pa·tri·ot [ˈpeɪtrɪət] s patriota

pa·tri·ot·ic [ˈpeɪtrɪˈɔtɪk] adj patriotyczny

pa·trol [pəˈtrəul] s patrol; vt vi patrolować

pa·trol·man [pəˈtrəulmən] s am. policjant

pa·tron [ˈpeɪtrən] s patron, opiekun; stały klient

pat·ron·age [ˈpætrənɪdʒ] s patronat, opieka; protekcjonalność

pat·ron·ize [ˈpætrənaɪz] vt patronować, otaczać opieką; okazywać łaskę; traktować protekcjonalnie; być stałym klientem

pat·ter 1. [ˈpætə(r)] vt vi (lekko) stukać, tupotać; s (lekkie) stukanie, tupot

pat·ter 2. [ˈpætə(r)] vt vi klepać (np. pacierz); trajkotać; s żargon, gwara (środowiskowa); trajkotanie

pat·tern [ˈpætn] s wzór; próbka; szablon, wykrój; model, forma; vt ozdabiać wzorem; to ~ sth after ⟨on⟩ sth wzorować się na czymś

pat·ty [ˈpætɪ] s pasztecik

pau·ci·ty [ˈpɔsətɪ] s mała ilość, szczupłość

pau·per [ˈpɔpə(r)] s żebrak; ubogi (człowiek)

pau·per·ize [ˈpɔpəraɪz] vt spauperyzować

pause [pɔz] s pauza, przerwa; vi pauzować, robić przerwę, zatrzymać się

pave [peɪv] vt brukować; przen. torować (drogę)

pave·ment [ˈpeɪvmənt] s bruk, nawierzchnia; chodnik

pa·vil·ion [pəˈvɪlɪən] s duży namiot; pawilon

paw [pɔ] s łapa; vt uderzać ⟨skrobać⟩ łapą; pot. obłapiać; vi (o koniu) grzebać nogą

pawn 1. [pɔn] s dosł. ł przen. pionek

pawn 2. [pɔn] s zastaw, fant; vt dawać w zastaw

pawn·broker [ˈpɔnbrəukə(r)] s właściciel lombardu

pawn·shop [ˈpɔnʃop] s lombard

•pay [peɪ] **paid, paid** [peɪd] vt vi płacić, wynagradzać, opłacać (się); to ~ attention uważać (to sth na coś); to ~ (sb) a compliment powiedzieć (komuś) komplement; to ~ one's respects to sb złożyć komuś uszanowanie; to ~ a visit złożyć wizytę; to ~ one's way pokrywać koszty (zobowiązania); z przysłówkami: ~ back odpłacić; zwrócić pieniądze; ~ down wypłacić gotówką; ~ in wpłacić; ~ off spłacić; ~ out wypłacić; ~ up całkowicie spłacić; s wypłata, zapłata; wynagrodzenie, płaca; to be in sb's ~ być zatrudnionym u kogoś; być na czyimś żołdzie

pay·a·ble [ˈpeɪəbl] adj płatny; opłacalny

pay·ing [ˈpeɪŋ] ppraes ł adj płacący; popłatny, dochodowy

pay·ment [ˈpeɪmənt] s zapłata, wypłata, wynagrodzenie, wpłata

pay·roll [ˈpeɪrəul], **pay·sheet** [ˈpeɪʃit] s lista płac

pea [pi] s groch, ziarnko grochu

peace [pis] s pokój; spokój; at ~ w spokoju; na stopie pokojowej

peace·ful [ˈpisful] adj spokojny; pokojowy

peace·mak·er [ˈpismeɪkə(r)] s pojednawca, arbiter

peach [pitʃ] s brzoskwinia (owoc i drzewo)

pea·cock [ˈpikok] s paw

peak [pik] s szczyt (góry), wierzchołek; szpic; daszek (u czapki); adj attr szczytowy

peal [pil] s melodia ⟨bicie⟩ dzwonów, kurant; huk; vi rozbrzmiewać; huczeć

pea·nut [ˈpinʌt] s orzech ziemny

pear [peə(r)] s gruszka (owoc i drzewo)

pearl [pɜl] s perła

peas·ant [ˈpeznt] s chłop, wieśniak, rolnik

peas·ant·ry [ˈpezntrɪ] s chłopstwo

pease [piz] s groch

peat [pit] s torf

peat·bog [ˈpitbog] s torfowisko

peb·ble [ˈpebl] s kamyk; geol. otoczak

peck 1. [pek] s garniec (miara) pot. wielka ilość, masa

peck 2. [pek] vt vi dziobać (sth, a sth coś); s dziobanie

pe·cu·liar [pɪˈkjulɪə(r)] adj szczególny, specyficzny; osobliwy, dziwny; właściwy (to sb, sth komuś, czemuś)

pe·cu·li·ar·i·ty [pɪˈkjulɪˈærətɪ] osobliwość; właściwość

pe·cu·ni·ar·y [pɪˈkjunɪərɪ] adj pieniężny, finansowy

ped·a·gog·ic(al) [ˈpedəˈgodʒɪk(l)] adj wychowawczy, pedagogiczny

ped·a·gog·ics [ˈpedəˈgodʒɪks] s pedagogika

ped·a·gogue [ˈpedəgog] s zw. uj wychowawca, belfer

ped·al [ˈpedl] s pedał; vt naciskać pedał; vi pedałować (na rowerze)

ped·ant [ˈpednt] s pedant

pe·dan·tic [pɪˈdæntɪk] adj pedantyczny

ped·dle [ˈpedl] vi uprawiać handel domokrążny; vt kolportować (towary, plotki)

ped·es·tal [ˈpedɪstl] s piedestał

pe·des·tri·an [pɪˈdestrɪən] adj pieszy; przen. przyziemny, nudny s pieszy, przechodzień, piechur

ped·i·gree [ˈpedɪgri] s rodowód pochodzenie

ped·lar [ˈpedlə(r)] s domokrążca

peel [pil] s łupina, skórka; v obierać (ziemniaki, owoce); zdzierać (korę, skórę); vi (także ~ off łuszczyć się; zrzucać skórę

peep 1. [pip] vi zaglądać z ciekawości (into sth do czegoś), zer kać (at sb, sth na kogoś, coś); podglądać (at sb, sth kogoś, coś); s ukradkowe spojrzenie, zerknięcie

eep 2. [pip] *vi* ćwierkać; s ćwierkanie

eep-hole ['piphəul] s otwór do zaglądania; judasz (w drzwiach)

eer 1. [pɪə(r)] s par, lord; (człowiek) równy drugiemu; to be sb's ~ dorównywać komuś

eer 2. [pɪə(r)] *vi* (badawczo) patrzeć ⟨spoglądać⟩ (at sb, sth na kogoś, coś); wyzierać, wyglądać

eer·less ['pɪələs] *adj* niezrównany, bezkonkurencyjny

ee·vish ['pivɪʃ] *adj* skłonny do irytacji, drażliwy

eg [peg] s kołek, czop, szpunt; *vt* kołkować, przytwierdzać kołkami; *vi* ~ away zawzięcie pracować

el·i·can ['pelɪkən] s *zool.* pelikan

ell-mell ['pel 'mel] *adv* bezładnie, chaotycznie; *adj* bezładny, chaotyczny; s chaos, bałagan

elt 1. [pelt] s skóra (zwierzęca), skórka (na futro)

elt 2. [pelt] *vt* obrzucić (obelgami, kamieniami itd.); *vi* gęsto padać, (np. o *gradzie*) bębnić; s grad (np. kul)

el·vis ['pelvɪs] s (*pl* pelves ['pelviz]) *anat.* miednica

en 1. [pen] s zagroda (dla bydła, drobiu itd.); *vt* zamknąć w zagrodzie; uwięzić

en 2. [pen] s pióro; *vt* pisać, kreślić; zapisywać

e·nal ['pinl] *adj prawn.* karny; karalny

e·nal·ize ['pinlaɪz] *vt prawn.* karać sądownie

en·al·ty ['penltɪ] s *prawn.* kara sądowa, grzywna

en·ance ['penəns] s *rel.* pokuta

ence zob. penny

en·cil ['pensl] s ołówek; *vt* szkicować, rysować

pen·dant ['pendənt] s wisząca ozdoba, wisiorek; para ⟨pendant⟩ (to sth do czegoś); odpowiednik (to sth czegoś)

pend·ent ['pendənt] *adj* wiszący; będący w toku; s = pendant

pend·ing ['pendɪŋ] *adj* nie rozstrzygnięty; *praep* w oczekiwaniu, do (czasu)

pen·du·lum ['pendjuləm] s wahadło

pen·e·trate ['penɪtreɪt] *vt vi* przeniknąć, przebić; zanurzyć (się), wcisnąć się, wtargnąć

pen·e·tra·tion ['penɪ'treɪʃn] s penetracja, przenikanie; przenikliwość

pen·hold·er ['penhəuldə(r)] s obsadka (do pisania)

pen·i·cil·lin ['penɪ'sɪlɪn] s penicylina

pe·nin·su·la [pə'nɪnsjulə] s półwysep

pen·i·tent ['penɪtənt] *adj* skruszony; s pokutnik

pen·i·ten·tial ['penɪ'tenʃl] *adj* pokutny

pen·i·ten·tia·ry ['penɪ'tenʃərɪ] *adj* poprawczy; *prawn.* penitencjarny; s dom poprawczy; *am.* więzienie

pen·knife ['pennaɪf] s (*pl* penknives ['pennaɪvz]) scyzoryk

pen·man ['penmən] s pisarz, autor

pen-name ['penneɪm] s pseudonim (autora)

pen·ni·less ['penɪləs] *adj* bez grosza

pen·ny ['penɪ] s (*pl* pence [pens]) pens (kwota); (*pl* pennies ['pen ɪz]) moneta jednopensowa; *przen.* grosz

pen·sion ['penʃn] s emerytura, renta; ['pãsiõ] pensjonat; *vt* przyznawać emeryturę, wypłacać rentę; ~ off przenieść na emeryturę

pen·sion·a·ry ['penʃnərɪ] *adj* emerytalny; s emeryt, rencista

pen·sion·er ['penʃnə(r)] = **pension-ary** s

pen·sive ['pensɪv] *adj* zadumany

pen·ta·gon ['pentəgən] *s* pięciokąt, pięciobok

pen·tath·lon [pen'tæθlən] *s sport* pięciobój

pent·house ['penthaus] *s* przybudówka, nadbudówka; wystający dach ochronny, okap

pe·nul·ti·mate [pen'ʌltɪmət] *adj* przedostatni

pe·nu·ri·ous [pɪ'njuərɪəs] *adj* biedny, ubogi; skąpy

pen·u·ry ['penjuərɪ] *s* bieda; brak; skąpstwo

pe·on ['piən] *s (w Indiach)* żołnierz pieszy; policjant; posłaniec; służący; *am.* wyrobnik

peo·ple ['pipl] *s* naród, lud; *zbior.* osoby, ludzie, obywatele; ludność; członkowie rodziny; pracownicy (zakładu); *vt* zaludniać

pep [pep] *s pot.* wigor, werwa

pep·per ['pepə(r)] *s* pieprz; *vt* pieprzyć

per [pɜ(r)] *praep łac.* przez, za pośrednictwem; ~ day za dzień, na dzień, dziennie; ~ post pocztą; ~ cent od sta; 5 ~ cent, 5 p.c. 5 procent

per·am·bu·late [pə'ræmbjuleɪt] *vt* wędrować (fields po polach); *vi* przechadzać się

per·am·bu·la·tor [pə'ræmbjuleɪtə(r)] *s* wózek dziecięcy

per·ceive [pə'siv] *vt* odczuć, zauważyć, spostrzec; postrzegać

per·cent·age [pə'sentɪdʒ] *s* procent, odsetek

per·cep·ti·ble [pə'septəbl] *adj* dający się odczuć; dostrzegalny

per·cep·tion [pə'sepʃn] *s* percepcja

perch [pɜtʃ] *s* żerdź; grzęda; *vt* siadać, usadawiać się; *vt* sadzać; usadowić

per·co·late ['pɜkəleɪt] *vt vi* przesączać (się); filtrować; przeciekać

per·cuss [pə'kʌs] *vt* wstrząsać; *med.* opukiwać

per·cus·sion [pə'kʌʃn] *s* wstrząs, uderzenie; *muz.* perkusja; *med* opukiwanie

per·di·tion [pə'dɪʃn] *s* zatracenie potępienie

per·emp·to·ry [pə'remptərɪ] *ad* ostateczny, stanowczy; apodyk tyczny

per·en·ni·al [pə'renɪəl] *adj* wieczny; trwały; *s bot.* bylina

per·fect ['pɜfɪkt] *adj* doskonały skończony; zupełny; *gram.* do konany; *s gram.* czas. przeszł dokonany; *vt* [pə'fekt] dosko nalić; kończyć, dokonać (cze goś)

per·fec·tion [pə'fekʃn] *s* dosko nałość; dokonanie ⟨ukończenie (czegoś)

per·fid·i·ous [pə'fɪdɪəs] *adj* wia rołomny, przewrotny, perfidny

per·fi·dy ['pɜfɪdɪ] *s* wiarołomność przewrotność, perfidia

per·fo·rate ['pɜfəreɪt] *vt* perforo wać, dziurkować

per·fo·ra·tion [ˌpɜfə'reɪʃn] *s* dziur kowanie, perforacja, przekłucie

per·force [pə'fɔs] *adv* z koniecz ności

per·form [pə'fɔm] *vt* dokonywa wykonywać, spełniać; grać (sztu kę); *vi* występować (na scenie

per·form·ance [pə'fɔməns] *s* doko nanie, wykonanie, spełnienie wyczyn; wystawienie (sztuki przedstawienie; odegranie (rol

per·fume ['pɜfjum] *s* perfumy; za pach; *vt* [pə'fjum] perfumowa rozsiewać zapach

per·func·to·ry [pə'fʌŋktərɪ] *adj* p wierzchowny; niedbały

per·haps [pə'hæps] *adv* może, by może

per·il ['perl] *s* niebezpieczeństw

per·il·ous ' ['perləs] *adj* niebez pieczny, ryzykowny

per·im·e·ter [pə'rɪmɪtə(r)] *s* pe rymetr, obwód

pe·ri·od ['pɪərɪəd] *s* okres, cykl *gram.* kropka; to put a ~ post wić kropkę; położyć kres

e·ri·od·i·cal [ˈpɪərɪˈodɪkl] adj o-
kresowy; s czasopismo, periodyk
per·ish [ˈperɪʃ] vt ginąć, niszczeć;
vt niszczyć
per·ish·a·ble [ˈperɪʃəbl] adj (łatwo)
psujący się; s pl ~s łatwo psu-
jące się towary
per·i·wig [ˈperɪwɪg] s peruka
per·jure [ˈpɜdʒə(r)] vr ~ oneself
krzywoprzysięgać
per·ju·ry [ˈpɜdʒɔrɪ] s krzywoprzysięstwo
perk [pɜk] vt vi ożywiać (się);
(także ~ up) zadzierać nosa;
nabierać ⟨dodawać⟩ animuszu;
rozzuchwalać się
perk·y [ˈpɜkɪ] adj buńczuczny
perm [pɜm] s pot. trwała ondulacja; vt trwale ondulować
per·ma·nent [ˈpɜmənənt] adj stały, ciągły, trwały; ~ wave trwała ondulacja
per·me·a·ble [ˈpɜmɪəbl] adj prze-
nikalny, przepuszczalny
per·me·ate [ˈpɜmɪeɪt] vt vi przenikać, przesiąkać (through sth
przez coś)
per·mis·si·ble [pəˈmɪsəbl] adj dopuszczalny, dozwolony
per·mis·sion [pəˈmɪʃn] s pozwolenie
per·mit [pəˈmɪt] vt pozwalać (sth
na coś); vi dopuszczać ⟨znosić⟩
(of sth coś); s [ˈpɜmɪt] zezwolenie (pisemne), przepustka
per·ni·cious [pəˈnɪʃəs] adj zgubny
per·pen·dic·u·lar [ˈpɜpənˈdɪkjʊlə(r)]
adj pionowy; s linia prostopadła;
pion
per·pe·trate [ˈpɜpɪtreɪt] vt popełnić (przestępstwo, błąd itd.)
per·pe·tra·tor [ˈpɜpɪtreɪtə(r)] s
sprawca, przestępca
per·pet·u·al [pəˈpetʃʊəl] adj wieczny;. bezustanny
per·pet·u·ate [pəˈpetʃʊeɪt] vt unie-
śmiertelnić, uwiecznić
per·pe·tu·i·ty [ˈpɜpɪˈtjuɪtɪ] s wieczność; dożywotnia renta
per·plex [pəˈpleks] vt zakłopotać,

zmieszać
per·plex·i·ty [pəˈpleksətɪ] s zakłopotanie; dylemat; zamieszanie
per·se·cute [ˈpɜsɪkjut] vt prześladować
per·se·cu·tion [ˈpɜsɪˈkjuʃn] s prześladowanie
per·se·cu·tor [ˈpɜsɪkjutə(r)] s prze-
śladowca
per·se·ver·ance [ˈpɜsɪˈvɪərns] s wytrwałość
per·se·vere [ˈpɜsɪˈvɪə(r)] vi trwać
(in sth przy czymś), uporczywie
robić (in sth coś)
Per·sian [ˈpɜʃn] adj perski; s Pers;
język perski
per·sist [pəˈsɪst] vi upierać się
⟨obstawać⟩ (in sth przy czymś);
wytrwać; utrzymywać się
per·sist·ence [pəˈsɪstəns] s uporczywość, wytrwałość; trwałość
per·son [ˈpɜsn] s osoba, osobnik;
in ~ osobiście
per·son·age [ˈpɜsnɪdʒ] s osobistość, (wielka) figura; postać (u-
tworu itd.)
per·son·al [ˈpɜsnl] adj osobisty,
prywatny, własny; osobowy
per·son·al·i·ty [ˈpɜsəˈnælətɪ] s osobistość; indywidualność; prezencja
per·son·al·ty [ˈpɜsnltɪ] s osobiste
mienie; zbior. ruchomości
per·son·ate [ˈpɜsəneɪt] vt przedstawiać; odgrywać rolę; uosabiać
per·son·i·fi·ca·tion [pəˈsonɪfˈkeɪʃn]
s uosobienie, personifikacja
per·son·i·fy [pəˈsonɪfaɪ] vt uosabiać
per·son·nel [ˈpɜsnˈel] s personel
per·spec·tive [pəˈspektɪv] adj per-
spektywiczny; s perspektywa
per·spi·ca·cious [ˈpɜspɪˈkeɪʃəs] adj
bystry, przenikliwy
per·spi·cu·i·ty [ˈpɜspɪˈkjuɪtɪ] s
jasność, zrozumiałość, wyrazistość
per·spic·u·ous [pəˈspɪkjʊəs] adj
jasny, wyraźny, zrozumiały

per·spi·ra·tion [ˈpɜːspəˈreɪʃn] s pot. pocenie się

per·spire [pəˈspaɪə(r)] vi pocić się; vt wypacać

per·suade [pəˈsweɪd] vt przekonywać, namawiać (sb into sth kogoś do czegoś); I was ∼d that... byłem przekonany, że...

per·sua·sion [pəˈsweɪʒn] s przekonywanie, perswazja, namowa; przekonanie; rel. wyznanie

per·sua·sive [pəˈsweɪsɪv] adj przekonywający

pert [pɜt] adj bezczelny, wyzywający

per·tain [pəˈteɪn] vi należeć (to sth do czegoś); odnosić się (to sb, sth do kogoś, czegoś); mieć związek (to sth z czymś); być właściwym (to sth czemuś)

per·ti·na·cious [ˈpɜːtɪˈneɪʃəs] adj uporczywy, uparty; wytrwały

per·ti·nac·i·ty [ˈpɜːtɪˈnæsətɪ] s u- porczywość, wytrwałość

per·ti·nent [ˈpɜtɪnənt] adj stosowny, trafny; związany z tematem, celowy

per·turb [pəˈtɜb] vt niepokoić, zakłócać (porządek), wzburzyć

per·tur·ba·tion [ˈpɜtəˈbeɪʃn] s niepokój, zamieszanie, zamęt, zakłócenie (porządku)

pe·ru·sal [pəˈruzl] s uważne czytanie, dokładne przeglądanie

pe·ruse [pəˈruz] vt uważnie czytać, dokładnie przeglądać

per·vade [pəˈveɪd] vt przenikać, nurtować, ogarniać

per·va·sive [pəˈveɪsɪv] adj przenikający, ogarniający; dominujący

per·verse [pəˈvɜs] adj przewrotny; perwersyjny

per·ver·sion [pəˈvɜʃn] s przewrotność; zboczenie, perwersja

per·vert [pəˈvɜt] vt psuć, deprawować, wypaczać; odciągać, odwodzić; s [ˈpɜvɜt] zboczeniec; odstępca

pes·si·mism [ˈpesɪmɪzm] s pesymizm

pest [pest] s zaraza, plaga; szkodnik (chwast, insekt)

pes·ter [ˈpestə(r)] vt dręczyć, dokuczać, dawać się we znaki

pes·ti·lence [ˈpestɪləns] s zaraza epidemia

pes·ti·lent [ˈpestɪlənt], pes·ti·len·tia [ˈpestɪˈlenʃl] adj zaraźliwy szkodliwy; zabójczy

pes·tle [ˈpesl] s tłuczek (do możdzierza)

pet [pet] vt pieścić; s (także c zwierzęciu) pieszczoch, ulubieniec; adj attr pieszczotliwy; ulubiony

pet·al [ˈpetl] s płatek (kwiatu)

pe·ti·tion [pɪˈtɪʃn] s prośba, petycja, podanie; vt zwracać się z prośbą (zw. pisemną), wnosić petycję; vi błagać (for sth o coś)

pe·ti·tion·er [pɪˈtɪʃnə(r)] s peten

pet·ri·fy [ˈpetrɪfaɪ] vt petryfikować; przen. wprawić w osłupienie; vi skamienieć; przen. osłupieć

pet·rol [ˈpetrl] s benzyna (mieszanka); adj benzynowy ∼ station stacja benzynowa

pe·tro·le·um [pɪˈtrəʊlɪəm] s ropa naftowa

pet·ti·coat [ˈpetɪkəʊt] s halka; przen. kobieta, dziewczyna

pet·tish [ˈpetɪʃ] adj drażliwy, o- pryskliwy

pet·ty [ˈpetɪ] adj drobny, mało znaczący

pet·u·lance [ˈpetjuləns] s drażliwość; rozdrażnienie

pew [pju] s ławka (w kościele)

pe·wit [ˈpiwɪt] s zool. czajka

pew·ter [ˈpjutə(r)] s naczynie cynowe

pha·lanx [ˈfælæŋks] s (pl ∼es [ˈfælæŋksɪz] lub phalanges [fæˈlændʒɪz]) falanga

phan·tasm [ˈfæntæzm] s zjawa, przywidzenie, urojenie

phan·ta·sy [ˈfæntəsɪ] s = fantasy

phan·tom [ˈfæntəm] s widmo zjawa, fantom; złudzenie

har·i·see [ˈfærɪsɪ] s faryzeusz, hipokryta

har·ma·cy [ˈfaməsɪ] s apteka; farmacja

hase [feɪz] s faza

heas·ant [ˈfeznt] s zool. bażant

he·nom·e·non [fɪˈnɒmɪnən] s (pl phenomena [fɪˈnɒmɪnə]) fenomen, zjawisko

hi·al [ˈfaɪəl] s fiolka, flaszeczka

hi·lan·thro·pist [fɪˈlænθrəpɪst] s filantrop

hi·lat·e·list [fɪˈlætəlɪst] s filatelista

hi·lat·e·ly [fɪˈlætəlɪ] s filatelistyka

hi·lis·tine [ˈfɪlɪstaɪn] s wróg (sztuki, literatury itd.); filister

hil·o·log·i·cal [ˈfɪləˈlɒdʒɪkl] adj filologiczny

hi·lol·o·gist [fɪˈlɒlədʒɪst] s filolog

hi·lol·o·gy [fɪˈlɒlədʒɪ] s filologia

hi·los·o·pher [fɪˈlɒsəfə(r)] s filozof

hil·o·soph·ic(al) [ˈfɪləˈsɒfɪk(l)] adj filozoficzny

hi·los·o·phy [fɪˈlɒsəfɪ] s filozofia

hiz [fɪz] s pot. gęba, facjata

hlegm [flem] s flegma

hleg·mat·ic [flegˈmætɪk] adj flegmatyczny

hone 1. [fəʊn] s gram. głoska

hone 2. [fəʊn] s pot. = telephone; vt vi dzwonić, telefonować

ho·net·ic [fəˈnetɪk] adj fonetyczny

ho·net·ics [fəˈnetɪks] s fonetyka

ho·ney [ˈfəʊnɪ] adj pot. fałszywy, udawany

hos·phate [ˈfɒsfeɪt] s chem. fosfat, fosforan; miner. fosforyt

hos·phor·us [ˈfɒsfərəs] s chem. fosfor

hoto [ˈfəʊtəʊ] s skr. = photograph s

ho·to·graph [ˈfəʊtəgraf] s fotografia, zdjęcie; vt fotografować

ho·tog·ra·pher [fəˈtɒgrəfə(r)] s fotograf

ho·tog·ra·phy [fəˈtɒgrəfɪ] s fotografia (sztuka fotografowania)

phrase [freɪz] s zwrot, fraza

phra·se·ol·o·gy [ˈfreɪzɪˈɒlədʒɪ] s frazeologia

phthi·sis [ˈθaɪsɪs] s med. gruźlica

phys·ic [ˈfɪzɪk] s lekarstwo; vt leczyć (lekarstwami)

phys·i·cal [ˈfɪzɪkl] adj fizyczny

phy·si·cian [fɪˈzɪʃn] s lekarz

phys·i·cist [ˈfɪzɪsɪst] s fizyk

phys·ics [ˈfɪzɪks] s fizyka

phys·i·og·no·my [ˈfɪzɪˈɒnəmɪ] s fizjonomia

phys·i·o·log·i·cal [ˈfɪzɪəˈlɒdʒɪkl] adj fizjologiczny

phys·i·ol·o·gy [ˈfɪzɪˈɒlədʒɪ] s fizjologia

phy·sique [fɪˈzik] s budowa ciała

pi·an·ist [ˈpɪənɪst] s pianista

pi·an·o [pɪˈænəʊ] s fortepian; cottage ⟨upright⟩ ~ pianino

pick [pɪk] vt wybierać, sortować; kopać (motyką, kilofem); przetykać; skubać; dłubać (w zębach, w nosie); okradać; zbierać ⟨przebierać⟩ (np. owoce); to ~ sb's pocket wyciągnąć coś komuś z kieszeni; vi kraść; to ~ at one's food jeść małymi kęsami; dłubać w talerzu; to ~ at sb czepiać się kogoś; ~ off zrywać, zdzierać; powystrzelać; ~ out wybierać; wyrywać, wyśledzić; ~ up podnosić; zbierać; zgarniać; nauczyć się (sth czegoś); natrafić ⟨natknąć się⟩ (sth na coś); (o taksówce, kierowcy) zabrać (sb kogoś); złapać (w radiu); ~ up courage zebrać się na odwagę; ~ up an acquaintance zawrzeć okolicznościową znajomość; ~ up a quarrel wywołać kłótnię; s motyka, kilof; uderzenie kilofem ⟨motyką⟩; wybór, elita, przen. śmietanka; zbiór (owoców itd.)

pick·a·back [ˈpɪk ə bæk] adv (nieść) na plecach, (o dziecku) na barana

pick·axe [ˈpɪkæks] s oskar, kilof, motyka

pick·et [ˈpɪkɪt] s kół, pal; pikieta;

vt vi otaczać palami; obstawiać pikietami, pikietować

pick·le [ˈpɪkl] s marynata; *pl* ~**s** marynowane jarzyny, pikle; *vt* marynować

pick·pock·et [ˈpɪkpokɪt] s złodziej kieszonkowy

pick-up [ˈpɪkʌp] s przygodna znajomość; adapter; *sport* odbicie piłki; *am.* mały samochód półciężarowy

pic·nic [ˈpɪknɪk] s piknik; *vi* urządzać piknik

pic·to·ri·al [pɪkˈtɔːrɪəl] *adj* malowniczy; malarski; ilustrowany; s pismo ilustrowane

pic·ture [ˈpɪktʃə(r)] s obraz, rycina, rysunek; portret; zdjęcie; to take a ~ zrobić zdjęcie; *pl* ~**s** film, kino; *vt* wyobrażać, przedstawiać, malować

pic·ture-house [ˈpɪktʃəhaus] s kino (budynek)

pic·tur·esque [ˈpɪktʃəˈresk] *adj* malowniczy

pidg·in [ˈpɪdʒɪn] s (*także* ~ **English**) łamana angielszczyzna

pie 1. [paɪ] s sroka

pie 2. [paɪ] s pasztecik, pierożek; ciastko, placek

piece [piːs] s kawałek; część; sztuka; utwór (sceniczny, muzyczny); moneta; *wojsk.* działo; robota akordowa; in ~**s** w kawałkach; ~ by ~ po kawałku; to go to ~**s** rozlecieć się na kawałki; stracić panowanie nad sobą; to take to ~**s** rozebrać na części; *vt* sztukować, łatać; ~ **on** nałożyć, dosztukować; ~ **out** uzupełnić; zestawić; ~ **together** złożyć w całość; ~ **up** połatać

piece·meal [ˈpiːsmiːl] *adj* częściowy, robiony częściami ⟨po kawałku⟩; *adv* częściami, po kawałku; na części

piece-work [ˈpiːswɜːk] s praca akordowa

pier [pɪə(r)] s molo, falochron

pierce [pɪəs] *vt* przebić, przeszyć, przekłuć; przeniknąć; wbić się

pi·e·ty [ˈpaɪətɪ] s pobożność

pig [pɪg] s prosiak, świnia

pig·eon [ˈpɪdʒən] s gołąb

pig·eon-hole [ˈpɪdʒən houl] s przegródka, szufladka (w biurku itd.); wejście do gołębnika; *v* umieszczać w przegródkach, segregować (papiery); *przen.* odłożyć (sprawę) do szuflady

pig·gish [ˈpɪgɪʃ] *adj* świński, brudny; ordynarny, wstrętny

pig·head·ed [ˈpɪg ˈhedɪd] *adj* głupi uparty

pig-iron [ˈpɪg aɪən] s żeliwo, surówka (metalu)

pig·my = **pygmy**

pig·sty [ˈpɪgstaɪ] s chlew

pig·tail [ˈpɪgteɪl] s warkocz; tytoń pleciony

pike 1. [paɪk] s pika, włócznia; kilof; ostrze

pike 2. [paɪk] s szczupak

pile 1. [paɪl] s kupa, sterta, stos *elektr.* bateria, stos; gmach, blok; *vt* rzucać na kupę; (*także* ~ **on** ⟨**up**⟩) gromadzić; piętrzyć

pile 2. [paɪl] s pal; *vt* wbijać pal

pile 3. [paɪl] s meszek (na tkaninie), wełna

pil·fer [ˈpɪlfə(r)] *vt* ukraść, po zwędzić

pil·grim [ˈpɪlgrɪm] s pielgrzym

pil·grim·age [ˈpɪlgrɪmɪdʒ] . s pielgrzymka

pill [pɪl] s pigułka

pil·lage [ˈpɪlɪdʒ] s grabież, rabunek; *vt* rabować, grabić

pil·lar [ˈpɪlə(r)] s słup, filar

pill-box [ˈpɪl boks] s pudełko na pigułki; mała okrągła czapeczka *wojsk.* schron betonowy

pil·lar-box [ˈpɪlə boks] s skrzynk pocztowa (stojąca)

pil·lion [ˈpɪlɪən] s tylne siodełk (motocykla)

pil·lo·ry [ˈpɪlərɪ] s pręgierz; *vt* po stawić pod pręgierzem

pil·low [ˈpɪləu] s poduszka

pil·low-case [ˈpɪləu keɪs] s poszewka

pi·lot [ˈpaɪlət] s pilot; vt pilotować

pi·lot·age [ˈpaɪlətɪdʒ] s pilotaż

pim·ple [ˈpɪmpl] s pryszcz

pim·pled [ˈpɪmpld], pim·ply [ˈpɪmplɪ] adj pryszczaty

pin [pɪn] s szpilka; vt przyszpilić, przymocować, przygwoździć

pin·a·fore [ˈpɪnəfɔː(r)] s fartuszek (dziecinny)

pin·cers [ˈpɪnsəz] s pl szczypce, kleszcze, obcążki

pinch [pɪntʃ] vt vi szczypać; przycisnąć; (o bucie) uciskać, uwierać; pot. porwać; buchnąć; s uszczypnięcie, szczypanie; ucisk; nagły ból; szczypta

pine 1. [paɪn] s sosna; pot. bot. ananas

pine 2. [paɪn] vi schnąć, marnieć; bardzo tęsknić (after (for) sb, sth za kimś, czymś); ~ away marnieć, ginąć

pine·ap·ple [ˈpaɪnæpl] s bot. ananas

pin·ion [ˈpɪnɪən] s koniec (ptasiego) skrzydła, lotka; kółko zębate; vt podciąć skrzydła; związać ręce, skrępować

pink 1. [pɪŋk] s bot. goździk; kolor różowy; adj różowy; vt zaróżowić

pink 2. [pɪŋk] vt przebijać; dziurkować, ząbkować

pin·na·cle [ˈpɪnəkl] s szczyt, wierzchołek; wieżyczka

pin·point [ˈpɪn pɔɪnt] s koniec szpilki; vt dokładnie określić, ustalić położenie; zbombardować

pint [paɪnt] s pół kwarty

pi·o·neer [ˌpaɪəˈnɪə(r)] s pionier; vt vi wykonywać pionierską pracę, torować drogę

pi·ous [ˈpaɪəs] adj pobożny

pip [pɪp] s ziarnko (pestka) owocu; gwiazdka (oficerska); oczko (w grze)

pipe [paɪp] s rura, rurka; przewód; fujarka; fajka; pl ~s kobza; (także bagpipe) dudy; vt vi grać na fujarce (piszczałce, kobzie) świstać, gwizdać; świergotać;

skanalizować (a house dom)

pipe·line [ˈpaɪplaɪn] s rurociąg

pip·er [ˈpaɪpə(r)] s grający na fujarce; kobziarz; to pay the ~ ponosić konsekwencje

pip·ing [ˈpaɪpɪŋ] ppraes i s instalacja rurowa; sieć wodociągowa (gazowa itd.); gra na fujarce (kobzie itp.); świst; świergot

pi·quant [ˈpiːkənt] adj pikantny

pique [piːk] vt ubóść, dotknąć (kogoś); obrazić; zaciekawić; s uraza, żal

pi·rate [ˈpaɪərət) s pirat, korsarz; plagiator; vt vi rabować, uprawiać korsarstwo

pis·til [ˈpɪstl] s bot. słupek

pis·tol [ˈpɪstl] s pistolet

pis·ton [ˈpɪstn] s techn. tłok

pit [pɪt] s dół, jama; kopalnia, szyb; pułapka, wilczy dół; am. miejsce transakcji giełdowych

pitch 1. [pɪtʃ] s smoła; vt smołować

pitch 2. [pɪtʃ] vt ustawiać, lokować; wystawiać (towary); rozbijać (namiot, obóz); wojsk. ustawiać w szyku bojowym; stroić (instrument); nadziewać (np. na widły); sport rzucać (oszczepem itd.); vi rzucić się (into. sb na kogoś); opaść, zapaść się; s szczyt, wierzchołek; stopień, natężenie; wysokość głosu (tonu); poziom lotu; spadek, upadek; rzut; miejsce (przekupnia, żebraka itd.); stanowisko

pitch·er [ˈpɪtʃə(r)] s dzban; sport (w baseballu) zawodnik rzucający piłkę; kamień brukowy

pitch·fork [ˈpɪtʃfɔːk] s widły

pit·e·ous [ˈpɪtɪəs] adj żałosny

pit·fall [ˈpɪtfɔːl] s pułapka

pith [pɪθ] s rdzeń, szpik; przen. wigor

pit·head [ˈpɪthed] s wejście do szybu, nadszybie

pith·y [ˈpɪθɪ] adj rdzeniowy; przen. pełen wigoru (energii), jędrny; treściwy

pit·i·a·ble [ˈpɪtɪəbl] adj żałosny

pit·i·ful [`pɪtɪfl] *adj* litościwy, współczujący; żałosny, nędzny

pit·i·less [`pɪtɪləs] *adj* bezlitosny

pit·man [`pɪtmən] *s* górnik

pit·tance [`pɪtns] *s* nędzne wynagrodzenie; nędzna porcja, ochłap

pit·y [`pɪtɪ] *s* litość, politowanie; szkoda; **to take ⟨have⟩ ~** litować się **(on ⟨upon⟩** sb nad kimś); **what a ~!** jaka szkoda!; **a thousand pities** wielka szkoda; *vt* litować się **(sb nad kimś);** żałować **(sb kogoś)**

piv·ot [`pɪvət] *s* oś; czop (osi); *przen.* oś ⟨sedno⟩ (sprawy)

plac·ard [`plækəd] *s* plakat, afisz; *vt* rozlepiać afisze, ogłaszać

pla·cate [plə`keɪt] *vt* łagodzić, zjednywać sobie

place [pleɪs] *s* miejsce; miejscowość; siedziba; lokal; ulica, plac; dom, posiadłość; lokal, zakład; posada, zawód; **to give ~** ustąpić; **to take ~** odbyć ⟨wydarzyć, zdarzyć⟩ się; **to take the ~ of** sb, sth zastąpić kogoś, coś; **in ~ na** miejscu; stosowny; **in ~ of** zamiast; **out of ~** nie na miejscu, nieodpowiedni; **in the first ~** przede wszystkim; *vt* umieścić, pomieścić; kłaść, stawiać; określić miejsce, umiejscowić

plac·id [`plæsɪd] *adj* spokojny, łagodny

pla·gi·a·rize [`pleɪdʒəraɪz] *vt* popełniać plagiat

pla·gi·a·ry [`pleɪdʒərɪ] *s* plagiat; plagiator

plague [pleɪg] *s* zaraza, plaga; *vt* dotknąć plagą; *przen.* dręczyć

plaid [plæd] *s* pled (*zw.* w kratę)

plain [pleɪn] *adj* gładki, prosty; zrozumiały, jasny; wyraźny; otwarty, szczery; pospolity, zwyczajny; **~ dealing** uczciwe postępowanie; **~ living** prosty tryb życia; **in ~ clothes** w cywilnym ubraniu; **~ clothes man** policjant w cywilnym ubraniu, *pot.* taj-

niak

plain·tiff [`pleɪntɪf] *s* prawn oskarżyciel, powód

plain·tive [`pleɪntɪv] *adj* żałosny

plait [plæt] *s* fałda; warkocz; ple cionka; *vt* układać w fałdy; spla tać

plan [plæn] *s* plan, projekt, za miar; *vt* planować, zamierzać

plane 1. [pleɪn] *s* samolot; *vi* le cieć samolotem, szybować

plane 2. [pleɪn] *adj* płaski, równy s płaszczyzna; poziom; hebe strug; *vt* gładzić, wyrównywać heblować

plan·et [`plænɪt] *s* planeta

plank [plæŋk] *s* deska; (główny punkt programu politycznego; *v* obijać deskami, szalować

plant [plɑnt] *s* roślina; instalacje warsztaty, urządzenie fabryki fabryka; *vt* sadzić; siać; wsa dzać, wtykać; wszczepić, wpoić osiedlać; umieszczać, ustawiać założyć (miasto itd.)

plan·ta·tion [plæn`teɪʃn] *s* plantacja

plant·er [`plɑntə(r)] *s* plantator maszyna do flancowania sadzonek

plaque [plɑk] *s* plakietka; płyta pamiątkowa

plash [plæʃ] *vt vi* pluskać; *s* plusk

plas·ter [`plɑstə(r)] *s* gips; tynk *med.* plaster; *vt* gipsować; tyn kować; przyłożyć plaster

plas·tic [`plæstɪk] *adj* plastyczny plastykowy; *s* plastyk, tworzywo sztuczne

plas·tron [`plæstrən] *s* gors; na pierśnik

plate [pleɪt] *s* płyta; tafla; talerz; klisza; sztych; *zbior.* naczynia metalowe, platery; *vt* platerować pokryć metalem; opancerzyć

pla·teau [`plætəʊ] *s* płaskowzgórze taca, patera

plat·form [`plætfəm] *s* platforma peron; trybuna, estrada

plat·i·num [`plætnəm] *s* platyna

pledge

plat·i·tude ['plætɪtjud] s płytkość
(wypowiedzi itd.); banał

pla·toon [plə`tun] s wojsk. pluton

plau·si·ble ['plɔzəbl] adj możliwy
do przyjęcia, prawdopodobny,
pozornie uzasadniony

play [pleɪ] vt vi bawić się (at sth
w coś; with sth czymś); igrać,
swawolić; grać (at sth w coś);
grać ⟨odgrywać⟩ rolę; udawać;
sport rozegrać (mecz); (o świetle,
kolorach) mienić się; to ~ cards
⟨football⟩ grać w karty ⟨w piłkę
nożną⟩; to ~ fair grać przepisowo; przen. postępować uczciwie;
to ~ (on) the violin grać na
skrzypcach; to ~ tricks płatać
figle; to ~ the fool udawać głu-
piego; ~ away przegrać (maja-
tek itd.); ~ down lekceważyć,
nie doceniać; ~ off symulować;
żartować sobie (sb z kogoś); ~
out grać do końca; ~ed out
zgrany, zużyty, przebrzmiały; s
gra, zabawa, rozrywka; figiel,
żart; sztuka sceniczna; sport rozgrywka

play·er ['pleɪə(r)] s gracz; aktor;
muzyk; sport zawodowiec

play·fel·low ['pleɪfeləʊ] s towarzysz
zabaw dziecinnych

play·ful ['pleɪfl] adj figlarny, wesoły; żartobliwy

play·ground ['pleɪɡraʊnd] s boisko

play·house ['pleɪhaʊs] s teatr

play·ing-field ['pleɪɪŋ fild] s boisko

play·mate ['pleɪmeɪt] = playfellow

play·off ['pleɪɔf] s sport dogryw-
ka

play·thing ['pleɪθɪŋ] s zabawka

play·wright ['pleɪraɪt] s dramaturg

plea [pli] s usilna prośba; usprawiedliwienie; pretekst; prawn. o-
brona (wygłaszana przez oskar-
żonego)

plead [plid] vt vi ujmować się (for
sb ⟨in sb's favour⟩ za kimś); błagać (with sb for sth kogoś o coś);
usprawiedliwiać się; powoływać
się (sth na coś); prawn. bronić

(w sądzie), wygłaszać mowę o-
brończą; to ~ ignorance tłumaczyć się nieświadomością; to ~
guilty przyznać się do winy

plead·er ['plidə(r)] s prawn. obrońca

pleas·ant ['pleznt] adj miły, przyjemny; figlarny

pleas·ant·ry ['plezntrɪ] s żartobli-
wość, figlarność; żart

please [pliz] vt vi podobać się,
sprawiać przyjemność, być mi-
łym; uznać ⟨uważać⟩ za stosow-
ne ⟨odpowiednie⟩; zadowolić, zaspokoić; vr ~ oneself znajdować
upodobanie; robić po swojemu;
~ come in! proszę wejść!; if you
~ proszę bardzo; ~ not to go
out proszę nie wychodzić; to be
~d być zadowolonym (with sth z
czegoś); mieć przyjemność (at sth
w czymś); raczyć; I am ~d to
say z przyjemnością stwierdzam
⟨mówię⟩; do as you ~ rób, jak
chcesz

pleas·ing ['plizɪŋ] ppraes i adj miły, ujmujący

pleas·ure ['pleʒə(r)] s przyjemność;
to take ~ in doing sth mieć
⟨znajdować⟩ przyjemność w
czymś; at ~ do woli; at your ~
według twego upodobania

pleas·ure-boat ['pleʒəbəʊt] s łódź
spacerowa

pleas·ure-ground ['pleʒəɡraʊnd] s
park przeznaczony do zabaw
⟨gier⟩

pleat [plit] s fałda, zakładka, plisa; vt układać w fałdy, plisować

ple·be·ian [plɪ`biən] adj plebejski;
s plebejusz

pleb·i·scite ['plebɪsɪt] s plebiscyt

pledge [pledʒ] s zastaw, gwarancja; ślubowanie; zobowiązanie;
to take the ~ ślubować wstrzemięźliwość (od alkoholu); vt dawać w zastaw, zastawiać; ślubować; zobowiązywać się pod słowem honoru (sth do czegoś); to ~
one's word dawać słowo honoru;

vr ~ **oneself** zobowiązywać się pod słowem honoru

ple·na·ry [ˈplinərɪ] *adj* plenarny; całkowity

plen·i·po·ten·ti·ar·y [ˈplenɪpəˈtenʃərɪ] *adj* pełnomocny; *s* pełnomocnik

plen·i·tude [ˈplenɪtjud] *s* pełnia ⟨obfitość⟩ (of sth czegoś)

plen·ti·ful [ˈplentɪfl] *adj* obfity, liczny

plen·ty [ˈplentɪ] *s* obfitość, duża ilość; ~ of dużo

ple·num [ˈplinəm] *s* plenum

pli·a·ble [ˈplaɪəbl] *adj* giętki, podatny, ustępliwy

pli·ant [ˈplaɪənt] = **pliable**

pli·ca [ˈplaɪkə] *s* (*pl* ~e [ˈplaɪsi]) *med.* kołtun; *anat.* fałda

pli·ers [ˈplaɪəz] *s pl* szczypce, kleszcze

plight 1. [plaɪt] *s* położenie (*zw.* trudne), sytuacja

plight 2. [plaɪt] *s* przyrzeczenie, ślubowanie; *vt* przyrzekać, ślubować; *vr* ~ **oneself** ślubować wierność

plod [plod] *vi* wlec się z trudem; (*także* ~ **along**) ciężko pracować, harować (at sth nad czymś); wkuwać (lekcje itd.)

plod·der [ˈplodə(r)] *s* człowiek wytrwale ⟨ciężko⟩ pracujący

plot 1. [plot] *s* kawałek gruntu, działka

plot 2. [plot] *s* spisek, intryga; temat ⟨fabuła, akcja⟩ (powieści, dramatu); *vt vi* spiskować, intrygować, knuć

plot·ter [ˈplotə(r)] *s* intrygant, spiskowiec

plough [plau] *s* pług; *vt vi* orać; pruć (fale, powietrze); *pot.* oblać egzamin; ~ **up** przeorać, zorać

plough·man [ˈplaumən] *s* oracz

plow, plow·man *am.* = **plough, ploughman**

pluck [plʌk] *vt* skubać, rwać, szarpać, pociągać; wyrywać; *pot.* ścinać przy egzaminie; ~ **up** one's **courage** zebrać się na odwagę;

vi szarpać (at sth coś); *s* skubanie, szarpnięcie; *zbior.* podróbki *pot.* oblanie egzaminu; odwaga śmiałość

pluck·y [ˈplʌkɪ] *adj* odważny, śmiały

plug [plʌg] *s* szpunt, czop, wtyczka; sztyft; tampon; świeca (w silniku); *dent.* plomba; *vt* szpuntować, zatykać; ~ **in** wetknąć wtyczkę (do kontaktu)

plum [plʌm] *s* śliwka; rodzynek (w cieście)

plum·age [ˈplumɪdʒ] *s* upierzenie *zbior.* pióra

plumb [plʌm] *s* kulka ołowiana (u pionu); (*także* ~-**line**) pion; out of ~ nie w pionie, nie prostopadle; *adj* pionowy; *adv* pionowo prosto; *pot.* całkowicie, dokładnie; *vt* badać ⟨ustalać⟩ pion, sondować; *przen.* zgłębiać, przenikać

plumb·er [ˈplʌmə(r)] *s* monter, hydraulik

plume [plum] *s* pióro; pióropusz; *vt* zdobić w pióra ⟨pióropuszem⟩; *vr* ~ **oneself** pysznić się

plump 1. [plʌmp] *adj* pulchny, tłusty; *vt* tuczyć; *vi* nabierać ciała

plump 2. [plʌmp] *vt* cisnąć, rzucić; *vi* ciężko upaść; *s* (ciężki) upadek; *adj* kategoryczny, bez ogródek; *adv* prosto z mostu, otwarcie; nagle; ciężko

plum-pud·ding [ˈplʌmˈpudɪŋ] *s* budyń z rodzynkami

plun·der [ˈplʌndə(r)] *vt vi* plądrować, grabić; *s* grabież; łup

plunge [plʌndʒ] *vt vi* zanurzać ⟨pogrążać, zagłębiać⟩ (się) (into sth w coś); nurkować, rzucać się, wpadać; wsadzać, wtykać; *s* zanurzenie (się), skok do wody, nurkowanie

plung·er [ˈplʌndʒə(r)] *s* nurek

plu·per·fect [ˈpluˈpɜːfɪkt] *adj gram.* zaprzeszły; *s gram.* czas zaprzeszły

lu·ral [`pluərl] *adj* pluralny; *gram.* mnogi; *s gram.* liczba mnoga

lu·ral·i·ty [pluə`rælətɪ] *s* wielość, mnogość; większość

lus [plʌs] *adv i praep* plus; i; *adj* dodatkowy, dodatni; *s* plus, znak dodawania

lus-fours [`plʌs`fɔːz] *s pl* pumpy

lush [plʌʃ] *s* plusz

ly 1. [plaɪ] *s* fałda; skłonność; warstwa; zwój, pasmo

ly 2. [plaɪ] *vt vi* wykonywać, u-prawiać (sth coś); bez przerwy ⟨pilnie⟩ pracować; regularnie kursować; natarczywie często-wać; zasypywać (pytaniami, fak-tami itd.)

ly·wood [`plaɪwud] *s* dykta, skle-jka

neu·mat·ic [njuˈmætɪk] *adj* pneu-matyczny

neu·mat·ics [njuˈmætɪks] *s* pneu-matyka

neu·mo·ni·a [njuˈməunɪə] *s* zapa-lenie płuc

oach 1. [pəutʃ] *vt* uprawiać kłu-sownictwo; (*o ziemi*) rozmiękać; *vt* rozdeptywać

oach 2. [pəutʃ] *vt* gotować (jaj-ko) bez skorupy

oach·er [`pəutʃə(r)] *s* kłusownik

ock·et [`pɒkɪt] *s* kieszeń; *vt* wło-żyć do kieszeni; *adj attr* kieszon-kowy; ~ **edition** wydanie kie-szonkowe

ock·et-book [`pɒkɪtbuk] *s* notat-nik; portfel

ock·et-knife [`pɒkɪtnaɪf] (*pl* pock-et-knives [`pɒkɪtnaɪvz]) *s* scyzo-ryk

pock·et-mon·ey [`pɒkɪt mʌnɪ] *s* kieszonkowe

pock-marked [`pɒkmɑkt] *adj* dzio-baty, ospowaty

pod [pɒd] *s* strączek; kokon

podg·y [`pɒdʒɪ] *adj* pękaty, przy-sadzisty

po·em [`pəuɪm] *s* poemat, wiersz

po·et [`pəuɪt] *s* poeta

po·et·ic(al) [pəuˈetɪk(l)] *adj* poety-czny, poetycki

po·et·ry [`pəuɪtrɪ] *s* poezja

poign·ant [`pɔɪnjənt] *adj* przejmu-jący, chwytający za serce; doj-mujący; ostry; cierpki; sarkas-tyczny

point [pɔɪnt] *s* punkt; cel, zamiar; istota rzeczy, sedno sprawy; sens; kwestia, sprawa; pozycja, szcze-gół; chwila, moment; punkt wi-dzenia, teza; ostry koniec, ostrze; stopień (np. napięcia); kreska (na termometrze); cecha charaktery-styczna; ~ **of exclamation** *gram.* wykrzyknik; ~ **of interrogation** *gram.* pytajnik; **full** ~ *gram.* kropka; **to carry ⟨win⟩ one's** ~ osiągnąć cel ⟨swoje⟩; **in** ~ traf-ny, w sam raz; **the case in** ~ odpowiedni ⟨stosowny⟩ wypadek; **to, o co chodzi; this is not the** ~ to nie należy do rzeczy, nie o to chodzi; **in** ~ **of** pod wzglę-dem, odnośnie do; **in** ~ **of fact** faktycznie; **to the** ~ do rzeczy; **off the** ~ nie na temat; **to make a** ~ **of sth** uważać coś za rzecz konieczną; **at ⟨in⟩ all** ~**s** całko-wicie; **to be on the** ~ **of doing sth** mieć właśnie coś zrobić; **I see your** ~ rozumiem, o co c. chodzi; **to make a** ~ uważać za rzecz zasadniczą; *vt* punktować; kropkować; ostrzyć; wskazywać; nastawiać, celować (np. the re-volver at sb z rewolweru do ko-goś); *vi* wskazywać **(at ⟨to⟩ sb, sth** na kogoś, coś); ukazywać **(to sth** coś); zwracać uwagę **(at sth** na coś); zmierzać ⟨dążyć⟩ **(at ⟨to-wards⟩ sth** do czegoś); ~ **out** wykazywać, uwydatniać, zazna-czać

point-blank [`pɔɪnt `blæŋk] *adv* bezpośrednio, wprost; kategory-cznie

point-du·ty [`pɔɪnt djutɪ] *s* służba na posterunku

point·ed [`pɔɪntɪd] *pp i adj* zaostrzony; spiczasty; ostry; dosadny, dobitny; cięty, zjadliwy

poise [pɔɪz] *vt* ważyć, równoważyć, utrzymywać w równowadze; trzymać w powietrzu; *przen.* rozważać; *vi* wisieć ⟨unosić się⟩ w powietrzu; być zrównoważonym; *s* równowaga; spokój; zrównoważona postawa; postawa, sposób trzymania głowy, stan zawieszenia

poi·son [ˈpɔɪzn] *s* trucizna; *vt* truć

poi·son·ous [ˈpɔɪznəs] *adj* trujący

poke [pəuk] *vt* wtykać, wpychać, szturchać; grzebać (np. w piecu); to ~ **fun** żartować sobie (at sb, sth z kogoś, czegoś); *vi* szperać, myszkować; szturchać, trącać (at sb, sth kogoś, coś)

pok·er 1. [ˈpəukə(r)] *s* pogrzebacz

pok·er 2. [ˈpəukə(r)] *s* poker (gra)

po·lar [ˈpəulə(r)] *adj* polarny; *mat. geogr.* biegunowy

pole 1. [pəul] *s* biegun

pole 2. [pəul] *s* drąg, słup, tyka, maszt; *sport* ~ **jump** skok o tyczce

Pole 3. [pəul] *s* Polak, Polka

pole·cat [ˈpəulkæt] *s* zool. tchórz

po·lem·ic [pəˈlemɪk] *adj* polemiczny; *s* polemista; polemika

po·lem·ics [pəˈlemɪks] *s* polemika

po·lice [pəˈlis] *s* policja; *zbior.* policjanci; *vt* utrzymywać porządek za pomocą policji; patrolować

po·lice·man [pəˈlismən] *s* policjant

po·lice-sta·tion [pəˈlis steɪʃn] *s* posterunek policji

pol·i·cy 1. [ˈpoləsɪ] *s* polityka (jako racja stanu), mądrość polityczna; kierunek; kurs, linia, taktyka; dyplomacja

pol·i·cy 2. [ˈpoləsɪ] *s* polisa (ubezpieczeniowa)

pol·i·o [ˈpəulɪəu], **pol·i·o·my·e·li·tis** [ˈpəulɪəuˌmaɪəˈlaɪtɪs] *s med.* paraliż dziecięcy, Heine-Medina

pol·ish 1. [ˈpolɪʃ] *s* połysk; politura; pasta; ogłada; *vt* politurować; nadawać połysk; czyścić

(np. buty); nadać ogładę ⟨polor⟩ (sb komuś)

Pol·ish 2. [ˈpəulɪʃ] *adj* polski; *s* język polski

pol·ished [ˈpolɪʃt] *adj* wytworny, z ogładą

po·lite [pəˈlaɪt] *adj* grzeczny, uprzejmy

pol·i·tic [ˈpolətɪk] *adj* przezorny, rozsądny, zręczny; † **the body ~** państwo (jako organizm państwowy)

po·lit·i·cal [pəˈlɪtɪkl] *adj* polityczny

pol·i·ti·cian [ˌpoləˈtɪʃn] *s* polityk

pol·i·tics [ˈpolətɪks] *s* polityka (jako praktyczna umiejętność rządzenia państwem), taktyka polityczna

pol·i·ty [ˈpolətɪ] *s* polityka administracyjna, forma rządzenia, ustrój

poll [pəul] *s* spis wyborców; głosowanie (wyborcze); obliczanie głosów; ankieta; *vt* obcinać rogi; przycinać (np. drzewo); oddawać (głos); liczyć głosy; otrzymać (głosy); *vi* głosować

pol·lute [pəˈlut] *vt* zanieczyścić; skazić

pol·lu·tion [pəˈluʃn] *s* zanieczyszczenie, skażenie; polucja

pol·y·gon [ˈpolɪgən] *s* wielokąt

pol·y·syl·lab·ic [ˌpolɪsɪˈlæbɪk] *ad* wielozgłoskowy

pol·y·tech·nic [ˌpolɪˈteknɪk] *s* politechniczny; *s* zawodowa szkoła techniczna

pome·gran·ate [ˈpomɪgrænət] *s bot.* granat (owoc i drzewo)

po·mi·cul·ture [ˈpomɪˌkʌltʃə(r)] *s* sadownictwo

pomp [pomp] *s* pompa, wystawność, parada

pom·pous [ˈpompəs] *adj* pompatyczny, nadęty; paradny, okazały

pond [pond] *s* staw

pon·der [ˈpondə(r)] *vt* rozważać *vi* rozmyślać, zastanawiać się ⟨br ⟨over⟩ sth nad czymś)

portmanteau

pon·der·a·bil·i·ty [ˈpondərəˈbrlətɪ] s
ważkość

pon·der·ous [ˈpondərəs] adj ciężki;
ważny

pon·iard [ˈponjəd] s sztylet

pon·tiff [ˈpontɪf] s arcykapłan; biskup

pon·tif·i·cate [ponˈtɪfɪkeɪt] s pon-
tyfikat

pon·toon 1. [ponˈtun] s ponton

pon·toon 2. [ponˈtun] s gra hazar-
dowa w „oko"

pon·y [ˈpəʊnɪ] s kucyk

poo·dle [ˈpudl] s pudel

pool 1. [pul] s kałuża; sadzawka;
basen (pływacki)

pool 2. [pul] s pula (w grze);
wspólny fundusz; totalizator;
handl. rodzaj kartelu; vt gromadzić wspólny kapitał; gospoda-
rzyć wspólnym kapitałem

poor [pʊə(r)] adj ubogi; lichy; nie
mający znaczenia; nędzny; biedny, nieszczęśliwy

poor·ly [ˈpʊəlɪ] adv ubogo; licho;
adj niezdrów, mizerny

pop [pop] vt trzasnąć; rozerwać;
wystrzelić; cisnąć; vi rozrywać
się z trzaskiem, pęknąć; pot. ~
in zajrzeć ⟨wpaść⟩ (on sb do kogoś); ~ off zwiać. uciec; s trzask,
wystrzał; adv pot. z trzaskiem
⟨hukiem⟩

pope 1. [pəʊp] s papież

pope 2. [pəʊp] s pop (prawosławny)

pop·ish [ˈpəʊpɪʃ] adj uj. papieski

pop·lar [ˈpoplə(r)] s topola

pop·lin [ˈpoplɪn] s popelina

pop·py [ˈpopɪ] s mak

pop·u·lace [ˈpopjuləs] s tłum, pospólstwo

pop·u·lar [ˈpopjulə(r)] adj ludowy;
popularny; potoczny

pop·u·lar·i·ty [ˈpopjuˈlærətɪ] s popularność

pop·u·lar·ize [ˈpopjulərɑɪz] vt popularyzować

pop·u·late [ˈpopjuleɪt] vt zaludniać

pop·u·la·tion [ˈpopjuˈleɪʃn] s zaludnienie, ludność

pop·u·lous [ˈpopjuləs] adj ludny,
gęsto zaludniony

porce·lain [ˈposlɪn] s porcelana

porch [potʃ] s portyk; ganek; am.
weranda

pore 1. [pɔ(r)] s anat. por; otworek

pore 2. [pɔ(r)] vi ślęczeć (over sth
nad czymś); zamyślać się (upon
⟨at⟩ sth nad czymś)

pork [pɔk] s wieprzowina

por·nog·ra·phy [pɔˈnogrəfɪ] s pornografia

po·ros·i·ty [pɔˈrosətɪ] s porowatość

po·rous [ˈpɔrəs] adj porowaty

por·ridge [ˈporɪdʒ] s kasza owsia-
na, owsianka

port 1. [pɔt] s mors. port

port 2. [pɔt] s techn. otwór, wlot;
brama miejska; mors. otwór ła-
dunkowy; (także ~hole) ilumina-
tor; lewa burta

port 3. [pɔt] s postawa, wygląd

port 4. [pɔt] s (także ~-wine) port-
wajn (rodzaj słodkiego wina)

port·a·ble [ˈpɔtəbl] adj przenośny

por·tal [ˈpɔtl] s arch. portal

por·tend [pɔˈtend] vt zapowiadać,
przepowiadać

por·tent [ˈpotent] s zapowiedź ⟨o-
znaka⟩ (np. burzy); omen

por·ten·tous [pɔˈtentəs] adj zło-
wróżbny; nadzwyczajny, cudowny

por·ter 1. [ˈpotə(r)] s portier

por·ter 2. [ˈpotə(r)] s bagażowy

por·ter 3. [ˈpotə(r)] s porter (gatunek piwa)

port·fo·li·o [ˈpotfəʊliəʊ] s teka, aktówka; handl. portfel wekslowy

port·hole [ˈpothəʊl] s mors. ilumi-
nator; mors. † otwór strzelniczy

por·tion [ˈpoʃn] s porcja, udział,
cząstka; partia (czegoś); los, dola; posag; vt dzielić (na porcje
⟨części⟩); (także ~ out) wydzielać

port·ly [ˈpotlɪ] adj pełen godności; okazały; korpulentny

port·man·teau [pɔtˈmæntəʊ] s walizka

por·trait ['pɔtrit] s portret

por·tray [pɔ'trei] vt portretować; odtwarzać, przedstawiać

por·tray·al [pɔ'treil] s portret; portretowanie; opis, przedstawienie

Por·tu·guese ['pɔtʃu'giz] adj portugalski; s Portugalczyk

pose [pəuz] s poza, postawa; vi pozować; vt stawiać (pytanie), wygłaszać (opinię)

pos·er ['pəuzə(r)] s łamigłówka, trudne pytanie

po·si·tion [pə'ziʃn] s pozycja, położenie; pozycja społeczna; możność, stan; stanowisko; vt umieszczać; ustalać położenie

pos·i·tive ['pozitiv] adj pozytywny; twierdzący; pewny, przekonany; dodatni; bezwzględny, stanowczy; gram. równy; s fot. pozytyw

pos·sess [pə'zes] vt posiadać; to be ~ed of sth posiadać coś na własność; władać (sth czymś); opętać

pos·sessed [pə'zest] pp i adj opanowany (także self-~); opętany (by the devil przez diabła)

pos·ses·sion [pə'zeʃn] s posiadanie; władanie (of sth czymś); posiadłość, posiadany przedmiot; panowanie nad sobą; to take ~ of sth objąć coś w posiadanie, zawładnąć czymś

pos·ses·sive [pə'zesiv] adj dotyczący posiadania; (o chęci itd.) posiadania; gram. dzierżawczy; ~ case dopełniacz; s gram. dopełniacz; zaimek dzierżawczy

pos·ses·sor [pə'zesə(r)] s właściciel, posiadacz

pos·si·bil·i·ty ['posə'biləti] s możliwość, możność

pos·si·ble ['posəbl] adj możliwy; ewentualny; as soon as ~ jak najszybciej

post 1. [pəust] s słup; vt naklejać na słupie, rozlepiać afisze, ogłaszać za pomocą afiszów, wywieszać (afisz, kartkę itp.)

post 2. [pəust] s poczta; by ~ pocz-

tą; by return of ~ odwrotną pocztą;. vt posłać pocztą, wrzucić (list) do skrzynki pocztowej

post 3. [pəust] s posterunek; stanowisko, posada; vt umieścić na stanowisku, wyznaczyć (zadania, obowiązki)

post·age ['pəustidʒ] s opłata pocztowa

post·age·stamp ['pəustidʒ stæmp] znaczek pocztowy

post·al ['pəustl] adj pocztowy; ~ card (am. ~) pocztówka

post·card ['pəustkad] s kartka pocztowa; picture ~ widokówka

post·er ['pəustə(r)] s afisz

pos·te·ri·or [po'stiəriə(r)] adj późniejszy, następny; tylny; s tylna część

pos·ter·i·ty [po'sterəti] s potomność potomkowie

post·free ['pəust 'fri] adj wolne od opłaty pocztowej

post·grad·u·ate ['pəust 'grædʒuət] adj dotyczący studiów po uzyskaniu stopnia uniwersyteckiego; s student kontynuujący naukę po uzyskaniu stopnia uniwersyteckiego, doktorant

post·hu·mous ['postjuməs] adj pośmiertny

post·man ['pəustmən] s listonosz

post·mark ['pəustmak] s stempel pocztowy

post·mas·ter ['pəustmastə(r)] s naczelnik poczty

post·mor·tem [pəust 'mɔtem] adj attr pośmiertny; ~ examination obdukcja; s obdukcja

post·of·fice ['pəust ofis] s urząd pocztowy

post·paid ['pəust 'peid] adj (o przesyłce pocztowej) opłacony

post·pone [pə'spəun] vt odraczać, odwlekać; podporządkowywać (sth to sth coś czemuś)

post·script ['pəusskript] s postscriptum

pos·tu·late ['postjuleit] vt domagać się; postulować; s postulat

pos·ture [`pɒstʃə(r)] s położenie; postawa, poza

post-war [`pəustwɔ(r)] adj powojenny

po·sy [`pəuzɪ] s bukiet, wiązanka

pot [pɒt] s garnek; dzban; wazon; doniczka; czajniczek (do herbaty, kawy); nocnik; pot. sport puchar; **to make the ~ boil** z trudem zarabiać na kawałek chleba; vt włożyć do garnka; przechowywać ⟨konserwować⟩ w garnku; sadzić w doniczce

po·ta·to [pə`teɪtəu] s (pl ~es) ziemniak, kartofel

po·ta·to-bee·tle [pə`teɪtəu bitl] s stonka ziemniaczana

pot-boil·er [`pɒtbɔɪlə(r)] s mierna praca autorska pisana dla zarobku, szmira, chałtura

po·tent [`pəutnt] adj silny, potężny; przekonywający; skuteczny

po·ten·tate [`pəutnteɪt] s potentat

po·ten·tial [pə`tenʃl] adj potencjalny

po·tion [`pəuʃn] s napój (zw. leczniczy)

pot-lid [`pɒtlɪd] s pokrywka, przykrywka

pot·ter [`pɒtə(r)] s garncarz

pot·ter·y [`pɒtərɪ] s garncarstwo; wyroby garncarskie; garncarnia

pouch [pautʃ] s woreczek; kapciuch (na tytoń); kieszeń; wojsk. ładownica; vt włożyć do woreczka ⟨kieszeni⟩; wydymać

pouf [puf] s puf, miękki taboret

poul·tice [`pəultɪs] s gorący okład

poul·try [`pəultrɪ] s drób

pounce [pauns] s pazur, szpon; gwałtowny ruch (ptaka drapieżnego); vt chwycić w szpony; vi błyskawicznie spaść ⟨skoczyć, rzucić się⟩ (upon sth na coś)

pound 1. [paund] s funt; (także ~ sterling) funt szterling

pound 2. [paund] vt vi tłuc ⟨walić⟩ (sth coś; at ⟨on⟩ sth w coś)

pound 3. [paund] s zagroda (dla zwierząt); vt zamknąć w zagrodzie

pour [pɔ(r)] vt vi nalewać, rozlewać, lać; ~ **in** napływać; ~ **out** wylewać (się); s ulewa

pout [paut] vt vi wydymać wargi; przen. robić kwaśną minę

pov·er·ty [`pɒvətɪ] s ubóstwo

pow·der [`paudə(r)] s proch; proszek; puder; vt posypać (proszkiem itd.); sproszkować; pudrować

pow·er [`pauə(r)] s potęga, moc, władza; możność, zdolność; mocarstwo; elektr. energia, siła; mat. potęga

pow·er·ful [`pauəfl] adj potężny, mocny; wpływowy

pow·er-nouse [`pauə haus] s elektrownia; pot. osoba pełna energii

pow·er·less [`pauəlɪs] adj bezsilny

pow·er-sta·tion [`pauə steɪʃən] s = power-house

prac·ti·ca·ble [`præktɪkəbl] adj możliwy, do przeprowadzenia, wykonalny; nadający się do użytku

prac·ti·cal [`præktɪkl] adj praktyczny; realny; faktyczny

prac·ti·cal·ly [`præktɪklɪ] adv praktycznie; faktycznie, w istocie rzeczy, właściwie

prac·tice [`præktɪs] s praktyka, ćwiczenie; **to be out of ~** wyjść z wprawy; **to put in ⟨into⟩ ~** zrealizować

prac·tise [`præktɪs] vt praktykować; ćwiczyć (się)

prac·ti·tion·er [præk`tɪʃnə(r)] s (zw. o lekarzu) praktyk; **general ~** lekarz praktykujący ogólnie

prai·rie [`preərɪ] s preria

praise [preɪz] vt chwalić, sławić; s chwała, pochwała

praise·wor·thy [`preɪzwɜðɪ] adj godny pochwały, chwalebny

pram [præm] s pot. skr. = perambulator

prance [prans] vi (o koniu) stawać dęba; harcować; pot. (o człowieku) dumnie kroczyć; zadzierać nosa

prank 1. [præŋk] s psota, figiel, wybryk; **to play** ~s dokazywać; płatać figle (on sb komuś)

prank 2. [præŋk] vt stroić, zdobić

prate [preɪt] vt vi paplać; s paplanina

prat·tle [`prætl] vt vi paplać, bajdurzyć; szczebiotać; s paplanina; szczebiot

pray [preɪ] vt vi prosić ⟨błagać, modlić się⟩ ⟨for sth o coś⟩; ~! proszę!

prayer [preə(r)] s modlitwa; prośba; [`preɪə(r)] modlący się

pre [pri] praef łac. przed-

preach [priːtʃ] vi wygłaszać kazanie; vt głosić, wygłaszać (kazanie)

preach·er [`priːtʃə(r)] s kaznodzieja

pre·am·ble [priˈæmbl] s wstęp, wstępna uwaga

pre·ca·ri·ous [prɪˈkeərɪəs] adj niepewny, wątpliwy; niebezpieczny

pre·cau·tion [prɪˈkɔːʃn] s ostrożność, środek ostrożności; **to take** ~s zastosować środki ostrożności

pre·cede [prɪˈsiːd] vt vi poprzedzać (w czasie); iść przodem; mieć pierwszeństwo (sb, sth` przed kimś, czymś)

pre·ced·ence [`presɪdəns] s pierwszeństwo

prec·e·dent 1. [`presɪdənt] s precedens

pre·ced·ent 2. [prɪˈsiːdənt] adj poprzedzający, uprzedni

pre·ced·ing [prɪˈsiːdɪŋ] ppraes i adj poprzedzający, poprzedni; powyższy

pre·cept [`priːsept] s reguła; nauka moralna, przykazanie; prawn. nakaz

pre·cep·tor [prɪˈseptə(r)] s nauczyciel, instruktor

pre·cinct [`priːsɪŋkt] s obręb, zakres, granica; pl ~s najbliższe otoczenie, okolice; am. okręg wyborczy

pre·cious [`preʃəs] adj drogocenny, wartościowy, cenny; ⟨o kamieniu

itd.⟩ szlachetny; afektowany; ⟨ kochany; pot. skończony, kom pletny (np. dureń); adv pot. bar dzo, szalenie

prec·i·pice [`presəpɪs] s przepaś

pre·cip·i·tate [prəˈsɪpɪteɪt] vt zrzu cić, strącić; przyspieszyć; chem strącić; vt spaść; osadzić się; v ~ **oneself** rzucić się (on ⟨upor sb, sth na kogoś, coś⟩; adj [pr `sɪpɪtət] spadzisty; gwałtowny pośpieszny, nagły; s [prəˈsɪpɪtət osad

pre·cip·i·ta·tion [prəˈsɪpɪˈteɪʃn] zepchnięcie, zrzucenie; upadek pośpiech, nagłość; chem. strą cenie, osad

pre·cip·i·tous [prəˈsɪpɪtəs] adj prze pastny; stromy, urwisty

pré·cis [`preɪsiː] s streszczenie

pre·cise [prɪˈsaɪs] adj dokładny ścisły; ⟨o człowieku⟩ skrupulatn

pre·ci·sion [prɪˈsɪʒn] s precyzja ścisłość

pre·clude [prɪˈkluːd] vt uniemoż liwiać, zapobiegać

pre·clu·sion [prɪˈkluːʒn] s wyklu czenie; zapobieżenie (from sth czemuś)

pre·clu·sive [prɪˈkluːsɪv] adj unie możliwiający, wykluczający

pre·co·cious [prɪˈkəʊʃəs] adj przed wcześnie rozwinięty ⟨dojrzały⟩ przedwczesny

pre·coc·i·ty [prɪˈkɒsətɪ] s przed wczesny rozwój

pre·con·ceive [ˈpriːkənˈsiːv] vt po wziąć z góry (sąd, opinię), uprze dzić (sth do czegoś)

pre·con·cep·tion [ˈpriːkənˈsepʃn] s z góry powzięty sąd; uprzedze nie

pre·cur·sor [prɪˈkɜːsə(r)] s poprzed nik, prekursor

pred·a·to·ry [`predətərɪ] adj dra pieżny; łupieżczy

pre·de·ces·sor [`priːdɪsesə(r)] s po przednik; przodek, antenat

pre·des·ti·nate [priːˈdestɪneɪt] vt predestynować

pre·des·ti·na·tion [ˈpriːdestɪˈneɪʃn] s predestynacja

re·des·tine [pri`destɪn] = **predes-tinate**

re·dic·a·ment [prɪ`dɪkəmənt] *s* ciężkie położenie, kłopot

red·i·cate [`predɪkeɪt] *vt* orzekać, twierdzić; *s* [`predɪkət] *gram.* orzeczenie

re·dic·a·tive [prɪ`dɪkətɪv] *adj* orzekający; *gram.* orzecznikowy; *s gram.* orzecznik

re·dict [prɪ`dɪkt] *vt* przepowiadać, prorokować

re·di·lec·tion [`pridɪ`lekʃn] *s* szczególne upodobanie (**for** sth do czegoś)

re·dis·po·si·tion [`pri`dɪspə`zɪʃn] *s* skłonność (predyspozycja) (**to** sth do czegoś)

re·dom·i·nant [prɪ`dɒmɪnənt] *adj* dominujący, przeważający

re·dom·i·nate [prɪ`dɒmɪneɪt] *vt* przeważać, dominować; przewyższać (**over** sb, sth kogoś, coś)

re·em·i·nent [prɪ`emɪnənt] *adj* górujący, wybitny

re·fab [`prifæb] *s* pot. skr. dom z prefabrykatów

re·fab·ri·cate [`pri`fæbrɪkeɪt] *vt* prefabrykować

ref·ace [`prefɪs] *s* przedmowa; *vt* poprzedzić przedmową

re·fect [`prifekt] *s* prefekt

re·fer [prɪ`fɜ:(r)] *vt* woleć (sb, sth **to** ⟨rather than⟩ sb, sth kogoś, coś od kogoś, czegoś); wnosić, przedkładać (np. skargę); awansować

pref·er·a·ble [`prefrəbl] *adj* bardziej wskazany (lepszy, milszy) (**to** sb, sth aniżeli ktoś, coś)

pref·er·ence [`prefrəns] *s* pierwszeństwo; preferencja, przedkładanie (**of** sth **to** ⟨**over**⟩ sth czegoś nad coś)

re·fix [`pri`fɪks] *vt* umieścić na wstępie, poprzedzić (sth **to** sth coś czymś); *s* [`prifɪks] *gram.* przedrostek

preg·nan·cy [`pregnənsɪ] *s* ciąża, brzemienność

preg·nant [`pregnənt] *adj* ciężarna, brzemienna; *przen.* brzemienny;

pełen treści, ważki; sugestywny

pre·his·tor·ic [`prihɪ`stɒrɪk] *adj* prehistoryczny

prej·u·dice [`predʒədɪs] *s* uprzedzenie, złe nastawienie (**against** sb, sth do kogoś, czegoś); przychylne nastawienie (**in favour of** sb, sth do kogoś, czegoś); przesąd; szkoda, uszczerbek; **to the** ~ **of** sb ze szkodą dla kogoś; *vt* uprzedzić (fakt itd.); uprzedzić, z góry źle usposobić (**sb against** sb, sth kogoś do kogoś, czegoś); przychylnie nastawić (**sb in favour of** sb, sth kogoś od kogoś, czegoś); zaszkodzić, przynieść uszczerbek

prej·u·di·cial [`predʒu`dɪʃl] *adj* szkodliwy (**to** sb, sth dla kogoś, czegoś)

prel·ate [`prelət] *s* prałat, dostojnik kościelny

pre·lim·i·na·ry [prɪ`lɪmɪnərɪ] *adj* wstępny, przygotowawczy; *s* (*zw. pl* **preliminaries**) preliminaria, wstępne kroki (rozmowy)

prel·ude [`preljud] *s* wstęp; *muz.* preludium; *vt* zapowiadać; wprowadzić, poprzedzić wstępem; *vi* stanowić wstęp (**to** sth do czegoś)

pre·ma·ture [`premətʃə(r)] *adj* przedwczesny

pre·med·i·tate [prɪ`medɪteɪt] *vt* z góry obmyślić

pre·med·i·ta·tion [`pri`medɪ`teɪʃn] *s* premedytacja

pre·mi·er [`premɪə(r)] *adj* pierwszy; *s* premier

prem·ise [`premɪs] *s* filoz. przesłanka; założenie; *pl* ~**s** lokal; parcela z zabudowaniami

pre·mi·um [`primɪəm] *s* premia

pre·oc·cu·pa·tion [`pri`ɒkju`peɪʃn] *s* zaabsorbowanie, troska; uprzednie zajęcie (np. miejsca); uprzedzenie, przesąd

pre·oc·cu·py [prɪ`ɒkjupaɪ] *vt* absorbować, pochłaniać uwagę; uprzednio zająć

pre·paid [`pri`peɪd] *adj* z góry opłacony

prep·a·ra·tion [ˈprepəˈreɪʃn] s przygotowanie; sporządzenie

pre·par·a·to·ry [prɪˈpærətərɪ] adj przygotowawczy

pre·pare [prɪˈpeə(r)] vt vi przygotowywać ⟨naszykować⟩ (się); sporządzić

pre·pared [prɪˈpeəd] pp i adj gotowy

pre·pon·der·ance [prɪˈpondərəns] s przewaga

pre·pon·der·ate [prɪˈpondəreɪt] vi przeważać ⟨mieć przewagę⟩ (over sb, sth nad kimś, czymś)

prep·o·si·tion [ˈprepəˈzɪʃn] s gram. przyimek

pre·pos·sess [ˈpriːpəˈzes] vt uprzedzać, usposabiać (zw. przychylnie), ujmować (zachowaniem itd.); natchnąć (sb with sth kogoś czymś)

pre·pos·ter·ous [prɪˈpostərəs] adj absurdalny, niedorzeczny

pres·age [ˈpresɪdʒ] s przepowiednia, zapowiedź; przeczucie; vt [prɪˈseɪdʒ] przepowiadać; zapowiadać

pre·scribe [prɪˈskraɪb] vt przepisywać, zarządzać, zalecać; prawn. unieważnić z powodu przedawnienia

pre·scrip·tion [prɪˈskrɪpʃn] s przepis, zarządzenie; recepta; prawn. positive ~ nabycie przez zasiedzenie; negative ~ przedawnienie

pres·ence [ˈprezns] s obecność; prezencja, powierzchowność; ~ of mind przytomność umysłu

pres·ent 1. [ˈpreznt] adj obecny, teraźniejszy, niniejszy; s teraźniejszość; gram. czas teraźniejszy; at ~ teraz, obecnie; for the ~ na razie; up to ⟨until⟩ the ~ dotychczas

pre·sent 2. [ˈpreznt] s prezent; vt [prɪˈzent] robić prezent, podarować (sb with sth komuś coś); prezentować, przedstawiać, przedkładać; ~ compliments ⟨regards⟩ pozdrawiać, składać uszanowa-

nie; vr ~ oneself zgłosić ⟨stawi się

pre·sent·a·ble [prɪˈzentəbl] a (o człowieku) mający dobrą pre zencję

pres·en·ta·tion [ˈpreznˈteɪʃn] s przedstawienie; przedłożenie; p darowanie; ~ copy egzemplar autorski

pre·sen·ti·ment [prɪˈzentɪmənt] przeczucie

pres·en·tly [ˈprezntlɪ] adv wkrót ce, zaraz

pres·er·va·tion [ˈprezəˈveɪʃn] s za chowywanie, przechowanie; o chrona

pre·serve [prɪˈzɜːv] vt zachowywa przechowywać; zabezpieczać, o chraniać; konserwować (owoc itp.); s konserwa; rezerwat

pre·side [prɪˈzaɪd] vi przewodni czyć (at ⟨over⟩ the meeting ze braniu)

pres·i·dent [ˈprezɪdənt] s prezy dent; prezes, przewodniczący rektor

press [pres] vt vi cisnąć (się ściskać, uciskać, naciskać; nale gać; naglić; prasować; tłoczyć wymuszać, narzucać; gnębić, cią żyć; ~ in wciskać (się); wdzie rać się; ~ on pędzić naprzód popędzać; ~ out wyciskać; ~ through przeciskać się; to b ~ed for money mieć trudnoś pieniężne; s nacisk; ścisk, tłok napór; nawał; opresja; ciężki położenie; prasa (także druka ska); in ⟨the⟩ ~ pod prasą, druku; to go to ~ iść do druku a good ~ dobra recenzja (w pra sie)

press-clip·ping [ˈpres klɪpɪŋ], **press -cut·ting** [ˈpres kʌtɪŋ] s wycinek prasowy

press·ing [ˈpresɪŋ] ppraes i adj na glący, pilny; natarczywy

pres·sure [ˈpreʃə(r)] s ciśnienie nacisk; ucisk; elektr. napięcie presja; nawał (spraw, pracy); t put ~ wywierać nacisk (on ⟨upon⟩ sth na coś)

res·tige [pre'stiʒ] s prestiż

re·sume [pri'zjum] vt vi przypuszczać, domyślać się, zakładać; pozwalać sobie, ośmielać się; wykorzystywać, nadużywać (on ⟨upon⟩ sth czegoś); polegać (on ⟨upon⟩ sth na czymś)

re·sumed [pri'zjumd] pp i adj przypuszczalny, domniemany

re·sump·tion [pri'zʌmpʃn] s przypuszczenie, domniemanie; zarozumiałość

re·sump·tive [pri'zʌmptɪv] adj przypuszczalny

re·sump·tu·ous [pri'zʌmptʃʊəs] adj zarozumiały, pewny siebie

re·sup·pose ['prisə'pəuz] vt przyjmować ⟨zakładać⟩ z góry

re·tence [pri'tens] s pretensja; roszczenie; udawanie; pretekst; pozory

re·tend [pri'tend] vt vi pozorować, udawać; wysuwać jako pretekst; rościć pretensje, pretendować (to sth do czegoś)

re·tend·er [pri'tendə(r)] s udający, symulant; pretendent

re·ten·sion [pri'tenʃn] s pretensja, roszczenie; aspiracja; pretensjonalność

re·ten·tious [pri'tenʃəs] adj pretensjonalny

pret·er·ite ['pretərit] adj gram. przeszły; s gram. czas przeszły

pre·text ['pritekst] s pretekst

pret·ty ['priti] adj ładny, śliczny; dobry; spory; adv pot. sporo, dość

pre·vail [pri'veil] vi przeważać; brać górę (over ⟨against⟩ sb nad kimś); skłonić (kogoś); wymóc (on ⟨upon⟩ sb to do sth na kimś, aby coś zrobił); być powszechnie przyjętym, panować

prev·a·lent ['prevələnt] adj przeważający; powszechny, panujący

pre·vent [pri'vent] vt przeszkadzać (sth czemuś; sb from doing sth

komuś w robieniu czegoś); powstrzymywać; zapobiegać (sth czemuś)

pre·ven·tion [pri'venʃn] s profilaktyka, zapobieganie; przeszkoda

pre·ven·tive [pri'ventiv] adj zapobiegawczy; s środek zapobiegawczy

pre·vi·ous ['priviəs] adj poprzedni, uprzedni; poprzedzający (to sth coś); adv w zwrocie: ~ to sth przed czymś

pre·war ['pri 'wɔ(r)] adj przedwojenny

prey [prei] s łup, ofiara; to fall a ~ paść ofiarą (to sth czegoś); beast ⟨bird⟩ of ~ drapieżnik; vi grabić; żerować (on ⟨upon⟩ sb, sth na kimś, czymś); polować (on ⟨upon⟩ sth na coś); przen. trawić, dręczyć (on sb's mind kogoś)

price [prais] s cena; at the ~ po cenie, za cenę; vt ocenić, wycenić

price·less ['praisləs] adj bezcenny

price·list ['prais list] s cennik

prick [prik] s ukłucie; ~s of conscience wyrzuty sumienia; vt ukłuć, przekłuć, nakłuć; ~ up one's ears nadstawiać uszu

prick·le ['prikl] s kolec, cierń; vt vi kłuć; szczypać

pride [praid] s duma; to take ~ szczycić się (in sth czymś); vr ~ oneself szczycić się ⟨pysznić się⟩ (on ⟨upon⟩ sth czymś)

priest [prist] s kapłan, duchowny

prig [prig] s pedant; zarozumialec

prim [prim] adj pot. schludny; afektowany; wyszukany; pedantyczny

pri·ma·cy ['praiməsi] s prymat

pri·ma·ry ['praiməri] adj początkowy, pierwotny; pierwszorzędny, zasadniczy, główny; ~ school szkoła podstawowa

pri·mate ['praimeit] s prymas

prime [praim] adj pierwszy, najważniejszy, główny; at ~ cost po kosztach własnych; Prime Minister premier; s początek, zaranie; *przen.* wiosna, rozkwit; **in the ~ of life** w kwiecie wieku

prim·er [ˈpraɪmə(r)] *s* elementarz, podręcznik dla początkujących

prim·i·tive [ˈprɪmɪtɪv] *adj* prymitywny; początkowy, pierwotny

prim·rose [ˈprɪmrəuz] *s bot.* pierwiosnek

prince [prɪns] *s* książę

prin·cess [ˈprɪnˈses] *s* księżna, księżniczka

prin·ci·pal [ˈprɪnsəpl] *adj* główny; *s* kierownik, szef, dyrektor; kapitał (bez procentów)

prin·ci·pal·i·ty [ˌprɪnsəˈpælətɪ] *s* księstwo

prin·ci·ple [ˈprɪnsəpl] *s* zasada; podstawa

print [prɪnt] *s* druki, druk; sztych; odbicie, ślad, odcisk; odbitka; perkal; (*o książce*) **in ~** wydrukowany; będący w sprzedaży; **out of ~** wyczerpany; *vt* drukować; wytłaczać, wycisnąć

print·er [ˈprɪntə(r)] *s* drukarz

print·ing [ˈprɪntɪŋ] *s* drukowanie, druk; nakład

print·ing-house [ˈprɪntɪŋ haus] *s* drukarnia

print·ing-of·fice [ˈprɪntɪŋ ofɪs] = printing-house

pri·or [ˈpraɪə(r)] *adj* poprzedni, wcześniejszy, uprzedni; ważniejszy (**to sb, sth** od kogoś, czegoś); *adv w zwrocie:* **~ to sth** przed czymś; *s* przeor

pri·or·i·ty [praɪˈɒrətɪ] *s* pierwszeństwo, priorytet

prism [ˈprɪzm] *s fiz.* pryzmat; *mat.* graniastosłup

pris·on [ˈprɪzn] *s* więzienie

pris·on·er [ˈprɪznə(r)] *s* więzień, jeniec; **~ of war** jeniec wojenny; **to take ~** wziąć do niewoli

pri·va·cy [ˈprɪvəsɪ] *s* samotność, odosobnienie, izolacja; skrytość; utrzymywanie w tajemnicy

pri·vate [ˈpraɪvɪt] *adj* osobisty, własny, prywatny; tajny, poufny; **keep sth ~** trzymać coś w tajemnicy; odosobniony; *wojsk.* sze-

regowy; *s wojsk.* szeregowiec

pri·va·teer [ˌpraɪvɪˈtɪə(r)] *s* state korsarski; kaper, korsarz

pri·va·tion [praɪˈveɪʃn] *s* pozba wienie; niedostatek, brak

priv·i·lege [ˈprɪvlɪdʒ] *s* przywile nietykalność (poselska); *vt* przywilejować, nadać przywilej

priv·y [ˈprɪvɪ] *adj* tajny; wtajem niczony (**to sth** w coś); *s* ustę ubikacja

prize 1. [praɪz] *s* nagroda, premi wygrana (na loterii); *vt* wysok cenić

prize 2. [praɪz] *s* łup wojenn (zdobyty na morzu); *pot.* gratka **to make a ~** zdobyć ⟨zająć⟩ (o sth coś)

pro [prəu] *praep łac.* za, na, pro *adv w zwrocie:* **~ and con** z i przeciw; *s w zwrocie:* **~s an cons** (fakty itd.) za i przeciw

prob·a·bil·i·ty [ˌprɒbəˈbɪlətɪ] prawdopodobieństwo; **in all ~** według wszelkiego prawdopodo bieństwa

prob·a·ble [ˈprɒbəbl] *adj* prawdo podobny

pro·ba·tion [prəˈbeɪʃn] *s* staż; pró ba; nowicjat; *prawn.* warunkow zwolnienie z więzienia i oddani pod nadzór sądowy; **on ~** n stażu; pod nadzorem sądowym

pro·ba·tion·a·ry [prəˈbeɪʃnrɪ] ad (*o okresie*) próbny

pro·ba·tion·er [prəˈbeɪʃnə(r)] pracownik w okresie próby, pra ktykant, stażysta; nowicjusz *prawn.* zwolniony więzień odda ny pod nadzór sądowy

probe [prəub] *s* sonda; *vt* sondo wać; *przen.* badać; *vi* zagłębia się (**into sth** w coś)

pro·bi·ty [ˈprəubətɪ] *s* rzetelność

prob·lem [ˈprɒbləm] *s* problem

prob·lem·at·ic(al) [ˌprɒbləˈmætɪk(l) *adj* problematyczny

pro·ce·dure [prəˈsiːdʒə(r)] *s* proce dura, postępowanie

pro·ceed [prəˈsiːd] *vi* podążać, po suwać się naprzód; udać się (do kądś); kontynuować (**with st**

coś); wynikać ⟨pochodzić⟩ (from sth z czegoś); przystąpić ⟨zabrać się⟩ (to sth do czegoś); z kolei ⟨następnie⟩ zrobić (to sth coś); toczyć się, ciągnąć się, przebiegać; wytoczyć proces (against sb komuś)

pro·ceed·ing [prə`sidɪŋ] s postępowanie; poczynanie; pl ~s sprawozdanie (z działalności), protokóły; debaty (obrady); *prawn. legal* ~s przewód sądowy

pro·ceeds [`prəusidz] s pl dochód, zysk

pro·cess [`prəuses] s przebieg, tok, proces; in ~ w toku; in ~ of time z biegiem czasu; vt obrabiać, poddawać procesowi ⟨działaniu⟩

pro·ces·sion [prə`seʃn] s procesja, pochód

pro·claim [prə`kleɪm] vt proklamować; zakazywać (sth czegoś)

proc·la·ma·tion [ˌproklə`meɪʃn] s proklamacja; zakaz

pro·cliv·i·ty [prəu`klɪvətɪ] s skłonność, inklinacja (to ⟨towards⟩ sth do czegoś)

pro·cras·ti·nate [prəu`kræstɪneɪt] vt odwlekać; vi ociągać się

pro·cre·ate [`prəukrɪeɪt] vt rodzić, wydawać na świat

pro·cure [prə`kjuə(r)] vt dostarczyć (sth for sb coś komuś); sprawić (sobie), postarać się (sth o coś); dostać; vt stręczyć (do nierządu)

pro·cur·er [prə`kjuərə(r)] s pośrednik; stręczyciel

prod [prod] s szturchnięcie; bodziec; vt szturchać; popędzać

prod·i·gal [`prodɪgl] adj rozrzutny, marnotrawny

pro·dig·ious [prə`dɪdʒəs] adj zdumiewający; cudowny; ogromny

prod·i·gy [`prodɪdʒɪ] s cudo, cud; cudowne dziecko; nadzwyczajny talent

ro·duce [prə`djus] vt produkować, wytwarzać; wydobywać; powodować; wywoływać; wydawać

(książkę, plony, potomstwo itd.); przynieść (np. zysk), dawać (rezultaty); okazywać, przedkładać, przedstawiać (np. dowody); wystawiać (sztukę); s [`prodjus] wynik; plon, zbiór; płody, produkty; produkcja, wydobycie

pro·duc·er [prə`djusə(r)] s producent; *am.* dyrektor teatru

prod·uct [`prodʌkt] s produkt, wyrób; wynik; *mat.* iloczyn

pro·duc·tion [prə`dʌkʃn] s produkcja, wytwórczość; utwór (literacki itd.); wystawienie (sztuki)

pro·duc·tive [prə`dʌktɪv] adj produktywny; płodny, żyzny

pro·fane [prə`feɪn] vt profanować; adj bluźnierczy; pogański; nieczysty; pospolity; świecki

pro·fess [prə`fes] vt wyznawać (wiarę); oświadczać, twierdzić; uprawiać (zawód)

pro·fessed [prə`fest] pp i adj jawny; zawodowy; rzekomy

pro·fes·sion [prə`feʃn] s zawód, zajęcie; wyznanie (wiary); oświadczenie; by ~ z zawodu

pro·fes·sion·al [prə`feʃnl] adj zawodowy, fachowy; s fachowiec

pro·fes·sor [prə`fesə(r)] s profesor

prof·fer [`profə(r)] vt proponować ⟨oferować⟩ (swoje usługi itd.)

pro·fi·cien·cy [prə`fɪʃnsɪ] s biegłość, sprawność

pro·fi·cient [prə`fɪʃnt] adj biegły, sprawny

pro·file [`prəufaɪl] s profil

prof·it [`profɪt] s korzyść, pożytek; dochód; to turn to ~ wykorzystać; vt przynosić korzyść ⟨pożytek⟩; vi korzystać (by ⟨from⟩ sth z czegoś); zyskać (by sth na czymś)

prof·it·a·ble [`profɪtəbl] adj korzystny, pożyteczny; zyskowny

prof·it·eer [ˌprofɪ`tɪə(r)] s spekulant, *pot.* paskarz; vi spekulować, *pot.* paskować

prof·li·gate [`profligət] adj rozpustny; rozrzutny; s rozpustnik; rozrzutnik

profound

pro·found [prə`faund] *adj* (*o ukło-
nie, zainteresowaniu itp.*) głęboki; (*o wiedzy itp.*) gruntowny

pro·fun·di·ty [prə`fʌndətɪ] *s* głębo-
kość, głębia

pro·fuse [prə`fjus] *adj* hojny, roz-
rzutny; obfity

pro·fu·sion [prə`fjuʒn] *s* hojność,
rozrzutność; obfitość

pro·gen·i·tor [prəu`dʒenɪtə(r)] *s*
przodek, antenat

prog·e·ny [`prodʒɪnɪ] *s* potomstwo,
zbiór. potomkowie

prog·nos·tic [prog`nostɪk] *s* progno-
styk, oznaka

pro·hib·i·tive [prə`hɪbətɪv] *adj* pro-
gram; *vt* układać program

prog·ress [`prəugres] *s* postęp; roz-
wój; bieg; *vi* [prə`gres] posuwać
się naprzód; robić postępy; być w
toku

pro·gres·sion [prə`greʃn] *s* postęp,
progresja

pro·gres·sive [prə`gresɪv] *adj* po-
stępowy; progresywny; *gram.*
ciągły; *s* postępowiec

pro·hib·it [prə`hɪbɪt] *vt* zakazywać;
wstrzymywać

pro·hi·bi·tion [`prəuɪ`bɪʃn] *s* zakaz;
prohibicja

pro·hib·i·tive [prə`hɪbətɪv] *adj* pro-
hibicyjny; (*o cenach*) nieprzystępny

pro·ject [`prodʒekt] *s* projekt; *vt*
[prə`dʒekt] projektować; rzucać,
wyrzucać; rzutować; wyświetlać
(na ekranie); *vi* wystawać, sterczeć

pro·jec·tile [prə`dʒektaɪl] *adj* da-
jący się wyrzucić; *s* pocisk

pro·jec·tion [prə`dʒekʃn] *s* rzut,
wyrzucenie; rzutowanie; wyświetlanie, projekcja; projektowanie,
planowanie; występ, wystawanie; wyświetlony obraz

pro·jec·tion·ist [prə`dʒekʃnɪst] *s* o-
perator kinowy (wyświetlający
film)

pro·le·ta·ri·an [`prəulɪ`teərɪən] *adj*
proletariacki; *s* proletariusz

pro·le·ta·ri·at [`prəulɪ`teərɪət] *s* proletariat

pro·lif·ic [prə`lɪfɪk] *adj* płodny

pro·lix [`prəulɪks] *adj* rozwlekły

pro·logue [`prəulog] *s* prolog

pro·long [prə`loŋ] *vt* przedłużać,
prolongować

pro·longed [prə`loŋd] *pp i adj* dłu-
gotrwały, przedłużający się

prom·e·nade [`proma`nad] *s* przechadzka; promenada; *vt vi* przechadzać się

prom·i·nent [`prominənt] *adj* wy-
stający; wybitny, sławny; widoczny

prom·is·cu·i·ty [`promɪ`skjuətɪ] *s*
mieszanina, bezład; stosunek pozamałżeński

pro·mis·cu·ous [prə`mɪskjuəs] *adj*
mieszany, różnorodny; nie czy-
niący różnicy; pozamałżeński

prom·ise [`promɪs] *s* obietnica; to
keep a ~ dotrzymać obietnicy;
to show ~ dobrze się zapowiadać; *vt vi* obiecywać (sb sth ⟨sth
to sb⟩ komuś coś); zapowiadać
(się)

prom·on·to·ry [`proməntrɪ] *s* przy-
lądek

pro·mote [prə`məut] *vt* posuwać
naprzód; popierać, sprzyjać, zachęcać; promować; dawać awans;
to be ~d awansować

pro·mo·tion [prə`məuʃn] *s* promo-
cja, awans; poparcie

prompt [prompt] *adj* szybki; gotowy, zdecydowany; natychmiasto-
wy; *vt vi* pobudzić, dodać bodźca; nakłonić; podpowiadać, *teatr*
suflerować

prompt·er [`promptə(r)] *s teatr* su-
fler

promp·ti·tude [`promptɪtjud] *s*
szybkość; gotowość (**of** sth do
czegoś)

prompt·ness [`promptnəs] **=**
promptitude

prom·ul·gate [`promlgeɪt] *vt* pu-
blicznie ogłaszać; szerzyć (poglądy itd.)

prom·ul·ga·tion [`proml`geɪʃn] *s* o-
głoszenie, opublikowanie; szerze-
nie (poglądów itd.)

81

rone [prəun] *adj* pochyły, pochylony, stromy; leżący twarzą na dół; skłonny (to do sth do zrobienia czegoś)

rong [prɒŋ] *s* ząb (np. widelca); kolec, ostrze

ro·noun ['prəunaun] *s gram.* zaimek

ro·nounce [prə'nauns] *vt* wymawiać; wypowiadać, oświadczać; *vi* wypowiadać się (on sth w jakiejś sprawie; for sb, sth za kimś, czymś; against sb, sth przeciwko komuś, czemuś)

ro·nounced [prə'naunst] *pp i adj* wyraźnie zaznaczony; zdecydowany (kolor itd.)

ro·nounce·ment [prə'naunsmənt] *s* wypowiedź, oświadczenie

ro·nun·ci·a·tion [prə'nʌnsɪ'eɪʃn] *s* wymowa

roof [pruf] *s* dowód; badanie, próba; korekta; *adj* mocny, trwały, odporny

roof-read·er ['pruf ridə(r)] *s* korektor

roof-sheet ['pruf ʃit] *s* korekta (szpalta, arkusz)

rop [prɒp] *s* podpórka; podpora; *vt (także ~ up)* podpierać, podtrzymywać

rop·a·gan·da ['prɒpə'gændə] *s* propaganda

rop·a·gate ['prɒpəgeɪt] *vt* mnożyć, krzewić; propagować

ro·pel [prə'pel] *vt* wprawiać w ruch, poruszać; napędzać; popędzać; pchnąć ⟨rzucić⟩ naprzód

ro·pel·ler [prə'pelə(r)] *s lotn.* śmigło; *mors.* śruba okrętowa; siła napędowa

ro·pen·si·ty [prə'pensətɪ] *s* skłonność ⟨popęd⟩ (to sth do czegoś)

rop·er ['prɒpə(r)] *adj* właściwy, odpowiedni, należyty, stosowny; *(o imieniu)* własny

rop·er·ty ['prɒpətɪ] *s* własność, posiadłość; posiadanie; własność, właściwość; *teatr zbior.* rekwizyty

roph·e·cy ['prɒfɪsɪ] *s* proroctwo

proph·e·sy ['prɒfɪsaɪ] *vt vi* prorokować

proph·et ['prɒfɪt] *s* prorok

pro·phy·lac·tic ['prɒfɪ'læktɪk] *adj* profilaktyczny

pro·pin·qui·ty [prə'pɪŋkwətɪ] *s* bliskość; pokrewieństwo

pro·pi·ti·ate [prə'pɪʃɪeɪt] *vt* jednać sobie względy; przejednywać

pro·pi·tious [prə'pɪʃəs] *adj* pomyślny; sprzyjający; łaskawy

pro·por·tion [prə'pɔʃn] *s* proporcja; udział; out of ~ nieproporcjonalny; *vt* dostosować; proporcjonalnie rozdzielić

pro·por·tion·al [prə'pɔʃnl] *adj* proporcjonalny

pro·por·tion·ate [prə'pɔʃnət] *adj* proporcjonalny

pro·pos·al [prə'pəuzl] *s* propozycja; oświadczyny

pro·pose [prə'pəuz] *vt* proponować; wysunąć ⟨wniosek, kandydaturę⟩; zamierzać; zaplanować; *vi* oświadczyć się

prop·o·si·tion ['prɒpə'zɪʃn] *s* propozycja; wniosek; *mat.* twierdzenie

pro·pound [prə'paund] *vt* przedkładać, proponować, zgłaszać

pro·pri·e·tar·y [prə'praɪətrɪ] *adj* własnościowy; *(o prawie)* posiadania; posiadający

pro·pri·e·tor [prə'praɪətə(r)] *s* właściciel, posiadacz

pro·pri·e·ty [prə'praɪətɪ] *s* słuszność, stosowność, właściwość, trafność; przyzwoitość, dobre wychowanie

pro·rogue [prəu'rəug] *vt* odraczać

pro·sa·ic [prə'zeɪɪk] *adj* prozaiczny

pro·scribe [prəu'skraɪb] *vt* wyjąć spod prawa; skazać na banicję ⟨na wygnanie⟩

pro·scrip·tion [prəu'skrɪpʃn] *s* proskrypcja, wyjęcie spod prawa

prose [prəuz] *s* proza; *vi* nudno mówić ⟨pisać⟩

pros·e·cute ['prɒsɪkjut] *vt* prowadzić (np. badania); wykonywać (np. prace); kontynuować; sprawować, pełnić (np. obowiązki); ścigać sądownie

pros·e·cu·tion [ˌprosɪˈkjuːʃn] s wykonywanie ⟨kontynuowanie⟩ (np. pracy); pełnienie ⟨sprawowanie⟩ (obowiązków); dochodzenie sądowe

pros·e·cu·tor [ˈprosɪkjuːtə(r)] s oskarżyciel sądowy; **public ~** prokurator

pros·o·dy [ˈprosədɪ] s prozodia

pros·pect [ˈprospekt] s perspektywa; widok; działka złotonośna; vt vi [prəˈspekt] przeszukiwać (teren złotodajny itp.), poszukiwać **(for gold ⟨oil⟩** złota, nafty itd.)

pro·spec·tive [prəˈspektɪv] adj odnoszący się do przyszłości; przewidywany

pro·spec·tor [prəˈspektə(r)] s poszukiwacz (złota, nafty itd.)

pro·spec·tus [prəˈspektəs] s prospekt

pros·per [ˈprospə(r)] vi prosperować

pros·per·i·ty [proˈsperɪtɪ] s pomyślność; dobrobyt; dobra koniunktura

pros·per·ous [ˈprospərəs] adj cieszący się pomyślnością ⟨dobrobytem⟩, kwitnący; pomyślny

pros·ti·tute [ˈprostɪtjuːt] s prostytutka; vt prostytuować; marnować (np. zdolności); vr **~ oneself** uprawiać prostytucję

pros·trate [ˈprostreɪt] adj leżący plackiem ⟨twarzą ku ziemi⟩; przen. będący w prostracji, zgnębiony; vt [proˈstreɪt] powalić na ziemię; przen. skrajnie wyczerpać, zgnębić, doprowadzić do prostracji

pro·tect [prəˈtekt] vt chronić ⟨bronić, osłaniać, zabezpieczać⟩ **(from ⟨against⟩ sb, sth** przed kimś, czymś⟩

pro·tec·tion [prəˈtekʃn] s ochrona, obrona, zabezpieczenie **(against**

sth **przed czymś); protekcja, opieka; system ochrony celnej**

pro·tec·tion·ism [prəˈtekʃnɪzm] polityka ochrony celnej

pro·tec·tive [prəˈtektɪv] adj chronny, zabezpieczający

pro·tec·tor [prəˈtektə(r)] s obrońca, opiekun; techn. osłona

pro·tec·tor·ate [prəˈtektərət] s protektorat

pro·tein [ˈprəutiːn] s białko, proteina

pro·test [ˈprəutest] s protest; uroczyste zapewnienie, oświadczenie; vt vi [prəˈtest] protestować uroczyście zapewniać, oświadcza

Prot·es·tant [ˈprotɪstənt] s protestant; adj protestancki

prot·es·ta·tion [ˌprotɪˈsteɪʃn] s protestowanie; uroczyste zapewnienie

pro·to·col [ˈprəutəkol] s protokó (dyplomatyczny)

pro·to·type [ˈprəutətaɪp] s prototy

pro·tract [prəˈtrækt] vt przewlekać, przedłużać

pro·trac·tor [prəˈtræktə(r)] s ma kątomierz

pro·trude [prəˈtruːd] vi wystawa sterczeć; vt wysuwać

pro·tru·sion [prəˈtruːʒn] s wysunię cie; wystawanie

proud [praud] adj dumny **(of sth** czegoś); wspaniały

prove [pruːv] vt udowadniać; ba dać, próbować; sprawdzać; i (także vr **~ oneself** okazywa się

prov·erb [ˈprovɜːb] s przysłowie

pro·ver·bi·al [prəˈvɜːbɪəl] adj przy słowiowy

pro·vide [prəˈvaɪd] vt vi dostarcza (sb with sth ⟨sth for sb⟩ komu czegoś); zaspokoić potrzeby, zao patrywać; (o ustawie) postana wiać, zarządzać; przedsiębra kroki (w przewidywaniu czegoś zabezpieczyć się (for sth na wy padek czegoś); prawn. postana wiać (for sth coś)

pro·vid·ed [prəˈvaɪdɪd] pp i con

o ile, pod warunkiem, byle (tylko)

rov·i·dence ['prɔvɪdns] s przezorność; oszczędność; opatrzność

rov·i·dent ['prɔvɪdənt] adj przezorny; oszczędny

rov·i·den·tial ['prɔvɪ'denʃl] adj o-
patrznościowy

rov·ince ['prɔvɪns] s prowincja;
zakres, dziedzina

o·vin·cial [prə'vɪnʃl] adj prowincjonalny; rejonowy; s pro-
wincjał

o·vi·sion [prə'vɪʒn] s zaopatrzenie (of sth w coś); zabezpieczenie (for ⟨against⟩ sth przed
czymś); zastosowanie środków,
podjęcie kroków; klauzula, zastrzeżenie; warunek; zarządzenie,
postanowienie; pl ~s zapasy żywności, prowianty; vt zaprowian-
tować

o·vi·sion·al [prə'vɪʒnl] adj tymczasowy, prowizoryczny

o·vi·sion-mer·chant [prə'vɪʒn 'mɜ
tʃənt] s sprzedawca artykułów
spożywczych

o·vi·so·ry [prə'vaɪzərɪ] adj prowizoryczny; warunkowy

ov·o·ca·tion ['prɔvə'keɪʃn] s prowokacja; rozdrażnienie; powód

o·voke [prə'vəuk] vt prowokować, podburzać; wywoływać, powodować; rozdrażniać, irytować,
złościć

ov·ost ['prɔvəst] s przełożony;
rektor; (w Szkocji) burmistrz

ow [prau] s dziób (okrętu)

ow·ess ['prauɪs] s waleczność,
męstwo

owl [praul] vi grasować, polować
na zdobycz

owl·er ['praulə(r)] s maruder

rox·im·i·ty [prɔk'sɪmətɪ] s bliskość ⟨sąsiedztwo⟩ (of ⟨to⟩ sth
czegoś)

rox·y ['prɔksɪ] s zastępstwo; pełnomocnictwo; strona upełnomoc-
niona; handl. prokura; **by ~** na
podstawie pełnomocnictw, w za-
stępstwie

prude [prud] s kobieta pruderyj-
na, świętoszka

pru·dence ['prudns] s roztropność;
ostrożność; rozwaga

pru·dent ['prudnt] adj roztropny;
ostrożny; rozważny

pru·den·tial [pru'denʃl] adj podyk-
towany roztropnością ⟨rozwagą⟩

prud·er·y ['prudərɪ] adj pruderia

prune 1. [prun] vt czyścić drzewa
(obcinając gałęzie); okrawać

prune 2. [prun] s suszona śliwka

Prus·sian ['prʌʃn] adj pruski; s
Prusak

prus·sic ['prʌsɪk] adj chem. (o
kwasie) pruski

pry [praɪ] vi podpatrywać; wścibiać nos (into sth w coś); szperać

psalm [sam] s psalm

psal·ter ['sɔltə(r)] s psałterz

pseu·do ['sjudəu] praef pseudo-;
adj rzekomy

pseu·do·nym ['sjudənɪm] s pseudonim

psy·che ['saɪkɪ] s psyche, dusza;
usposobienie; mentalność

psy·chi·a·try [saɪ'kaɪətrɪ] s psychiatria

psy·chic ['saɪkɪk] adj psychiczny,
duchowy; metapsychiczny; s
medium

psy·chi·cal ['saɪkɪkl] adj psychiczny, duchowy

psy·cho·a·nal·y·sis ['saɪkəu ə'nælə
sɪs] s psychoanaliza

psy·cho·log·i·c(al) ['saɪkə'lɔdʒɪk(l)]
adj psychologiczny

psy·chol·o·gy [saɪ'kɔlədʒɪ] s psychologia

psy·cho·sis [saɪ'kəusɪs] s psychoza

pub [pʌb] s pot. piwiarnia, knajpa, bar

pu·ber·ty ['pjubətɪ] s okres dojrzewania płciowego

pub·lic ['pʌblɪk] adj publiczny; o-
gólny, powszechny; jawny; obywatelski, społeczny; urzędowy;
~ debt dług państwowy; **~ house**
szynk, piwiarnia, knajpa; **~**

school *bryt.* ekskluzywna szkoła średnia z internatem; *am.* państwowa szkoła średnia; ~ **service** służba państwowa; s publiczność; in ~ publicznie

pub·li·ca·tion [ˌpʌblɪˈkeɪʃn] s publikacja; ogłoszenie

pub·lic·i·ty [pʌbˈlɪsətɪ] s reklama, rozgłos

pub·lish [ˈpʌblɪʃ] vt publikować, wydawać; ogłaszać; ~**ing house** firma wydawnicza, wydawnictwo

pub·lish·er [ˈpʌblɪʃə(r)] s wydawca

puck [pʌk] s chochlik

pud·ding [ˈpudɪŋ] s pudding

pud·dle [ˈpʌdl] s kałuża; *pot.* bałagan; vt vi chlapać (się), babrać (się); *pot.* bałaganić

puff [pʌf] vt vi dmuchać; pykać; sapać; *przen.* przesadnie zachwalać; (*także* ~ **up**) nadymać się; s podmuch, dmuchnięcie; kłąb (dymu itd.); bufa (rękawa); przesadna pochwała; hałaśliwa reklama; puszek (do pudru)

puff-ball [ˈpʌfbɔl] s *bot.* purchawka

puff·y [ˈpʌfɪ] adj porywisty; pękaty; nadęty; napuszony

pu·gil·ist [ˈpjudʒɪlɪst] s pięściarz

pug·na·cious [pʌgˈneɪʃəs] adj wojowniczy

pull [pul] vt vi ciągnąć, szarpać; wyrywać, zrywać; wiosłować; ~ **away** ⟨**back**⟩ odciągnąć; ~ **down** ściągnąć; rozebrać (dom); osłabić; ~ **in** wciągnąć; powściągnąć (np. konia); zatrzymać się; ograniczyć (wydatki); ~ **off** ściągnąć, zdjąć; zdobyć (np. nagrodę); przeprowadzić (plan, przedsięwzięcie), dokonać (czegoś); ~ **out** wyciągnąć, wyrwać; odejść, wycofać się; ~ **through** wyciągnąć (kogoś) z trudnego położenia; przebrnąć przez trudności; powracać powoli do zdrowia; ~ **(oneself) together** zebrać siły, przyjść do siebie; opamiętać się;

~ **up** podciągnąć; wyrwać z k rzeniami; zatrzymać (się); dog nić (**with** ⟨**to**⟩ sb, sth kogoś, coś s pociągnięcie, szarpnięcie; prz ciąganie, ciąg; uchwyt; wysiłe wpływ (**with** sb na kogoś); prz waga (*of* ⟨*over*⟩ sb nad kimś

pul·let [ˈpulɪt] s kurczę; pularda

pul·ley [ˈpulɪ] s *techn.* rolka (nowa), blok (do podnoszenia koło transmisyjne

pull-over [ˈpul ˌəuvə(r)] s pulower

pul·lu·late [ˈpʌljuleɪt] vi kiełk wać; krzewić się; roić się

pulp [pʌlp] s miękka masa; mia: ga; miększ; papka

pul·pit [ˈpulpɪt] s ambona; przer kaznodziejstwo; *zbior.* kaznodzi je

pul·sate [pʌlˈseɪt] vi pulsować, tę nić

pulse [pʌls] s puls, tętno; **to fe** sb's ~ badać komuś puls; pulsować

pul·ver·ize [ˈpʌlvəraɪz] vt vi spr szkować (się); zetrzeć (się) n proch; *przen.* zniszczyć

puma [ˈpjumə] s *zool.* puma

pump [pʌmp] s pompa; vt pompo wać; *przen.* wypytywać, wycią gać wiadomości

pump·kin [ˈpʌmpkɪn] s *bot.* dy nia

pun [pʌn] s kalambur, gra słów dwuznacznik; vi bawić się k lamburami ⟨dwuznacznikami⟩

punch 1. [pʌntʃ] vt bić pięścia poganiać (bydło); s uderzen pięścią, kułak

punch 2. [pʌntʃ] vt dziurkowa przebijać; kasować (np. bilet); dziurkacz, przebijak

punch 3. [pʌntʃ] s poncz

punc·tu·al [ˈpʌŋktʃuəl] adj punktu alny

punc·tu·ate [ˈpʌŋktʃueɪt] vt stoso wać interpunkcję; podkreślać

punc·tu·a·tion [ˌpʌŋktʃuˈeɪʃn] interpunkcja

punc·ture [ˈpʌŋktʃə(r)] s przekłu cie, przebicie; vt przekłuwać; t przedziurawić się

un·gent [`pʌŋdʒənt] adj kłujący;
(o smaku, zapachu) ostry; pikantny; zgryźliwy
un·ish [`pʌnɪʃ] vt karać
un·ish·a·ble [`pʌnɪʃəbl] adj karal-
ny
un·ish·ment [`pʌnɪʃmənt] s kara
u·ni·tive [`pjunɪtɪv] adj karny;
karzący
unt [pʌnt] s łódź płaskodenna
up [pʌp] s szczenię
u·pil 1. [`pjupl] s uczeń
u·pil 2. [`pjupl] s źrenica
up·pet [`pʌpɪt] s kukiełka, mario-
netka
ιp·py [`pʌpɪ] s szczenię
ur·chase [`pɜtʃəs] s kupno, naby-
tek; vt kupować, nabywać
ure [pjuə(r)] adj czysty; szczery; nie fałszowany; bez domieszki
ur·ga·tion [pɜ`geɪʃn] s oczyszcze-
nie (się); med. przeczyszczenie
ur·ga·tive [`pɜgətɪv] adj przeczy-
szczający; lit. oczyszczający; s
środek przeczyszczający
ur·ga·to·ry [`pɜgətrɪ] s czyściec
urge [pɜdʒ] vt oczyszczać; s o-
czyszczanie; czystka
u·ri·fy [`pjuərɪfaɪ] vt vi oczysz-
czać (się)
*u·ri·tan [`pjuərɪtən] adj purytań-
ski; s purytanin
u·ri·ty [`pjuərɪtɪ] s czystość
ur·loin [pɜ`lɔɪn] vt ukraść
ur·ple [`pɜpl] s purpura; vt bar-
wić na purpurowo
ur·port [`pɜpət] s treść, sens, zna-
czenie; doniosłość; vt świadczyć,
znaczyć, oznaczać; wydawać się;
to ~ to be wydawać się być, rzekomo być
ur·pose [`pɜpəs] s cel, plan, za-
miar; wola, stanowczość; on ~
umyślnie, celowo; to little ~ z
małą korzyścią, z niewielkim
skutkiem; to no ~ bezcelowo, na
darmo; bezcelowy; with the ~ of
celem, w celu; vt zamierzać,
mieć na celu
urr [pɜ(r)] vi (o kocie) mruczeć;

warkotać; s mruczenie; warkot
purse [pɜs] s portfel, portmonetka;
sakiewka; vt włożyć do portfelu
(portmonetki, sakiewki); ściągnąć (brwi), zacisnąć (usta),
zmarszczyć (czoło)
pur·su·ance [pə`sjuəns] s wykony-
wanie; pójście w ślady; in ~ of
zgodnie z (planem itd.), stosownie do (instrukcji itd.)
pur·sue [pə`sju] vt prześladować,
ścigać; dążyć; uprawiać, wykonywać; kontynuować
pur·suit [pə`sjut] s ściganie, po-
ścig (of sb, sth za kimś, czymś);
dążenie; pl ~s interesy, sprawy,
zajęcia
pur·vey [pə`veɪ] vt zaopatrzyć, do-
starczyć; vi robić zapasy; być
dostawcą (for sb czyimś)
pur·vey·or [pə`veɪə(r)] s dostawca
pus [pʌs] s med. ropa
push [pʊʃ] vt vi popychać; ~ along
pośpieszyć się; ~ in wepchnąć;
~ off odepchnąć; ~ out wypchnąć; posuwać (się) naprzód;
popędzić, nakłonić (sb to sth kogoś do czegoś); popierać (sb, sth
kogoś, coś); s pchnięcie; posunięcie; wysiłek; poparcie
puss [pʊs] s kot
pus·sy 1. [`pʌsɪ] adj ropny
pus·sy 2. [`pʊsɪ] s (także ~-cat)
kotek
* put, put, put [pʊt] vt vi stawiać,
kłaść, umieszczać; zadawać (pytania); wypowiadać, wyrażać;
skazać (to death na śmierć); nastawić (np. zegarek); zaprząc (sb
to work kogoś do pracy; a horse
to the cart konia do wozu); poddać (to the test próbie); to ~
right naprawić; to ~ a stop położyć kres, przerwać; z przysłówkami i przyimkami: ~ away
⟨aside⟩ odłożyć; ~ back odłożyć;
powstrzymać; cofnąć (zegarek);
~ by odkładać (np. pieniądze);
uchylać się (sth od czegoś); zbywać (sb kogoś); ~ down złożyć;
stłumić (np. powstanie); ukrócić,

poskromić; wysadzić (np. pasażerów); zapisać; zmniejszyć (wydatki); przypisywać (**sth to sb** coś komuś); ~ **forth** wytężać (np. siły); puszczać (pąki); wydać (książkę); ~ **forward** wysuwać, przedkładać, przedstawiać; posuwać naprzód; ~ **in** wkładać, wsuwać; wtrącać; wnosić (np. skargę); wprowadzać; ~ **in mind** przypominać (**sth of sth** komuś o czymś); ~ **in order** doprowadzić do porządku; ~ **off** odłożyć; zdjąć (np. ubranie); zbyć, odprawić; odroczyć; ~ **on** nakładać, wdziewać; przybierać (np. postać); wystawiać (sztukę); ~ **out** wysuwać ⟨wyciągać⟩ (np. rękę); gasić; *sport* eliminować; wywiesić (np. bieliznę); wybić; wydać (drukiem); ~ **out of countenance** skonfundować; ~ **out of doors** wyrzucić za drzwi; ~ **out of order** wprowadzić nieład; ~ **over** przeprowadzić; zapewnić uznanie (np. a film dla filmu); ~ **through** przepchnąć ⟨przeprowadzić⟩ (np. sprawę); połączyć telefonicznie (to sb z kimś); ~ **together** zestawić; zmontować; zebrać, zsumować; ~ **up** podnieść, dźwignąć; ustawiać, instalować; wywieszać (np. ogłoszenie); zaplanować, ukartować (podstępnie); schować, wetknąć (np. do kieszeni); zapakować; podnieść

(np. cenę); wystawić (np. towar na sprzedaż); wysunąć (kandydaturę); wnieść (prośbę); dać noc leg (sb komuś); zatrzymać się (a hotel w hotelu); pogodzić s (with sb z kimś); ścierpieć (wi sth coś); zadowolić się (with st czymś); namawiać ⟨nakłaniać⟩ (sb to sth kogoś do czegoś); rzut

pu·ta·tive [ˈpjutətɪv] *adj* domni many

pu·tre·fac·tion [ˈpjutrɪˈfækʃn] gnicie

pu·tre·fy [ˈpjutrɪfaɪ] *vi* psuć s gnić; *vt* powodować gnicie ⟨ro kład⟩

pu·trid [ˈpjutrɪd] *adj* zgniły, z psuty

put·ty [ˈpʌtɪ] *adj* kit

put-up [ˈput ʌp] *adj attr* zaplan wany, ukartowany (podstępnie)

puz·zle [ˈpʌzl] *s* zagadka; *vt* z intrygować; wprawić w zakłop tanie

puz·zle·ment [ˈpʌzlmənt] *s* zaintry gowanie; zakłopotanie

pyg·my [ˈpɪgmɪ] *s* pigmej

py·ja·mas [pəˈdʒaməz] *s pl* piżam

pyr·a·mid [ˈpɪrəmɪd] *s* piramid *mat.* ostrosłup

pyre [ˈpaɪə(r)] *s* stos (zw. pogrze bowy)

py·ro·tech·nics [ˈpaɪərəʊˈtek2nɪks] pirotechnika

py·thon [ˈpaɪθən] *s zool.* pyton

q

quack 1. [kwæk] *s* znachor, szarlatan

quack 2. [kwæk] *vi* kwakać; *s* kwakanie

quad·ran·gle [ˈkwodræŋgl] *s* dziedziniec; *mat.* czworokąt

quad·ri·lat·er·al [ˈkwodrɪˈlætərl]

adj czworoboczny; *s mat.* czwo rokąt

quad·ru·ped [ˈkwodruped] *s zoo* czworonóg; *adj* czworonożny

quad·ru·ple [ˈkwodrupl] *adj* po czwórny, czterokrotny

quaff [kwof] *vt vi* wychylać jed

nym haustem, pić wielkimi łykami

quag [kwæg] s bagno

quag·gy [ˈkwægɪ] adj bagnisty,
grząski

quag·mire [ˈkwægmaɪə(r)] s bagno,
trzęsawisko

quail 1. [kweɪl] vi ociągać się, lękać się; cofać się (before sth
przed czymś)

quail 2. [kweɪl] s (pl ~) zool.
przepiórka

quaint [kweɪnt] adj dziwny, dziwaczny

quake [kweɪk] vi trząść się, drżeć;
s drżenie; pot. trzęsienie ziemi

quak·er [ˈkweɪkə(r)] s kwakier

qual·i·fi·ca·tion [ˌkwɔlɪfɪˈkeɪʃn] s
kwalifikacja; określenie; zastrzeżenie

qual·i·fy [ˈkwɔlɪfaɪ] vt kwalifikować; określać; warunkować; modyfikować; łagodzić; vi zdobyć
kwalifikacje zawodowe; otrzymać dyplom

qual·i·ta·tive [ˈkwɔlɪtətɪv] adj jakościowy

qual·i·ty [ˈkwɔlətɪ] s jakość; gatunek; cecha, właściwość, zaleta;
charakter

qualm [kwɑm] s mdłości; skrupuł;
niepewność, niepokój

quan·da·ry [ˈkwɔndərɪ] s ciężkie
położenie, kłopot, dylemat

quan·ti·ta·tive [ˈkwɔntɪtətɪv] adj
ilościowy

quan·ti·ty [ˈkwɔntətɪ] s ilość; iloczas; pl quantities masa, obfitość

quar·rel [ˈkworl] s kłótnia; vi kłócić się

quar·rel·some [ˈkworlsəm] adj kłótliwy

quar·ry 1. [ˈkworɪ] s kamieniołom

quar·ry 2. [ˈkworɪ] s zwierzyna (u-
polowana); łup

quart [kwɔt] s kwarta

quar·ter [ˈkwɔtə(r)] s ćwierć,
czwarta część; kwadrans; kwartał; strona świata; kwadra (księ-

życa); dzielnica, rewir; źródło
(informacji); am. moneta 25-cen-
towa; pl ~s sfery; apartamenty,
mieszkanie; wojsk. kwatery; at
close ~s z bliska; (o walce)
wręcz; to take up ~s zamieszkać; vt ćwiartować; wojsk. zakwaterować; vi wojsk. kwaterować, stacjonować

quar·ter·ly [ˈkwɔtəlɪ] adj kwartalny; adv kwartalnie; s kwartalnik

quartz [kwɔts] s miner. kwarc

quash [kwɔʃ] vt zgnieść, stłumić;
skasować, unieważnić

qua·si [ˈkweɪsaɪ] adj, adv i praef
prawie, niemal; niby

quat·rain [ˈkwotreɪn] s czterowiersz

qua·ver [ˈkweɪvə(r)] vi (zw. o głosie) drżeć, drgać; śpiewać tremo-
lando; s wibrujący głos, tremo-
lo; muz. tryl; muz. ósemka

quay [ki] s nadbrzeże

quea·sy [ˈkwizɪ] adj wrażliwy;
grymaśny, skłonny do mdłości;
przyprawiający o mdłości

queen [kwin] s królowa; żona króla; dama (w kartach)

queer [kwɪə(r)] adj dziwaczny; podejrzany, wątpliwy; nieswój; to
feel ~ czuć się niedobrze ⟨kiep-
sko⟩

quell [kwel] vt tłumić, dławić

quench [kwentʃ] vt gasić; tłumić;
studzić (np. zapał)

quer·u·lous [ˈkwerələs] adj gder-
liwy, zrzędny

que·ry [ˈkwɪərɪ] s pytanie; znak
zapytania; vt vi zapytywać; badać; stawiać znak zapytania

quest [kwest] s poszukiwanie; vt
vi poszukiwać (sth ⟨for sth, after sth⟩ czegoś)

ques·tion [ˈkwestʃən] s pytanie;
zastrzeżenie, kwestia; to ask
⟨put⟩ a ~ zadać pytanie; to call
in ~ zakwestionować; in ~ będący przedmiotem rozważań, to,
o co chodzi; out of the ~ nie
wchodzący w rachubę; beyond

⟨past, without, out of the⟩ ~ niewątpliwie; *vt* zadawać pytania, pytać; indagować; badać; kwestionować

ques·tion·a·ble [ˈkwestʃənəbl] *adj* wątpliwy, sporny

ques·tion-mark [ˈkwestʃən mɑk] *s* znak zapytania

ques·tion·naire [ˌkwestʃəˈneə(r)] *s* kwestionariusz

queue [kju] *s* szereg ludzi, kolejka (w sklepie itd.); warkocz; = cue; *vi* (*także* ~ up) stać w kolejce

quib·ble [ˈkwibl] *s* gra słów; wykręt, wybieg (w rozmowie); *vi* uprawiać grę słów; mówić wykrętnie

quick [kwik] *adj* szybki; bystry; zwinny; (*o zmysłach*) zaostrzony; *adv* szybko, żwawo; zaraz; *s* żywe ciało; czuły punkt; *przen.* to sting to the ~ dotknąć do żywego

quick·en [ˈkwikən] *vt vi* przyśpieszyć; ożywić (się); wracać do życia

quick-lime [ˈkwik-laim] *s* nie gaszone wapno

quick·sand [ˈkwiksænd] *s* lotne ⟨ruchome⟩ piaski

quick·sil·ver [ˈkwiksilvə(r)] *s* rtęć; *przen.* żywe srebro

quick-tem·pered [ˈkwik ˈtempəd] *adj* nieopanowany, porywczy

quid [kwid] *s pot.* funt szterling

qui·es·cent [kwaiˈesnt] *adj* spokojny, nieruchomy; bierny

qui·et [ˈkwaiət] *adj* spokojny; cichy; *s* spokój; cisza; *vt* uspokajać; uciszać; *vi* (*zw.* ~ down) uspokajać, uciszać się

qui·et·ism [ˈkwaiətizm] *s filo* kwietyzm

qui·e·tude [ˈkwaiətjud] *s* spokój

quill [kwil] *s* lotka; gęsie pióro (do pisania); kolec (np. jeża)

quilt [kwilt] *s* kołdra; *vt* pikowa

qui·nine [kwiˈnin] *s* chinina

quin·tuple [ˈkwintjupl] *adj* pięciokrotny

quirk [kwɜk] *s* gra słów, kalambur wykręt; kaprys

quit [kwit] *vt vi* opuszczać ⟨miejsce, posadę itd.⟩; rezygnować odejść, odjechać; *lit.* odpłacać *adj* wolny (of sth od czegoś)

quite [kwait] *adv* zupełnie, cał kiem; całkowicie; wcale; ~ trea istna biesiada; it's ~ th thing to jest właśnie to, o c chodzi; to ostatni krzyk mody ~ so! zupełna racja! właśnie!

quiv·er 1. [ˈkwivə(r)] *vi* drżeć drgać; *s* drżenie, drganie

quiv·er 2. [ˈkwivə(r)] *s* kołczan

quiz [kwiz] *vt* nabierać, kpić; żar tować sobie (sb, sth z kogoś czegoś); *am.* egzaminować, bada (inteligencję); *s* nabieranie, żar ty; *am.* egzamin, test; kwiz kpiarz

quo·ta [ˈkwəutə] *s* określony u dział; kontyngent

quo·ta·tion [kwəuˈteiʃn] *s* cytat cytowanie; *handl.* notowanie kur su (na giełdzie)

quo·ta·tion-marks [kwəuˈteiʃn maks *s pl* cudzysłów

quote [kwəut] *vt* cytować, powo ływać się (sth na coś); *handl* notować ⟨podawać⟩ kurs (na giełdzie)

quo·tient [ˈkwəuʃnt] *s mat.* ilora

r

, r [a(r)]: **the three R's** wykształcenie elementarne (reading, (w)riting, (a)rithmetic czytanie, pisanie, arytmetyka)

ab·bi [ˈræbaɪ] s rabin

b·bit [ˈræbɪt] s królik

b·ble [ˈræbl] s motłoch

ab·id [ˈræbɪd] adj wściekły, rozwścieczony, szalony

a·bies [ˈreɪbiz] s med. wścieklizna

ace 1. [reɪs] s rasa, ród

ace 2. [reɪs] s bieg, gonitwa, wyścig; nurt, prąd; **armaments ~** wyścig zbrojeń; **to run a ~** sport brać udział w biegu, biec; pl **~s** wyścigi konne; vt vi gonić ⟨ścigać⟩ (się); brać udział w wyścigach, iść w zawody; puszczać w zawody (np. konia); popędzać (konia)

ace·course [ˈreɪs kɔːs], **race-track** [ˈreɪs træk] s tor wyścigowy

·cial [ˈreɪʃl] adj rasowy

·cial·ism [ˈreɪʃlɪzm] s rasizm

ac·ing [ˈreɪsɪŋ] s wyścigi (konne), biegi, regaty, zawody; adj attr wyścigowy

ac·ism [ˈreɪsɪzm] s rasizm

ack 1. [ræk] s wieszak (na palta); stojak; półka (np. w wagonie); drabinka stajenna

ack 2. [ræk] s koło tortur; vt łamać kołem, torturować; **to ~ one's brains for sth** łamać sobie głowę nad czymś

ack 3. [ræk] s zniszczenie; **to go to ~ and ruin** ulec zniszczeniu; wykoleić się

ack·et 1. [ˈrækɪt] s sport rakieta

acket 2. [ˈrækɪt] s hałas, huk, wrzawa; hulanka; pot. szantaż, wymuszanie, granda; vt hałasować; hulać

ack·et·eer [ˈrækɪˈtɪə(r)] s pot. szantażysta, grandziarz; vt uprawiać szantaż ⟨grandę⟩

ac·y [ˈreɪsɪ] adj pełen życia; dosadny; pikantny; (bardzo) charakterystyczny, typowy

ra·dar [ˈreɪdɑː(r)] s radar

ra·di·al [ˈreɪdɪəl] adj promieniowy

ra·di·ance [ˈreɪdɪəns] s promieniowanie; blask

ra·di·ant [ˈreɪdɪənt] adj promieniujący; promienny

ra·di·ate [ˈreɪdɪeɪt] vt vi promieniować; wysyłać ⟨emitować⟩ (promienie, światło, energię, ciepło)

ra·di·a·tion [ˈreɪdɪˈeɪʃn] s promieniowanie; napromienienie

ra·di·a·tor [ˈreɪdɪeɪtə(r)] s radiator; kaloryfer, grzejnik; techn. chłodnica

rad·i·cal [ˈrædɪkl] adj radykalny; s radykał; mat. pierwiastek

ra·di·o [ˈreɪdɪəʊ] s radio; vt nadawać przez radio

ra·di·o·ac·tive [ˈreɪdɪəʊ ˈæktɪv] adj promieniotwórczy, radioaktywny

ra·di·o·ac·tiv·i·ty [ˈreɪdɪəʊ ækˈtɪvˌtɪ] s promieniotwórczość, radioaktywność

ra·di·o·gram [ˈreɪdɪəʊgræm] s depesza radiowa; zdjęcie rentgenowskie

ra·di·o·graph [ˈreɪdɪəʊgrɑːf] s zdjęcie rentgenowskie; vt robić zdjęcie rentgenowskie

ra·di·ol·o·gy [ˌreɪdɪˈɒlədʒɪ] s radiologia; rentgenologia

rad·ish [ˈrædɪʃ] s rzodkiewka

ra·di·um [ˈreɪdɪəm] s chem. rad

ra·di·us [ˈreɪdɪəs] s (pl **radii** [ˈreɪdɪaɪ]) promień

raf·fle [ˈræfl] s loteria (fantowa); vt sprzedawać na loterii; vi grać na loterii

raft [rɑːft] s tratwa; vt spławiać tratwą; vi przeprawiać się tratwą

rag [ræg] s szmata, gałgan

rag·a·muf·fin [ˈrægəmʌfɪn] s obdartus

rage [reɪdʒ] s wściekłość, gniew, pasja, furia; mania (**for sth** czegoś); pasja (**for sth do** czegoś); (najnowsza) moda; *vi* szaleć; wściekać się (**at** ⟨**against**⟩ **sb** na kogoś)

rag·ged [ˈrægɪd] *adj* obszarpany, obdarty; poszarpany, nierówny, szorstki

rag·time [ˈrægtaɪm] *s* ragtime (wczesna forma jazzu o rytmie synkopowanym); synkopowana muzyka murzyńska

raid [reɪd] *s* najazd, napad; nalot; obława; *vt* najeżdżać (np. kraj), robić napad ⟨nalot⟩; urządzać **obławę**

rail 1. [reɪl] *s* balustrada, poręcz; listwa; szyna; sztacheta; kolej żelazna; **by ~ koleją; to get off the ~s** wykoleić się; *vt* (*także* **~ in** ⟨**off, round**⟩) ogrodzić; o-kratować; przewozić koleją; *vi* jechać koleją

rail 2. [reɪl] *vi* złorzeczyć, uskarżać się (**at sb, sth** na kogoś, coś); szydzić (**at sb z** kogoś); urągać (**at sb** komuś)

rail·ing [ˈreɪlɪŋ] *ppraes i s* ogrodzenie; okratowanie; poręcz

rail·road [ˈreɪlrəud] *am.* = **railway**

rail·way [ˈreɪlweɪ] *s* kolej żelazna; *vi* jechać ⟨podróżować⟩ koleją

rain [reɪn] *s* deszcz; *vi* (*o deszczu*) padać

rain·bow [ˈreɪnbəu] *s* tęcza

rain·coat [ˈreɪnkəut] *s* płaszcz nieprzemakalny

rain·fall [ˈreɪnfɔl] *s* opad (deszczu); ulewa

rain·y [ˈreɪnɪ] *adj* deszczowy, dżdżysty; *przen.* **~ day** czarna godzina

raise [reɪz] *vt* podnosić, dźwignąć, podwyższać; wznosić (budynek itd.); budzić, wywoływać; ożywiać; poruszać (sprawę); ściągać (podatki itp.); werbować; mobilizować; hodować, uprawiać; wychowywać (dzieci)

rai·sin [ˈreɪzn] *s* rodzynek

rake 1. [reɪk] *s* grabie; pogrzebacz *vt vi* grabić, zgarniać; grzeba (się), szperać; **~ out** wygrzebać **~ up** zgrzebywać, zgarniać; roz grzebywać

rake 2. [reɪk] *s* łajdak, hulaka

ral·ly 1. [ˈrælɪ] *s* zjazd, zlot, zbiór ka; poprawa (zdrowia itd.); *v vi* zbiegać się, zbierać (się), gro madzić (się); zebrać siły (np. p chorobie); otrząsnąć się, przyjś do siebie

ral·ly 2. [ˈrælɪ] *vt* wyszydzać, wy kpiwać

ram [ræm] *s* baran; taran; dźwi hydrauliczny; tłok; *vt* uderza (taranem); ubijać, wbijać, tłuc wtłaczać

ram·ble [ˈræmbl] *s* wędrówka przechadzka; *vi* wałęsać ⟨włó czyć⟩ się; wędrować; (np. ścieżce) wić się; zbaczać (z te matu)

ram·bler [ˈræmblə(r)] *s* wędrowiec włóczęga; pnącze, roślina pnąc

ram·i·fi·ca·tion [ˌræmɪfɪˈkeɪʃn] rozgałęzienie

ram·i·fy [ˈræmɪfaɪ] *vt vi* rozgałę ziać ⟨rozwidlać⟩ (się)

ram·mer [ˈræmə(r)] *s* kafar; ub jak

ramp [ræmp] *s* pochyłość; na chylenie (muru itd.); pochył droga, podjazd w górę; rampa *vi* wznosić się ⟨opadać⟩ pochy ło; *pot.* wściekać się

ram·pant [ˈræmpənt] *adj* obfici krzewiący się, bujny; szerzące ⟨srożący, panoszący⟩ się; nie okiełznany, gwałtowny

ram·part [ˈræmpɑt] *s* wał (obron ny), szaniec; *przen.* obrona, osło na

ram·shack·le [ˈræmʃækl] *adj* roz padający się, rozklekotany, ruinie

ran *zob.* **run**

ranch [rɑntʃ] *s am.* ranczo, gospo darstwo hodowlane; *vt* prowadz. gospodarstwo hodowlane

anch·er [ˈrɑntʃə(r)] s właściciel
rancza ⟨farmy hodowlanej⟩

an·cid [ˈrænsɪd] *adj* zjełczały

an·cor·ous [ˈræŋkərəs] *adj* rozgo-
ryczony; zawzięty, zajadły

an·cour [ˈræŋkə(r)] s rozgoryczenie, uraza; złośliwość

an·dom [ˈrændəm] s *w zwrocie*:
at ~ na chybił trafił; *adj* przypadkowy, pierwszy lepszy

andy [ˈrændɪ] *adj* hałaśliwy,
krzykliwy

ang zob. ring

ange [reɪndʒ] s szereg, rząd; zasięg, rozpiętość; zakres, sfera;
teren ⟨pole⟩ ⟨badań itd.⟩; wędrówka; łańcuch (gór); piec
kuchenny; strzelnica; *vt* szeregować, porządkować; ciągnąć się
⟨biec⟩ (sth wzdłuż czegoś); prze-
mierzać (kraj itd.); *vi* rozciągać
⟨ciągnąć⟩ się (from sth to sth
od czegoś do czegoś); wałęsać się,
wędrować (over ⟨through⟩ po
czymś, przez coś); (o *tempera-
turze, cenach*) wahać się; zaliczać się (np. among the rebels
do buntowników); (o *roślinach,
zwierzętach*) spotykać ⟨trafiać⟩
się; sięgać; the prices ~d from
£5 to £7 (beween £5 and
£7) ceny wahały się od pięciu
do siedmiu funtów

ang·er [ˈreɪndʒə(r)] s włóczęga,
wędrowiec; strażnik lasu; żołnierz ⟨policjant⟩ konny; *am.* komandos

ank 1. [ræŋk] s rząd; szereg; klasa, sfera; ranga, stopień, kategoria; the ~ and file, the ~s
szeregowi żołnierze; *przen.* sza-
ra masa (społeczeństwa); to join
the ~s wstąpić do wojska; *vt* u-
stawić w szeregu; zaszeregować;
sklasyfikować; nadać rangę (sb
komuś); *vi* zajmować rangę; mieć
⟨zajmować⟩ stanowisko ⟨pozycję⟩;
liczyć się (as sb jako ktoś)

ank 2. [ræŋk] *adj* bujny, wybu-
jały; żywotny; (o *glebie*) zbyt żyzny; zgniły, cuchnący; istny, wierutny, skończony

ran·kle [ˈræŋkl] *vi* jątrzyć (się),
ropieć; *przen.* drażnić, dręczyć

ran·sack [ˈrænsæk] *vt* przewrócić
do góry nogami, przetrząsnąć;
plądrować

ran·som [ˈrænsəm] s okup; *vt* odkupić, wykupić

rant [rænt] s napuszona mowa,
tyrada; *vt vi* mówić stylem na-
puszonym

rap [ræp] *vt* lekko uderzać; *vi*
stukać (at ⟨on⟩ the door do
drzwi); s lekkie uderzenie, ku-
ksaniec; stukanie

ra·pa·cious [rəˈpeɪʃəs] *adj* drapieżny, zachłanny

rape 1. [reɪp] *vt* porwać (kobietę); zgwałcić; pogwałcić (np. prawa); s porwanie (kobiety); zgwał-
cenie, gwałt; pogwałcenie (np.
praw)

rape 2. [reɪp] s rzepa

rap·id [ˈræpɪd] *adj* szybki; wartki, rwący; s (zw. *pl* ~s) bystry
nurt rzeki (na progach), katarakta

ra·pi·er [ˈreɪpɪə(r)] s rapier

rap·ine [ˈræpaɪn] s rabunek

rap·proche·ment [ræˈprɔʃmɔ̃] s
pojednanie, przywrócenie dobrych stosunków (zw. między
państwami)

rapt [ræpt] *adj* pochłonięty, za-
absorbowany; zachwycony, u-
rzeczony

rap·ture [ˈræptʃə(r)] s zachwyt,
upojenie

rare [reə(r)] *adj* rzadki

rar·i·ty [ˈreərətɪ] s rzadkość, niezwykłość

ras·cal [ˈrɑskl] s łotr, łajdak, łobuz

rash 1. [ræʃ] *adj* pospieszny, nieroztropny, nie przemyślany

rash 2. [ræʃ] s *med.* wysypka, nalot

rasp [rɑsp] s raszpla; zgrzyt; *vt*
skrobać raszplą; drażnić; *vi*
zgrzytać

rasp·ber·ry [ˈrɑzbrɪ] s malina

rat

rat [ræt] s szczur; *przen.* to smell
a ~ podejrzewać coś

rate [reɪt] s stosunek (ilościowy),
proporcja; ustalona cena, taryfa,
taksa; norma; tempo; stawka;
podatek (samorządowy itd.); kurs
(wymiany itd.); stopa; wskaźnik; ocena, oszacowanie; at any
~ w każdym razie; za każdą cenę; birth ~ wskaźnik urodzeń;
death ~ śmiertelność; ~ of exchange kurs dewizowy; giełdowy
kurs wymiany pieniędzy; ~ of
interest stopa procentowa; ~ of
living stopa życiowa; *vt* szacować, taksować, oceniać; klasyfikować; opodatkować; *vi* być za-
liczanym

rate-pay·er [ˈreɪt peɪə(r)] s płatnik
podatku samorządowego

rath·er [ˈrɑðə(r)] *adv* raczej; dość;
właściwie; poniekąd; oczywiście; I had (would) ~ go wolał-
bym pójść; the ~ that ... tym
bardziej, że ...

rat·i·fi·ca·tion [ˌrætɪfɪˈkeɪʃn] s ratyfikacja

rat·i·fy [ˈrætɪfaɪ] *vt* ratyfikować

ra·ti·o [ˈreɪʃɪəʊ] s stosunek (liczbowy, ilościowy), proporcja

ra·tion [ˈræʃn] s racja, przydział;
vt racjonować, wydzielać

ra·tion·al [ˈræʃnl] *adj* racjonalny,
rozumowy; rozumny; *mat.* wymierny; s stworzenie rozumne;
mat. liczba wymierna

ra·tion·al·ism [ˈræʃnəlɪzm] s racjo-
nalizm

rat·tle [ˈrætl] s klekot, grzechot;
brzęk; stukot, turkot; grzechotka; gaduła; *vt vi* klekotać, grzechotać; stukotać, turkotać; szczękać, brzęczeć; terkotać; rzęcić;
paplać, trajkotać

rat·tle-snake [ˈrætlsneɪk] s *zool.*
grzechotnik

rav·age [ˈrævɪdʒ] *vt* pustoszyć,
plądrować; s spustoszenie, zniszczenie

rave [reɪv] *vi* szaleć; bredzić; zachwycać się (about sb, sth kimś,

czymś)

rav·el [ˈrævl] *vt vi* wikłać ⟨pląta
gmatwać⟩ (się); (*zw.* ~ out) strzę
pić; s powikłanie; plątanin
strzępy

ra·ven [ˈreɪvn] s *zool.* kruk

rav·en·ous [ˈrævnəs] *adj* zachłan
ny; drapieżny

ra·vine [rəˈviːn] s wąwóz, parów

rav·ish [ˈrævɪʃ] *vt* zachwycić, o
czarować; porwać; zgwałcić (ko
bietę)

raw [rɔː] *adj* surowy; nie wykoń
czony, niewyrobiony; (*o czło
wieku*) niedoświadczony; (*o ro
nie*) otwarty; ~ material suro
wiec; s świeża rana; otarci
(skóry); żywe ciało; *przen.* czuł
miejsce

ray [reɪ] s promień; *vt vi* (*tak
że* ~ forth ⟨off, out⟩) promienic
wać

ray·on [ˈreɪɒn] s sztuczny jedwa

raze [reɪz] *vt* zetrzeć, wykreślić
zburzyć, zrównać z ziemią

ra·zor [ˈreɪzə(r)] s brzytwa; ~
blade żyletka; safety ~ maszyn
ka do golenia

re- [riː] *praef* ponownie, po ra
drugi

reach [riːtʃ] *vt vi* sięgać; dosięgnąć
osiągnąć; dojść, dojechać, dogo
nić; rozciągać się; wyciągać rę
kę, sięgać (for ⟨after⟩ sth p
coś); s zasięg, zakres; beyon
⟨out of⟩ ~ poza zasięgiem; withi
~ w zasięgu; within easy ~ ła
two osiągalny; dostępny

re·act [rɪˈækt] *vi* reagować (to st
na coś); oddziaływać (upon st
na coś); przeciwdziałać (agains
sth czemuś)

re·ac·tion [rɪˈækʃn] s reakcja; od
działywanie; przeciwdziałanie

re·ac·tion·ar·y [rɪˈækʃnərɪ] *adj* re
akcyjny; s reakcjonista

re·ac·tor [rɪˈæktə(r)] s reaktor

* read 1. [riːd], read, read [red] *v
vt vi czytać; studiować; (*o tekście
brzmieć; (*o ustawie*) głosić; przy
gotowywać się (for an examina

tion do egzaminu); **this book ~s
well** tę książkę dobrze się czyta;
~ over ⟨through⟩ przeczytać (od
początku do końca); **~ up** zaznajomić się z tematem na podstawie lektury; **s** [rid] lektura; **to
have a ~** poczytać sobie

ead 2. [red] *adj w zwrocie:* **well
⟨deeply⟩ ~** oczytany

ead·er ['rida(r)] *s* czytelnik; lektor, wykładowca; korektor; wybór czytanek, wypisy

ead·i·ly ['redɪlɪ] *adv* chętnie, z
gotowością; z łatwością

ead·i·ness ['redɪnəs] *s* gotowość;
chęć; łatwość, obrotność; bystrość

ead·ing ['ridɪŋ] *ppraes* i *s* czytanie; oczytanie; lektura; odczytywanie

ead·ing-book ['ridɪŋ buk] *s* książka do czytania; wypisy

ead·ing-room ['ridɪŋ rum] *s* czytelnia

e·ad·just ['riə'dʒʌst] *vt* ponownie
uporządkować ⟨dopasować⟩

ead·y ['redɪ] *adj* gotowy; skłonny, chętny; łatwy; szybki; bystry; **~ money** gotówka; **to get
⟨make⟩ ~** przygotować się; *vt*
przygotować

eady-to-wear *am.* = **ready-made**

eady-made ['redɪ 'meɪd] *adj* (o
ubrantu) gotowy, nie na miarę;
przen. banalny, oklepany

e·a·gent [ri'eɪdʒənt] *s chem.* odczynnik

e·al [rɪəl] *adj* rzeczywisty, istotny, prawdziwy; **~ estate ⟨property⟩** nieruchomość; *s* rzecz realnie istniejąca, autentyk; *adv
am.* naprawdę; bardzo

e·al·ism ['rɪəl-ɪzm] *s* realizm

e·al·ist ['rɪəlɪst] *adj* realistyczny

e·al·i·ty [ri'ælɪtɪ] *s* rzeczywistość;
realność, prawdziwość

e·al·i·za·tion ['rɪəlaɪ'zeɪʃn] *s* realizacja; uświadomienie sobie,
zrozumienie; *handl.* spieniężenie,
upłynnienie (kapitału)

e·al·ize ['rɪəlaɪz] *vt* urzeczywist-

nić; uświadomić sobie, zrozumieć; *handl.* spieniężyć, upłynnić
(kapitał); zrealizować (np. czek)

re·al·ly ['rɪəlɪ] *adv* naprawdę, rzeczywiście; istotnie

realm [relm] *s* królestwo; *przen.*
dziedzina, sfera

re·al·tor ['rɪəltə(r)] *s am.* pośrednik
w handlu nieruchomościami

re·al·ty ['rɪəltɪ] *s* nieruchomość,
własność gruntowa, realność

reap [rip] *vt vi* zbierać (plon, żniwo); żąć, kosić

reap·er ['ripə(r)] *s* żniwiarz; żniwiarka (maszyna)

re·ap·pear ['riə'pɪə(r)] *vi* pojawić
⟨ukazać⟩ się ponownie

rear 1. [rɪə(r)] *vt* hodować, uprawiać; wychowywać; budować,
wznosić; *vi* (o koniu) stawać dęba

rear 2. [rɪə(r)] *s* tył, tylna strona;
wojsk. tyły; **in the ~** w tyle;
wojsk. na tyłach

rear·guard ['rɪəgad] *s wojsk.* tylna straż

re·arm [ri'am] *vt vi* ponownie
zbroić (się), dozbrajać (się)

re·ar·ma·ment [ri'aməmənt] *s* ponowne zbrojenie, dozbrojenie

re·ar·range ['riə'reɪndʒ] *vt* na nowo uporządkować, przegrupować,
przestawić, przemienić

rear·ward ['rɪəwəd] *adj* zwrócony
ku tyłowi, tylny, końcowy;
wsteczny; *adv* (także ~s) ku
tyłowi, wstecz

rea·son ['rizn] *s* rozum, intelekt;
rozwaga; powód (of sth czegoś,
for sth do czegoś); uzasadnienie;
by ~ of, for ~s of z powodu; **to
bring to ~** przywodzić do rozsądku; **to hear ⟨to listen to⟩ ~**
słuchać głosu rozsądku, dać się
przekonać; **it stands to ~** to jest
zrozumiałe ⟨oczywiste⟩, nie można temu zaprzeczyć; **out of ~**
nierozsądnie; *vt vi* rozumować;
rozważać; uzasadniać; wnioskować; wyperswadować (sb out of
sth komuś coś); przekonać, na-

mówić (**sb into sth** kogoś do czegoś)

rea·son·a·ble [ˈriznəbl] *adj* rozsądny; (np. *o cenach*) umiarkowany

re·as·sem·ble [ˈriəˈsembl] *vt vi* ponownie zebrać (się)

re·as·sume [ˈriəˈsjum] *vt* na nowo podjąć ⟨objąć⟩

re·as·sure [ˈriəˈʃuə(r)] *vt* przywrócić zaufanie, rozproszyć obawy

re·bate [riˈbeit] *vt* zmniejszyć; *handl.* potrącić; udzielić rabatu; *s* [ˈribeit] *handl.* rabat

reb·el [ˈrebl] *s* buntownik; *adj* buntowniczy; *vi* [riˈbel] buntować się

re·bel·lion [riˈbeliən] *s* bunt, rebelia

re·bel·lious [riˈbeliəs] *adj* buntowniczy, zbuntowany

re·bound [riˈbaund] *vi* odskakiwać, odbijać się

re·buff [riˈbʌf] *vt* odepchnąć, odtrącić; dać odprawę; odmówić; *s* odmowa; odepchnięcie, odprawa

* **re·build** [ˈriˈbild], rebuilt, **rebuilt** [ˈriˈbilt] *vt* odbudować, przebudować; odnowić

re·buke [riˈbjuk] *s* wymówka, zarzut, nagana; *vt* robić wymówki, ganić, karcić

re·cal·ci·trant [riˈkælsitrənt] *adj* oporny, krnąbrny

re·call [riˈkɔl] *vt* odwoływać (np. ambasadora); cofać (np. obietnicę); przypominać sobie; wskrzeszać (wspomnienia); kasować; *s* odwołanie; nakaz powrotu

re·cant [riˈkænt] *vt* odwołać, cofnąć, wyprzeć się

re·ca·pit·u·late [ˈriˈkəpitʃuleit] *vt* rekapitulować, podsumować, streścić

re·cast [ˈriˈkast] *vt* przetopić ⟨przelać⟩ (metal); przekształcić, przerobić; *s* przeróbka

re·cede [riˈsid] *vi* cofnąć ⟨wycofać⟩ się, odstąpić

re·ceipt [riˈsit] *s* odbiór; potwierdzenie odbioru, pokwitowanie; recepta; przepis; *pl* ~s przychód,

wpływy; *vt* kwitować

re·ceive [riˈsiv] *vt* otrzymywać, o⟨ bierać; przyjmować; zawiera⟨ doznawać

re·ceived [riˈsivd] *pp i adj* uzna⟨ ny, powszechnie przyjęty

re·ceiv·er [riˈsivə(r)] *s* odbiorc⟨ poborca; odbiornik (radiowy słuchawka (telefoniczna); paser

re·cent [ˈrisnt] *adj* świeży, nie dawny, świeżej daty; nowocze⟨ ny

re·cent·ly [ˈrisntli] *adv* ostatni⟨ niedawno

re·cep·ta·cle [riˈseptəkl] *s* nacz⟨ nie, zbiornik

re·cep·tion [riˈsepʃn] *s* recepcj⟨ przyjęcie; odbiór (radiowy); ⟨ **office** recepcja, portiernia

re·cep·tive [riˈseptiv] *adj* podatn⟨ chłonny, wrażliwy

re·cess [riˈses] *s* odejście, ustąpie nie, odwrót; ferie (*zw.* sądow⟨ lub parlamentarne); zakątek, z⟨ kamarek, ustronie; wgłębieni⟨ nisza, alkowa; *am.* wakacje; *⟨ ustawić we wgłębieniu; *vi* zr⟨ bić wgłębienie; zaprzestać dzia łalności

re·ces·sion [riˈseʃn] *s* recesja, c⟨ fnięcie się; *handl.* zastój

rec·i·pe [ˈresəpi] *s* przepis (kul⟨ narny; *med.* recepta

re·cip·ro·cal [riˈsiprəkl] *adj* wz⟨ jemny; *s mat.* odwrotność

re·cip·ro·cate [riˈsiprəkeit] *vt ⟨ odwzajemniać (się); odpłacać ⟨re wanżować się) (sth za coś)

rec·i·proc·i·ty [ˈresiˈprosəti] wzajemność

re·cit·al [riˈsaitl] *s* recytacja; wy łożenie ⟨przedstawienie⟩ (faktó⟨ itp.); *muz.* recital

rec·i·ta·tion [ˈresiˈteiʃn] *s* recyta cja, deklamacja

re·cite [riˈsait] *vt* recytować, de⟨ klamować; wyliczać

reck·less [ˈrekləs] *adj* beztrosk⟨ lekkomyślny; niebaczny (**of** dan⟨ **ger** etc. na niebezpieczeństw⟨ itd.)

reck·on [ˈrekən] *vt vi* liczyć (się)

rachować; być zdania, sądzić; zaliczać **(sb, sth among ⟨with⟩** ...
kogoś, coś do ...); ~ **in** wliczyć,
włączyć, uwzględnić; ~ **off** odliczyć

eck·on·ing [ˈreknɪŋ] *ppraes i s* rachunek, obliczenie, rozliczenie;
rachuba, kalkulacja

e·claim [rɪˈkleɪm] *vt* zażądać
zwrotu; wnieść reklamację; poprawiać, reformować; meliorować (grunt), użyźniać (pustkowie); cywilizować

ec·la·ma·tion [ˌrekləˈmeɪʃn] *s* reklamacja; poprawienie, reforma;
melioracja; wzięcie pod uprawę
(nieużytków); cywilizowanie

e·cline [rɪˈklaɪn] *vt* złożyć ⟨po-
łożyć, oprzeć⟩ (głowę); *vi* wyciągnąć się; spoczywać (pół) le-
żąc

e·cluse [rɪˈkluːs] *adj* samotny, odosobniony; *s* samotnik; pustelnik

ec·og·ni·tion [ˌrekəɡˈnɪʃn] *s* rozpoznanie; uznanie (zasług itd.)

ec·og·nize [ˈrekəɡnaɪz] *vt* rozpoznać; uznać; przyznać się **(sb,
sth do kogoś, czegoś)**

e·coil [rɪˈkɔɪl] *vi* cofnąć się; odskoczyć, odbić się; wzdragać
⟨wzbraniać⟩ się **(from sth przed
czymś)**

ec·ol·lect [ˌrekəˈlekt] *vt* przypominać sobie, wspominać

ec·ol·lec·tion [ˌrekəˈlekʃn] *s* przypomnienie, pamięć, wspomnie-
nie

e·com·mence [ˌrɪkəˈmens] *vt vi*
zacząć (się) na nowo

ec·om·mend [ˌrekəˈmend] *vt* polecić

ec·om·men·da·tion [ˌrekəmən-
ˈdeɪʃn] *s* polecenie, rekomendacja

ec·om·pense [ˈrekəmpens] *vt* wynagradzać; kompensować (np.
stratę); *s* wynagrodzenie; rekompensata

ec·on·cile [ˈrekənsaɪl] *vt* pojednać; pogodzić, uzgodnić; **to become ~d** pogodzić się **(with sb z**

kimś, **to sth z czymś)**

rec·on·cil·i·a·tion [ˌrekənˈsɪlɪˈeɪʃn] *s*
pojednanie

re·con·nais·sance [rɪˈkɒnɪsns] *s*
wojsk. rekonesans; *przen.* zo-
rientowanie się w sytuacji

rec·on·noi·tre [ˌrekəˈnɔɪtə(r)] *vt vi*
badać (np. sytuację); rozpozna-
wać (teren); *wojsk.* robić rekonesans

re·con·sid·er [ˌriːkənˈsɪdə(r)] *vt* na
nowo rozważyć ⟨rozpatrzyć⟩

re·con·struct [ˌriːkənˈstrʌkt] *vt*
przebudować, odtworzyć, zrekonstruować

re·cord [ˈrekɔd] *s* zarejestrowanie,
zapisanie; spis, zapis, rejestr; akta (personalne); świadectwo; protokół; notatka, wzmianka; rekord
(np. sportowy); płyta (gramofonowa); *pl* ~s archiwa; zapiski;
kroniki; on ~ zanotowany, zapisany; **to have a good ~** być dobrze notowanym, mieć nieskazi-
telną przeszłość; **to break ⟨beat⟩
the ~** pobić rekord; *vt* [rɪˈkɔd]
notować, zapisywać, rejestrować;
nagrywać (na płycie ⟨taśmie⟩)

re·cord·ing [rɪˈkɔdɪŋ] *s* nagranie

re·count 1. [ˈriːkaunt] *vt* opowiadać, relacjonować

re·count 2. [ˈriːkaunt] *s* przeliczenie
(*zw.* głosów); *vt* [riːˈkaunt] przeliczyć

re·course [rɪˈkɔs] *s* zwrócenie ⟨u-
ciekanie⟩ się **(to sth do czegoś)**;
have ~ uciekać się **(to sth do
czegoś)**

re·cov·er [rɪˈkʌvə(r)] *vt* odzyskać;
otrzymać zwrot ⟨rekompensatę⟩;
wynagrodzić sobie; ocucić; wyleczyć; *vi* przyjść do siebie, o-
przytomnieć; wyzdrowieć; wrócić do normy

re·cov·er·y [rɪˈkʌvrɪ] *s* odzyskanie;
rekompensata, zwrot; powrót do
zdrowia; poprawa; **past ~** w beznadziejnym stanie

rec·re·a·tion [ˌrekrɪˈeɪʃn] *s* odpoczynek (po pracy), rozrywka;
przerwa (między lekcjami)

re·crim·i·na·tion [rɪ'krɪmɪ'neɪʃn] s wzajemne oskarżanie się

re·cruit [rɪ'kruːt] s rekrut; nowicjusz; vt vi rekrutować; wracać do zdrowia, odzyskiwać siły

rec·tan·gle [ˈrektæŋgl] s prostokąt

rec·tan·gu·lar [rekˈtæŋgjulə(r)] adj prostokątny

rec·ti·fi·ca·tion [ˈrektɪfɪˈkeɪʃn] s sprostowanie, poprawka; chem. rektyfikacja

rec·ti·fy [ˈrektɪfaɪ] vt prostować, poprawiać; chem. rektyfikować

rec·ti·tude [ˈrektɪtjuːd] s prostolinijność, uczciwość

rec·tor [ˈrektə(r)] s rektor; dyrektor (szkoły średniej); proboszcz (anglikański)

re·cum·bent [rɪˈkʌmbənt] adj leżący, w pozycji leżącej

re·cu·per·ate [rɪˈkjuːpəreɪt] vt przywracać siły, regenerować; vi odzyskiwać siły, wracać do zdrowia

re·cur [rɪˈkɜː(r)] vi powtarzać się; powracać (na myśl)

re·cur·rence [rɪˈkʌrns] s powtarzanie się; powrót (to sth do czegoś)

re·cur·rent [rɪˈkʌrnt] adj powtarzający się, periodyczny; powrotny

red [red] adj czerwony; rudy, ryży; przen. krwawy; rewolucyjny, lewicowy; to see ~ dostać uderzenia krwi do głowy; szaleć z gniewu; s czerwień; radykał, rewolucjonista, komunista

red·den [ˈredn] vt vi czerwienić (się)

red·dish [ˈredɪʃ] adj czerwonawy

re·deem [rɪˈdiːm] vt wykupić, spłacić; odkupić, zbawić; uratować (np. honor); skompensować (np. wady); uwolnić; odpokutować

re·deem·a·ble [rɪˈdiːməbl] adj odkupny, zwrotny

re·deem·er [rɪˈdiːmə(r)] s zbawca, zbawiciel

re·demp·tion [rɪˈdempʃn] s wykup, spłacenie; uwolnienie; zbawienie; odpokutowanie

red-hand·ed [ˈred ˈhændɪd] ad mający ręce splamione krwią; t be caught ~ być złapanym n gorącym uczynku

red-hot [ˈred ˈhɒt] adj rozpalon do czerwonośc

red-let·ter [ˈred ˈletə(r)] adj att świąteczny, odświętny; pamięt ny (np. dzień)

red·o·lent [ˈredələnt] adj wonny pachnący (zalatujący) (of st czymś)

re·dou·ble [rɪˈdʌbl] vt vi podwoi (się); rekontrować (w kartach)

re·doubt·a·ble [rɪˈdautəbl] adj stra szny, groźny

re·dress [rɪˈdres] vt naprawić, wy równać, wynagrodzić; przywróci (równowagę); ulżyć; s naprawa rekompensata

red·skin [ˈredskɪn] s i adj czer wonoskóry

re·duce [rɪˈdjuːs] vt pomniejsza redukować; obniżać (np. cenę osłabiać; sprowadzać (doprowa dzać) (np. sth to an absurdit coś do absurdu); pokonać, uj jarzmić; degradować; vi zmniej szyć się; pot. chudnąć; odchu dzać się

re·duc·tion [rɪˈdʌkʃn] s redukcja zmniejszenie; obniżka (np. cen osłabienie; zdegradowanie; d prowadzenie, sprowadzenie (ko goś (czegoś) do jakiegoś stanu

re·dun·dant [rɪˈdʌndənt] adj nad mierny; zbyteczny; rozwlekły

reed [riːd] s trzcina, szuwar; pisz czałka

reef [riːf] s rafa

reek [riːk] vi dymić, kopcić; śmier dzieć; s dym; zbior. opary; fe tor, smród

reel [riːl] s zataczanie ⟨kręcenie się; wir; szpulka, cewka; rolk (papieru, filmu); przen. off th ~ gładko, jednym tchem; v (także ~ in ⟨up⟩) nawijać, m tać; (także ~ off) odwijać, roz wijać; *vi* kręcić się, wirować; zataczać się; chwiać się

e·en·ter [ri `entə(r)] *vt vi* ponownie wejść, wrócić; ponownie wprowadzić ⟨zgłosić⟩

e·es·tab·lish [‚ri ɪs`tæblɪʃ] *vt* zrekonstruować, przywrócić

e·fer [rɪ`fɜ(r)] *vt vi* odsyłać, kierować; odnosić (się), wiązać (się), nawiązywać; powoływać się; zwracać się, udawać się; **to ~ to the dictionary** zajrzeć do słownika

ef·er·ee [‚refə`riː] *s* arbiter; *sport* sędzia; *vi* sędziować

ef·er·ence [`refrns] *s* powołanie się (**to sth** na coś); odesłanie ⟨odniesienie⟩ (**to sth** do czegoś); polecenie, referencja; adnotacja; wzmianka; sprawdzanie ⟨szukanie⟩ (w słowniku, encyklopedii); informacja; **~ book, a book of ~** książka podręczna (słownik, encyklopedia, informator itp.); **with ⟨in⟩ ~ to** odnośnie do, co się tyczy

e·fill [ri`fɪl] *vt vi* ponownie napełnić (się); *s* [`rifɪl] zapas ⟨wkład⟩ (do ołówka automatycznego, długopisu, latarki itd.)

e·fine [rɪ`faɪn] *vt* oczyszczać, rafinować; uszlachetniać; nadawać polor; *vi* oczyszczać ⟨rafinować⟩ się; wyszlachetnieć; nabrać poloru

e·fine·ment [rɪ`faɪnmənt] *s* oczyszczanie, rafinowanie; wyrafinowanie (np. smaku); wytworność

e·fin·er·y [rɪ`faɪnɪrɪ] *s* rafineria

e·flect [rɪ`flekt] *vt* odbijać (np. fale); odzwierciedlać; *vi* rozważać (**on** ⟨**upon**⟩ **sth**); zastanawiać się (**on** ⟨**upon**⟩ **sth** nad czymś); robić uwagi (**on sb, sth o** kimś, o czymś), krytykować; czynić zarzuty

e·flec·tion [rɪ`flekʃn] *s* odbicie (np. fal); odzwierciedlenie; namysł, zastanowienie, refleksja; **on ~** po namyśle; krytyka (**on sb, sth** kogoś, czegoś)

re·flec·tive [rɪ`flektɪv] *adj* odbijający (np. fale); myślący, refleksyjny; *gram.* = reflexive

re·flec·tor [rɪ`flektə(r)] *s* reflektor

re·flex [`rifleks] *s* odbicie (się); odruch, refleks; *adj* (o *świetle itp.*) odbity; odruchowy

re·flex·ion = reflection

re·flex·ive [rɪ`fleksɪv] *adj gram.* zwrotny

re·form [rɪ`fɔm] *vt vi* reformować; poprawiać (się); *s* reforma; poprawa

ref·or·ma·tion [‚refə`meɪʃn] *s* nawrócenie, poprawa; *hist.* **the Reformation** Reformacja

re·form·er [rɪ`fɔmə(r)] *s* reformator

re·fract [rɪ`frækt] *vt fiz.* załamywać (promienie)

re·frac·to·ry [rɪ`fræktərɪ] *adj* oporny, uparty; *techn.* ogniotrwały

re·frain 1. [rɪ`freɪn] *vt* powstrzymywać, hamować; *vi* powstrzymywać się (**from sth** od czegoś)

re·frain 2. [rɪ`freɪn] *s* refren

re·fresh [rɪ`freʃ] *vt* odświeżać; pokrzepiać, posilać

re·fresh·er [rɪ`freʃə(r)] *s* środek odświeżający; odświeżenie; napój orzeźwiający; **~ course** kurs odświeżający (zdobyte) wiadomości; powtórka

re·fresh·ment [rɪ`freʃmənt] *s* odświeżenie; pokrzepienie; wypoczynek; lekki posiłek, przekąska; **~ room** bufet

re·frig·er·ate [rɪ`frɪdʒəreɪt] *vt vi* chłodzić ⟨zamrażać⟩ (się)

re·frig·er·a·tor [rɪ`frɪdʒəreɪtə(r)] *s* chłodnia; lodówka

ref·uge [`refjudʒ] *s* schronienie, azyl; przytułek; wysepka bezpieczeństwa (na jezdni); **to take ~** schronić się

ref·u·gee [‚refju`dʒiː] *s* zbieg, uchodźca

re·fund [rɪ`fʌnd] *vt* zwracać pieniądze; *s* [`rifʌnd] zwrot ⟨spłata⟩ (pieniędzy)

re·fu·sal [rɪ`fjuzl] *s* odmowa

re·fuse 1. [ri`fjuz] *vt vi* odmówić, odrzucić (propozycję), dać odpowiedź odmowną

ref·use 2. [`refjus] *s zbior.* odpadki, nieczystości, śmieci

ref·u·ta·tion [`refju`teiʃn] *s* zaprzeczenie, obalenie (teorii), odparcie (zarzutów)

re·fute [ri`fjut] *vt* zaprzeczyć, obalić (teorię), odeprzeć (zarzuty)

re·gain [ri`gein] *vt* odzyskać

re·gal [`rigl] *adj* królewski

re·gale [ri`geil] *vt* gościć, raczyć, wystawnie przyjmować; być rozkoszą (dla oka, ucha); *vr ~ oneself* uraczyć (cieszyć) się (with sth czymś); *vi* ucztować; delektować się (on sth czymś)

re·ga·li·a [ri`geiliə] *s pl* insygnia królewskie

re·gard [ri`gad] *s* wzgląd; spojrzenie; uwaga, baczenie; szacunek; *pl ~s* ukłony, pozdrowienia; in ⟨with⟩ ~ w odniesieniu (to ⟨of⟩ sth do czegoś); in ⟨with⟩ this ~ pod tym względem; *vt* oglądać, patrzeć; uważać (sb, sth as... kogoś, coś za...); dotyczyć ⟨odnosić się do⟩ (sb, sth kogoś, czegoś); brać pod uwagę; ~ing, as ~s co się tyczy, co do, odnośnie do

re·gard·less [ri`gadləs] *adj* niebaczny, nieuważny; niedbały; nie liczący się (of sth z czymś); *adv* bez względu, nie bacząc (of sth na coś); nie licząc się (of sth z czymś)

re·gen·er·ate [ri`dʒenəreit] *vt vi* regenerować (się), odnawiać (się), odradzać (się)

re·gent [`ridʒənt] *s* regent

reg·i·cide [`redʒisaid] *s* królobójca; królobójstwo

ré·gime [rei`ʒim] *s* ustrój, reżim

reg·i·ment [`redʒimənt] *s* pułk; *przen.* zastęp; *vt* [`redʒiment] organizować (w pułki, grupy); trzymać w dyscyplinie

re·gion [`ridʒən] *s* rejon, zakres; okolica; strefa

re·gion·al [`ridʒənl] *adj* regionalny; rejonowy

reg·is·ter [`redʒistə(r)] *s* rejestr, wykaz, spis; ~ office urząd stanu cywilnego; *vt vi* rejestrować (się); meldować się; notować; (listie, bagażu) nadawać jako polecony

reg·is·tra·tion [`redʒi`streiʃn] *s* rejestracja, zapis, meldowanie

reg·is·try [`redʒistri] *s* rejestracja (także ~ office) urząd stanu cywilnego

re·gress [`rigres] *s* regres, cofanie się; *vi* [ri`gres] cofać się

re·gres·sion [ri`greʃn] *s* powrót, regresja, cofanie się

re·gret [ri`gret] *s* żal; *vt* żałować, boleć (sth nad czymś), opłakiwać

re·gret·ta·ble [ri`gretəbl] *adj* godny pożałowania, opłakany

reg·u·lar [`regjulə(r)] *adj* regularny, prawidłowy; systematyczny; uporządkowany; przepisowy; potoczysty, skończony

reg·u·lar·i·ty [`regjə`lærəti] *s* prawidłowość, regularność; systematyczność; reguła

reg·u·late [`regjəleit] *vt* regulować, porządkować

reg·u·la·tion [`regjə`leiʃn] *s* regulacja; przepis, zarządzenie

re·ha·bil·i·tate [`riə`biliteit] *vt* rehabilitować; przywrócić do normalnego stanu; uzdrowić

re·ha·bil·i·ta·tion [`riə`bili`teiʃn] *s* rehabilitacja; przywrócenie do normalnego stanu; uzdrowienie

re·hears·al [ri`hɜsl] *s* próba (przedstawienia, występu); powtórka, recytowanie, wyliczanie; dress ~ próba generalna

re·hearse [ri`hɜs] *vt* zrobić próbę (teatralną); powtarzać (np. lekcję); recytować, wyliczać

reign [rein] *vi* władać, panować; *s* panowanie, władza

re·im·burse [`riim`bɜs] *vt* zwrócić (pieniądze)

rein [rein] *s* cugiel, lejc; to give the ~s popuścić cugli; *przen.* puszczać wodze; *vt* trzymać (konia) za lejce; *przen.* trzymać na wodzy ⟨w ryzach⟩, kierować

e·in·car·na·tion [ˈrɪɪnkaˈneɪʃn] *s* reinkarnacja

e·in·deer [ˈreɪndɪə(r)] *s zool.* renifer

e·in·force [ˈrɪɪnˈfɔs] *vt* wzmocnić, zasilić; poprzeć, podeprzeć; ~d concrete żelazobeton

e·in·force·ment [ˈrɪɪnˈfɔsmənt] *s* wzmocnienie, zasilenie; (*zw.* pl ~s) *wojsk.* posiłki; podpora; poparcie

e·in·state [ˈrɪɪnˈsteɪt] *vt* przywracać (np. na poprzednie stanowisko)

e·in·sure [ˈrɪɪnˈʃuə(r)] *vt vi* reasekurować (się), ponownie (się) zabezpieczyć

e·it·er·ate [riˈɪtəreɪt] *vt* stale powtarzać

e·ject [rɪˈdʒekt] *vt* odrzucać

e·jec·tion [rɪˈdʒekʃn] *s* odrzucenie, odmowa

e·joice [rɪˈdʒɔɪs] *vt* cieszyć, sprawiać przyjemność (sb komuś); *vi* radować ⟨cieszyć⟩ się (in ⟨at, over⟩ sth czymś)

e·join 1. [rɪˈdʒɔɪn] *vi* odpowiadać, replikować

e·join 2. [ˈrɪˈdʒɔɪn] *vt* złożyć na nowo; połączyć się na nowo (sb z kimś); powrócić (sb do kogoś), na nowo nawiązać stosunki (sb z kimś); *vi* połączyć się na nowo, zejść się ponownie

e·join·der [rɪˈdʒɔɪndə(r)] *s* odpowiedź, replika

e·ju·ve·nate [rɪˈdʒuvəneɪt] *vt* odmładzać; *vi* odmłodnieć

re·lapse [rɪˈlæps] *s* nawrót (into sth do czegoś); recydywa; *vi* ponownie popaść (into silence etc. w milczenie itd.); powrócić (into vice etc. na drogę grzechu itd.); ~ into illness ponownie zachorować

re·late [rɪˈleɪt] *vt* opowiadać, relacjonować; wiązać, nawiązywać, łączyć; *vt* odnosić się (to sb, sth do kogoś, czegoś), wiązać się (to sb, sth z kimś, czymś)

re·lat·ed [rɪˈleɪtɪd] *pp i adj* wiążący się ⟨związany⟩ (to sth z czymś); spokrewniony (to sb z kimś)

re·la·tion [rɪˈleɪʃn] *s* opowiadanie, relacja; związek, stosunek; pokrewieństwo; krewny

re·la·tion·ship [rɪˈleɪʃnʃɪp] *s* związek; pokrewieństwo

rel·a·tive [ˈrelətɪv] *adj* względny, stosunkowy; dotyczący (to sth czegoś); *s* krewny; *gram.* zaimek względny; *adv* odnośnie (to sth do czegoś)

re·lax [rɪˈlæks] *vt vi* osłabić; osłabnąć; rozluźnić (się), odprężyć (się)

re·lax [rɪˈlæks] *vt vi* osłabić; osłabienie, rozluźnienie; odprężenie, relaks

re·lay [ˈrɪˈleɪ] *vt* luzować; zmieniać; retransmitować; przekazywać; *s* luzowanie; zmiana; szychta; konie rozstawne; jazda rozstawna; retransmisja; *sport* sztafeta; *elektr.* przekaźnik; ~ race bieg sztafetowy

re·lease [rɪˈlis] *vt* zwolnić, wyzwolić; wypuścić (z rąk, z druku, na wolność itd.); *s* zwolnienie, wyzwolenie; wypuszczenie (na rynek, na wolność itd.)

rel·e·gate [ˈreləgeɪt] *vt* przenosić (np. na niższe stanowisko); relegować, wydalać; oddalać; przekazywać ⟨kierować⟩ (dalej)

re·lent [rɪˈlent] *vi* łagodnieć, mięknąć, ustępować'

rel·e·vant [ˈreləvənt] *adj* stosowny, na miejscu, trafny; dotyczący (to sth czegoś), związany (to sth z czymś)

re·li·a·bil·i·ty [rɪˈlaɪəˈbɪlətɪ] *s* niezawodność, solidność, pewność

re·li·a·ble [rɪˈlaɪəbl] *adj* godny zaufania; solidny, pewny, niezawodny

re·li·ance [rɪˈlaɪəns] *s* zaufanie; to have ⟨place, feel⟩ ~ in ⟨on, upon⟩ sb, sth mieć zaufanie do kogoś, czegoś; polegać na kimś, czymś

rel·ic [ˈrelɪk] s relikwia; pozostałość; pamiątka

re·lief 1. [rɪˈliːf] s ulga; odciążenie; obniżenie (grzywny itd.); zapomoga; zmiana (np. warty), nowa szychta; odsiecz

re·lief 2. [rɪˈliːf] s płaskorzeźba; uwypuklenie; to bring into ~ uwypuklić; uwydatnić

re·lieve [rɪˈliːv] vt ulżyć; uśmierzyć (np. ból); pomóc; odciążyć, zmniejszyć; zastąpić, zluzować; uwolnić (sb of sth kogoś od czegoś)

re·li·gion [rɪˈlɪdʒən] s religia

re·li·gious [rɪˈlɪdʒəs] adj religijny; kościelny, zakonny

re·lin·guish [rɪˈlɪŋkwɪʃ] vt opuścić, porzucić, zaniechać; zrezygnować; odstąpić (sth od czegoś)

rel·ish [ˈrelɪʃ] s smak, posmak; urok, powab; przyjemność; upodobanie ⟨pociąg⟩ (for sth do czegoś); przysmak; przyprawa; vt lubić; rozkoszować się (sth czymś); jeść ze smakiem; dodawać smaku; vi smakować, mieć posmak

re·luc·tance [rɪˈlʌktəns] s niechęć, opór

re·luc·tant [rɪˈlʌktənt] adj niechętny, oporny

re·ly [rɪˈlaɪ] vi polegać (on sb, sth na kimś, czymś)

re·main [rɪˈmeɪn] vi pozostawać; s pl ~s pozostałość; resztki; zwłoki

re·main·der [rɪˈmeɪndə(r)] s pozostałość, reszta

re·mand [rɪˈmɑːnd] vt odesłać do więzienia

re·mark [rɪˈmɑːk] vt zauważyć; zanotować; vi zrobić uwagę (on ⟨upon⟩ sb, sth o kimś, czymś); s uwaga; spostrzeżenie; notatka

re·mark·a·ble [rɪˈmɑːkəbl] adj godny uwagi, niepospolity, wybitny

rem·e·dy [ˈremədɪ] s lekarstwo, środek; naprawa; vt naprawić, zaradzić

re·mem·ber [rɪˈmembə(r)] vt pamiętać; przypominać (sobie wspominać; ~ me to your sistε przekaż siostrze ukłony oc mnie

re·mem·brance [rɪˈmembrns] pamiątka; pozdrowienia, ukłon

re·mind [rɪˈmaɪnd] vt przypomin. (sb of sth coś komuś)

re·mind·er [rɪˈmaɪndə(r)] s pamię ka; przypomnienie; upomnienie

rem·i·nis·cence [ˈremɪˈnɪsns] wspomnienie, reminiscencja

rem·i·nis·cent [ˈremɪˈnɪsnt] aᵈ wspominający, pamiętający, prz pominający (sobie); to be ~ przypominać ⟨przypominać sc bie⟩ (of sth coś)

re·miss [rɪˈmɪs] adj opieszały; nie dbały

re·mis·sion [rɪˈmɪʃn] s osłabieni zmniejszenie, złagodzenie; prze baczenie ⟨odpuszczenie⟩ (grze chów itd.); umorzenie (długu)

re·mit [rɪˈmɪt] vt osłabić, zmniej szyć, złagodzić; przebaczyć; od puścić (grzechy); umorzyć (dług przekazać (sprawę, pieniądz itd.); vi osłabnąć, zelżeć, złagod nieć, zmniejszyć się

re·mit·tance [rɪˈmɪtns] s przesyłk pieniężna, należność, wpłat przekaz

rem·nant [ˈremnənt] s reszta, pc zostałość

re·mon·strance [rɪˈmonstrəns] wystąpienie protestacyjne, skaɪ ga publiczna; napomnienie

re·mon·strate [ˈremənstreɪt] v (publicznie) protestować, wyst powować ze skargą; robić wymów ki (with sb on ⟨upon⟩ sth kc muś z powodu czegoś)

re·morse [rɪˈmɔːs] s wyrzut sumi nia; skrucha

re·mote [rɪˈməʊt] adj odległy, d. leki; obcy

re·mov·al [rɪˈmuːvl] s usunięci zdjęcie; zniesienie; przeprowadz ka

re·move [rɪˈmuːv] vt vi usunę (się); oddalić (się); zdjąć; sprząt nąć; odwołać, zwolnić (np. ze służby); pozbyć się; przenieść ⟨przeprowadzić⟩ (się); s oddalenie, odstęp; przejście do wyższej klasy, promocja

re·mu·ner·ate [rɪˈmjunəreɪt] vt wynagradzać

re·mu·ner·a·tion [rɪˈmjunəˈreɪʃn] s wynagrodzenie

re·mu·ner·a·tive [rɪˈmjunərətɪv] adj dochodowy, opłacalny, korzystny

Re·nais·sance [rɪˈneɪsns] s Odrodzenie, Renesans

re·nas·cence [rɪˈnæsns] s odrodzenie, powrót do życia; = Renaissance

* rend [rend], rent, rent [rent] vt vi rozrywać ⟨rwać⟩ (się); drzeć (się); rozszczepiać ⟨rozłupać⟩ (się)

ren·der [ˈrendə(r)] vt zrobić, sprawić, wyświadczyć; oddać, zwrócić, odpłacić; przedstawić, odtworzyć; przetłumaczyć (into English na angielski); okazać (pomoc itd.); przedkładać, składać

ren·dez·vous [ˈrōndɪvu] s spotkanie (umówione), pot. randka

ren·e·gade [ˈrenɪgeɪd] s renegat, odstępca; zdrajca

re·new [rɪˈnju] vt odnowić; wznowić; odświeżyć; prolongować

re·new·al [rɪˈnjuːl] s odnowienie; wznowienie; odświeżenie; prolongata

re·nounce [rɪˈnauns] vt zrzekać ⟨wyrzekać⟩ się (sth czegoś); wypowiedzieć (np. umowę); odmówić uznania (np. władzy); wyprzeć się

ren·o·vate [ˈrenəveɪt] vt odnawiać, naprawiać; remontować

ren·o·va·tion [ˈrenəˈveɪʃn] s odnowienie; naprawa; remont

re·nown [rɪˈnaun] s sława, rozgłos

re·nowned [rɪˈnaund] adj sławny, głośny

rent 1. zob. rend

rent 2. [rent] s renta (dzierżawna), czynsz, dzierżawa; vt wynajmować, dzierżawić; vi być do wynajęcia (at the price za cenę)

rent 3. [rent] s dziura, rozdarcie; szczelina; rozłam

rent·al [ˈrentl] s czynsz, komorne

re·nun·ci·a·tion [rɪˈnʌnsɪˈeɪʃn] s zrzeczenie ⟨wyrzeczenie⟩ się (of sth czegoś); rezygnacja (of sth z czegoś); wypowiedzenie (umowy itp.); wyparcie się

re·o·pen [rɪˈəupən] vt vi ponownie otworzyć (się); wznowić (np. działalność)

re·or·gan·i·za·tion [ˈrɪˈɔgənaɪˈzeɪʃn] s reorganizacja

re·or·gan·ize [ˈrɪˈɔgənaɪz] vt vi reorganizować (się)

rep [rep] s ryps

re·pair 1. [rɪˈpeə(r)] vt naprawiać, reperować; wynagrodzić, rekompensować; s naprawa, reperacja, remont; in good ⟨bad⟩ ~ w dobrym ⟨złym⟩ stanie; out of ~ w złym stanie; under ~ w reperacji

re·pair 2. [rɪˈpeə(r)] vi udawać się, iść

rep·a·ra·tion [ˈrepəˈreɪʃn] s remont, naprawa; odszkodowanie; reparacja

rep·ar·tee [ˈrepaˈti] s ostra odpowiedź, odcięcie się

re·par·ti·tion [ˈrepaˈtɪʃn] s repartycja; vt dokonać podziału ⟨repartycji⟩

re·past [rɪˈpast] s jedzenie, posiłek

re·pat·ri·ate [rɪˈpætrɪeɪt] vt repatriować

re·pay [rɪˈpeɪ] vt vi spłacić ⟨zwrócić⟩ (pieniądze, dług); odpłacić ⟨zrewanżować⟩ się; dać odszkodowanie, wynagrodzić

re·pay·a·ble [rɪˈpeɪəbl] adj zwrotny

re·peal [rɪˈpil] vt odwołać, unieważnić, uchylić; s odwołanie, unieważnienie

re·peat [rɪˈpit] vt vi powtarzać (się)

re·peat·ed [rɪˈpitɪd] pp i adj stale powtarzający się

repel

re·pel [rɪˈpel] vt odpychać, odrzucać, odpierać

re·pel·lent [rɪˈpelənt] adj odpychający, wstrętny; s płyn ⟨środek⟩ przeciw komarom itp.

re·pent [rɪˈpent] vt żałować (sth czegoś); vi odczuwać żal (of sth z powodu czegoś), okazywać skruchę

re·pent·ance [rɪˈpentəns] s żal, skrucha

re·pent·ant [rɪˈpentənt] adj skruszony, żałujący

re·per·cus·sion [ˈripəˈkʌʃn] s odbicie się, odgłos, echo; przen. następstwo; oddźwięk; muz. reperkusja

re·per·cus·sive [ˈripəˈkasɪv] adj muz. fiz. reperkusyjny

rep·er·toire [ˈrepətwɑː(r)] s repertuar

rep·er·to·ry [ˈrepətrɪ] s zbiór (dokumentów, materiałów itp.); teatr. repertuar; ~ theatre teatr stały

rep·e·ti·tion [ˈrepəˈtɪʃn] s powtórzenie; kopia (obrazu); repetycja

re·pine [rɪˈpaɪn] vi szemrać; narzekać (at ⟨against⟩ sb, sth na kogoś, coś)

re·place [rɪˈpleɪs] vt postawić ⟨położyć⟩ na tym samym miejscu; przywrócić (kogoś na dawne stanowisko); zastąpić (sb, sth with ⟨by⟩ sb, sth kogoś, coś kimś, czymś)

re·plen·ish [rɪˈplenɪʃ] vt napełnić ponownie, uzupełnić; zaopatrzyć

re·plete [rɪˈpliːt] adj wypełniony ⟨przepełniony⟩ (with sth czymś)

re·ple·tion [rɪˈpliːʃn] s wypełnienie; nasycenie; przesyt, nadmiar

re·ply [rɪˈplaɪ] vi odpowiadać (to a question na pytanie); s odpowiedź

re·port [rɪˈpɔːt] vt vi zdawać sprawę ⟨relację⟩, referować; donosić, informować; meldować (się), zgłaszać (się); s raport, sprawozdanie; doniesienie; protokół; ko-

munikat; reputacja; świadectwo szkolne; pogłoska, plotka; detonacja

re·port·age [rɪˈpɔːtɪdʒ] s reportaż

re·port·ed [rɪˈpɔːtɪd] adj gram. zależny; ~ speech mowa zależna

re·pose [rɪˈpəʊz] vt opierać (np głowę na czymś); vi odpoczywać spoczywać; opierać się (on sb sth na kimś, czymś); s odpoczynek, wytchnienie

re·pos·i·to·ry [rɪˈpozɪtrɪ] s skład przechowalnia, magazyn

rep·re·hend [ˈreprɪˈhend] vt ganić robić wymówki

rep·re·sent [ˈreprɪˈzent] vt opisywać; symbolizować, oznaczać reprezentować; występować w (czyimś) imieniu; przedstawiać wyobrażać

rep·re·sen·ta·tion [ˈreprɪzenˈteɪʃn] s reprezentacja, przedstawicielstwo; przedstawienie, wyobrażeni

rep·re·sent·a·tive [ˈreprɪˈzentətɪv] adj reprezentatywny; charakterystyczny; okazowy; s reprezentant; przedstawiciel

re·press [rɪˈpres] vt tłumić; uciskać; poskramiać

re·pres·sion [rɪˈpreʃn] s tłumienie ucisk, represja; poskromienie

re·pres·sive [rɪˈpresɪv] adj represyjny

re·prieve [rɪˈpriːv] vt odroczyć wykonanie wyroku (a convict ska-zańcowi); przynieść tymczasową ulgę (sb komuś); udzielić zwłoki (np. a debtor dłużnikowi); s zwłoka (w terminie); odroczenie wyroku; ulga

rep·ri·mand [ˈreprɪmɑːnd] vt ganić, karcić; s [ˈreprɪmɑːnd] nagana, besztanie, bura

re·print [rɪˈprɪnt] vt przedrukować, wznowić (książkę); s [ˈriːprɪnt] przedruk, wznowienie

re·pris·al [rɪˈpraɪzl] s represja, odwet

re·proach [rɪˈprəʊtʃ] vt wyrzucać ⟨wymawiać, zarzucać⟩ (sb with

⟨for⟩ sth komuś coś); s zarzut, wyrzut; hańba

re·proach·ful [rɪ'prəutʃfl] adj pełen wyrzutu

rep·ro·bate ['reprəbeɪt] vt potępiać; adj rozpustny; zatwardziały w grzechu; s rozpustnik, nikczemnik; potępieniec

re·pro·duce ['riprə'djus] vt reprodukować, odtwarzać; rozmnażać

re·pro·duc·tion ['riprə'dʌkʃn] s reprodukcja, odtworzenie; rozmnożenie (się)

re·pro·duc·tive ['riprə'dʌktɪv] adj reprodukcyjny; rozrodczy

re·proof [rɪ'pruf] s wyrzut, zarzut, nagana

re·prove [rɪ'pruv] vt ganić, czynić wyrzuty

reps s = rep

rep·tile ['reptaɪl] adj ⟨o gadzie⟩ pełzający; s zool. gad

re·pub·lic [rɪ'pʌblɪk] s republika, rzeczpospolita

re·pub·li·can [rɪ'pʌblɪkən] adj republikański; s republikanin

re·pu·di·ate [rɪ'pjudɪeɪt] vt odrzucić; wyrzec się; odmówić zapłaty; rozwieść się (sb z kimś); wyprzeć się; odmówić uznania

re·pu·di·a·tion [rɪ'pjudɪ'eɪʃn] s odrzucenie; wyrzeczenie się; wyparcie się; odmowa; rozwód (of sb z kimś)

re·pug·nance [rɪ'pʌgnəns] s wstręt, odraza

re·pug·nant [rɪ'pʌgnənt] adj wstrętny, odrażający, odpychający

re·pulse [rɪ'pʌls] vt odpierać, odtrącać; s odparcie; odprawa; odmowa

re·pul·sion [rɪ'pʌlʃn] s wstręt; fiz. odpychanie

re·pul·sive [rɪ'pʌlsɪv] adj wstrętny; fiz. odpychający

rep·u·ta·ble ['repjutəbl] adj szanowany; cieszący się poważaniem

rep·u·ta·tion ['repju'teɪʃn] s reputacja

re·pute [rɪ'pjut] vt uważać (kogoś

za coś); to be ~d mieć reputację, być uważanym ⟨uchodzić⟩ (an honest man za uczciwego człowieka); s sława, reputacja; of ~ słynny

re·put·ed [rɪ'pjutɪd] adj słynny, powszechnie znany; rzekomy

re·quest [rɪ'kwest] s prośba; życzenie; popyt; ~ stop przystanek na żądanie; by ~ na życzenie; in great ~ pożądany, cieszący się popytem; vt prosić (sth o coś); as ~ed według życzenia; the public is ~ed ... uprasza się publiczność o ...

re·quire [rɪ'kwaɪə(r)] vt żądać, wymagać, potrzebować (sth of sb czegoś od kogoś)

re·quire·ment [rɪ'kwaɪəmənt] s wymaganie, żądanie

req·ui·site ['rekwɪzɪt] adj niezbędny, konieczny, wymagany; s rzecz niezbędna; rekwizyt

req·ui·si·tion ['rekwɪ'zɪʃn] s żądanie, zapotrzebowanie; rekwizycja; vt rekwirować

re·quit·al [rɪ'kwaɪtl] s zapłata, wynagrodzenie; odpłata, odwet

re·quite [rɪ'kwaɪt] vt wynagrodzić; odwzajemnić się; (sth with, for sth czymś za coś); odpłacić; ~ like for like odpłacać się tym samym ⟨tą samą monetą⟩

res·cue ['reskju] s ratunek, ocalenie; vt ratować, ocalić

re·search [rɪ'sɜtʃ] s badanie (into sth czegoś); praca badawcza (on sth nad czymś); poszukiwanie (after, for sth czegoś); ~ work praca naukowa; vi prowadzić badania (into sth nad czymś)

re·search·er [rɪ'sɜtʃə(r)] s badacz

re·sem·blance [rɪ'zembləns] s podobieństwo

re·sem·ble [rɪ'zembl] vt być podobnym (sb, sth do kogoś, czegoś)

re·sent [rɪ'zent] vt czuć się urażonym (sth z powodu czegoś), mieć za złe

re·sent·ful [rɪ'zentfl] adj urażony, rozżalony, dotknięty (of sth czymś)

resentment

re·sent·ment [rɪ'zentmənt] s uraza, przykrość, rozżalenie

res·er·va·tion [ˌrezə'veɪʃn] s zastrzeżenie; ograniczenie; *am.* re-
zerwacja (miejsca, pokoju itd.);
rezerwat (np. przyrody)

re·serve [rɪ'zɜːv] *vt* mieć w zapasie
⟨w rezerwie⟩; rezerwować (pokój,
bilet itp.); zastrzegać (sobie);
s rezerwa; zapas; zastrzeżenie,
ograniczenie; *am.* rezerwat; za-
rezerwowane miejsce; **without ~**
bez zastrzeżeń

re·served [rɪ'zɜːvd] *adj* zastrzeżony; zarezerwowany; (*o człowie-
ku*) zachowujący się z rezerwą;
ostrożny

re·side [rɪ'zaɪd] *vi* rezydować; przebywać

res·i·dence [ˈrezɪdəns] s rezydencja; miejsce stałego pobytu;
mieszkanie

res·i·dent [ˈrezɪdənt] *adj* mieszkają-
cy, zamieszkały; *s* rezydent; stały mieszkaniec

res·i·den·tial [ˌrezɪ'denʃl] *adj* mie-
szkaniowy; **~ area** ⟨**district**⟩
dzielnica mieszkaniowa

re·sid·u·al [rɪ'zɪdjʊəl] *adj* pozostały; *s mat.* reszta

res·i·due [ˈrezɪdjuː] s pozostałość;
chem. osad

re·sign [rɪ'zaɪn] *vt* rezygnować (**sth**
z czegoś); zrzekać się; ustąpić
(**sth to sb coś komuś**); *vr* **~**
oneself poddać się z rezygna-
cją, pogodzić się (**to sth z czymś**)

res·ig·na·tion [ˌrezɪg'neɪʃn] s rezygnacja, dymisja; zrzeczenie się;
pogodzenie się z losem, rezygnacja

re·sil·i·ence [rɪ'zɪlɪəns] s elastyczność, sprężystość; zdolność odbi-
jania

res·in [ˈrezɪn] s żywica

re·sist [rɪ'zɪst] *vt* opierać się (**sth**
czemuś), przeciwstawiać się

re·sist·ance [rɪ'zɪstəns] s opór,
przeciwstawienie się; *elektr.* o-
porność, opornik; **~ movement**
ruch oporu

res·o·lute [ˈrezəluːt] *adj* zdecydowany

res·o·lu·tion [ˌrezə'luːʃn] s rezolucja; postanowienie; zdecydowa-
na postawa; rozwiązanie (np. za
dania); rozłożenie, rozkład

re·solve [rɪ'zɒlv] *vt vi* rozwiązać
rozpuścić ⟨się⟩; rozłożyć ⟨się⟩
postanowić (**on, upon sth coś**)
zdecydować się; *s* postanowieni
decyzja; stanowczość

re·solved [rɪ'zɒlvd] *adj* stanowczy
zdecydowany

res·o·nance [ˈrezənəns] s rezonan
odgłos

res·o·nant [ˈrezənənt] *adj* dźwięcz
ny, brzmiący; akustyczny

re·sort [rɪ'zɔːt] *vi* uciekać się; czę
sto odwiedzać (np. **to the seasid**
wybrzeże); *s* resort; kurort; u
cieczka; zwrócenie się; ratunek
health ~ uzdrowisko; **summer ~**
letnisko; **the last ~** ostateczność
without ~ bez uciekania się, be
stosowania

re·sound [rɪ'zaʊnd] *vi* dźwięcze
rozbrzmiewać; odbijać się echer

re·source [rɪ'sɔːs] s środek zarac
czy; źródło, zapas, pomysłowość
natural ~s bogactwa naturaln

re·source·ful [rɪ'sɔːsfl] *adj* pomy
słowy, wynalazczy

re·spect [rɪ'spekt] s szacunek
wzgląd; odniesienie; związek; p
~s pozdrowienia, ukłony; **with ~**
w odniesieniu (**to sth do czegoś**)
in ~ pod względem (**of sth cze**
goś); *vt* szanować; mieć wzglą
(**sth na coś**); dotyczyć

re·spect·a·bil·i·ty [rɪˌspektə'bɪlɪtɪ]
ogólne poważanie, szacunek

re·spect·a·ble [rɪ'spektəbl] *adj* god
ny szacunku, szanowny; poważ
ny, znaczny

re·spect·ful [rɪ'spektfl] *adj* pełen
szacunku

re·spect·ing [rɪ'spektɪŋ] *praep* od
nośnie do, co do

re·spec·tive [rɪ'spektɪv] *adj* od
nośny; poszczególny

res·pi·ra·tion [ˌrespə'reɪʃn] s od
dychanie

e·spir·a·to·ry [rɪ'spaɪərətrɪ] adj
oddechowy

e·spire [rɪ'spaɪə(r)] vi oddychać

es·pite ['respaɪt] s przerwa; odroczenie, zwłoka; vt odroczyć
(ogłoszenie wyroku); sprolongo-
wać (termin wykonania)

e·splend·ent [rɪ'splendənt] adj
lśniący

e·spond [rɪ'spond] vi odpowiadać;
reagować (to sth na coś)

e·sponse [rɪ'spons] s odpowiedź;
reakcja, przen. echo

e·spon·si·bil·i·ty [rɪ'spɒnsə'bɪlətɪ]
s odpowiedzialność

e·spon·si·ble [rɪ'sponsəbl] adj odpowiedzialny

e·spon·sive [rɪ'sponsɪv] adj odpo-
wiadający, reagujący, wrażliwy
(to sth na coś)

est 1. [rest] s odpoczynek, spokój;
podpora, podstawa; muz. pauza;
to be at ~ spoczywać; to have
⟨take⟩ a ~ wypocząć; to lay to
~ złożyć do grobu; to retire ⟨go⟩
to ~ udać się na spoczynek, położyć się spać; to set to ~ uspokoić, dać spocząć; to set a question at ~ załatwić sprawę; vt
uspokoić, dać spocząć; podpierać, opierać; vi wypoczywać, leżeć; polegać; opierać się, wspierać się; vr to ~ oneself zażywać
wypoczynku

est 2. [rest] s reszta; for the ~
co do reszty, poza tym, zresztą;
vi pozostawać; zależeć; this ~s
with you to od ciebie zależy; to
(jest) w twoich rękach; to ~
assured być pewnym

res·tau·rant ['restrõ] s restauracja

rest-cure ['rest kjuə(r)] s kuracja
wypoczynkowa

rest·ful ['restfl] adj spokojny, u-
spokajający

rest·ing-place ['restɪŋpleɪs] s miejsce wypoczynku

res·ti·tu·tion ['restɪ'tjuʃn] s restytucja; zwrot; przywrócenie; odszkodowanie

rest·less ['restləs] adj niespokojny

res·to·ra·tion ['restə'reɪʃn] s restauracja, odbudowa; przywrócenie

re·store [rɪ'stɔ(r)] vt odrestauro-
wać, odbudować; przywrócić (do
zdrowia, do życia itp.); odnowić,
wznowić

re·strain [rɪ'streɪn] vt powstrzymywać, hamować

re·straint [rɪ'streɪnt] s zahamowanie; ograniczenie; powściągliwość; without ~ swobodnie; bez
skrępowania

re·strict [rɪ'strɪkt] vt ograniczać;
zastrzegać

re·stric·tion [rɪ'strɪkʃn] s ograniczenie; zastrzeżenie

re·sult [rɪ'zʌlt] vi wynikać (from
sth z czegoś); kończyć się (in sth
czymś); s wynik, skutek; as a ~
w następstwie, na skutek; in the
~ ostatecznie; gram. ~ clause
zdanie skutkowe

re·sult·ant [rɪ'zʌltənt] adj wynikający; fiz. wypadkowy; s fiz.
wypadkowa

re·sume [rɪ'zjum] vt odzyskać;
podjąć na nowo; streścić

ré·sumé ['rezumeɪ] s streszczenie

re·sump·tion [rɪ'zʌmpʃn] s podjęcie na nowo, wznowienie

res·ur·rect ['rezə'rekt] vt wskrzesić; wznowić; vi vt powstać z
martwych

res·ur·rec·tion ['rezə'rekʃn] s
wskrzeszenie; rel. zmartwychwstanie

re·tail ['riteɪl] s sprzedaż deta-
liczna; adj attr detaliczny; adv
detalicznie; vt [rɪ'teɪl] sprzedawać detalicznie

re·tain [rɪ'teɪn] vt zatrzymywać;
najmować, zatrudniać; zachowywać w pamięci

re·tain·er [rɪ'teɪnə(r)] s zaliczka;
hist. służący, lokaj (w liberii);
członek świty, wasal; pl ~s orszak, świta; czeladź

re·tal·i·ate [rɪ'tælɪeɪt] vt vi odpłacać (się), odwzajemniać (się)

re·tal·i·a·tion [rɪ'tælɪ'eɪʃn] s odpłata, odwet

re·tard [rɪ'tad] *vt vi* opóźnić (się);
s opóźnienie

re·ten·tion [rɪ'tenʃn] *s* zatrzymanie; wstrzymywanie

re·ten·tive [rɪ'tentɪv] *adj* (o glebie)
nie przepuszczający; (o pamięci)
trwały

ret·i·cence ['retɪsns] *s* powściągliwość w słowach

ret·i·cent ['retɪsnt] *adj* powściągliwy w słowach, milczący, skryty

ret·i·na ['retɪnə] *s* (*pl* retinae
['retɪni]) *anat.* siatkówka oka

ret·i·nue ['retɪnju] *s* orszak, świta

re·tire [rɪ'taɪə(r)] *vt vi* odchodzić,
wychodzić, cofać (się), usuwać
(się); iść na emeryturę; rezygnować ze stanowiska; podać się
do dymisji; to ~ to rest ⟨to bed,
for the night⟩ iść spać, udać się
na spoczynek

re·tired [rɪ'taɪəd] *adj* samotny, o-
samotniony; emerytowany; ~
pay emerytura

re·tire·ment [rɪ'taɪəmənt] *s* odwrót, cofanie się; emerytura; dymisja; osamotnienie

re·tort [rɪ'tɔt] *vt vi* ostro odpowiedzieć, dać odprawę, odciąć się;
odpłacić (się); odeprzeć; *s* ostra
odpowiedź, odcięcie się

re·touch ['ri'tʌtʃ] *vt* retuszować;
s retusz

re·trace [rɪ'treɪs] *vt* cofnąć się
(sth do czegoś); zawrócić; odtworzyć; przypominać sobie

re·tract [rɪ'trækt] *vt vi* ciągnąć z
powrotem, wciągać; cofać (się),
wycofać (się); odwołać

re·trac·ta·tion ['ri'træk'teɪʃn], re-
·trac·tion [rɪ'trækʃn] *s* retrakcja,
cofnięcie; odwołanie

re·treat [rɪ'trit] *vi* cofać się; *s* odwrót; usunięcie się; *rel.* rekolekcje

re·trench [rɪ'trentʃ] *vt* obciąć, skrócić; zredukować; *wojsk.* okopać,
oszańcować

re·trench·ment [rɪ'trentʃmənt] *s*
obcięcie, skrócenie, redukcja;

wojsk. szaniec

ret·ri·bu·tion ['retrɪ'bjuʃn] *s* kara
odpłata, odwet

re·trieve [rɪ'triv] *vt* odzyskać; na
prawić, powetować (np. stratę
przywrócić; wynagrodzić

ret·ro·ac·tive ['retrəu'æktɪv] *ad*
prawn. z mocą retroaktywną
działający wstecz

ret·ro·grade ['retrəgreɪd] *adj* (
ruchu) wsteczny; (o polityce) re
akcyjny

ret·ro·spect ['retrəspekt] *s* spojrze
nie wstecz, retrospekcja

re·turn [rɪ'tən] *vt vi* wracać; zwra
cać, oddawać; odpowiadać; wy
brać (posła); przynosić (docho
dy); odpłacić (się); *s* powrót
zwrot; dochód; wynik (głosowa
nia); *pl* ~s wpływy (kasowe
by ~ of post odwrotną pocztą
in ~ w zamian (for sth za coś)
adj attr powrotny; ~ ticket bile
powrotny

re·veal [rɪ'vil] *vt* odsłonić, odkryć
objawić, ujawnić

rev·el ['revl] *s* uczta, zabawa; *v*
ucztować, zabawiać się; hulać
rozkoszować się (in sth czymś)

rev·e·la·tion ['revə'leɪʃn] *s* wyja
wienie, ujawnienie; rewelacja
odkrycie; *rel.* objawienie

rev·el·ler ['revlə(r)] *s* biesiadnik
hulaka

rev·el·ry ['revlrɪ] *s* uczta (hałaśli
wa), pohulanka

re·venge [rɪ'vendʒ] *vt* mścić; t
be ~d mścić się; *vr* to ~ onesel
mścić się (on sb na kimś);
zemsta; to take one's ~ zemści
się

re·venge·ful [rɪ'vendʒfl] *adj* mści
wy

rev·e·nue ['revənju] *s* dochód (pań
stwowy); urzędy skarbowe

re·ver·ber·ate [rɪ'vɜbəreɪt] *vt v*
odbijać (światło); rozlegać się, (o
głosie) brzmieć echem; promie
niować, odbijać światło

re·vere [rɪ'vɪə(r)] *vt* szanować,
czcić

ev·er·ence ['revərəns] s szacunek; vt czcić

ev·er·end ['revərənd] adj czcigodny; (o duchownym) the Reverend Wielebny

ev·er·ent ['revərənt] adj pełen szacunku

ev·er·en·tial ['revə'renʃl] adj pełen szacunku

ev·er·ie ['revərɪ] s marzenie, zaduma

e·ver·sal [rɪ'vɜsl] s odwrócenie, zwrot

e·verse [rɪ'vɜs] vt odwrócić (przedmiot, kierunek itd.), przewrócić na drugą stronę; cofać; przemieścić; s odwrotna strona; przeciwieństwo; odwrotny kierunek; strata (finansowa); porażka, niepowodzenie; adj odwrotny; przeciwny

e·vers·i·ble [rɪ'vɜsəbl] adj odwracalny; odwoływalny

e·vert [rɪ'vɜt] vt vi odwracać, zawracać, powracać

e·view [rɪ'vju] s inspekcja, rewia; czasopismo, przegląd wydarzeń; recenzja; vt przeglądać; odbywać rewię; rewidować; recenzować

e·view·er [rɪ'vjuə(r)] s recenzent, krytyk

e·vile [rɪ'vaɪl] vt vi łżyć, wymyślać (sb, against ⟨at⟩ sb komuś)

e·vise [rɪ'vaɪz] vt rewidować, przeglądać, poprawiać

·e·vi·sion [rɪ'vɪʒn] s rewizja, przegląd

e·viv·al [rɪ'vaɪvl] s odżycie, powrót do życia; wznowienie (np. sztuki w teatrze); odrodzenie, ożywienie, odnowienie

·e·vive [rɪ'vaɪv] vt ożywiać, przywracać do życia; odnawiać; vi odżyć, odrodzić się, ożywić się

·ev·o·ca·tion ['revə'keɪʃn] s odwołanie; unieważnienie

·e·voke [rɪ'vəuk] vt odwołać; skasować; unieważnić

·e·volt [rɪ'vəult] s rewolta, bunt;

to rise in ∼ zbuntować się; vi buntować (się); czuć odrazę; (at sth z powodu czegoś); budzić odrazę

rev·o·lu·tion ['revə'luʃn] s rewolucja; obracanie się, pełny obrót (ziemi, koła itd.)

rev·o·lu·tion·a·ry ['revə'luʃnrɪ] adj rewolucyjny; s rewolucjonista

rev·o·lu·tion·ist ['revə'luʃnɪst] s rewolucjonista

rev·o·lu·tion·ize ['revə'luʃnaɪz] vt rewolucjonizować

re·volve [rɪ'volv] vt vi obracać (się), krążyć

re·volv·er [rɪ'volvə(r)] s rewolwer

re·vue [rɪ'vju] s teatr. rewia

re·vul·sion [rɪ'vʌlʃn] s zwrot (w opinii, reakcji)

re·ward [rɪ'wɔd] s nagroda; vt nagradzać

re·write ['ri'raɪt] vt przepisać; przerobić (tekst)

rhet·o·ric ['retərɪk] s retoryka

rhe·tor·i·cal [rɪ'torɪkl] adj retoryczny

rheu·mat·ic [ru'mætɪk] adj reumatyczny

rheu·ma·tism ['rumətɪzm] s reumatyzm

rhi·no ['raɪnəu] s pot. nosorożec

rhi·noc·er·os [raɪ'nosərəs] s zool. nosorożec

rhomb [rom] s mat. romb

rhyme [raɪm] s rym; wiersz; neither ⟨without⟩ ∼ nor ⟨or⟩ reason bez sensu; vt vi rymować (się)

rhythm ['rɪðm] s rytm

rib [rɪb] s żebro

rib·ald ['rɪbld] adj sprośny, ordynarny; s człowiek sprośny ⟨ordynarny⟩

rib·bon ['rɪbən] s wstążka, tasiemka; taśma

rice [raɪs] s ryż

rich [rɪtʃ] adj bogaty; obfity

rich·es ['rɪtʃɪz] s pl bogactwo

rick [rɪk] s stóg, sterta (np. siana)

rick·ets ['rɪkɪts] s med. krzywica

rick·et·y ['rɪkɪtɪ] adj słaby, ra-

chityczny; rozwalający się, po-
krzywiony, rozklekotany

ric·o·chet [ˈrɪkəʃeɪ] s rykoszet

*rid, rid, rid [rɪd] vt uwolnić,
oczyścić (of sth z czegoś); to get
~ uwolnić się, pozbyć się (of
sth czegoś)

rid·dance [ˈrɪdns] s uwolnienie,
pozbycie się

rid·den zob. ride

rid·dle 1. [ˈrɪdl] s zagadka

rid·dle 2. [ˈrɪdl] s sito (duże); vt
przesiewać; podziurawić (jak
sito)

*ride [raɪd], rode [rəʊd], ridden
[ˈrɪdn] vt vi jeździć (na koniu,
rowerem, autem itp.); przejeżdżać (np. the street ulicą); ~ a
race brać udział w wyścigach
konnych; ~ down vi zjechać w
dół; vt stratować; przen. źle potraktować; ~ over vi wygrać na
wyścigach; vt przen. zlekceważyć; s jazda, przejażdżka

rid·er [ˈraɪdə(r)] s jeździec; (w po-
jeździe) pasażer

ridge [rɪdʒ] s grzbiet; krawędź,
brzeg; skiba

rid·i·cule [ˈrɪdɪkjuːl] s śmieszność;
pośmiewisko; szyderstwo, kpiny;
vt wyśmiewać, ośmieszać

ri·dic·u·lous [rɪˈdɪkjələs] adj śmieszny; absurdalny

rife [raɪf] adj praed rozpowszechniony; pełny, obfity, znajdujący
się w wielkiej ilości; to grow
~ wzmagać się

riff-raff [ˈrɪfræf] s motłoch, hołota

ri·fle 1. [ˈraɪfl] vt ograbić, zrabo-
wać, obrabować

ri·fle 2. [ˈraɪfl] s karabin; wojsk.
pl ~s strzelcy, pułk strzelecki

ri·fle·man [ˈraɪflmən] s strzelec

rift [rɪft] s szczelina; vt vi rozszczepić (się), rozłupać (się)

rig [rɪg] s mors. takielunek; przen.
strój, powierzchowność; vt mors.
otaklować; przen. to ~ sb out
(with sth) wyekwipować, zaopatrzyć (kogoś w coś); pot. wy-

stroić

right [raɪt] adj (o stronie) praw;
prawidłowy, słuszny; ~ angle k;
prosty; to be ~ mieć rację; ●
get ~ doprowadzić do porządk●
dojść do normalnego stanu; ●
set ⟨to put⟩ ~ uporządkowa●
uregulować; all ~ wszystko ●
porządku ⟨dobrze⟩; int. dobrze●
zgoda!; on the ~ (side) po pr;
wej stronie; adv słusznie, pr;
widłowo; prosto; am. ~ awa●
⟨off⟩ w tej chwili, natychmias●
~ out wprost, natychmiast; ca●
kowicie; s prawo, słuszność
to be in the ~ mieć rację; to ●
~ sprawiedliwie potraktować, o●
dać sprawiedliwość (sb komuś
by ~ prawnie; na podstawie,
tytułu (of sth czegoś); vt n●
dać prawidłowe położenie; n●
prawić; wymierzyć sprawiedl●
wość

right-an·gled [ˈraɪt æŋgld] ddj pr●
stokątny; mat. ~ triangle tró●
kąt prostokątny

right·eous [ˈraɪtʃəs] adj sprawied●
liwy, prawy

right·ful [ˈraɪtfl] adj legalny, słus●
ny, sprawiedliwy

right-mind·ed [ˈraɪt ˈmaɪndɪd] ad●
zrównoważony; pot. zdrowy n●
umyśle

rig·id [ˈrɪdʒɪd] adj sztywny; (●
człowieku) nieugięty; bezwzględ●
ny

rig·ma·role [ˈrɪgmərəʊl] s bzdury
pot. koszałki opałki

rig·or·ous [ˈrɪgərəs] adj rygory●
styczny, surowy

rig·our [ˈrɪgə(r)] s. rygor, suro●
wość

rill [rɪl] s strumyczek, struga

rim [rɪm] s obwódka; obręcz
brzeg; oprawa (okularów); vt o
toczyć obręczą; oprawić

rime 1. [raɪm] s szron

rime 2. [raɪm] s = rhyme

rind [raɪnd] s skórka; kora; łu
pina

ring 1. [rɪŋ] s pierścień, krąg, ko

ło; arena; *handl.* i *sport.* ring; klika, szajka; *vt* tworzyć koło; obrączkować; ~ in ⟨round, about⟩ okrążyć

ring 2. [rɪŋ], **rang** [ræŋ], **rung** [rʌŋ] *vt vi* dzwonić, dźwięczeć; ~ up telefonować (**sb** do kogoś); *s* dźwięk, brzmienie dzwonka, dzwonienie; dzwonek (telefonu)

ring·fin·ger [ˈrɪŋ fɪŋɡə(r)] *s* palec serdeczny

ring·leader [ˈrɪŋ liːdə(r)] *s* prowodyr

ring·let [ˈrɪŋlət] *s* mały pierścionek, kółeczko

rink [rɪŋk] *s* ślizgawka, lodowisko; tor do jazdy na wrotkach

rinse [rɪns] *vt* (także ~ out) płukać, przemywać; ~ down popijać (przy jedzeniu)

ri·ot [ˈraɪət] *s* bunt, rozprzężenie; to run ~ *przen.* brykać, szaleć; *vi* wszczynać rozruchy; szaleć, hulać

ri·ot·ous [ˈraɪətəs] *adj* burzliwy; buntowniczy, niesforny

rip [rɪp] *vt vi* rwać, rozrywać; trzaskać, pękać; to ~ open rozpruć, rozerwać (np. kopertę); ~ off odpruć, oderwać; ~ up spruć, rozgrzebać

ripe [raɪp] *adj* dojrzały; to grow ~ dojrzeć

rip·en [ˈraɪpn] *vi* dojrzewać; *vt* przyspieszać dojrzewanie

rip·ple [ˈrɪpl] *s* zmarszczka (na powierzchni wody), mała fala; plusk; szmer; *vi* (o powierzchni wody) marszczyć się; pluskać; szemrać

rise [raɪz], **rose** [rəʊz], **risen** [ˈrɪzn] *vi* wstawać, podnosić się; powstawać; wzrastać; to ~ (up) in arms chwytać za broń; to ~ to the occasion stanąć na wysokości zadania; the House of Commons rose Izba Gmin zakończyła obrady; *s* wzrost; podniesienie się; wzniesienie; wschód (słońca); to give ~ dać początek, za-

początkować; dać powód

ris·ing [ˈraɪzɪŋ] *s* powstanie (zbrojne); podniesienie się; wzrost, rozwój; zamknięcie (obrad)

risk [rɪsk] *s* ryzyko; to run ⟨to take⟩ the ~ ⟨~s⟩ ryzykować; *vt* ryzykować

risk·y [ˈrɪskɪ] *adj* ryzykowny

rite [raɪt] *s* obrzęd

rit·u·al [ˈrɪtʃʊəl] *adj* rytualny; *s* rytuał, obrządek

ri·val [ˈraɪvl] *s* rywal; *adj attr* rywalizujący, konkurencyjny; *vt* rywalizować, iść w zawody; równać się (**sb** z kimś)

ri·val·ry [ˈraɪvlrɪ] *s* rywalizacja

riv·er [ˈrɪvə(r)] *s* rzeka

riv·er·basin [ˈrɪvə beɪsn] *s* dorzecze

riv·er·bed [ˈrɪvə bed] *s* koryto rzeki

riv·er·side [ˈrɪvəsaɪd] *s* brzeg rzeki

riv·et [ˈrɪvɪt] *s techn.* nit; *vt* nitować; wzmocnić; przykuć

riv·u·let [ˈrɪvjʊlət] *s* rzeczka, strumień

road [rəʊd] *s* droga, jezdnia; podróż; *pl mors.* ~s reda; by ~ drogą lądową; on the ~ w drodze, w podróży

road·hog [ˈrəʊd hɒɡ] *s* pirat drogowy

road·side [ˈrəʊdsaɪd] *s* pobocze (drogi); *attr* przydrożny (np. zajazd)

road·stead [ˈrəʊdsted] *s mors.* reda

road·way [ˈrəʊdweɪ] *s* szosa, jezdnia

roam [rəʊm] *vi vt* wędrować, wałęsać się; *s* wędrówka

roar [rɔː(r)] *vi* huczeć, ryczeć, grzmieć; *s* huk, ryk, grzmot

roast [rəʊst] *vt vi* piec, smażyć (się); *s* pieczeń; *adj* pieczony, smażony; ~ beef rostbef; ~ mutton pieczeń barania; ~ veal pieczeń cielęca

rob [rɒb] *vt* okradać (**sb** of **sth**

kogoś z czegoś); *vt* uprawiać rabunek

rob·ber [ˈrobə(r)] *s* rozbójnik, rabuś

rob·ber·y [ˈrobərɪ] *s* rozbój, grabież

robe [rəub] *s* suknia; toga; *vt* ubierać w suknię ⟨togę⟩

rob·in [ˈrobɪn] *s* *zool.* rudzik

ro·bot [ˈrəubot] *s* robot

ro·bust [rəuˈbʌst] *adj* mocny, krzepki

rock 1. [rok] *s* skała; kamień; twardy cukierek

rock 2. [rok] *vt vi* kołysać (się)

rock·et [ˈrokɪt] *s* rakieta (pocisk, ogień sztuczny)

rock·ing-chair [ˈrokɪŋ tʃeə(r)] *s* krzesło ⟨fotel⟩ na biegunach, bujak

rock-salt [ˈrok ˈsɔlt] *s* sól kamienna

rock·y [ˈrokɪ] *adj* skalisty

rod [rod] *s* pręt, rózga; fishing-~ wędka

rode *zob.* ride

ro·dent [ˈrəudnt] *s* *zool.* gryzoń

roe 1. [rəu] *s* *zool.* sarna

roe 2. [rəu] *s* ikra; soft ~ mlecz rybi

rogue [rəug] *s* łajdak, szelma

rogu·ish [ˈrəugɪʃ] *adj* łajdacki, szelmowski

role [rəul] *s* rola

roll 1. [rəul] *s* zwój; zawiniątko; walec; rolka; bułka (okrągła); spis, lista; to call the ~ odczytać listę (obecności)

roll 2. [rəul] *vt vi* obracać (się), toczyć (się); falować, kołysać (się); rolować; skręcać, zwijać; ~ down stoczyć (się); ~ over przewalić (się); ~ up zwinąć; zakasać (rękawy)

roll-call [ˈrəul kɔl] *s* odczytanie nazwisk; *wojsk.* apel

roll·er [ˈrəulə(r)] *s* walec; wałek; duża fala, bałwan (morski)

roll·er-skate [ˈrəulə skeɪt] *vi* jeździć na wrotkach; *s* *pl* ~s wrotki

roll·lick [ˈrolɪk] *vi* hałaśliwie si bawić; swawolić; *s* hałaśliwa za bawa; swawola

roll·ing-mill [ˈrəulɪŋ mɪl] *s* walco wnia

roll·ing-pin [ˈrəulɪŋ pɪn] *s* wałek do ciasta

roll·ing-stock [ˈrəulɪŋ stok] *s* tabo kolejowy

Ro·man [ˈrəumən] *adj* rzymski; Rzymianin

ro·mance [rəˈmæns] *s* romans; ro manca; romantyka; romantycz ność; Romance (languages) języ ki romańskie; *adj attr* romański romanistyczny

ro·man·tic [rəˈmæntɪk] *adj* roman tyczny

ro·man·ti·cism [rəˈmæntɪsɪzm] romantyzm

romp [romp] *s* hałaśliwa zabawa wybryki, swawola; sowizdrzał; *v* bawić się hałaśliwie, brykać swawolić

rood [rud] *s* krzyż; krucyfiks

roof [ruf] *s* dach; *lotn.* pułap

rook 1. [ruk] *s* *zool.* gawron; szu ler, oszust; *vt* oszukiwać

rook 2. [ruk] *s* wieża (w szachach

rook·er·y [ˈrukərɪ] *s* kolonia ga wronia; kolonia pingwinów *zbior.* rudery

room [rum, rum] *s* pokój, izba miejsce, przestrzeń; zakres mo żliwości; in my ~ na moim miej scu; zamiast mnie; to make ~ u stąpić miejsca, zrobić miejsce; *v* mieszkać; najmować mieszkanie *vt* dawać mieszkanie, przyjąć poc dach

room-mate [ˈrum meɪt] *s* współ lokator

room·y [ˈrumɪ] *adj* przestronny

roost [rust] *s* grzęda, żerdź (dla kur); *vi* siedzieć na grzędzie

roost·er [ˈrustə(r)] *s* kogut

root [rut] *s* korzeń; podstawa; se dno; *mat.* pierwiastek; *gram.* rdzeń, źródłosłów; ~ and branch z korzeniem, gruntownie, całko wicie; to get at the ~ of the matter dotrzeć do sedna sprawy to strike ⟨take⟩ ~ zapuścić korzenie; *vt* głęboko sadzić, przytwierdzić do ziemi; *vi* zakorzenić się; *vt* ~ out wykorzenić; wyrywać z korzeniami

ope [rəup] *s* lina, sznur; *vt* przywiązywać; ciągnąć po linie

ope-danc·er [ˈrəup dansə(r)] *s* tancerz na linie, linoskoczek

ope-lad·der [ˈrəup ˈlædə(r)] *s* drabina sznurowa

ope-mak·er [ˈrəup meikə(r)] *s* powroźnik

o·sace [ˈrəuzeis] *s* rozeta

o·sa·ry [ˈrəuzəri] *s* różaniec; rozarium

ose 1. [rəuz] *zob.* rise

ose 2. [rəuz] *s* róża; kolor róży; rozeta; a bed of ~s przyjemności życia; *hist.* the Wars of the Roses wojna Dwu Róż; *adj attr* różowy, różany; *vt* barwić na różowo

ose·mary [ˈrəuzməri] *s* *bot.* rozmaryn

os·in [ˈrozin] *s* żywica, kalafonia

os·y [ˈrəuzi] *adj* różowy, różany

ot [rot] *vi* gnić; *vt* powodować gnicie; *s* gnicie; zgnilizna; *pot.* (*także* tommy-rot) bzdury, brednie

o·ta·ry [ˈrəutəri] *adj* obrotowy

o·tate [rəuˈteit] *vt vi* obracać (się), wirować; zmieniać (się) kolejno

o·ta·tion [rəuˈteiʃn] *s* obrót, obieg; kolejność, rotacja; płodozmian; by ⟨in⟩ ~ po kolei, na przemian

ot·ten [ˈrotn] *adj* zgniły, cuchnący, zepsuty

o·tund [rəuˈtʌnd] *adj* okrągły; (*o człowieku*) pękaty; (*o stylu itp.*) napuszony

ʹouge [ruʒ] *s* czerwona szminka, róż; *vt* szminkować

ʹough [rʌf] *adj* szorstki, nierówny; (*o morzu*) wzburzony; zrobiony z grubsza, grubo ciosany; brutalny; gruboskórny; surowy, nie obrobiony; ~ copy brulion; ~ sketch szkic; *vt* grubo ciosać;

z grubsza opracowywać; szorstko traktować; to ~ it pędzić życie pełne trudów i niewygód

rough-cast [ˈrʌf kast] *s* szkic, zarys; tynk; *vt* naszkicować; otynkować

rough·en [ˈrʌfən] *vt vi* stawać się szorstkim, gruboskórnym

* rough-hew [ˈrʌf ˈhju] *vt* (*pp* rough-hewn [ˈrʌf ˈhjun]) ociosać (z grubsza); naszkicować (powierzchownie)

round [raund] *adj* okrągły, zaokrąglony; (*o podróży*) okrężny; otwarty, szczery, uczciwy; należyty; dosadny; *s* krąg, cykl; obieg; (*przy częstowaniu*) kolejka; kolejność; bieg (życia itp.) przechadzka; objazd; obchód służbowy, inspekcja; *muz.* kanon; *sport* runda; *adv* naokoło, kołem; ~ about dookoła; naokoło; all ~ ogółem, w całości; *praep* wokół, dookoła; ~ the corner za węgłem ⟨rogiem⟩; *vt vi* zaokrąglić (się); okrążać; ~ off zaokrąglić, wykończyć; zakończyć; ~ up spędzić (np. bydło); zrobić obławę

round·a·bout [ˈraundəbaut] *adj attr* okólny, okrężny; rozwlekły; *s* okrężna droga, karuzela; (*w ruchu ulicznym*) rondo

round-up [ˈraundʌp] *s* spędzenie (bydła); obława, łapanka; *am.* przegląd (wiadomości itp.)

rouse [rauz] *vt* wstrząsnąć, pobudzić, podniecić; podburzyć; obudzić; *s* *wojsk.* pobudka

rout 1. [raut] *s* raut; wesołe towarzystwo

rout 2. [raut] *vt* rozgromić; *s* rozgromienie; rozsypka, bezładny odwrót

route [rut] *s* droga, trasa, marszruta; *wojsk.* column of ~ kolumna marszowa

rou·tine [ruˈtin] *s* rutyna; the ~ procedure normalna ⟨zwykła⟩ procedura, normalne ⟨zwykłe⟩ postępowanie

rove [rəuv] *vt vi* wędrować, błąkać się

rov·er [ˈrəuvə(r)] *s* wędrowiec,
włóczęga; pirat; starszy harcerz

row 1. [rəu] *s* rząd, szereg

row 2. [rəu] *vt vi* wiosłować; to
~ a race brać udział w zawodach
wioślarskich; *s* wiosłowanie,
przejażdżka łodzią

row 3. [rau] *s pot.* hałas, burda,
zamieszanie; to kick up a ~ narobić hałasu, wywołać awanturę;
vi pot. hałasować, kłócić się; *vt*
skrzyczeć, zbesztać

row·dy [ˈraudi] *adj* hałaśliwy, a-
wanturniczy; *s* awanturnik

row·er [ˈrauə(r)] *s* wioślarz

row·lock [ˈrɔlək] *s sport* dulka

roy·al [ˈrɔiəl] *adj* królewski; wspaniały

roy·al·ty [ˈrɔiəlti] *s* królewskość;
osoba królewska; władza królewska; opłata na rzecz króla; honorarium (np. autorskie); *pl* royal-
ties rodzina królewska

rub [rʌb] *vt vi* trzeć, ocierać (się);
wycierać, czyścić; ~ down wy-
cierać, zeskrobywać; ~ in wcierać; ~ off wycierać; ~ on przedzierać się, przebijać się; ~ out
wykreślać, ścierać; usuwać z
drogi; ~ up polerować; *s* tarcie;
nacieranie, masaż; pociągnięcie
(np. szczotką); cios; przeszkoda

rub·ber [ˈrʌbə(r)] *s* guma; rober
(w brydżu); *pl* ~s kalosze

rub·bish [ˈrʌbiʃ] *s* śmieci, graty;
tandeta; to talk ~ pleść ˈbzdury

rub·ble [ˈrʌbl] *s* tłuczeń; gruz

ru·by [ˈrubi] *s* rubin; kolor rubi-
nowy

ruck·sack [ˈrʌksæk] *s* plecak

rud·der [ˈrʌdə(r)] *s* ster (statku, samolotu)

rud·dy [ˈrʌdi] *adj* rumiany; rudy;
(*o cerze*) świeży

rude [rud] *adj* gruboskórny, ordynarny; nie ociosany, prymityw-
ny; szorstki; to be ~ być nie-
grzecznym (to sb dla kogoś)

ru·di·ment [ˈrudimənt] *s* szczątek;
pl ~s podstawy, podstawowe

wiadomości

ru·di·ment·al [ˈrudiˈmentl], **ru·di
·men·ta·ry** [ˈrudiˈmentri] *ad*
szczątkowy; podstawowy, zasa▪
niczy

rue [ru] *vt* żałować; *s* żal, smute

rue·ful [ˈrufl] *adj* żałosny, smut▪
ny; pełen skruchy

ruff [rʌf] *s* kreza

ruf·fian [ˈrʌfiən] *s* awanturnik
brutal

ruf·fle [ˈrʌfl] *vt vi* marszczyć (się
mierzwić, wichrzyć (się); rozdraż
nić, ˈwzburzyć (się), zamącić

rug [rʌg] *s* dywanik, kilim; ko
cyk

rug·by [ˈrʌgbi] *s* (*także ~ footbal*
sport rugby

rug·ged [ˈrʌgid] *adj* chropowaty
nierówny; (*o charakterze*) szorst
ki, surowy

ruin [ˈruin] *s* ruina; *vt* rujnować

ru·in·ous [ˈruinəs] *adj* zrujnowan
leżący w gruzach; zgubny

rule [rul] *s* prawidło, reguła, zasa
da; rząd(y); przepis; linia, linij
ka; *prawn.* zarządzenie, orzecze
nie; as a ~ zasadniczo; by ~
według zasady, przepisowo; t
make it a ~ przyjąć za zasadę
~s and regulations regulamin
vt vi rządzić, panować, kierować
prawn. orzekać, stanowić; linio
wać; ~ out wykluczyć, wykreś
lić; ~ off oddzielić linią; *handl*
prices ~ high ceny utrzymuj
się na wysokim poziomie

rul·er [ˈrulə(r)] *s* rządca, władca
linijka, liniał

rul·ing [ˈruliŋ] *s prawn.* zarządze
nie, orzeczenie

rum [rʌm] *s* rum

rum·ble [ˈrʌmbl] *s* grzmot, huk; *v*
grzmieć, huczeć

ru·mi·nant [ˈruminənt] *s zool.* prze
żuwacz; *adj* przeżuwający

ru·mi·nate [ˈrumineit] *vt vi* prze
żuwać; *przen.* przemyśliwa
(over ⟨about, on, of⟩ sth o czym
nad czymś)

rum·mage [ˈrʌmidʒ] *vt vi* przeszu

kiwać, szperać; *s* szperanie

ru·mour [`ruːmə(r)`] *s* pogłoska; *vt* puszczać pogłoskę (sth o czymś); it is ~ed krążą wieści

rum·ple [`rʌmpl`] *vt* miąć; mierzwić

rump·steak [`rʌmp steik`] *s* rumsztyk

run [rʌn], **ran** [ræn], **run** [rʌn] *vi* biec; (*o pojazdach*) jechać, kursować; (*o płynie*) ciec; (*o zdaniu*) brzmieć; funkcjonować; być w ruchu; upływać; trwać; (*o rozmowie*) toczyć się; *vt* prowadzić (np. interes); kierować (np. maszyną); przebiegać (np. pole, ulice); skłonić do biegu (np. konia); uruchomić; pędzić, wpędzać; przesuwać; wbijać; ~ **up against sb** natknąć się na kogoś; **to ~ dry** wyschnąć, wyczerpać się; **to ~ errands** biegać na posyłki; **to ~ for sth** ubiegać się o coś; **to ~ high** podnosić się; ożywiać się; **to ~ short** kończyć się, wyczerpywać się; **to ~ wild** dziczeć; ~ **down** upływać; przemóc; wyczerpać; ~ **in** dotrzeć (samochód); ~ **out** wybiec, upływać, kończyć się; niszczeć; być na wyczerpaniu, wyczerpać się; ~ **over** przebiec na drugą stronę; przejechać; powierzchownie przeglądnąć; ~ **through** przebiegać, przeszukiwać, badać (np. przekłuciem), przenikać; *s* bieg; rozbieg, rozpęd; przejażdżka, przejazd; trasa, tor; zjazd (dla narciarzy); nieprzerwana seria, ciąg; (*o urzędowaniu itp.*) okres; typ; pokrój; norma; *handl.* run; in the long ~ ostatecznie, w końcu; had a long ~ (*o sztuce*) długo szła; (*o filmie*) długo był wyświetlany; a ~ of bad luck seria (pasmo) nieszczęść; the ~ of events bieg wypadków; at a ~ biegiem

run·a·way [`rʌnəwei`] *adj attr* zbiegły; *s* zbieg, uciekinier

rung 1. *zob.* **ring** 2.

rung 2. [rʌŋ] *s* szczebel

run·ner [`rʌnə(r)`] *s* biegacz; goniec; koń wyścigowy; (spuszczone) oczko w pończosze

run·ning [`rʌniŋ`] *adj* kolejny; bieżący; ciągły; płynny; ~ **in** (*o samochodzie*) niedotarty; **six months ~** sześć miesięcy z rzędu

run·way [`rʌnwei`] *s* bieżnia; *lotn.* pas startowy

rup·ture [`rʌptʃə(r)`] *s* zerwanie; *med.* przepuklina; pęknięcie; *vt vi* zrywać, przerywać (się)

ru·ral [`ruərl`] *adj* wiejski; rolny

ruse [ruːz] *s* podstęp, przebiegłość

rush 1. [rʌʃ] *vt* pędzić; mknąć; gwałtownie pchać się; rzucić się; nagle upaść; *vt* popędzać, gwałtownie przyspieszać; ~ **to a conclusion** pochopnie wyciągnąć wniosek; *s* pęd, napływ, tłok; **gold** ~ gorączka złota; ~ **hours** godziny szczytu (w tramwajach itp.); **be in a** ~ bardzo się spieszyć

rush 2. [rʌʃ] *s* sitowie

rusk [rʌsk] *s* sucharek

rus·set [`rʌsit`] *s* brunatny samodział; *adj* brunatny, rdzawy

Rus·sian [`rʌʃn`] *adj* rosyjski; *s* Rosjanin; język rosyjski

rust [rʌst] *s* rdza; *vi* rdzewieć

rus·tic [`rʌstik`] *adj* wiejski; nieokrzesany, prosty

rus·ti·cate [`rʌstikeit`] *vt* relegować (z uniwersytetu); *vi* zamieszkać na wsi; przybrać chłopskie maniery

rus·tle [`rʌsl`] *vi* szeleścić; *s* szelest

rust·less [`rʌstləs`] *adj* nierdzewny

rust·y 1. [`rʌsti`] *adj* zardzewiały; rdzawy; znoszony, zniszczony; (*o człowieku*) zaniedbany

rust·y 2. [`rʌsti`] *adj* zjełczały

rut 1. [rʌt] *s* koleina, wyżłobienie; *przen.* rutyna, nawyki

rut 2. [rʌt] *s* ruja; *vi* być w okresie rui, parzyć się

ruth [ruːθ] *s* litość

ruth·less [`ruːθləs`] *adj* bezlitosny

rye [rai] *s* żyto; żytniówka

S

`s skr. = is; has; us; końcówka Saxon Genitive

Sab·bath [`sæbəθ] s szabas; dzień święta; sabat

sa·ble 1. [`seɪbl] s zool. soból

sa·ble 2. [`seɪbl] s poet. czarny kolor, czerń; pl ~s poet. czarna odzież, żałoba; adj czarny, ciemny

sab·o·tage [`sæbətɑ:ʒ] s sabotaż; vt vi sabotować

sa·bre [`seɪbə(r)] s szabla

sac·cha·rine [`sækərɪn] s sacharyna

sack 1. [sæk] s worek; pot. zwolnienie z pracy; † płaszcz (szeroki, luźny); pot. give the ~ wyrzucić z pracy; vt włożyć do worka; pot. wyrzucić z pracy

sack 2. [sæk] s grabież; łupy; vt grabić; splądrować (miasto)

sack·cloth [`sækklɒθ] s materiał na worki

sac·ra·ment [`sækrəmənt] s sakrament

sa·cred [`seɪkrəd] adj święty, poświęcony

sac·ri·fice [`sækrɪfaɪs] s poświęcenie; ofiara; vt poświęcać; ofiarować

sac·ri·fi·cial [ˌsækrɪ`fɪʃl] adj ofiarny, ofiarniczy

sac·ri·lege [`sækrɪlɪdʒ] s świętokradztwo

sad [sæd] adj smutny; przygnębiony; żałosny; (o barwie) ciemny, ponury

sad·den [`sædn] vt vi smucić (się)

sad·dle [`sædl] s siodło; siodełko; comber (barani); vt siodłać; obciążać

sad·dler [`sædlə(r)] s siodlarz, rymarz

safe [seɪf] adj pewny, bezpieczny, nie narażony na niebezpieczeństwo; ~ and sound zdrowo, bez szwanku; s bezpieczny schowek, kasa ogniotrwała, sejf; ~ conduct list żelazny

safe·guard [`seɪf gɑ:d] s ochrona gwarancja; vt chronić, zabezpieczać

safe·keep·ing [ˌseɪf `ki:pɪŋ] s bezpieczne przechowanie

safe·ty [`seɪftɪ] s bezpieczeństwo

safe·ty-belt [`seɪftɪ belt] s pas bezpieczeństwa

safe·ty-hel·met [`seɪftɪ helmɪt] s kask ochronny

safe·ty-lamp [`seɪftɪ læmp] s lampa bezpieczeństwa

safe·ty-match [`seɪftɪ mætʃ] s zapałka szwedzka

safe·ty-pin [`seɪftɪ pɪn] s agrafka

safe·ty razor [`seɪftɪ reɪzə(r)] s maszynka do golenia

safe·ty-valve [`seɪftɪ vælv] s klapa bezpieczeństwa

sag [sæg] vi opadać, zwisać; s opadanie; wygięcie

sa·ga·cious [sə`geɪʃəs] adj rozumny, bystry

sa·gac·i·ty [sə`gæsətɪ] s bystrość przenikliwość; roztropność, mądrość

sage [seɪdʒ] adj mądry; s mędrzec

sago [`seɪgəʊ] s sago

said zob. say

sail [seɪl] s żagiel; skrzydło wiatraka; przejażdżka żaglówką podróż morska; to have a ~ odbywać przejażdżkę morską; to set ~ wyruszyć w podróż morską; vt vi żeglować, podróżować morzem

sail-cloth [`seɪl klɒθ] s płótno żaglowe

sail·ing-boat [`seɪlɪŋ bəʊt] s żaglówka

sail·or [`seɪlə(r)] s żeglarz, marynarz

saint [seɪnt] adj święty; skr. S [snt]; s święty

ake [seɪk] *s w wyrażeniach*: for the ~ of sb dla ⟨na rzecz⟩ kogoś; for my ~ dla mnie, ze względu na mnie; for Heaven's ~! nieba!, na Boga!; na miłość Boską!

al·ad ['sæləd] *s* sałata, sałatka (np. jarzynowa, owocowa)

al·a·ry ['sælərɪ] *s* uposażenie, pensja, płaca

ale [seɪl] *s* sprzedaż, zbyt; on ⟨for⟩ ~ na sprzedaż, do sprzedania

ale·able ['seɪləbl] *adj* pokupny

ales·man ['seɪlzmən] *s* sprzedawca, ekspedient; komiwojażer

a·lient ['seɪlɪənt] *adj* wystający; wybitny, wydatny; *s* występ

a·line ['seɪlaɪn] *adj* słony; *s chem.* salina

a·li·va [sə'laɪvə] *s* ślina

al·low 1. ['sæləʊ] *adj* blady, ziemisty

al·low 2. ['sæləʊ] *s bot.* iwa, wiklina

al·ly ['sælɪ] *s* wypad, wyskok; błyskotliwa myśl, dowcipny pomysł; *vi* robić wypad, wyruszyć (na wycieczkę, spacer itd.)

alm·on ['sæmən] *s* łosoś

a·loon [sə'luːn] *s bryt.* bar 1. klasy, *am.* knajpa; zakład (z apartamentem); salonka

alt [sɔːlt] *s* sól; *adj* słony; *vt* solić

alt·cel·lar ['sɔːlt selə(r)] *s* solniczka

alt·pe·tre [sɔːlt'piːtə(r)] *s chem.* saletra

alty ['sɔːltɪ] *adj* słony

a·lu·bri·ous [sə'luːbrɪəs] *adj* zdrowy, zdrowotny

al·u·tar·y ['sæljʊtrɪ] *adj* zbawienny, dobroczynny

al·u·ta·tion [ˌsæljuː'teɪʃn] *s* pozdrowienie, powitanie

a·lute [sə'luːt] *s* ukłon, powitanie; salut; *vt* kłaniać się, witać; salutować

al·vage ['sælvɪdʒ] *s* ratowanie (tonącego statku, płonącego mie-

nia); uratowane mienie; *vt* ratować

sal·va·tion [sæl'veɪʃn] *s* zbawienie

salve 1. [sɑːv] *s* maść (lecznicza), balsam; *vt* smarować maścią, łagodzić (np. ból)

salve 2. [sælv] *vt* ratować

sal·ver ['sælvə(r)] *s* taca

same [seɪm] *adj, pron i adv* sam; równy; wyżej wspomniany; jednolity; all the ~ wszystko jedno; much the ~ prawie jedno i to samo, prawie taki sam; the very ~ zupełnie ten sam

same·ness ['seɪmnəs] *s* identyczność; monotonia

sam·ple ['sɑːmpl] *s* wzór, próbka

san·a·to·ri·um [ˌsænə'tɔːrɪəm] *s (pl sanatoria* [ˌsænə'tɔːrɪə]) sanatorium

sanc·ti·fy ['sæŋktɪfaɪ] *vt* święcić, uświęcać

sanc·tion ['sæŋkʃn] *s* sankcja; *vt* sankcjonować

sanc·tu·a·ry ['sæŋktʃʊərɪ] *s* sanktuarium; azyl

sand [sænd] *s* piasek; *vt* posypać piaskiem

san·dal ['sændl] *s* sandał

sand·glass ['sænd glɑːs] *s* zegar piaskowy, klepsydra

sand·pa·per ['sændpeɪpə(r)] *s* papier ścierny

sand·stone ['sændstəʊn] *s* piaskowiec

sand·wich ['sænwɪdʒ] *s* sandwicz, kanapka

sand·y ['sændɪ] *adj* piaszczysty, piaskowy

sane [seɪn] *adj* zdrowy na umyśle, rozumny; rozsądny

sang *zob.* sing

san·gui·nar·y ['sæŋgwɪnərɪ] *adj* krwawy

san·guine ['sæŋgwɪn] *adj* pełnokrwisty, sangwiniczny; (o cerze) rumiany; pewny, pełen nadziei

san·i·tar·y ['sænɪtrɪ] *adj* sanitarny, higieniczny

san·i·ty ['sænɪtɪ] *s* zdrowie (psychiczne); zdrowy rozsądek sank zob. **sink**

sap 1. [sæp] s wojsk. okop, podkop; vt vi dosł. i przen. podkopywać; podminowywać

sap 2. [sæp] s sok (roślin); przen. żywotność, werwa; vt pozbawiać soku; przen. wycieńczać

sap 3. [sæp] vt pot. kuć, wkuwać; s pot. kujon

sap·ling [ˈsæplɪŋ] s drzewko, młode drzewo; przen. młodzik

sap·per [ˈsæpə(r)] s wojsk. saper

sap·phire [ˈsæfaɪə(r)] s szafir

sap·py [ˈsæpɪ] adj soczysty; przen. pełen energii

sar·cas·tic [saˈkæstɪk] adj sarkastyczny

sar·dine [saˈdin] s sardynka

sar·don·ic [saˈdonɪk] adj sardoniczny

sash 1. [sæʃ] s rama okna zasuwanego (pionowo)

sash 2. [sæʃ] s szarfa; pas

sash-win·dow [ˈsæʃ wɪndəu] s okno zasuwane (pionowo)

sat zob. **sit**

satch·el [ˈsætʃl] s tornister (szkolny)

sate [seɪt] vt nasycić, zaspokoić

sa·teen [sæˈtin] s satyna

sat·el·lite [ˈsætəlaɪt] s satelita

sa·ti·ate [ˈseɪʃɪeɪt] vt nasycić, zaspokoić

sat·in [ˈsætɪn] s atłas; satyna; adj attr atłasowy; satynowy

sat·ire [ˈsætaɪə(r)] s satyra

sa·tir·i·cal [saˈtɪrɪkl] vt satyryczny

sat·i·rize [ˈsætəraɪz] vt satyryzować

sat·is·fac·tion [ˌsætɪsˈfækʃn] s satysfakcja; zaspokojenie; zadośćuczynienie, wynagrodzenie

sat·is·fac·to·ry [ˌsætɪsˈfæktrɪ] adj zadowalający, dostateczny

sat·is·fy [ˈsætɪsfaɪ] vt zadowolić, dać satysfakcję; zaspokoić; wyrównać (dług); przekonać

sat·u·rate [ˈsætʃəreɪt] vt nasycić

Sat·ur·day [ˈsætədɪ] s sobota

sauce [sos] s sos; pot. bezczelność, tupet; vt przyprawić sosem; pot. bezczelnie potraktować

sauce·pan [ˈsospən] s rondel

sau·cer [ˈsosə(r)] s spodek

sau·cy [ˈsosɪ] adj impertynencki pot. szykowny, zgrabny

sau·er·kraut [ˈsauəkraut] s kiszona kapusta

saun·ter [ˈsontə(r)] vi chodzić po woli, powłóczyć nogami; s prze chadzka

sau·sage [ˈsosɪdʒ] s kiełbasa

sav·age [ˈsævɪdʒ] adj dziki; s dziku

save [seɪv] vt ratować, chronić zbawiać; oszczędzać; zachować odłożyć; vi robić oszczędność (także ~ up); praep wyjąwszy oprócz; all ~ him wszyscy o prócz niego

sav·ing [ˈseɪvɪŋ] adj zbawczy; o szczędny; prawn. zastrzegający s ratunek; oszczędność, oszczę dzanie; praep oprócz, wyjąwszy

sav·ings-bank [ˈseɪvɪŋz bæŋk] s ka sa oszczędności

sav·iour [ˈseɪvɪə(r)] s zbawca, zba wiciel

sa·vour [ˈseɪvə(r)] s smak, posmak vi mieć smak (of sth czegoś); pa chnąć, zalatywać (of sth czymś)

sa·vour·y [ˈseɪvərɪ] adj smakowity wonny

*saw 1. [so], sawed [sod], saw [son]) vt vi piłować, przecinać; piła

saw 2. zob. **see**

saw·dust [ˈsodʌst] s trociny

saw·mill [ˈsomɪl] s tartak

sawn zob. **saw** 1.

saw·yer [ˈsojə(r)] s tracz

Sax·on [ˈsæksn] adj saksoński

* say [seɪ], said [sed], said [sed] v vi mówić, powiedzieć (to sb ko muś); przypuszczać; wygłaszać; ~! słuchaj! halo!; (ze zdziwie niem) no wiesz!; I should ~ rzekłbym, myślę, przypuszczam ~ dajmy na to, przypuśćmy; over ⟨again⟩ powtórzyć; so to ~ że tak powiem; that is to ~ t znaczy; s powiedzenie, zdanie głos; it is my ~ now teraz j mam głos

say·ing [ˈseɪɪŋ] s powiedzenie; a

the ~ goes jak to się mówi; that goes without ~ to się rozumie samo przez się; nie ma co o tym mówić; **there is no ~** trudno powiedzieć

cab [skæb] *s* świerzb; *pot.* łamistrajk

cab·bard [ˈskæbəd] *s* pochwa (miecza itp.)

caf·fold [ˈskæfld] *s* estrada; szafot; rusztowanie; *vt* otoczyć rusztowaniem, podeprzeć

caf·fold·ing [ˈskæfldɪŋ] *s* rusztowanie

cald 1. [skɔld] *vt* sparzyć; wyparzyć; *s* oparzenie

cald 2. [skɔld] *s* skald (pieśniarz nordycki)

cale 1. [skeɪl] *s* łuska, łupina; *vt vi* łuszczyć (się); skrobać, oczyszczać z łusek

cale 2. [skeɪl] *s* szala (wagi); *przen.* **to tip ⟨turn⟩ the ~** przeważyć; *pl* ~s (*także* **pair of** ~s) waga; *vt* ważyć

cale 3. [skeɪl] *s* skala; gama; stopniowanie; *vt* wspinać się (**a mountain** na górę); rysować według skali

calp [skælp] *s* skalp; *vt* skalpować

camp 1. [skæmp] *vt* źle wykonywać robotę, fuszerować

camp 2. [skæmp] *s* łajdak, szubrawiec

camp·er 1. [ˈskæmpə(r)] *s* fuszer

camp·er 2. [ˈskæmpə(r)] *vi* (*zw.* **o zwierzętach**) pierzchać, uciekać w popłochu; *przen.* przelecieć galopem; *s* szybka ucieczka, gonitwa; pobieżne przeczytanie, przejrzenie

camp·ish [ˈskæmpɪʃ] *adj* łajdacki

can [skæn] *vt* dokładnie badać, oglądać, pilnie się przyglądać; skandować

can·dal [ˈskændl] *s* skandal; oszustwo, obmowa; zgorszenie

can·dal·ize [ˈskændəlaɪz] *vt* gorszyć; obmawiać; zniesławiać

:an·dal·mon·ger [ˈskændlmʌŋɡə(r)]

s plotkarz, oszczerca

scan·dal·ous [ˈskændələs] *adj* skandaliczny; oszczerczy; gorszący

scant [skænt] *adj* skąpy, niedostateczny, ograniczony; *vt* skąpić

scant·y [ˈskæntɪ] *adj* ledwo wystarczający, skąpy, ograniczony

scape·goat [ˈskeɪpɡəʊt] *s* *przen.* kozioł ofiarny

scar [skɑ(r)] *s* blizna; *vt* kiereszować, kaleczyć; *vi* (*także* ~ **over**) zabliźniać się

scarce [skeəs] *adj* skąpy, niedostateczny; rzadki

scarce·ly [ˈskeəslɪ] *adv* ledwo, zaledwie

scar·ci·ty [ˈskeəsətɪ] *s* niedobór, brak

scare [skeə(r)] *vt* straszyć; ~ **away** ⟨**off**⟩ odstraszyć, wypłoszyć; *s* strach; panika

scare·crow [ˈskeəkrəʊ] *s* strach na wróble

scarf [skɑf] *s* (*pl* **scarves** [skɑvz]) szarfa, szal

scar·let [ˈskɑlət] *s* szkarłat; *adj attr* szkarłatny; *med.* ~ **fever** szkarlatyna

scarp [skɑp] *s* skarpa

scat·ter [ˈskætə(r)] *vt vi* rozsypać (się), rozproszyć (się)

scav·en·ger [ˈskævɪndʒə(r)] *s* zamiatacz ulic

sce·na·ri·o [sɪˈnɑrɪəʊ] *s* scenariusz

scene [sin] *s* scena; widownia; widok, obraz; *pl* ~s kulisy; **behind the** ~s *dosł. i przen.* za kulisami

scene-paint·er [ˈsin peɪntə(r)] *s* dekorator teatralny

scen·er·y [ˈsinərɪ] *s* sceneria, krajobraz; dekoracja teatralna

scent [sent] *vt* wąchać, węszyć, wietrzyć; perfumować; *s* węch; zapach; perfumy; trop

scep·tic [ˈskeptɪk] *adj* sceptyczny; *s* sceptyk

scep·ti·cal [ˈskeptɪkl] = **sceptic** *adj*

scep·ti·cism [ˈskeptɪsɪzm] *s* sceptycyzm

scep·tre [ˈseptə(r)] s berło

sched·ule [ˈʃedjul] s spis, lista, tabela, plan; rozkład jazdy; on ~ na czas, punktualnie; vt wpisać na listę, umieścić w planie, zanotować

scheme [skim] s schemat, zarys, plan; intryga; vt planować; knuć

schism [ˈsɪzm] s schizma

schis·mat·ic [sɪzˈmætɪk] s schizmatyk; adj schizmatyczny

schol·ar [ˈskolə(r)] s uczeń; uczony; stypendysta

schol·ar·ship [ˈskoləʃɪp] s wiedza, erudycja; stypendium

scho·las·tic [skəˈlæstɪk] adj nauczycielski, szkolny; scholastyczny

school [skul] s szkoła, nauka (w szkole); vt szkolić

school-board [ˈskul bod] s rada szkolna

school-book [ˈskul buk] s podręcznik szkolny

school·boy [ˈskulbɔɪ] s uczeń

school·fel·low [ˈskul feləu] s kolega szkolny

school·girl [ˈskulgɜl] s uczennica

school·mas·ter [ˈskulmɑstə(r)] s nauczyciel

school·mate [ˈskulmeɪt] s kolega szkolny

school·mis·tress [ˈskulmɪstrəs] s nauczycielka

school·room [ˈskulrum] s sala szkolna, klasa

schoo·ner [ˈskunə(r)] s mors. szkuner

sci·at·i·ca [saɪˈætɪkə] s med. ischias

sci·ence [ˈsaɪəns] s wiedza, nauka; natural ~ nauki przyrodnicze; ~ fiction literatura fantastyczno-naukowa

sci·en·tif·ic [ˌsaɪənˈtɪfɪk] adj naukowy

sci·en·tist [ˈsaɪəntɪst] s naukowiec

scin·til·late [ˈsɪntɪleɪt] vi iskrzyć się

scion [ˈsaɪən] s latorośl; bot. pęd

scis·sors [ˈsɪzəz] s pl nożyce

scoff [skof] s szyderstwo; vi sz dzić (at sth z czegoś)

scoff·er [ˈskofə(r)] s kpiarz, sz derca

scold [skəuld] vt vi łajać, złorz czyć (sb, sth, at sb, sth komu czemuś); gderać; s zrzęda, jędz sekutnica

scoop [skup] s chochla, szufelk czerpak; vt czerpać, wygarnia

scoot·er [ˈskutə(r)] s (także m tor-~) skuter; hulajnoga; ślizgac (np. na wodzie)

scope [skəup] s cel; zakres; pol działania; to be within the wchodzić w zakres; to be beyon one's ~ przechodzić czyjeś m żliwości

scorch [skotʃ] vt vi przypieka spalać (się), prażyć (się); s opa rzenie

score [skɔ(r)] s nacięcie; rysa znak; rachunek; dwudziestka sport ilość zdobytych punktów muz. partytura; three ~ sześ dziesiąt; to keep the ~ notowa punkty w grze; on that ~ po tym względem; on what ~? z ja kiej racji?; vt nacinać; liczy sport rachować punkty w grze zdobywać (punkty); osiągać; no tować; ~ out wykreślić; ~ un der podkreślić

scorn [skon] s pogarda, lekcewa żenie; vt pogardzać, lekceważy

scorn·ful [ˈskonfl] adj lekceważa cy, pogardliwy

scor·pion [ˈskɔpɪən] s zool. skor pion

Scot [skot] s Szkot

Scotch 1. [skotʃ] adj szkocki; the ~ Szkoci; szkocka whisky

scotch 2. [skotʃ] s nacięcie; naciąć; przen. udaremnić

Scotch·man [ˈskotʃmən] s Szkot

scot-free [ˈskot ˈfri] adj cały, be szwanku, nietknięty; to get of ~ wyjść cało (z jakiejś sytua cji); ujść bezkarnie

Scots [skots] adj szkocki

Scots·man [ˈskotsmən] s Szkot

cot·tish [ˈskɔtʃ] *adj poet.* szkocki

coun·drel [ˈskaundrl] *s* łajdak

our 1. [ˈskauə(r)] *vt* czyścić, szorować; *s* czyszczenie, szorowanie

our 2. [ˈskauə(r)] *vt vi* biegać (w poszukiwaniu czegoś); przeszukać; grasować

ourge [skɔdʒ] *s* bicz; kara; plaga; *vt* biczować; karać, nękać

out 1. [skaut] *s* zwiadowca; harcerz; zwiady; *lotn.* samolot wywiadowczy; *vt* robić rekonesans

out 2. [skaut] *vt* odrzucić z pogardą, zlekceważyć

ow [skau] *s* łódź płaskodenna

owl [skaul] *vi* patrzeć wilkiem, (spode łba); *s* groźne spojrzenie

cram·ble [ˈskræmbl] *vi* wspinać się, gramolić się (na czworakach); usilnie zabiegać (for sth o coś); nawzajem sobie wydzierać (for sth coś); *vt* bezładnie rzucać; bełtać; **~d eggs** jajecznica; *s* gramolenie się; ubieganie się; dobijanie się (for sth o coś)

crap [skræp] *s* kawałek, ułamek; świstek; wycinek; złom, szmelc; *pl* **~s** resztki, odpadki; *vt* wyrzucić, przeznaczyć na szmelc, wybrakować

crap·book [ˈskræp buk] *s* album (wycinków, obrazków itp.)

crape [skreip] *vt vi* skrobać, drapać; szurać, ocierać (się); zgrzytać; **to ~ a living** jako tako zarabiać na życie; **~ away** (off, out) wyskrobać, wykreślić; **~ through** z trudem przedostać się; **~ up** (together) z trudem nagromadzić, uciułać (pieniądze); *s* skrobanie, szuranie; trudne położenie, tarapaty

crap·er [ˈskreipə(r)] *s* drapacz; skrobak; zgarniak; sknera; **shoe ~** wycieraczka do butów

crap·heap [ˈskræp hip] *s* stos szmelcu

crap·iron [ˈskræp aiən] *s* złom żelazny

cratch [skrætʃ] *vt* drapać, skrobać; bazgrać (piórem); skreślić (*także* **~ off** ⟨out⟩); *s* skrobanie, draśnięcie; *sport* linia startu; **to come to ~** stanąć na linii startu

scrawl [skrɔl] *vt vi* bazgrać, gryzmolić; *s* bazgranina

scream [skrim] *vi* piszczeć, wrzeszczeć, wyć; *vt* powiedzieć krzykliwym tonem; *s* pisk, wrzask, wycie

screech [skritʃ] *vi* skrzeczeć, piszczeć; *vt* powiedzieć wrzaskliwym głosem; *s* wrzask, pisk

screen [skrin] *s* osłona, zasłona; parawan; ekran; *techn.* sito; *fot.* przesłona; *vt* osłaniać, chronić; maskować; wyświetlać (na ekranie); filmować; przesiewać; **~ off** odgrodzić (np. parawanem)

screw [skru] *s* śruba; zwitek papieru; *pot.* sknera; *vt* śrubować; przyciskać, naciskać, ugniatać; wykręcać, skręcać; **~ down** przyśrubować; **~ out** odśrubować; wycisnąć, wydobyć; **~ up** zaśrubować; zwijać (np. papier); *pot.* śrubować w górę (np. ceny)

screw·driv·er [ˈskru draivə(r)] *s* śrubokręt

scrib·ble [ˈskribl] *vt vi* gryzmolić, bazgrać; *s* bazgranina; szmira

scribe [skraib] *s* skryba, pisarz (niższy urzędnik)

scrim·mage [ˈskrimidʒ] *s* bijatyka, bójka

scrimp [skrimp] *vt vi* skąpić

script [skript] *s* pismo odręczne; skrypt; scenariusz filmowy; tekst audycji radiowej

scrip·tur·al [ˈskriptʃərl] *adj* biblijny

scrip·ture [ˈskriptʃə(r)] *s* (*także* **the Holy Scripture**) Pismo Święte, Biblia

scroll [skrəul] *s* zwój papieru; spirala; *arch.* woluta; *vt vi* zwijać (się); ozdabiać wolutą

scrub 1. [skrʌb] *s* krzak (karłowaty), zarośle; wiecheć

scrub 2. [skrʌb] vt szorować, ścierać

scru·ple [`skrupl] s skrupuł; drob-
nostka; vi mieć skrupuły, wahać się

scru·pu·lous [`skrupjələs] adj dro-
biazgowy, skrupulatny, sumienny

scru·ti·nize [`skrutɪnaɪz] vt dokład-
nie badać

scru·ti·ny [`skrutɪnɪ] s badanie,
dokładne sprawdzenie

scud [skʌd] vi biec, mknąć; s
bieg, ucieczka

scuf·fle [`skʌfl] s bójka; vi bić się,
szamotać się

scull [skʌl] s krótkie wiosło; mała łódka; vt wiosłować

scul·ler·y [`skʌlərɪ] s pomywalnia
(naczyń)

sculp·tor [`skʌlptə(r)] s rzeźbiarz

sculp·ture [`skʌlptʃə(r)] s rzeźba;
rzeźbiarstwo; vt rzeźbić

scum [skʌm] s piana; dosł. i przen.
szumowiny, męty; vt zbierać pia-
nę; vi pienić się

scur·ril·ous [`skʌrɪləs] adj ordy-
narny, nieprzyzwoity, sprośny

scur·ry [`skʌrɪ] vi biegać, pędzić;
s bezładna ucieczka

scur·vy [`skɜvɪ] s med. szkorbut;
adj nikczemny, podły

scutch·eon [`skʌtʃən] s tarcza (z
herbem); tabliczka, płytka (np.
na drzwiach z nazwiskiem)

scut·tle 1. [`skʌtl] s kosz, wiadro
na węgiel

scut·tle 2. [`skʌtl] s mors. właz, o-
twór (zamykany klapą); techn.
wlot

scut·tle 3. [`skʌtl] vi umykać; s
ucieczka

scythe [saɪð] s kosa; vt kosić

sea [si] s morze; ocean; at ~ na
morzu; przen. w kłopocie, zdez-
orientowany; by ~ morzem; on
the high ~s na pełnym morzu;
to follow the ~ być maryna-
rzem; to go to ~ wypłynąć na
morze; obrać zawód marynarza;
to put to ~ odpłynąć, zacząć
rejs

sea·board [`sibɔd] s brzeg morsk

sea·borne [`si bɔn] adj (o towa
rze) przewożony morzem, za
morski

sea·coast [`si kəust] s brzeg mor
ski

sea·dog [`si dog] s zool. foka
przen. wilk morski

sea·far·ing [`si fearɪŋ] s żeglug
morska; adj podróżujący mo
rzem; żeglarski

sea·go·ing [`si gəuɪŋ] adj (o statku
służący do żeglugi morskiej

sea·gull [`si gʌl] s zool. mewa

seal 1. [sil] s zool. foka

seal 2. [sil] s pieczęć, stempel
opieczętowanie; plomba; unde
~ of secrecy w tajemnicy; v
pieczętować, stemplować; lakc
wać, plombować, zatykać

seal·ing-wax [`silɪŋ wæks] s la
(do pieczęci)

seam [sim] s szew; ʒeol. żyła m
neralu, złoże; vt zszywać

sea·man [`simən] s żeglarz, mary
narz

sea·mew [`si mju] s zool. mewa

seam·less [`simləs] adj bez szwu

seam·stress [`semstrəs] s szwacz
ka

seam·y [`simɪ] adj pokryty szwa
mi; ~ side odwrotna strona (u
brania); przen. druga strona me
dalu

sea·plane [`si pleɪn] s hydroplan
wodnopłat

sea·port [`si pɔt] s port morski

sear [sɪə(r)] adj suchy, zwiędły
vt wysuszyć, wypalić; zwarzy
(np. liście)

search [sɜtʃ] vt vi szukać, prze
szukiwać; badać; poszukiwa
(after, for sth czegoś); rewido
wać; dociekać (into sth czegoś)
s szukanie, przeszukiwanie; ba
danie; rewizja; in ~ w poszu
kiwaniu (of sth czegoś); to mak
~ poszukiwać (after, for sth
czegoś)

search·ing [`sɜtʃɪŋ] adj badawczy
dokładny

earch-light [`sɜtʃlaɪt] s reflektor

earch-war-rant [`sɜtʃ wornt] s nakaz rewizji

ea-rov-er [`si rəuvə(r)] s pirat; statek piracki

ea-shore [`si-ʃɔ(r)] s brzeg morski

ea-sick [`si-sɪk] adj cierpiący na chorobę morską

ea-side [`si-saɪd] s wybrzeże morskie; **at the** ~ nad morzem

ea-son [`sizn] s pora (roku), sezon; **in** ~ **w porę;** vt przyzwyczajać, hartować; przyprawiać; powodować dojrzewanie; suszyć (np. drewno); vi dojrzewać; przyzwyczajać się

ea-son-a-ble [`siznəbl] adj będący na czasie, trafny, stosowny

ea-son-al [`siznl] adj sezonowy

eat [sit] s siedzenie, miejsce siedzące; krzesło; siedziba; **to keep one's** ~ siedzieć na miejscu; **to take a** ~ usiąść; vt posadzić, usadowić; **to be** ~ed usiąść, siedzieć; vr ~ **oneself** usiąść

ea-ward [`siwəd] adj skierowany ku morzu; adv (także ~s) w stronę morza

ea-weed [`siwid] s wodorost

ea-wor-thy [`siwɜðɪ] adj (o statku) nadający się do żeglugi

e-cede [sɪ`sid] vi odstąpić, oderwać się

e-ces-sion [sɪ`seʃn] s odstępstwo, secesja

e-clude [sɪ`klud] vt oddzielić, odosobnić

e-clu-sion [sɪ`kluʒn] s oddzielenie, odosobnienie

ec-ond [`sekənd] adj drugi, następny; uboczny, drugorzędny; **every** ~ **day** co drugi dzień; ~ **best** drugiej jakości; ~ **floor** drugie piętro, am. pierwsze piętro; **on** ~ **thoughts** po rozważeniu sprawy; ~ **to none** nikomu nie ustępujący; s sekunda; drugi zwycięzca; druga nagroda; sekundant; vt sekundować, wtórować, popierać

Pocket Polish

sec-on-dar-y [`sekəndrɪ] adj drugorzędny, pochodny; (o szkole) średni

sec-ond-hand [`sekənd `hænd] adj attr pochodzący z drugiej ręki, używany

sec-ond-ly [`sekəndlɪ] adv po drugie

sec-ond-rate [`sekənd `reɪt] adj attr drugorzędny

se-cre-cy [`sikrəsɪ] s tajemnica; dyskrecja

se-cret [`sikrət] s sekret; adj tajny

sec-re-tar-iat [`sekrə`teərɪæt] s sekretariat

sec-re-tar-y [`sekrətrɪ] s sekretarz, sekretarka; minister, sekretarz (np. stanu)

se-crete [sɪ`krit] vt ukrywać; biol. wydzielać

se-cre-tion [sɪ`kriʃn] s wydzieliny; biol. wydzielina

se-cre-tive [`sikrətɪv] adj skryty, milczący; [sɪ`kritɪv] biol. wydzielający

sect [sekt] s sekta

sec-tar-i-an [sek`teərɪən] adj sekciarski; s sekciarz

sec-tion [`sekʃn] s sekcja; przekrój; cięcie; rozdział; oddział; odcinek; część; paragraf; **cross** ~ **przekrój poprzeczny;** vt przecinać, rozkładać na części

sec-tion-al [`sekʃnl] adj sekcyjny; klasowy

sec-tor [`sektə(r)] s sektor, odcinek; gałąź (np. przemysłu)

sec-u-lar [`sekjulə(r)] adj stuletni; wieczny; świecki

se-cure [sɪ`kjuə(r)] adj bezpieczny; pewny; solidny; vt zabezpieczyć, zapewnić; upewnić się; zapewnić sobie; osiągnąć

se-cu-ri-ty [sɪ`kjuərətɪ] s bezpieczeństwo; pewność; gwarancja, kaucja; solidność; pl **securities** papiery wartościowe; **Security Council** Rada Bezpieczeństwa

se-date [sɪ`deɪt] adj opanowany, spokojny, ustatkowany

sedative 32[2]

sed·a·tive [ˈsedətɪv] *adj* uspokajający; *s* środek uspokajający
sed·en·tar·y [ˈsedntrɪ] *adj* (o *trybie życia*) siedzący; *zool.* osiadły
sed·i·ment [ˈsedɪmənt] *s* osad
se·di·tion [sɪˈdɪʃn] *s* bunt
se·di·tious [sɪˈdɪʃəs] *adj* buntowniczy
se·duce [sɪˈdjus] *vt* uwodzić
se·duc·tion [sɪˈdʌkʃn] *s* uwiedzenie; powab
se·duc·tive [sɪˈdʌktɪv] *adj* uwodzicielski
sed·u·lous [ˈsedjuləs] *adj* skrzętny, pilny
*see 1. [si], saw [sɔ], seen [sin] *vt vi* widzieć, zobaczyć, oglądać; pojmować; doświadczać; baczyć, uważać; odwiedzać; odprowadzać; I ~ rozumiem; to ~ a thing done dopilnować, żeby coś zostało zrobione; to ~ about sth postarać się o coś; to ~ after sth doglądać czegoś; to ~ to sth pilnować czegoś; ~ off odprowadzić; ~ through przeprowadzić; doczekać się; doprowadzić do końca; przejrzeć
see 2. [si] *s* biskupstwo; the Holy See Stolica Apostolska
seed [sid] *s* nasienie; *vt vi* ·siać, rozsiewać się; obsiewać; drylować
seed·ling [ˈsidlɪŋ] *s* sadzonka
seed·y [ˈsidɪ] *adj* (o *roślinie*) z nasieniem; *pot.* marny, zużyty; niedysponowany; to feel ~ czuć się niedobrze
*seek [sik], sought, sought [sɔt] *vt* szukać; potrzebować; pożądać; *vi* ubiegać się, dążyć (after, for sth do czegoś); przeszukać (through the pockets kieszenie)
seem [sim] *vi* wydawać się; wyglądać; mieć ⟨robić⟩ wrażenie; it ~s to me wydaje mi się; he ~s to be ill wygląda na chorego
seem·ly [ˈsimlɪ] *adj* przyzwoity, odpowiedni
seen *zob.* see

seer [sɪə(r)] *s* jasnowidz
see·saw [ˈsi-sɔ] *s* huśtawka (⟨ desce); *vt vi* huśtać (się)
seethe [sið] *vi* wrzeć, kipieć; gotować
seg·ment [ˈsegmənt] *s* segmen⟨ odcinek (np. koła), człon; *vt* dzielić (się) na człony, rozczło⟨ kowywać
seg·re·gate [ˈsegrɪgeɪt] *vt vi* s⟨ gregować, oddzielać (się)
seg·re·ga·tion [ˌsegrɪˈgeɪʃn] *s* s⟨ gregacja, oddzielenie
seize [siz] *vt* chwycić, złapać; z⟨ jąć; opanować, pojąć; *vi* zawła⟨ nąć, skwapliwie chwycić się (o⟨ upon, sth czegoś); to ~ the o⟨ portunity wykorzystać okaz⟨ ⟨sposobność⟩
sei·zure [ˈsiʒə(r)] *s* konfiskata; p⟨ rwanie; aresztowanie; atak (ch⟨ roby)
sel·dom [ˈseldəm] *adv* rzadko
se·lect [sɪˈlekt] *vt* wybierać, d⟨ bierać; *adj* wybrany, doborow⟨
se·lec·tion [sɪˈlekʃn] *s* wybór, d⟨ bór
se·lec·tive [sɪˈlektɪv] *adj* selek⟨ cyjny
self [self] *s* (*pl* selves [selvz⟨ jaźń, osobowość, własna osob⟨ *pron* sam
self-ac·cu·sa·tion [ˈself ækjuˈzeɪʃ⟨ *s* samooskarżenie
self-ad·ver·tise·ment [ˈself ədˈvɜt⟨ mənt] *s* autoreklama
self-com·mand [ˈself kəˈmand] *s* p⟨ nowanie nad sobą
self-com·pla·cen·cy [ˈself kəmˈple⟨ nsɪ] *s* zadowolenie z samego si⟨ bie
self-con·ceit [ˈself kənˈsit] *s* zar⟨ zumiałość
self-con·scious [ˈself ˈkɒnʃəs] *a*⟨ nieśmiały, zakłopotany
self-con·trol [ˈself kənˈtrəul] *s* p⟨ nowanie nad sobą, opanowanie
self-de·fence [ˈself dɪˈfens] *s* sam⟨ obrona
self-den·i·al [ˈself dɪˈnaɪəl] *s* s⟨ mozaparcie

self-de·ter·mi·na·tion [ˈself dɪˈtɜːmɪˈneɪʃn] s samookreślenie

self-dis·ci·pline [ˈself ˈdɪsəplɪn] s dyscyplina wewnętrzna

self-ed·u·cat·ed [ˈself ˈedjukeɪtɪd] adj ~ man samouk

self-em·ployed [ˈself ɪmˈplɔɪd] adj zatrudniony we własnym przedsiębiorstwie

self-es·teem [ˈself ɪˈstiːm] s poczucie własnej godności, ambicja

self-ev·i·dent [ˈself ˈevɪdənt] s oczywisty

self-ig·ni·tion [ˈself ɪgˈnɪʃən] s techn. samozapłon

self-gov·ern·ment [ˈself ˈgʌvnmənt] s samorząd

self·ish [ˈselfɪʃ] adj egoistyczny

self-made [ˈself ˈmeɪd] adj zawdzięczający wszystko samemu sobie

self-por·trait [ˈself ˈpɔtrət] s autoportret

self-pos·sessed [ˈself pəˈzest] adj opanowany, panujący nad sobą

self-pres·er·va·tion [ˈselfˈprezəˈveɪʃn] s instynkt samozachowawczy, samoobrona

self-re·li·ant [ˈself rɪˈlaɪənt] adj polegający na samym sobie

self-re·spect [ˈself rɪˈspekt] s poczucie własnej godności

self-sac·ri·fice [ˈself ˈsækrɪfaɪs] s samopoświęcenie

self·same [ˈself ˈseɪm...] adj ten sam, identyczny

self-seek·er [ˈself ˈsikə(r)] s egoista

self-seek·ing [ˈself ˈsikɪŋ] adj egoistyczny

self-ser·vice [ˈself ˈsɜvɪs] s samoobsługa

self-styled [ˈself ˈstaɪld] adj samozwańczy

self-suf·fi·cien·cy [ˈself səˈfɪʃnsɪ] s samowystarczalność

self-suf·fi·cient [ˈself səˈfɪʃnt] adj samowystarczalny

self-will [ˈself ˈwɪl] s narzucanie własnej woli, upór

self-willed [ˈself ˈwɪld] adj uparty; nieusłuchany

* **sell** [sel], **sold** [səʊld], **sold** [səʊld] vt sprzedawać; vi iść, mieć zbyt; ~ **out** ⟨off⟩ wyprzedawać

sell·er [ˈselə(r)] s sprzedawca

selves zob. **self**

sem·a·phore [ˈseməfɔ(r)] s kolej. semafor

sem·blance [ˈsembləns] s wygląd; pozór

semi- [ˈsemɪ] praef pół-

sem·i·cir·cle [ˈsemɪskl] s półkole

sem·i·co·lon [ˈsemɪ ˈkəʊlən] s gram. średnik

semi-fi·nal [ˈsemɪ ˈfaɪnl] s sport półfinał

sem·i·nar [ˈsemɪnɑ(r)] s seminarium (na uniwersytecie)

sem·i·nar·ist [ˈsemɪnərɪst] s uczestnik ćwiczeń seminaryjnych; kleryk

sem·i·na·ry [ˈsemɪnərɪ] s seminarium (instytut wychowawczy, zw. teologiczny)

sem·i·nude [ˈsemɪ ˈnjuːd] adj półnagi

semi-of·fi·cial [ˈsemɪ əˈfɪʃl] adj półurzędowy

Sem·ite [ˈsiːmaɪt] s Semita

Se·mit·ic [sɪˈmɪtɪk] adj semicki

sem·o·li·na [ˈseməˈliːnə] s kasza manna, grysik

sen·ate [ˈsenət] s senat

sen·a·tor [ˈsenətə(r)] s senator

* **send** [send], **sent**, **sent** [sent] vt posyłać; sprawiać, zrządzić; to ~ **flying** zmusić do ucieczki; rozpędzić, rozproszyć; to ~ **mad** doprowadzić do szaleństwa; to ~ **word** posłać wiadomość; ~ **away** odsyłać; ~ **forth** wydawać, wydzielać; wydobywać na światło dzienne; wypuszczać; ~ **in** wpuścić; nadesłać; złożyć; ~ **off** odsyłać; ~ **on** posłać dalej; przeadresować (np. list); ~ **out** wysyłać; wyrzucać; ~ **up** podnieść, podrzucić (do góry), wypuścić (w górę); zgłosić; podać (np. do stołu); vi posyłać (**for sb** po kogoś)

se·nile [ˈsiːnaɪl] adj starczy

sen·ior [ˈsiːnɪə(r)] *adj* starszy (rangą, studiami); ~ **forms** wyższe klasy (w szkole); *s* senior, człowiek starszy; **my ~ by ten years** starszy ode mnie o dziesięć lat

sen·ior·i·ty [ˌsiːnɪˈɒrətɪ] *s* starszeństwo

sen·sa·tion [senˈseɪʃn] *s* uczucie, wrażenie; sensacja

sense [sens] *s* uczucie, poczucie; zmysł; świadomość; rozsądek; znaczenie, sens; **common ~** zdrowy rozsądek; **a man in his ~s** człowiek przy zdrowych zmysłach; **a man of ~** człowiek rozsądny; **to come to one's ~s** odzyskać przytomność; opamiętać się; **to make ~** mieć sens; **to talk ~** mówić do rzeczy; *vt* odczuwać, wyczuwać, rozeznać; *am.* rozumieć

sense·less [ˈsensləs] *adj* bezmyślny, niedorzeczny; nieprzytomny; nieczuły

sen·si·bil·i·ty [ˌsensəˈbɪlətɪ] *s* wrażliwość, uczuciowość

sen·si·ble [ˈsensəbl] *adj* dający się uchwycić zmysłami; świadomy; uczuciowy, wrażliwy; rozsądny; znaczny, poważny; **to become ~** uzmysławiać sobie (of sth coś)

sen·si·tive [ˈsensətɪv] *adj* zmysłowy; uczuciowy, czuły, wrażliwy; łatwo obrażający się; *bot.* ~ **plant** mimoza

sen·si·tize [ˈsensətaɪz] *vt med.* uczulać; *fot.* uczulać na światło

sen·su·al [ˈsenʃʊəl] *adj* zmysłowy

sen·su·al·i·ty [ˌsenʃʊˈælətɪ] *s* zmysłowość

sen·su·ous [ˈsenʃʊəs] *adj* zmysłowy, czuciowy

sent *zob.* **send**

sen·tence [ˈsentəns] *s* sentencja, powiedzenie; wyrok, decyzja; *gram.* zdanie; **to pass a ~** wydać wyrok; **to serve a ~** odbywać karę sądową; *vt* osądzić, skazać

sen·ti·ment [ˈsentɪmənt] *s* sentyment, uczucie, odczucie; zdanie, opinia

sen·ti·men·tal [ˌsentɪˈmentl] *a* sentymentalny

sen·ti·nel [ˈsentɪnl] *s* placówka, p sterunek; wartownik; **to stand ~** stać na warcie

sen·try [ˈsentrɪ] *s* placówka, p sterunek

sep·a·ra·ble [ˈsepərəbl] *adj* rozdzie ny, rozłączny

sep·a·rate [ˈsepəreɪt] *vt vi* o dzielić (się), rozłączyć (się); *a* [ˈseprət] oddzielny

sep·a·ra·tion [ˌsepəˈreɪʃn] *s* separa cja, rozłączenie; ~ **allowance** d datek (do pensji) za rozłąk *prawn.* **judicial ⟨legal⟩ ~** sep racja (małżonków)

Sep·tem·ber [sepˈtembə(r)] *s* wrz sień

sep·tic [ˈseptɪk] *adj* septyczny

se·pul·chral [sɪˈpʌlkrl] *adj* grob wy, ponury

sep·ul·chre [ˈseplkə(r)] *s lit. r* grób

se·quel [ˈsiːkwl] *s* następstwo, ci dalszy

se·quence [ˈsiːkwəns] *s* następstw kolejność; **in ~** kolejno; *gra* ~ **of tenses** następstwo czasów

se·ques·ter [sɪˈkwestə(r)] *vt* oddzi lić, odosobnić; konfiskować

sere [sɪə(r)] *adj* = **sear**

ser·e·nade [ˌserəˈneɪd] *s* serenad *vt vi* śpiewać serenadę

se·rene [sɪˈriːn] *adj* pogodny, ja ny; spokojny

se·ren·i·ty [sɪˈrenətɪ] *s* pogoc spokój

serf [sɜːf] *s* niewolnik; *hist.* chł pańszczyźniany

serf·dom [ˈsɜːfdəm] *s* niewolnictw *hist.* poddaństwo, pańszczyzna

ser·geant [ˈsɑːdʒənt] *s wojsk.* sie żant

se·ri·al [ˈsɪərɪəl] *adj* seryjny, k lejny; *s* serial; powieść drukow na w odcinkach (w gazecie); p riodyk

se·ries [ˈsɪərɪz] *s (pl ~)* seria, s reg; **in ~** seryjnie; *elektr.* szer gowo

se·ri·ous [ˈsɪərɪəs] *adj* poważny

er·jeant s = sergeant

er·mon [`sɜmən] s kazanie

er·mon·ize [`sɜmənaɪz] vi wygłaszać kazanie; vt napominać, strofować

er·pent [`sɜpənt] s wąż

er·pen·tine [`sɜpəntaɪn] adj wężowy; wężowaty, wijący się; s serpentyna

er·ried [`serɪd] adj stłoczony, zwarty

e·rum [`sɪərəm] s surowica

erv·ant [`sɜvənt] s służący, sługa; civil ⟨public⟩ ~ urzędnik państwowy

erve [sɜv] vt vi służyć, obsługiwać; podawać (przy stole); wyrządzić; odpowiadać (celowi); odbywać (karę, służbę, praktykę itp.); traktować; *sport* serwować; it ~s you right dobrze ci tak, masz za to; to ~ one's time odbyć kadencję; to ~ time odsiedzieć karę; ~ out rozdzielić; odpłacić się; s *sport* serwis, serw

erv·ice [`sɜvɪs] s służba, obsługa; pomoc; przysługa; nabożeństwo; (*zastawa*) serwis; *sport* serwis; civil ~ służba państwowa ⟨urzędnicza⟩; train ~ komunikacja kolejowa; public ~s instytucje użyteczności publicznej; social ~s świadczenia społeczne; ~ area ⟨*radio*⟩ zasięg odbioru; ~ station stacja benzynowa ⟨obsługi⟩; sklep ⟨warsztat⟩ usługowy; to be of ~ przydać się; to do one's ~s odbywać służbę; to do ⟨to render⟩ ~ oddać przysługę

er·vi·ette [`sɜvɪ`et] s serwetka

er·vile [`sɜvaɪl] adj niewolniczy; służalczy

es·sion [`seʃn] s posiedzenie; sesja; okres posiedzeń; *am.* (*także w Szkocji*) rok akademicki; *am.* summer ~ letni kurs uniwersytecki

set [set] vt vi (set, set [set]) stawiać, kłaść, ustawiać, zastawiać (stół); montować; wzmacniać; kierować; nastawiać; nakłaniać; zapędzać (np. **to work** do robo-

ty); podjudzać; (*o słońcu*) zachodzić; zanikać, kończyć się; opadać; regulować (np. zegarek); (*o pogodzie*) ustalić się; (*o organizmie*) rozwinąć się; (*o cieczy*) krzepnąć; nastroić (fortepian); zadać (pytanie); zabierać się (**about,** to sth do czegoś); skłaniać się (**towards,** to ku czemuś); to ~ **an example** dać przykład; to ~ **the fashion** ustanowić modę; to ~ **fire** podłożyć ogień, podpalić (**to** sth coś); to ~ **on fire** podpalić (sth coś); to ~ **free** uwolnić; to ~ **in motion** uruchomić; to ~ **at rest** uspokoić; to ~ **sail** odpłynąć; to ~ **sb a task** dać komuś zadanie; z *ppraes* wprawić w ruch, spowodować; to ~ **flying** wypuścić w powietrze; to ~ **going** nadać bieg; to ~ **thinking** dać do myślenia; z *adv:* ~ **about** rozpowszechnić; ~ **apart** oddzielić, odsunąć; ~ **aside** odłożyć na bok; zignorować; *prawn.* anulować; ~ **back** cofnąć; ~ **by** odłożyć na bok; ~ **down** położyć, złożyć; wyłożyć na piśmie; przypisać; zsadzić, wysadzić; ustalić (np. regułę); ~ **forth** wyłożyć, wykazać; uwydatnić; przedstawić (np. projekt); wyruszyć; ~ **forward** posunąć się naprzód; wyruszyć; podsunąć, wysunąć; ~ **in** wprawić; nastać, nastąpić; ~ **off** wyruszyć w drogę; oddzielić, odłożyć, usunąć; uwydatnić; wyodrębnić; wyrównać; ~ **on** podjudzać; rozpoczynać; napadać; wyruszać w dalszą drogę; ~ **out** rozpoczynać, przedsiębrać; wykładać, przedstawiać, wystawiać; zdobić; wyruszać; ~ **up** ustawiać, nastawiać, instalować, montować; założyć; podnieść; ustanowić; urządzić (życiowo); zaopatrzyć; osiedlić się; ~ **up for** sth podawać się za coś; ~ **up in** business założyć przedsiębiorstwo; to be ~ **up** być dobrze zaopatrzonym; ~ **to** zabrać się do czegoś; zacząć (walczyć, kłócić się); s seria, asortyment, komplet, kolekcja, wybór; serwis (stołowy); zaprząg; gatunek; grupa; zachód (słońca); postawa, budowa ciała; układ; kierunek; próba; *sport* set; **(radio)** ~ aparat radiowy; *adj* uporządkowany, ustalony, zdecydowany; nieruchomy; *(o ciele ludzkim)* zbudowany; **to be hard** ~ być w ciężkim położeniu; **of** ~ **purpose** z mocnym postanowieniem

set-back [ˈset bæk] *s* cofnięcie się; niepowodzenie

set-off [ˈset ɔf] *s* kontrast; przeciwwaga; wyrównanie; dekoracja, tło (ozdobne); *handl.* kompensata

set-out [ˈsetˈaut] *s* początek; wyjazd

set-square [ˈset skweə(r)] *s* ekierka

set-tee [seˈti] *s* sofa

set-ting [ˈsetɪŋ] *s* oprawa, obramowanie; układ, ustawienie; tło, otoczenie; inscenizacja; ilustracja; ilustracja muzyczna

set-tle [ˈsetl] *vt vi* posadzić, osadzić, ułożyć; *(także* ~ **down)** osiąść, osiedlić się; ustalić (się); rozstrzygnąć; uporządkować, uregulować; uspokoić; ustanowić; zdecydować (się); *vr* ~ **oneself** osiąść; dostosować się; zabrać się, zasiąść **(to sth do czegoś)**; ustatkować się; ~ **up** uregulować (zobowiązania)

set-tled [ˈsetld] *adj* stały, ustalony; ~ **weather** ustabilizowana ⟨stała⟩ pogoda; **a man of** ~ **convictions** człowiek o stałych przekonaniach; *(na rachunku)* „~'' ,,zapłacono''

set-tle-ment [ˈsetlmənt] *s* ustalenie, załatwienie, rozstrzygnięcie; układ; uspokojenie; wyrównanie, rozliczenie; osiadanie; osiedlenie się; osiedle, osada; założenie (interesu)

set-tler [ˈsetlə(r)] *s* osadnik, osiedleniec

sev-en [ˈsevn] *num* siedem; *s* si demka

sev-en-teen [ˈsevnˈtin] *num* si demnaście; *s* siedemnastka

sev-en-teenth [ˈsevnˈtinθ] *adj* si demnasty; *s* siedemnasta część

sev-enth [ˈsevnθ] *adj* siódmy; siódma część

sev-en-ti-eth [ˈsevntɪəθ] *adj* si demdziesiąty; *s* siedemdziesiąta część

sev-en-ty [ˈsevntɪ] *num* siede dziesiąt; *s* siedemdziesiątka

sev-er [ˈsevə(r)] *vt vi* oddziel (się), oderwać (się); *przen.* r stać się; zerwać

sev-er-al [ˈsevrl] *adj* oddzieln różny; poszczególny; podzieln liczny; *pron* kilka, kilkanaście

sev-er-al-ly [ˈsevrlɪ] *adv* poszcz gólnie; różnie; indywidualni jointly and ~ zbiorowo i ind widualnie

sev-er-ance [ˈsevərəns] *s* oddziel nie, oderwanie; zerwanie

se-vere [səˈvɪə(r)] *adj* surowy, be względny, srogi; ostry; poważn obowiązujący

se-ver-i-ty [səˈverətɪ] *s* bezwzglę ność, surowość, srogość; cięż stan

* **sew** [səu], **sewed** [səud] se [səun] *vt vi* szyć; ~ **on** nasz wać, przyszywać; ~ **up** zszywa łatać

sew-age [ˈsuɪdʒ] *s* woda ściekow nieczystości; ~ **system** kanaliz cja

sew-er [ˈsuə(r)] *s* ściek, rynszto *vt* kanalizować

sew-er-age [ˈsuərɪdʒ] *s* kanalizacj wody ściekowe

sew-ing-ma-chine [ˈsəuɪŋ məʃin] maszyna do szycia

sewn *zob.* **sew**

sex [seks] *s* płeć

sex-ap-peal *zob.* **appeal**

sex-ton [ˈsekstn] *s* zakrystian

sex-u-al [ˈsekʃuəl] *adj* płciowy

sex-y [ˈseksɪ] *adj* zmysłowy, poc gający

shark

shab·by [`ʃæbɪ] adj lichy, zniszczony, stargany, nędznie ubrany; nędzny, podły

shack [ʃæk] s chata, rudera

shack·le [`ʃækl] s ogniwo łańcuchowe; sprzęgło, klamra; pl ~s (także przen.) kajdany; vt skuć, spętać

shade [ʃeɪd] s cień, mrok; odcień; abażur; parasolka; am. roleta, stora; a ~ coś niecoś, odrobinę; vt vi zaciemnić; cieniować; zasłaniać; stopniowo zmieniać (odcień); (także ~ off ⟨away⟩) tuszować, łagodzić

shad·ow [`ʃædəu] s cień (odbicie kształtu człowieka, drzewa itp.); mrok; ułuda; zjawa, widmo; vt zacieniać; śledzić

shad·ow·y [`ʃædəuɪ] adj cienisty; ciemny, niejasny

shad·y [`ʃeɪdɪ] adj cienisty; ciemny; mętny, dwuznaczny; podejrzany

shaft [ʃaft] s trzon, łodyga; drzewce; dyszel; promień; błyskawica; ostrze; strzała; górn. szyb

shag [ʃæg] s zmierzwione włosy; kudły; włochaty materiał; gatunek tytoniu

shag·gy [`ʃægɪ] adj włochaty, kudłaty

shake [ʃeɪk] vt vi (shook [ʃuk], shaken [`ʃeɪkn]) trząść (się), potrząsnąć, wstrząsnąć; drżeć, chwiać się; to ~ hands podawać sobie ręce; ~ down strząsnąć; ~ off odrzucić, zrzucić, pozbyć się; ~ out wytrząsnąć, wyrzucić, wysypać; ~ up potrząsnąć, rozruszać; s potrząsanie, trzęsienie, drżenie; pl ~s dreszcze

shake-up [`ʃeɪkʌp] s wstrząs, poruszenie; przetasowanie, reorganizacja

hak·y [`ʃeɪkɪ] adj drżący; chwiejny, niepewny

hall [ʃæl, ʃl] v aux służy do tworzenia fut: I ~ be there będę tam; you ~ not see him nie zobaczysz go; powinien; ~ he wait? czy ma czekać?

shal·low [`ʃæləu] adj płytki; przen. niepoważny, powierzchowny; s płycizna, mielizna

sham [ʃæm] vt vi udawać, symulować, pozorować; s udawanie, symulowanie, fikcja; adj udawany, fałszywy, rzekomy, pozorny

sham·ble [`ʃæmbl] vi powłóczyć nogami; s niezgrabny chód

shame [ʃeɪm] s wstyd; vt zawstydzić; wymóc (sb into sth coś na kimś); odwieść (out of sth od czegoś); ~ on you! wstydź się! jak ci nie wstyd!

shame·faced [`ʃeɪmfeɪst] adj wstydliwy, nieśmiały

shame·ful [`ʃeɪmfl] adj haniebny, sromotny

shame·less [`ʃeɪmləs] adj bezwstydny

sham·poo [ʃæm`puː] s szampon; vt myć szamponem

sham·rock [`ʃæmrok] s bot. biała koniczyna

shank [ʃæŋk] s goleń

shan't [ʃɑnt] = shall not

shan·ty [`ʃæntɪ] s buda, szałas

shape [ʃeɪp] s kształt, wygląd; obraz, rysunek; in (the) ~ of w postaci; out of ~ zniekształcony; in good ⟨poor⟩ ~ w dobrej ⟨złej⟩ formie; vt vi kształtować (się); tworzyć; wyobrażać sobie

shape·ly [`ʃeɪplɪ] adj ładnie zbudowany, kształtny, zgrabny

share [ʃeə(r)] vt vi dzielić, podzielać; uczestniczyć; ~ out rozdzielać; s część; udział; działka; przyczynek; handl. akcja; to go ~s podzielić się (in sth czymś); uczestniczyć; to have a ~ przyczynić się (in sth do czegoś); to hold ~s handl. być akcjonariuszem; to take ~ brać udział

share-bro·ker [`ʃeə brəukə(r)] s makler

share-hold·er [`ʃeə həuldə(r)] s akcjonariusz

shark [ʃak] s rekin; przen. oszust; vt oszukiwać

sharp [ʃap] *adj* ostry, spiczasty; przenikliwy, bystry; przebiegły; *adv* bystro; punktualnie; *s muz.* krzyżyk

sharp·en [ˈʃapn] *vt vi* ostrzyć (się)

shat·ter [ˈʃætə(r)] *vt* roztrzaskać, rozbić; *vi* rozlecieć się; *s zw. pl* ~s odłamki, strzępy

shave [ʃeɪv] *vt vi* golić (się); strugać; *s* golenie; **to have a** ~ ogolić się; **close** ⟨**near**⟩ ~ sytuacja o włos od niebezpieczeństwa

shav·en [ˈʃeɪvn] *adj* (*także* **clean** ~) wygolony

shav·ing [ˈʃeɪvɪŋ] *s* golenie; struganie; *pl* ~s wióry, odpadki

shawl [ʃɔl] *s* szal

she [ʃi] *pron* ona

sheaf [ʃif] *s* (*pl* **sheaves** [ʃivz]) snop, wiązka

* **shear** [ʃɪə(r)] *vt* (**sheared** [ʃɪəd], **shorn** [ʃɔn]) strzyc; *przen.* ogołacać, pozbawiać; *s* strzyżenie

shears [ʃɪəz] *s pl* nożyce (np. krawieckie, ogrodnicze)

sheath [ʃiθ] *s* (*pl* **sheaths** [ʃiðz]) pochwa, futerał

sheathe [ʃið] *vt* wkładać do pochwy ⟨futerału⟩

sheath·ing [ˈʃiðɪŋ] *s* ochronne pokrycie, powłoka

sheave [ʃiv] *vt* wiązać w snopy

sheaves zob. **sheaf**

she'd [ʃid] *skr.* = **she had**, **she would**

* **shed** 1. [ʃed], **shed** [ʃed] *vt* ronić, gubić, zrzucać; wylewać, przelewać; rozsiewać

shed 2. [ʃed] *s* szopa; zajezdnia

sheep [ʃip] *s* (*pl* ~) owca, baran

sheep-hook [ˈʃip huk] *s* kij pasterski

sheep·ish [ˈʃipɪʃ] *adj* bojaźliwy; zakłopotany; zbaraniały; nieśmiały

sheep·skin [ˈʃipskɪn] *s* owcza skóra; pergamin; dyplom

sheep·walk [ˈʃipwɔk] *s* pastwisko dla owiec

sheer [ʃɪə(r)] *adj* zwyczajny; czysty; istny; prosty; pionowy; ~

nonsense istny nonsens; **by** ~ **force** po prostu siłą; *adv* całkowicie; wprost; pionowo

sheet [ʃit] *s* prześcieradło; arkusz; kartka (papieru); powierzchnia, tafla, płyta; *mors.* szot; *vt* nakryć prześcieradłem

sheet-iron [ˈʃit aɪən] *s* blacha

shelf [ʃelf] *s* (*pl* **shelves** [ʃelvz]) półka; wystająca skała, rafa; listwa

shell [ʃel] *s* skorupa, łupina, muszla; nabój armatni; *vt vi* wyłuskiwać; *wojsk.* ostrzelać

she'll [ʃil] *skr.* = **she will**

shel·ter [ˈʃeltə(r)] *s* schronienie schron, przytułek; *vt vi* chronić (się), osłaniać; udzielić przytułku; znaleźć przytułek

shelve [ʃelv] *vt* położyć na półce odłożyć, odstawić; oddalić, zwolnić (np. ze służby)

shelves zob. **shelf**

shep·herd [ˈʃepəd] *s* pastuch; *przen* i *lit.* pasterz; *vt vi* strzec; paść owce

sher·ry [ˈʃerɪ] *s* gatunek wina (Xeres)

she's [ʃiz] = **she is**, **she has**

shield [ʃild] *s* tarcza, osłona; *v* ochraniać, osłaniać

shift [ʃɪft] *vt vi* przesuwać (się) przestawiać (się); zmieniać miej sce pobytu, przenosić się; zmie niać (np. ubranie); *s* zmiana przesunięcie; sposób, środek, za bieg; szychta; **to make (a)** ~ u porać się, dać sobie radę; t **work in** ~s pracować na zmia ny

shift·y [ˈʃɪftɪ] *adj* przebiegły, prze myślny

shil·ling [ˈʃɪlɪŋ] *s* szyling; **a** ~ **worth** za szylinga

shim·mer [ˈʃɪmə(r)] *vi* migotać; *s* migotanie

shin [ʃɪn] *s* goleń; *vt* ~ **up** wsp nać się, wdrapywać się (**the tr** na drzewo)

* **shine** [ʃaɪn], **shone**, **shone** [ʃɒn] świecić, jaśnieć; *vt* nadaw

blask, czyścić do połysku; *s* blask, połysk

ain·gle 1. [ˈʃɪŋgl] *s* gont; *am.* tabliczka; krótko strzyżone włosy; *vt* kryć gontami; krótko strzyc włosy

ain·gle 2. [ˈʃɪŋgl] *s* kamyk; *zw. zbior.* kamyki, żwir

ain·y [ˈʃaɪnɪ] *adj* błyszczący

aip [ʃɪp] *s* statek; okręt; *vt* przewozić okrętem; ładować na okręt; *vi* zaokrętować się

aip·board [ˈʃɪpbɔd] *s* pokład; on ~ na statku

aip·build·ing [ˈʃɪpbɪldɪŋ] *s* budownictwo okrętowe

aip·car·riage [ˈʃɪp kærɪdʒ] *s* transport okrętowy

aip·mas·ter [ˈʃɪp mastə(r)] *s* kapitan statku (handlowego)

aip·ment [ˈʃɪpmənt] *s* załadowanie na okręt, przewóz okrętem

aip·own·er [ˈʃɪp əʊnə(r)] *s* armator

aip·ping [ˈʃɪpɪŋ] *s* żegluga; transport okrętem; załadowanie na okręt; marynarka (handlowa)

aip·shape [ˈʃɪpʃeɪp] *adj i adv* we wzorowym porządku; to put ~ doprowadzić do wzorowego stanu

aip·wreck [ˈʃɪp-rek] *s* rozbicie okrętu; *przen.* katastrofa, klęska; *vt* spowodować rozbicie okrętu; *przen.* rozbić, zniweczyć; to be ~ed (*o okręcie*) ulec rozbiciu, rozbić się; *przen.* ulec zniszczeniu

aip·yard [ˈʃɪp-jad] *s* stocznia

airt [ʃɜt] *s* koszula męska; bluzka damska

airt-sleeves [ˈʃɜt slivz] *s pl* rękawy koszuli; in one's ~ bez marynarki, w samej koszuli

aiv·er 1. [ˈʃɪvə(r)] *vi* trząść się, drżeć; *s* drżenie, dreszcz

aiv·er 2. [ˈʃɪvə(r)] *s* kawałek, ułamek; *vt vi* rozbić (się) na kawałki

aoal 1. [ʃəʊl] *s* ławica (ryb); *przen.* tłum, gromada, masa

shoal 2. [ʃəʊl] *s* mielizna; *adj* płytki; *vi* stawać się płytkim

shock 1. [ʃɔk] *s* gwałtowne uderzenie, cios; wstrząs, szok; *wojsk.* ~ troops oddziały szturmowe; *vt* gwałtownie uderzyć, zadać cios; gwałtownie wstrząsnąć; urazić; zgorszyć

shock 2. [ʃɔk] *s* bróg, kopka

shock-ab·sorb·er [ˈʃɔk əbsɔbə(r)] *s* amortyzator

shock-proof [ˈʃɔk pruf] *adj* odporny na wstrząsy

shock-work·er [ˈʃɔk wɜkə(r)] *s* przodownik pracy

shod *zob.* **shoe** *vt*

shod·dy [ˈʃɔdɪ] *s* licha wełna (z odpadków); tandeta; *adj* tandetny

shoe [ʃu] *s* but, trzewik; podkowa; okucie; *vt* *shoe (shod, shod [ʃɔd]) obuć; okuć (konia); obić żelazem

shoe·black [ˈʃublæk] *s* czyścibut, pucybut

shoe·horn [ˈʃu hɔn] *s* łyżka do butów

shoe·lace [ˈʃu leɪs] *s* sznurowadło

shoe·mak·er [ˈʃumeɪkə(r)] *s* szewc

shone *zob.* **shine**

shook *zob.* **shake**

* **shoot** [ʃut] *vt vi* (shot, shot [ʃot]) strzelać (at sb do kogoś); zastrzelić, rozstrzelać; ciskać, miotać; fotografować, (*o filmie*) nakręcać; wystawać; wypędzać, wyrzucać (*także* ~ out); wyskoczyć; wpaść; wypuszczać (pączki); (*o bólu*) rwać; mknąć, przemykać; to ~ dead zastrzelić; to ~ past szybko przelecieć (koło czegoś); ~ down zestrzelić; gwałtownie spadać; ~ forth kiełkować; rozciągać się; ~ off wystrzelić; odstrzelić; pomknąć; ~ out wystawać, sterczeć; wypaść, wylecieć; wyrzucić; (*o pączkach*) wypuścić; wystrzelać; ~ up strzelać w górę; szybko rosnąć; podnosić się, podskoczyć; *przen.* ~ Niagara ryzykować życie; *s*

strzelanie; polowanie; wodotrysk; kiełek, pęd; ostry ból

shoot·er [ˈʃuːtə(r)] s strzelec; broń palna, rewolwer

shoot·ing-star [ˈʃuːtɪŋ stɑ(r)] s spadająca gwiazda

shop [ʃɒp] s sklep; warsztat; interes; zakład; *przen.* profesja, zawód, sprawy zawodowe; *vi* robić zakupy, załatwiać sprawunki w sklepach; to go ~ping chodzić po zakupy, załatwiać sprawunki

shop-as·sis·tant [ˈʃɒp əsɪstənt] s ekspedient (sklepowy)

shop·keep·er [ˈʃɒpkiːpə(r)] s drobny kupiec, sklepikarz

shop·man [ˈʃɒpmən] s drobny kupiec; sklepikarz; ekspedient, sprzedawca

shop-win·dow [ˈʃɒp ˈwɪndəʊ] s okno wystawowe

shore [ʃɔ(r)] s brzeg (morza, jeziora), wybrzeże

shorn zob. shear·

short [ʃɔt] *adj* krótki; niski, mały; niedostateczny, szczupły, będący na wyczerpaniu; ~ circuit krótkie spięcie; ~ cut skrót, najkrótsza droga, droga na przełaj; ~ story nowela; ~ weight niepełna waga; ~ of breath zadyszany; little ~ of a miracle prawie cud; to be ~ of sth odczuwać brak czegoś; pozostawać w tyle za czymś; nie być na poziomie czegoś; to come ~ chybić, nie osiągnąć (of sth czegoś); to fall ~ zawieść, nie dopisać (of sth pod względem czegoś); to get 〈become, grow〉 ~ ulegać skróceniu, stawać się krótszym, zbliżać się do końca; to make ~ work of sth szybko załatwić się z czymś; to run ~ wyczerpywać się, kończyć się (np. o zapasach); odczuwać brak, mieć już niewiele (of sth czegoś); to stop ~ nagle zatrzymać (się), nagle przerwać; at ~ range z bliska, na krótką metę; s skrócenie, skrót; *kino* (także ~ sub-

ject) film krótkometrażowy; p ~s krótkie spodnie; in ~ po krótce, krótko mówiąc

short·age [ˈʃɔːtɪdʒ] s niedostatecz na ilość, niedobór, brak

short-cir·cuit [ˈʃɔt ˈsəkɪt] s *elektr* krótkie spięcie; *vt* wywołać krót kie spięcie

short·com·ing [ˈʃɔːtkʌmɪŋ] s brak wada, uchybienie; *handl.* man ko

short·en [ˈʃɒtn] *vt vi* skracać (się) zmniejszać (się)

short·hand [ˈʃɔthænd] s stenogra fia

short-lived [ˈʃɔt ˈlɪvd] *adj* krótko trwały

short·ly [ˈʃɒtlɪ] *adv* pokrótce wkrótce

short-sight·ed [ˈʃɔt ˈsaɪtɪd] *ad* krótkowzroczny

shot 1. *zob.* shoot; *adj* lśniący mieniący się

shot 2. [ʃɒt] s strzał; strzelec; po cisk, kula; *fot. kino* zdjęcie mi gawkowe; *pot.* zastrzyk, dawka big ~ gruba ryba; to make good ~ trafić; *przen.* zgadnąć

should [ʃud] *p od* shall; *oznaczą warunek*: I ~ go poszedłbym powinność: you ~ work powi nieneś pracować; *przypuszczenie* I should say so chyba tak

shoul·der [ˈʃəuldə(r)] s ramię, bark to give 〈show, turn〉 the cold ~ traktować oziębie; ~ to ~ ra mię w ramię; *vt* wziąć na ra mię; popychać; potrącać ramio nami; *przen.* (także ~ up) brać na swoje barki

shouldn't [ˈʃudnt] *skr.* = should no

shout [ʃaut] *vi* krzyczeć (at sb n kogoś); s krzyk, wołanie; okrzy

shove [ʃʌv] *vt vi* posuwać (się), po pychać (się); *pot.* wpakować wsadzić; ~ down zepchnąć; ~ off odepchnąć; odbić (np. o brzegu); s posunięcie (się) pchnięcie

shov·el [ˈʃʌvl] s szufla, łopata; *v* szuflować

show [ʃəu] vt vi (showed [ʃəud], shown [ʃəun]) pokazywać (się), wykazywać, okazywać; ukazać się, zjawić się; prowadzić, pokazywać drogę, oprowadzać (**round the town po mieście**); ~ **down** sprowadzić na dół; wyłożyć karty na stół; ~ **in** wprowadzić; ~ **off** wystawić na pokaz; popisywać się (**sth czymś**), paradować; ~ **out** wyprowadzić; ~ **up** zdemaskować, obnażyć; uwydatniać (się); zjawiać się; vr ~ **oneself** pokazywać się publicznie; s widok; wystawa; pokaz; parada; widowisko; *teatr* przedstawienie

ɪow-case [ˈʃəu keɪs] s gablotka

ɪow-down [ˈʃəu daun] s wyłożenie kart na stół; *przen.* gra w otwarte karty

ɪow-er [ˈʃauə(r)] s przelotny deszcz; *przen.* powódź (np. listów); vi (o deszczu) padać, lać; vt zalewać strumieniami

ɪow-er-bath [ˈʃauə baθ] s tusz, prysznic

ɪow-er-y [ˈʃauərɪ] adj ulewny

ɪow-girl [ˈʃəu gɜl] s piosenkarka ⟨tancerka⟩ w rewii, klubie nocnym itd.

ɪown zob. show

ɪow-room [ˈʃəu rum] s lokal wystawowy

ɪow-win-dow [ˈʃəu wɪndəu] s okno wystawowe

ɪow-y [ˈʃəuɪ] adj okazały, paradny, ostentacyjny

ɪrank zob. shrink

ɪrap-nel [ˈʃræpnl] s szrapnel

ɪred [ʃred] s strzęp; skrawek; odrobina; vt strzępić, ciąć na strzępy

ɪrew [ʃru] s sekutnica, jędza

ɪrewd [ʃrud] adj bystry, przenikliwy; chytry; ostry; dotkliwy

ɪrew-ish [ˈʃruɪʃ] adj swarliwy, złośliwy

ɪriek [ʃrik] vt vi krzyczeć, piszczeć, wykrzykiwać; s krzyk, pisk, przeraźliwy gwizd

ɪrill [ʃrɪl] adj przeraźliwy, przenikliwy

shrimp [ʃrɪmp] s krewetka

shrine [ʃraɪn] s sanktuarium; relikwiarz

*shrink [ʃrɪŋk] vt vi (shrank [ʃræŋk], shrunk [ʃrʌŋk]) ściągać (się), kurczyć (się), dekatyzować; marszczyć się; cofać się; zanikać; wzdragać się (**from sth przed czymś**); s ściągnięcie; zmarszczka; skurcz

shrink-age [ˈʃrɪŋkɪdʒ] s skurczenie, ściągnięcie; ubytek, zanik

*shrive [ʃraɪv], shrove [ʃrəuv], shriven [ˈʃrɪvn] vt wyspowiadać i rozgrzeszyć

shriv-el [ˈʃrɪvl] vt vi ściągać (się), marszczyć (się)

shriv-en zob. shrive

shroud [ʃraud] s ʻcałun; *przen.* okrycie, osłona; vt owijać całunem, *przen.* okrywać

shrove zob. shrive

Shrove Tues-day [ˈʃrəuv ˈtjuzdɪ] s tłusty wtorek

shrub [ʃrʌb] s krzak

shrub-ber-y [ˈʃrʌbərɪ] s zarośla, krzaki

shrug [ʃrʌg] vt vi wzruszać ramionami; s wzruszenie ramionami

shrunk-en [ˈʃrʌŋkən] adj skurczony; pp od shrink

shud-der [ˈʃʌdə(r)] vi drżeć, wzdrygać się

shuf-fle [ˈʃʌfl] vt vi szurać, powłóczyć (nogami); suwać; tasować (karty), mieszać; kręcić, wykręcać się; ~ off strząsnąć z siebie; odejść powłócząc nogami; ~ out wykręcić się; s szuranie nogami; włóczenie; posunięcie; wykręt; chwyt; tasowanie

shun [ʃʌn] vt unikać

shunt [ʃʌnt] vt vi przetaczać (wagony); przesunąć na bok; odłożyć (do szuflady)

*shut, shut, shut [ʃʌt] vt vi zamykać (się); ~ in zamknąć (w środku), otoczyć; ~ off odgrodzić, wyłączyć (**np. prąd**); ~ out wykluczyć; zostawić na zewnątrz; przesłonić (widok); ~ up zamy-

kać (dokładnie); więzić; *pot.* zamykać usta; *pot.* ~ up! cicho
bądź! zamknij się!

shut·ter [`ʃʌtə(r)] *s* pokrywa; o-
kiennica; zasłona; okienko (np.
w kasie); *fot.* migawka

shut·tle [`ʃʌtl] *s* czółenko (tkac-
kie)

shy 1. [ʃaɪ] *adj* bojaźliwy, nieśmiały; ostrożny; to be ~ of sth
unikać czegoś; to fight ~ unikać,
wystrzegać się (of sth czegoś);
vi bać się (at sth czegoś), płoszyć się

shy 2. [ʃaɪ] *vt vi pot.* cisnąć, rzucić; *s* rzut

sick [sɪk] *adj* czujący się niedobrze, mający mdłości; *attr* chory
(of sth na coś); to be ~ uprzykrzyć sobie, mieć powyżej uszu
(of sth czegoś); tęsknić (for sth
za czymś); to feel ⟨to be⟩ ~
mieć mdłości

sick·en [`sɪkn] *vt* przyprawiać o
mdłości, napełniać obrzydzeniem;
vi chorować; słabnąć; marnieć;
zrażać się (of sth do czegoś);
czuć obrzydzenie (at sth do czegoś)

sick·le [`sɪkl] *s* sierp

sick-leave [`sɪk liːv] *s* urlop cho-
robowy

sick-list [`sɪk lɪst] *s* lista chorych

sick·ly [`sɪklɪ] *adj* chorowity; (o
powietrzu, okolicy) niezdrowy;
powodujący mdłości .

sick·ness [`sɪknəs] *s* choroba; nie-
domaganie, złe samopoczucie;
mdłości

side [saɪd] *s* strona, bok; brzeg;
~ by ~ jeden przy drugim, w
jednym rzędzie; by the ~ po
stronie (of sth czegoś); *sport.*
off ~ na pozycji spalonej; on
my ~ po mojej stronie, z mojej
strony; on all ~s ze wszystkich
stron; on this ~ the barricade
po tej stronie barykady; on the
safe ~ bezpiecznie; to change
~s przejść do przeciwnej grupy;
to take ~s stanąć po stronie
(with sb kogoś); *vi* stać po stro-

nie **(with sb kogoś)**

side-arms [`saɪdɑːmz] *s* broń bocz-
na (szabla, bagnet)

side·board [`saɪdbɔːd] *s* kredens

side·car [`saɪd kɑː(r)] *s* przyczep
motocyklowa

side-glance [`saɪd glɑːns] *s* spojrze
nie z ukosa

side-is·sue [`saɪd ɪʃu] *s* sprawa u
boczna

side-light [`saɪd laɪt] *s* światło bo
czne

side·long [`saɪdlɒŋ] *adj* boczny
skośny; *adv* bokiem, na ukos

side-track [`saɪd træk] *s* boczn
tor; *vt* przesunąć na boczny to
pot. zmienić temat rozmowy

side-view [`saɪd vjuː] *s* widok
boku

side-walk [`saɪdwɔːk] *s am.* choc
nik

side·wards [`saɪdwədz], **side·way**
[`saɪdweɪz] *adv* bokiem; na bo

side-whis·kers [`saɪd wɪskəz] *s* p
bokobrody

side·wise [`saɪdwaɪz] = **sideward**

sid·ing [`saɪdɪŋ] *s* bocznica

siege [siːdʒ] *s* oblężenie; to lay ~
przystąpić do oblężenia (to
town miasta); to raise the ⟨
zaprzestać oblężenia

sieve [sɪv] *s* sito; *vt* przesiewać

sift [sɪft] *vt* przesiewać; *przen*
selekcjonować; dokładnie badać

sigh [saɪ] *vi* wzdychać; tęskni
(after, for sth do czegoś); *s* we
stchnienie

sight [saɪt] *s* widok; wzrok; po
wielka ilość, masa; at first ~
na pierwszy rzut oka; at ~ na
tychmiast, bez przygotowania
handl. za okazaniem; by ~ z w
dzenia; in ⟨within⟩ ~ w pol
widzenia; out of ~ poza zasię
giem wzroku; to catch ⟨get⟩ ⟨a
~ zobaczyć (of sth coś); spo
strzec; to come into ~ ukaza
się; to keep out of ~ ukrywa
(się), chować (się); to lose ~
stracić z oczu (of sth coś); t

see ~s oglądać osobliwości (miasta); vt zobaczyć, obserwować; celować (z broni palnej)

ght·ly [ˈsaɪtlɪ] adj przyjemny dla oka, ujmujący; widoczny

ght·see·ing [ˈsaɪtsiɪŋ] s zwiedzanie (np. miasta)

ght·seer [ˈsaɪtsɪə(r)] s turysta, zwiedzający

gn [saɪn] s znak, objaw, symbol; szyld; skinienie; by ~s na migi; in ~ na znak; vt vi znaczyć, znakować, dawać znak; podpisywać; ~ away przepisać (własność, prawa); ~ up zapisać się (for sth na coś)

g·nal [ˈsɪgnl] s sygnał; vt vi dawać sygnały, sygnalizować; adj znakomity, wybitny

g·nal·ize [ˈsɪgnlaɪz] vt wyróżniać, uświetniać

g·na·to·ry [ˈsɪgnətrɪ] adj podpisujący (np. umowę); s sygnatariusz

g·na·ture [ˈsɪgnətʃə(r)] s sygnatura, podpis; ~ tune radio melodia rozpoczynająca program; muz. oznaczenie tonacji

gn·board [ˈsaɪnbɔd] s szyld, wywieszka

g·nif·i·cance [sɪgˈnɪfɪkəns] s znaczenie, doniosłość

g·nif·i·cant [sɪgˈnɪfɪkənt] adj mający znaczenie, doniosły, ważny

g·ni·fi·ca·tion [ˈsɪgnɪfɪˈkeɪʃn] s znaczenie, sens

ig·nif·i·ca·tive [sɪgˈnɪfɪkətɪv] adj znaczący, oznaczający (of sth coś)

ig·ni·fy [ˈsɪgnɪfaɪ] vt znaczyć, oznaczać; vi znaczyć, mieć znaczenie, dawać do zrozumienia

ign·post [ˈsaɪnpəust] s drogowskaz

i·lence [ˈsaɪləns] s milczenie, cisza; in ~ milcząco; to keep ~ zachować ciszę; to pass over in ~ pominąć ⟨zbyć⟩ milczeniem; to put to ~ zmusić do milczenia; vt skłonić do milczenia; uspokoić, uciszyć; ~! proszę o spokój!; cisza!

si·lenc·er [ˈsaɪlənsə(r)] s tłumik

si·lent [ˈsaɪlənt] adj milczący

sil·hou·ette [ˈsɪluˈet] s sylweta

sil·i·ca [ˈsɪlɪkə] s chem. krzemionka

sil·i·con [ˈsɪlɪkən] s chem. krzem

silk [sɪlk] s jedwab

silk·en [ˈsɪlkən], **silk·y** [ˈsɪlkɪ] adj jedwabisty; delikatny, miękki

sill [sɪl] s próg; parapet

sil·ly [ˈsɪlɪ] adj głupi, niedorzeczny

si·lo [ˈsaɪləu] s techn. silos

silt [sɪlt] s osad, muł; vt vi zamulić (się)

sil·ver [ˈsɪlvə(r)] s srebro; adj attr srebrny, srebrzysty; vt vi srebrzyć (się)

sil·ver·plate [ˈsɪlvə ˈpleɪt] s zbior. srebro stołowe

sil·ver·smith [ˈsɪlvəsmɪθ] s wytwórca ⟨sprzedawca⟩

sim·i·lar [ˈsɪmɪlə(r)] adj podobny

sim·i·lar·i·ty [ˈsɪmɪˈlærətɪ] s podobieństwo

sim·i·le [ˈsɪmlɪ] s porównanie

si·mil·i·tude [sɪˈmɪlɪtjud] s podobieństwo

sim·mer [ˈsɪmə(r)] vi gotować się; przen. być podnieconym; vt gotować na wolnym ogniu

sim·per [ˈsɪmpə(r)] vi uśmiechać się sztucznie ⟨obłudnie⟩; s wymuszony uśmiech

sim·ple [ˈsɪmpl] adj prosty; naturalny; naiwny

sim·ple·ton [ˈsɪmpltən] s prostak, głuptas

sim·plic·i·ty [sɪmˈplɪsətɪ] s prostota; naiwność

sim·pli·fy [ˈsɪmplɪfaɪ] vt upraszczać, ułatwiać

sim·ply [ˈsɪmplɪ] adv prosto; po prostu

sim·u·late [ˈsɪmjuleɪt] vt symulować; naśladować

si·mul·ta·ne·ous [ˈsɪmlˈteɪnɪəs] adj równoczesny

sin [sɪn] s grzech; vi grzeszyć

since [sɪns] adv (także **ever** ~) od owego ⟨tego⟩ czasu; ... temu;

long ~ dawno temu; many years ~ wiele lat temu; *praep* od (o-kreślonego czasu); ~ **Sunday** od niedzieli; ~ **when?** od kiedy?; *conj* odkąd; ponieważ, skoro; ~ I last saw you odkąd cię widziałem

sin·cere [sɪn`sɪə(r)] *adj* szczery

sin·cer·i·ty [sɪn`serətɪ] *s* szczerość

sine [saɪn] *s mat.* sinus

sin·ew [`sɪnju] *s* ścięgno; *przen.* tężyzna, energia

sin·ew·y [`sɪnjuɪ] *adj* muskularny, silny

sin·ful [`sɪnfl] *adj* grzeszny

sing [sɪŋ], sang [sæŋ], sung [sʌŋ] vt vi śpiewać

singe [`sɪndʒ] *vt vi (p praes singe-ing* [`sɪndʒɪŋ]) przypalić (się), przypiec (się); opalić (się)

sing·er [`sɪŋə(r)] *s* śpiewak

sin·gle [`sɪŋgl] *adj* pojedynczy; sam jeden; oddzielny; jedyny w swym rodzaju; nieżonaty; niezamężna; *s* bilet w jedną stronę; *sport* gra pojedyncza; *vt* ~ **out** wyróżnić, wydzielić

sin·gle·ness [`sɪŋglnəs] *s* jedność; prostota, szczerość; stan bezżenny

sing·song [`sɪŋsɒŋ] *s* monotonny śpiew, monotonna recytacja

sin·gu·lar [`sɪŋgjulə(r)] *adj* pojedynczy; szczególny, niezwykły, dziwny; *s gram.* liczba pojedyncza

sin·gu·lar·i·ty [`sɪŋgju`lærətɪ] *s* niezwykłość, osobliwość

sin·is·ter [`sɪnɪstə(r)] *adj* złowieszczy, ponury

sink [sɪŋk], sank [sæŋk], sunk [sʌŋk] vt vi zanurzyć (się); topić (się), tonąć; opadać; pogrążać (się); zanikać, słabnąć; *handl. i prawn.* umarzać; *s* zlew; ściek

sink·ing-fund [`sɪŋkɪŋ fʌnd] *s* fundusz amortyzacyjny

sin·ner [`sɪnə(r)] *s* grzesznik

sin·u·ate [`sɪnjuət] *adj* kręty

sin·u·os·i·ty [`sɪnju`osətɪ] *s* zakręt; linia falista

sin·u·ous [`sɪnjuəs] *adj* kręty, wi jący się

sip [sɪp] *vt* wolno pić, sączyć (np kawę); *s* łyczek

si·phon [`saɪfən] *s* syfon

sir [sɜ(r)] *s (bez imienia i nazwis ka)* pan(ie), proszę pana!; *(prze imieniem lub imieniem z no zwiskiem)* tytuł szlachecki: np **Sir Winston Churchill**; Yes, Si tak, proszę pana!; **Sir**, it is m duty... Panie, moim obowiązkier jest...; *(w listach)* **(Dear) Sir** Szanowny Panie

si·ren [`saɪərən] *s* syrena

sis·kin [`sɪskɪn] *s zool.* czyżyk

sis·ter [`sɪstə(r)] *s* siostra

sis·ter-in-law [`sɪstr ɪn lɔ] *s* szwa gierka, bratowa

sit [sɪt], sat, sat [sæt] vt vi sie dzieć; zasiadać; *(o ubrantu)* le żeć; mieć sesję, obradować; stu diować *(under sb pod czyim kierunkiem)*; pozować *(to a pain ter for one's portrait* malarzo wi do portretu); **to** ~ **for an ex amination** zasiadać do egzami nu; **to** ~ **in judgment** wyroko wać; **to** ~ **on a committee** za siadać w komitecie; ~ **down** sia dać, usiąść; ~ **out** siedzieć n zewnątrz; wysiedzieć do końca ~ **through** siedzieć przez cały czas, przesiedzieć; ~ **up** pod nieść się (w łóżku); nie spać czuwać, przesiadywać do późna

sit-down [`sɪtdaun] *adj attr:* ~ **strike** strajk okupacyjny

site [saɪt] *s* położenie; miejsco wość; działka, parcela; miejsce

sit·ting [`sɪtɪŋ] *s* siedzenie; posie dzenie

sit·ting-room [`sɪtɪŋ rum] *s* ba wialnia, salonik

sit·u·ate [`sɪtʃueɪt] *vt* umieszcza

sit·u·at·ed [`sɪtʃuertɪd] *adj* poło żony; sytuowany; **badly** ~ (znaj dujący się) w ciężkiej sytuacji

sit·u·a·tion [`sɪtʃu`eɪʃn] *s* sytuacja położenie; stanowisko

six [sɪks] *num* sześć; *s* szóstka

at ~es and sevens w zupełnym
zamieszaniu

x·pence [ˈsɪkspəns] s sześciopensówka (moneta)

x·teen [ˈsɪkˈstiːn] num szesnaście; szesnastka

x·teenth [ˈsɪkˈstiːnθ] adj szesnasty

xth [ˈsɪksθ] adj szósty

x·ti·eth [ˈsɪkstiəθ] adj sześćdziesiąty

x·ty [ˈsɪkstɪ] num sześćdziesiąt

z·able [ˈsaɪzəbl] adj wielki, po-
każnych rozmiarów

ze 1. [saɪz] s rozmiar, wielkość;
format; wymiar; vt szacować według rozmiaru

ze 2. [saɪz] s klej; vt kleić

xate [skeɪt] vi ślizgać się (na
łyżwach); s łyżwa; (także roller-
~~) wrotka

xat·ing-ground [ˈskeɪtɪŋ ɡraund],
skat·ing-rink [ˈskeɪtɪŋ rɪŋk] s lodowisko; tor łyżwiarski

kein [skeɪn] s motek, pasmo (prze-
dzy); przen. plątanina

xel·e·ton [ˈskelɪtən] s dosł. i
przen. szkielet, kościotrup; zarys; ~ key wytrych

ketch [sketʃ] s rysunek, szkic;
skecz; vt kreślić, szkicować

ketch-book [ˈsketʃ buk] s szkicownik

ketch·er [ˈsketʃə(r)] s kreślarz

ketch·y [ˈsketʃɪ] adj zrobiony w
zarysie, szkicowy, pobieżny

ki [ski] s narty; vi jeździć na
nartach

kid [skɪd] s podpórka; klocek ha-
mulcowy; pochylnia; ześlizg; poślizg; lotn. płoza; vt hamować;
vi poślizgnąć się; (o samochodzie) zarzucić, wpaść w poślizg

ki·er [ˈskiə(r)] s narciarz

ki·ing [ˈskiɪŋ] s narciarstwo

kil·ful [ˈskɪlfl] adj zręczny; to
be ~ at sth dobre coś umieć

kill [skɪl] s zręczność, sprawność,
umiejętność

killed [skɪld] adj wprawny; (o
pracy) fachowy; (o robotniku)

wykwalifikowany

skim [skɪm] vt zbierać (śmietanę);
szumować; vi lekko dotykać powierzchni; przerzucać (książkę)

skim-milk [ˈskɪmmɪlk] s mleko
zbierane

skin [skɪn] s skóra (na ciele), skórka (rośliny); vt zdjąć skórę,
obedrzeć ze skóry

skin·ny [ˈskɪnɪ] adj chudy

skip [skɪp] vt vi skakać, przeska-
kiwać; opuszczać, pomijać; s
skok

skip·per [ˈskɪpə(r)] s kapitan statku handlowego

skip·ping-rope [ˈskɪpɪŋ rəup] s skakanka

skir·mish [ˈskɜːmɪʃ] s potyczka

skirt [skɜːt] s spódnica; poła

skit·tle [ˈskɪtl] s (także ~-pin) krę-
giel; pl ~s (~-pins) gra w krę-
gle

skulk [skʌlk] vi czaić się, kryć
się

skull [skʌl] s czaszka

skunk [skʌŋk] s zool. skunks;
skunksy (futro)

sky [skaɪ] s niebo; **under the open
~** pod gołym niebem

sky·lark [ˈskaɪlɑːk] s skowronek;
vt psocić, swawolić

sky·light [ˈskaɪ laɪt] s okno w su-
ficie, świetlik

sky·line [ˈskaɪ laɪn] s linia hory-
zontu; sylweta (np. miasta) na
tle nieba

sky·scrap·er [ˈskaɪ skreɪpə(r)] s
drapacz chmur, wieżowiec

sky·wards [ˈskaɪwədz] adv ku nie-
bu, wzwyż

sky·way [ˈskaɪweɪ] s droga powietrzna

slab [slæb] s płyta

slack [slæk] adj wiotki, słaby; o-
spały, leniwy; s zastój, bezczynność; miał węglowy; pl ~s spodnie

slack·en [ˈslækən] vt vi słabnąć,
maleć; popuszczać, rozluźniać;
zwalniać (tempo)

slain zob. slay

slake [sleɪk] vt gasić, lasować

slam

(wapno); gasić (pragnienie); o-
paść, osłabnąć

slam [slæm] *vt vi* trzaskać (np.
drzwiami), zatrzaskiwać (się),
gwałtownie zamykać; *s* trzaśnięcie, trzask; (*w kartach*) szlem

slan·der [ˈslandə(r)] *s* potwarz; *vt*
rzucać oszczerstwa

slan·der·er [ˈslandərə(r)] *s* oszczerca

slan·der·ous [ˈslandərəs] *adj* oszczerczy

slang [slæŋ] *s* slang, żargon

slant [slant] *vi* skośnie padać, być
nachylonym; *vt* nadawać skoś-
ny kierunek, nachylać; *adj* skośny, nachylony; *s* skośny kierunek, skos, nachylenie

slap [slæp] *vt* klepać, uderzać dłonią; ~ **down** położyć z trzaskiem; *s* klaps, uderzenie dłonią;
przen. ~ **in the face** policzek

slap·dash [ˈslæpdæʃ] *adv* niedbale, byle jak; *adj attr* niedbały,
byle jaki; *s* fuszerka, robota
na kolanie; *vt* robić coś na kolanie, fuszerować

slash [slæʃ] *vt* ciąć, smagać, kaleczyć; *s* cięcie, szrama

slash·ing [ˈslæʃɪŋ] *adj* cięty, zjadliwy; okrutny

slat 1. [slæt] *s* deszczułka, listew-
ka

slat 2. [slæt] *vi* trzepotać, łopotać

slate 1. [sleɪt] *vt* pot. besztać, ganić

slate 2. [sleɪt] *s* łupek; dachówka
z łupku; *vt* pokrywać łupkiem

slaugh·ter [ˈslɔtə(r)] *s* rzeź; ubój;
vt zarzynać, mordować

slaugh·ter·house [ˈslɔtə haus] *s* rzeźnia

Slav [slav] *s* Słowianin; *adj* słowiański

slave [sleɪv] *s* niewolnik; *vi* pracować niewolniczo, harować po-
nad siły; *vt* zmuszać do pracy
niewolniczej

slave-driv·er [ˈsleɪv draɪvə(r)] *s*
nadzorca niewolników

slav·er 1. [ˈsleɪvə(r)] *s* handlarz
niewolnikami

slav·er 2. [ˈsleɪvə(r)] *vi* ślinić się;
vt poślinić; *s* ślina

slav·e·ry [ˈsleɪvərɪ] *s* niewolni\
two

Slav·ic [ˈslavɪk] *adj* słowiański

slav·ish [ˈsleɪvɪʃ] *adj* niewoln\
czy

Sla·von·ic [sləˈvonɪk] *adj* słowia\
ski; *s* język słowiański

*slay [sleɪ], **slew** [slu], **slain** [sleɪn\
vt zabijać

sled [sled] *s* sanie, sanki; *vi* jecha\
saniami; saneczkować się; \
przewozić saniami

sledge 1. [sledʒ] = **sled**

sledge 2. [sledʒ], **sledge-hamme\
[ˈsledʒ hæmə(r)] *s* młot kowal\
ski

sleek [slik] *adj* gładki; *vt* gładzi\
łagodzić

*sleep [slip], **slept**, **slept** [slept], \
spać; *s* sen

sleep·er [ˈslipə(r)] *s* człowiek śpią\
cy; wagon sypialny; miejsce sy\
pialne; podkład

sleep·ing-car [ˈslipɪŋ kɑ(r)] *s* wago\
sypialny

sleep·less [ˈslipləs] *adj* bezsenny

sleep-walk·er [ˈslip wɔkə(r)] *s* lu\
natyk

sleep·y [ˈslipɪ] *adj* senny, śpiący
ospały

sleep·y·head [ˈslipɪ hed] *s* śpioch

sleet [slit] *s* deszcz ze śniegiem;
imp it ~**s** pada deszcz ze śnie\
giem

sleeve [sliv] *s* rękaw; *przen.* t\
laugh up one's ~ śmiać się \
kułak

sleigh [sleɪ] *s* sanie, sanki; \
jechać saniami; saneczkować si\

slen·der [ˈslendə(r)] *adj* wysmukły\
szczupły; cienki

slept *zob.* **sleep**

sleuth [sluθ] *s* pies policyjny; de\
tektyw, szpicel

slew *zob.* **slay**

slice [slaɪs] *s* kromka, płat, pła\
tek (np. szynki); *vt* cienko kra\
jać

lick [slɪk] *adj* gładki, zręczny, układny; *adv* gładko; wprost; od razu; całkowicie

* **slide** [slaɪd], **slid**, **slid** [slɪd] *vi* poślizgnąć się, ślizgać się, sunąć; *vt* posuwać, zsuwać; *s* poślizgnięcie się; śliski zjazd; tor saneczkowy; suwak; przeźrocze; szkiełko w mikroskopie; *fot.* slajd

slide-rule [`slaɪd ruːl] *s mat.* suwak logarytmiczny

slight [slaɪt] *adj* nieznaczny, drobny, niegodny uwagi; cienki, szczupły; *s* lekceważenie; *vt* lekceważyć, pogardliwie traktować

slight·ness [`slaɪtnəs] *s* słabość, delikatność; małe znaczenie

slim [slɪm] *adj* cienki, smukły; nieistotny, mało znaczący

slime [slaɪm] *s* muł; *vt* zamulić

slim·y [`slaɪmɪ] *adj* mulisty, grząski; *przen.* płaszczący się, służalczy

* **sling** [slɪŋ], **slung**, **slung** [slʌŋ], [slʌŋ] *vt* rzucać, miotać; zawiesić (np. na ramieniu), zarzucić (na ramię); *s* cios, rzut; rzemień; temblak

* **slink** [slɪŋk], **slunk**, **slunk** [slʌŋk] *vi* skradać się, przekradać się

* **slip** [slɪp] *vi* poślizgnąć się; wśliznąć się, niepostrzeżenie wpaść; przemówić się, zrobić przypadkowy błąd; *vt* niepostrzeżenie wsunąć, ukradkiem włożyć; to let ∼ spuścić, wypuścić (z rąk); to ∼ one's notice ujść czyjejś uwagi; ∼ in wkraść się; ∼ off ześliznąć się; ujść; zrzucić (z siebie ubranie); ∼ out wymknąć się, wyrwać się; ∼ over wciągnąć, naciągnąć (np. koszulę przez głowę); *s* poślizgnięcie się; wykolejenie; błąd, omyłka, lapsus; świstek (papieru), kartka; pasek; kawałek; *pl* ∼s kąpielówki, slipy

slip·per [`slɪpə(r)] *s* pantofel (domowy)

slip·per·y [`slɪpərɪ] *adj* śliski; chwiejny, niestały; nierzetelny

slip·shod [`slɪpʃɒd] *adj* niedbały, nieporządny

* **slit, slit, slit** [slɪt] *vt* rozszczepić (podłużnie), rozłupać, rozpłatać, rozpruć; *vt* rozedrzeć się, pęknąć; *s* szczelina, szpara

slob·ber [`slɒbə(r)] *vt* *vi* ślinić (się); roztkliwiać się; partaczyć; *s* ślina (na ustach); rozczulenie się

slo·gan [`sləʊgən] *s* slogan, hasło

slop 1. [slɒp] *vt* *vi* rozlać (się), przelać (się), przelewać się (przez wierzch), zalać; *s* rozlana ciecz, mokra plama; *pl* ∼s pomyje

slop 2. [slɒp] *s* (*zw pl* ∼s) luźna odzież, chałat; tania konfekcja

slope [sləʊp] *s* pochyłość, nachylenie; zbocze; *vt* *vi* nachylać (się), opadać pochyło, być pochylonym

sloped [sləʊpt] *adj* pochyły, spadzisty

slop·py [`slɒpɪ] *adj* błotnisty; niechlujny, zaniedbany

slop·shop [`slɒpʃɒp] *s* sklep z tanią konfekcją

slop·work [`slɒpwɜːk] *s* wyrób taniej konfekcji, tania konfekcja

slot [slɒt] *s* szczelina, szpara

sloth [sləʊθ] *s* lenistwo, ospałość; *zool.* leniwiec

slot-ma·chine [`slɒt məʃiːn] *s* automat (sprzedający bilety, papierosy itp.)

slouch [slaʊtʃ] *vt* opuścić (np. rondo kapelusza); niedbale zwiesić (np. głowę); *vi* zwisać; chodzić ociężale; *s* zaniedbana powierzchowność; ociężały chód; przygarbienie; *pot.* niedołęga

slough 1. [slaʊ] *s* bagno, trzęsawisko

slough 2. [slʌf] *s* zrzucona skóra (węża); *vt* zrzucać (skórę); *vi* linieć

slov·en [`slʌvn] *s* brudas

slov·en·ly [`slʌvnlɪ] *adj* niechlujny, niedbały

slow [sləʊ] *adj* wolny, powolny; spóźniony, spóźniający się; to be ∼ ociągać się, zwlekać; (*o ze-*

garku) późnić się; *vt vi* (*zw.* ~ **down** ⟨**up, off**⟩) zwalniać, zmniejszać szybkość; *adv* wolno, powoli

slow-worm [ˈsləuwɜːm] *s* zool. padalec

sludge [slʌdʒ] *s* gęste błoto, muł

slug·gard [ˈslʌɡəd] *s* próżniak

slug·gish [ˈslʌɡiʃ] *adj* leniwy, ociężały; ciężko myślący

sluice [sluːs] *s* śluza; *vt* puszczać przez śluzę, zalewać

slum [slʌm] *s* (*zw. pl* ~s) dzielnica ruder

slum·ber [ˈslʌmbə(r)] *vi* drzemać; *s* drzemka

slump [slʌmp] *s* gwałtowny spadek cen, krach; *vi* (*o cenach*) gwałtownie spaść

slung zob. **sling**

slunk zob. **slink**

slur [slɜː(r)] *vt* zacierać, tuszować; oczerniać; niewyraźnie wymawiać; *muz.* grać legato; *s* plama; nagana; oszczerstwo; *muz.* legato

slush [slʌʃ] *s* śnieg z błotem, chlapa

slush·y [ˈslʌʃi] *adj* błotnisty, grząski

slut [slʌt] *s* niechlujna kobieta, flejtuch

sly [slai] *adj* chytry

smack 1. [smæk] *s* przedsmak; posmak; *vt* mieć posmak, trącić (*of sth czymś*)

smack 2. [smæk] *vt* trzaskać (*z bicza*); mlaskać, cmokać; chlastać; *s* trzaśnięcie; cmoknięcie; trzepnięcie

small [smɔːl] *adj* mały, drobny; bardzo młody; nieważny; małostkowy; ~ **change** drobne (pieniądze); ~ **hours** wczesne godziny ranne; ~ **talk** rozmowa o byle czym

small-pox [ˈsmɔːlpoks] *s med.* ospa

smart [smɑːt] *vi* boleć; cierpieć, czuć ból; *s* ostry ból; *adj* bolesny, dotkliwy, ostry, bystry;

sprytny; elegancki, modny

smash [smæʃ] *vt vi* rozbić (się) potłuc, pogruchotać, zniszczyć; *sport* ściąć (piłkę tenisową); *s* gwałtowne uderzenie, rozbicie zniszczenie, katastrofa; *sport* smecz

smat·ter·ing [ˈsmætəriŋ] *s* powierzchowna wiedza

smear [smiə(r)] *vt* smarować, mazać; *s* plama

***smell** [smel], **smelt, smelt** [smelt] *vi* pachnieć (*of sth czymś*); *vt* wąchać, węszyć, wietrzyć; czuć zapach (*sth czegoś*); *s* zapach; węch, powonienie

smell·y [ˈsmeli] *adj pot.* śmierdzący

smelt 1. zob. **smell**

smelt 2. [smelt] *vt* topić, wytapiać (metal)

smile [smail] *s* uśmiech; *vi* uśmiechać się (*on, upon sb do kogoś, at sth do czegoś*); *vt* wyrazić uśmiechem; ~ **away** rozproszyć uśmiechem

smirch [smɜːtʃ] *vt* plamić, brudzić; *s* brudne miejsce, plama

smirk [smɜːk] *vi* uśmiechać się nieszczerze ⟨niemądrze⟩; *s* uśmiech nieszczery ⟨niemądry⟩

***smite** [smait], **smote** [sməut], **smit·ten** [ˈsmitn] *vt* uderzać, walić, porazić; ~ **off** odtrącić, strącić; ściąć (głowę); **to be smitten** doznać wstrząsu, przejąć się (**with sth czymś**); zadurzyć się

smith [smiθ] *s* kowal; *vt* kuć

smith·er·eens [ˈsmiðəˈriːnz] *s pl pot.* kawałeczki, drzazgi, strzępy

smith·y [ˈsmiθi] *s* kuźnia

smit·ten zob. **smite**

smock [smok] *s* chałat, kitel; † koszula damska

smock-frock [ˈsmokfrok] *s* chałat, kitel, ubranie robocze

smog [smog] *s* mgła zmieszana z dymem, smog

smoke [sməuk] *s* dym; kopeć; palenie (papierosa); **to have a** ~ zapalić papierosa ⟨cygaro⟩; *vt vi* dymić, kopcić; palić (tytoń); wędzić

mok·er [ˈsməʊkə(r)] s palacz; *kolej.* przedział dla palących

moke-screen [ˈsməʊk skrin] s zasłona dymna

moke·stack [ˈsməʊk stæk] s komin (fabryczny, lokomotywy)

mok·y [ˈsməʊkɪ] *adj* dymiący, dymny

mooth [smuð] *adj* gładki, równy; *vt* (*także* smoothe) gładzić, wyrównywać

mote *zob.* smite

moth·er [ˈsmʌðə(r)] *vt vi* dusić (się), dławić (się); tłumić; s dławiący dym; chmura dymu ⟨kurzu⟩; *przen.* from the smoke into the ~ z deszczu pod rynnę

moul·der [ˈsməʊldə(r)] *vi* tlić się; s tlący się ogień

mudge 1. [smʌdʒ] *vt* plamić, brudzić; s plama, brudne miejsce

mudge 2. [smʌdʒ] s dławiący dym

mug [smʌg] *adj* dufny, zadowolony z siebie, próżny

mug·gle [ˈsmʌgl] *vt* przemycać; *vi* uprawiać przemyt

mug·gler [ˈsmʌglə(r)] s przemytnik

mut [smʌt] s sadza; brud, plama; *vt* zanieczyścić ⟨zabrudzić⟩ sadzą

smut·ty [ˈsmʌtɪ] *adj* zabrudzony ⟨poplamiony⟩ sadzą

snack [snæk] s zakąska, przekąska; ~ bar bufet; to have a ~ przekąsić

snaf·fle [ˈsnæfl] s uzda; *vt* nałożyć uzdę; *pot.* porwać, zwędzić

snag [snæg] s pieniek; przeszkoda, zapora

snag·gy [ˈsnægɪ] *adj* sękaty

snail [sneɪl] s *zool.* ślimak

snake [sneɪk] s *zool.* wąż

snap [snæp] *vt vi* chwycić, porwać; trzasnąć, uderzyć; zatrzasnąć się; *fot.* zrobić migawkowe zdjęcie; rozerwać (się), rozłupać (się); ugryźć; ~ off odgryźć; nagle oderwać; przerwać; s trzaśnięcie; porwanie; zatrzask; *fot.* zdjęcie migawkowe; *adj* nagły,

niespodziewany; zaskakujący

snap-fas·ten·er [ˈsnæp fasnə(r)] s zatrzask (do ubrania)

snap-lock [ˈsnæp lok] s zatrzask (u drzwi)

snap·py [ˈsnæpɪ] *adj* zgryźliwy, zjadliwy; żywy, energiczny

snap-roll [ˈsnæp rəʊl] s *lotn.* beczka

snap·shot [ˈsnæpʃot] s *fot.* zdjęcie migawkowe

snare [sneə(r)] s pułapka, sidła; *vt* złapać w sidła, usidlić

snarl 1. [snal] *vi* warczeć; s warczenie

snarl 2. [snal] s węzeł; plątanina; *vt* zaplątać, zagmatwać

snatch [snætʃ] *vt* porwać, urwać; *vi* chwytać się (at sth czegoś); s szybki chwyt; kęs; urywek

sneak [snik] *vi* wkradać się; *pot.* skarżyć (on sb na kogoś); s nikczemnik; *pot.* donosiciel, skarżypyta

sneer [snɪə(r)] *vi* szyderczo się śmiać (at sb, sth z kogoś, czegoś); s szyderczy uśmiech

sneer·ing·ly [ˈsnɪərɪŋlɪ] *adv* szyderczo

sneeze [sniz] *vi* kichać; s kichnięcie

snick·er [ˈsnɪkə(r)] = snigger

sniff [snɪf] *vt* wąchać, węszyć; *vi* pociągać nosem

snif·fle [ˈsnɪfl] *vi* = snuffle

snif·fy [ˈsnɪfɪ] *adj* *pot.* pogardliwy; śmierdzący

snig·ger [ˈsnɪgə(r)] *vi* chichotać; s chichot

snip [snɪp] *vt* ciąć nożycami; s cięcie; skrawek; *pot.* okazja

snipe¹ [snaɪp] s (*pl* ~) *zool.* bekas

snipe² [snaɪp] *vi* strzelać z ukrycia ⟨z dalekiej odległości⟩ (at sb, sth do kogoś, czegoś)

snip·er [ˈsnaɪpə(r)] s strzelec wyborowy, snajper

sniv·el [ˈsnɪvl] *vi* pociągać nosem; biadolić; pochlipywać; s pochlipywanie

snob [snob] s snob

snob·ber·y [`snobərɪ] s snobizm

snooze [snuz] s pot. drzemkᵃ; vi pot. drzemać; zdrzemnąć się

snore [snɔ(r)] vi chrapać; s chrapanie

snort [snɔt] vi parskać, sapać

snout [snaut] s pysk; techn. wlot, dysza

snow [snəu] s śnieg; vi (o śniegu) padać; vt przysypać śniegiem

snow·ball [`snəubɔl] s kula śniegowa; to play at ~s bawić się w śnieżki

snow·drop [`snəudrɔp] s bot. śnieżyczka; przebiśnieg

snow·flake [`snəufleɪk] s płatek śniegu

snow·man [`snəumæn] s bałwan śniegowy

snow·slide [`snəu slaɪd] s lawina śnieżna

snow·storm [`snəu stɔm] s burza śnieżna; zadymka

snow·y [`snəuɪ] adj śnieżny, śnieżysty

snub [snʌb] vt zrobić afront, pot. dać po nosie; s ofuknięcie; afront

snub·nose [`snʌb `nəuz] s perkaty nos

snuff [snʌf] vt vi pociągać nosem, wąchać; zażywać tabaki; s tabaka, szczypta tabaki

snuff·box [`snʌf boks] s tabakiera

snuf·fle [`snʌfl] vi ciężko oddychać (przez nos), sapać; mówić przez nos

snug [snʌg] adj miły, wygodny; przytulny; (o ubraniu) przylegający; vt vi tulić (się), wygodnie ułożyć (się)

so [səu] adv tak, w ten sposób; so as to ażeby, żeby; so far dotąd, na razie; so far as o ile; so long as jak długo; o ile; so much for that dość tego; so much more tym więcej; so much the better o tyle lepiej; not so much nie tak wiele; ani nawet; he would not so much as talk to me on nawet mówić ze mną nie chciał; zastępuje wyrażoną

poprzednio myśl: he is honest but his partner is not so on jest uczciwy, ale jego wspólnik nie jest (uczciwy); or so mniej więcej; 5 pounds or so mniej więcej 5 funtów; so so tak sobie; so and so taki a taki ten a ten; so to say że tak powiem; so long! tymczasem!; do widzenia!; just ⟨quite⟩ so! tak właśnie!, racja!; conj więc, a więc; she asked me to go, so I went prosiła żebym poszedł, więc poszedłem

soak [səuk] vt zmoczyć, zamoczyć przemoczyć, namoczyć; vi zamoknąć, nasiąknąć wilgocią; pot. chlać; to get a nice ~ing przemoknąć do nitki

soap [səup] s mydło; vt vi namydlić, mydlić (się)

soap·y [`səupɪ] adj mydlany

soar [sɔ(r)] vi unosić się, wzbijać się, ulatać

sob [sob] vi łkać, szlochać; s szloch

so·ber [`səubə(r)] adj trzeźwy; trzeźwo myślący, rozumny; as ~ as a judge zupełnie trzeźwy; śmiertelnie poważny; vt otrzeźwić; vi wytrzeźwieć; ~ down opamiętać się

so·bri·e·ty [sə`braɪətɪ] s trzeźwość, rozsądek

soc·cer [`sokə(r)] s pot. sport piłka nożna

so·cia·ble [`səuʃəbl] adj towarzyski; przyjacielski, miły

so·cial [`səuʃl] adj socjalny, społeczny; towarzyski; ~ welfare worker społecznik, działacz społeczny; ~ security ubezpieczenia społeczne

so·cial·ism [`səuʃlɪzm] s socjalizm

so·cial·ist [`səuʃlɪst] adj socjalistyczny; s socjalista

so·cial·is·tic [`səuʃə`lɪstɪk] adj socjalistyczny

so·cial·ize [`səuʃlaɪz] vt socjalizować, uspołeczniać

so·ci·e·ty [sə`saɪətɪ] s społeczeństwo; towarzystwo]

so·ci·o·log·i·cal [‚səʊsɪə`lɒdʒɪkl] *adj* socjologiczny

so·ci·ol·o·gist [‚səʊsɪ`ɒlədʒɪst] *s* socjolog

so·ci·ol·o·gy [‚səʊsɪ`ɒlədʒɪ] *s* socjologia

sock [sɒk] *s* skarpetka; *przen.* to pull up one's ~s wziąć się w garść

sock·et [`sɒkɪt] *s* wgłębienie, jama; *techn.* gniazdko; oprawka

sod [sɒd] *s* darnina, gruda darniny

so·da [`səʊdə] *s* soda; ~ water woda sodowa

so·di·um [`səʊdɪəm] *s chem.* sód

so·fa [`səʊfə] *s* sofa

soft [sɒft] *adj* miękki, łagodny, przyjemny, delikatny; cichy; ~ drink napój bezalkoholowy

soft-boiled [`sɒft `bɔɪld] *adj (o jajku)* ugotowany na miękko

soft·en [`sɒfn] *vt* zmiękczyć, złagodzić; *vi* mięknąć, łagodnieć

sog·gy [`sɒgɪ] *adj* rozmokły, mokry

soil 1. [sɔɪl] *s* gleba, ziemia

soil 2. [sɔɪl] *vt vi* plamić (się), brudzić (się); *s* plama, brud

so·journ [`sɒdʒən] *s* pobyt; *vi* przebywać

so·lace [`sɒlɪs] *vt* pocieszać; *s* pocieszenie, pociecha

so·lar [`səʊlə(r)] *adj* słoneczny

sold zob. **sell**

sol·der [`sɒldə(r)] *vt* lutować, spawać; *s* lut

sol·der·ing-iron [`sɒldrɪŋ aɪən] *s* kolba lutownicza

sol·dier [`səʊldʒə(r)] *s* żołnierz; *vi* służyć w wojsku, być żołnierzem

sole 1. [səʊl] *s* podeszwa, zelówka; *vt* zelować

sole 2. [səʊl] *adj* jedyny, wyłączny

sole 3. [səʊl] *s zool.* sola (ryba)

so·le·cism [`sɒlɪsɪzm] *s* błąd językowy

sol·emn [`sɒləm] *adj* uroczysty

so·lem·ni·ty [sə`lemnətɪ] *s* uroczystość

sol·em·nize [`sɒləmnaɪz] *vt* święcić, uroczyście obchodzić

so·lic·it [sə`lɪsɪt] *vt* ubiegać się (sth o coś), usilnie prosić (sb for sth, sth from sb kogoś o coś)

so·lic·i·ta·tion [sə`lɪsɪ`teɪʃn] *s* molestowanie, nagabywanie, staranie, zabiegi

so·lic·i·tor [sə`lɪsɪtə(r)] *s* adwokat (występujący w niższych instancjach); *am. handl.* akwizytor; *bryt.* Solicitor General zastępca rzecznika Korony (najwyższy radca prawny)

so·lic·i·tous [sə`lɪsɪtəs] *adj* troskliwy; zatroskany (about, for sth o coś); chcący, pragnący (of sth czegoś)

so·lic·i·tude [sə`lɪsɪtjuːd] *s* troska, troskliwość

sol·id [`sɒlɪd] *adj* solidny; masywny; stały, trwały; poważny; pewny; *mat.* trójwymiarowy; ~ geometry stereometria; *s* ciało stałe; *mat.* bryła

sol·i·dar·i·ty [‚sɒlɪ`dærətɪ] *s* solidarność

so·lid·i·ty [sə`lɪdətɪ] *s* solidność, masywność, trwałość

so·lil·o·quy [sə`lɪləkwɪ] *s* monolog

sol·i·tar·y [`sɒlɪtrɪ] *adj* samotny; *s* samotnik

sol·i·tude [`sɒlɪtjuːd] *s* samotność

sol·stice [`sɒlstɪs] *s* przesilenie dnia z nocą

so·lu·ble [`sɒljʊbl] *adj* rozpuszczalny

so·lu·tion [sə`luːʃn] *s* rozwiązanie (np. problemu); rozłączenie; przerwanie; rozpuszczenie; *chem.* roztwór

solve [sɒlv] *vt* rozwiązać

sol·ven·cy [`sɒlvənsɪ] *s* wypłacalność

sol·vent [`sɒlvənt] *adj chem.* rozpuszczający; *handl.* wypłacalny; *s chem.* rozpuszczalnik

som·bre [`sɒmbə(r)] *adj* ciemny; ponury

some [sʌm] *adj pron* pewien, jakiś, niejaki; trochę, nieco, kilka; część; *adv* około, mniej więcej

some·bod·y [`sʌmbədɪ] *pron* ktoś

some·way [`sʌmweɪ] *adv* jakoś

some·one [`sʌmwʌn] *pron* ktoś

som·er·sault [`sʌməsɔlt] *s* koziołek; **to turn a ~** przekoziołkować, wywrócić koziołka

some·thing [`sʌmθɪŋ] *pron* coś; *adv* trochę, nieco; *(także* ~ **like)** mniej więcej

some·time [`sʌmtaɪm] *adv* niegdyś, kiedyś; *adj attr* były

some·times [`sʌmtaɪmz] *adv* czasem, niekiedy

some·way [`sʌmweɪ] *adv* jakoś

some·what [`sʌmwot] *adv* nieco, poniekąd

some·where [`sʌmweə(r)] *adv* gdzieś; ~ **else** gdzieś indziej

son [sʌn] *s* syn

song [soŋ] *s* śpiew; pieśń

song·ster [`soŋstə(r)] *s* śpiewak

son-in-law [`sʌn ɪn lɔ] *s* zięć

son·net [`sonɪt] *s* sonet

son·ny [`sʌnɪ] *s* synek

so·no·rous [sə`nɔrəs] *adj* dźwięczny, donośny

soon [sun] *adv* wkrótce; wcześnie; szybko; **as ~ as** skoro tylko; **as ~ as possible** możliwie najwcześniej; **as ~ chętnie; I would as ~ ... chętnie bym ...; ~er** chętniej; **I would ~er ... chętniej ⟨raczej⟩ bym ...; no ~er than** natychmiast potem jak, ledwo

soot [sut] *s* sadza; *vt* zabrudzić sadzą

sooth [suθ] *s lit.* prawda; **in (good) ~** naprawdę

soothe [suð] *vt* łagodzić, koić; pochlebiać

sooth·say·er [`suθ seɪə(r)] *s* wróżbita

sop [sop] *s* maczanka; *przen.* łapówka; *vt* maczać, rozmoczyć; *vi* być przemoczonym; ~ **up** zbierać ⟨wycierać⟩ płyn (np. gąbką)

so·phis·ti·cate [sə`fɪstɪkeɪt] *vt* używać sofizmatów; *vt* przekręcać

(np. tekst); fałszować

so·phis·ti·cat·ed [sə`fɪstɪkeɪtɪd] *ad* wyszukany, wymyślny, przemąd rzały, wyrafinowany

soph·ist·ry [`sofɪstrɪ] *s* sofistyka

so·po·rif·ic [/sopə`rɪfɪk] *adj* nasen ny; *s* środek nasenny

sorb [sob] *s bot.* jarzębina

sor·cer·er [`sosərə(r)] *s* czarodziej czarnoksiężnik

sor·cer·y [`sosorɪ] *s* czarnoksięst wo

sor·did [`sodɪd] *adj* brudny; podły skąpy

sor·dine [so`din] *s muz.* tłumik

sore [so(r)] *adj* bolesny, wrażliwy rozdrażniony, zmartwiony; draż liwy; **he has a ~ throat** ⟨head boli go gardło ⟨głowa⟩; *s* bolesn miejsce, otarcie, rana; *przen.* bo lesne ⟨przykre⟩ wspomnienie

sor·rel [`sorl] *s bot.* szczaw

sor·row [`sorou] *s* smutek; *vi* smu cić się (at ⟨for, over⟩ sth czymś

sor·row·ful [`sorəufl] *adj* smutny żałosny

sor·ry [`sorɪ] *adj* smutny; zmart wiony; **to be ~** żałować (for sb sth kogoś, czegoś); **to be ~** mart wić się (about sth czymś); **(I am ~** przykro mi, przepraszam; **am ~** for you żal mi ciebie; **am ~** to tell you that ... z przy krością muszę ci powiedzieć, że ...

sort [sot] *s* rodzaj, jakość, gatunek **in a ~** w pewnej mierze, w pe wnym sensie; **nothing of the ~** nic podobnego; **of all ~s** wszel kiego rodzaju; **out of ~s** w złym nastroju; *pot.* ~ **of** coś w tyn rodzaju, jakiś tam; **what ~ o ...?** jaki to ...?; **he is the right ~** to jest odpowiedni człowiek; *v* sortować; *vi* zgadzać się; **to sto sowanym (with sth do czegoś)

sor·tie [`sotɪ] *s wojsk.* wypad; *lotn* lot bojowy

so-so [`səu səu] *adj* taki sobie; *adv* tak sobie, jako tako

sot [sot] *s* pijaczyna; *vi* pić nało gowo

ot·tish [`sotɪʃ] adj ogłupiony alkoholem, głupi

ought zob. seek

oul [səul] s dusza; poor ~ biedaczysko; All Souls' Day Zaduszki; heart and ~ całą duszą; in my ~ of ~s w głębi duszy; to keep body and ~ together żyć jako tako, wegetować

ound 1. [saund] adj zdrowy; cały; tęgi; rozsądny; solidny; słuszny; adv zdrowo; mocno

ound 2. [saund] s dźwięk; vt vi dźwięczeć, wydawać dźwięki, brzmieć, dzwonić, wydzwaniać; głośno ogłaszać; dawać sygnał (sth do czegoś); zagrać (the horn na rogu)

ound 3. [saund] s geogr. cieśnina

ound 4. [saund] s med. mors. sonda; vt sondować

ound-box [`saund boks] s głowica (gramofonu)

ound-film [`saund fɪlm] s film dźwiękowy

ound-head·ed [`saund hedɪd] adj rozsądny

oup [sup] s zupa

our [`sauə(r)] adj kwaśny; zgorzkniały; cierpki; ~ milk zsiadłe mleko; vt kwasić; rozgoryczać; psuć humor; vi kwaśnieć

ource [sɔs] s dosł. i przen. źródło; pochodzenie

our·dine [suə`din] s muz. tłumik, surdyna

ouse [saus] s peklowane mięso, marynata; zanurzenie; vt peklować; zanurzać, moczyć; vi zanurzać się, moknąć; pot. upijać się

outh [sauθ] s geogr. południe; adj południowy; adv na południe

outh·er·ly [`sʌðəlɪ] adj zwrócony ku południowi, południowy

outh·ern [`sʌðən] adj południowy

south·ward [`sauθwəd] adj zwrócony ku południowi; adv = southwards

outh-wards [`sauθwədz] adv ku południowi

sou·ve·nir [`suvə`nɪə(r)] s pamiątka

sov·er·eign [`sovrɪn] s suweren; monarcha; złoty funt angielski; adj suwerenny, zwierzchni, najwyższy

sov·er·eign·ty [`sovrəntɪ] s suwerenność

So·vi·et [`səuviət] s rada; obywatel radziecki; adj radziecki; the Union of ~ Socialist Republics Związek Socjalistycznych Republik Rad; the ~ Union Związek Radziecki

*sow 1. [səu], sowed [səud], sown [səun] vt siać, zasiewać

sow 2. [sau] s zool. locha, maciora

sow·er [`səuə(r)] s siewca

sow·ing-ma·chine [`səuɪŋ mə`ʃin] s siewnik

sox [soks] s pl handl. skarpety, skarpetki

spa [spa] s zdrojowisko, miejscowość uzdrowiskowa (ze zdrojem)

space [speɪs] s przestrzeń, obszar; okres czasu; druk. spacja, odstęp; outer ~ przestrzeń kosmiczna; vt rozstawiać; druk. (także ~ out) spacjować

space-ship [`speɪʃʃɪp], space-craft [`speɪs kraʃt] s statek kosmiczny

spa·cious [`speɪʃəs] adj obszerny

spade [speɪd] s łopata; pl ~s piki (w kartach); to call a ~ a ~ nazwać rzecz po imieniu; vt kopać łopatą

spall [spɔl] s odłamek; vt vi odłamać (się), rozbić (się)

span [spæn] s piędź; rozpiętość; przęsło; okres; zasięg; zaprzęg; vt vi sięgać, pokrywać, obejmować; rozciągać się; łączyć brzegi (mostem); mierzyć (odległość)

span·gle [`spæŋgl] s błyskotka; vt pokryć błyskotkami

Span·iard [`spænɪəd] s Hiszpan

span·iel [`spænɪəl] s zool. spaniel

Span·ish [`spænɪʃ] adj hiszpański; s język hiszpański

spank [spæŋk] s uderzenie dłonią,
klaps; vt dać klapsa; popędzać

span·ner [`spænə(r)] s techn. klucz
do nakrętek

spar 1. [spɑ(r)] s mors. drąg, część
omasztowania

spar 2. [spɑ(r)] vi kłócić się, bić
się; sport boksować się, ćwiczyć
boks; s kłótnia; sport mecz spar-
ringowy

spar 3. [spɑ(r)] miner. szpat

spare [speə(r)] vt oszczędzić, zaoszczędzić, skąpić; mieć na zby-
ciu; móc obejść się; odstąpić;
użyczyć; łagodnie traktować;
enough and to ~ w nadmiarze;
aż zanadto; I have some bread to
~ mam (zostało mi) trochę chleba; I have no time to ~ nie mam
ani chwili wolnego czasu; vi o-
szczędnie żyć, robić oszczędności;
adj szczupły, skąpy, zbywający;
zapasowy; ~ cash wolna gotówka; ~ parts części zapasowe (za-
mienne); ~ time wolny czas; s
część zapasowa (zamienna)

spar·ing [`speərɪŋ] adj oszczędny,
wstrzemięźliwy

spark [spɑk] s iskra; odrobina;
przen. żywość, witalność; inteligencja; ślad; modniś, elegant;
lekkoduch; vt krzesać iskry; vi
iskrzyć (się)

spark·ing-plug [`spɑkɪŋ plʌg] s
techn. świeca (zapłonowa)

spar·kle [`spɑkl] vi iskrzyć się; s
iskrzenie się, migotanie

spark·ling [`spɑklɪŋ] adj (o winie)
musujący

spark-plug [`spɑk plʌg] s = spark-
ing-plug

spar·ring [`spɑrɪŋ] s sport spar-
ring

spar·row [`spærəu] s wróbel

sparse [spɑs] adj rzadki; rzadko
rosnący; rozsypany, rozsiany

spasm [`spæzm] s spazm, skurcz

spas·mod·ic [spæz`mɒdɪk] adj spa-
zmatyczny

spat 1. zob. spit

spat 2. [spæt] s (zw pl ~s) getry pl

spate [speɪt] s zalew, powódź, ulewa

spa·tial [`speɪʃl] adj przestrzenn

spat·ter [`spætə(r)] vt vi bryzgać
chlapać

spawn [spɔn] s ikra; pog. nasienie; vt vi składać ikrę; przen
mnożyć się

***speak** [spik, **spoke** [spəuk], **spo-
ken** [`spəukn] vt vi mówić (abou
⟨of⟩ sb, sth o kimś, o czymś); roz
mawiać; przemawiać; świadczyć
dowodzić; ~ for sb wstawić si
⟨przemawiać⟩ za kimś; ~ ou
głośno powiedzieć; otwarcie wy
powiedzieć się; ~ up głośno po
wiedzieć; ~ one's mind powie
dzieć, co się ma na myśli; no
thing to ~ of nic ważnego ⟨szcze
gólnego⟩, nic godnego wzmiank

speak·er [`spikə(r)] s mówiący
mówca; głośnik (radiowy)
Speaker przewodniczący Izb;
Gmin ⟨am. Reprezentantów⟩

speak·ing [`spikɪŋ] p praes ad;
mówiący; wiele mówiący, pełen
znaczenia; a ~ likeness uderza
jące podobieństwo; to be on ~
terms with sb znać się na tyle
aby z kimś rozmawiać

spear [spɪə(r)] s dzida, włócznia
harpun; vt przebić dzidą; złowić
harpunem

spear·head [`spɪə hed] s ostrze
włóczni; wojsk. czołówka

spe·cial [`speʃl] adj specjalny.
szczególny, osobliwy; nadzwyczajny

spe·cial·ist [`speʃɪst] s specjalista

spe·ci·al·i·ty [ˏspeʃɪ`ælətɪ] s spe-
cjalność; szczególny wypadek·

spe·cial·ize [`speʃlaɪz] vt vi spe-
cjalizować (się); przeznaczyć,
przystosować

spe·cie [`spiʃɪ] s bilon, moneta

spe·cies [`spiʃiz] s (pl ~) rodzaj;
biol. gatunek; the origin of ~
pochodzenie gatunków

spe·cif·ic [spə`sɪfɪk] adj swoisty;
ściśle określony; charakterystyczny; gatunkowy

pec·i·fi·ca·tion [ˈspesifiˈkeiʃn] s specyfikacja, wyszczególnienie; dokładny opis

pec·i·fy [ˈspesifai] vt specyfikować, wyszczególniać; dokładnie określać, precyzować

pec·i·men [ˈspesimən] s wzór, o-kaz; próbka; pot. dziwak

pe·cious [ˈspiʃəs] adj łudzący, pozornie prawdziwy, na pozór słuszny

peck 1. [spek] s plamka; kruszynka, odrobina; vt pstrzyć, pokrywać plamkami

peck 2. [spek] s am. słonina; tłuszcz (wielaryby)

peck·le [ˈspekl] s plamka; vt znaczyć plamkami, pstrzyć

pec·ta·cle [ˈspektəkl] s dosł. i przen. widowisko; niezwykły widok; pl ~s (także a pair of ~s) okulary

pec·ta·tor [spekˈteitə(r)] s widz

pec·tral [ˈspektrəl] adj widmowy; fiz. spektralny

pec·tre [ˈspektə(r)] s widmo, zjawa

pec·trum [ˈspektrəm] s (pl spectra [ˈspektrə]) s fiz. widmo

pec·u·late [ˈspekjuleit] vi spekulować (in sth czymś); rozważać (on, upon sth coś)

pec·u·la·tion [ˈspekjuˈleiʃn] s rozważanie; spekulacja

pec·u·la·tive [ˈspekjulətiv] adj teoretyczny; badawczy; spekulacyjny

pec·u·la·tor [ˈspekjuleitə(r)] s spekulant

ped zob. speed

peech [spiːtʃ] s mowa; przemówienie; to deliver ⟨to make⟩ a ~ wygłosić mowę

peech·less [ˈspiːtʃləs] adj milczący

speed [spiːd], sped, sped [sped] vi śpieszyć się, pospieszać; vt żegnać, życzyć powodzenia; ~ up przyspieszać; s pośpiech, szybkość

speed·y [ˈspiːdi] adj pospieszny, szybki

spell 1. [spel] s urok, czar

spell 2. [spel] s okres czasu; krótki okres; a cold ~ okres zimna; vt zastąpić ⟨zmienić⟩ (w pracy)

* spell 3. [spel], spelt, spelt [spelt] vt sylabizować, literować, podawać (pisownię) litera po literze; przen. znaczyć, oznaczać

spell·bound [ˈspelbaund] adj oczarowany, urzeczony

spell·ing [ˈspeliŋ] s pisownia; ortografia

spelt zob. spell 3.

* spend [spend], spent, spent [spent] vt wydawać (pieniądze), trwonić; wyczerpywać; spędzać (czas)

spend·thrift [ˈspendθrift] s rozrzutnik, marnotrawca

spent zob. spend

sphere [ˈsfiə(r)] s (także astr.) kula; sfera, zakres

spherical [ˈsferikl] adj sferyczny, kulisty

spice [spais] s zbior. korzenie; przyprawa; pikanteria; vt przyprawiać (korzeniami)

spick [spik] adj tylko w zwrocie: ~ and span nowiuteńki, czyściutki

spic·y [ˈspaisi] adj pieprzny; pikantny

spi·der [ˈspaidə(r)] s zool. pająk

spike [spaik] s długi gwóźdź, żelazny kolec; vt przymocować ⟨zabić⟩ gwoździami

spile [spail] s szpunt, kołek

* spill [spil], spilt, spilt [spilt] vt vi rozlewać (się), rozsypywać (się), wysypywać (się)

* spin [spin], spun, spun [spʌn] vt vi prząść; kręcić (się), wiercić (się), wprawiać w ruch obrotowy, wirować; lotn. opadać korkociągiem; ~ along toczyć się; mknąć; ~ out rozciągać; spędzać (czas); s kręcenie się, ruch obrotowy; lotn. korkociąg

spin·ach [ˈspinidʒ] s szpinak

spi·nal [ˈspainl] adj krzyżowy, pacierzowy; ~ column kręgosłup

spin·dle [`spɪndl] s wrzeciono

spine [spaɪn] s *anat.* kręgosłup; grzbiet (np. książki)

spin·ner [`spɪnə(r)] s przędzarz, prządka

spin·ster [`spɪnstə(r)] s stara panna

spin·y [`spaɪnɪ] *adj* kolczasty

spi·ral [`spaɪərl] *adj* spiralny; s spirala

spire [`spaɪə(r)] s wieża spiczasta, iglica

spir·it [`spɪrɪt] s duch; charakter; męstwo; zapał, energia; spirytus; *pl* ∼s nastrój; napoje alkoholowe; *animal* ∼s zapał, radość życia; *in high ⟨in low⟩* ∼s w doskonałym ⟨w złym⟩ nastroju; *vt* dodać otuchy

spir·it·ed [`spɪrɪtɪd] *adj* pełen polotu ⟨zapału⟩, ożywiony

spir·i·tu·al [`spɪrɪtʃuəl] *adj* duchowy; duchowny; s *(także* **Negro** ∼*)* religijna pieśń murzyńska

spir·i·tu·al·ism [`spɪrɪtʃulɪzm] s spirytualizm; spirytyzm

spit 1. [spɪt] s rożen; *geogr.* cypel

***spit 2.** [spɪt], spat, spat [spæt] *vt vi* pluć; *pot.* ∼ it out! mów!, gadaj!; s plucie; plwocina

spite [spaɪt] s złość, gniew; *in* ∼ *of* sth pomimo czegoś; na złość ⟨na przekór⟩ czemuś; *vt* gniewać, drażnić, robić na złość

spite·ful [`spaɪtfl] *adj* złośliwy, pełen złości

spit·fire [`spɪtfaɪə(r)] s człowiek porywczy, raptus; *lotn.* typ myśliwca

spit·tle [`spɪtl] s plwocina

spit·toon [spɪ`tun] s spluwaczka

spiv [spɪv] s *pot.* niebieski ptak, spekulant (na czarnym rynku)

splash [splæʃ] *vt vi* bryzgać, pluskać (się), chlapać (się); s bryzganie, plusk; szum, sensacja; *to make a* ∼ wzbudzić sensację

spleen [splin] s *anat.* śledziona; *przen.* zły humor, chandra; zgryźliwość

splen·did [`splendɪd] *adj* wspaniały, doskonały

splen·dour [`splendə(r)] s wspaniałość, splendor

splice [splaɪs] *vt* splatać, łączyć; *pot.* kojarzyć (pary)

splint [splɪnt] s drzazga; łyko; deszczułka; *med.* szyna

splin·ter [`splɪntə(r)] s drzazga, odłamek; *vt vi* rozszczepić (się), rozłupać (się)

* **split** [splɪt], split, split [splɪt] *vt vi* rozszczepić (się), rozłupać (się), rozerwać (się), rozbić (się) przepołowić; ∼ open rozewrzeć (się); pęknąć; s rozłam, rozcięcie; *pl* ∼s szpagat (w tańcu, gimnastyce akrobatycznej)

splut·ter [`splʌtə(r)] s = sputter

* **spoil** [spɔɪl], spoilt, spoilt [spɔɪlt] *vt* psuć, niszczyć, unicestwiać psuć ⟨rozpieszczać⟩ (dziecko itp.) rabować; *vi* psuć się, niszczeć s *(zw. pl* ∼s) łupy wojenne, trofea; zdobycz

spoil·age [`spɔɪlɪdʒ] s *zbior.* odpadki; makulatura

spoilt zob. **spoil**

spoke 1. zob. **speak**

spoke 2. [spəuk] s szprycha; szczebel; drąg (do hamowania)

spo·ken zob. **speak**

spokes·man [`spəuksmən] s rzecznik

spo·li·ate [`spəulɪeɪt] *vt* rabować

sponge [spʌndʒ] s gąbka; pasożyt darmozjad; *vt* myć gąbką; wchłaniać; *vi* pasożytować (on sb na kimś), wyłudzać (on sb for sth coś od kogoś)

spon·sor [`sponsə(r)] s poręczyciel ojciec chrzestny, matka chrzestna; *handl.* opłacający reklamę (np. radiową)

spon·ta·ne·ous [spon`teɪnɪəs] *adj* spontaniczny, samorzutny; ∼ combustion samozapalenie się

spool [spul] s szpulka; *vt* nawijać

spoon [spun] s łyżka; *vt* czerpać łyżką

spoon·ful [`spunfl] s zawartość łyżki, pełna łyżka (czegoś)

spo·rad·ic [spə`rædɪk] *adj* sporadyczny

port [spɔt] s sport; żart; pot. porządny chłop; pl ~s zawody lekkoatletyczne; athletic ~s lekkoatletyka; in ⟨for⟩ ~ w żarcie, dla żartu; to make ~ żartować sobie, zabawiać się (of sb, sth kimś, czymś); vt wystawiać na pokaz, popisywać się (sth czymś); vi uprawiać sport; bawić się, żartować (with sb, sth z kogoś, czegoś)

port·ive [ˈspɔtɪv] adj wesoły, zabawny; sportowy

ports·man [ˈspɔtsmən] s sportowiec

pot [spɔt] s miejsce; plama; kropka; krosta; handl. ~ cash zapłata gotówką; on the ~ na miejscu; od razu; attr natychmiastowy, na miejscu; vt nakrapiać, pstrzyć; plamić; rozpoznać, wykryć; plamić się

pot·less [ˈspɔtləs] adj nieskazitelny, nienaganny

pot·ted [ˈspɔtɪd] adj nakrapiany, pstry; poplamiony

pouse [spauz] s małżonek, małżonka

pout [spaut] vt vi trysnąć, wyrzucić z siebie; wypowiedzieć; s dziobek (np. imbryka); kurek; otwór wylotowy; strumień (np. wody)

prain [spreɪn] vt zwichnąć; s zwichnięcie

prang zob. **spring**

prat [spræt] s zool. szprot, szprotka

prawl [sprɔl] vi wyciągać się, rozwalać się, leżeć jak długi; rozprzestrzeniać się, rozrastać się; s rozwalanie się

spray 1. [spreɪ] s gałązka

spray 2. [spreɪ] s pył wodny; rozpylacz; vt vi rozpylać (się), opryskiwać

* **spread** [spred], **spread**, **spread** [spred] vt vi rozpościerać (się), rozprzestrzeniać (się); rozkładać (się), rozwijać (się); rozpowszechniać (się); powlekać; roz-

lewać (się); s rozprzestrzenienie, przestrzeń; rozłożenie; rozłożystość; rozpiętość; rozstęp; rozpowszechnienie; pot. uczta

spree [spriː] s wesoła zabawa, hulanka; vi bawić się, hulać

sprig [sprɪg] s gałązka; latorośl; pot. młodzieniaszek

spright·ly [ˈspraɪtlɪ] adj żywy, wesoły

* **spring** [sprɪŋ], **sprang** [spræŋ], **sprung** [sprʌŋ] vi skakać, podskakiwać; tryskać, buchać; wyrastać; pochodzić; pękać, rozpadać się; vt spowodować pęknięcie, rozbić; płoszyć; zaskoczyć; wysadzić w powietrze; ~ up podskakiwać; wyrastać; wypływać; ukazywać się; s skok; wiosna; źródło; sprężyna; elastyczność; pęknięcie; pl ~s resory, resorowanie

spring-board [ˈsprɪŋ bɔd] s trampolina; przen. odskocznia

sprin·kle [ˈsprɪŋkl] vt vi pryskać, spryskiwać; s kropienie, spryskiwanie; szczypta; drobny deszcz

sprin·kling [ˈsprɪŋklɪŋ] s drobna ilość, szczypta

sprint [sprɪnt] s sport sprint; vi sprintować

sprint·er [ˈsprɪntə(r)] s sprinter

sprite [spraɪt] s chochlik

sprout [spraut] s kiełek, pęd; vi kiełkować, puszczać pędy

spruce 1. [spruːs] adj schludny; elegancki

spruce 2. [spruːs] s bot. świerk

sprung zob. **spring**

spry [spraɪ] adj żywy, żwawy

spun zob. **spin**

spur [spɜ(r)] s ostroga; odnoga (górska); przen. podnieta; vt spinać ostrogami; przen. popędzać, podniecać

spu·ri·ous [ˈspjʊərɪəs] adj nieautentyczny, podrobiony

spurn [spɜn] vt odepchnąć, odtrącić; pogardliwie traktować; s odepchnięcie, odtrącenie; pogardliwe traktowanie

spurt [spɜt] *vt vi* tryskać; *s* wytrysk; zryw

sput·ter [`spʌtə(r)] *vi* bryzgać śliną (przy mówieniu); *vt* mówić bełkocąc

spy [spaɪ] *s* szpieg; *vi* szpiegować (**on, upon sb** kogoś); dokładnie badać (**into sth** coś); *vt* dostrzegać

spy·glass [`spaɪ glas] *s* luneta, mały teleskop

squab·ble [`skwobl] *s* sprzeczka; *vi* sprzeczać się

squad [skwod] *s* wojsk. oddział; grupa, brygada (robocza); firing ~ pluton egzekucyjny

squad·ron [`skwodrən] *s* wojsk. szwadron; lotn. mors. eskadra

squal·id [`skwolɪd] *adj* brudny; nędzny

squall 1. [skwɔl] *s* mors. szkwał

squall 2. [skwɔl] *s* wrzask; *vt vi* wrzeszczeć, wykrzykiwać

squal·or [`skwolə(r)] *s* brud; nędza

squan·der [`skwondə(r)] *vt* trwonić, marnować

squan·der·er [`skwondərə(r)] *s* marnotrawca

square [skweə(r)] *s* kwadrat; czworobok; (kwadratowy) plac, skwer; blok budynków; *mat.* druga potęga liczby; *adj* kwadratowy; czworokątny; szczery, uczciwy; załatwiony, uporządkowany; solidny; jasno postawiony; kompletny; ~ **deal** uczciwe postępowanie; *mat.* ~ **root** pierwiastek; *vt* nadać kształt kwadratu; wyrównać (rachunek); uzgodnić; dostosować; *mat.* podnieść do kwadratu; rozprostować (ramiona); *vi* pasować; zgadzać się; ~ **up** rozliczyć się; przybrać postawę bojową (**to sb** wobec kogoś); *adv* pod kątem prostym; rzetelnie, uczciwie; wprost, w sam środek

squash [skwoʃ] *vt vi* gnieść (się), wyciskać; *s* zgnieciona masa; **lemon** ~ napój z (wyciśniętej) cytryny

squat [skwot] *vi* kucać, przykuc nąć; nielegalnie się osiedlić; przysiad

squat·ter [`skwotə(r)] *s* nielegaln osadnik; dziki lokator

squaw [skwɔ] *s* Indianka (zu zamężna)

squeak [skwik] *vi* piszczeć; *s* pis

squeal [skwil] *vi* skomleć, kwiczeć *s* skomlenie, kwiczenie

squeam·ish [`skwimɪʃ] *adj* drażli wy, wrażliwy; grymaśny

squeeze [skwiz] *vt vi* cisnąć (się ściskać, pchać się; ~ **out** wy cisnąć; ~ **through** przeciska (się); ~ **up** ścisnąć; *s* ścisk; ścisk; odcisk

squib [skwɪb] *s* fajerwerk; *przen* paszkwil, satyra polityczna

squint [skwɪnt] *s* zez; *adj* zezo waty; *vi* patrzeć zezem

squire [`skwaɪə(r)] *s* obywatel ziem ski

squir·rel [`skwɪrl] *s* zool. wiewiór ka

squirt [skwɜt] *vi* tryskać; *vt* strzy kać; *s* wytrysk; strzykawka; sı kawka; *pot.* zarozumialec

stab [stæb] *vt* pchnąć sztyletem zasztyletować; *vi* (**o bólu**) rwać *s* pchnięcie sztyletem; pot. prób

sta·bil·i·ty [stə`bɪlətɪ] *s* stałość trwałość

sta·bi·lize [`steɪblaɪz] *vt* stabilizo wać

sta·ble 1. [`steɪbl] *adj* stały, trwa ły

sta·ble 2. [`steɪbl] *s* stajnia; stad nina

stack [stæk] *s* stóg, sterta; komir (okrętowy *lub* fabryczny)

sta·di·um [`steɪdɪəm] *s* (pl **sta·di** [`steɪdɪə]) *sport* stadion; sta dium

staff [staf] *s* (pl **staves** [steɪvz lub ~s [stafs]) kij, drąg, drzew ce (flagi); *muz.* pięciolinia; (p staffs) sztab, personel

stag [stæg] *s zool.* jeleń; *pot.* spe kulant giełdowy; *am.* samotny mężczyzna

tage [steɪdʒ] s scena, estrada; rusztowanie; stadium, etap, o- kres; ~ manager reżyser; vt wy- stawiać na scenie

tage-coach [ˈsteɪdʒ kəʊtʃ] s dy- liżans

tag·ger [ˈstæɡə(r)] vi chwiać się; zataczać się; wahać się; vt oszo- łomić; s chwiejny chód; waha- nie; pl ~s zawrót głowy

tag·nant [ˈstæɡnənt] adj stojący w miejscu; (będący) w zastoju, martwy

tag·na·tion [stæɡˈneɪʃn] s zastój

tag·y [ˈsteɪdʒɪ] adj teatralny; afektowany

taid [steɪd] adj zrównoważony, stateczny

tain [steɪn] s plama; zabarwie- nie; vt plamić; zabarwiać; ~ed glass witraż

tain·less [ˈstemləs] adj nie spla- miony; nienaganny; (o stali) nie- rdzewny

tair [steə(r)] s stopień (schodów); pl ~s schody

tair·case [ˈsteəkeɪs] s klatka scho- dowa

take [steɪk] s pal, słup; stawka; ryzyko; wkład, udział; stos cało- palny; to be at ~ wchodzić w grę; life is at ~ tu chodzi o ży- cie; vt wzmacniać palami; ryzy- kować; zakładać się (sth o coś); przywiązać do pala; wbić na pal

sta·lac·tite [ˈstæləktaɪt] s miner. stalaktyt

sta·lag·mite [ˈstæləɡmaɪt] s miner. stalagmit

tale [steɪl] adj suchy; (o chlebie) czerstwy, nieświeży; pozbawiony smaku; zużyty; stary; vi zużyć się, zestarzeć się

stale·mate [ˈsteɪlmeɪt] s pat (w szachach); przen. martwy punkt

stalk 1. [stɔk] s łodyga, szypułka, źdźbło

stalk 2. [stɔk] vi kroczyć (z du- mą); przen. (o epidemii itp.) panować; vt podkradać się, pod- chodzić (the game do zwierzy- ny); s wyniosły chód

stall [stɔl] s stragan, buda, stois- ko, kiosk; przegroda w stajni; pl ~s teatr miejsca na parterze

stal·lion [ˈstæljən] s zool. ogier

stal·wart [ˈstɔlwət] adj mocny, sil- ny; wierny, lojalny

sta·men [ˈsteɪmən] s bot. pręcik

stam·i·na [ˈstæmɪnə] s zbior. siły życiowe, energia, wytrzymałość

stam·mer [ˈstæmə(r)] vi jąkać się; vt (także ~ out) wyjąkać; s ją- kanie się

stam·mer·er [ˈstæmərə(r)] s jąkała

stamp [stæmp] vt vi stemplować, pieczętować; nalepić znaczek po- cztowy; przen. wbić (w pamięć); deptać, tupać; ~ out zgnieść, zmiażdżyć; przen. zniszczyć; s stempel, pieczęć; znaczek pocz- towy; tupanie, deptanie, tętent; przen. piętno, cecha

stamp-album [ˈstæmp ælbəm] s album na znaczki pocztowe, kla- ser

stamp-col·lec·tor [ˈstæmp kəlek- tə(r)] s filatelista

stam·pede [stæmˈpid] s paniczna ucieczka, popłoch; vi pędzić w popłochu; vt siać popłoch

stanch 1. [stantʃ], **staunch** [stɔntʃ] vt tamować, zatrzymywać (krew)

stanch 2. [stantʃ] adj = **staunch 2.**

stan·chion [ˈstanʃən] s podpora; vt podpierać

• **stand** [stænd], **stood, stood** [stud] vi stać; stawiać się; pozosta- wać; znajdować się (w pewnej sytuacji); vt stawiać; wytrzymy- wać, znosić; podtrzymywać; to ~ to sth trzymać się czegoś, dotrzymywać; trwać przy czymś; it ~s to reason to się rozumie samo przez się, to jest oczy- wiste; to ~ firm trzymać się, nie odstępować (od swego zdania); to ~ good być w mocy, obowią- zywać; to ~ prepared być goto- wym; to ~ for sth popierać coś; zastępować coś; występować w obronie czegoś; to ~ for Parlia- ment kandydować do parlamentu; ~ **on** sth nalegać na coś, polegać na czymś; ~ **back** cofać się, być cofniętym; ~ **forth** ⟨forward⟩ występować, wystawać; to ~ **out** wystawać, występować; opierać się (against sth czemuś); kontrastować (against sth z czymś); odznaczać się, wyróżniać się; ~ **over** ulec zwłoce, zalegać; ~ **up** powstać, podnieść się; opierać się, stawiać czoło (to sb, sth komuś, czemuś); *s* miejsce, stanowisko; stoisko; podstawa, podstawka; stojak; pulpit (do nut); trybuna; zastój, przerwa; postój; okres pobytu; opór; to **bring** to a ~ zatrzymać, unieruchomić; to **come** to a ~ zatrzymać się; to **make** a ~ zatrzymać się; stawiać opór (against sb, sth komuś, czemuś); stanąć w obronie (for sth czegoś); to **take** a ~ zająć stanowisko

stand·ard [ˈstændəd] *s* sztandar, flaga; norma, przeciętna miara; poziom; gatunek; wzór; standard; stopa (życiowa); ~ **time** urzędowy czas miejscowy; **up to (the)** ~ zgodnie z wzorem; na odpowiednim poziomie

stand·ard·ize [ˈstændədaɪz] *vt* normalizować, ujednolicać

stand·ing [ˈstændɪŋ] *s* stanie; miejsce; stanowisko; trwanie; *adj* stojący; trwający; obowiązujący; ~ **corn** zboże na pniu; ~ **orders** regulamin

stand·point [ˈstænd pɔɪnt] *s* punkt widzenia, stanowisko

stand·still [ˈstænd stɪl] *s* zastój; martwy punkt

stand·up [ˈstænd ʌp] *attr* stojący, na stojąco

stank *zob.* **stink**

stan·za [ˈstænzə] *s* zwrotka

sta·ple 1. [ˈsteɪpl] *s* skład towarów; magazyn; podstawowy towar; główny temat; *attr* główny

sta·ple 2. [ˈsteɪpl] *s* hak; klamra; *vt* spinać klamrą

star [stɑː(r)] *s* gwiazda; shooting ~

gwiazda spadająca; **the Stars an** **Stripes** flaga St. Zjednoczonycł *vt* zdobić gwiazdami; *vi* teat występować w głównej roli

star·board [ˈstɑːbəd] *s mors.* ster bort, prawa burta

starch [stɑːtʃ] *s* krochmal; *vt* krc chmalić

stare [steə(r)] *vt vi* uporczyw? patrzeć, wytrzeszczać oczy (a sb, sth na kogoś, coś); *s* upor czywy wzrok

stark [stɑːk] *adj* całkowity; istny *poet.* sztywny; *adv* całkowicie

star·light [ˈstɑːlaɪt] *s* światł gwiazd

star·ling [ˈstɑːlɪŋ] *s zool.* szpak

star·ry [ˈstɑːrɪ] *adj* gwiaździsty

star-span·gled [ˈstɑː spæŋgld] *ad* usiany gwiazdami; **the ~ banne** gwiaździsta flaga USA

start [stɑːt] *vi* wyruszyć, wystar tować; wybierać się (on a jour ney w drogę); wzdrygać się; zry wać się; płoszyć się; skoczyć podskoczyć; zacząć; podjąć si (on sth czegoś); *vt* wprowadzł w ruch; poruszyć; ustanowić rozpocząć; przerazić; spłoszyć założyć (np. przedsiębiorstwo) spowodować, wywołać (np. po żar); ~ **back** nagle cofnąć się wyruszyć w drogę powrotną; ~ **off** wyruszyć, odjechać; zaczą się (with sth od czegoś); ~ **ou** wystąpić, ukazać się; odjechać ~ **up** podskoczyć, zerwać się wszcząć; to ~ **with** na początek po pierwsze; *s* start; podskok odjazd; wstrząs; początek pierwszeństwo; zryw; at the ~ na początku; to **get** the ~ wy przedzać (of sb kogoś); to **mak** a new ⟨fresh⟩ ~ rozpocząć na nowo

star·tle [ˈstɑːtl] *vt vi* przerazić (się) zaskoczyć; wstrząsnąć

star·va·tion [stɑːˈveɪʃn] *s* głodowanie, głód

starve [stɑːv] *vi* głodować, umiera

z głodu; *vt* głodzić; tęsknić, przepadać (for sth za czymś)

tar·ve·ling [`stɑːvliŋ] *s* głodomór

tate [steɪt] *s* stan; stanowisko; położenie; państwo; uroczystość, pompa; **in ~** uroczyście, ceremonialnie; **z całym ceremoniałem; the United States Stany Zjednoczone**; *am.* **Secretary of State** minister spraw zagranicznych; *vt* stwierdzać; oświadczać; przedstawiać (np. sprawę); *attr* państwowy; stanowy; urzędowy; paradny; *am.* **State Department** ministerstwo spraw zagranicznych

tate·craft [`steɪtkrɑːft] *s* umiejętność rządzenia państwem

tate·ly [`steɪtlɪ] *adj* okazały, wspaniały; wzniosły, pełen godności

tate·ment [`steɪtmənt] *s* stwierdzenie; oświadczenie; zeznanie

states·man [`steɪtsmən] *s* mąż stanu

states·man·ship [`steɪtsmənʃɪp] *s* umiejętność kierowania sprawami państwa, działalność męża stanu

stat·ic [`stætɪk] *adj* statyczny

stat·ics [`stætɪks] *s* statyka

sta·tion [`steɪʃn] *s* stacja; miejsce; położenie; posterunek; stan; urząd; *vt* umieścić, osadzić; rozlokować

sta·tion·ar·y [`steɪʃnrɪ] *adj* stacjonarny, nieruchomy; niezmienny; stały

sta·tion·er [`steɪʃnə(r)] *s* właściciel sklepu z artykułami piśmiennymi

sta·tion·er·y [`steɪʃnrɪ] *s zbior.* artykuły piśmienne; papier listowy

sta·tion·mas·ter [`steɪʃn mɑːstə(r)] *s* zawiadowca stacji

sta·tis·tic [stə`tɪstɪk], **sta·tis·ti·cal** [stə`tɪstɪkl] *adj* statystyczny

stat·is·ti·cian [ˌstætɪ`stɪʃn] *s* statystyk

sta·tis·tics [stə`tɪstɪks] *s* statystyka

stat·u·ar·y [`stætʃuərɪ] *adj* rzeźbiarski; *s* rzeźbiarstwo posągowe; rzeźba, zbiór rzeźb; rzeźbiarz

stat·ue [`stætʃuː] *s* statua

stat·ure [`stætʃə(r)] *s* postawa, wzrost

sta·tus [`steɪtəs] *s* stan (prawny itp.); położenie; stanowisko

stat·ute [`stætʃuːt] *s* ustawa; statut; **~ law** ustawy parlamentarne

staunch 1. *zob.* **stanch 1.**

staunch 2. [stɔːntʃ] *adj* mocny, niewzruszony; lojalny, pewny, wierny

stave 1. [steɪv] *s* kij; klepka; *muz.* takt; zwrotka

***stave 2.** [steɪv], **~d, ~d** [steɪvd] *lub* stove, stove [stəʊv] *vt (także ~ in)* wgniatać; robić dziurę; **~ off** zapobiegać (np. niebezpieczeństwu)

staves *zob.* **staff**

stay [steɪ] *vi* zatrzymać się, przebywać, pozostawać, mieszkać; wstrzymywać się; *vt* zatrzymywać, powstrzymywać, hamować; podpierać; wytrzymywać; **to ~ with sb** gościć u kogoś; **~ing power** wytrzymałość; **~ away** trzymać się z dala, nie zjawiać się; **~ in** pozostawać w domu; **~ out** pozostawać poza domem; **~ up** nie siadać, nie kłaść się spać; *s* przebywanie, pobyt; postój; zwłoka; zastój; hamowanie; podpora, podpórka; *pl* **~s** gorset

stay-at-home [`steɪ ət həʊm] *s* domator

stay-in [`steɪ ɪn] *attr* **~ strike** strajk okupacyjny

stead [sted] *s lit.* miejsce; korzyść; **in my ~** na moim miejscu; **to stand in good ~** wyjść na korzyść

stead·fast [`stedfəst] *adj* trwały, solidny, niezachwiany

stead·y [`stedɪ] *adj* mocny, silny; niezachwiany, stały; zrównoważony; spokojny; *vt* utwierdzić, wzmocnić; uspokoić; doprowadzić do równowagi; *vi* okrzepnąć; ustalić się; dojść do równowagi; *adv* spokojnie; *pot.* (o *chłopcu, dziewczynie*) to go ~ chodzić ze sobą

steak [steɪk] *s* kawałek mięsa; stek
• **steal** [stiːl], **stole** [stəul], **stolen** [ˈstəuln] *vt* kraść; *vi* skradać się; ~ away wymknąć się; ~ in wkraść się; ~ out wyśliznąć się

stealth [stelθ] *s w zwrocie*: in ⟨by⟩ ~ ukradkiem

stealth·y [ˈstelθɪ] *adj* tajemny, skryty

steam [stiːm] *s* para (wodna); *vt* parować, gotować na parze; *vi* wytwarzać parę; (o *pociągu, parowcu*) jechać

steam-boat [ˈstiːmbəut] *s* parowiec
steam-boil·er [ˈstiːm bɔɪlə(r)] *s* kocioł parowy
steam·er [ˈstiːmə(r)] *s* parowiec; maszyna parowa
steam-pow·er [ˈstiːm pauə(r)] *s* siła parowa
steam·ship [ˈstiːmʃɪp] *s* = steamboat

steed [stiːd] *s lit.* rumak
steel [stiːl] *s* stal; *vt* hartować
steel·on [ˈstiːlon] *s* stylon
steel·works [ˈstiːl wɜːks] *s* stalownia
steep 1. [stiːp] *adj* stromy; *pot.* (o *wymaganiach*) wygórowany
steep 2. [stiːp] *vt* zanurzyć, zamoczyć, zmiękczyć
stee·ple [ˈstiːpl] *s* iglica; wieża strzelista
stee·ple·chase [ˈstiːpl tʃeɪs] *s sport* wyścigi konne z przeszkodami
steer [stɪə(r)] *vt vi* sterować; dążyć (**for** sth w stronę czegoś); to ~ **clear** unikać (**of** sth czegoś)
steer·age [ˈstɪərɪdʒ] *s* sterowanie; przedział najtańszej klasy na statku
steer·ing-wheel [ˈstɪərɪŋ wiːl] *s* koło sterowe; kierownica
steers·man [ˈstɪəzmən] *s* sternik

stem 1. [stem] *s* trzon; pień, ł dyga; *gram.* temat
stem 2. [stem] *vt* tamować, wstrz mywać; wybudować tamę (a ver na rzece)
stench [stentʃ] *s* smród
sten·cil [ˈstensl] *s* szablon, patro matryca; *vt* malować szablonen matrycować
ste·nog·ra·pher [stəˈnogrəfə(r)] stenograf
sten·o·graph·ic [ˈstenəˈgræfɪk] *a* stenograficzny
step [step] *s* krok; stopień; prój **flight of** ~s kondygnacja sche dów; ~ **by** ~ krok za krokiem stopniowo; **to keep** ~ dotrzymy wać kroku (**with sb** komuś); t **take** ~s przedsięwziąć kroki *vi* kroczyć; deptać; ~ **back** co fnąć się; ~ **down** schodzić n dół; ~ **forth** ⟨**forward**⟩ wystą pić; ~ **in** wkroczyć
step·daugh·ter [ˈstep dɔːtə(r)] *s* p sierbica
step·fa·ther [ˈstep fɑːðə(r)] *s* ojczy
step·moth·er [ˈstep mʌðə(r)] *s* m cocha
step·son [ˈstep sʌn] *s* pasierb
ster·e·o·metry [ˈstɪərɪˈomɪtrɪ] *s* ste reometria
ster·e·o·phon·ic [ˈstɪərɪəˈfonɪk] *ac* stereofoniczny
ster·ile [ˈsteraɪl] *adj* bezpłodny
ster·i·lize [ˈsterɪlaɪz] *vt* sterylizo wać
ster·ling [ˈstɜːlɪŋ] *s* (funt) szterling *adj przen.* prawdziwy; solidny nieskazitelny
stern 1. [stɜːn] *adj* surowy; groźn
stern 2. [stɜːn] *s mors.* rufa; tył
stew [stjuː] *vt* dusić (potrawę); *t* dusić się; *s* duszona potraw mięsna, gulasz
stew·ard [ˈstjuəd] *s* zarządca, go spodarz; steward
stew·ard·ess [ˈstjuəˈdes] *s* stewar desa

stick [stɪk], **stuck, stuck** [stʌk] *vt* wetknąć, wepchnąć; przebić; przymocować; przykleić; *vi* tkwić; przyczepić się (**to sth** czegoś); trzymać się; trwać (**to sth przy czymś**); ~ **around** *pot.* kręcić się w pobliżu; ~ **out** wysunąć; wystawać; ~ **up** podnieść do góry; sterczeć; *s* laska, pałka, kij; baton; mydło do golenia; *pot.* nudziarz, człowiek nadęty ⟨napuszony⟩

ick·y [ˈstɪkɪ] *adj* lepki, kleisty

iff [stɪf] *adj* sztywny; uparty; (o *egzaminie*) trudny; silny, mocny (wiatr, trunek itd.); *s pot.* trup

iff·en [ˈstɪfn] *vt* usztywnić; utwierdzić w uporze; utrudnić (np. *egzamin*); *vi* zesztywnieć; uprzeć się

i·fle [ˈstaɪfl] *vt vi* dusić (się); dławić (się), tłumić

ig·ma [ˈstɪgmə] (*pl* **stigmata** [stɪgˈmatə]) *s* piętno, stygmat

ig·ma·tize [ˈstɪgmətaɪz] *vt* piętnować

ill 1. [stɪl] *adj* cichy, spokojny; ~ **life** martwa natura; *s* cisza, spokój; fotografia; *vt vi* uciszyć (się), uspokoić (się); *adv* ciągle, jeszcze, stale, nadal; mimo wszystko, przecież

ill 2. [stɪl] *vt* destylować; *s* aparat destylacyjny

ill-born [ˈstɪl bɔn] *adj* martwo urodzony

ilt [stɪlt] *s* szczudło

ilt·ed [ˈstɪltɪd] *adj* nienaturalny, afektowany

im·u·lant [ˈstɪmjulənt] *adj* podniecający; *s* środek podniecający; bodziec

im·u·late [ˈstɪmjuleɪt] *vt* podniecać; zachęcać, pobudzać

sting [stɪŋ], **stung, stung** [stʌŋ] *vt* użądlić, kłuć; sparzyć (pokrzywą); podniecać; przypiekać; *vi* piec, boleć

in·gi·ness [ˈstɪndʒɪnəs] *s* sknerstwo

stin·gy [ˈstɪndʒɪ] *adj* skąpy

• **stink** [stɪŋk], **stunk, stunk** [stʌŋk] *vi* śmierdzieć (**of sth** czymś); *s* smród

stint [stɪnt] *vt* ograniczyć; skąpić (**sb of sth** komuś czegoś); *s* ograniczenie; wyznaczona ilość pracy, norma

sti·pend [ˈstaɪpend] *s* pensja (zw. duchownego)

stip·u·late [ˈstɪpjuleɪt] *vt vi* żądać; ustalać warunki, zastrzegać sobie (**for sth** coś)

stip·u·la·tion [ˌstɪpjuˈleɪʃn] *s* uzgodnienie warunków, warunek (układu), zastrzeżenie

stir [stɜ(r)] *vt vi* ruszać (się); wzruszać (się); wprawiać w ruch; podniecać; pomieszać; krzątać się; *s* poruszenie; podniecenie; krzątanina

stir·rup [ˈstɪrəp] *s* strzemię

stitch [stɪtʃ] *s* ścieg; oczko (np. w pończosze); kłucie (w boku); *vt vi* robić ścieg; szyć

stock [stɒk] *s* trzon, pień; ród; zapas, zasób; inwentarz; (*także* **live** ~) żywy inwentarz; majątek; *handl.* kapitał zakładowy, akcja, obligacja; *teatr* repertuar; **rolling** ~ tabor kolejowy; ~ **exchange** giełda; *teatr* ~ **piece** sztuka repertuarowa; ~ **tale** ciągle powtarzana historyjka; **to take** ~ robić inwentarz ⟨remanent⟩ (**of sth** czegoś); **in** ~ w zapasie; **out of** ~ wyprzedany; *vt* robić zapas, zaopatrzyć; trzymać na składzie; osadzać (narzędzie itp.); *handl.* prowadzić sprzedaż

stock·ade [stɒˈkeɪd] *s* palisada; *vt* otoczyć palisadą

stock-bro·ker [ˈstɒkbrəukə(r)] *s* makler giełdowy

stock-ex·change [ˈstɒk ɪkstʃeɪndʒ] *s* giełda

stock·ing [ˈstɒkɪŋ] *s* pończocha

stock-in-trade [ˈstɒk ɪn ˈtreɪd] *s* zapas towarów w sklepie

stock-tak·ing [ˈstɒk teɪkɪŋ] *s* inwentaryzacja, remanent

stock·y [`stɒkɪ] *adj* krępy

stock·yard [`stɒkjad] *s* zagroda dla bydła (na targu, w rzeźni)

sto·ic [`stəʊɪk] *s* stoik

sto·i·cal [`stəʊɪkl] *adj* stoicki

stoke [stəʊk] *vt* palić (w lokomotywie, piecu hutniczym)

stoke·hold [`stəʊk həʊld] *s mors.* kotłownia (na statku)

stole 1. [stəʊl] *s rel.* stuła

stole 2. *zob.* **steal**

sto·len *zob.* **steal**

stol·id [`stɒlɪd] *adj* obojętny; flegmatyczny; bierny

stom·ach [`stʌmək] *s anat.* żołądek, *pot.* brzuch; chętka; *vt* jeść z apetytem; znosić, ścierpieć

stom·ach-ache [`stʌmək eɪk] *s* ból brzucha

stone [stəʊn] *s* kamień; ziarnko (owocu), pestka; *bryt.* miara ciężaru; *vt* ukamienować; drylować (owoce)

stone-ma·son [`stəʊnmeɪsn] *s* kamieniarz

stone·ware [`stəʊnweə(r)] *s* zbior. naczynia ⟨wyroby⟩ kamionkowe

ston·y [`stəʊnɪ] *adj* kamienisty; kamienny

stood *zob.* **stand**

stool [stul] *s* stołek; *med.* stolec

stoop [stup] *vt vi* schylić (się), zgiąć (się); poniżyć (się); raczyć; być przygarbionym; *s* pochylenie; przygarbienie

stop [stɒp] *vt* zatkać, zatrzymać, zahamować; zaprzestać, skończyć; napełnić, zaplombować; powstrzymać; *vi* zatrzymać się, stanąć; przestać, skończyć (się), ustać; ~ **short** urwać, nagle przerwać; *s* zatrzymanie (się); postój; przystanek; przerwa; koniec; zatyczka; *gram.* głoska zwarta; *gram.* **full** ~ kropka; **to come to a** ~ stanąć; ustać; **to put a** ~ położyć kres

stop-light [`stɒp laɪt] *s* światło stopowe; sygnał zatrzymania

stop·page [`stɒpɪdʒ] *s* zatrzymanie; wstrzymanie (np. pracy); zawie-

szenie (np termin płatności) zastój

stop·per [`stɒpə(r)] *s* szpunt, korek

stop-press [`stɒp `pres] *attr* ~ new wiadomości (z ostatniej chwili)

stor·age [`stɔrɪdʒ] *s* magazynowanie, gromadzenie, zapas; cold ~ przechowywanie w chłodni; chło dnia

store [stɔ(r)] *s* zapas; skład; ma gazyn; *am.* sklep; *pl* ~s dom to warowy; **to set** ~ przykłada wagę, przywiązywać znaczeni (**by sth** do czegoś); *vt* zaopatry wać, ekwipować; (*także* ~ up magazynować, przechowywać gromadzić (np. zapasy)

store-house [`stɔ haʊs] *s* magazyn

store·keep·er [`stɔ kipə(r)] *s* maga zynier; *am.* kupiec

sto·rey, sto·ry [`stɔrɪ] *s* piętro

stork [stɔk] *s* bocian

storm [stɔm] *s* burza; *mors.* sztorm szturm; *vi* krzyczeć, złościć się it ~s burza szaleje; *vt* sztur mować

storm·y [`stɔmɪ] *adj* burzliwy gwałtowny; zapowiadający bu rzę

sto·ry 1. [`stɔrɪ] *s* historia; opo wiadanie, opowieść; fabuła short ~ nowela; **the** ~ goe **that** ... mówią, że ...; podobno .

sto·ry 2. *zob.* **storey**

stout [staʊt] *adj* mocny, mocn zbudowany; tęgi; otyły; solid ny; stanowczy; *s* mocny porte

stove [stəʊv] *s* piec

stow [stəʊ] *vt* umieścić; zapakc wać; (*także* ~ **away**) schowa usunąć; *vi* ukryć się; jechać be biletu (*zw.* na statku)

stow·age [`stəʊɪdʒ] *s mors.* pakow nia; pakowanie; ładunek ułożc ny; opłaty za ładunek

stow·a·way [`stəʊ əweɪ] *s* pasaże na gapę (na statku)

strad·dle [`strædl] *vt vi* stać z roz kraczonymi nogami; siedzieć o krakiem

strag·gle [`strægl] *vi* rozejść si

rozproszyć się, być rozproszonym ⟨rozciągniętym⟩

rag·gler [ˈstræglə(r)] s włóczęga, maruder

raight [streɪt] adj prosty, sztywny; prostolinijny; uporządkowany; pewny; rzetelny; to put ~ uporządkować, poprawić, wyrównać; adv prosto; ~ away natychmiast; z miejsca; ~ out wprost, bez wahania

raight·en [ˈstreɪtn] vt vi wyprostować (się); uporządkować; wyrównać

raight·for·ward [streɪtˈfɔwəd] adj prosty; prostolinijny, szczery

rain 1. [streɪn] vt napinać, wytężać, forsować; przesadzać; przekraczać; cedzić, filtrować; vi wysilać się, wytężać się; usilnie dążyć (after sth do czegoś); s napięcie, natężenie; wysiłek; (zw. pl ~s) poet. melodia, ton

rain 2. [streɪn] s ród, rasa, pochodzenie

rait [streɪt] adj † wąski, ciasny; ~ jacket kaftan bezpieczeństwa; s (zw. pl ~s) cieśnina; ciężkie położenie, kłopoty

rand 1. [strænd] s brzeg, nabrzeże; vt osadzić na brzegu ⟨na mieliźnie⟩; osiąść na brzegu ⟨na mieliźnie⟩

rand 2. [strænd] s skręcona nitka (przędzy, sznura); splot (włosów), warkocz

range [streɪndʒ] adj dziwny, niezwykły; obcy; to feel ~ czuć się nieswojo ⟨obco⟩; ~ to say ... dziwne, że ...

rang·er [ˈstreɪndʒə(r)] s obcy człowiek; nieznajomy, przybysz; człowiek nie obeznany (to sth z czymś)

ran·gle [ˈstræŋl] vt dusić, dławić

ran·gu·late [ˈstræŋgjuleɪt] vt dusić; med. podwiązywać (np. żyłę)

rap [stræp] s rzemień; uchwyt (np. w tramwaju); vt opasać rze-

mieniem, przewiązać; sprawić lanie

stra·ta zob. stratum

strat·a·gem [ˈstrætədʒəm] s podstępny plan, fortel

stra·te·gic [strəˈtidʒɪk] adj strategiczny

strat·e·gy [ˈstrætɪdʒɪ] s strategia

strato·sphere [ˈstrætəsfɪə(r)] s stratosfera

stra·tum [ˈstrɑtəm] s (pl strata [ˈstrɑtə]) geol. warstwa; przen. grupa ⟨warstwa⟩ społeczna

straw [strɔ] s słoma; / przen. **I don't** care a ~ nic mnie to nie obchodzi, nie dbam o to; **it isn't worth** a ~ to nie ma żadnej wartości

straw·ber·ry [ˈstrɔbrɪ] s truskawka; (także wild ~) poziomka

stray [streɪ] vi błąkać się, błądzić; odłączyć się (od grupy); zejść z właściwej drogi; adj attr zabłąkany; przypadkowy; s przybłęda; pl ~s zakłócenia atmosferyczne

streak [strɪk] s pasmo; smuga; rys; like a ~ of lightning błyskawicznie, z szybkością błyskawicy

stream [strim] s strumień; prąd; a ~ of people masa ludzi; tłum; to go with the ~ iść z prądem ⟨duchem⟩ czasu; lit. ~ of consciousness strumień świadomości; down ~ z prądem; up ~ pod prąd; vi uciec, płynąć, spływać

stream·let [ˈstrimlət] s strumyk

stream·line [ˈstrimlaɪn] s linia opływowa

street [strit] s ulica; the man in the ~ szary ⟨przeciętny⟩ człowiek

street-car [ˈstrit kɑ(r)] s am. tramwaj

street-walk·er [ˈstrit wɔkə(r)] s ulicznica, prostytutka

strength [streŋθ] s siła, moc

strength·en [ˈstreŋθn] vt vi wzmocnić (się)

stren·u·ous [ˈstrenjuəs] adj gorliwy; usilny; wymagający wysiłku

stress [stres] s nacisk, przycisk; presja, ciśnienie; *gram.* akcent; *vt* naciskać; podkreślać; *gram.* akcentować

stretch [stretʃ] *vt vi* wyciągać (się), rozciągać (się), naciągać (się); *s* rozpostarcie; napięcie; rozpiętość; elastyczność; przeciąg czasu; jednolita przestrzeń; **at a ~** jednym ciągiem

stretch·er [ˈstretʃə(r)] *s* nosze; rama do napinania

*strew [stru], strewed [strud], strewn [strun] vt sypać, rozsypywać

strick·en [ˈstrɪkən] *adj* trafiony, dotknięty; **~ in years** w podeszłym wieku

strict [strɪkt] *adj* ścisły, dokładny

stric·ture [ˈstrɪktʃə(r)] *s med.* zwężenie, skurcz; (*zw. pl* ~s) ostra krytyka

*stride [strɪd], strode [strəud], strid·den [ˈstrɪdn] vt vi kroczyć; przekroczyć; siedzieć okrakiem **(sth na czymś)**; *s* krok; rozkrok; **to take sth in one's ~** zrobić coś bez wysiłku

stri·dent [ˈstraɪdnt] *adj* (o dźwięku) zgrzytający, piskliwy

strife [straɪf] *s* walka, spór

*strike [straɪk], struck, struck [strʌk] vt vi uderzyć, ugodzić; strajkować; (*o zegarze*) bić; krzesać (*ogień*); zapalać (zapałkę); zadać (*cios*); wybijać (np. monetę); kończyć, zamykać (np. bilans); natknąć się **(sth na coś)**; skreślić (**np. off a list z listy**); **to ~ a bargain** ubić interes; **to ~ blind** oślepić; **to ~ dead** uśmiercić; **to ~ root** zapuścić korzenie; **to ~ the tent** zwinąć namiot; **~ down** powalić; zbić; **~ off** odciąć; odejść; potrącić (np. procent); skreślić; **~ out** wykreślić; szybko ruszyć (rzucić się) **(for sth ku czemuś)**; **~ up** zawrzeć (znajomość); zacząć grać (śpiewać); *s* strajk; trafienie; **to be on ~** strajkować

strike-break·er [ˈstraɪk breɪkə(r)] łamistrajk

strik·er [ˈstraɪkə(r)] *s* strajkują◾

* string [strɪŋ], **strung**, **stru** [strʌŋ] *vt* naciągać, napinać; n wlekać; zaopatrzyć w strun◾ wiązać sznurem; *vi* napinać si◾ (np. *o kleju*) ciągnąć się; **~ ◾** powiesić (człowieka); napinać; sznur, szpagat; struna; cięciw◾ *muz.* **~ instruments** instrumen◾ smyczkowe

stringed [strɪŋgd] *adj* zaopatrzon◾ w struny; smyczkowy

strin·gent [ˈstrɪndʒənt] *adj* ścisł◾ surowy; ograniczony (np. br◾ kiem pieniędzy); ciasny (rynek◾

strip 1. [strɪp] *s* pasek, skrawek◾

strip 2. [strɪp] *vt* zdejmować, zr◾ wać; obdzierać **(sb of sth kogoś◾ czegoś)**; obnażać; *vi* rozebrać si◾ obnażyć się

stripe [straɪp] *s* pasek, kresk◾ smuga

striped [straɪpt] *adj* pasiasty, pasy, prążkowany

strip·ling [ˈstrɪplɪŋ] *s* wyroste◾ młokos

strip-tease [ˈstrɪp ˈtiz] *s* strip-te◾ se

* strive [straɪv], **strove** [strəu◾ **striv·en** [ˈstrɪvn] *vi* dążyć (f◾ ⟨after⟩ sth do czegoś); walczy◾ zmagać się (with ⟨against⟩ s◾ sth z kimś, czymś)

strode *zob.* stride

stroke 1. [strəuk] *vt* głaskać, gł◾ dzić; *s* głaskanie

stroke 2. [strəuk] *s* uderzenie, cio◾ pociągnięcie; kreska; nagły p◾ mysł, przebłysk; atak (choroby◾ *sport* styl (pływania); ruch (r◾ mion, wiosła itp.)

stroll [strəul] *vi* wędrować, prz◾ chadzać się; *s* przechadzka

strong [strɒŋ] *adj* silny, mocny, nergiczny; **~ drink** napój alk◾ holowy; **~ language** przekleństw◾

strong-box [ˈstrɒŋ bɒks] *s* sejf

strong-hold [ˈstrɒŋ həuld] *s* fort◾ ca

trop [strop] s pasek do ostrzenia brzytwy; vt ostrzyć na pasku

trove zob. strive

truck zob. strike

truc·tur·al [`str∧ktʃərl] adj strukturalny; budowlany

truc·ture [`str∧ktʃə(r)] s struktura; budowa

trug·gle [`str∧gl] s walka; vi walczyć; zmagać się, usiłować; ~ in z wysiłkiem wtargnąć do wnętrza; ~ through z wysiłkiem przedostać się

trum [str∧m] vt vi rzępolić, brzdąkać

trum·pet [`str∧mpit] s ulicznica

trung zob. string; adj ~ up znajdujący się w napięciu nerwowym

trut [str∧t] vi dumnie kroczyć, chodzić z nadętą miną

tub [st∧b] s pień; niedopałek (papierosa); pieniek (zęba); kikut; odcinek (czeku, biletu); vt (także ~ out ⟨up⟩) trzebić, karczować; tracić (against sth o coś)

tub·ble [`st∧bl] s ściernisko; szczecina; broda nie golona

tub·born [`st∧bən] adj uparty

tuc·co [`st∧kəu] s sztukateria

tuck zob. stick

tud 1. [st∧d] s stadnina

tud 2. [st∧d] s gwóźdź z płaską główką, ćwiek; mały krążek; spinka; vt nabić gwoździami

stu·dent [`stjudnt] s student; człowiek studiujący; uczony

stud·ied [`st∧did] adj oczytany; przemyślany; wyrafinowany; udawany

tu·dio [`stjudiəu] s atelier, studio

stu·di·ous [`stjudiəs] adj pilny, pracowity, oddany studiom; przemyślany

stud·y [`st∧di] s studium; badanie; dążenie, staranie; pracownia, gabinet; vt studiować, badać; vi odbywać studia; przygotowywać się (for an exam do egzaminu); starać się

stuff [st∧f] s materiał, tworzywo, tkanina; istota, rzecz; pl food ~s artykuły żywnościowe; green ~ warzywa; vt napychać, wypychać; nabijać; faszerować

stuff·ing [`st∧fiŋ] s nabicie; wypchanie; nadzienie, farsz

stuff·y [`st∧fi] adj duszny; nudny; am. pot. zły, skwaszony

stul·ti·fy [`st∧ltifai] vt udaremnić; ośmieszyć

stum·ble [`st∧mbl] vi potykać się; przen. robić błędy; jąkać się; natknąć się; s potknięcie; błąd

stum·bling-block [`st∧mbliŋ blok] s zapora, przeszkoda, trudność

stump [st∧mp] s pniak; niedopałek (papierosa); pieniek (zęba); kikut; ~ orator okolicznościowy mówca; agitator polityczny; vt zapędzić w kozi róg; szerzyć agitację; vi iść sztywnym krokiem

stump·y [`st∧mpi] adj krępy

stun [st∧n] vt ogłuszyć (uderzeniem)

stung zob. sting

stunt 1. [st∧nt] s pot. pokaz, popis; wyczyn; vt dokonać czegoś sensacyjnego; popisać się (np. akrobatyką lotniczą)

stunt 2. [st∧nt] vt hamować (w rozwoju); s zahamowanie (w rozwoju)

stunt·ed [`st∧ntid] adj karłowaty

stu·pe·fac·tion [`stjupi`fækʃn] s osłupienie; oszołomienie, otępienie

stu·pe·fy [`stjupifai] vt oszołomić, otępić; wprawić w osłupienie

stu·pen·dous [stju`pendəs] adj zdumiewający

stu·pid [`stjupid] adj głupi

stu·pid·i·ty [stju`piditi] s głupota; głupstwo; nonsens

stu·por [`stjupə(r)] s osłupienie; odrętwienie

stur·dy [`stɜdi] adj mocny, krzepki; nieugięty

stur·geon [`stɜdʒən] s zool. jesiotr

stut·ter [`st∧tə(r)] vi jąkać się

sty 1. [staɪ] s chlew

sty(e) 2. [staɪ]'s med. jęczmień (na oku)

style [staɪl] s styl; moda; sposób tytułowania; szyk; wzór; sztyft; rylec; vt nazywać, tytułować

styl·ish [ˈstaɪlɪʃ] adj stylowy, modny

suave [swav] adj przyjemny, uprzejmy

sub- [sʌb] praef pod-

sub·al·tern [ˈsʌbltən] adj (o oficerze) niższy rangą; s wojsk. oficer poniżej kapitana

sub·com·mit·tee [ˈsʌb kəmɪtɪ] s podkomisja, podkomitet

sub·con·scious [ˈsʌbˈkɒnʃəs] adj podświadomy

sub·cu·ta·ne·ous [ˈsʌbkjuˈteɪnɪəs] adj podskórny

sub·di·vi·sion [ˈsʌbdɪˈvɪʒn] s poddział

sub·due [səbˈdju] vt pokonać, ujarzmić, przytłumić

sub·ject [ˈsʌbdʒɪkt] s podmiot (także gram.); temat; poddany; przedmiot (np. nauki); adj podlegly; podlegający; narażony (to sth na coś); skłonny (to sth do czegoś); adv z zastrzeżeniem, pod warunkiem (to sth czegoś); vt [səbˈdʒekt] podporządkować; ujarzmić; poddać; narazić (to sth na coś)

sub·jec·tion [səbˈdʒekʃn] s podporządkowanie (się); ujarzmienie; uzależnienie

sub·jec·tive [səbˈdʒektɪv] adj subiektywny; gram. ~ case mianownik

sub·ject-mat·ter [ˈsʌbdʒɪkt mætə(r)] s temat; treść; tematyka

sub·join [sʌbˈdʒɔɪn] vt dołączyć, załączyć

sub·ju·gate [ˈsʌbdʒugeɪt] vt ujarzmić

sub·junc·tive [səbˈdʒʌŋktɪv] adj gram. łączący; s gram. tryb łączący

sub·lime [səˈblaɪm] adj wzniosły; wspaniały; najwyższy

sub·ma·rine [ˈsʌbməˈrin] adj pod wodny; s łódź podwodna

sub·merge [səbˈmɜdʒ] vt vi zatopić zanurzyć (się)

sub·mis·sion [səbˈmɪʃn] s podpo rządkowanie; uległość, posłuszeń stwo

sub·mis·sive [səbˈmɪsɪv] adj uległy posłuszny

sub·mit [səbˈmɪt] vt poddawa pod rozwagę; pozostawiać do de cyzji; przedkładać, proponować vi podporządkować się, ulegać

sub·or·di·nate [səˈbɔdnət] adj pod porządkowany, podwładny; gram ~ clause zdanie podrzędne; podwładny; vt. [səˈbɔdɪneɪt] pod porządkować, uzależnić

sub·or·di·na·tion [səˈbɔdɪˈneɪʃn] podporządkowanie; uległość, po słuszeństwo, subordynacja

sub·scribe [səbˈskraɪb] vt podpisać dopisać; pisemnie złożyć, zaofia rować (np. sumę pieniężną); v podpisać się (to sth pod czymś) popierać (to sth coś); prenumero wać (for ⟨to⟩ sth coś)

sub·scrib·er [səbˈskraɪbə(r)] s sub skrybent; abonent

sub·scrip·tion [səbˈskrɪpʃn] s pod pis; abonament; subskrypcja składka członkowska

sub·se·quent [ˈsʌbsɪkwənt] adj na stępny, późniejszy; ~ to sth wy nikający z czegoś

sub·serve [səbˈsɜv] vt służyć (spra wie), przynosić korzyść

sub·side [səbˈsaɪd] vi opadać zapadać się; uspokajać się

sub·sid·i·a·ry [səbˈsɪdɪərɪ] adj po mocniczy; dodatkowy; s pomoc nik

sub·si·dy [ˈsʌbsɪdɪ] s subwencja

sub·sist [səbˈsɪst] vi istnieć, żyć (by sth z czegoś, dzięki czemuś) żywić się (on sth czymś); utrzy mywać się (w mocy, w zwyczaju itp.)

sub·sist·ence [səbˈsɪstəns] s istnie nie; życie; utrzymywanie się; u trzymanie

sub·stance [`sʌbstəns] s substancja; istota, treść, znaczenie; trwałość; posiadłość, majątek

sub·stan·tial [səb`stænʃl] adj istotny; rzeczywisty; konkretny; solidny

sub·stan·tive [səb`stæntɪv] adj rzeczywisty, konkretny; s gram. rzeczownik

sub·sti·tute [`sʌbstɪtjut] s zastępca; substytut, namiastka; vt podstawić, użyć zastępczo (sth for sth czegoś zamiast czegoś), zastąpić

sub·sti·tu·tion [ˌsʌbstɪ`tjuʃn] s substytucja; podstawienie; zastępowanie

sub·ter·fuge [`sʌbtəfjudʒ] s podstęp

sub·ter·ra·ne·an [ˌsʌbtə`reɪnɪən] adj podziemny

sub·title [`sʌbtaɪtl] s podtytuł

sub·tle [`sʌtl] adj subtelny; misterny

sub·tract [səb`trækt] vt mat. odejmować

sub·trac·tion [səb`trækʃn] s mat. odejmowanie

sub·trop·i·cal [ˌsʌb`tropɪkl] adj podzwrotnikowy

sub·urb [`sʌbɜb] s przedmieście; pl ~s peryferie

sub·ur·ban [sə`bɜbən] adj podmiejski

sub·ven·tion [səb`venʃn] s subwencja

sub·ver·sion [səb`vɜʃn] s przewrót, akcja wywrotowa

sub·ver·sive [səb`vɜsɪv] adj wywrotowy

sub·vert [sʌb`vɜt] vt przewrócić, obalić

sub·way [`sʌbweɪ] s przejście podziemne; am. kolej podziemna; metro

suc·ceed [sək`sid] vi mieć powodzenie, z powodzeniem coś robić; odziedziczyć (to an estate posiadłość); I ~ed in finishing my work udało mi się skończyć pracę; vt nastąpić (sb, sth po kimś, po czymś)

suc·cess [sək`ses] s powodzenie; po-

myślność; sukces; człowiek, który ma powodzenie (w życiu)

suc·cess·ful [sək`sesfl] adj mający powodzenie, udany, pomyślny; I was ~ in doing that udało mi się to zrobić

suc·ces·sion [sək`seʃn] s następstwo, kolejność; seria; sukcesja, dziedziczenie; in ~ kolejno; in quick ~ raz za razem, szybko po sobie

suc·ces·sive [sək`sesɪv] adj kolejny

suc·ces·sor [sək`sesə(r)] s następca (to sb czyjś); sukcesor, dziedzic

suc·cinct [sək`sɪŋkt] adj krótki, zwięzły

suc·cour [`sʌkə(r)] s pomoc; vt wspomagać, przyjść z pomocą

suc·cu·lent [`sʌkjulənt] adj soczysty

suc·cumb [sə`kʌm] vi ulec, poddać się (to sth czemuś); umrzeć

such [sʌtʃ] adj pron taki; no, some, any, every, another, many, all poprzedzają such; rodzajnik a następuje po such, np.: no ~ thing nic takiego; ~ a thing coś takiego; ~ a nice day taki piękny dzień; ~ as taki, jak ...; ~ that ... taki ⟨tego rodzaju⟩, że ...

such·like [`sʌtʃlaɪk] adj podobny (do tego), tego rodzaju

suck [sʌk] vt ssać, wsysać; przen. czerpać (np. korzyść); s ssanie

suck·er [`sʌkə(r)] s osesek; zool. ssak; ssawka; techn. tłok ssący; bot. odrost, kiełek; pot. oszust, szantażysta; naiwniak; pot. młokos

suck·le [`sʌkl] vt karmić piersią

suck·ling [`sʌklɪŋ] s osesek

suc·tion [`sʌkʃn] s ssanie

suc·tion-pump [`sʌkʃn pʌmp] s pompa ssąca

sud·den [`sʌdn] adj nagły; s tylko w zwrocie: all of a ~ nagle

suds [sʌdz] s pl mydliny

sue [su] vt ścigać sądownie, procesować się (sb z kimś, for sth o coś); vi błagać (for sth o coś);

prosić (kobietę o rękę); wnosić
skargę (to a court do sądu) -
su·et [ˈsuɪt] s łój

suf·fer [ˈsʌfə(r)] vt cierpieć (from
sth na coś, for sth za coś); chorować; cierpieć (sth z powodu
czegoś); ~ hunger cierpieć głód;
vt znosić, tolerować; ponosić (np.
karę); pozwalać (sth na coś)

suf·fer·a·ble [ˈsʌfrəbl] adj znośny,
dopuszczalny

suf·fer·ance [ˈsʌfrəns] s tolerowanie; cierpliwość, wytrzymałość;
to be on ~ być tolerowanym;
beyond ~ nie do wytrzymania

suf·fer·er [ˈsʌfrə(r)] s człowiek
cierpiący; ponoszący szkodę
(from sth z powodu czegoś)

suf·fer·ing [ˈsʌfrɪŋ] s cierpienie

suf·fice [səˈfaɪs] vt vi wystarczać;
zadowalać; ~ it to say wystarczy
powiedzieć

suf·fi·cien·cy [səˈfɪʃnsɪ] s dostate-
czna ilość; wystarczające środki
do życia

suf·fi·cient [səˈfɪʃnt] adj wystarczający, dostateczny

suf·fix [ˈsʌfɪks] s gram. przyrostek

suf·fo·cate [ˈsʌfəkeɪt] vt vi dusić
(się)

suf·frage [ˈsʌfrɪdʒ] s prawo głosowania; głosowanie; głos

suf·fuse [səˈfjuz] vt zalać (np. łzami); pokryć (np. farbą)

sug·ar [ˈʃʊgə(r)] s cukier; vt cukrzyć

sug·ar-ba·sin [ˈʃʊgə beɪsn] s cukiernica

sug·ar-beet [ˈʃʊgə bit] s bot. burak
cukrowy

sug·ar-cane [ˈʃʊgə keɪn] s bot.
trzcina cukrowa

sug·ar-loaf [ˈʃʊgə ləʊf] s głowa cukru

sug·gest [səˈdʒest] vt sugerować,
podsuwać myśl, dawać do zrozumienia; proponować

sug·ges·tion [səˈdʒestʃən] s sugestia; propozycja

sug·ges·tive [səˈdʒestɪv] adj sugestywny, nasuwający myśl (of sth
o czymś); wiele mówiący; dwu-

znaczny

su·i·cide [ˈsuɪsaɪd] s samobójca; s
mobójstwo

suit [sut] s podanie; sprawa sąd
wa, proces; zachody; zaloty; s
ria; garnitur, ubranie; kostiu
(damski); zestaw, komplet; k
lor (w kartach); to follow ~ d
dać do koloru; przen. pójść
ślady; vt vi odpowiadać, nad
wać się, pasować (sth do cz
goś); dostosowywać; być do tw
rzy; zadowolić, dogodzić; ~ you
self rób, jak uważasz; this dre
~s you do twarzy ci w tej suk

suit·a·ble [ˈsutəbl] adj odpowiedr
stosowny; należyty

suit-case [ˈsutkeɪs] s walizka

suite [swit] s świta, orszak; seri
muz. suita; ~ of rooms amfil
da (pokoi), apartamenty

suit·or [ˈsutə(r)] s zalotnik, ko
kurent; petent; prawn. pow
(strona w sądzie)

sulk [sʌlk] vi dąsać się; s pl
dąsy, fochy

sulk·y [ˈsʌlkɪ] adj nadąsany

sul·len [ˈsʌlən] adj ponury

sul·ly [ˈsʌlɪ] vt kalać, plamić; z
ciemniać

sul·phate [ˈsʌlfeɪt] s chem. sia
czan

sul·phur [ˈsʌlfə(r)] s chem. siarka

sul·phu·ric [sʌlˈfjʊərɪk] adj cher
siarkowy

sul·phur·ous [ˈsʌlfərəs] adj cher
siarkawy

sul·tan [ˈsʌltən] s sułtan

sul·tan·a [sʌlˈtanə] s sułtanka; [s
ˈtanə] rodzynek

sul·try [ˈsʌltrɪ] adj duszny, pa
ny

sum [sʌm] s suma, wynik; treś
sedno; zadanie arytmetyczne;
~s rachunki (w szkole); in ~
krótko mówiąc; vt sumować;
up dodawać; podsumowywa
streszczać

sum·ma·rize [ˈsʌmɾaɪz] vt streści
zreasumować

sum·ma·ry [ˈsʌmɾɪ] adj krótki; pe

bieżny; *prawn.* sumaryczny; *s* streszczenie, zwięzłe ujęcie

im·mer [ˈsʌmə(r)] *s* lato; Indian ~ babie lato; ~ school kurs wakacyjny; *vi* spędzać lato

im·mer·y [ˈsʌmərɪ] *adj* letni

im·mit [ˈsʌmɪt] *s (także przen.)* szczyt

im·mon [ˈsʌmən] *vt* wezwać, zawezwać; zwołać; zebrać; ~ up powołać; zebrać się, zdobyć się (sth na coś)

im·mons [ˈsʌmənz] *s* wezwanie, nakaz; *vt* wezwać (do sądu)

imp·tu·ous [ˈsʌmptʃuəs] *adj* pełen przepychu, wspaniały, wystawny

in [sʌn] *s* słońce; in the ~ na słońcu; *vt* wystawiać na słońce; *vi* wygrzewać się na słońcu

in·beam [ˈsʌn biːm] *s* promień słońca

in·burn [ˈsʌnbɜːn] *s* opalenizna

in·burnt [ˈsʌnbɜːnt] *adj* opalony, ogorzały

in·dae [ˈsʌndeɪ] *s* lody z owocami i śmietaną

in·day [ˈsʌndɪ] *s* niedziela; *attr* niedzielny; *pot.* ~ best odświętne ubranie

in·dial [ˈsʌn daɪl] *s* zegar słoneczny

in·dry [ˈsʌndrɪ] *adj* różny, rozmaity; all and ~ wszyscy bez wyjątku; *s pl* sundries rozmaitości

in·flow·er [ˈsʌnflauə(r)] *s bot.* słonecznik

ing *zob.* sing

ink *zob.* sink

ink·en [ˈsʌŋkən] *pp* od sink; *adj* zanurzony, zatopiony; zapadnięty, zapadły; leżący poniżej poziomu

in·kissed [ˈsʌnkɪst] *adj* nasłoneczniony; dojrzewający w słońcu

in·light [ˈsʌn laɪt] *s* światło słoneczne

in·ny [ˈsʌnɪ] *adj* słoneczny; (o *usposobieniu*) pogodny, wesoły

in·ray [ˈsʌn reɪ] *s* promień słońca

sun·rise [ˈsʌnraɪz] *s* wschód słońca; at ~ o świcie

sun·set [ˈsʌnset] *s* zachód słońca; at ~ o zachodzie słońca

sun·shade [ˈsʌnʃeɪd] *s* parasolka (od słońca); markiza

sun·shine [ˈsʌnʃaɪn] *s* światło słoneczne; słoneczna pogoda

sun·stroke [ˈsʌnstrəuk] *s* udar słoneczny

sup [sʌp] *vi* jeść kolację

su·per 1. [ˈsupə(r)] *adj pot.* wspaniały, pierwszorzędny; *s pot.* teatr statysta; *pot.* kierownik, przełożony; *pot.* szlagier

su·per 2. [ˈsupə(r)] *praef* nad-; prze-, *np.*: superman nadczłowiek; **to superheat** przegrzewać

su·per·a·bound [ˈsupərəˈbaund] *vi* być w nadmiarze

su·per·a·bun·dant [ˈsupərəˈbʌndənt] *adj* będący w nadmiarze

su·per·an·nu·ate [ˈsupərˈænjueit] *vt* zarzucić (coś przestarzałego); przenieść w stan spoczynku; usunąć (ucznia ze szkoły)

su·per·an·nu·at·ed [ˈsupərˈænjueit id] *adj* emerytowany; przestarzały, zużyty

su·perb [suˈpɜːb] *adj* wspaniały

su·per·cil·i·ous [ˈsupəˈsɪliəs] *adj* zarozumiały, wyniosły

su·per·e·roga·to·ry [ˈsupərəˈrogətrɪ] *adj* zbyteczny, nadobowiązkowy

su·per·fi·cial [ˈsupəˈfɪʃl] *adj* dotyczący powierzchni; (o *uczuciach, wiedzy*) powierzchowny

su·per·fi·ci·es [ˈsupəfɪʃiːz] *s* powierzchnia

su·per·flu·i·ty [ˈsupəˈfluətɪ] *s* zbędność; nadmiar; zbędna rzecz

su·per·flu·ous [suˈpɜːfluəs] *adj* zbędny; nadmierny

su·per·high·way [ˈsupə ˈhaɪweɪ] *s am.* autostrada

su·per·hu·man [ˈsupəˈhjumən] *adj* nadludzki

su·per·in·tend·ent [ˈsuprɪnˈtendənt]

s nadzorca; inspektor; kierownik

su·pe·ri·or [sə'pɪərɪə(r)] adj wyższy; przeważający; starszy rangą; wyniosły; zwierzchni; przedni; to be ~ przewyższać; wznosić się (to sb, sth ponad kogoś, coś); s zwierzchnik, przełożony; człowiek górujący; he has no ~ in ... nikt go nie przewyższa pod względem ...

su·pe·ri·or·i·ty [sə'pɪərɪ'orəti] s wyższość; starszeństwo; przewaga

su·per·la·tive [su'pɜlətɪv] adj nieprześcigniony, najlepszy; gram. (o stopniu) najwyższy; s gram. stopień najwyższy; przen. wyraz najwyższego uznania, superlatyw

su·per·man ['supəmæn] s nadczłowiek

su·per·nat·u·ral ['supə'nætʃərl] adj nadprzyrodzony

su·per·nu·mer·a·ry ['supə'njumərərɪ] adj nadliczbowy; zbędny; nieetatowy; rzecz zbędna; teatr statysta; pracownik nieetatowy

su·per·scribe ['supə'skraɪb] vt napisać u góry, umieścić napis; adresować

su·per·scrip·tion ['supəskrɪpʃn] s napis; adres

su·per·sede ['supə'sid] vt wyprzeć, usunąć, zastąpić

su·per·son·ic ['supə'sonɪk] s fiz. ultradźwiękowy

su·per·sti·tion ['supə'stɪʃn] s przesąd, zabobon

su·per·sti·tious ['supə'stɪʃəs] adj przesądny, zabobonny

su·per·struc·ture ['supəstrʌktʃə(r)] s nadbudowa

su·per·vene ['supə'vin] s niespodziewanie nadejść, nastąpić

su·per·vise ['supəvaɪz] vt dozorować, kontrolować

su·per·vi·sion ['supə'vɪʒn] s dozór, nadzór, kontrola

su·per·vi·sor ['supəvaɪzə(r)] s nad-

zorca, kontroler; kierownik

sup·per ['sʌpə(r)] s kolacja

sup·plant [sə'plɑnt] vt wyprzeć, zjąć miejsce

sup·ple ['sʌpl] adj giętki, uległy

sup·ple·ment ['sʌplɪmənt] s uzupenienie, dodatek; vt uzupełn zaopatrzyć w suplement

sup·ple·men·ta·ry ['sʌplɪ'mentr adj uzupełniający

sup·pli·cate ['sʌplɪkeɪt] vt błag (sb for sth kogoś o coś)

sup·plier [sə'plaɪə(r)] s dostawca

sup·ply [sə'plaɪ] vt dostarczyć (with sth komuś, czegoś), dost wić; zaopatrzyć (sb with sth k goś w coś); uzupełnić; zastąp ~ the demand zaspokoić pop s dostawca; podaż; zaopatrzen zastępca; pl supplies kredy (zw. państwowe); zasiłki; han artykuły; wojsk. zaopatrzeni posiłki; food ~ aprowizac short ~ niedostateczne zaopatrz nie, niedobór; ~ and demand p daż i popyt

sup·port [sə'pɔt] vt podpierać; p pierać, pomagać, utrzymywa podtrzymywać; znosić, cierpieć podpora; poparcie, pomoc; utrz manie; in ~ na poparcie (of s czegoś); wojsk. w rezerwie

sup·pose [sə'pəuz] vt vi przypus czać, zakładać; he is ~ed to be przypuszcza się, że on jest ⟨p winien być⟩ ...; ~ przypuśćm dajmy na to; I ~ so ⟨not⟩ myś że tak ⟨że nie⟩, chyba tak ⟨nie⟩

sup·pos·ing [sə'pəuzɪŋ] conj o i jeśli

sup·po·si·tion ['sʌpə'zɪʃn] s prz puszczenie; on the ~ przypus czając

sup·po·si·to·ry [sə'pozɪtrɪ] s me czopek

sup·press [sə'pres] vt stłumi znieść; zakazać; powstrzymać; kryć, zataić

sup·pres·sion [sə'preʃn] s stłumi nie; zniesienie; zakaz; powstrz manie; ukrycie, zatajenie

sup·pu·rate [`sʌpjʊreɪt] vi med. ropieć, jątrzyć się

su·prem·a·cy [sə`preməsɪ] s supremacja, zwierzchnictwo

su·preme [sə`prim] adj najwyższy; ostateczny

sur·charge [`sɜtʃadʒ] vt dodatkowo obciążyć, przeciążyć; zażądać zbyt wysokiej ceny; s przeciążenie; nadwaga; dopłata; filat. nadruk

surd [sɜd] adj mat. niewymierny; gram. bezdźwięczny; s mat. liczba niewymierna; gram. głoska bezdźwięczna

sure [ʃʊə(r)] adj pewny, niezawodny; be ~ to come przyjdź koniecznie ⟨na pewno⟩; he is ~ to do it on na pewno to zrobi; for ~ na pewno tak, oczywiście; to make ~ upewnić się; adv na pewno

sure·ly [`ʃʊəlɪ] adv pewnie, niezawodnie

surf [sɜf] s fale rozbijające się o brzeg; piana na falach

sur·face [`sɜfɪs] s powierzchnia; wygląd zewnętrzny

sur·feit [`sɜfɪt] s przesyt; nadmiar; vt przesycić

surge [sɜdʒ] vi ⟨o falach⟩ podnosić się; s wysoka fala

sur·geon [`sɜdʒən] s chirurg; lekarz wojskowy ⟨okrętowy⟩

sur·ger·y [`sɜdʒərɪ] s chirurgia; zabieg chirurgiczny; sala operacyjna; pokój przyjęć pacjentów

sur·gi·cal [`sɜdʒɪkl] adj chirurgiczny

sur·ly [`sɜlɪ] adj ponury, nieprzyjazny; gburowaty

sur·mise [`sɜmaɪz] s przypuszczenie; podejrzenie; vt [sɜ`maɪz] przypuszczać; podejrzewać

sur·mount [sə`maʊnt] vt wznosić się ⟨sth ponad coś⟩; opanować, przezwyciężyć

sur·name [`sɜneɪm] s nazwisko; przydomek

sur·pass [sə`pas] vt przewyższać, przekraczać (oczekiwania itd.)

sur·plus [`sɜpləs] s nadwyżka, dodatek; adj attr dodatkowy; ~ value wartość dodatkowa

sur·prise [sə`praɪz] s zaskoczenie; niespodzianka; zdziwienie; by ~ niespodziewanie; vt zaskoczyć; zdziwić

sur·ren·der [sə`rendə(r)] vt poddać, wydawać; przekazać; zrzec się, zrezygnować ⟨sth z czegoś⟩; vi poddać się, ulec, oddać się; s poddanie się; kapitulacja; oddanie (się); rezygnacja; wykup (np. polisy)

sur·rep·ti·tious [ˌsʌrəp`tɪʃəs] adj skryty, tajny

sur·round [sə`raʊnd] vt otaczać

sur·round·ings [sə`raʊndɪŋz] s pl otoczenie; okolica

sur·veil·lance [sɜ`veɪləns] s nadzór ⟨zw. policyjny⟩

sur·vey [`sɜveɪ] s przegląd, inspekcja; pomiar (terenu); mapa (terenowa); vt [sɜ`veɪ] przeglądać, dokładnie badać; lustrować; mierzyć (grunty), dokonywać pomiarów

sur·vey·or [sɜ`veɪə(r)] s nadzorca; kontroler, inspektor; mierniczy

sur·viv·al [sə`vaɪvl] s przeżycie, przetrwanie, utrzymanie się przy życiu; pozostałość, resztka; przeżytek; the ~ of the fittest ewolucja drogą doboru naturalnego

sur·vive [sə`vaɪv] vt vi przeżyć, przetrwać, utrzymać się przy życiu

sus·cep·ti·bil·i·ty [sə`septə`bɪlətɪ] s podatność (to sth na coś), wrażliwość

sus·cep·ti·ble [sə`septəbl] adj wrażliwy, podatny (to sth na coś); nadający się, dopuszczający możliwość (of sth czegoś)

sus·pect [sə`spekt] vt vi podejrzewać (sb of sth kogoś o coś); obawiać się; s [`sʌspekt] człowiek podejrzany; adj podejrzany

sus·pend [sə`spend] vt zawiesić, wstrzymać

sus·pend·ers [sə'spendəz] *s pl* pod-
wiązki; *am.* szelki

sus·pense [sə'spens] *s* stan zawieszenia; niepewność

sus·pen·sion [sə'spenʃn] *s* zawieszenie; wstrzymanie; zwłoka; ~
bridge most wiszący

sus·pi·cion [sə'spiʃn] *s* podejrzenie

sus·pi·cious [sə'spiʃəs] *adj* podejrzliwy; podejrzany

sus·tain [sə'stein] *vt* podtrzymywać; utrzymywać; przetrzymy-
wać; znosić; ponosić

sus·te·nance [ˈsastinəns] *s* utrzymanie, wyżywienie; *zbior.* środki utrzymania

swad·dle [ˈswodl] *vt* owijać, przewijać (niemowlę)

swag·ger [ˈswægə(r)] *vi* przechwalać się, zadzierać nosa; *s* chełpliwość, zarozumiałość

swal·low 1. [ˈswoləu] *s zool.* jaskół-
ka; *sport* ~ **dive** skok do wody
jaskółką

swal·low 2. [ˈswoləu] *vt* połykać;
pochłaniać; *s* łyk

swam *zob.* swim

swamp [swomp] *s* bagno, trzęsawisko; *vt* zanurzyć, pogrążyć; zasypać

swamp·y [ˈswompi] *adj* bagnisty

swan [swon] *s zool.* łabędź

swap [swop] = swop

sward [swɔd] *s* darń

swarm [swɔm] *s* rój; *vi* roić się

swarth·y [ˈswɔði] *adj* śniady

swash·buck·ler [ˈswoʃbʌklə(r)] *s* zawadiaka

swathe [sweið] *vt* owijać, bandażować; *s* bandaż

sway [swei] *vt vi* kołysać (się);
przechylać (się); wahać się; mieć
władzę, panować, przeważać; *s*
kołysanie, przerzucanie się; władza, panowanie

* **swear** [sweə(r)], **swore** [swɔ(r)],
sworn [swɔn] *vi* przysięgać (by
sth na coś); kląć (at sb, sth na
kogoś, na coś); *vt* zaprzysięgać;
to ~ an oath złożyć przysięgę; ~
in zaprzysięgać; ~ **off** odwołać,

wyrzec się pod przysięgą

swear·ing [ˈsweəriŋ] *s* przysięga
zaprzysiężenie; przekleństwo
przeklinanie

sweat [swet] *s* pot, pocenie się;
trud; **in the ~ of one's brow** w
pocie czoła; *vi* pocić się; trudzić
się, ciężko pracować; *vt* wywoływać poty; wydzielać; zmuszać do
pracy w pocie czoła, wyzyskiwać; ~**ed industry** przemysł o-
party na wyzysku; ~**ing systen**
system eksploatacji pracownika
wyzysk

sweat·er [ˈswetə(r)] *s* sweter; wyzyskiwacz (robotników)

Swede [swid] *s* Szwed

Swed·ish [ˈswidiʃ] *adj* szwedzki;
język szwedzki

* **sweep** [swip], **swept**, **swep**
[swept] *vt* zamiatać, wymiatać
zmiatać; przesuwać, przeciągać
vi wędrować, przebiegać, mknąć
s zamiatanie; rozmach, zamaszysty ruch; rozległość; **to make a
clean ~** (of sth) pozbyć się (czegoś) za jednym zamachem

sweep·er [ˈswipə(r)] *s* zamiatacz
zamiatarka (mechaniczna)

sweep·ing [ˈswipiŋ] *adj* zamaszysty; gwałtowny, radykalny; rozległy; stanowczy

sweep·stake [ˈswipsteik] *s* (także
pl ~s) rodzaj totalizatora (na
wyścigach konnych)

sweet [swit] *adj* słodki; delikatny
miły, ujmujący; melodyjny; łagodny; **it's ⟨how⟩ ~ of you to**
miło z twojej strony; *pot.* **to be**
~ **on sb** kochać się w kimś; *s*
cukierek; legumina, deser; kochana osoba; *pl* ~s słodycze; roz-
kosze

sweet·en [ˈswitn] *vt* słodzić; *vi* stać
się słodkim

sweet·heart [ˈswithat] *s* kochana
osoba, kochanie

sweet·meat [ˈswitmit] *s* cukierek

sweet·shop [ˈswit ʃop] *s* sklep ze
słodyczami

***swell** [swel], **swelled** [sweld]

swollen [`swəulən] *vt* puchnąć,
nabrzmiewać; wzbierać; wzmagać się; *vt* nadymać; powiększać; wzmagać; *s* nabrzmienie,
obrzęk; wzniesienie; wzmaganie
się; *pot.* modniś, elegant; *przen.*
gruba ryba; mistrz (at sth w
czymś); *adj pot.* elegancki, modny; ważny, nadzwyczajny; ~
society lepsze towarzystwo, wyższa sfera

swell·ing [`swelɪŋ] *s* nabrzmienie,
obrzęk, opuchlina; wypukłość;
adj nadęty; (o *stylu*) napuszony

swel·ter [`sweltə(r)] *vi* omdlewać
od upału; *s* upał, skwar

swept *zob.* sweep

swerve [swɜv] *vt vi* odchylić (się),
zboczyć; *s* odchylenie

swift [swɪft] *adj* szybki, prędki;
adv szybko, prędko

* swim [swɪm], swam [swæm],
swum [swʌm] *vi* pływać, płynąć;
kręcić się (w głowie); *vt* przepłynąć; *s* pływanie; zawrót głowy

swim·ming-bath [`swɪmɪŋ baθ] *s*
pływalnia

swim·ming-match [`swɪmɪŋ mætʃ]
s zawody pływackie

swim·ming-pool [`swɪmɪŋ pul] *s* ba-
sen pływacki, pływalnia

swin·dle [`swɪndl] *vt* oszukiwać,
wyłudzać (sb of sth od kogoś
coś); *s* oszustwo

swin·dler [`swɪndlə(r)] *s* oszust

swine [swaɪn] *s* świnia

* swing [swɪŋ], swung, swung
[swʌŋ] *vt vi* kołysać (się), huśtać (się); zakręcać; wymachiwać;
s kołysanie; rozmach; ruch wa-
hadłowy; huśtawka; rytm (wiersza, muzyki itd.); in full ~ w
pełnym toku

wing-door [`swɪŋ dɔ(r)] *s* drzwi
wahadłowe

win·ish [`swaɪnɪʃ] *adj* świński

wirl [swɜl] *s* wir; zwój; *vi* wirować

wish 1. [swɪʃ] *s* świst, szmer; *vi*
świszczeć; *vt pot.* chłostać

swish 2. [swɪʃ] *adj pot.* elegancki,
modny

Swiss [swɪs] *adj* szwajcarski; *s*
Szwajcar

switch [swɪtʃ] *s* wyłącznik; pręt;
zwrotnica; *vt* bić prętem; trzaskać (np. z bata); *elektr.* połączyć; wyrwać; porwać; skiero-
wać (np. pociąg); ~ off wyłączyć
(światło, prąd itp.); ~ on włączyć (światło); połączyć (telefonicznie); ~ over przełączyć

switch-board [`swɪtʃbɔd] *s* tablica
rozdzielcza

switch-man [`swɪtʃmæn] *s* zwrot-
niczy

swol·len *zob.* swell

swoon [swun] *s* omdlenie; *vi* (*także* ~ away) zemdleć

swoop [swup] *vi* rzucać się (z góry); (o *ptakach drapieżnych*) nagle spaść; *lotn.* pikować

swop [swop], swap [swop] *vt pot.*
wymienić, przehandlować (sth
for sth coś na coś); *s* wymiana

sword [sɔd] *s* miecz, szabla, szpada; (o *pochodzeniu*) on the ~
side po mieczu

swore *zob.* swear

sworn *zob.* swear

swum *zob.* swim

swung *zob.* swing

syc·o·phant [`sɪkəfənt] *s* służalcz/
pochlebca

syl·lab·ic [sɪ`læbɪk] *adj* sylabowy,
zgłoskowy

syl·la·ble [`sɪləbl] *s* zgłoska, syla-
ba

syl·la·bus [`sɪləbəs] *s* (*pl* syllabi
[`sɪləbaɪ] *lub* ~es) kompendium,
konspekt; program studiów, spis
wykładów

sym·bol·ic·(al) [sɪm`bɔlɪk(l)] *adj*
symboliczny

sym·met·ric [sɪ`metrɪk] *adj* syme-
tryczny

sym·me·try [`sɪmɪtrɪ] *s* symetria

sym·pa·thet·ic [`sɪmpə`θetɪk] *adj*
współczujący, pełen sympatii, życzliwy; pełen zrozumienia (dla

drugich); *med.* współczulny; (*o atramencie*) sympatyczny, niewidoczny; (*o działaniu*) solidarny

sym·pa·thize [ˈsɪmpəθaɪz] *vi* sympatyzować, współczuć, wyrażać współczucie; wzajemnie się rozumieć

sym·pa·thy [ˈsɪmpəθɪ] *s* współczucie, sympatia; wzajemne zrozumienie; **letter of ~** list kondolencyjny; **in ~** na znak współczucia; harmonijnie, solidarnie

sym·pho·ny [ˈsɪmfənɪ] *s* symfonia

sym·po·si·um [sɪmˈpəʊzɪəm] *s* sympozjum; sesja, konferencja

symp·tom [ˈsɪmptəm] *s* symptom, objaw

symp·to·mat·ic [ˌsɪmptəˈmætɪk] *adj* symptomatyczny

syn·a·gogue [ˈsɪnəgɒg] *s* synagoga

syn·chro·nize [ˈsɪŋkrənaɪz] *vt* synchronizować; *vi* zbiegać się w czasie, przebiegać równocześnie

syn·co·pe [ˈsɪŋkəpɪ] *s gram. muz.* synkopa

syn·di·cate [ˈsɪndɪkət] *s* syndykat

syn·o·nym [ˈsɪnənɪm] *s* synonim

syn·on·y·mous [sɪˈnɒnɪməs] *adj* synonimiczny

syn·op·sis [sɪˈnɒpsɪs] *s* (*pl* **synopses** [sɪˈnɒpsiːz]) zwięzły przegląd, zarys; zestawienie; *film* skrót scenariusza

syn·tac·tic·(al) [sɪnˈtæktɪk(l)] *adj gram.* składniowy

syn·tax [ˈsɪntæks] *s gram.* składnia

syn·the·sis [ˈsɪnθəsɪs] *s* (*pl* **syntheses** [ˈsɪnθəsiːz]) synteza

syn·thet·ic [sɪnˈθetɪk] *adj* syntetyczny

sy·phon [ˈsaɪfən] = **siphon**

syr·inge [sɪˈrɪndʒ] *s* strzykawka; *vt* wstrzykiwać, przepłukać strzykawką

syr·up [ˈsɪrəp] *s* syrop

sys·tem [ˈsɪstəm] *s* system; metoda; organizm (człowieka); ustrój

sys·tem·at·ic [ˌsɪstəˈmætɪk] *adj* systematyczny

t

tab [tæb] *s* pętelka, wieszak (np. płaszcza); język (buta); etykietka

table [ˈteɪbl] *s* stół; tablica, tabela; płyta; **at ~** przy stole; *mat.* **multiplication ~** tabliczka mnożenia; **~ of contents** spis rzeczy; *vt* kłaść na stół; układać w tabelę, tabularyzować; poddawać pod dyskusję ⟨do rozpatrzenia⟩

table·cloth [ˈteɪbl klɒθ] *s* obrus

table·land [ˈteɪbl lænd] *s* płaskowzgórze

tab·let [ˈtæblət] *s* tabliczka; tabletka, pastylka; bloczek (do notatek)

ta·boo [təˈbuː] *s* tabu; świętość nietykalna; *adj* zakazany, nietykalny; *vt* objąć nakazem nietykal-

ności, zakazać

tab·ou·ret [ˈtæbərət] *s* taboret

tac·it [ˈtæsɪt] *adj* milczący, cichy

tac·i·turn [ˈtæsɪtən] *adj* milczący, małomówny

tack [tæk] *s* sztyft, gwóźdź tapicerski, pluskiewka; *pl* **~s** fastryga; *przen.* linia postępowania, taktyka; *vt* przytwierdzić (sztyftem), przymocować; fastrygować; *vi* lawirować; zmieniać postępowanie

tack·le [ˈtækl] *vt* borykać się (sth z kimś, czymś); uporać się zatrzymać; zebrać się, przystąpić (sth do czegoś); przymocować *vi pot.* energicznie wziąć się (sth do czegoś); *s mors.* takielu-

nek; sprzęt (zw. rybacki); *sport*
złapanie i przytrzymanie przeciwnika

tack·ling [ˈtæklɪŋ] s sprzęt (zw. rybacki); *mors.* takielunek

tact [tækt] s takt

tact·ful [ˈtæktfl] *adj* taktowny

tac·ti·cal [ˈtæktɪkl] *adj* taktyczny;
zręczny

tac·tics [ˈtæktɪks] s taktyka

tact·less [ˈtæktləs] *adj* nietaktowny

tad·pole [ˈtædpəʊl] s *zool.* kijanka

tag [tæg] s uchwyt; ucho (buta);
pętelka; przyczepka; przyczepio-
na kartka, nalepka, etykieta; dodatek (np. do przemówienia, tekstu itp.), końcówka; okolicznościowy frazes; gra w berka; *vt*
oznaczyć etykietą; dołączyć, do-
czepić (coś na końcu); śledzić,
chodzić za kimś; *vi pot.* deptać
po piętach (after, behind sb komuś)

tail [teɪl] s ogon; warkocz (długi);
tył; orszak; *vt* sztukować; *vi* na-
trętnie włóczyć się (after sb za
kimś)

tail-coat [ˈteɪl kəʊt] s frak

tai·lor [ˈteɪlə(r)] s krawiec

tai·lor·ing [ˈteɪlərɪŋ] s krawiectwo

taint [teɪnt] s plama, skaza; here-
ditary ~ dziedziczne obciążenie;
vt splamić, skazić; *vi* ulec skaże-
niu, zepsuć się

* **take** [teɪk], **took** [tʊk], **taken**
[ˈteɪkən] *vt* brać, przyjmować;
powziąć; spożywać (pokarm), zażywać (lekarstwo); uważać, wychodzić z założenia; wsiadać (do
pociągu, tramwaju); zdejmować,
robić zdjęcie (fotograficzne); pochwycić, zająć; zarazić się, dostać (kataru, gorączki itd.); o-
brać (kurs, drogę); to ~ **account**
wziąć pod uwagę, uwzględnić (of
sth coś); to ~ **advantage** wykorzystać (of sth coś); to ~ **sb's**
advice zasięgnąć czyjejś rady;
to ~ **the air** zaczerpnąć powie-

trza, odetchnąć; to ~ **care** troszczyć się (of sth o coś); to ~ **the**
chair objąć przewodnictwo; to
~ **courage** nabrać odwagi; to ~
one's degree otrzymać stopień
naukowy; to ~ **effect** nabrać
mocy, wejść w życie; to ~ **an**
examination zdawać egzamin; to
~ **a fancy** znaleźć upodobanie,
polubić (to sth coś); to ~ **fright**
przestraszyć się (at, of sth czegoś); to ~ **a glance** spojrzeć
(at sth na coś); to ~ **heart** nabrać ducha; to ~ **hold** pochwycić (of sth coś); to be ~n **ill** zachorować; to ~ **interest** interesować się (in sth czymś); ~ **it**
easy nie przejmuj się, nie wy-
silaj się; to ~ **liberties** pozwalać
sobie, nie krępować się (with sb,
sth kimś, czymś); to ~ **notes** ⟨a
note⟩ notować (of sth coś); to ~
notice zauważyć (of sth coś); to
~ **an oath** przysiąc; to ~ **offence**
obrazić się (at sth o coś); to ~
the offensive przejść do ofensywy; to ~ **orders** przyjąć święcenia kapłańskie; to ~ **pains** zadać
sobie trud; to ~ **part** brać udział;
to ~ **a picture** ⟨a photograph⟩
zrobić zdjęcie; to ~ **pity** litować się (on sb nad kimś); to ~
place odbywać się; to ~ **pleasure**
znajdować przyjemność; to ~
possession brać w posiadanie (of
sth coś); to ~ **pride** szczycić się
(in sth czymś); to ~ **prisoner**
wziąć do niewoli; to ~ **root** zapuścić korzenie; to ~ **a seat** u-
siąść; to ~ **sides** opowiedzieć się
⟨stanąć⟩ (with sb po czyjeś stronie); to ~ **steps** przedsięwziąć
kroki, zastosować środki; to ~
stock inwentaryzować; *przen.* zaopatrywać; badać (of sth coś); it
~s time na to trzeba trochę czasu; it took me two hours to
do this to zajęło mi dwie godziny
czasu; to ~ **trouble** zadawać sobie trud, robić sobie kłopot; z
przysłówkami i przyimkami: ~
aback zaskoczyć, przerazić; ~ af-

ter kształtować się według, u-
podabniać się do; ~ **away** zabrać, uprowadzić; ~ **down** zdjąć,
zerwać; poniżyć; zapisać; zde-
montować, rozebrać (np. maszynę); ~ **for** uważać za; **to ~ for**
granted uważać za rzecz oczywistą, przesądzać; ~ **in** wziąć
⟨wprowadzić⟩ do środka, włączyć; objąć; wciągnąć; przyjmować do domu, wprowadzać; brać
do siebie; abonować (gazetę); naciągać, oszukiwać; **to ~ into ac-**
count brać pod uwagę; ~ **into**
one's head ubzdurać sobie; ~
off zdjąć; zabrać; odjąć; usunąć; naśladować; wyruszyć; odprowadzić; odbić się (od ziemi,
wody); *lotn.* startować; ~ **on**
przybrać; przyjąć; wziąć na siebie; podjąć się; ~ **out** wyjąć;
wyprowadzić; wywabić; wyciągnąć, wydostać; ~ **over** przejąć;
przewieźć; następować z kolei,
luzować (**from** sb kogoś); ~ **to**
zabrać się do; oddać się (np. na-
łogowi), poświęcić się czemuś; u-
stosunkować się; **to ~ to the**
stage poświęcić się sztuce sceni-
cznej; ~ **up** podnieść; wziąć na
siebie, podjąć (się); zająć się
(sth czymś); wchłaniać; przyjąć
(np. zakład); zająć (miejsce,
czas); zaprzątać (np. umysł); obcować, zadawać się; zadowalać
się (with sth czymś)
take-in [`teɪk ɪn] s oszustwo, na-
ciąganie
taken zob. **take**
take-off [`teɪk ɒf] s naśladownic-
two; parodia; *lotn.* start; *sport*
odbicie się, odskok
tak-ing [`teɪkɪŋ] s wzięcie, pobie-
ranie; *pl* ~s dochód, wpływy kasowe; *adj* pociągający; (o chorobie) zaraźliwy
talc [tælk], **talcum** [`tælkəm] s
talk
tale [teɪl] s opowiadanie, powiastka; bajka; † ilość, liczba, rachu-

nek; **fairy** ~s bajki; **to tell** ~
plotkować; skarżyć
tal·ent [`tælənt] s talent, uzdolnie
nie
tal·ent·ed [`tæləntɪd] *adj* utalen
towany, zdolny
tal·is·man [`tælɪzmən] s talizman
talk [tɔk] *vt vi* mówić, rozma
wiać, gadać; **to ~ big** chwali
się; ~ **down** nie dać przyjść d
słowa (sb komuś); ~ **into** sth na
mówić do czegoś; ~ **over** omó
wić; ~ **round** omówić wyczer
pująco, wyczerpać temat; prze
konać; **to ~ sense** mówić d
rzeczy; **to ~ shop** mówić o spra
wach zawodowych; s rozmowa
gadanie, pogadanka; prelekcja
pogłoska; **small** ~ rozmowa
niczym
talk·a·tive [`tɔkətɪv] *adj* gadatli
wy
talk·er [`tɔkə(r)] s gawędziarz; ga
duła
talk·ie [`tɔkɪ] s *pot.* film dźwięko
wy
talk·ing-pic·ture [`tɔkɪŋ pɪktʃə(r)]
film dźwiękowy
tall [tɔl] *adj* wysoki, wysokieg
wzrostu; *pot.* nieprawdopodobny
niesłychany; przesadny; ~ **tal**
przechwałki; **to talk** ~ prze
chwalać się
tal·low [`tæləʊ] s łój, tłuszcz
tal·ly [`tælɪ] s karb; znak; kart
ka; rachunek; odpowiednik; du
plikat; *vt* oznaczać; liczyć; ze
stawiać; *vi* zgadzać się, odpowia
dać sobie
tal·on [`tælən] s szpon
tame [teɪm] *adj* oswojony; łagod
ny; uległy; *vt* oswoić; poskro
mić
tame·less [`teɪmləs] *adj* nieokieł
nany, dziki
tam·er [`teɪmə(r)] s poskramiacz
tam·per [`tæmpə(r)] *vi* wtrącać się
(**with** sth do czegoś); dobierać
się; manipulować
tam·pon [`tæmpən] s tampon; *vt*
tamponować

an [tæn] s opalenizna; garbnik; kolor żółtobrązowy; vt garbować; brązowić; opalać (się)

an·dem [ˈtændəm] s tandem

ang 1. [tæŋ] s posmak; ostry zapach

ang 2. [tæŋ] s brzęk, dźwięk; vi brzęczeć, dźwięczeć

an·gent [ˈtændʒənt] adj styczny; s mat. styczna

an·gi·ble [ˈtændʒəbl] adj dotykalny, namacalny

tan·gle [ˈtæŋgl] vt vi gmatwać (się), wikłać (się); s gmatwanina, plątanina

ank [tæŋk] s basen, cysterna; wojsk. czołg; vt gromadzić w basenie; tankować

ank·ard [ˈtæŋkəd] s kufel, dzban (z pokrywą)

an·ner 1. [ˈtænə(r)] s garbarz

tan·ner 2. [ˈtænə(r)] s pot. sześciopensówka

tan·ner·y [ˈtænəri] s garbarnia

tan·ta·lize [ˈtæntəlaiz] vt dręczyć, kusić

tan·ta·mount [ˈtæntəmaunt] adj równoznaczny (to sth z czymś), równowartościowy

tap 1. [tæp] s kran; szpunt, kurek; zawór; napój z beczki; bar; vt otwierać (beczkę), puszczać płyn (kurkiem), czerpać (ze źródła); zaopatrywać w kurek; nawiązać stosunek; napocząć; podsłuchiwać rozmowę telefoniczną

tap 2. [tæp] vt vi pukać, lekko stukać (at the door do drzwi); podkuć (obcas); s pukanie, lekkie uderzenie; podkucie (obcasa), flek

tape [teip] s wstążka, taśma; przen. red ∼ biurokracja; vt związać taśmą

ta·per [ˈteipə(r)] s cienka świeczka; słabe światło; stożek; vi kończyć się ostro, zwężać się ku końcowi

tape-re·cord·er [ˈteip rikədə(r)] s magnetofon

tape-re·cord·ing [ˈteip rikədiŋ] s nagrywanie na taśmę

tap·es·try [ˈtæpistri] s dekoracyjne obicie, gobelin

tape-worm [ˈteipwɜm] s med. tasiemiec

ta·pir [ˈteipə(r)] s zool. tapir

tap·room [ˈtæp rum] s bar, bufet

tar [ta(r)] s smoła; pot. (także Jack ∼) marynarz; vt smarować smołą

tar·dy [ˈtadi] adj powolny, ociężały

tare [teə(r)] s tara, waga opakowania

tar·get [ˈtagit] s tarcza, cel

tar·iff [ˈtærif] s taryfa, system ceł

tar·nish [ˈtaniʃ] vt przyciemnić, zrobić matowym; vi ściemnieć, zmatowieć; s utrata połysku, zmatowienie

tar·pau·lin [taˈpɔlin] s płótno żaglowe, brezent

tar·ry [ˈtæri] vi zwlekać, ociągać się

tart 1. [tat] s ciastko ⟨placek⟩ z owocami

tart 2. [tat] adj uszczypliwy, cierpki

tar·tan [ˈtatn] s materiał w szkocką kratę, tartan

Tar·tar [ˈtatə(r)] s Tatar

task [task] s zadanie, praca, zajęcie; to set a ∼ dać zadanie (sb komuś); to take to ∼ zrobić wymówkę (sb komuś); vt dać pracę do wykonania, obarczyć pracą; zmusić do wysiłku, męczyć

tas·sel [ˈtæsl] s pęk ozdobnych frędzli, chwast; zakładka (w książce)

taste [teist] s smak; zamiłowanie; vt vi próbować (smaku); smakować; mieć smak (of sth czegoś); zaznawać, czuć smak

taste·ful [ˈteistfl] adj gustowny

taste·less [ˈteistləs] adj niesmaczny; niegustowny

tast·y [ˈteisti] adj smaczny

tat·ter [ˈtætə(r)] s (zw. pl ∼s) szmata, łachman

tat·tered ['tætəd] *adj* obdarty, obszarpany

tat·too 1. [tə'tu] *s* capstrzyk

tat·too 2. [tə'tu] *s* tatuaż; *vt* tatuować

taught *zob.* teach

taunt [tɔnt] *s* złośliwa uwaga, uraganie; *vt* docinać, urągać (sb with sth komuś za coś)

taut [tɔt] *adj* napięty, mocno naciągnięty

taut·en ['tɔtn] *vt* napinać

tav·ern ['tævn] *s* tawerna, karczma

taw·dry ['tɔdrɪ] *adj* niegustowny; (*o ubiorze*) krzykliwy

tax [tæks] *s* podatek (państwowy); cło; ciężar; *vt* szacować; obciążać (podatkiem, clem itp.); obarczać ciężarem, przemęczać; obciążać winą; wystawiać na próbę

tax·a·tion [tæk'seɪʃn] *s* opodatkowanie

tax·col·lec·tor ['tæks kəlektə(r)] *s* poborca podatkowy; ~'s office urząd skarbowy

tax·i ['tæksɪ] *s* taksówka; *vi* jechać taksówką

tax·i·cab ['tæksɪ kæb] *s* taksówka

tax·pay·er ['tæks peɪə(r)] *s* podatnik

tea [ti] *s* herbata; herbatka (przyjęcie); podwieczorek

* **teach** [titʃ] **taught, taught** [tɔt] *vt* uczyć (sb kogoś czegoś)

teach·er ['titʃə(r)] *s* nauczyciel

tea·cup ['ti kʌp] *s* filiżanka do herbaty

tea·ket·tle ['ti ketl] *s* czajnik, imbryk

team [tim] *s* zaprzęg; zespół, drużyna; *vt* zaprzęgać; *vi* ~ up zespolić się (do wspólnej pracy), pracować zespołowo

team·work ['timwɜk] *s* praca zespołowa

tea·par·ty ['ti patɪ] *s* zebranie towarzyskie przy herbacie, herbatka

tea·pot ['tipɒt] *s* imbryk, czajniczek

tear 1. [tɪə(r)] *s* łza

* **tear** 2. [teə(r)], **tore** [tɔ(r)], **tor**[tɔn] *vt vi* rwać (się), szarpać, targać, drzeć (się); ~ **along** mykać; ~ **away** oderwać; zmykać; ~ **in** wpaść; ~ **off** oderwać zerwać; ~ **open** rozerwać; ~ **ou** wyrwać; ~ **up** porwać, potargać wyrwać; rozkopać; *s* rozdarcie pęknięcie

tear·ful ['tɪəfl] *adj* zalany łzami

tea·room ['ti rum] *s* herbaciarnia cukiernia

tease [tiz] *vt* drażnić, docinać (sł komuś)

teas·er ['tizə(r)] *s* kpiarz; człowiek dokuczający; *pot.* trudne zadanie, trudne pytanie

tea·spoon ['tispun] *s* łyżeczka d herbaty

teat [tit] *s* sutka, brodawka sutkowa

tech·ni·cal ['teknɪkl] *adj* techniczny

tech·nics ['teknɪks] *s* technika, nauki techniczne

tech·nique [tek'nik] *s* technika sprawność, sposób wykonywania

tech·nol·o·gy [tek'nɒlədʒɪ] *s* technologia; technika

ted·dy·bear ['tedɪ beə(r)] *s* mi (zabawka)

ted·dy boy ['tedɪ bɔɪ] *s* bikiniarz rozrabiacz

te·di·ous ['tidɪəs] *adj* nudny, mę czący

te·di·um ['tidɪəm] *s* nuda, nudy

tee [ti] *s* cel, tarcza (w grze)

teem [tim] *vi* roić się (with sth od czegoś), obfitować

teen·ag·er ['tineɪdʒə(r)] *s* nastolatek

teens [tinz] *s pl* wiek od 13 do 19 lat; she is in her ~ ona jeszcze nie ma 20 lat; to be in one's ~ mieć naście lat

teeth *zob.* tooth

tee·to·tal·ler [ti'təutlə(r)] *s* abstynent

tel·e·cast ['telɪkɑst] *vi* = televis

tel·e·gram ['telɪgræm] *s* telegram

tel·e·graph [ˈtelɪgrɑf] s telegraf; vt vi telegrafować

te·lep·a·thy [tɪˈlepəθɪ] s telepatia

tel·e·phone [ˈteləfəun] s telefon; by ~ telefonicznie; vt vi telefonować

tel·e·pho·to [ˈtelɪˈfəutəu] s fotografia zdalna

tel·e·pho·tog·ra·phy [ˈtelɪfəˈtogrəfɪ] s telefotografia

tel·e·scope [ˈtelɪskəup] s teleskop

te·le·type [ˈtelɪtɑɪp] s dalekopis

tel·e·view·er [ˈtelɪvjuə(r)] s telewidz

tel·e·vise [ˈtelɪvɑɪz] vt nadawać w telewizji ⟨drogą telewizyjną⟩

tel·e·vi·sion [ˈtelɪvɪʒn] s telewizja; ~ set telewizor, aparat telewizyjny

tel·ex [ˈteleks] s dalekopis, teleks

* **tell** [tel], **told, told** [təuld] vt vi mówić, powiadać, powiedzieć, opowiadać; poznawać, odróżniać; wywierać wpływ, robić wrażenie; kazać (sb to do sth komuś coś zrobić); mieć znaczenie; liczyć; all told wszystkiego ⟨wszystkich⟩ razem; ~ over opowiedzieć na nowo; przeliczyć

tell·er [ˈtelə(r)] s narrator; kasjer (bankowy)

tell·ing [ˈtelɪŋ] adj znaczący, wpływowy; skuteczny; s mówienie, opowiadanie; nakaz

tell·tale [ˈtelteɪl] s plotkarz; licznik; wskaźnik; attr plotkarski; zdradziecki; ostrzegawczy; kontrolny

tell·y [ˈtelɪ] s pot. telewizja

te·mer·i·ty [tɪˈmerətɪ] s śmiałość, zuchwalstwo

tem·per [ˈtempə(r)] s usposobienie, natura, nastrój, humor; irytacja; opanowanie; stopień twardości (stali); zaprawa (murarska), domieszka; to get into a ~ wpaść w złość; to lose one's ~ stracić panowanie nad sobą, rozgniewać się; out of ~ w gniewie, w stanie irytacji; vt vi temperować, łagodzić (się), hamować (się); u-

rabiać (np. glinę); techn. hartować (się)

tem·per·a·ment [ˈtemprəmənt] s temperament, usposobienie

tem·per·a·men·tal [ˈtemprəˈmentl] adj z temperamentem; wrodzony; pobudliwy, wybuchowy

tem·per·ance [ˈtemprəns] s umiarkowanie, wstrzemięźliwość, trzeźwość; ~ restaurant restauracja bezalkoholowa

* **tem·per·ate** [ˈtemprət] adj umiarkowany, trzeźwy

tem·per·a·ture [ˈtemprətʃə(r)] s temperatura; to take one's ~ zmierzyć komuś gorączkę

tem·pest [ˈtempɪst] s burza

tem·ple 1. [ˈtempl] s świątynia

tem·ple 2. [ˈtempl] s anat. skroń

tem·po [ˈtempəu] s tempo

tem·po·ral [ˈtempərl] adj czasowy; doczesny; świecki

tem·po·rar·y [ˈtemprɪ] adj tymczasowy, przejściowy

tempt [tempt] vt kusić, wabić; to be ~ed być skłonnym, mieć ochotę (to do sth coś zrobić)

temp·ta·tion [tempˈteɪʃn] s pokusa, kuszenie

ten [ten] num dziesięć; s dziesiątka

ten·a·ble [ˈtenəbl] adj dający się utrzymać; (o urzędzie) piastowany

te·na·cious [təˈneɪʃəs] adj trwały, wytrzymały, uporczywy

te·nac·i·ty [təˈnæsətɪ] s trwałość, wytrzymałość, uporczywość

ten·an·cy [ˈtenənsɪ] s dzierżawa

ten·ant [ˈtenənt] s dzierżawca; lokator; vt dzierżawić

tend 1. [tend] vt zmierzać, dążyć; skłaniać się

tend 2. [tend] vt pilnować, strzec; pielęgnować (chorego)

tend·en·cy [ˈtendənsɪ] s tendencja, kierunek, skłonność

ten·der 1. [ˈtendə(r)] adj delikatny, łagodny, czuły; młodociany

ten·der 2. [ˈtendə(r)] vt podawać, wręczać, przekazywać, oferować, przedkładać; **s** oferta; **legal** ~ środek płatniczy

ten·der 3. [ˈtendə(r)] **s** kolej. mors. tender; dozorca (np. maszyny)

ten·don [ˈtendən] **s** anat. ścięgno

ten·e·ment [ˈtenəmənt] **s** parcela dzierżawna; mieszkanie czynszowe; dom czynszowy

ten·e·ment-house [ˈtenəmənt haus] **s** dom czynszowy, kamienica

ten·et [ˈtenət] **s** zasada; dogmat

ten·fold [ˈtenfəuld] **adj** dziesięciokrotny; **adv** dziesięciokrotnie

ten·ner [ˈtenə(r)] **s** pot. banknot dziesięciofuntowy, dziesiątka

ten·nis [ˈtenɪs] **s** sport tenis

ten·or [ˈtenə(r)] **s** treść, istota; brzmienie; przebieg; muz. tenor

tense 1. [tens] **s** gram. czas

tense 2. [tens] **adj** napięty

ten·sion [ˈtenʃn] **s** napięcie, naprężenie

tent [tent] **s** namiot; **vt** nakryć namiotem; **vi** obozować pod namiotem

ten·ta·cle [ˈtentəkl] **s** zool. macka

ten·ta·tive [ˈtentətɪv] **adj** próbny; **s** próba; propozycja

ten·ta·tive·ly [ˈtentətɪvlɪ] **adv** próbnie, tytułem próby

tenth [tenθ] **adj** dziesiąty; **s** dziesiąta (część)

ten·u·ous [ˈtenjuəs] **adj** cienki, delikatny, nieznaczny

ten·ure [ˈtenjuə(r)] **s** posiadanie, tytuł własności; okres posiadania ⟨użytkowania, urzędowania⟩

tep·id [ˈtepɪd] **adj** letni, ciepławy

ter·e·ben·thene [ˈterəˈbenθɪn] **s** chem. terpentyna

term [tɜm] **s** termin; semestr (akademicki); kadencja (sądowa, urzędowa itp.); termin, wyraz fachowy; (zw. pl ~s) stosunek; warunek; **to be on good** ~**s** być w dobrych stosunkach; **to be on speaking** ~**s with sb** znać się z kimś powierzchownie, ograniczać

znajomość do okolicznościowej rozmowy; **to come to** ~**s** dojść do porozumienia; **in** ~**s of money** przeliczywszy na pieniądze; **vt** określać, nazywać

ter·mi·nal [ˈtɜmɪnl] **adj** końcowy; **s** kres, koniec; stacja końcowa; gram. końcówka

ter·mi·nate [ˈtɜmɪneɪt] **vt vi** kończyć (się), zakończyć (się)

ter·mi·nol·o·gy [ˈtɜmɪˈnolədʒɪ] **s** terminologia

ter·mi·nus [ˈtɜmɪnəs] **s** (pl termini [ˈtɜmɪnaɪ]) stacja końcowa

ter·race [ˈterəs] **s** taras

ter·res·tri·al [təˈrestrɪəl] **adj** ziemski; lądowy

ter·ri·ble [ˈterəbl] **adj** straszny, okropny

ter·rif·ic [təˈrɪfɪk] **adj** straszliwy, budzący strach; pot. cudowny, wspaniały

ter·ri·fy [ˈterɪfaɪ] **vt** napędzić strachu, przerazić

ter·ri·to·ri·al [ˈterɪˈtɔrɪəl] **adj** terytorialny

ter·ri·to·ry [ˈterɪtrɪ] **s** terytorium

ter·ror [ˈterə(r)] **s** terror, groza, przerażenie

ter·ror·ize [ˈterəraɪz] **vt** terroryzować

terse [tɜs] **adj** zwięzły

ter·ti·ar·y [ˈtɜʃərɪ] **adj** trzeciorzędny

test [test] **s** próba, test, sprawdzian, egzamin; **vt** próbować, poddawać próbie, badać (**for sth** na coś)

tes·ta·ment [ˈtestəmənt] **s** testament

tes·ti·fy [ˈtestɪfaɪ] **vt vi** świadczyć (**to sth** ⟨o czymś⟩); deklarować (się); stwierdzać

tes·ti·ly [ˈtestɪlɪ] **adv** w rozdrażnieniu, z gniewem

tes·ti·mo·ni·al [ˈtestɪˈməunɪəl] **s** zaświadczenie, świadectwo

tes·ti·mo·ny [ˈtestɪmənɪ] **s** świadectwo, dowód; zeznanie

test-tube [ˈtest tjub] **s** chem. probówka

tes·ty [ˈtestɪ] *adj* łatwy do roz-drażnienia, gniewny

teth·er [ˈteðə(r)] *s* łańcuch, postronek; *przen.* **to be at the end of one's ~** być u kresu wytrzymałości ⟨sił⟩; *vt* przywiązać (np. kozę, krowę), spętać

text [tekst] *s* tekst

text-book [ˈtekstbuk] *s* wypisy, podręcznik

tex·tile [ˈtekstaɪl] *adj* tekstylny; *s* wyrób tekstylny

tex·ture [ˈtekstʃə(r)] *s* tkanina; struktura

than [ðæn; ðən] *conj* niż, aniżeli

thank [θæŋk] *vt* dziękować; *s* (*zw. pl* ~s) dzięki, podziękowanie; *praep* ~s **to** ... dzięki ..., zawdzięczając ...

thank·ful [ˈθæŋkfl] *adj* wdzięczny

thank·less [ˈθæŋkləs] *adj* niewdzięczny

thanks·giv·ing [θæŋksˈgɪvɪŋ] *s* dziękczynienie

that [ðæt] *pron* (*pl* those [ðəuz]) ów, tamten; który, którzy; *conj* że; ażeby

thatch [θætʃ] *s* strzecha; *vt* kryć strzechą

thau·ma·turge [ˈθɔːmətɜːdʒ] *s* cudotwórca

thaw [θɔː] *vi* tajać, topnieć; *vt* topić, roztapiać; *s* odwilż

the [ðə, przed samogłoską, w pozycji akcentowanej ðiː] *rodzajnik* ⟨przedimek⟩ *określony:* **what was ~ result?** jaki był wynik?; **~ best way** najlepszy sposób; *w funkcji zaimka wskazującego:* **call ~ man** zawołaj tego człowieka; *adv przed przymiotnikiem lub przysłówkiem w comp:* **all ~ better** tym lepiej; **~ shorter ~ days** im krótsze dni, tym dłuższe noce; **~ more he gets, ~ more he wants** im więcej ma, tym więcej chce mieć

the·a·tre [ˈθɪətə(r)] *s* teatr

the·at·ri·cal [θɪˈætrɪkl] *adj* teatralny; *s pl* **~s** przedstawienie teatralne (*zw.* amatorskie)

theft [θeft] *s* kradzież

their [ðeə(r)] *adj* ich

theirs [ðeəz] *pron* ich

them *zob.* **they**

theme [θiːm] *s* temat, przedmiot; wypracowanie szkolne; **~ song** *muz. film radio* melodia przewodnia; *am.* sygnał stacji radiowej

them·selves [ðmˈselvz] *pron* oni sami, ich samych, się, sobie, siebie

then [ðen] *adv* wtedy; następnie; zresztą; *conj* a więc, zatem; **but ~** ale przecież; **by ~** już przedtem; **now ~** otóż; *adj attr* ówczesny

thence [ðens] *adv* dlatego, skutkiem tego; † stamtąd, stąd

the·o·lo·gian [θɪəˈləudʒən] *s* teolog

the·ol·o·gy [θɪˈɒlədʒɪ] *s* teologia

the·o·rem [ˈθɪərəm] *s* teoremat; *mat.* twierdzenie

the·o·ret·i·cal [θɪəˈretɪkl] *adj* teoretyczny

the·o·ry [ˈθɪərɪ] *s* teoria; przypuszczenie

ther·a·peu·tic [ˈθerəˈpjuːtɪk] *adj* terapeutyczny; *s* ~s terapia

there [ðeə(r), ðə(r)] *adv* tam; **~ is, ~ are** jest, są; istnieje, istnieją; **from ~** stamtąd; **over ~** tam, po drugiej stronie; *int* no!, otóż to!; **~ now!** otóż to!; *s* to miejsce; **ta miejscowość; near ~** w pobliżu tego miejsca

there·a·bout(s) [ˈðeərəbaut(s)] *adv* gdzieś tam, w tamtych okolicach; (*po wymienieniu liczby itp.*) coś koło tego, mniej więcej

there·af·ter [ðeərˈaftə(r)] *adv* następnie, później; według tego

there·by [ðeəˈbaɪ] *adv* przez to, przy tym; skutkiem tego

there·fore [ˈðeəfɔ(r)] *adv* dlatego

there·of [ðeərˈɒv] † *adv* tego, z tego, o tym

there·with [ðeəˈwɪθ] *adv* z tym

ther·mal [ˈθɜːml] *adj* cieplny

ther·mic [ˈθɜːmɪk] *adj* termiczny

ther·mom·e·ter [θə`mɒmɪtə(r)] *s* termometr

ther·mos [`θɜːmɒs] *s (także ~ flask)* termos

ther·mo·stat·ics [`θɜːmə`stætɪks] *s* termostatyka

the·sau·rus [θɪ`sɔːrəs] *s (pl the·sau·ri* [θɪ`sɔːraɪ], *~es)* skarbiec; leksykon; zbiór (wyrazów, wyrażeń, cytatów itp.)

these *zob.* this

the·sis [`θiːsɪs] *s (pl theses* [`θiːsiːz]) teza; rozprawa, praca pisemna

they [ðeɪ] *pron* oni, one; *(przypadek zależny)* them [ðem, ðəm, əm]) im, ich, je

they'd [ðeɪd] = **they had; they should; they would**

they'll [ðeɪl] = **they shall; they will**

they're [ðeə(r)] = **they are**

they've [ðeɪv] = **they have**

thick [θɪk] *adj* gruby, tłusty; gęsty; głupi, tępy; *s* gruba część czegoś; in the ~ of a forest w gąszczu leśnym; *przen.* in the ~ of the fight w wirze walki

thick·en [`θɪkən] *vi* grubieć; gęstnieć; *vt* zagęszczać

thick·et [`θɪkɪt] *s* gąszcz, gęstwina

thick·ness [`θɪknəs] *s* grubość; gęstość

thick·set [`θɪk`set] *adj* gęsto sadzony; *(o człowieku)* przysadzisty

thick·skinned [`θɪk `skɪnd] *adj przen.* gruboskórny

thief [θiːf] *s (pl thieves* [θiːvz]) złodziej

thieve [θiːv] *vi vt* kraść

thieves *zob.* thief

thigh [θaɪ] *s anat.* udo

thill [θɪl] *s* dyszel

thim·ble [`θɪmbl] *s* naparstek; *techn.* tulejka

thin [θɪn] *adj* cienki; szczupły; słaby; rzadki, rzadko rosnący; *vt* rozcieńczyć; rozrzedzić; pomniejszyć; zwęzić; *vi (także ~ away, ~ down)* zeszczupleć, zmniejszyć się, zrzednąć

thing [θɪŋ] *s* rzecz, sprawa, przedmiot; istota; *pl ~s prawn.* własność; **poor (little) ~!** biedactwo; **all ~s English** wszystko to, co angielskie; **how are ~s (going)** co słychać; **I don't feel quite th ~** nie czuję się dobrze, marn się czuję; **that's the ~** o to ch dzi, w tym rzecz; **for one ~** p pierwsze

* **think** [θɪŋk], **thought, thoug** [θɔːt] *vi* myśleć (about, of sth czymś), sądzić, uważać; zami rzać; **to ~ much** wysoko cen być dobrego zdania (of sb, s o kimś, czymś); **to ~ little** n cenić wysoko, mieć niepochlebn zdanie (of sb, sth o kimś, czymś *vt* mieć na myśli; uważać; **to ~ no harm** nie mieć na myśli n złego; **to ~ sb silly** uważać k goś za głupca; **~ out** wymyśli przemyśleć do końca; **~ over o** myślić; rozważyć ponownie; **~ through** przemyśleć

think·er [`θɪŋkə(r)] *s* myśliciel

think·ing [`θɪŋkɪŋ] *s* myślenie; zd nie, opinia

thin·ness [`θɪnnəs] *s* cienkość szczupłość, chudość; rzadkość

third [θɜːd] *adj* trzeci; **~ degre** trzeci stopień przesłuchania (v sądzie, na policji); *s* trzeci część; *techn.* trzeci bieg

third·ly [`θɜːdlɪ] *adv* po trzecie

third-rate [`θɜːd `reɪt] *adj* trzecio rzędny

thirst [θɜːst] *s* pragnienie; *vi* prag nąć (after, for sth czegoś)

thirst·y [`θɜːstɪ] *adj* spragniony pragnący

thir·teen [`θɜː`tiːn] *num* trzynaście *s* trzynastka

thir·teenth [`θɜː`tiːnθ] *adj* trzynasty *s* trzynasta część

thir·ti·eth [`θɜːtɪəθ] *adj* trzydziesty *s* trzydziesta część

thir·ty [`θɜːtɪ] *num* trzydzieści; trzydziestka; **the thirties** lat trzydzieste

this [ðɪs] *pron (pl these* [ðiːz]) ter

throne

ta, to; ~ **morning** ⟨**evening**⟩ **dziś rano** ⟨**wieczór**⟩; ~ **way tędy**

this·tle [ˈθɪsl] s bot. oset

thith·er [ˈðɪðə(r)] adv † tam, w ową stronę, do tamtego miejsca

tho' [ðəʊ] = **though**

thong [θɒŋ] s rzemień, kańczug

thorn [θɔːn] s cierń, kolec

thorn·y [ˈθɔːnɪ] adj ciernisty, kolący

thor·ough [ˈθʌrə] adj całkowity, gruntowny

thor·ough·bred [ˈθʌrəbred] adj rasowy; s koń czystej krwi, zwierzę rasowe

thor·ough·fare [ˈθʌrəfeə(r)] s przejazd, wolna droga; arteria komunikacyjna

thor·ough·go·ing [ˈθʌrə ˈɡəʊɪŋ] adj stanowczy, bezkompromisowy; gruntowny

thor·ough·ly [ˈθʌrəlɪ] adv gruntownie

those zob. **that**

though [ðəʊ] conj chociaż; **as ~ jak gdyby**; adv jednak, przecież

thought 1. zob. **think**

thought 2. [θɔt] s myśl; namysł; pomysł; zamiar; **on second ~s po rozważeniu, po namyśle**; **he had no ~ of ... nie miał wcale zamiaru ...**

thought·ful [ˈθɔtfl] adj myślący, głęboki, rozważny

thought·less [ˈθɔtləs] adj bezmyślny, lekkomyślny, nierozważny

thou·sand [ˈθaʊznd] num tysiąc

thou·sandth [ˈθaʊznθ] adj tysięczny; s tysięczna część

thral·dom [ˈθrɔldəm] s niewolnictwo, niewola

thrall [θrɔl] s niewolnik (**of sb czyjś; to sth czegoś**)

thrash [θræʃ] vt młócić; chłostać, bić; ~ **out debatować; dokładnie przedyskutować**

thrash·ing [ˈθræʃɪŋ] s młócenie; lanie, chłosta; **to give sb a good ~ sprawić komuś solidne lanie**

thread [θred] s nić, nitka; wątek

(opowiadania, rozmowy itp.); vt nizać, nawlekać; przesuwać się, przeciskać się (**sth przez coś**)

thread·bare [ˈθredbeə(r)] adj wytarty, przeświecający

threat [θret] s groźba

threat·en [ˈθretn] vt grozić; vi zagrażać, zapowiadać się groźnie

three [θri] num trzy; s trójka

three-cor·ner·ed [ˈθri ˈkɔnəd] adj trójkątny

three-deck·er [ˈθri ˈdekə(r)] s statek trójpokładowy

three·fold [ˈθri-fəʊld] adj trzykrotny; adv trzykrotnie

three-mas·ter [ˈθri ˈmastə(r)] s statek trójmasztowy

three·pence [ˈθrepəns] s trzy pensy (moneta trzypensowa)

three·score [ˈθri ˈskɔ(r)] num sześćdziesiąt

thresh [θreʃ] = **thrash**

thresh·old [ˈθreʃhəʊld] s próg; przen. przedsionek, próg, początek

threw zob. **throw**

thrift [θrɪft] s oszczędność, gospodarność

thrift·y [ˈθrɪftɪ] adj oszczędny, gospodarny

thrill [θrɪl] s dreszcz, drżenie; vt przejmować dreszczem, mocno wzruszać; vt drżeć, dygotać

thrill·er [ˈθrɪlə(r)] s sensacyjny film; przejmująca sztuka ⟨powieść⟩, dreszczowiec

* **thrive** [θraɪv], **throve** [θrəʊv], **thriven** [ˈθrɪvən] vi pięknie się rozwijać, prosperować, kwitnąć

thro' [θru] = **through**

throat [θrəʊt] s gardło; gardziel; **sore ~ ból gardła; to clear one's ~ odchrząknąć**

throb [θrɒb] vi (o sercu, pulsie) bić, drgać, tętnić; s bicie (serca, pulsu); drganie, dreszcz

throe [θrəʊ] s gwałtowny ból; pl ~s **bóle porodowe**; (także ~s **of death**) agonia

throne [θrəʊn] s tron; **to come to the ~ wstąpić na tron**

throng [θroŋ] s tłum, tłok; *vt vi* tłoczyć (się), tłumnie gromadzić (się)

thros·tle [`θrosl] s zool. drozd

throt·tle [`θrotl] s gardziel; *techn.* przepustnica; *vt* dusić, dławić, tłumić

through [θru] *praep* przez, poprzez; z powodu, dzięki; *adv* na wskroś, dokładnie, na wylot, od początku do końca; ~ and ~ całkowicie, najzupełniej; to be ~ skończyć (with sb, sth z kimś, czymś); to get ~ przebyć; doprowadzić do końca, skończyć; połączyć się telefonicznie; *adj* bezpośredni, tranzytowy; a ~ train to ... pociąg bezpośredni do ...

through·out [θru`aut] *praep* przez, poprzez; ~ his life przez całe jego życie; ~ the year przez cały rok; *adv* wszędzie; od początku do końca; pod każdym względem

throve zob. **thrive**

* **throw** [θrəu], **threw** [θru], **thrown** [θrəun] *vt* rzucać, zrzucać, narzucać; to ~ a glance rzucić okiem (at sb na kogoś); ~ away odrzucać, wyrzucać; ~ down porzucić, rzucić, obalić; ~ in wrzucić, wtrącić, dorzucić; to ~ in one's lot with sb podzielić czyjś los; związać się; ~ off zrzucić; pozbyć się (sth czegoś); ~ on narzucić, nałożyć; ~ open rozewrzeć, szeroko otworzyć; udostępnić; ~ out wyrzucić, wypędzić; wydać; ~ over porzucić, zarzucić; przewrócić; ~ up podrzucić, rzucić w górę; podwyższyć; porzucić, zrezygnować; s rzut; obalenie

throw-out [`θrəu aut] s rzecz odrzucona; odsiew; odpadki

thru [θru] *am.* = **through**

thrum [θrʌm] *vt vi* bębnić, rzepolić; s bębnienie, rzepolenie

thrush [θrʌʃ] s zool. drozd

* **thrust** [θrʌst], **thrust**, **thrust** [θrʌst] *vt* pchnąć, wbić; wtrącić; przebić; *vi* ~ past przepychać się obok; s pchnięcie; *wojsk.* atak, wypad

thud [θʌd] s głuche stuknięcie, głuchy łomot; *vi* ciężko zwalić się, głucho stuknąć

thug [θʌg] s skrytobójca, bandyta

thumb [θʌm] s kciuk; rule of ~ praktyczna zasada; ~s up! brawo!; Tom Thumb Tomcio Paluch; *vt* przewracać kartki (książki), wertować; brzdąkać

thump [θʌmp] *vi* głucho stukać, grzmocić (np. pięścią); s głuche stukanie, ciężkie uderzenie

thun·der [`θʌndə(r)] s grzmot; *vi* grzmieć; *vt* ciskać (np. groźbę)

thun·der·bolt [`θʌndə bəult] s piorun, grom

thun·der·clap [`θʌndə klæp] s trzask piorunu, *przen.* piorunująca wiadomość

thun·der·ous [`θʌndərəs] *adj* grzmiący

thun·der·storm [`θʌndə stɔm] s burza z piorunami

thun·der·struck [`θʌndə strʌk] *adj* rażony piorunem; osłomiony

Thurs·day [`θɜzdɪ] s czwartek

thus [ðʌs] *adv* tak, w ten sposób; ~ far dotąd, dotychczas; do tego stopnia; ~ much tyle

thwart [θwɔt] *vt* krzyżować, udaremniać

thy [ðaɪ] *pron* twój

tick 1. [tɪk] *vt vi* (o zegarze) tykać; robić znak kontrolny; odfajkować; s tykanie; znak kontrolny; chwilka

tick 2. [tɪk] s *pot.* kredyt; on ~ na kredyt

tick·et [`tɪkɪt] s bilet, karta wstępu; etykieta, znaczek; licencja (np. pilota); *am. polit.* lista kandydatów

tick·le [`tɪkl] *vt* łaskotać; zabawiać; *vi* swędzić; s łaskotanie

tick·lish [`tɪklɪʃ] *adj* łaskotliwy; drażliwy

timely

id·dly-winks [ˈtɪdlɪ wɪŋks] s (gra
w) pchełki

ide [taɪd] s przypływ i odpływ
morza; prąd, bieg; *przen.* fala;
pora, czas; **high ~** przypływ; **low
~** odpływ; *vi* płynąć z prądem;
~ over przepłynąć; *przen.* przezwyciężyć (np. trudności)

i·dings [ˈtaɪdɪŋz] s pl wiadomości

i·dy [ˈtaɪdɪ] *adj* czysty, schludny, porządny; *vt (także* **~ up)**
doprowadzić do porządku, oczyścić

ie [taɪ] s więź, węzeł; krawat;
sznurowadło; *sport* remis; *vt (p
praes* **tying)** wiązać, łączyć; krępować; zobowiązywać (**sb to sth**
kogoś do czegoś)

ier [tɪə(r)] s rząd; piętro; kondygnacja; *teatr* rząd krzeseł

ti·ger [ˈtaɪɡə(r)] s *zool.* tygrys

tight [taɪt] *adj* napięty; obcisły,
ciasny; szczelny, spoisty; niewystarczający, skąpy; *pot.* pijany,
wstawiony; **to be in a ~ corner**
być przyciśniętym do muru; **to
sit ~** *przen.* obstawać przy swoim; s pl **~s** trykoty; rajstopy;
adv ciasno, szczelnie

tight·en [ˈtaɪtn] *vt vi* ściągnąć
(się), ścieśnić (się); napiąć; zacisnąć

tight-fist·ed [ˈtaɪt ˈfɪstɪd] *adj* skąpy

ti·gress [ˈtaɪɡrəs] s tygrysica

tike [taɪk] = **tyke**

tile [taɪl] s dachówka; kafel; płyta; *vt* kryć dachówką, wykładać
(kaflami itp.)

till 1. [tɪl] *praep* do, aż do; *conj*
aż, dopóki nie

till 2. [tɪl] s kasa sklepowa

till 3. [tɪl] *vt* uprawiać (ziemię), o-
rać

till·age [ˈtɪlɪdʒ] s uprawa ziemi

till·er 1. [ˈtɪlə(r)] s rolnik

till·er 2. [ˈtɪlə(r)] s *mors.* rączka
steru, sterownica

tilt 1. [tɪlt] *vt vi* przechylać (się);
rzucić się, atakować (np. lancą);

przen. napadać (**at sb** na kogoś);
s nachylenie, przechył; napaść

tilt 2. [tɪlt] s nakrycie, osłona (z
brezentu)

tim·ber [ˈtɪmbə(r)] s drewno, budulec; belka; *am.* las

time [taɪm] s czas, pora; termin;
rᴀz; tempo; takt; okres kary wię-
ziennej; okres służby wojskowej; **a long ~ ago** dawno temu;
at a ~ naraz; **at ~s** czasami; **at
any ~ kiedykolwiek**; **at one ~**
swego czasu, niegdyś; **at the
same ~** równocześnie; pomimo
tego; **behind one's ~** spóźniony;
behind the ~s konserwatywny,
zacofany; **for the ~ being** na
razie, chwilowo; **in due ~ we**
właściwym czasie, w porę; **in ~**
na czas; w takt, do taktu; **in no
~** wkrótce, zaraz, natychmiast;
many a ~ niejednokrotnie; **many
~s** wielokrotnie, często; **most of
the ~** przeważnie; najczęściej;
once upon a ~ pewnego razu;
dawno temu; **out of ~** nie w porę, nie na czasie; **some ~ or
other** kiedyś tam (w przyszłości), przy sposobności; **~ after ~**
raz za razem; **~ and again** od
czasu do czasu; **~ is up** czas u-
płynął; **to do ~** odsiadywać karę więzienia; **to gain ~** zyskać na
czasie; *(o zegarze)* spieszyć się;
to have a good ~ dobrze się bawić; używać sobie; **to keep ~**
tańczyć ⟨grać itp.⟩ do taktu; **to
serve one's ~** odbywać (służbę,
wyrok, praktykę itp.); **to take
one's ~** nie spieszyć się; **what ~
is it?, what is the ~?** która godzina?; *vt* wyznaczać według czasu, dostosować do czasu; określać
czas, regulować; zrobić w odpo-
wiedniej chwili; *vi* dostosowywać się, dotrzymywać kroku
(**with sb, sth** komuś, czemuś);
adj praed czasowy; terminowy

time-bomb [ˈtaɪm bɒm] s bomba
zegarowa

time·ly [ˈtaɪmlɪ] *adj* będący na
czasie, aktualny; dogodny

ti·mer ['taɪmə(r)] s stoper; regulator czasu

time·serv·er ['taɪm sɜːvə(r)] s oportunista

time·serv·ing ['taɪm sɜːvɪŋ] adj oportunistyczny; s oportunizm

time-ta·ble ['taɪm teɪbl] s rozkład zajęć; rozkład jazdy

time-work ['taɪm wɜːk] s praca dniówkowa

time-worn ['taɪm wɔːn] adj zużyty, sfatygowany; przestarzały; starodawny

tim·id ['tɪmɪd] adj bojaźliwy, nieśmiały

ti·mid·i·ty [tɪ'mɪdətɪ] s bojaźliwość

tim·or·ous ['tɪmərəs] adj lękliwy

tin [tɪn] s cyna, blacha; naczynie blaszane; puszka konserwowa; vt pobielać; konserwować w puszkach, pakować do puszek

tinc·ture ['tɪŋktʃə(r)] s nalewka; domieszka; odcień, zabarwienie

ting [tɪŋ] vt vi dzwonić, dźwięczeć; s dźwięczenie, dzwonienie

tinge [tɪndʒ] s lekki odcień, zabarwienie; vt zabarwiać, nadawać odcień

tin·gle ['tɪŋgl] vt dźwięczeć, brzmieć; świerzbieć, swędzić; powodować ciarki; s dźwięczenie, brzęk; swędzenie; ciarki

tink·er ['tɪŋkə(r)] s naprawiacz kotłów; druciarz

tin·kle ['tɪŋkl] vi dzwonić; s dzwonienie

tin·ned [tɪnd] pp zob. tin; adj konserwowy; ~ food artykuły żywnościowe w konserwach

tin-opener ['tɪn əupnə(r)] s klucz do konserw

tin-plate ['tɪn pleɪt] s blacha cynowa

tin·sel ['tɪnsl] s zbior. błyskotki; świecidełka; przen. fałszywy blask, blichtr

tint [tɪnt] s zabarwienie, odcień; vt lekko barwić, cieniować

tin·ware ['tɪnweə(r)] s zbior. wyroby cynowe ⟨blaszane⟩

ti·ny ['taɪnɪ] adj drobny, bardzo mały

tip 1. [tɪp] s koniuszek; szpic (np. buta); skuwka; on the ~ of one's tongue na końcu języka; vt pokryć koniuszek; obić, okuć

tip 2. [tɪp] vt vi dotknąć; przechylić (się); skinąć, dać znak; poczęstować; dać napiwek; s przechylenie, nachylenie; lekkie dotknięcie; znak, aluzja, wskazówka; napiwek

tip-car ['tɪp kɑ(r)] s wóz-wywrotka

tip·sy ['tɪpsɪ] adj pijany, wstawiony

tip·toe ['tɪptəu] adv (zw. on ~) na czubkach palców; vi chodzić na czubkach palców

tip·top ['tɪp top] s pot. szczyt doskonałości; adj doskonały, pierwszorzędny

ti·rade [taɪ'reɪd] s tyrada

tire 1. ['taɪə(r)] vt vi męczyć (się), to be ~d of sth mieć czegoś dosyć; to be ⟨get⟩ ~d zmęczyć się (of sth czymś); mieć czegoś dość; uprzykrzyć sobie (of sth coś); ~ out krańcowo wyczerpać

tire 2. ['taɪə(r)] s obręcz (koła); opona; guma (rowerowa); vt nałożyć obręcz; nałożyć oponę ⟨gumę⟩

tire·less ['taɪələs] adj niezmordowany

tire·some ['taɪəsm] adj męczący; nudny

'tis [tɪz] = it is

tis·sue ['tɪʃu] s tkanina (delikatna); biol. tkanka

tis·sue-pa·per ['tɪʃu peɪpə(r)] s bibułka

tit [tɪt] s w zwrocie: ~ for tat pięknym za nadobne, wet za wet

tit·bit ['tɪtbɪt] s smakołyk; przen. interesująca plotka ⟨nowina⟩

tithe ['taɪð] s dziesięcina

ti·tle ['taɪtl] s tytuł

ti·tled ['taɪtld] adj utytułowany

tit·ter ['tɪtə(r)] vi chichotać; s chichot

tit·u·lar ['tɪtjulə(r)] adj tytularny

to [tu, tə] praep (kierunek) do, ku;

(granica przestrzeni lub czasu) aż, do, po; *(zgodność)* ku, według; to a man do ostatniego człowieka; to my mind moim zdaniem, według mnie; to perfection doskonale; to this day po dzień dzisiejszy; to the right (w kierunku) na prawo; *(porównanie)* od, niż: inferior to me niższy (np. służbowo) ode mnie; *(stosunek)* dla, na, wobec: he has been very good to me był dla mnie bardzo dobry; ten to one' dziesięć do jednego; za dziesięć minut pierwsza; *(wynik)* ku: to my surprise ku memu zdziwieniu; *cel*: man eats to live człowiek je, ażeby żyć; *tłumaczy się przez 3. przypadek*: give it to me not to him daj to mnie, nie jemu; *kwalifikator bezokolicznika*: to see widzieć; *zastępuje bezokolicznik*: he was to have come but forgot to miał przyjść, ale zapomniał (przyjść); *adv w wyrażeniach*: to and fro tu i tam; the door is to drzwi są zamknięte

ad [təud] s *zool.* ropucha

ad·y ['təudɪ] s pochlebca, lizus; *vt* płaszczyć się (sb przed kimś), wkradać się w łaski (sb czyjeś)

ast [təust] s grzanka, tost; toast; *vt* przypiekać; wznosić toast (sb na czyjąś cześć)

·bac·co [tə'bækəu] s tytoń

·bac·co·nist [tə'bækənist] s właściciel sklepu tytoniowego

·bog·gan [tə'bogən] s *sport* toboggan; *vi* jeździć na tobogganie

·bog·gan-shoot [tə'bogən ʃut], **·bog·gan-slide** [tə'bogən slaid] s *sport* tor saneczkowy

·day, to-day [tə'dei] *adv* dziś; s dzień dzisiejszy

·d·dle ['todl] *vi* chodzić chwiejnym krokiem; s chwiejny krok

·d·dy ['todɪ] s sok z palmy; rodzaj grogu

to-do [tə 'du] s hałas, zamieszanie, krzątanina

toe [təu] s palec u nogi; from top to ~ od stóp do głów; *vt w zwrocie*: to ~ the line *sport* stanąć na starcie; *przen.* podporządkować się ogółowi, być solidarnym

tof·fee ['tofɪ] s toffi, karmelek

to·geth·er [tə'geðə(r)] *adv* razem; na raz; for weeks ~ całymi tygodniami; to get ~ zbierać (się)

toil [tɔɪl] s trud; *vt* trudzić się, ciężko pracować; *(także ~ along)* wlec się z trudem

toil·er ['tɔɪlə(r)] s ciężko pracujący człowiek

toil·et ['tɔɪlət] s toaleta

to·ken ['təukən] s znak; pamiątka; bon; żeton

told *zob.* tell

tol·er·a·ble ['tolrəbl] *adj* znośny, możliwy

tol·er·ance ['tolərəns] s tolerancja, pobłażliwość

tol·er·ate ['toləreit] *vt* tolerować, znosić

toll 1. [təul] s myto, opłata; *przen.* ~ of lives żniwo śmierci

toll 2. [təul] *vt vi* dzwonić (przeciągle); s głos dzwonu *(zw.* pogrzebowego)

toll-bar ['təul ba(r)] s rogatka

tom·a·hawk ['toməhok] s indiański topór bojowy, tomahawk

to·ma·to [tə'matəu] s pomidor

tomb [tum] s grobowiec; grób

tom·boy ['tombɔɪ] s (dziewczyna) urwis ⟨trzpiot⟩

tomb·stone ['tumstəun] s kamień grobowy

tom·fool [tom'ful] s głupiec; błazen; *vt* błaznować

tom·my ['tomɪ] s żołnierz brytyjski; szeregowiec; *pot.* ~ rot głupstwa, brednie

tom·my-gun ['tomɪ gʌn] s ręczny karabin maszynowy

to·mor·row, to-mor·row [tə'morəu] *adv* jutro; s dzień jutrzejszy; the day after ~ pojutrze

ton [tʌn] *s* tona; *zw. pl* ~**s** pot. mnóstwo, niezliczona ilość

tone [təun] *s* ton, dźwięk; *gram.* akcent toniczny; *vt* stroić, nastrajać; tonować; harmonizować; ~ **down** tonować, łagodzić; tonować się, łagodnieć; ~ **up** podnieść, wzmocnić; wzmagać się, potężnieć

tongs [tɒŋz] *s pl* szczypce, obcęgi

tongue [tʌŋ] *s* język; mowa; sposób mówienia; języczek; serce (dzwonu); **mother** ~ język ojczysty; **to find one's** ~ **again** odzyskać mowę; **to have lost one's** ~ zapomnieć języka w gębie; **to hold one's** ~ trzymać język za zębami

ton·ic [ˈtɒnɪk] *adj* wzmacniający, toniczny; *gram.* tonalny, akcentowany; *s* środek wzmacniający ⟨tonizujący⟩

to·night, to-night [təˈnaɪt] *adv* dziś w nocy ⟨wieczorem⟩; *s* dzisiejsza noc, dzisiejszy wieczór; ~'**s paper** dzisiejsza gazeta wieczorna

too [tu] *adv* także, prócz tego, w dodatku; doprawdy; wielce, bardzo, aż nadto; **all** ~ aż nadto; **none** ~ **good** niezbyt dobry, nieszczególny; **I'm only** ~ **glad** jestem bardzo rad

took *zob.* **take**

tool [tul] *s* narzędzie

toot [tut] *s* dźwięk (rogu, klaksonu itp.), sygnał; *vt vi* dąć w róg, buczeć

tooth [tuθ] *s* (*pl* **teeth** [tiθ]) ząb; **in the teeth of sth** wbrew czemuś, nie zważając na coś; ~ **and nail** namiętnie, zawzięcie

tooth·ache [ˈtuθeɪk] *s* ból zębów

tooth-brush [ˈtuθbrʌʃ] *s* szczoteczka do zębów

tooth-paste [ˈtuθpeɪst] *s* pasta do zębów

tooth-pick [ˈtuθpɪk] *s* wykałaczka

top 1. [tɒp] *s* szczyt, najwyższy punkt; wierzch, powierzchnia, górna część; głowa (stołu); *mors.* kosz, bocianie gniazdo; pierw-

sze miejsce w klasie; *adj* att górny, szczytowy; ~ **boy** najlep szy uczeń w klasie; *vt vi* pokry wać od góry; wznosić się; prze wyższać; ~ **off** zakończyć; ~ u dopełnić

top 2. [tɒp] *s* bąk (zabawka); **sleep like a** ~ spać jak suseł

top-hat [ˈtɒp hæt] *s* cylinder

to·pi, to·pee [ˈtəupɪ] *s* hełm tropi kalny

top·ic [ˈtɒpɪk] *s* przedmiot, tema

top·i·cal [ˈtɒpɪkl] *adj* miejscowy dotyczący tematu, aktualny

top·most [ˈtɒpməust] *adj* najwyż szy

to·pog·ra·phy [təˈpɒgrəfɪ] *adj* topo grafia

top·ping [ˈtɒpɪŋ] *adj* wybitny; po świetny, kapitalny

top·ple [ˈtɒpl] *vt* (*także* ~ **dow** ⟨**over**⟩) powalić; *vi* zwalić się

top·sy-tur·vy [ˈtɒpsɪ ˈtɜːvɪ] *adv* d góry nogami; *adj* przewrócon do góry nogami

torch [tɔtʃ] *s* pochodnia; latark elektryczna

tore *zob.* **tear** 2.

tor·ment [ˈtɔment] *s* męka, tortu ry; *vt* [tɔˈment] męczyć, dręczy

torn *zob.* **tear** 2.

tor·na·do [tɔˈneɪdəu] *s* tornado

tor·pe·do [tɔˈpidəu] *s* torpeda; *v* torpedować

tor·pedo-boat [tɔˈpidəu bəut] *wojsk.* kuter torpedowy

tor·pid [ˈtɔpɪd] *adj* zesztywniały zdrętwiały

tor·por [ˈtɔpə(r)], **tor·pid·i·ty** [t ˈpɪdətɪ] *s* zesztywnienie, odręt wienie

tor·rent [ˈtɒrənt] *s* potok (rwący) ulewa

tor·ren·tial [tɔˈrenʃl] *adj* wartki ulewny

tor·rid [ˈtɒrɪd] *adj* wypalony (słoń cem); skwarny

tor·sion [ˈtɔʃn] *s* skręt, skręcenie *mat.* torsja

tor·toise [ˈtɔtəs] *s zool.* żółw

or·toise-shell [ˈtɔtəs ʃel] s szylkret

or·tu·qus [ˈtɔtʃuəs] *adj* kręty, wijący się

or·ture [ˈtɔtʃə(r)] s tortury, męczarnia; *vt* torturować, dręczyć; przekręcać (np. słowa)

o·ry [ˈtɔri] s *polit.* torys

oss [tos] *vt* rzucać w górę, podrzucać, potrząsać; niepokoić; *vi* przewracać się, wiercić się; (*o morzu, drzewie*) kołysać się; ~ **off** wypić duszkiem; załatwić od ręki; s rzucanie, rzut; potrząsanie

o·tal [ˈtəutl] *adj* całkowity, totalny; s suma globalna, ogólny wynik; *vt vi* sumować; wynosić w całości

o·tal·i·ty [təuˈtæləti] s całość, ogół

o·tal·i·za·tor [ˈtəutlaizeitə(r)], *pot.* **tote** [təut] s totalizator

ot·ter [ˈtotə(r)] *vi* chwiać się, iść na niepewnych nogach

ouch [tʌtʃ] *vt vi* dotknąć; poruszyć, wspomnieć (**on, upon sth** coś); wzruszyć; (*także* ~ **off**) zarysować, naszkicować; dorównać; natknąć się; **to** ~ **the quick** dotknąć do żywego; ~ **up** poprawić (np. obraz), wyretuszować; **to** ~ **wood** odpukiwać; s dotyk, dotknięcie; kontakt; lekki atak (choroby); pociągnięcie (np. pędzlem); posmak; powierzchowna próba; **to get in** ~ skontaktować się; **to` keep in** ~ utrzymywać kontakt; **finishing** ~ ostatnie pociągnięcie

ouch·ing [ˈtʌtʃiŋ] *adj* wzruszający; *praep* odnośnie do, co się tyczy

ouch·stone [ˈtʌtʃstəun] s kamień probierczy; *przen.* standard, kryterium

ouch·y [ˈtʌtʃi] *adj* drażliwy

ough [tʌf] *adj* twardy, oporny, trudny; (*o mięsie*) łykowaty, żylasty; tęgi, mocny, wytrzymały

our [tuə(r)] s podróż (*zw.* okrężna), objazd; wycieczka; **on** ~ w podróży; **to make a** ~ **of the world** objechać świat; *vt vi* ob-

jeżdżać, zwiedzać

tour·ism [ˈtuərizm] s turystyka

tour·ist [ˈtuərist] s turysta

tour·na·ment [ˈtuənəmənt] s zawody, rozgrywki; *hist.* turniej

tou·sle [ˈtauzl] *vt* targać, mierzwić

tout [taut] *vi* kaptować, nachodzić (**for sb** kogoś); czynić starania (**for sth** o coś)

tow [təu] *vt* holować, ciągnąć na linie, wlec za sobą; s holowany statek; lina do holowania; **to have in** ~ holować; **to take in** ~ wziąć na hol

to·ward(s) [tuˈwɔdz] *praep* ku, w kierunku; w stosunku do; (*o czasie*) pod, około; na; ~ **expenses** na wydatki

tow·el [ˈtaul] s ręcznik (z materiału, papieru itd.)

tow·er [ˈtauə(r)] s wieża; baszta; **the Tower (of London)** zamek londyński (średniowieczne więzienie); *vi* wznosić się, piętrzyć się

town [taun] s miasto; **out of** ~ na prowincji, (wyjechać itd.) z miasta, za miasto, na wieś

town·let [ˈtaunlət] s miasteczko

towns·folk [ˈtaunzfəuk] s *zbior.* mieszkańcy miasta, mieszczanie

towns·peo·ple [ˈtaunzpipl] = **townsfolk**

tox·ic [ˈtoksik] *adj* trujący

toy [tɔi] s zabawka; *vi* bawić się; igrać

trace 1. [treis] s ślad; *vt* śledzić; iść śladem; zrekonstruować; szkicować, kreślić; ~ **back** wywodzić (**sth to sth** coś od czegoś); ~ **over** kalkować

trace 2. [treis] s postronek; *pl* ~s uprząż

trac·er [ˈtreisə(r)] s traser; kreślarz; (*także* ~ **bullet ⟨shell⟩**) pocisk smugowy

track [træk] s ślad, trop; ścieżka, szlak, trakt; tor (kolejowy, wyścigowy); **the beaten** ~ wydeptana droga; utarty szlak; **to leave ⟨to come off⟩ the** ~ wyko-

leić się; **to lose** ~ zgubić się (of
sth w czymś); stracić kontakt (of
sb, sth z kimś, czymś); *vt* śledzić; znaczyć śladami; ~ **down**
⟨out⟩ wyśledzić

trac·ta·ble ['træktəbl] *adj* uległy,
podatny

trac·tion ['trækʃn] *s* trakcja

trac·tor ['træktə(r)] *s* traktor, ciągnik

trade [treɪd] *s* rzemiosło; handel;
przemysł (budowlany, hotelowy
itd.); branża; zawód, zawodowe
zajęcie; **home** ⟨**foreign**⟩ ~ handel wewnętrzny ⟨zagraniczny⟩; ~
mark ochronny znak fabryczny;
~ **union** związek zawodowy;
Board of Trade ministerstwo
przemysłu i handlu; *vi* handlować (**in** sth w czymś; **with sb** z
kimś)

trad·er ['treɪdə(r)] *s* handlowiec;
statek handlowy

trades·man ['treɪdzmən] *s* kupiec
trade-wind ['treɪdwɪnd] *s* pasat
tra·di·tion [trə'dɪʃn] *s* tradycja
tra·di·tion·al [trə'dɪʃnl] *adj* tradycyjny

traf·fic ['træfɪk] *s* komunikacja;
ruch uliczny; transport; handel;
~ (**control**) **lights** światła regulu-
jące ruch uliczny; ~ **regulations**
przepisy drogowe; *vi* handlować
(**in** sth czymś)

tra·ge·di·an [trə'dʒɪdɪən] *s* autor
tragedii; aktor tragiczny

trag·e·dy ['trædʒədɪ] *s* tragedia
trag·i·cal ['trædʒɪk(l)] *adj* tragiczny

trail [treɪl] *s* szlak, ślad, trop; wlokący się ogon, smuga (np. dy-
mu); *vt* wlec za sobą; tropić;
deptać; *vi* wlec się

trail·er ['treɪlə(r)] *s* tropiciel; przy-
czepa (do samochodu itd.)

train [treɪn] *s* pociąg; wlokący się
ogon, tren; sznur (ludzi, wozów);
orszak; *vt* *vi* trenować, uczyć
(**się**), tresować; kształcić, zaprawiać (**for** sth do czegoś)

train·er ['treɪnə(r)] *s* trener, in-

struktor

train·ing ['treɪnɪŋ] *s* trening, ćwi-
czenia, tresura

trait [treɪt] *s* rys (np. charakteru)

trai·tor ['treɪtə(r)] *s* zdrajca

trai·tor·ous ['treɪtərəs] *adj* zdradziecki

tram [træm] *s* tramwaj

tram-car ['træm kɑ(r)] *s* wóz tramwajowy

tram·mel ['træml] *s* (długa) sieć;
pętla (dla konia); przeszkoda;
(*także pl* ~s) więzy; *vt* łapać;
pętać, plątać, przeszkadzać

tramp [træmp] *vi* *vt* włóczyć się;
deptać, ciężko stąpać; *s* włóczęga, łazik; wędrówka; ciężkie stąpanie

tramp·er ['træmpə(r)] *s* włóczęga

tram·ple ['træmpl] *vt* deptać, tratować

tram·way ['træmweɪ] *s* tramwaj
trance [trɑns] *s* trans

tran·quil ['træŋkwɪl] *adj* spokojny

tran·quil·i·ty [træŋ'kwɪlətɪ] *s* spokój

trans·act [træn'zækt] *vt* przeprowadzić, doprowadzić do skutku;
vt układać się, pertraktować

trans·ac·tion [træn'zækʃn] *s* transakcja

tran·scribe [træn'skraɪb] *vt* transkrybować; przepisywać; *radio*
nagrywać na taśmę

tran·scrip·tion [træn'skrɪpʃn] *s*
transkrypcja; przepisywanie; *radio* nagranie ⟨odtwarzanie⟩ na
taśmie

trans·fer [træns'fɜ(r)] *vt* *vi* przenosić (się); przekazywać; przewozić; przesiadać się; *handl.* cedować; *s* ['trænsfɜ(r)] przeniesienie; przewóz; przekazanie; przelew; *handl.* cesja

trans·fig·ure [træns'fɪgə(r)] *vt*
przekształcać

trans·fix [træns'fɪks] *vt* przebić,
przeszyć, przekłuć; unieruchomić, sparaliżować

ans·form [træns`fɔm] vt przekształcać

ans·form·er [træns`fɔmə(r)] s elektr. transformator

ans·fuse [træns`fjuz] vt przelewać, przetaczać; przepoić

ans·fu·sion [træns`fjuʒn] s transfuzja

ans·gress [trænz`gres] vt vi wykroczyć, naruszyć (np. ustawę); popełnić przekroczenie

ans·gres·sion [trænz`greʃn] s przekroczenie

an·ship zob. trans-ship

an·sient [`trænzɪənt] adj przemijający, przejściowy

an·sis·tor [træn`zɪstə(r)] s tranzystor

an·sit [`trænsɪt] s tranzyt; przejazd

an·si·tion [træn`zɪʃn] s przejście; okres przejściowy

an·si·tion·al [træn`zɪʃnl] adj przejściowy

an·si·tive [`trænsətɪv] adj gram. przechodni

an·si·to·ry [`trænsɪtrɪ] adj przejściowy, efemeryczny, przemijający

ans·late [trænz`leɪt] vt tłumaczyć (into English na angielski)

ans·la·tion [trænz`leɪʃn] s tłumaczenie

ans·la·tor [trænz`leɪtə(r)] s tłumacz

ans·lit·er·ate [trænz`lɪtəreɪt] vt transliterować

ans·mis·sion [trænz`mɪʃn] vt transmisja

ans·mit [trænz`mɪt] vt przekazywać, doręczać; przenosić; transmitować

ans·mit·ter [trænz`mɪtə(r)] s aparat transmitujący, przekaźnik; nadajnik

ans·par·en·cy [træn`spærənsɪ] s przeźroczystość

ans·par·ent [træn`speərnt] adj przeźroczysty

an·spi·ra·tion [`trænspɪ`reɪʃn] s parowanie; pocenie się

tran·spire [træn`spaɪə(r)] vt vi wydzielać (się); parować; pocić się; wydychać; przen. wychodzić na jaw, okazywać się; zdarzać się

trans·plant [træns`plɑnt] vt przesadzać, przenosić, przeszczepiać

trans·plan·ta·tion [`trænsplan`teɪʃn] s med. przeszczep, transplantacja

trans·port [træn`spɔt] vt transportować, przewozić, przenosić; porwać, zachwycić, unieść; hist. zesłać (zbrodniarza); s [`trænspɔt] transport, przewóz, przeniesienie; zachwyt, poryw, uniesienie

trans·por·ta·tion [`trænspɔ`teɪʃn] s transport, przewóz, przeniesienie; zesłanie

trans·pose [træn`spəuz] vt przestawiać; muz. transponować

trans·ship [træns`ʃɪp] vt przeładowywać

trans·ver·sal [trænz`vɜsl] adj poprzeczny; s linia poprzeczna

trans·verse [trænz`vɜs] adj poprzeczny

trap [træp] s pułapka, potrzask, zasadzka; przen. podstęp; vt łapać w potrzask, zastawiać pułapkę

trap·door [træp`dɔ(r)] s zapadnia, klapa

tra·peze [trə`piz] s trapez (w gimnastyce)

tra·pe·zi·um [trə`piziəm] s mat. trapez

trap·e·zoid [`træpɪzɔɪd] s mat. trapezoid

trap·per [`træpə(r)] s traper

trash [træʃ] s tandeta; szmira; bzdury; am. śmieci; am. hołota

trav·el [`trævl] vi podróżować, jeździć, jechać; s podróż

trav·el·ler, am. **trav·el·er** [`trævlə(r)] s podróżny; podróżnik; komiwojażer

trav·erse [`trævɜs] s trawers, poprzeczka; vt przecinać w poprzek, przejeżdżać; krzyżować (plany); dokładnie badać

trav·es·ty [`trævɪstɪ] s trawestacja; vt trawestować

trawl [trɔl] s niewód; vt łowić niewodem

trawl·er [ˈtrɔlə(r)] s `mors.` trawler

tray [treɪ] s taca

treach·er·ous [ˈtretʃərəs] adj zdradziecki

treach·er·y [ˈtretʃərɪ] s zdrada

trea·cle [ˈtrikl] s melasa, syrop

*tread [tred] vi vt (**trod** [trod], **trod·den** [ˈtrodn]) stąpać, kroczyć (**on** stʰ po czymś); deptać (**on the grass** trawę); ~ **a measure** tańczyć; ~ **out** zadeptać, zgnieść; s chód, kroki

tread·mill [ˈtred mɪl] s kierat; `przen.` monotonna praca, kierat

trea·son [ˈtrizn] s zdrada; **high** ~ zdrada stanu

trea·son·able [ˈtriznəbl] adj zdradziecki

treas·ure [ˈtreʒə(r)] s skarb; vt wysoko szacować; (zw. ~ **up**) chować jak skarb; fin. tezauryzować

treas·ur·er [ˈtreʒərə(r)] s skarbnik

treas·ure-trove [ˈtreʒə ˈtrəuv] s znaleziony skarb

treas·ur·y [ˈtreʒrɪ] s skarbiec; **the Treasury** skarb państwa; am. ministerstwo skarbu

treat [trɪt] vt traktować, uważać (**as** stʰ za coś); rozpatrywać; leczyć (**sb for** stʰ kogoś na coś); poddawać działaniu; fundować, częstować (**sb to** stʰ kogoś czymś); gościć, przyjmować; vi prowadzić pertraktacje (**with sb for** stʰ z kimś w sprawie czegoś); rozprawiać (**of** stʰ o czymś); s przyjemność, rozkosz; poczęstunek

trea·tise [ˈtritɪz] s traktat, rozprawa naukowa

treat·ment [ˈtritmənt] s traktowanie, obchodzenie się; leczenie; **under** ~ w leczeniu

trea·ty [ˈtritɪ] s traktat, umowa

tre·ble [ˈtrebl] adj potrójny; muz. sopranowy; vt vi potroić (się)

tree [tri] s drzewo; prawidło (do butów)

tre·foil [ˈtriˌfɔɪl] s bot. koniczyna

trel·lis [ˈtrelɪs] s krata drewnian (dla pnączy); altanka (z kraty)

trem·ble [ˈtrembl] vi drzeć; s drże nie

tre·men·dous [trɪˈmendəs] adj o gromny, kolosalny; pot. wspania ły

trem·or [ˈtremə(r)] s drżenie; trzę sienie

trem·u·lous [ˈtremjuləs] adj drżą cy

trench [trentʃ] s rów; wojsk. o kop; ~ **coat** trencz; vi kopać ro wy; wkraczać, wdzierać się (o stʰ w coś); graniczyć (**on** stʰ czymś); vt przekopywać, prze cinać rowem

trend [trend] s skłonność, kieru nek, tendencja; vi skłaniać się dążyć (**towards** ⟨**to**⟩ stʰ ku cze muś); objawiać tendencję

trep·i·da·tion [ˈtrepɪˈdeɪʃn] s drże nie

tres·pass [ˈtrespəs] vi popełni przekroczenie, naruszyć (o ⟨**upon**⟩ **the law** prawo); zgrzeszy (**against** stʰ przeciwko czemuś) wkroczyć (na zakazany teren) nadużyć (**on** ⟨**upon**⟩ stʰ czegoś) s przekroczenie; grzech; wina

tres·pass·er [ˈtrespəsə(r)] s winn; przekroczenia; winowajca; nie prawnie wkraczający na zakaza ny teren

tri·al [ˈtraɪl] s próba, doświadcze nie; badanie; przesłuchanie; roz prawa sądowa; sport rozgrywk eliminacyjna; **on** ~ na próbę; t; **put to** ~ poddać próbie

tri·an·gle [ˈtraɪæŋgl] s trójkąt

tri·an·gu·lar [traɪˈæŋgjulə(r)] ad trójkątny

trib·al [ˈtraɪbl] adj plemienny

tribe [traɪb] s plemię, szczep

trib·u·la·tion [ˈtrɪbjuˈleɪʃn] s udrę ka, wielkie zmartwienie

tri·bu·nal [traɪˈbjunl] s trybunał

trib·une [ˈtrɪbjun] s trybuna; hist trybun

trib·u·tar·y [`trɪbjutərɪ] *adj* zobowiązany do płacenia należności (czynszu, podatku); pomocniczy, wspomagający; poddany; hołdowniczy; (o *rzece*) wpadający; s płatnik; hołdownik; dopływ (rzeki)

trib·ute [`trɪbjut] *s* przyczynek; danina, podatek, należność; uznanie, hołd; **to pay** ~ płacić daninę; wyrażać uznanie, składać hołd

rick [trɪk] *s* figiel, sztuczka, chwyt; przyzwyczajenie, *uj.* nawyk; spryt; lewa (w kartach); **to play a** ~ spłatać figla (on sb komuś); **to play** ~s pokazywać sztuczki; *vt* podejść, oszukać, zwieść; *vi* figlować

rick·er·y [`trɪkərɪ] *s* nabieranie, oszustwo

rick·le [`trɪkl] *vt* kapać, sączyć się; *vt* przesączać

rick·ster [`trɪkstə(r)] *s* kawalarz; oszust, naciągacz

ri·col·our [`trɪkələ(r)] *adj* trójbarwny; *s* flaga trójbarwna

ri·cy·cle [`traɪsɪkl] *s* rower na trzech kółkach

ried [traɪd] *pp zob.* try; *adj* wypróbowany, wierny

ri·fle [`traɪfl] *s* drobnostka, bagatela; *vi* żartować sobie; swawolić; postępować niepoważnie; *vt* (zw. ~ away) marnować, trwonić

ri·fling [`traɪflɪŋ] *adj* mało znaczący, drobny, błahy

rig·ger [`trɪgə(r)] *s* cyngiel, spust

rill [trɪl] *s* trel; *vi* wywodzić trele; *vt* wymawiać z wibracją

ril·lion [`trɪlɪən] *num* trylion

ril·o·gy [`trɪlədʒɪ] *s* trylogia

rim [trɪm] *adj* schludny, utrzymany w porządku, prawidłowy; *vt* czyścić, porządkować; wygładzać, wyrównywać; przycinać; przybierać; *s* stan, kondycja; porządek

rim·ming [`trɪmɪŋ] *s* uporządkowanie; wykończenie; przycięcie;

(zw. *pl* ~s) przyprawa, dodatek (do potrawy); obszywka; dodatkowa ozdoba

trin·i·ty [`trɪnətɪ] *s* trójca, trójka

trin·ket [`trɪŋkɪt] *s* błyskotka, ozdóbka

trip [trɪp] *s* lekki chód; (krótka) wycieczka, przejażdżka; potknięcie; *vt* iść drobnym, szybkim krokiem; potknąć się; pomylić się; odbyć krótką podróż; (także ~ up) podstawić nogę

tripe [traɪp] *s* wnętrzności wołowe; flaki; *pot.* bzdura; lichota; szmira

tri·ple [`trɪpl] *adj* potrójny; *vt vi* potroić (się)

tri·plet [`trɪplɪt] *s* zespół trzech jednakowych rzeczy ⟨osób⟩; *pl* ~s trojaczki

tri·pod [`traɪpɒd] *s* trójnóg; *fot.* statyw

trip·ping [`trɪpɪŋ] *adj* lekki, zwinny

trite [traɪt] *adj* oklepany, banalny

tri·umph [traɪ`ʌmf] *s* triumf; *vt* triumfować

tri·um·phant [traɪ`ʌmfnt] *adj* triumfujący

triv·et [`trɪvɪt] *s* trójnożna podstawka żelazna

triv·i·al [`trɪvɪəl] *adj* nieważny, błahy; pospolity, banalny

trod, trod·den *zob.* tread

trol·ley [`trɒlɪ] *s* drezyna, wózek; odbierak krążkowy (tramwaju, trolejbusu)

trol·ley-bus [`trɒlɪ bʌs] *s* trolejbus

trom·bone [trɒm`bəʊn] *s muz.* puzon

troop [trup] *s* grupa, gromadka; oddział wojskowy; *teatr* trupa; *pl* ~s wojsko; *vi* iść grupą, gromadzić się; ~**ing the colour** parada wojskowa

troop·er [`trupə(r)] *s* kawalerzysta; *am.* policjant konny

tro·phy [`trəʊfɪ] *s* łup wojenny,

trofeum; *sport* nagroda, pamiątka honorowa

trop·ic [`tropɪk] *s* zwrotnik; *adj* tropikalny

trop·i·cal [`tropɪkl] *adj* tropikalny, podzwrotnikowy

trot [trot] *s* kłus; *am. pot.* bryk; *przen.* to keep on the ~ popędzać, utrzymywać w ruchu; *vi* kłusować; *vt także* ~ out puszczać kłusem; popisywać się (sth czymś)

troth [trəυθ] *s* † wierność; słowo honoru; to plight one's ~ ręczyć słowem honoru

trou·ble [`trʌbl] *s* niepokój, kłopot, troska, trud; zakłócenie; dolegliwość; to ask for ~ szukać kłopotu, narażać się na kłopoty; to get into ~ popaść w tarapaty; to take the ~ zadać sobie trud; *vt vi* niepokoić (się), dręczyć (się); przeszkadzać; fatygować (się); martwić (się); mącić

trou·ble·some [`trʌblsəm] *adj* niepokojący, kłopotliwy, uciążliwy

trough [trof] *s* koryto

troupe [trup] *s teatr* trupa

trou·sers [`trauzəz] *s pl* spodnie

trout [traut] *s zool.* pstrąg

trow·el [`trauəl] *s* kielnia, łopata

tru·an·cy [`truənsɪ] *s* absencja; wagary

tru·ant [`truənt] *s* opuszczający pracę; uczeń na wagarach; to play ~ chodzić na wagary

truce [trus] *s* rozejm

truck 1. [trʌk] *s* wózek ciężarowy, wózek ręczny; lora, platforma; samochód ciężarowy; *vt* przewozić wózkiem ⟨platformą itp.⟩; ładować na wózek ⟨platformę itp.⟩

truck 2. [trʌk] *s* wymiana; handel wymienny; wynagrodzenie w naturze; drobne artykuły codziennego użytku; *am.* jarzyny; *vt vi* wymieniać; prowadzić handel wymienny ⟨domokrążny⟩

truc·u·lent [`trʌkjulənt] *adj* srogi,

dziki, barbarzyński, gwałtowny

trudge [trʌdʒ] *vi* wlec się, iść z trudem; *s* uciążliwy marsz

true [tru] *adj* prawdziwy; wierny; rzetelny; zgodny (np. z rzeczywistością); to come ~ sprawdzić się; (it's) ~!; quite ~! słusznie! racja!

true-blue [`tru`blu] *adj* lojalny

tru·ly [`trulɪ] *adv* prawdziwie; wiernie; szczerze; rzeczywiście

trump [trʌmp] *s* atut; *vt* przebić atutem; ~ up zmyślić, sfingowa

trump·er·y [`trʌmpərɪ] *s zbior.* tandeta, bezwartościowe błyskotki, bzdury; paplanina; *adj* tandetny

trum·pet [`trʌmpɪt] *s* trąbka; trąba; dźwięk trąby; to blow the ~ grać na trąbce; *przen.* to blow one's own ~ chwalić się; *vt vi* trąbić

trun·cate [trʌn`keɪt] *vt* obciąć, o kaleczyć

trun·cheon [`trʌntʃn] *s* pałka (policjanta); buława; *vt* bić pałką

trun·dle [`trʌndl] *s* rolka; wózek na rolkach; *vt vi* toczyć (się)

trunk [trʌŋk] *s* pień; tułów; kadłub; trąba słonia; kufer skrzynka; (*także* ~-line) (telefoniczna) linia międzymiastowa

trunk-call [`trʌŋk kɔl] *s* (telefoniczna) rozmowa międzymiastowa

trunk-line [`trʌŋk laɪn] *s* (telefoniczna) linia międzymiastowa; magistrala kolejowa

trunk-road [`trʌŋk rəud] *s* główna droga

truss [trʌs] *s* wiązka; *mors.* więżba; pęk; *med.* pas przepuklinowy; *vt vi* wiązać; pakować (się)

trust [trʌst] *s* zaufanie, wiara trust; *vi* ufać, wierzyć (sb komuś); pokładać ufność (in sb w kimś); polegać (to sb, sth n kimś, czymś); *vt* powierzyć (s with sth, sth to sb coś komuś)

trus·tee [trʌs`sti] *s* powiernik; kurator; członek zarządu

trust·ful [`trʌstfl] *adj* ufny

rust·wor·thy ['trʌst-wȝði] adj godny zaufania, pewny

rust·y ['trʌstɪ] adj † wierny

ruth [truθ] s prawda, prawdziwość; wierność; rzetelność

ruth·ful ['truθfl] adj prawdziwy; prawdomówny

ry [traɪ] vt próbować; doświadczać; sądzić (sb kogoś, for sth za coś); badać; vi starać się (for sth o coś); usiłować; ~ on przymierzać; ~ out wypróbować; s próba; usiłowanie; to have a ~ spróbować

ry·cycle ['traɪsɪkl] s rower na trzech kołach

ry·ing ['traɪɪŋ] adj męczący; przykry

sar, tsarina zob. tzar, tzarina

ub [tʌb] s kadź; wanna; (także wash-~) balia

uba ['tjuːbə] s muz. tuba

ube [tjub] s rura; dętka (roweru, opony); tubka; przewód; pot. (w Londynie) kolej podziemna, metro

u·ber·cu·lar [tjuˈbȝkjulə(r)] adj gruźliczy

u·ber·cu·lo·sis [tjuˈbȝkjuˈləʊsɪs] s gruźlica

uck [tʌk] s fałda, zakładka; zbior. pot. łakocie; vt składać w fałdy, podwijać; wtykać, chować; ~ away schować; ~ in wpychać; zbierać; owijać; ~ up podwijać, zakasywać

ues·day ['tjuːzdɪ] s wtorek

uft [tʌft] s kiść, pęk

ug [tʌg] vt vi ciągnąć; holować; szarpać; wysilać się; s pociągnięcie; zmaganie; holownik

ug·boat ['tʌg bəʊt] s holownik

u·i·tion [tjuˈɪʃn] s szkolenie, nauka; opłata za naukę

u·lip ['tjuːlɪp] s bot. tulipan

um·ble ['tʌmbl] vt vi przewrócić (się), wywrócić (się); upaść; potoczyć się; s upadek; nieład

um·bler ['tʌmblə(r)] s akrobata; kuglarz; szklanka, kubek

um·brel ['tʌmbrəl] s wózek, wywrotka

tu·me·fy ['tjuːmɪfaɪ] vi obrzęknąć; vt powodować obrzęk

tu·mid ['tjuːmɪd] adj nabrzmiały

tu·mour ['tjuːmə(r)] s med. guz, tumor, nowotwór

tu·mult ['tjuːmʌlt] s tumult, hałas; zamęt

tu·mu·lus ['tjuːmjuləs] s (pl tumuli ['tjuːmjulaɪ]) kurhan, kopiec

tu·na ['tjuːnə] s = tunny

tune [tjuːn] s ton; melodia, pieśń; harmonia; vt vi harmonizować; stroić; ~ in nastawić radio (to a wave na daną falę); ~ up nastroić się; zacząć grać, zaintonować; out of ~ (o instrumencie) rozstrojony; (o dźwięku) fałszywy

tune·ful ['tjuːnfl] adj melodyjny

tu·nic ['tjuːnɪk] s tunika; bluza (wojskowa)

tun·ing-fork ['tjuːnɪŋ fɔk] s muz. kamerton

tun·nel ['tʌnl] s tunel; przewód, rura

tun·ny ['tʌnɪ] s zool. tuńczyk

tur·ban ['tȝbən] s turban

tur·bid ['tȝbɪd] adj mętny

tur·bine ['tȝbaɪn] s turbina

tur·bu·lent ['tȝbjulənt] adj burzliwy; buntowniczy

tu·reen [tjuˈriːn] s waza (na zupę)

turf [tȝf] s murawa, darń; torf; the ~ tor wyścigowy; wyścigi konne

tur·gid ['tȝdʒɪd] adj nabrzmiały; przen. (o stylu) napuszony

Turk [tȝk] s Turek

tur·key ['tȝkɪ] s zool. indyk

Turk·ish ['tȝkɪʃ] adj turecki; s język turecki

tur·moil ['tȝmɔɪl] s zamieszanie, wrzawa

turn [tȝn] vt vi obracać (się), przewracać (się), zwracać (się); zmieniać (się), przeistaczać (się); stawać się; tłumaczyć; nicować; to ~ the corner skręcić na rogu (ulicy), minąć zakręt; przen. przeżyć kryzys; to ~ loose wypuścić

na wolność; to ~ a deaf ear
puszczać mimo uszu, nie słuchać;
to ~ one's coat zmienić przekonania, przejść do przeciwnej partii; to ~ pale zblednąć; to ~ soldier zostać żołnierzem, wstąpić
do wojska; *przen. z przysłówkami*: ~ aside odbić (np. cios); odchylić się; ~ away uchylić; usunąć, wypędzić; odstąpić; ~ back
odwrócić (się); powrócić; ~ down
zagiąć; obalić; ~ in zawinąć, założyć do środka; wejść, wstąpić;
pójść spać; ~ off odwrócić (się);
odkręcić (się); usunąć (się), odsunąć (się); poniechać; to ~ off the
light zgasić światło; ~ on na-
kręcić; nastawić; to ~ on the
light zapalić światło, zaświecić;
~ out wywrócić; wyrzucić, wypędzić; wytrącić; zostać wytrą-
conym; wystąpić, ukazać się; o-
kazać się; to ~ out well wyjść
na dobre, dobrze się skończyć; ~
over przewracać; przekazywać;
przejść na drugą stronę; przemyśleć; ~ round obrócić (się); przekręcić (się); kręcić (się); *przen.*
zmienić przekonania; ~ up wywracać ku górze; podnosić (się);
dziać się, stawać się; zdarzać się;
odkrywać (np. zakopany skarb);
zjawić się; *s* obrót, zwrot, skręt;
skłonność; kierunek; uzdolnienie; właściwość; kształt; kolejność, kolej; turnus; wyczyn, u-
czynek; cel, korzyść; *pot.* kawał;
~ of mind mentalność; to give
~ for ~ odpłacić pięknym za nadobne; to take a ~ wyjść na
przechadzkę; skręcić; to take a
~ of work popracować jakiś
czas; it is my ~ teraz na mnie
kolej; does it serve your ~? czy
to ci się na coś przyda?; at every
~ przy każdej sposobności; in
~, by ~s po kolei
turn·a·bout [ˈtɜːnəbaut] *s* zwrot,
obrót
turn·coat [ˈtɜːnkəut] *s* renegat,
sprzeniewierca

turn·er [ˈtɜːnə(r)] *s* tokarz
turn·ing [ˈtɜːnɪŋ] *s* zakręt, zwrot
to take a ~ skręcić
turn·ing-point [ˈtɜːnɪŋ pɔint]
punkt zwrotny, przesilenie
tur·nip [ˈtɜːnɪp] *s bot.* rzepa; *pot.*
(*zegarek*) cebula
turn·key [ˈtɜːnkɪ] *s* dozorca wię
zienny, klucznik
turn·out [ˈtɜːn aut] *s* zgromadzenie
publiczność; mundur (*zw.* woj
skowy); strajk; zaprzęg; rozjaz
(kolejowy); stawienie się; ekwi
punek; produkcja, wydajność
turn·o·ver [ˈtɜːnəuvə(r)] *s handl.* ob
rót; zwrot (w stanowisku, poglą
dach); kapotaż
turn·pike [ˈtɜːnpaik] *s* rogatka
szlaban
turn·sole [ˈtɜːnsəul] *s* roślina helio
tropiczna
turn·up [ˈtɜːnʌp] *s* mankiet u spod
ni; *przen.* bijatyka
tur·pen·tine [ˈtɜːpəntain] *s* terpen
tyna
tur·pi·tude [ˈtɜːpitjud] *s* nikczem
ność
tur·quoise [ˈtɜːkwɔiz] *s* turkus
tur·ret [ˈtʌrət] *s* wieżyczka
tur·tle [ˈtɜːtl] *s zool.* żółw (morsk
tur·tle-dove [ˈtɜːtl ˈdʌv] *s zool.* tur
kawka
tusk [tʌsk] *s* kieł (słonia)
tu·te·lage [ˈtjutlidʒ] *s* kuratela
tu·tor [ˈtjutə(r)] *s* guwerner; kore
petytor; wychowawca; kierując
pracą studentów
tux·e·do [tʌkˈsidəu] *s am.* smokin
twad·dle [ˈtwɔdl] *vi* paplać, gadać
s paplanie
twain [twein] *num poet. dial.* dw
twang [twæŋ] *vt vi* brzdąkać
brzęczeć; mówić przez nos;
brzdęk; wymowa nosowa
'twas [twəz] = it was
tweed [twid] *s* tweed
tweed·le [ˈtwidl] *vi* brzdąkać
'tween [twin] *praep poet.* = be
tween
tweez·ers [ˈtwizəz] *s pl* szczypczy
ki, pincetka

welfth [twelfθ] *adj* dwunasty

Twelfth-night ['twelfθ `naɪt] *s* wigilia Trzech Króli

welve [twelv] *num* dwanaście; *s* dwunastka

twelve·month ['twelvmʌnθ] *s* rok; this day ~ od dziś za rok; od roku

twen·ti·eth ['twentɪəθ] *adj* dwudziesty

wen·ty ['twentɪ] *num* dwadzieścia

twere [twɜ(r), twə(r)] *poet.* = it were

wice [twaɪs] *adv* dwa razy

wid·dle ['twɪdl] *vt* kręcić, przebierać (palcami)

wig [twɪg] *s* gałązka; różdżka; *anat.* żyłka

wi·light ['twaɪlaɪt] *s* brzask, zmierzch, półmrok

twill [twɪl] = it will

win [twɪn] *s* bliźniak; *attr* bliźniaczy

wine [twaɪn] *s* sznur, szpagat; zwój; *vt vi* zwijać (się), splatać (się)

winge [twɪndʒ] *vi* rwać, kłuć, silnie boleć; *s* rwanie, kłucie, silny ból; ~ of conscience ⟨remorse⟩ wyrzuty sumienia

win·kle ['twɪŋkl] *vi* migotać; *s* migotanie

wirl [twɜl] *vt vi* wiercić (się), szybko kręcić (się); *s* wirowanie, kręcenie (się)

wist [twɪst] *s* skręt, zakręt, skręcenie; splot; zwitek; skłonność, nastawienie; ⟨taniec⟩ twist; *vt vi* kręcić (się), wić (się), wikłać (się), splatać (się); wykręcać; przekręcać; ~ off odkręcić; ~ up skręcić, zwinąć

witch [twɪtʃ] *vt vi* szarpać, rwać; nerwowo drgać; wykrzywiać (się); *s* szarpnięcie; drgawka

wit·ter ['twɪtə(r)] *vi* ćwierkać, świergotać; *s* świergot

twixt [twɪkst] *poet.* = betwixt

wo [tu] *num* dwa; *s* dwójka; ~ and ~, by ~s, in ~s dwójkami, parami

two-deck·er ['tu dekə(r)] *s* *mors.* dwupokładowiec

two·fold ['tu-fəʊld] *adj* podwójny

two·pence ['tʌpns] *s* dwupensówka, moneta wartości dwóch pensów

two-piece ['tu`pis] *s* zestaw dwuczęściowy (np. kostium); *adj attr* dwuczęściowy

ty·coon [taɪ`kun] *s* *pot.* magnat, przemysłowiec

ty·ing ['taɪɪŋ] *p praes od* tie *vt*

tyke [taɪk] *s* kundel

type [taɪp] *s* typ; wzór; czcionka, *zbior.* czcionki; druk; bold ~ tłuste czcionki, tłusty druk; to be in ~ być złożonym; to appear in ~ ukazać się w druku; *vt* pisać na maszynie

type·script ['taɪpskrɪpt] *s* maszynopis

• **type·write** [taɪp-raɪt], typewrote ['taɪp-rəʊt], typewritten ['taɪp-rɪtn] *vt vi* pisać na maszynie

type·writ·er ['taɪp-raɪtə(r)] *s* maszyna do pisania

type·writ·ten *zob.* typewrite

type·wrote *zob.* typewrite

ty·phoid ['taɪfɔɪd] *adj* *med.* tyfoidalny; ~ fever tyfus, dur brzuszny

ty·phoon [taɪ`fun] *s* tajfun

ty·phus ['taɪfəs] *s* *med.* tyfus plamisty

typ·i·cal ['tɪpɪkl] *adj* typowy (of sth dla czegoś)

typ·i·fy ['tɪpɪfaɪ] *vt* stanowić typ, być wzorem

typ·ist ['taɪpɪst] *s* maszynistka, osoba pisząca na maszynie

ty·pog·ra·phy [taɪ`pografɪ] *s* typografia; szata graficzna

ty·ran·ni·cal [tɪ`rænɪkl] *adj* tyrański

tyr·an·nize ['tɪrənaɪz] *vt* być tyranem; *vt* tyranizować

tyr·an·ny ['tɪrənɪ] *s* tyrania

ty·rant ['taɪərənt] *s* tyran

tyre *zob.* tire 2.

tzar [za(r)] *s* car

tza·ri·na [za`rinə] *s* caryca

u

u·biq·ui·tous [juˈbɪkwətəs] *adj* wszędzie obecny; (*o człowieku*) wszędobylski

ud·der [ˈʌdə(r)] *s* wymię

ug·li·fy [ˈʌglɪfaɪ] *vt* szpecić, zeszpecić

ug·li·ness [ˈʌglɪnəs] *s* brzydota

ug·ly [ˈʌglɪ] *adj* brzydki

U·krain·i·an [juˈkreɪnɪən] *adj* ukraiński; *s* język ukraiński

ul·cer [ˈʌlsə(r)] *s* med. wrzód

ul·cer·ate [ˈʌlsəreɪt] *vt* spowodować owrzodzenie; rozjątrzyć; *vi* owrzodzieć

ul·te·ri·or [ʌlˈtɪərɪə(r)] *adj* dalszy

ul·ti·mate [ˈʌltɪmət] *adj* ostateczny; podstawowy

ul·ti·ma·tum [ˈʌltɪˈmeɪtəm] *s* ultimatum

ul·tra 1. [ˈʌltrə] *adj* krańcowy

ul·tra· 2. [ˈʌltrə] *praef* ponad-, poza-

um·brage [ˈʌmbrɪdʒ] *s* uraza; obraza; to take ~ at sth obrazić się o coś

um·brel·la [ʌmˈbrelə] *s* parasol, parasolka

um·pire [ˈʌmpaɪə(r)] *s* arbiter; *sport* sędzia; *vt vt* sędziować, rozstrzygać

un- [ʌn-] *praef* nie-, od-, roz-

un·a·bat·ed [ˈʌnəˈbeɪtɪd] *adj* nie zmniejszony, nie słabnący

un·a·ble [ʌnˈeɪbl] *adj* niezdolny; to be ~ nie móc

un·a·bridged [ˈʌnəˈbrɪdʒd] *adj* nie skrócony

un·ac·cept·a·ble [ˈʌnəkˈseptəbl] *adj* nie do przyjęcia

un·ac·count·a·ble [ˈʌnəˈkauntəbl] *adj* niewytłumaczalny; nieodpowiedzialny

un·af·fect·ed [ˈʌnəˈfektɪd] *adj* niewymuszony, niekłamany; niewzruszony

un·al·loyed [ˈʌnəˈlɔɪd] *adj* nie zmieszany, czysty; bez domieszki

un·al·ter·a·ble [ʌnˈɔltərəbl] *adj* niezmienny

u·na·nim·i·ty [ˈjunəˈnɪmətɪ] *s* jednomyślność

u·nan·i·mous [juˈnænɪməs] *adj* jednomyślny

un·an·swer·a·ble [ʌnˈansrəbl] *ad* wykluczający odpowiedź; bez sporny

un·ap·peas·a·ble [ˈʌnəˈpizəbl] *ad* nienasycony; nie zaspokojony nieubłagany

un·ap·proach·a·ble [ˈʌnəˈprəutʃəbl] *adj* niedostępny; niedościgniony

un·as·sail·a·ble [ˈʌnəˈseɪləbl] *adj* nie do zdobycia; nienaruszalny; nie sporny

un·as·sum·ing [ˈʌnəˈsjumɪŋ] *ad* bezpretensjonalny, skromny

un·at·tain·a·ble [ˈʌnəˈteɪnəbl] *ad* nieosiągalny

un·a·vail·ing [ˈʌnəˈveɪlɪŋ] *adj* bez użyteczny; bezskuteczny

un·a·void·a·ble [ˈʌnəˈvɔɪdəbl] *ad* nieunikniony

un·a·ware [ˈʌnəˈweə(r)] *adj* nie świadomy, nie wiedzący (of sth czymś)

un·a·wares [ˈʌnəˈweəz] *adv* nie świadomie; niespodziewanie

un·bal·ance [ʌnˈbæləns] *vt* wytrącić z równowagi; *s* brak równo wagi

un·bar [ʌnˈba(r)] *vt* odryglować, o tworzyć

un·bear·a·ble [ʌnˈbeərəbl] *adj* nie znośny, nie do wytrzymania

un·be·com·ing [ˈʌnbɪˈkʌmɪŋ] *ad* nie na miejscu, nielicujący, nie stosowny; it is ~ of you to . nie wypada ci ...

un·be·liev·a·ble [ˈʌnbɪˈlivəbl] *ad* niewiarygodny, nie do wiary

un·be·liev·er [ˈʌnbɪˈlivə(r)] *s* czło wiek niewierzący, ateista

un·bend [ʌnˈbend] *vt vi* (*form.* *zob.* bend) odgiąć (się), odprę żyć (się); wyprostować (się) un·bend·ing [ʌnˈbendɪŋ] adj nieugięty

un·bent zob. unbend

un·bi·assed [ʌnˈbaɪəst] adj bezstronny, nieuprzedzony

un·bid·den [ʌnˈbɪdn] adj nieproszony; spontaniczny

un·bind [ʌnˈbaɪnd] vt (formy zob. bind) rozwiązać, odwiązać; zwolnić (z więzów), rozkuć

un·blem·ished [ʌnˈblemɪʃt] adj nieskazitelny

un·born [ˈʌnˈbɔn] adj nie urodzony; (o pokoleniu) przyszły

un·bos·om [ʌnˈbuzəm] vt vi wywnętrzyć (się), wynurzyć (się)

un·bound [ʌnˈbaund] pp zob. unbind; adj (o książce) nie oprawiony

un·bound·ed [ʌnˈbaundɪd] adj nieograniczony, bezgraniczny

un·bred [ʌnˈbred] adj bez wychowania

un·bri·dled [ʌnˈbraɪdld] adj nieokiełznany; wyuzdany, rozwydrzony

un·bro·ken [ʌnˈbrəukən] adj nie złamany; niezłomny; nieprzerwany

un·bur·den [ʌnˈbɜdn] vt zdjąć ciężar (sb, sth z kogoś, czegoś); odciążyć

un·but·ton [ʌnˈbʌtn] vt rozpiąć

un·called [ʌnˈkɔld] adj nie wołany; ~ for niepożądany; nie na miejscu; nie sprowokowany; bezpodstawny

un·can·ny [ʌnˈkænɪ] adj niesamowity

un·cer·tain [ʌnˈsɜtn] adj niepewny, wątpliwy

un·chain [ʌnˈtʃeɪn] vt uwolnić z więzów, rozkuć, rozpętać; spuścić z łańcucha

un·chart·ed [ʌnˈtʃɑtɪd] adj nie oznaczony na mapie; nie zbadany

un·checked [ʌnˈtʃekt] adj niepowstrzymany, nieposkromiony; nie kontrolowany

un·civ·il [ʌnˈsɪvl] adj nieuprzejmy; niekulturalny

un·claimed [ʌnˈkleɪmd] adj nie żądany; nie poszukiwany; (o przedmiocie itp.) do którego nikt nie rości pretensji

un·clasp [ʌnˈklɑsp] vt rozewrzeć; uwolnić z uścisku; otworzyć (np. scyzoryk)

un·cle [ˈʌŋkl] s wuj; stryj

un·close [ʌnˈkləuz] vt vi otworzyć (się); ujawnić (tajemnicę itp.)

un·cloud [ʌnˈklaud] vt rozproszyć chmury; przen. rozchmurzyć (twarz)

un·cocked [ʌnˈkokt] adj (o strzelbie) ze spuszczonym kurkiem

un·coil [ʌnˈkɔɪl] vt vi odwinąć (się), rozwinąć (się)

un·com·fort·a·ble [ʌnˈkʌmftəbl] adj niewygodny, nieprzytulny; nieprzyjemny; czujący się niedobrze ⟨nieswojo⟩

un·com·mon [ʌnˈkomən] adj niezwykły

un·com·pro·mis·ing [ʌnˈkomprəmaɪzɪŋ] adj bezkompromisowy

un·con·cern [ˈʌnkənˈsɜn] s obojętność, beztroska

un·con·cerned [ˈʌnkənˈsɜnd] adj obojętny, beztroski, nie zainteresowany

un·con·di·tion·al [ˈʌnkənˈdɪʃnl] adj bezwarunkowy

un·con·quer·a·ble [ʌnˈkoŋkərəbl] adj niepokonany

un·con·scious [ʌnˈkonʃəs] adj nieświadomy; nieprzytomny

un·con·sid·ered [ˈʌnkənˈsɪdəd] adj nierozważny

un·con·sol·a·ble [ˈʌnkənˈsəuləbl] adj niepocieszony

un·con·trol·la·ble [ˈʌnkənˈtrəuləbl] adj nie do opanowania, niepohamowany

un·cork [ʌnˈkɔk] vt odkorkować

un·count·a·ble [ʌnˈkauntəbl] adj niezliczony, nie dający się policzyć; gram. niepoliczalny

un·coup·le [ʌnˈkʌpl] vt rozłączyć, odpiąć; spuścić ze smyczy (psa)

un·couth [ʌn`kuːθ] *adj* nieokrzesany; niezgrabny; dziwny

un·cov·er [ʌn`kʌvə(r)] *vt vi* odsłonić (się), odkryć (się); zdjąć (pokrywę, kapelusz)

unc·tion [`ʌŋkʃn] *s rel.* namaszczenie; balsam, ukojenie

unc·tu·ous [`ʌŋktjʊəs] *adj* tłusty; *przen.* namaszczony, napuszony

un·daunt·ed [ʌn`dɔːntɪd] *adj* nieustraszony

un·de·ceive [`ʌndɪ`siːv] *vt* wyprowadzić z błędu

un·de·cid·ed [`ʌndɪ`saɪdɪd] *adj* niezdecydowany

un·de·liv·ered [`ʌndɪ`lɪvəd] *adj* nie uwolniony; nie dostarczony, nie doręczony

un·de·mon·stra·tive [`ʌndɪ`mɒnstrətɪv] *adj* pełen rezerwy, opanowany

un·de·ni·a·ble [`ʌndɪ`naɪəbl] *adj* niezaprzeczalny

un·der 1. [`ʌndə(r)] *praep* pod, poniżej; według (np. umowy); w trakcie (np. naprawy); *adv* poniżej, u dołu; *adj* poniższy, dolny

un·der- 2. [`ʌndə(r)] *praef* pod-

un·der·brush [`ʌndəbrʌʃ] *s* zarośla; podszycie (lasu)

un·der·car·riage [`ʌndəkærɪdʒ] *s* podwozie (np. samochodu)

un·der·clothes [`ʌndəkləʊðz] *s pl*, **un·der·cloth·ing** [`ʌndəkləʊðɪŋ] *s* bielizna

un·der·cur·rent [`ʌndəkʌrənt] *s* prąd podwodny; *przen.* nurt

un·der·de·vel·oped [`ʌndədɪ`veləpt] *adj* niedostatecznie rozwinięty; gospodarczo zacofany

un·der·done [`ʌndə`dʌn] *adj* (*o mięsie*) nie dosmażony

un·der·es·ti·mate [`ʌndər`estɪmeɪt] *vt* nie doceniać

un·der·fed [`ʌndə`fed] *adj* niedożywiony

un·der·foot [`ʌndə`fut] *adv* pod nogami, u dołu

un·der·go [`ʌndə`gəʊ] *vt* (*formy zob.* go) poddać się, doświad-

czyć, doznać; być poddanym próbie; przechodzić; (*o egzaminie*) składać

un·der·grad·u·ate [`ʌndə`grædʒuət] *s* student

un·der·ground [`ʌndə`graund] *adv* pod ziemią; **the ~ movement** podziemny ruch oporu; *s* [`ʌndəgraund] podziemie; kolej podziemna; metro; *adj* podziemny

un·der·growth [`ʌndəgrəʊθ] *s* niepełny wzrost, niedorozwój; podszycie (lasu)

un·der·hand [`ʌndə`hænd] *adj* potajemny, skryty, zakulisowy podstępny; *adv* potajemnie, skrycie

un·der·laid *zob.* underlay 2.

un·der·lain *zob.* underlie

un·der·lay 1. *zob.* underlie

un·der·lay 2. [`ʌndə`leɪ] *vt* (*formy zob.* lay) podkładać

un·der·lie [`ʌndə`laɪ] *vt* (*formy zob.* lie) leżeć (sth pod czymś); leżeć u podstaw (sth czegoś); znajdować się poniżej (sth czegoś)

un·der·line [`ʌndə`laɪn] *vt* pod kreślać; *s* [`ʌndəlaɪn] podkreślenie; podpis

un·der·ly·ing *p praes od* underlie *adj* podstawowy; ukryty

un·der·mine [`ʌndə`maɪn] *vt* podkopać (fundament, zaufanie itd.

un·der·most [`ʌndəməust] *adj* najniższy, znajdujący się u samego dołu

un·der·neath [`ʌndə`niːθ] *praep* pod *adv* poniżej, u dołu

un·der·paid *zob.* underpay

un·der·pay [`ʌndə`peɪ] *vt* (*formy zob.* pay) niedostatecznie opłacać, źle wynagradzać

un·der·plot [`ʌndəplɒt] *s lit.* wątek uboczny

un·der·rate [`ʌndə`reɪt] *vt* nie doceniać

un·der·score [`ʌndə`skɔː(r)] *vt* podkreślać

un·der·sec·re·tar·y [`ʌndə`sekrətrɪ] *s* podsekretarz (stanu), wiceminister un·der·sell [ˌʌndəˈsel] vt (formy zob. sell) sprzedawać poniżej ceny

un·der·sign [ˌʌndəˈsaɪn] vt podpisać

un·der·sized [ˌʌndəˈsaɪzd] adj wzrostu ⟨rozmiarów⟩ poniżej normy, drobny

un·der·sold zob. undersell

un·der·stand [ˌʌndəˈstænd] vt vi (formy zob. stand) rozumieć; słyszeć, dowiadywać się; znać się (sth na czymś); to make oneself understood porozumieć się; it is understood zakłada się; rozumie się samo przez się

un·der·stand·ing [ˌʌndəˈstændɪŋ] s rozum; rozumienie; porozumienie; założenie; adj rozumny; wyrozumiały

un·der·state·ment [ˌʌndəˈsteɪtmənt] s niedomówienie

un·der·stood zob. understand

un·der·stud·y [ˈʌndəstʌdɪ] s teatr aktor dublujący rolę ⟨zastępujący innego aktora⟩

un·der·take [ˌʌndəˈteɪk] vt vi (formy zob. take) brać na siebie, zobowiązywać się, podejmować się

un·der·tak·er [ˈʌndəteɪkə(r)] s właściciel zakładu pogrzebowego

un·der·tak·ing [ˌʌndəˈteɪkɪŋ] s przedsięwzięcie; przedsiębiorstwo; zobowiązanie

un·der·tone [ˈʌndətəʊn] s przytłumiony ton, półgłos

un·der·took zob. undertake

un·der·val·ue [ˌʌndəˈvæljuː] vt nie doceniać, nisko cenić

un·der·wear [ˈʌndəweə(r)] s bielizna

un·der·went zob. undergo

un·der·world [ˈʌndəwɜːld] s świat zmarłych, zaświaty; podziemie (przestępcze)

un·der·write [ˈʌndəraɪt] vt (formy zob. write) podpisywać; podpisywać polisę, ubezpieczać

un·der·writ·er [ˈʌndəraɪtə(r)] s

agent ubezpieczeniowy, asekurator

un·der·writ·ten zob. underwrite

un·der·wrote zob. underwrite

un·de·sir·a·ble [ˌʌndɪˈzaɪərəbl] adj niepożądany; s człowiek niepożądany

un·did zob. undo

un·dig·ni·fied [ʌnˈdɪgnɪfaɪd] adj niegodny; bez godności

un·di·vid·ed [ˌʌndɪˈvaɪdɪd] adj niepodzielny, całkowity

un·do [ʌnˈduː] vt (formy zob. do) rozewrzeć, otworzyć; rozpuścić; rozpiąć; zniweczyć; skasować

un·doubt·ed [ʌnˈdaʊtɪd] adj niewątpliwy

un·dreamed [ʌnˈdriːmd], un·dreamt [ʌnˈdremt] adj (zw. ~-of) niesłychany, nieprawdopodobny, nie do pomyślenia

un·dress [ʌnˈdres] vt vi rozbierać (się); zdejmować opatrunek; s strój domowy; negliż

un·due [ʌnˈdjuː] adj nie należący; niesłuszny; niewłaściwy; nadmierny

un·du·late [ˈʌndjʊleɪt] vi falować; być falistym; vt powodować falowanie, nadawać wygląd falisty

un·du·la·tion [ˌʌndjʊˈleɪʃn] s falowanie

un·dy·ing [ʌnˈdaɪɪŋ] adj nieśmiertelny

un·earth [ʌnˈɜːθ] vt odkopać, odgrzebać; wydobyć na światło dzienne

un·earth·ly [ʌnˈɜːθlɪ] adj nieziemski; niesamowity

un·eas·y [ʌnˈiːzɪ] adj niewygodny; przykry; niespokojny; nieswój

un·em·ployed [ˈʌnɪmˈplɔɪd] adj bezrobotny; nie wykorzystany

un·em·ploy·ment [ˈʌnɪmˈplɔɪmənt] s bezrobocie

un·end·ing [ʌnˈendɪŋ] adj nie kończący się, wieczny

un·e·qual [ʌnˈiːkwəl] adj nierówny; niewyrównany

un·e·quiv·o·cal [ˌʌnɪˈkwɪvəkl] adj niedwuznaczny

un·err·ing [ʌnˈɜrɪŋ] adj nieomylny

un·es·sen·tial [ˈʌnɪˈsenʃ] adj nieistotny

un·e·ven [ʌnˈivən] adj nierówny; nieparzysty

un·ex·am·pled [ˈʌnɪgˈzampld] adj bezprzykładny

un·ex·cep·tion·a·ble [ˈʌnɪkˈsepʃnəbl] adj nienaganny, bez zarzutu

un·fail·ing [ʌnˈfeɪlɪŋ] adj niezawodny

un·fair [ʌnˈfeə(r)] adj nieuczciwy; niesprawiedliwy; (o grze) nieprzepisowy

un·faith·ful [ʌnˈfeɪθfl] adj niewierny (to sb komuś)

un·fa·mil·iar [ˈʌnfəˈmɪliə(r)] adj nie zaznajomiony, nie przyzwyczajony; obcy, nieznany

un·fash·ion·a·ble [ʌnˈfæʃnəbl] adj niemodny

un·fas·ten [ʌnˈfɑsn] vt rozluźnić; rozpiąć, otworzyć

un·fath·omed [ʌnˈfæðəmd] adj niezgłębiony, niezbadany

un·fa·vour·a·ble [ʌnˈfeɪvrəbl] adj nieprzychylny, niepomyślny

un·feas·i·ble [ʌnˈfizəbl] adj niewykonalny

un·feel·ing [ʌnˈfilɪŋ] adj nieczuły, bez serca

un·fet·ter [ʌnˈfetə(r)] vt uwolnić z więzów, rozpętać

un·fit [ʌnˈfɪt] adj nieodpowiedni, nie nadający się; niezdolny (for sth do czegoś)

un·flinch·ing [ʌnˈflɪntʃɪŋ] adj niezachwiany

un·fold [ʌnˈfəʊld] vt rozwijać, rozchylać, odsłaniać; ujawniać

un·for·get·ta·ble [ˈʌnfəˈgetəbl] adj niezapomniany

un·for·giv·able [ˈʌnfəˈgɪvəbl] adj niewybaczalny

un·for·tu·nate [ʌnˈfɔtʃunət] adj niefortunny, nieszczęśliwy

un·found·ed [ʌnˈfaʊndɪd] adj bezpodstawny

un·fre·quent·ed [ˈʌnfrɪˈkwentɪd] adj nie odwiedzany, samotny

un·fruit·ful [ʌnˈfrutfl] adj bezpłodny; daremny; bezowocny

un·furl [ʌnˈfɜl] vt rozwijać, rozpościerać

un·gain·ly [ʌnˈgeɪnlɪ] adj niezgrabny

un·gov·ern·a·ble [ʌnˈgʌvnəbl] adj niesforny, nie do opanowania

un·grate·ful [ʌnˈgreɪtfl] adj niewdzięczny

un·grudg·ing [ʌnˈgrʌdʒɪŋ] adj hojny, szczodry

un·guard·ed [ʌnˈgɑdɪd] adj nie strzeżony; niebaczny; nierozważny

un·hand·y [ʌnˈhændɪ] adj niezgrabny; nieporęczny; niezdarny

un·hap·py [ʌnˈhæpɪ] adj nieszczęśliwy; niepomyślny, nieudany

un·harmed [ʌnˈhɑmd] adj nie uszkodzony, nietknięty, bez szwanku

un·health·y [ʌnˈhelθɪ] adj niezdrowy

un·heard [ʌnˈhɜd] adj nie słyszany; ~ of niesłychany, niebywały

un·heed·ing [ʌnˈhidɪŋ] adj nieuważny, niebaczny (of sth na coś)

un·hes·i·tat·ing [ʌnˈhezɪteɪtɪŋ] adj nie wahający się, stanowczy

un·hinge [ʌnˈhɪndʒ] vt wysadzić z zawiasów, wyważyć; wytrącić z równowagi

uni- [ˈjunɪ] praef jedno-

u·ni·cel·lu·lar [ˈjunɪˈseljulə(r)] adj biol. jednokomórkowy

u·ni·corn [ˈjunɪkən] s (mityczny) jednorożec

u·ni·form [ˈjunɪfɔm] adj jednolity s mundur

u·ni·form·i·ty [ˈjunɪˈfɔmətɪ] s jednolitość

u·ni·fy [ˈjunɪfaɪ] vt jednoczyć, ujednolicać

u·ni·lat·er·al [ˈjunɪˈlætrl] adj jednostronny

un·im·por·tant [ˈʌnɪmˈpɔtənt] adj mało ważny

un·in·vit·ing [ˈʌnɪnˈvaɪtɪŋ] adj nie zachęcający, nie ujmujący un·ion ['junɪən] s unia, związek, zjednoczenie; the Union Jack narodowa flaga brytyjska; the Union of Soviet Socialist Republics Związek Socjalistycznych Republik Radzieckich; trade ~ związek zawodowy

un·ion·ist ['junɪənɪst] s członek związku zawodowego

u·nique [ju'nik] adj jedyny (w swoim rodzaju); s unikat

u·ni·son ['junɪzn] s zgodne brzmienie, zgoda

u·nit ['junɪt] s jednostka; techn. zespół

u·nite [ju'naɪt] vt vi jednoczyć (się), łączyć (się)

u·ni·ty ['junətɪ] s jedność

u·ni·ver·sal ['junɪ'vɜsl] adj uniwersalny, powszechny

u·ni·verse ['junɪvɜs] s wszechświat

u·ni·ver·si·ty ['junɪ'vɜsətɪ] s uniwersytet

un·just [ʌn'dʒʌst] adj niesprawiedliwy, niesłuszny

un·jus·ti·fi·a·ble [ʌn'dʒʌstɪfaɪəbl] adj nieuzasadniony

un·kempt [ʌn'kempt] adj nieuczesany; zaniedbany, niechlujny

un·kind [ʌn'kaɪnd] adj nieuprzejmy; nieżyczliwy

un·lace [ʌn'leɪs] vt rozsznurować

un·lade [ʌn'leɪd] vt (formy zob. lade) rozładować, wyładować

un·learn [ʌn'lɜn] vt (formy zob. learn) oduczyć się

un·leash [ʌn'liʃ] vt spuścić (psa) ze smyczy; przen. rozpętać

un·less [ən'les] conj jeśli nie, chyba, że

un·let·tered [ʌn'letəd] adj niewykształcony

un·like [ʌn'laɪk] adj niepodobny; praep niepodobnie, nie tak, jak

un·like·ly [ʌn'laɪklɪ] adj nieprawdopodobny; he is ~ to come on prawdopodobnie nie przyjdzie

un·load [ʌn'ləʊd] vt rozładować, wyładować

un·lock [ʌn'lɒk] vt otworzyć (zamek)

un·loose [ʌn'lus], unloosen [ʌn'lusn] vt rozluźnić (się), rozwiązać (się)

un·luck·y [ʌn'lʌkɪ] adj nieszczęśliwy, niefortunny

un·mask [ʌn'mɑsk] vt demaskować

un·matched [ʌn'mætʃt] adj niezrównany

un·mean·ing [ʌn'minɪŋ] adj nie mający znaczenia, nic nie mówiący

un·meant [ʌn'ment] adj mimowolny, nie zamierzony

un·mis·tak·a·ble ['ʌnmɪ'steɪkəbl] adj niewątpliwy, oczywisty

un·moved [ʌn'muvd] adj niewzruszony

un·named [ʌn'neɪmd] adj nie nazwany, bezimienny

un·nat·u·ral [ʌn'nætʃərl] adj nienaturalny

un·nec·es·sary [ʌn'nesəsrɪ] adj niepotrzebny, zbyteczny

un·nerve [ʌn'nɜv] vt zniechęcić, odebrać odwagę

un·no·ticed [ʌn'nəʊtɪst] adj nie zauważony; zlekceważony

un·ob·jec·tion·a·ble ['ʌnəb'dʒekʃn əbl] adj nienaganny, bez zarzutu

un·of·fend·ing ['ʌnə'fendɪŋ] adj nieszkodliwy, niewinny

un·pack [ʌn'pæk] vt vi rozpakować (się)

un·paid [ʌn'peɪd] adj nie zapłacony; nieodpłatny

un·pal·at·a·ble [ʌn'pælətəbl] adj niesmaczny; nieprzyjemny

un·par·al·leled [ʌn'pærəleld] adj niezrównany; bezprzykładny

un·par·don·a·ble [ʌn'pɑdnəbl] adj niewybaczalny

un·pen·e·tra·ble [ʌn'penɪtrəbl] adj nie do przebycia

un·pleas·ant [ʌn'pleznt] adj nieprzyjemny

un·prec·e·dent·ed [ʌn'presɪdəntɪd] adj bez precedensu

un·prej·u·diced [ʌn'predʒədɪst] adj nieuprzedzony, bezstronny un·pre·ten·tious [ˌʌnprɪˈtenʃəs] *adj* bezpretensjonalny

un·pro·duc·tive [ˌʌnprəˈdʌktɪv] *adj* nieproduktywny

un·prof·it·a·ble [ʌnˈprofɪtəbl] *adj* niekorzystny

un·qual·i·fied [ʌnˈkwolɪfaɪd] *adj* nie mający kwalifikacji; bezwarunkowy, bezwzględny

un·ques·tion·a·ble [ʌnˈkwestʃənəbl] *adj* nie ulegający wątpliwości, bezsporny

un·quote [ʌnˈkwəut] *vt* skończyć cytat

un·rav·el [ʌnˈrævl] *vt vi* rozpleść; rozplątać (się); strzępić (się)

un·read [ʌnˈred] *adj* nie przeczytany; nieoczytany, niewykształcony

un·rea·son·a·ble [ʌnˈriznəbl] *adj* nierozsądny; niedorzeczny; (*o cenie*) wygórowany, nadmierny

un·re·mit·ting [ˌʌnrɪˈmɪtɪŋ] *adj* nie słabnący; nieustanny

un·re·served [ˌʌnrɪˈzɜvd] *adj* nie zastrzeżony; nieograniczony; bezwzględny; otwarty, szczery

un·rest [ʌnˈrest] *s* niepokój; wzburzenie

un·rid·dle [ʌnˈrɪdl] *vt* rozwiązać zagadkę, wyjaśnić

un·ri·valled [ʌnˈraɪvld] *adj* niezrównany, bezkonkurencyjny

un·roll [ʌnˈrəul] *vt vi* rozwinąć (się), odsłonić (się)

un·ru·ly [ʌnˈrulɪ] *adj* niesforny

un·safe [ʌnˈseɪf] *adj* niebezpieczny, niepewny

un·said [ʌnˈsed] *adj* nie powiedziany

un·say [ʌnˈseɪ] *vt* (*formy zob.* say) cofnąć słowo, odwołać

un·scru·pu·lous [ʌnˈskrupjələs] *adj* nie mający skrupułów, bez skrupułów

un·seal [ʌnˈsil] *vt* odpieczętować

un·sea·son·a·ble [ʌnˈsiznəbl] *adj* nie będący na czasie, niewczesny; niestosowny

un·seem·ly [ʌnˈsimlɪ] *adj* niestosowny, nieprzyzwoity

un·seen [ʌnˈsin] *adj* nie widziany; nie oglądany; *s* tłumaczenie tekstu (bez przygotowania)

un·set·tle [ʌnˈsetl] *vt* zdezorganizować, zakłócić, zachwiać

un·set·tled [ʌnˈsetld] *adj* zakłócony; niespokojny; niepewny; bezdomny; nie załatwiony

un·sew [ʌnˈsəu] *vt* (*formy zob.* sew) rozpruć

un·shak·en [ʌnˈʃeɪkn] *adj* niewzruszony

un·sight·ly [ʌnˈsaɪtlɪ] *adj* brzydki

un·skilled [ʌnˈskɪld] *adj* nie mający wprawy; niewykwalifikowany (robotnik)

un·so·phis·ti·cat·ed [ˌʌnsəˈfɪstɪkeɪtɪd] *adj* naturalny, prostoliniijny, szczery; nieskomplikowany, prosty

un·sound [ʌnˈsaund] *adj* niezdrowy; zepsuty; wadliwy; niepewny

un·spar·ing [ʌnˈspeərɪŋ] *adj* nie szczędzący; bezlitosny (**of** sb dla kogoś)

un·speak·a·ble [ʌnˈspikəbl] *adj* niewypowiedziany

un·stead·y [ʌnˈstedɪ] *adj* nietrwały, chwiejny, niepewny

un·stick [ʌnˈstɪk] *vt* (*formy zob.* stick) odkleić, rozkleić

un·stitch [ʌnˈstɪtʃ] *vt* rozpruć

un·stuck zob. unstick

un·suc·cess·ful [ˌʌnsəkˈsesfl] *adj* nie mający powodzenia; nieudany, niepomyślny

un·suit·a·ble [ʌnˈsjutəbl] *adj* nieodpowiedni, nie nadający się

un·sur·passed [ˌʌnsəˈpɑst] *adj* nieprześcigniony

un·ten·a·ble [ʌnˈtenəbl] *adj* (*o teorii, pozycji itp.*) nie do utrzymania

un·think·a·ble [ʌnˈθɪŋkəbl] *adj* nie do pomyślenia

un·thought [ʌnˈθɔt] *adj* nie pomyślany; ~ **of** przechodzący wszelkie wyobrażenie, nieoczekiwany, nieprzewidziany

un·ti·dy [ʌnˈtaɪdɪ] *adj* nieporządny; niechlujny

un·tie [ʌnˈtaɪ] *vt vi* rozwiązać (się), odwiązać (się)

un·til [ʌnˈtɪl] = till

un·time·ly [ʌnˈtaɪmlɪ] *adj* nie na czasie, nie w porę, niewczesny; przedwczesny

un·tir·ing [ʌnˈtaɪərɪŋ] *adj* niezmordowany

un·to [ˈʌntu] *praep* = to

un·told [ʌnˈtəʊld] *adj* niewypowiedziany, niesłychany; niepoliczony

un·to·ward [ˈʌntuˈwɔd] *adj* niepomyślny, niefortunny; niewczesny, niestosowny; oporny

un·true [ʌnˈtru] *adj* niezgodny z prawdą

un·truth [ʌnˈtruθ] *s* nieprawda

un·truth·ful [ʌnˈtruθfl] *adj* nieprawdziwy, kłamliwy

un·u·su·al [ʌnˈjuʒʊəl] *adj* niezwykły

un·ut·ter·a·ble [ʌnˈʌtrəbl] *adj* niewypowiedziany; nie do wymówienia

un·veil [ʌnˈveɪl] *vt* odsłonić; wyjawić (np. tajemnicę)

un·voic·ed [ʌnˈvɔɪst] *adj* nie wypowiedziany; *gram.* bezdźwięczny

un·wel·come [ʌnˈwelkəm] *adj* niepożądany, niemile widziany

un·well [ʌnˈwel] *adj praed* niezdrowy

un·wield·y [ʌnˈwildɪ] *adj* nieporadny; nieporęczny

un·will·ing [ʌnˈwɪlɪŋ] *adj* niechętny

un·wise [ʌnˈwaɪz] *adj* niemądry

un·wit·ting [ʌnˈwɪtɪŋ] *adj* nieświadomy (of sth czegoś)

un·wom·an·ly [ʌnˈwumənlɪ] *adj* niekobiecy

un·wont·ed [ʌnˈwəʊntɪd] *adj* nieprzywykły; niezwykły

un·world·ly [ʌnˈwɜdlɪ] *adj* nie z tego świata, nieziemski

un·wor·thy [ʌnˈwɜðɪ] *adj* niegodny, niewart

un·wrap [ʌnˈræp] *vt* rozwinąć, rozpakować

un·yield·ing [ʌnˈjildɪŋ] *adj* nieustępliwy

up [ʌp] *adv* w górze, w górę; do góry; w pozycji stojącej ⟨podniesionej⟩; **up and down** w górę i w dół; ze zmiennym szczęściem; **up there** tam, w górze; **up to** aż do, do samego ⟨szczytu itp.⟩, po (np. kolana); do (czasów, okresu itp.); **up to date** na czasie, w modzie; **this side up** tą stroną do góry; **up with sth** na równi, na równym poziomie; **to be up** być na nogach; być w stanie wzburzenia ⟨wrzenia, buntu⟩; **to be up against sth** mieć trudności z czymś; **to be up for sth** sprostać czemuś; zajmować się czymś; być skłonnym do czegoś; **to be up for an examination** zdawać egzamin; **there is sth up** coś się dzieje; **what's up?** co się dzieje?; **what are you up to here?** co porabiasz?; **the road is up** droga jest rozkopana; **up (with you)! wstawaj!; up with ...!** niech żyje ...!; *po niektórych czasownikach oznacza zakończenie czynności*, *np.*: **to burn up** spalić doszczętnie; **to eat up** zjeść; **our time is up** nasz czas upłynął; *praep* w górę (po czymś) **up the stairs** w górę po schodach; **up the river** w górę rzeki; **up the stream** przeciw prądowi; *adj* idący ⟨prowadzący⟩ w górę; **up train** pociąg w kierunku stolicy; *s pl* **ups and downs** wzniesienia i spadki, góry i doliny; *przen.* wzloty i upadki, powodzenia i klęski

up·braid [ʌpˈbreɪd] *vt* ganić, robić wyrzuty

up·bring·ing [ˈʌpbrɪŋɪŋ] *s* wychowanie

up·heav·al [ʌpˈhivl] *s* wstrząs; *polit.* przewrót

up·held *zob.* uphold

up·hill [ˈʌpˈhɪl] *adv* w górę; *adj* [ˈʌphɪl] prowadzący w górę, stromy; *przen.* żmudny

up·hold [ʌpˈhəuld] *vt (formy zob.* hold) podtrzymywać; popierać

up·hol·ster [ʌpˈhəulstə(r)] *vt* wyściełać (meble), tapetować (pokój), zdobić (np. firankami)

up·hol·ster·er [ʌpˈhəulstərə(r)] *s* tapicer

up·hol·ster·y [ʌpˈhəulstəri] *s* tapicerstwo

up·keep [ˈʌpkip] *s* utrzymanie, koszty utrzymania

up·land [ˈʌplənd] *s* wyżyna; okolice górskie; the ∼s okolice górskie; podhale

up·lift [ʌpˈlift] *vt* podnieść; *s* [ˈʌplift] wzniesienie, podniesienie

up·on [əˈpɒn] = on

up·per [ˈʌpə(r)] *adj* górny, wyższy; ∼ hand przewaga (of sb nad kimś)

up·per·most [ˈʌpəməust] *adj* najwyższy, górujący; *adv* na (samej) górze, na górę

up·raise [ʌpˈreiz] *vt* podnieść

up·right [ˈʌp·rait] *adj praed* prosty, wyprostowany, pionowy; *przen.* prostolininy, rzetelny; ∼ piano pianino; *s* pion; *adv* prosto, pionowo

up·rise [ʌpˈraiz] *vi (formy zob.* rise) powstać, podnieść się; *s* [ˈʌpraiz] podniesienie się; wschód; awans

up·ris·en *zob.* uprise

up·ris·ing [ˈʌpˌraizɪŋ] *s* podniesienie się; *polit.* powstanie

up·roar [ˈʌpˌrɔ(r)] *s* hałas, zamieszanie, rozruchy

up·root [ʌpˈrut] *vt* wyrwać z korzeniem, wykorzenić

up·rose *zob.* uprise

up·set [ʌpˈset] *vt vi (formy zob.* set) przewrócić (się); zdezorganizować (się); wyprowadzić z równowagi; zdenerwować; udaremnić; *s* [ʌpˈset] przewrócenie; dezorganizacja; nieporządek; niepokój; rozstrój (żołądka); *adj* [ˈʌpˈset] przewrócony; zaniepokojony; zdenerwowany; to become ⟨to get⟩ ∼ zdenerwować się

up·shot [ˈʌpʃɒt] *s* wynik, rezultat

up·side [ˈʌpsaid] *s* górna strona; ∼ down do góry nogami

up·stairs [ˈʌpˈsteəz] *adv* w górę (po schodach); na górze; na piętrze

up·start [ˈʌpstat] *s* parweniusz

up·stream [ˈʌpˈstrim] *adv* pod prąd

up-to-date [ˈʌp tə ˈdeit] *adj* nowoczesny, modny, aktualny

up·turn [ˈʌpˈtɜn] *vt* przewrócić; *s* [ˈʌptɜn] przewrót

up·ward [ˈʌpwəd] *adj* zwrócony ku górze; *adv* = upwards

up·wards [ˈʌpwədz] *adv* w górę; ku górze; ∼ of ponad, powyżej

u·ra·ni·um [juˈreiniəm] *s chem.* uran

ur·ban [ˈɜbən] *adj* miejski

ur·bane [ɜˈbein] *adj* wytworny; grzeczny, uprzejmy

ur·ban·i·ty [ɜˈbænəti] *s* ogłada, wytworność, uprzejmość

ur·chin [ˈɜtʃin] *s* urwis

urge [ɜdʒ] *vt* nalegać, przynaglać; popędzać; mocno podkreślać; popęd, bodziec

ur·gen·cy [ˈɜdʒənsi] *s* naleganie; nagła potrzeba, nagląca konieczność, nagłość

ur·gent [ˈɜdʒənt] *adj* nagły, nagląccy; natarczywy

u·rine [ˈjuərin] *s* mocz

urn [ɜn] *s* urna; dzbanek (na herbatę itp.)

us *zob.* we

us·age [ˈjuzidʒ] *s* zwyczaj; sposób używania; stosowanie (np. wyrazu); traktowanie

use [juz] *vt* używać, stosować; traktować; ∼ up zużyć, wyczerpać; zniszczyć; ∼d [ˈjust]+*bez okolicznik oznacza powtarzani się czynności, np.:* I ∼d to mia łem zwyczaj; he ∼d to say mia zwyczaj mówić, mawiał; *s* [jus užytek, zastosowanie, używan ność, użyteczność; zwyczaj; to bof ∼ być pożytecznym, przyda się; to have no ∼ for a thing ni potrzebować czegoś; it's no ∼ (of) going there nie ma sensu tam

chodzić; what's the ~ (of) doing it? na co się to przyda?; in
~ w użyciu; out of ~ nie używany, wycofany z użycia, przestarzały
used *adj* ['juzd] używany; ~ up
zużyty, wyczerpany, skończony;
['just] przyzwyczajony (to sth do
czegoś); to get ⟨to become⟩ ~
przyzwyczaić się
use·ful ['jusfl] *adj* pot. pożyteczny
use·less ['jusləs] *adj* bezużyteczny
ush·er ['ʌʃə(r)] s odźwierny, woź-
ny sądowy; bileter; *uj.* belfer;
vt (*zw.* ~ in) wprowadzać, inicjować
u·su·al ['juʒuəl] *adj* zwyczajny,
zwykły
u·su·rer ['juʒərə(r)] s lichwiarz
u·surp [ju'zɜp] *vt* uzurpować;
przywłaszczać sobie
u·su·ry ['juʒərɪ] s lichwa
u·ten·sil [ju'tensl] s naczynie; narzędzie; *pl* ~s naczynia, przybo-

ry, utensylia
u·til·i·tar·i·an [ju'tɪlɪ'teərɪən] *adj*
utylitarny
u·til·i·ty [ju'tɪlətɪ] s użyteczność;
(*także* public ~) zakład użyte-
czności publicznej
u·til·i·za·tion ['jutɪlaɪ'zeɪʃn] s u-
żytkowanie
u·ti·lize ['jutɪlaɪz] *vt* użytkować
ut·most ['ʌtməust] *adj* krańcowy,
najdalszy; najwyższego stopnia;
s kraniec; ostateczna możliwość;
najwyższy stopień; I'll do my ~
uczynię, co w mej mocy
u·to·pi·a [ju'təupɪə] s utopia
ut·ter 1. ['ʌtə(r)] *adj* krańcowy;
całkowity
ut·ter 2. ['ʌtə(r)] *vt* wydawać (np.
okrzyk), wyrażać, wypowiadać;
puszczać w obieg
ut·ter·ance ['ʌtərəns] s wypowiedzenie, wypowiedź; wyrażenie
(np. uczuć), wyraz; wymowa
ut·ter·most ['ʌtəməust] = utmost

V

va·can·cy ['veɪkənsɪ] s próżnia,
pustka; bezmyślność; wolny etat
va·cant ['veɪkənt] *adj* próżny, wolny, wakujący; bezmyślny
va·cate [və'keɪt] *vt* opróżnić, zwolnić, opuścić
va·ca·tion [və'keɪʃn] s opróżnienie,
zwolnienie; wakacje
vac·ci·nate ['væksɪneɪt] *vt* med.
szczepić
vac·ci·na·tion ['væksɪ'neɪʃn] s med.
szczepienie
vac·cine ['væksin] s med. szczepionka
vac·il·late ['væsəleɪt] *vi* chwiać
się, wahać się
vac·il·la·tion ['væsə'leɪʃn] s chwia-
nie się, wahanie się
vac·u·um ['vækjuəm] s próżnia; ~
bottle ⟨flask⟩ termos; ~ cleaner

odkurzacz
vag·a·bond ['vægəbond] *adj* wło-
częgowski, wędrowny; s włóczęga
va·gar·y ['veɪgərɪ] s grymas, kaprys
va·grant ['veɪgrənt] *adj* włóczęgo-
wski, wędrowny; s włóczęga
vague [veɪg] *adj* nieokreślony, niejasny, mglisty
vain [veɪn] *adj* próżny; daremny;
in ~ na próżno
vale [veɪl] s *poet.* dolina
val·et ['vælɪt] s służący; *vt* usługiwać
val·e·tu·di·nar·i·an ['vælɪ'tjudɪ'neə-
rɪən] *adj* chorowity, słabowity;
s cherlak; chuchro
val·iant ['væliənt] *adj* dzielny

val·id ['vælɪd] *adj* ważny; mający cy prawne ⟨naukowe⟩ podstawy

va·lid·i·ty [və'lɪdətɪ] *s* ważność; moc prawna ⟨naukowa⟩

va·lise [və'liz] *s* waliza

val·ley ['vælɪ] *s* dolina

val·or·ous ['vælərəs] *adj* waleczny

val·our ['vælə(r)] *s* waleczność

val·u·a·ble ['væljubl] *adj* cenny, wartościowy; *s pl* ~s kosztowności

val·ue ['vælju] *s* wartość, cena; of little ~ małowartościowy; of no ~ bezwartościowy; *vt* cenić, szacować

valve [vælv] *s techn.* zawór; klapa, wentyl; *elektr.* lampa elektronowa

vamp [væmp] *s* wamp, uwodzicielka; *vt* uwodzić

vam·pire ['væmpaɪə(r)] *s* wampir

van 1. [væn] *s* wóz ciężarowy (kryty); *kolej.* wagon (służbowy); luggage ~ wagon bagażowy

van 2. [væn] *s wojsk.* straż przednia; *przen.* awangarda

vane [veɪn] *s* chorągiewka (na dachu)

van·guard ['vængad] *s wojsk.* awangarda

va·nil·la [və'nɪlə] *s* wanilia

van·ish ['vænɪʃ] *vi* znikać

van·i·ty ['vænətɪ] *s* próżność, marność; ~ bag (case) kosmetyczka

van·quish ['væŋkwɪʃ] *vt* zwyciężyć

van·tage ['vɑntɪdʒ] *s* korzystna pozycja; *sport* przewaga

van·tage-ground ['vɑntɪdʒ graund] *s* korzystna pozycja (*zw.* obserwacyjna)

vap·id ['væpɪd] *adj* zwietrzały; mdły; jałowy; bezduszny

va·por·ize ['veɪpəraɪz] *vt* (wy)parować; *vt* odparowywać

va·pour ['veɪpə(r)] *s* para; mgła; *vi* parować; *przen.* przechwalać się

var·i·a·ble ['veərɪəbl] *adj* zmienny; *s mat.* zmienna; *mors.* wiatr zmienny

var·i·ance ['veərɪəns] *s* niezgodność, sprzeczność; zmienność; to be at ~ nie zgadzać się, być w sprzeczności

var·i·ant ['veərɪənt] *s* odmiana, wariant

var·i·a·tion [,veərɪ'eɪʃn] *s* zmiana, zmienność; odchylenie

var·i·ces *zob.* varix

va·ried ['veərɪd] *adj* różnorodny

var·i·e·gate ['veərɪgeɪt] *vt* urozmaicać; rozmaicie barwić, pstrzyć

va·ri·e·ty [və'raɪətɪ] *s* rozmaitość; wybór; bogactwo (np. towarów); odmiana (np. rośliny); a ~ of books rozmaite książki

var·i·ous ['veərɪəs] *adj* różny, rozmaity; at ~ times kilkakrotnie

var·ix ['værɪks] *s* (*pl* varices ['værɪsɪz]) *med.* żylak

var·nish ['vɑnɪʃ] *s* lakier, politura; werniks; *vt* lakierować, politurować

var·si·ty ['vɑsətɪ] *s pot.* uniwerek, uniwersytet

var·y ['veərɪ] *vt vi* zmieniać (się), urozmaicać, różnić się

vase [vɑz] *s* waza, wazon

vas·e·line ['væslɪn] *s* wazelina

vast [vɑst] *adj* obszerny, rozległy

vast·ly ['vɑstlɪ] *adv* wybitnie, niezmiernie

vat [væt] *s* kadź

vault 1. [vɔlt] *s* sklepienie; podziemie, piwnica; krypta

vault 2. [vɔlt] *vi* skoczyć; *vt* przeskoczyć

vaunt [vɔnt] *vt* wychwalać; *vi* przechwalać się; *s* samochwalstwo

've [v] = have

veal [vil] *s* cielęcina

ve·dette [vɪ'det] *s wojsk.* czujka

veer [vɪə(r)] *vi* skręcać, zmieniać kierunek; *przen.* zmieniać przekonania

veg·e·ta·ble ['vedʒtəbl] *adj* roślinny; *s* roślina; jarzyna

veg·e·tar·i·an [ˌvedʒɪˈteərɪən] *adj* wegetariański; *s* wegetarianin

veg·e·tate [ˈvedʒɪteɪt] *vi* wegetować; rosnąć

veg·e·ta·tion [ˌvedʒɪˈteɪʃn] *s* wegetacja; roślinność; *med.* narośl

veg·e·ta·tive [ˈvedʒɪtətɪv] *adj* wegetacyjny; roślinny

ve·he·ment [ˈvɪəmənt] *adj* gwałtowny

ve·hi·cle [ˈvɪrkl] *s* wóz, pojazd, środek lokomocji; *przen.* narzędzie, środek; *med.* nosiciel (choroby)

veil [veɪl] *s* welon; zasłona; *przen.* maska; to take the ~ wstąpić do klasztoru (żeńskiego); *vt* zasłaniać; *przen.* ukrywać, maskować

vein [veɪn] *s* żyła; warstwa; *przen.* wena, nastrój

ve·loc·i·ty [vəˈlosɪtɪ] *s* szybkość, prędkość

ve·lum [ˈvɪləm] *s* (*pl* vela [ˈvɪlə]) biol. błona; *anat.* podniebienie miękkie

vel·vet [ˈvelvɪt] *s* welwet, aksamit

ve·nal [ˈvɪnl] *adj* sprzedajny

vend·ing-ma·chine [ˈvendɪŋ məʃɪn] automat do sprzedaży (np. papierosów)

ven·dor [ˈvendə(r)] *s* sprzedawca

ve·neer [vɪˈnɪə(r)] *s* fornir; *vt* fornirować; *przen.* nadawać polor

ven·er·a·ble [ˈvenrəbl] *adj* czcigodny

ven·er·a·tion [ˌvenəˈreɪʃn] *s* cześć, szacunek

ve·ne·re·al [vɪˈnɪərɪəl] *adj med.* weneryczny

venge·ance [ˈvendʒəns] *s* zemsta

ve·ni·al [ˈvɪnɪəl] *adj* przebaczalny; *rel.* powszedni (grzech)

ven·i·son [ˈvenɪsn] *s* dziczyzna

ve·nom [ˈvenəm] *s* jad

ven·om·ous [ˈvenəməs] *adj* jadowity

vent [vent] *s* otwór; wentyl, wylot; to give ~ dać folgę ⟨upust⟩ (to sth czemuś); *vt* wiercić otwór; wypuszczać, dawać upust

vent-hole [ˈvent həʊl] *s* lufcik, wywietrznik

ven·ti·late [ˈventɪleɪt] *vt* wentylować; *przen.* roztrząsać

ven·ti·la·tion [ˌventɪˈleɪʃn] *s* wentylacja

ven·ture [ˈventʃə(r)] *s* ryzykowny krok, ryzyko; impreza (handlowa), przedsięwzięcie; at a ~ na chybił trafił, na los szczęścia; *vt vi* ryzykować, odważyć się (sth, on sth na coś)

ve·ra·cious [vəˈreɪʃəs] *adj* prawdomówny; zgodny z prawdą

ve·rac·i·ty [vəˈræsətɪ] *s* prawdomówność; zgodność z prawdą

ve·ran·da(h) [vəˈrændə] *s* weranda

verb [vɜb] *s gram.* czasownik

ver·bal [ˈvɜbl] *adj* słowny; dosłowny; ustny; *gram.* czasownikowy; ~ noun rzeczownik odsłowny

ver·ba·tim [vɜˈbeɪtɪm] *adv* dosłownie; *adj* dosłowny

ver·bos·i·ty [vɜˈbosətɪ] *s* wielomówność, rozwlekłość

ver·dict [ˈvɜdɪkt] *s prawn.* werdykt

ver·di·gris [ˈvɜdɪgrɪs] *s* grynszpan

ver·dure [ˈvɜdʒə(r)] *s* zieleń

verge 1. [vɜdʒ] *s* kraniec, krawędź; pręt; berło

verge 2. [vɜdʒ] *vi* chylić się, zbliżać się (to, towards sth ku czemuś); graniczyć (on, upon sth z czymś)

ver·i·fy [ˈverɪfaɪ] *vt* sprawdzić; potwierdzić

ver·i·ta·ble [ˈverɪtəbl] *adj* prawdziwy, istny

ver·i·ty [ˈverətɪ] *s* prawda, prawdziwość

ver·mil·ion [vəˈmɪlɪən] *s* cynober; *vt* malować na kolor cynobrowy

ver·min [ˈvɜmɪn] *s zbior.* robactwo, szkodniki

ver·nac·u·lar [vəˈnækjulə(r)] *adj* rodzimy, miejscowy, tubylczy; *s* język rodzimy, mowa ojczysta ver·sa·tile [`vɜːsətaɪl] adj (o umyśle) bystry; wszechstronny

ver·sa·til·i·ty [ˌvɜːsə`tɪlətɪ] s bystrość (umysłu); wszechstronność

verse [vɜːs] s wiersz; poezja; zwrotka

versed [vɜːst] adj obeznany (in sth z czymś), biegły

ver·si·fy [`vɜːsɪfaɪ] vt vi układać wierszem; pisać wiersze

ver·sion [`vɜːʃn] s wersja; przekład

ver·sus [`vɜːsəs] praep łac. przeciw

ver·te·bra [`vɜːtɪbrə] s (pl vertebrae [`vɜːtɪbriː]) anat. kręg

ver·ti·bral [`vɜːtɪbrəl] adj kręgowy

ver·tex [`vɜːteks] s (pl vertices [`vɜːtɪsiːz]) szczyt; mat. wierzchołek

ver·ti·cal [`vɜːtɪkl] adj pionowy; szczytowy; mat. wierzchołkowy

ver·y [`verɪ] adv bardzo; prawdziwie; bezpośrednio, zaraz; on the ~ next day zaraz następnego dnia; adj istotny, prawdziwy, tenże sam; to the ~ end do samego końca; the ~ thought of it już sama myśl o tym

ves·i·cle [`vesɪkl] s anat. pęcherzyk

ves·sel [`vesl] s naczynie; statek

vest 1. [vest] s kamizelka; kaftanik

vest 2. [vest] vt nadawać, przekazywać (sb with sth komuś coś)

vest·ed [`vestɪd] adj prawnie nabyty, ustalony; handl. inwestowany

ves·tige [`vestɪdʒ] s ślad

vest·ment [`vestmənt] s strój (oficjalny, uroczysty)

ves·try [`vestrɪ] s zakrystia; rada parafialna

vet 1. [vet] s bryt. pot. weterynarz; vt badać (zwierzę)

vet 2. [vet] s am. pot. weteran

vet·er·an [`vetərən] s weteran; adj wysłużony; zahartowany w boju

vet·er·i·nar·y [`vetrɪnərɪ] adj weterynaryjny; s weterynarz

ve·to [`viːtəʊ] s weto; vt zakładać weto (sth przeciw czemuś)

vex [veks] vt dręczyć

vex·a·tion [vek`seɪʃn] s udręka strapienie; przykrość

via [`vaɪə] praep łac. przez (dana miejscowość)

vi·a·duct [`vaɪədʌkt] s wiadukt

vi·al [`vaɪəl] s fiolka, flaszeczka

vi·ands [`vaɪəndz] s pl wiktuały

vi·brant [`vaɪbrənt] adj wibrujący, drgający

vi·brate [vaɪ`breɪt] vi wibrować drgać

vi·bra·tion [vaɪ`breɪʃn] s wibracja drganie

vic·ar [`vɪkə(r)] s proboszcz (anglikański); wikary (rzymskokatolicki)

vice 1. [vaɪs] s wada; nałóg; występek

vice 2. [vaɪs] s techn. imadło

vice 3. [vaɪs] praef wice-

vice·roy [`vaɪsrɔɪ] s wicekról

vi·ce·ver·sa [ˌvaɪsɪ `vɜːsə] adv łac na odwrót; vice versa

vi·cin·i·ty [vɪ`sɪnətɪ] s sąsiedztwo najbliższa okolica

vi·cious [`vɪʃəs] adj występny wadliwy, błędny

vi·cis·si·tude [vɪ`sɪsɪtjuːd] s zmienność, nietrwałość

vic·tim [`vɪktɪm] s ofiara

vic·tim·ize [`vɪktɪmaɪz] vt składać w ofierze; gnębić; oszukiwać

vic·tor [`vɪktə(r)] s zwycięzca

vic·to·ri·ous [vɪk`tɔːrɪəs] adj zwycięski

vic·to·ry [`vɪktrɪ] s zwycięstwo

vic·tuals [`vɪtlz] s pl wiktuały

vi·de·li·cet [vɪ`diːlɪset] adv mianowicie; to znaczy

vie [vaɪ] vi współzawodniczyć (fo sth o coś)

view [vjuː] s widok; pole widzenia pogląd; przegląd; zamiar; to be in ~ być widocznym; to have i ~ mieć na oku ⟨widoku⟩; th end in ~ powzięty zamiar, za mierzony cel; **point of ~** punkt widzenia; **on ~** wystawiony; **private ~** prapremiera, wernisaż (wystawy); **in my ~** moim zdaniem; **in ~ of sth** biorąc coś pod uwagę, wobec czegoś; **with a ~ to sth** w zamiarze czegoś; *vt* oglądać, rozpatrywać

view·er [`vjuə(r)] *s* widz

view-point [`vju pɔint] *s* punkt widzenia; zapatrywanie (**of sth na coś**)

vig·il [`vidʒil] *s* czuwanie; wigilia

vig·i·lance [`vidʒiləns] *s* czujność

vig·or·ous [`vigərəs] *adj* pełen wigoru, energiczny

vig·our [`vigə(r)] *s* wigor; siła, energia

vile [vail] *adj* podły; *pot.* wstrętny

vil·i·fy [`vilifai] *vt* oczernić; upodlić

vil·la [`vilə] *s* willa

vil·lage [`vilidʒ] *s* wieś

vil·lag·er [`vilidʒə(r)] *s* wieśniak; prostak

vil·lain [`vilən] *s* łajdak, nikczemnik

vil·lain·y [`viləni] *s* łajdactwo, nikczemność

vin·di·cate [`vindikeit] *vt* brać w obronę; oczyszczać z zarzutu, usprawiedliwiać; dochodzić

vin·dic·tive [vin`diktiv] *adj* mściwy

vine [vain] *s* winna latorośl

vin·e·gar [`vinigə(r)] *s* ocet

vine-yard [`vinjəd] *s* winnica

vin·tage [`vintidʒ] *s* winobranie

vint·ner [`vintnə(r)] *s* winiarz

vi·o·late [`vaiəleit] *vt* naruszyć; pogwałcić

vi·o·la [vi`əulə] *s muz.* altówka

vi·o·la·tion [ˌvaiə`leiʃn] *s* naruszenie; pogwałcenie

vi·o·lence [`vaiələns] *s* gwałt; gwałtowność; naruszenie; **by ~** gwałtem

vi·o·let [`vaiələt] *s bot.* fiołek; *adj* fioletowy

vi·o·lin [ˌvaiə`lin] *s muz.* skrzypce

vi·per [`vaipə(r)] *s zool.* żmija

vir·gin [`vɜdʒin] *s* dziewica; *attr* dziewiczy

vir·ile [`virail] *adj* męski

vir·tu·al [`vɜtʃuəl] *adj* faktyczny, właściwy; potencjalny

vir·tue [`vɜtʃu] *s* cnota; zaleta; wartość; skuteczność; **by ⟨in⟩ ~ of** na mocy

vir·tu·os·i·ty [ˌvɜtʃu`ɒsəti] *s* wirtuozostwo; zamiłowanie do sztuk pięknych

vir·tu·ous [`vɜtʃuəs] *adj* cnotliwy, moralny

vir·u·lent [`virələnt] *adj* jadowity; zjadliwy

vi·rus [`vaiərəs] *s* jad; *med.* wirus; *przen.* trucizna (moralna)

vi·sa [`vizə] *s* wiza; *vt* wizować

vis·age [`vizidʒ] *s* oblicze

vis·cer·a [`visərə] *s pl anat.* wnętrzności

vis·cos·i·ty [vis`kɒsəti] *s* lepkość

vis·count [`vaikaunt] *s* wicehrabia

visé [`vizei] *s* wiza

vis·i·bil·i·ty [ˌvizə`biləti] *s* widzialność; widoczność

vis·i·ble [`vizəbl] *adj* widzialny, widoczny

vi·sion [`viʒn] *s* widzenie, wzrok; wizja

vi·sion·ar·y [`viʒnri] *adj* wizjonerski; *s* wizjoner

vis·it [`vizit] *s* wizyta; pobyt; wizytacja; **to be on a ~** być z wizytą; **to pay a ~** złożyć wizytę; *vt* odwiedzać, zwiedzać; nawiedzać, doświadczać

vis·it·a·tion [ˌvizi`teiʃn] *s* odwiedziny, wizytacja; nawiedzenie, dopust

vis·i·tor [`vizitə(r)] *s* gość

vi·sor [`vaizə(r)] *s hist.* przyłbica; daszek (u czapki)

vis·ta [`vistə] *s* widok, perspektywa; aleja

vis·u·al [`viʒuəl] *adj* wzrokowy

vis·u·al·ize [`viʒuəlaiz] *vt* unaoczniać, uzmysłowić sobie

vi·tal [`vaitl] *adj* życiowy, żywotny; istotny, niezbędny

vi·tal·i·ty [vaɪˈtælətɪ] s żywotność

vit·a·min [ˈvɪtəmɪn] s witamina

vi·ti·ate [ˈvɪʃɪeɪt] vt zepsuć, skazić; unieważnić

vit·re·ous [ˈvɪtrɪəs] adj szklany, szklisty

vi·tu·per·ate [vɪˈtjupəreɪt] vt lżyć, pomstować (sb na kogoś)

vi·va·cious [vɪˈveɪʃəs] adj żywy, pełen życia

vi·vac·i·ty [vɪˈvæsətɪ] s żywość

viv·id [ˈvɪvɪd] adj żywy

viv·i·sect [ˈvɪvɪˈsekt] vt dokonywać wiwisekcji

vix·en [ˈvɪksn] s jędza; zool. lisica

viz. skr. łac. = videlicet

vo·cab·u·lar·y [vəˈkæbjulərɪ] s słowniczek; słownictwo, zasób słów

vo·cal [ˈvəukl] adj wokalny, głosowy; gram. samogłoskowy

vo·ca·tion [vəuˈkeɪʃn] s powołanie; zawód

vo·cif·er·ate [vəˈsɪfəreɪt] vt vi krzyczeć, wrzeszczeć

vodka [ˈvodkə] s wódka

vogue [vəug] s popularność; moda; to be the ~ ⟨in ~⟩ być w modzie; to have a great ~ cieszyć się dużą popularnością

voice [vɔɪs] s głos; gram. strona; vt głosić, wypowiadać

voiced [vɔɪst] adj gram. dźwięczny

voice·less [ˈvɔɪsləs] adj niemy; gram. bezdźwięczny

void [vɔɪd] adj pusty, próżny; bezwartościowy; prawn. nieważny; pozbawiony (of sth czegoś); s próżnia, pustka; vt opróżnić; prawn. unieważnić

vol·a·tile [ˈvolətaɪl] adj chem. lotny; przelotny, zmienny

vol·can·ic [volˈkænɪk] adj wulkaniczny

vol·ca·no [volˈkeɪnəu] s wulkan

vo·li·tion [vəˈlɪʃn] s wola

vol·ley [ˈvolɪ] s salwa; przen. potok (np. słów, przekleństw); sport wolej

vol·ley·ball [ˈvolɪ bɔl] s sport siat-

kówka

volt·age [ˈvəultɪdʒ] s elektr. woltaż, napięcie

vol·u·ble [ˈvoljubl] adj (o mowie) płynny, pełen swady

vol·u·me [ˈvoljum] s tom; objętość; zwój; siła (głosu, dźwięku itd.)

vo·lu·mi·nous [vəˈlumɪnəs] adj wielkich rozmiarów; obszerny

vol·un·tar·y [ˈvoləntrɪ] adj dobrowolny

vol·un·teer [ˈvolənˈtɪə(r)] s ochotnik; attr ochotniczy; vt ochotniczo podjąć się (sth czegoś); vi zgłosić się na ochotnika

vo·lup·tu·ar·y [vəˈlʌptʃuərɪ] s lubieżnik

vo·lup·tu·ous [vəˈlʌptʃuəs] adj lubieżny

vom·it [ˈvomɪt] vt vi wymiotować; zwracać; s wymioty

vo·ra·cious [vəˈreɪʃəs] adj żarłoczny

vor·tex [ˈvɔteks] s (pl vortices [ˈvɔtɪsɪz]) wir

vote [vəut] s głosowanie; głos; wotum; vt uchwalać; vi głosować (for sb, sth za kimś, czymś; against sb, sth przeciwko komuś, czemuś)

vot·er [ˈvəutə(r)] s głosujący, wyborca

vouch [vautʃ] vt vi ręczyć, gwarantować

vouch·er [ˈvautʃə(r)] s poręczyciel; poświadczenie, kwit, bon

vouch·safe [vautʃˈseɪf] vi vt raczyć; łaskawie udzielić

vow [vau] s ślub, ślubowanie; to take ⟨to make⟩ a ~ ślubować; to take· ~s złożyć śluby zakonne; vt ślubować; vi składać śluby

vow·el [ˈvau]] s gram. samogłoska

voy·age [ˈvɔɪdʒ] s podróż (zw. morska); to go on a ~ wyruszyć w podróż

vul·can·ize [ˈvʌlkənaɪz] vt wulkanizować

ul·gar [ˈvʌlgə(r)] *adj* wulgarny; pospolity

ul·gar·i·ty [vʌlˈgærəti] *s* wulgarność

ul·gar·ize [ˈvʌlgəraiz] *vt* wulgaryzować

ul·ner·a·ble [ˈvʌlnrəbl] *adj* podat-

ny na zranienie, narażony na ciosy; wrażliwy; (*w brydżu*) po partii

vul·ture [ˈvʌltʃə(r)] *s* zool. sęp

vul·tur·ine [ˈvʌltʃərain], **vul·tur·ish** [ˈvʌltʃəriʃ] *adj* sępi

W

vab·ble = **wobble**

vad [wod] *s* wałek, (miękka) zatyczka, podkład (z miękkiego materiału); *vt* wypychać, upychać, nabijać; podkładać, watować

vad·ding [ˈwodiŋ] *s* wata (do upychania); watolina, podkład

vad·dle [ˈwodl] *vi* chodzić kołysząc się

vade [weid] *vt vi* brnąć, brodzić

va·fer [ˈweifə(r)] *s* wafel; opłatek

vaft [woft] *vi* unosić się, bujać, sunąć (po wodzie, w powietrzu); *vt* nieść, posuwać, s powiew, podmuch; śmignięcie

vag 1. [wæg] *s* filut, żartowniś

vag 2. [wæg] *vt vi* kiwać (się), ruszać (się), machać; s poruszenie, kiwnięcie

vage [weidʒ] *s* (*zw. pl* ~s) zarobek, płaca (*zw.* tygodniowa); **living** ~ minimum środków utrzymania; *vt* prowadzić (wojnę)

va·ger [ˈweidʒə(r)] *s* zakład; **to lay** ⟨**to make**⟩ **a** ~ założyć się; *vt vi* zakładać się

vag·on, **wag·gon** [ˈwægən] *s* wóz, platforma

vaif [weif] *s* mienie bezpańskie; *zbior.* porzucone rzeczy; porzucone dziecko; zabłąkane zwierzę; ~s **and strays** bezdomne dzieci

vail [weil] *s* żałosny płacz, la-

ment; *vi* żałośnie płakać, zawodzić; *vt* opłakiwać

wain·scot [ˈweinskət] *s* boazeria; *vt* okładać boazerią

waist [weist] *s* kibić, talia, pas

waist·coat [ˈweistkəut] *s* kamizelka

wait [weit] *vi* czekać (**for sb na** kogoś); usługiwać (**on, upon sb** komuś); czyhać (**for sb na** kogoś); *s* czekanie; zasadzka; *pl* **the** ~s kolędnicy

wait·er [ˈweitə(r)] *s* kelner; taca

wait·ing-room [ˈweitiŋ rum] *s* poczekalnia

wait·ress [ˈweitrəs] *s* kelnerka

waive [weiv] *vt* zaniechać, zrezygnować

waiv·er [ˈweivə(r)] *s* zrzeczenie się (praw, przywilejów itd.)

* **wake** 1. [weik], **woke** [wəuk] *lub* **waked** [weikt], **woken** [ˈwəukən] *lub* **waked** [weikt] *vt vi* budzić (się); † czuwać, nie spać; *s* (*w* *Irlandii*) czuwanie (przy zwłokach); *bryt.* odpust

wake 2. [weik] *s mors.* kilwater; *przen.* ślad; **to follow in sb's** ~ iść czyimś śladem; **in the** ~ **of** **sth** w ślad za czymś

wake·ful [ˈweikfl] *adj* czuwający, czujny

wak·en [ˈweikən] *vt vi* budzić (się); ożywiać (się)

walk [wɔk] *vi* chodzić, kroczyć, przechadzać się; *vt* przechodzić, chodzić (po czymś); ~ **away** ⟨**off**⟩ odchodzić; *pot.* ~ **away** ⟨**off**⟩

with sth porwać, ukraść coś; ~
out wychodzić; *am.* strajkować;
sport ~ over wygrać walkowe-
rem; *s* spacer; chód; ~ of life
zawód, zajęcie
walk-out [`wɔk aut] *s am.* strajk
walk·o·ver [`wɔk əuvə(r)] *s sport*
walkower
wall [wɔl] *s* ściana, mur; *vt* otoczyć murem; (*także* ~ up) zamurować
wal·let [`wɔlit] *s* portfel; † tor-
ba
wal·low [`wɔləu] *vi* tarzać się
wall·pa·per [`wɔlpeipə(r)] *s* tape-
ta
wal·nut [`wɔlnʌt] *s bot.* orzech
włoski
wal·rus [`wɔlrəs] *s zool.* mors
waltz [wɔls] *s* walc; *vi* tańczyć
walca
wan [wɔn] *adj* blady, mizerny
wand [wɔnd] *s* różdżka
wan·der [`wɔndə(r)] *vi* wędrować;
~ away odbiegać; *s* wędrówka
wan·der·er [`wɔndərə(r)] *s* wędro-
wiec
wan·der·ing [`wɔndəriŋ] *s* wędrów-
ka; *pl* ~s majaki; *adj* wędrowny; wędrujący; tułaczy
wane [wein] *vi* zanikać, ubywać;
marnieć
want [wɔnt] *s* potrzeba; brak; *vt
vi* potrzebować; chcieć; odczuwać
brak; brakować
want-ad [`wɔnt æd] *s pot.* drobne
ogłoszenie (w gazecie)
want·ing [`wɔntiŋ] *adj* brakujący;
pozbawiony (**in sth** czegoś); **to be**
~ **brakować; she is** ~ **in intelligence** brak jej rozumu
wan·ton [`wɔntən] *adj* swawolny,
wesoły; nieokiełznany; złośliwy
war [wɔ(r)] *s* wojna; **at** ~ **w stanie wojny; to make** ~ **wojować;
War Office,** *am.* **War Department** ministerstwo wojny; ~
criminal przestępca wojenny; *vi*
wojować
war·ble [`wɔbl] *s* szczebiot; *vi*
szczebiotać

ward [wɔd] *s* straż, nadzór, opieka; podopieczny, wychowanek;
cela więzienna; sala szpitalna;
dzielnica; *vt* opiekować się; u-
mieścić (np. w sali szpitalnej);
~ off odbić, **odparować** (cios)
uchylić (niebezpieczeństwo)
ward·en [`wɔdn] *s* stróż; opiekun;
przełożony; kustosz
ward·er [`wɔdə(r)] *s* strażnik wię-
zienny
ward·robe [`wɔ-drəub] *s* szafa (n
ubranie)
ward·ship [`wɔdʃip] *s* kuratela
ware [weə(r)] *s* towar, wyrób
ware·house [`weəhaus] *s* magazyn
dom towarowy; *vt* magazynowa
war·fare [`wɔfeə(r)] *s* prowadze
nie wojny, wojna
war·i·ness [`weərinəs] *s* ostrożność
war·like [`wɔ laik] *adj* wojowni
czy, wojenny
warm [wɔm] *adj* ciepły; gorliwy
ożywiony; *vt vi* grzać, nagrzewa
(się); ~ up rozgrzać, podgrza
(się); ożywić (się)
war·mong·er [`wɔmʌŋgə(r)] *s* pod
żegacz wojenny
warmth [wɔmθ] *s* ciepło; gorli
wość, zapał
warn [wɔn] *vt* ostrzegać, przypo
minać; uprzedzać (**sb of sth** ko
goś o czymś)
warn·ing [`wɔniŋ] *s* ostrzeżenie
uprzedzenie; wypowiedzenie (po
sady)
warp [wɔp] *vt vi* paczyć (się), wy
krzywiać (się), zniekształca
(się); *mors.* holować; *s* wypacze
nie, osnowa (tkacka); *mors.* lin
holownicza
war·rant [`wɔrənt] *s* pełnomoc
nictwo, uprawnienie; rękojmia
zabezpieczenie; nakaz sądowy
vt uprawnić; gwarantować; u
zasadnić; usprawiedliwić
war·ri·or [`wɔriə(r)] *s* wojak, żoł
nierz
war·ship [`wɔʃip] *s* okręt wojenn
wart [wɔt] *s* brodawka
war·y [`weəri] *adj* ostrożny, czujn

waterproof

was [woz, wəz] p *sing od* to be
wash [woʃ] *vt vi* myć (się); prać;
płukać, oblewać; ~ away zmyć;
~ down spłukać; ~ off zmyć;
dać się zmyć; ~ out wymyć,
wypłukać; skasować; zejść (w
praniu); zalać; zatuszować; ~
up wymyć, zmywać (naczynia);
(*o morzu*) wyrzucić na brzeg;
s mycie (się), pranie; płyn do
płukania; pomyje; namuł
wash·a·ble [ˈwoʃəbl] *adj* nadający
się do prania
wash-basin [ˈwoʃ beɪsn] *s* miednica; umywalka
wash-board [ˈwoʃ bɔd] *s* tara (do
prania)
wash-bowl [ˈwoʃ bəul] *s am.* =
= wash-basin

wash·er [ˈwoʃə(r)] *s* pomywacz;
płuczka; *techn.* uszczelka
wash·er·wom·an [ˈwoʃə wumən] *s*
praczka
wash·ing [ˈwoʃɪŋ] *s* mycie, pranie;
bielizna do prania; ~ machine
pralka
wash-out [ˈwoʃ aut] *s* podmycie
⟨zapadnięcie⟩ terenu; *pot.* pech,
klapa; bankrut życiowy, pechowiec
wash·stand [ˈwoʃ stænd] *s* umywalka
wash-tub [ˈwoʃ tʌb] *s* balia
wasn't [ˈwoznt] = was not
wasp [wosp] *s zool.* osa
wast·age [ˈweɪstɪdʒ] *s* marnotrawstwo; *zbior.* straty; wybrakowa-
ny towar; *zbior.* odpadki
waste [weɪst] *adj* pusty, pustynny;
jałowy; zużyty; niepotrzebny; ~
land teren nieuprawny; nieużyt-
ki; ~ paper makulatura; ~ products odpadki; to go ~ marnować się, niszczeć; to lie ~ leżeć
odłogiem; to lay ~ pustoszyć;
s marnowanie, marnotrawstwo;
nieużytek; strata; ubytek; pustynia, pustkowie; *zbior.* odpadki;
vt pustoszyć; marnować, niszczyć; *vi* niszczeć, psuć się; ubywać; ~ away marnieć, zanikać,

niszczeć
waste·ful [ˈweɪstfl] *adj* marnotrawny
watch [wotʃ] *s* czuwanie; straż;
zegarek; to be on the ~ wypatrywać, oczekiwać (**for sth** czegoś), czatować; to keep ~ być na
straży; pilnować (**on, over sth**
czegoś); *vt* czuwać; wyglądać
(**for sth** czegoś); czatować (**for**
sth na coś); pilnować (**over sth**
czegoś); *vt* uważać; obserwować,
oglądać; śledzić
watch·ful [ˈwotʃfl] *adj* czujny, u-
ważny
watch·mak·er [ˈwotʃ meɪkə(r)] *s*
zegarmistrz
watch·man [ˈwotʃmən] *s* stróż
watch·tow·er [ˈwotʃ tauə(r)] *s*
strażnica
watch·word [ˈwotʃwɜd] *s wojsk.*
hasło; slogan
wa·ter [ˈwotə(r)] *s* woda; ślina; *pl*
~s fale; wody lecznicze; high ~
przypływ; low ~ odpływ; by ~
drogą wodną; to get into hot ~
popaść w tarapaty; in deep ~s
w opałach; still ~s run deep cicha woda brzegi rwie; *vt* polać,
nawodnić; rozwodnić; poić (zwierzę itp.); *vi* ciec, ślinić się; łza-
wić
wa·ter·clos·et [ˈwotə klozit] *s* klozet
wa·ter·col·our [ˈwotə kʌlə(r)] *s* a-
kwarela
wa·ter·fall [ˈwotəfɔl] *s* wodospad
wa·ter·glass [ˈwotə glas] *s* klepsydra wodna
wa·ter·ing-can [ˈwotrɪŋ kæn] *s* polewaczka
wa·ter·li·ly [ˈwotə lɪlɪ] *s bot.* grzy-
bień biały
wa·ter·man [ˈwotəmən] *s* przewoźnik; wioślarz
wa·ter·mark [ˈwotəmak] *s* znak
wodny; wodowskaz
wa·ter·mel·on [ˈwotə melən] *s bot.*
arbuz
wa·ter·proof [ˈwotəpruf] *adj* wodoszczelny, nieprzemakalny; *s* tka-

nina nieprzemakalna, płaszcz nieprzemakalny; *vt* impregnować; uszczelnić

wa·ter·shed [ˈwɔtəʃed] *s* dział wód

wa·ter·side [ˈwɔtəsaɪd] *s* brzeg

wa·ter·sup·ply [ˈwɔtə səplaɪ] *s* sieć wodociągowa, zaopatrzenie w wodę

wa·ter·tight [ˈwɔtə taɪt] *adj* wodoszczelny

wa·ter·tow·er [ˈwɔtə tauə(r)] *s* wieża ciśnień

wa·ter·wave [ˈwɔtə weɪv] *s* ondulacja wodna; *vt* robić ondulację wodną

wa·ter·way [ˈwɔtəweɪ] *s* droga wodna

wa·ter·works [ˈwɔtəwɜːks] *s* zakład wodociągowy; wodociągi

wa·ter·y [ˈwɔtərɪ] *adj* wodnisty

wat·tle [ˈwɔtl] *s* pręt; plecionka z prętów; *bot.* akacja australijska

wave [weɪv] *s* fala; falistość; machnięcie ręką, skinienie; *vt* falować; machnąć, skinąć ⟨to sb na kogoś⟩; *vt* witać, żegnać ⟨one's hand machnięciem ręki⟩, powiewać ⟨one's handkerchief chusteczką⟩

wave-band [ˈweɪv bænd] *s* (*w radiu*) zakres fal

wa·ver [ˈweɪvə(r)] *vi* chwiać się, wahać się

wav·y [ˈweɪvɪ] *adj* falisty

wax 1. [wæks] *vi* (*o księżycu*) przybywać; † stawać się

wax 2. [wæks] *s* wosk; *vt* woskować

wax·en [ˈwæksn] *adj* woskowy

way [weɪ] *s* droga; kierunek; sposób; właściwość, zwyczaj, sposób postępowania; ~ in wejście; ~ out wyjście; by ⟨the⟩ ~ of London przez Londyn; by ~ of za pomocą; zamiast; w charakterze; w celu; w formie; by the ~ à propos, mówiąc nawiasem; any ~ w jakikolwiek sposób; w każdym razie; this ~ tędy; w ten sposób; that ~ tamtędy; to

clear the ~ usuwać przeszkody; to have one's ~ postawić na swoim; let him have his ~ niech robi, co chce; to keep out of the ~ trzymać się na uboczu; to make ⟨to give⟩ ~ ustąpić; to make one's ~ odbywać drogę; to stand ⟨to be⟩ in the ~ przeszkadzać, zawadzać; over the ~ po drugiej stronie drogi; some ~ or other tym czy innym sposobem; under ~ w trakcie, w przygotowaniu

way·far·er [ˈweɪfeərə(r)] *s* wędrowiec, podróżnik

way·lay [weɪˈleɪ] *vt* (*formy zob* lay) czaić się, napaść z zasadzki ⟨sb na kogoś⟩

way·side [ˈweɪ saɪd] *s* brzeg drogi; *adj attr* przydrożny

way·ward [ˈweɪwəd] *adj* przewrotny; kapryśny; krnąbrny

way·worn [ˈweɪwɔn] *adj* znużony podróżą

we [wiː] *pron pl* my; *przypadek zależny:* us [ʌs, əs] nam, nas

weak [wiːk] *adj* słaby, wątły

weak·en [ˈwiːkən] *vt* osłabić; *vi* osłabnąć

weak·ling [ˈwiːklɪŋ] *s* cherlak, chu chro

weak·ly [ˈwiːklɪ] *adj* słabowity

weak·ness [ˈwiːknəs] *s* słabość

weal [wiːl] = wale

wealth [welθ] *s* bogactwo

wealth·y [ˈwelθɪ] *adj* bogaty

wean [wiːn] *vt* odłączyć od piersi (dziecko); odsunąć, odzwyczaić ⟨from sth od czegoś⟩

weap·on [ˈwepən] *s* broń; nuclear ~ broń nuklearna

* wear [weə(r)], wore [wɔ(r)], worn [wɔn] *vt vi* nosić (na sobie, np odzież, ozdobę), nosić się; znosić (się); zużyć (się); wyczerpać zmęczyć; (*o czasie*) upływać; ~ away ⟨off, out⟩ zużyć (się), znosić (się), zniszczyć (się), wyczerpać (się); skończyć (się); ~ dow zedrzeć, zniszczyć; *s* noszenie odzież, strój; trwałość (materia

łu); zużycie; ~ and tear zużycie, zniszczenie

wea·ri·ness [ˈwɪərɪnəs] s zmęczenie; nuda

wea·ri·some [ˈwɪərɪsəm] adj męczący; nudny

wea·ry [ˈwɪərɪ] adj zmęczony; męczący, nużący; vt vi męczyć (się),
nużyć (się)

wea·sel [ˈwizl] s zool. łasica

weath·er [ˈweðə(r)] s pogoda; vt
wystawiać na działanie atmosferyczne; przetrwać, wytrzymać
(burzę); przen. stawić czoło; vi
wietrzeć

weath·er-beat·en [ˈweðə biːtn] adj
zahartowany; (o cerze) ogorzały

weath·er-cock [ˈweðɔkok] s chorągiewka (na dachu, wieży itp.),
kurek

weath·er-fore·cast [ˈweðə fɔkɑst] s
prognoza pogody

weath·er-glass [ˈweðəglɑs] s barometr

weath·er-sta·tion [ˈweðə steɪʃn] s
stacja meteorologiczna

weave [wiv], **wove** [wəuv], **woven** [ˈwəuvn] vt tkać; przen.
snuć, układać wątek; knuć (spisek)

weav·er [ˈwivə(r)] s tkacz

web [web] s tkanina; pajęczyna;
tkanka; płetwa

wed [wed] vt poślubić; połączyć,
skojarzyć; vi ożenić się, wyjść
za mąż

we'd [wid] = we had, we should,
we would

wed·ding [ˈwedɪŋ] s ślub, wesele

wedge [wedʒ] s klin; vt zaklinować; rozbić klinem

wed·lock [ˈwedlok] s małżeństwo

Wednes·day [ˈwenzdɪ] s środa

weed [wid] s chwast; pot. tytoń,
papieros; vt (także ~ out) plewić, oczyszczać z chwastów

weeds [widz] s pl (zw. widow's ~)
żałoba wdowia

week [wik] s tydzień; by the ~
tygodniowo

week-day [ˈwik deɪ] s dzień po-

wszedni

week-end [wik ˈend] s koniec tygodnia, weekend

week·ly [ˈwiklɪ] adj tygodniowy;
adv tygodniowo; s tygodnik

• **weep** [wip], **wept, wept** [wept]
vi płakać; vt opłakiwać

weft [weft] s wątek (tkaniny)

weigh [weɪ] vt vi ważyć; ~ **down**
przeważać, przygniatać; ~ **out**
rozważać; mors. ~ **anchor** podnieść kotwicę

weight [weɪt] s (także przen.)
waga; znaczenie, doniosłość; ciężar; odważnik; to put on ~ tyć;
vt obciążać

weight·y [ˈweɪtɪ] adj ciężki; ważny, ważki; przekonywający

weir [wɪə(r)] s grobla, tama

weird [wɪəd] adj fatalny; niesamowity, tajemniczy, dziwny; s
lit. fatum; niesamowite zdarzenie; czary

wel·come [ˈwelkəm] adj mile widziany; to make ~ gościnnie
przywitać ⟨przyjąć⟩; you are ~
to do do as you please rób, co ci
się żywnie podoba; to be ~ to
do sth mieć swobodę w zrobie-
niu czegoś, móc korzystać z upo-
ważnienia; you are ~ bardzo
proszę; nie ma za co (dziękować); s przywitanie, gościnne
przyjęcie; to bid ~ serdecznie
witać; vt powitać, gościnnie
przyjąć; int witaj!, witajcie!

weld [weld] vt vi spawać (się); s
spawanie; spoina

wel·fare [ˈwelfeə(r)] s dobrobyt,
powodzenie; ~ **work** dobroczynność; praca społeczna; **social** ~
opieka społeczna; ~ **State** państwo z rozbudowanym systemem
opieki społecznej

well 1. [wel] adv (comp better, sup
best) dobrze; odpowiednio; chętnie; as ~ równie dobrze, również; as ~ as zarówno jak; ~
read oczytany; ~ **done!** brawo!,
doskonale!; adj praed zdrowy;
pomyślny; w porządku; to be ~

być zdrowym; mieć się dobrze;
to be ~ off żyć dostatnio, być
zamożnym; **to get ~ ⟨better⟩ wyzdrowieć; ~ up in sth** dobrze z
czymś obeznany, dobrze opanowany; *int* no, no!; nareszcie!; a
więc, otóż; **~ then?** a więc?

well 2. [wel] *s* studnia, źródło;
szyb; *vi (zw. ~ up, ~ out)* tryskać, buchać

we'll [wil] = we shall, we will

well·ad·vised ['wel əd'vaizd] *adj*
rozsądny, roztropny

well·bal·anced ['wel 'bælənst] *adj*
zrównoważony

well·be·haved ['wel bi'heivd] *adj*
dobrze wychowany, układny

well·be·ing ['wel 'biiŋ] *s* powodzenie, pomyślność; dobre samopoczucie

well·bred ['wel 'bred] *adj* dobrze
wychowany

well·nigh ['wel 'nai] *adv poet.*
nieomal, prawie

well·off ['wel 'of] *adj* dobrze sy-
tuowany, zamożny

well·to·do ['wel tə 'du] *adj* zamożny

well·worn ['wel 'won] *adj* znoszony; oklepany

Welsh [welʃ] *adj* walijski; *s* język walijski

Welsh·man ['welʃmən] *s* Walijczyk

wel·ter ['weltə(r)] *vi* przewalać się,
tarzać się; *s* zamieszanie, chaos

wench [wentʃ] *s* dziewka

went [went] *zob.* go

wept [wept] *zob.* weep

were [wɜ(r), wə(r)] *zob.* be

we're [wiə(r)] = we are

weren't [wənt] = were not

west [west] *s* zachód; *adj* zachodni; *adv* na zachód

west·er·ly ['westəli] *adj (o kierunku)* zachodni; *(o wietrze)* z zachodu; *adv* na zachód

west·ern ['westən] *adj* zachodni; *s*
człowiek z zachodu; film z życia
Dzikiego Zachodu, western

west·ward ['westwəd] *adj (o kierunku)* zachodni, zwrócony ku

zachodowi; *adv* ku zachodowi

west·wards ['westwədz] *adv* ku za
chodowi, na zachód

wet [wet] *adj* mokry; dżdżysty
am. używający alkoholu; *s* wil
goć; dżdżysta pogoda; *vt* mo
czyć, zwilżać

we've [wiv] = we have

whack [wæk] *vt* grzmotnąć; *s* gło
śne uderzenie; *pot.* próba; udzia
cząstka

whale 1. [weil] *s* wieloryb; *vi* po
lować na wieloryby

whale 2. [weil] *vt* bić, grzmocić

whale·bone ['weilbəun] *s* fiszbin

whal·er ['weilə(r)] *s* łowca wielo
rybów; statek do połowu wielo
rybów

wharf [wof] *s (pl ~s lub wharve*
[wovz]) przystań, nadbrzeże

what [wot] *adj* co; jaki; ile; t
co, ten, który; co za; **~ for?** p
co?; **~ are these apples?** ile kc
sztują te jabłka?; **~ is he like
jak on wygląda?, jaki on jest?
~ if** ... cóż, że ..., co z teg
że ...; **~'s up?** co się dzieje?; **~
use is it?** na co się to przyda?

what·ev·er [wot'evə(r)] *adj* cokol
wiek, jakikolwiek; not any **~** v
ogóle żaden; **I'll tell you ~** co
ci powiem; **not anything ~** v
ogóle nic

what's [wots] = what is

what·so·ev·er ['wotsəu'evə(r)]
whatever

wheat [wit] *s* pszenica

wheat·en ['witn] *adj* pszenny

whee·dle ['widl] *vt* przypochlebia
się, wdzięczyć się; skłonić

wheel [wil] *s* koło; kierownica
mors. ster; *vt vi* toczyć (się), krę
cić (się); wozić (np. na taczkach

wheel·bar·row ['wil bærəu] *s* tacz
ki

wheeze [wiz] *vi* sapać; *s* sapanie

whelp [welp] *s* szczenię; *vi* oszcze
nić się

when [wen] *adv* kiedy; *pron* gdy
kiedy; since **~** odkąd; till **~** do
kąd, do czasu, gdy

hence [wens] *adv* skąd; *pron rel.* skąd, z którego (*także* from ~); w następstwie czego

here [weə(r)] *adv conj pron* gdzie, dokąd; **from** ~ skąd

here·a·bouts ['weərə`bauts] *adv* gdzie mniej więcej; *s* miejsce pobytu

here·as [weər`æz] *conj* podczas gdy

here·by [weə`bai] *adv conj* przez co; *rel.* za pomocą czego (którego)

here·fore ['weəfɔ(r)] *adv* dlaczego, dlaczego to; dlatego

here·ev·er [weər`evə(r)] *adv* gdziekolwiek, dokądkolwiek

here·with [weə`wið] = **with what, with which**

het [wet] *vt* ostrzyć; podniecać, pobudzać

heth·er [`weðə(r)] *conj* czy

het·stone [`wetstəun] *s* kamień do ostrzenia

hey [wei] *s* serwatka

hich [witʃ] *pron* który; co

hich·ev·er [witʃ`evə(r)], **which·so·ev·er** ['witʃsəu`evə(r)] *pron* którykolwiek

hiff [wif] *s* podmuch, dmuchnięcie; kłąb dymu; *vt vi* pykać

hig [wig] *s polit.* wig

hile [wail] *s* chwila; **for a** ~ na chwilę; chwilowo; **for the** ~ tymczasem; na razie; **it's worth** ~ warto, opłaci się; *adj conj* podczas gdy, gdy; *vt* ~ **away** spędzać beztrosko (**the time** czas)

hilst [wailst] *conj* (podczas) gdy

him [wim] *s* grymas, zachcianka

him·per [`wimpə(r)] *vi* kwilić, skomleć; *s* kwilenie, skomlenie

him·si·cal [`wimzikl] *adj* kapryśny; dziwaczny

him·sy [`wimzi] *s* kaprys; urojenie

hine [wain] *vi* jęczeć, skomleć; jęk, skomlenie

hin·ny [`wini] *vi* rżeć; *s* rżenie

hip [wip] *s* bicz; woźnica; naga-

niacz (w parlamencie); *vt* biczować, bić batem; ubijać; *vi* szybko umknąć

whir [wɜ(r)] *vi* warkotać; *s* warkot

whirl [wɜl] *s* wir; *vt vi* wirować, krążyć, kręcić się

whirl·pool [`wɜpul] *s* wir (wodny)

whirl·wind [`wɜlwind] *s* trąba powietrzna

whirr [wɜ(r)] = **whir**

whisk [wisk] *s* kosmyk; miotełka; trzepaczka; machnięcie; śmignięcie; *vt* zmiatać; machać; śmigać; *vi* zniknąć, umknąć

whisk·ers [`wiskəz] *s pl* bokobrody, baczki; wąsy (u zwierząt)

whis·ky, whis·key [`wiski] *s* whisky, wódka (angielska)

whis·per [`wispə(r)] *vt vi* szeptać; *s* szept

whis·tle [`wisl] *s* gwizd, świst; gwizdek; *vt vi* gwizdać, świstać

whit [wit] *s* † odrobina; **no** ⟨**not a**⟩ ~ ani krzty, wcale

white [wait] *adj* biały; *s* biel, biały kolor; biały człowiek; białko; *vt* bielić

whit·en [`waitn] *vt* bielić; *vi* bieleć

white·wash [`waitwoʃ] *s* wapno do bielenia; wybielanie; *vt* bielić, wybielać

whith·er [`wiðə(r)] *adv pron* (*zw. rel.*) dokąd

whit·ing [`waitiŋ] *s* bielidło

whit·tle [`witl] *vt* strugać; *przen.* stopniowo zmniejszać

whiz(z) [wiz] *vi* świszczeć; *s* świst

who [hu] *pron przypadek dzierżawczy:* **whose** [huz]; *przypadek zależny:* **whom** [hum] kto, który, którzy

who·ev·er [hu`evə(r)] *pron* ktokolwiek

whole [həul] *adj* cały; *mat.* całkowity; *s* całość; **as a** ~ w całości

whole·sale [`həul-seil] *s* hurt, sprzedaż hurtowa; *adj* hurtowy; *adv* hurtem

whole·some [ˈhəul-səm] adj (o klimacie itp.) zdrowy

who'll [hul] = who will

whol·ly [ˈhəulli] adv całkowicie

whom zob. who

whoop·ing-cough zob. = hooping
cough

whose zob. who

why [waɪ] adv dlaczego; int przecież!, jak to!, oczywiście!

wick [wɪk] s knot

wick·ed [ˈwɪkɪd] adj zły, niegodziwy

wick·er [ˈwɪkə(r)] s łozina; wyrób
koszykarski

wick·et [ˈwɪkɪt] s furtka; okienko (kasowe); sport bramka (w
krykiecie)

wide [waɪd] adj szeroki, obszerny;
daleki (of sth od czegoś); adv
szeroko; daleko

wide-awake [ˈwaɪd əˈweɪk] adj
czujny, uważny

wid·en [ˈwaɪdn] vt vi rozszerzyć
(się)

wide-spread [waɪd ˈspred] adj rozpowszechniony

wid·ow [ˈwɪdəu] s wdowa

wid·ow·er [ˈwɪdəuə(r)] s wdowiec

width [wɪtθ] s szerokość

wield [wild] vt dzierżyć, władać

wife [waɪf] s (pl wives [waɪvz])
żona; † kobieta

wig [wɪg] s peruka

wig·wam [ˈwɪgwæm] s wigwam,
szałas (indiański)

wild [waɪld] adj dziki; szalony;
pustynny; fantastyczny; pot. zły,
rozgniewany; s dzika okolica;
pustynia

wil·der·ness [ˈwɪldənəs] s dzika
przestrzeń; puszcza

wild·fire [ˈwaɪldfaɪə(r)] s ogień
grecki; przen. (o wiadomości itp.)
to spread like ~ szerzyć się lo-
tem błyskawicy

wile [waɪl] s podstęp, fortel; vt
podstępnie zwabić, zwieść

wil·ful [ˈwɪlfl] adj umyślny; samowolny, uparty

will [wɪl] s wola; testament; ener-

gia; zapał; v aux służy do two⟨
rzenia czasu przyszłego, np.: h⟨
~ do it on to zrobi; vt chcieć

will·ing [ˈwɪlɪŋ] adj chętny

will-o'-the-wisp [ˈwɪl ə ðə ˈwɪsp⟨
s błędny ognik

wil·low [ˈwɪləu] s bot. wierzba

wil·low·y [ˈwɪləuɪ] adj poros⟨
wierzbami; giętki

wil·ly-nil·ly [ˈwɪlɪ ˈnɪlɪ] adv chca⟨
nie chcąc

wil·y [ˈwaɪlɪ] adj chytry

* win [wɪn], won, won [wʌn] vt v⟨
zyskać; wygrać; zwyciężyć; zdo⟨
być; ~ over pozyskać sobie (ko⟨
goś); to ~ the day odnieść zwy⟨
cięstwo

wince [wɪns] vi drgnąć, skrzywi⟨
się (z bólu); s drgnięcie

winch [wɪntʃ] s dźwig; korba

wind 1. [wɪnd] s wiatr; dech; t⟨
get ~ zwęszyć (of sth coś); ⟨
węszyć; vt [waɪnd] dąć (the hor⟨
w róg)

wind 2. [waɪnd], wound, woun⟨
[waund] vt vi wić (się), kręc⟨
(się), nawijać, nakręcać; ~ of⟨
odwinąć (się); ~ up nawinąć, na⟨
kręcić; zlikwidować

wind·fall [ˈwɪndfɔl] s strącony o⟨
woc; niespodziewane szczęście⟨
gratka

wind-in·stru·ment [ˈwɪnd ɪnstru⟨
mənt] s muz. instrument dęty

wind·lass [ˈwɪndləs] s kołowró⟨
wyciąg

wind·mill [ˈwɪndmɪl] s wiatrak

win·dow [ˈwɪndəu] s okno

win·dow-dres·sing [ˈwɪndəu dresɪŋ⟨
s urządzenie wystawy sklepowe⟨
przen. gra pozorów, poza, obłud⟨

win·dow-pane [ˈwɪndəu peɪn] s szy⟨
ba okienna

win·dow-shop·ping [ˈwɪndəu ʃɒpɪŋ⟨
s oglądanie wystaw sklepowyc⟨

wind·screen [ˈwɪndskrɪn] s szyb⟨
ochronna (przed kierownicą)

wind·y [ˈwɪndɪ] adj wietrzny

wine [waɪn] s wino

wing [wɪŋ] s skrzydło; lotn. dywi⟨
zjon; teatr pl ~s kulisy; vt ⟨

skrzydlić; *vi* lecieć; ~ the air
(o *ptaku*) unosić się w powietrzu

wink [wɪŋk] *vt vi* mrugać; patrzeć
przez palce (at sth na coś); *s*
mrugnięcie

win·ner [ˈwɪnə(r)] *s* wygrywający,
zwycięzca

win·ning [ˈwɪnɪŋ] *adj* zwycięski,
wygrywający; ujmujący; *s* wygrana

win·now [ˈwɪnəu] *vt* wiać (ziarno,
zboże); przesiewać; przebierać

win·ter [ˈwɪntə(r)] *s* zima; *vi* zimować; *vt* żywić przez zimę

win·try [ˈwɪntrɪ] *adj* zimowy;
przen. chłodny, nieprzyjazny

wipe [waɪp] *vt* (*także* ~ off ⟨out⟩)
ścierać, wycierać

wire [ˈwaɪə(r)] *s* drut; *pot.* depesza; to pull the ~s wpłynąć na
bieg sprawy, poruszyć wszystkie
sprężyny; *vt* zaopatrzyć w drut;
depeszować

wire·less [ˈwaɪələs] *adj* bez drutu;
radiowy; ~ station radiostacja; *s*
radio; *vt* komunikować przez radio

wir·y [ˈwaɪərɪ] *adj* druciany; muskularny, żylasty

vis·dom [ˈwɪzdəm] *s* mądrość

wise 1. [waɪz] *adj* mądry; *lit. poet.*
~ man czarodziej; ~ woman
czarownica; to be ⟨get⟩ ~ dowiedzieć się (to sth o czymś); zmądrzeć, mądrze postąpić

wise 2. [waɪz] *s* sposób

wise·a·cre [ˈwaɪzeɪkə(r)] *s* mędrek

wise·crack [ˈwaɪzkræk] *s* dowcip

wish [wɪʃ] *vt vi* życzyć (sobie),
pragnąć, czekać z utęsknieniem
(for sth na coś); *s* życzenie; o-
chota

wish·ful [ˈwɪʃfl] *adj* pragnący; ~
thinking pobożne życzenia

wisp [wɪsp] *s* wiązka, kosmyk

wist·ful [ˈwɪstfl] *adj* zadumany;
tęskny

wit [wɪt] *s* rozum; dowcip; dowcipniś; człowiek inteligentny;
pl ~s zdrowy rozum, zdolności;

to be at one's ~'s end nie wiedzieć co robić; to have slow ~s
być tępym; *vt* † wiedzieć; to ~
mianowicie, to znaczy

witch [wɪtʃ] *s* czarownica, wiedźma

witch·craft [ˈwɪtʃkraft] *s* czary;
czarnoksięstwo

with [wɪð] *praep* z, przy, u, za pomocą

• with·draw [wɪðˈdrɔ] *vt vi* (*formy* zob. draw) cofać (się); odchodzić; odwoływać; odsuwać;
zabierać

with·draw·al [wɪðˈdrɔl] *s* wycofa-
nie (się); odwołanie; zabranie

with·er [ˈwɪðə(r)] *vi* usychać, zamierać, zanikać; *vt* wysuszać,
powodować zanik

• with·hold [wɪðˈhəuld] *vt* (*formy*
zob. hold) wstrzymać; odmówić;
wycofać

with·in [wɪðˈɪn] *praep* wewnątrz;
w obrębie; w zasięgu; w grani-
cach (czasu, przestrzeni); *adv*
wewnątrz, w środku; w domu

with·out [wɪðˈaut] *praep* bez; na
zewnątrz; *adv* na zewnątrz; na
dworze

with·stand [wɪðˈstænd] *vt* (*formy*
zob. stand) opierać się, oponować; wytrzymywać

wit·ness [ˈwɪtnəs] *s* świadectwo;
świadek; zeznanie; to bear ~
świadczyć (to sth o czymś); *vt*
poświadczać; być świadkiem (sth
czegoś); potwierdzać

wit·ti·cism [ˈwɪtɪsɪzm] *s* dowcip,
bystra uwaga

wit·ty [ˈwɪtɪ] *adj* dowcipny

wives zob. wife

wiz·ard [ˈwɪzəd] *s* czarodziej

wob·ble [ˈwobl] *vi* chwiać się, kiwać się

woe [wəu] *s poet.* nieszczęście, niedola; ~ to ...! biada ...!

woke, woken zob. wake

wolf [wulf] *s* (*pl* wolves [vulvz])
wilk; to cry ~ podnieść fałszywy alarm

wolf-cub [ˈwulf kʌb] s wilczę; (w harcerstwie) zuch

wolf·ish [ˈwulfiʃ] adj wilczy

wolves zob. **wolf**

wom·an [ˈwumən] s (pl **women** [ˈwimin]) kobieta

wom·an·hood [ˈwumənhud] s kobiecość; zbior. kobiety

wom·an·ish [ˈwuməniʃ] adj kobiecy; zniewieściały

wom·an·kind [ˈwumənˈkaind] s zbior. kobiety, ród kobiecy

wom·an·ly [ˈwumənli] adj kobiecy

womb [wum] s anat. macica; (także przen.) łono

wom·en zob. **woman**

wom·en·folk [ˈwiminfəuk] s zbior. pot. kobiety

won zob. **win**

won·der [ˈwʌndə(r)] s cud; dziwo; zdziwienie; no ⟨small⟩ ~ nic dziwnego; vt dziwić się (at sth czemuś); być ciekawym, chcieć wiedzieć; I ~ where he is ciekaw jestem, gdzie on jest

won·der·ful [ˈwʌndəfl] adj cudowny; zadziwiający

wont [wəunt] s przyzwyczajenie, zwyczaj; adj praed przyzwyczajony, mający zwyczaj; to be ~ mieć zwyczaj; vi mieć zwyczaj

won't [wəunt] = **will not**

wont·ed [ˈwəuntid] adj zwyczajny, zwykły

woo [wu] vt zalecać się, umizgać się (sb do kogoś); przen. ubiegać się (sth o coś)

wood [wud] s drzewo, drewno; (także ~s) las; vt zalesiać

wood·cut [ˈwudkʌt] s drzeworyt

wood·cut·ter [ˈwudkʌtə(r)] s drwal; drzeworytnik

wood·en [ˈwudn] adj drewniany; przen. głupi, tępy

wood·en·grav·er [ˈwud ingreivə(r)] s drzeworytnik

wood·land [ˈwudlənd] s lesista okolica

wood·man [ˈwudmən] s gajowy; drwal

wood·peck·er [ˈwudpekə(r)] s zoo dzięcioł

wood-pulp [ˈwudpʌlp] s miazg drzewna; masa papiernicza

wood·work [ˈwudwɜk] s wyroby drewna

wood·y [ˈwudi] adj lesisty; drzew ny

woof [wuf] = **weft**

wool [wul] s wełna; to loose one' ~ rozzłościć się; much cry an little ~ dużo hałasu o nic

wool·len [ˈwulən] adj wełniany

wool·ly [ˈwuli] adj wełnisty; przer mętny, mglisty

wool·sack [ˈwul-sæk] s worek wełną; poduszka z wełny

word [wɜd] s wyraz, słowo; wia domość; rozkaz; hasło; a pla upon ~s gra słów; to kee ⟨break⟩ one's ~ dotrzymywa ⟨nie dotrzymywać⟩ słowa; upo my ~! słowo daję!; by ~ o mouth ustnie; to have a ~ wit sb zamienić z kimś parę słów vt ująć w słowa, wyrazić

word·ing [ˈwɜdiŋ] s słowne ujęcie sformułowanie

word·y [ˈwɜdi] adj wielosłowny rozwlekły

wore zob. **wear**

work [wɜk] s praca; dzieło, utwór uczynek; at ~ czynny; przy pra cy; out of ~ nieczynny; bez robotny; to make short ~ szyb ko uporać się (of sth z czymś); t set to ~ zabrać się do roboty zaprząc do roboty; pl ~s fabry ka, warsztat; zakłady (przemy słowe); mechanizm; wojsk. for tyfikacja; vt vi pracować, od pracowywać; odrabiać; działać manipulować; wprawiać w ruch zmuszać do pracy, eksploatowa ~ off oderwać się; pozbyć się ~ out wypracować; wyjść, oka zać się; rozwiązać (np. zadanie) zrealizować; ~ over przerobić obrobić; ~ up wypracować; pod nosić (się); podniecić

work·a·ble [ˈwɜkəbl] adj nadającj się do obróbki; wykonalny

work·day [ˈwɜːkdeɪ] s dzień powszedni

work·er [ˈwɜːkə(r)] s pracownik, robotnik

work·house [ˈwɜːkhaʊs] s dom dla
ubogich, przytułek; *am.* dom poprawczy (z przymusową pracą)

work·ing [ˈwɜːkɪŋ] *adj* pracujący;
czynny; the ~ class klasa pracująca; świat pracy; in ~ order w
stanie używalności; ~ capital
kapitał obrotowy; ~ costs koszty eksploatacji; ~ knowledge of
English praktyczna znajomość
angielskiego; s działanie; obróbka; eksploatacja

work·man [ˈwɜːkmən] s robotnik,
pracownik (fizyczny)

work·man·ship [ˈwɜːkmənʃɪp] s
sztuka, umiejętność, zręczność;
wykonanie, wyrób (fachowy)

work·people [ˈwɜːk piːpl] s pl pracownicy, świat pracy

work·shop [ˈwɜːkʃɔp] s warsztat

work·wom·an [ˈwɜːkwʊmən] s pra-
cownica (fizyczna)

world [wɜːld] s świat; ziemia, kula ziemska; sfery (naukowe itp.);
mnóstwo; the next ~, the ~ to
come tamten świat; to go out of
this ~ zejść z tego świata; a ~
of trouble cała masa kłopotu;
not for all the ~ za nic w świecie

world·ly [ˈwɜːldlɪ] *adj* światowy;
świecki; ziemski

worm [wɜːm] s robak; dżdżownica;
vt to ~ one's way przekradać
się; *vr* ~ oneself wkręcić się

worm-gear [ˈwɜːm ɡɪə(r)] s *techn.*
przekładnia ślimakowa

worm-wheel [ˈwɜːm wiːl] s *techn.*
koło ślimakowe

worm·wood [ˈwɜːmwʊd] s *bot.* piołun

worm·y [ˈwɜːmɪ] *adj* robaczywy

worn *zob.* wear

wor·ry [ˈwʌrɪ] *vt vi* martwić (się),
niepokoić (się), dręczyć (się); s
zmartwienie, troska, niepokój

worse [wɜːs] *adj* (*comp od* bad, ill)

gorszy; bardziej· chory; to be ~
czuć się gorzej; *adv* gorzej; s
gorsza rzecz, coś gorszego

wors·en [ˈwɜːsn] *vt vi* pogorszyć
(się)

wor·ship [ˈwɜːʃɪp] s kult, oddawanie czci, nabożeństwo; *vt* czcić,
wielbić; *vi* być na nabożeństw-
wie

worst [wɜːst] *adj* (*sup od* bad, ill)
najgorszy; *adv* najgorsze; s to, co
najgorsze; at the ~ w najgorszym razie; *vt* pokonać

worth [wɜːθ] *adj* wart; zasługujący; it is ~ reading warto to
przeczytać; it isn't ~ while nie
warto; to niewarte zachodu; s
wartość

wor·thy [ˈwɜːðɪ] *adj* godny, zasługujący (of sth na coś); s człowiek godny, wybitna jednostka

would [wʊd] *p i conditional od*
will

would-be [ˈwʊd bi] *attr* rzekomy;
niedoszły

wound 1. *zob.* wind 2.

wound 2. [wuːnd] s rana; *vt* ranić

wove, woven *zob.* weave

wrack [ræk] = wreck; to go to ~
and ruin ulec zagładzie; wykoleić się

wran·gle [ˈræŋɡl] s kłótnia, spór;
vi spierać się

wrap [ræp] *vt* (*także* ~ up) owijać, pakować; s szal, chusta

wrap·per [ˈræpə(r)] s opakowanie;
narzutka; szlafrok; futerał; obwoluta

wrath [rɔːθ] s *lit.* gniew

wreath [riːθ] s (*pl* ~s [riːðz]) wieniec, girlanda; kłąb (np. dymu)

wreathe [riːð] *vt* pleść, zwijać; *vi*
kłębić się

wreck [rek] s rozbicie (statku);
szczątki, wrak; rozbitek; *vt vi*
rozbić (się), zniszczyć

wreck·age [ˈrekɪdʒ] s rozbicie;
szczątki rozbitego okrętu

wrench [rentʃ] s skręt; zwichnięcie; szarpnięcie; *techn.* klucz

(nakrętkowy); *vt* skręcić; zwichnąć; szarpnąć; ~ out wyrwać

wrest [rest] *vt* skręcić, przekręcić (np. fakty); wyrwać (sth from sb coś komuś); *s* wykręcanie; *muz.* klucz do strojenia

wres·tle [´resl] *vi* wyrywać, wydzierać; *vi* borykać się, zmagać się (w zapasach); *s* zapasy; zmaganie, walka

wres·tler [´restlə(r)] *s* zapaśnik

wretch [retʃ] *s* nieszczęśliwy człowiek; łajdak, nikczemnik

wretch·ed [´retʃid] *adj* nieszczęśliwy, godny pożałowania; nędzny; lichy

wrig·gle [´rigl] *vt* *vi* wywijać (się), skręcać (się), wyginać (się)

• **wring** [riŋ], **wrung**, **wrung** [rʌŋ] *vt* wyciskać, wyżymać; wymuszać; skręcać; to ~ one's hands załamywać ręce

wring·er [´riŋə(r)] *s* wyżymaczka

wrin·kle [´riŋkl] *s* zmarszczka, fałd; *vt* *vi* marszczyć (się)

wrist [rist] *s* przegub

wrist·band [´ristbænd] *s* mankiet

wrist·watch [´rist wotʃ] *s* zegarek na rękę

• **write** [rait], **wrote** [rəut], **written** [´ritn] *vt* *vi* pisać, wypisywać; to ~ a good hand mieć ładny charakter pisma; ~ back odpisać; ~ down zapisać; ~ out napisać w całości, przepisać, wypisać; ~ over przepisać; ~ up

doprowadzić do dnia bieżącego (np. pamiętnik); chwalić, napisać pochwałę

writ·er [´raitə(r)] *s* pisarz

writhe [raið] *vt* *vi* wić (się), skręcać (się)

writ·ing [´raitiŋ] *s* pismo; utwór; dokument

writ·ten *zob.* write

wrong [roŋ] *adj* niesłuszny; niewłaściwy; fałszywy; niesprawiedliwy; nieodpowiedni, nie w porządku, niedobry; ~ side lewa strona (materiału); to be ~ nie mieć racji; to go ~ chybić; popsuć się; sth is ~ coś nie w porządku; *adv* niesłusznie, źle, nie w porządku; *s* krzywda, niesprawiedliwość; zło; błąd; wina; wykroczenie; to be in the ~ nie mieć racji; być winnym; to do sb ~ wyrządzić komuś krzywdę; to do ~ źle postępować; *vt* krzywdzić, szkodzić, być niesprawiedliwym

wrong-doer [´roŋ duə(r)] *s* winowajca, grzesznik

wrong·ful [´roŋfl] *adj* niesprawiedliwy, szkodliwy, krzywdzący

wrote *zob.* write

wrought [rɔt] *adj* obrobiony; (o metalu) kuty

wrung *zob.* wring

wry [rai] *adj* krzywy, skręcony; to make a ~ face skrzywić się, zrobić kwaśną minę

X

xe·rog·ra·phy [zə´rogrəfi] *s* kserografia

Xmas [´krisməs] = **Christmas**

X-ray [´eks-rei] *vt* prześwietlać (promieniami Roentgena); *adj*

[´eksrei] rentgenowski; *s* *pl* ~ [´eks´reiz] promienie rentgenowskie

xy·log·ra·phy [zai´logrəfi] *s* drzeworytnictwo

y

yacht [jot] s jacht; vi pływać jachtem

Yale-lock ['jeɪllok] s zatrzask, zamek automatyczny

Yan·kee ['jæŋkɪ], pot. Yank ['jæŋk] s Jankes

yard 1. [jad] s jard, mors. reja

yard 2. [jad] s dziedziniec

yarn [jan] s przędza

yawl [jɔl] s jolka (łódź żaglowa)

yawn [jɔn] vi ziewać; zionąć; s ziewanie

yea [jeɪ] = yes; s głos za wnioskiem (w głosowaniu); twierdzenie

year [jɪə(r)] s rok; ~ by ~ rok za rokiem; ~ in ~ out jak rok długi, rokrocznie; to grow in ~s starzeć się

year·book ['jɜbʊk] s rocznik (np. statystyczny)

year·ly ['jɜlɪ] adj roczny, coroczny; adv corocznie; raz na rok

yearn [jɜn] vi tęsknić (for ⟨after⟩ sb, sth za kimś, za czymś)

yearn·ing ['jɜnɪŋ] s tęsknota

yeast [jist] s drożdże

yell [jel] vt vi wyć (with pain z bólu); wykrzykiwać; s wycie

yel·low ['jeləʊ] adj żółty; przen. zazdrosny; s żółta barwa; żółtko; vt barwić na żółto; vi żółknąć

yel·low·back ['jeləʊ bæk] s tania powieść sensacyjna

yel·low·ish ['jeləʊɪʃ] adj żółtawy

yelp [jelp] vi skomleć; s skomlenie

yeo·man ['jəʊmən] s chłop średniorolny; hist. drobny właściciel ziemski; hist. konny ochotnik; Yeoman of the Guard żołnierz królewskiej straży przybocznej

yeo·man·ry ['jəʊmənrɪ] s klasa chłopów średniorolnych; hist. drobni właściciele ziemscy; hist. królewska gwardia przyboczna; hist. konna formacja wojskowa

yes [jes] adv tak

yes·ter·day ['jestədɪ] adv wczoraj; s dzień wczorajszy; the day before ~ przedwczoraj

yet [jet] adv jeszcze; (w pytaniach) już; dotychczas, do tej pory; przecież, jednak; as ~ jak dotąd, na razie; nor ~ ani nawet, także nie

yew [ju] s bot. cis

yield [jild] vt wytwarzać, wydawać; dostarczać; dać (wynik itd.); przyznawać; oddawać; vi ulegać, poddawać się, ustępować; s produkcja; wynik; wydajność; plon

yoke [jəʊk] s jarzmo; przen. władza; vt ujarzmić; zaprzęgnąć

Yo·kel ['jəʊkl] s uj. chłopek, kmiotek; prostak

yolk [jəʊk] s żółtko

yon·der ['jɒndə(r)] adv lit. tam, po tamtej stronie; pron adj tamten

you [ju] pron ty, wy, pan, pani, państwo; tłumaczy się bezosobowo, np.: ~ can never tell nigdy nie wiadomo

you'd [jud] = you had, you would

you'll [jul] = you will

young [jʌŋ] adj młody, młodzieńczy; niedoświadczony; s zbior. (o zwierzętach) młode, potomstwo

young·ster ['jʌŋstə(r)] s chłopak, młodzik

your [jɔ(r), jʊə(r)] pron twój, wasz, pański itd.

you're [jɔ(r), jʊə(r)] = you are

yours [jɔz, jʊəz] pron twój, wasz, pański itd.

your·self [jɔ'self] pron ty sam, pan sam itd.; siebie, sobie, się; pl

yourselves [jɔ'selvz] wy sami, państwo sami itd.; siebie, sobie, się

youth [juθ] s młodość; młodzież;
(pl ~s [juðz]) młodzieniec
youth·ful [`juθfl] adj młodzieńczy
you've [juv] = you have

Yu·go·slav [`jugəuslav] s Jugosło-
wianin; adj jugosłowiański
Yu·go·slav·ian [`jugəu`slavıən] =
Yugoslav adj

Z

zeal [zil] s gorliwość
zeal·ot [`zelət] s gorliwiec
zeal·ous [`zeləs] adj gorliwy
ze·bra [`zibrə] s zool. zebra
ze·nith [`zenıθ] s zenit
zeph·yr [`zefə(r)] s zefir
ze·ro [`zıərəu] s zero; fiz. absolute
~ zero bezwzględne ⟨absolutne⟩;
wojsk. ~ hour godzina rozpoczę-
cia działania ⟨ataku⟩
zest [zest] s przyprawa, aromat;
pikanteria; chęć, zapał
zig-zag [`zıgzæg] s zygzak
zinc [zıŋk] s cynk
zip [zıp] s suwak, zamek błyskawiczny; świszczący dźwięk (np.
pocisku)
zip-fas·ten·er [`zıp `fasnə(r)], zipper [`zıpə(r)], zip [zıp] s zamek
błyskawiczny
zith·er [`zıθə(r)] s muz. cytra
zlo·ty [`zlotı] s (pl ~s) złoty (pol-
ski)
zo·di·ac [`zəudıæk] s astr. zodiak
zone [zəun] s pas, strefa
zoo [zu] s ogród zoologiczny
zo·o·log·i·cal [`zəuə`lodʒıkl] adj zoologiczny; ~ garden ogród zoologiczny
zo·ol·o·gy [zəu`olədʒı] s zoologia

A LIST OF IRREGULAR VERBS

CZASOWNIKI Z ODMIANĄ TZW. NIEREGULARNĄ *

Infinitive Bezokolicznik	Past Czas przeszły	Past Participle Imiesłów czasu przeszłego
abide [ə'baɪd]	abode [ə'bəud] abided [ə'baɪdɪd]	abode [ə'bəud] abided [ə'baɪdɪd]
arise [ə'raɪz]	arose [ə'rəuz]	arisen [ə'rɪzn]
awake [ə'weɪk]	awoke [ə'wəuk]	awoke [ə'wəuk]
be [bi]	was [wɔz, wəz] pl were [wɜ(r), wə(r)]	been [bin]
bear [beə(r)]	bore [bɔ(r)]	borne [bɔn] born [bɔn]
beat [bit]	beat [bit]	beaten ['bitn]
become [bɪ'kʌm]	became [bɪ'keɪm]	become [bɪ'kʌm]
beget [bɪ'get]	begot [bɪ'gɔt]	begotten [bɪ'gɔtn]
begin [bɪ'gɪn]	began [bɪ'gæn]	begun [bɪ'gʌn]
behold [bɪ'həuld]	beheld [bɪ'held]	beheld [bɪ'held]
bend [bend]	bent [bent]	bent [bent] bended ['bendɪd]
bereave [bɪ'riv]	bereaved [bɪ'rivd] bereft [bɪ'reft]	bereaved [bɪ'rivd] bereft [bɪ'reft]
beseech [bɪ'sitʃ]	besought [bɪ'sɔt]	besought [bɪ'sɔt]
bet [bet]	bet [bet] betted ['betɪd]	bet [bet] betted ['betɪd]
bid [bɪd]	bade [beɪd, bæd] bid [bɪd]	bidden ['bɪdn] bid [bɪd]
bind [baɪnd]	bound [baund]	bound [baund]
bite [baɪt]	bit [bɪt]	bitten ['bɪtn] bit [bɪt]
bleed [blid]	bled [bled]	bled [bled]
blend [blend]	blended ['blendɪd] blent [blent]	blended ['blendɪd] blent [blent]
blow [bləu]	blew [blu]	blown [bləun]
break [breɪk]	broke [brəuk]	broken ['brəukən]
breed [brid]	bred [bred]	bred [bred]

---

* Czasowników ułomnych (defective verbs) o jednej tylko formie, jak np. ought, lub dwóch formach, jak np. can, could, należy szukać w odpowiednich miejscach słownika.

Infinitive Bezokolicznik	Past Czas przeszły	Past Participle Imiesłów czasu przeszłego
bring [brɪŋ]	brought [brɔt]	brought [brɔt]
build [bɪld]	built [bɪlt]	built [bɪlt]
burn [bɜn]	burnt [bɜnt]	burnt [bɜnt]
	burned [bɜnd]	burned [bɜnd]
burst [bɜst]	burst [bɜst]	burst [bɜst]
buy [baɪ]	bought [bɔt]	bought [bɔt]
cast [kɑst]	cast [kɑst]	cast [kɑst]
catch [kætʃ]	caught [kɔt]	caught [kɔt]
chide [tʃaɪd]	chid [tʃɪd]	chid [tʃɪd]
		chidden [ˈtʃɪdn]
choose [tʃuz]	chose [tʃəuz]	chosen [ˈtʃəuzn]
cleave [kliv]	clove [kləuv]	cloven [ˈkləuvn]
	cleft [kleft]	cleft [kleft]
cling [klɪŋ]	clung [klʌŋ]	clung [klʌŋ]
clothe [kləuð]	clothed [kləuðd]	clothed [kləuðd]
	clad [klæd]	clad [klæd]
come [kʌm]	came [keɪm]	come [kʌm]
cost [kost]	cost [kost]	cost [kost]
creep [krip]	crept [krept]	crept [krept]
cut [kʌt]	cut [kʌt]	cut [kʌt]
dare [deə(r)]	dared [deəd]	dared [deəd]
	† durst [dɜst]	
deal [dil]	dealt [delt]	dealt [delt]
dig [dɪg]	dug [dʌg]	dug [dʌg]
do [du]	did [dɪd]	done [dʌn]
draw [drɔ]	drew [dru]	drawn [drɔn]
dream [drim]	dreamt [dremt]	dreamt [dremt]
	dreamed [drimd]	dreamed [drimd]
drink [drɪŋk]	drank [dræŋk]	drunk [drʌŋk]
		drunken [ˈdrʌŋkən]
drive [draɪv]	drove [drəuv]	driven [ˈdrɪvn]
dwell [dwel]	dwelt [dwelt]	dwelt [dwelt]
	dwelled [dweld]	dwelled [dweld]
eat [it]	ate [et, am. eɪt]	eaten [ˈitn]
fall [fɔl]	fell [fel]	fallen [ˈfɔlən]
feed [fid]	fed [fed]	fed [fed]
feel [fil]	felt [felt]	felt [felt]
fight [faɪt]	fought [fɔt]	fought [fɔt]
find [faɪnd]	found [faund]	found [faund]
flee [fli]	fled [fled]	fled [fled]
fling [flɪŋ]	flung [flʌŋ]	flung [flʌŋ]
fly [flaɪ]	flew [flu]	flown [fləun]
forbear [fəˈbeə(r)]	forbore [fɔˈbɔ(r)]	forborne [fɔˈbɔn]
forbid [fəˈbɪd]	forbade [fəˈbeɪd]	forbidden [fəˈbɪdn]
	forbad [fɔˈbæd]	
forget [fəˈget]	forgot [fəˈgot]	forgotten [fəˈgotn]
forgive [fəˈgɪv]	forgave [fəˈgeɪv]	forgiven [fəˈgɪvn]

Infinitive Bezokolicznik	Past Czas przeszły	Past Participle Imiesłów czasu przeszłego
forsake [fə`seɪk]	forsook [fə`suk]	forsaken [fə`seɪkən]
freeze [friz]	froze [frəuz]	frozen [`frəuzn]
get [get]	got [got]	got [got]
		† i am. gotten [`gotn]
gird [gɜd]	girded [`gɜdɪd]	girded [`gɜdɪd]
	girt [gɜt]	girt [gɜt]
give [gɪv]	gave [geɪv]	given [`gɪvn]
go [gəu]	went [went]	gone [gon]
grind [graɪnd]	ground [graund]	ground [graund]
grow [grəu]	grew [gru]	grown [grəun]
hang [hæŋ]	hung [hʌŋ]	hung [hʌŋ]
	hanged [hæŋd]	hanged [hæŋd]
have [hæv]	had [hæd]	had [hæd]
hear [hɪə(r)]	heard [hɜd]	heard [hɜd]
heave [hiv]	heaved [hivd]	heaved [hivd]
	hove [həuv]	hove [həuv]
hew [hju]	hewed [hjud]	hewn [hjun]
		hewed [hjud]
hide [haɪd]	hid [hɪd]	hidden [`hɪdn]
		hid [hɪd]
hit [hɪt]	hit [hɪt]	hit [hɪt]
hold [həuld]	held [held]	held [held]
hurt [hɜt]	hurt [hɜt]	hurt [hɜt]
keep [kip]	kept [kept]	kept [kept]
kneel [nil]	knelt [nelt]	knelt [nelt]
knit [nɪt]	knit [nɪt]	knit [nɪt]
	knitted [`nɪtɪd]	knitted [`nɪtɪd]
know [nəu]	knew [nju]	known [nəun]
lade [leɪd]	laded [`leɪdɪd]	laden [`leɪdn]
lay [leɪ]	laid [leɪd]	laid [leɪd]
lead [lid]	led [led]	led [led]
lean [lin]	leant [lent]	leant [lent]
	leaned [lind]	leaned [lind]
leap [lip]	leapt [lept]	leapt [lept]
	leaped [lipt, lept]	leaped [lipt, lept]
learn [lɜn]	learnt [lɜnt]	learnt [lɜnt]
	learned [lɜnd]	learned [lɜnd]
leave [liv]	left [left]	left [left]
lend [lend]	lent [lent]	lent [lent]
let [let]	let [let]	let [let]
lie [laɪ]	lay [leɪ]	lain [leɪn]
light [laɪt]	lighted [`laɪtɪd]	lighted [`laɪtɪd]
	lit [lɪt]	lit [lɪt]
lose [luz]	lost [lost]	lost [lost]
make [meɪk]	made [meɪd]	made [meɪd]
mean [min]	meant [ment]	meant [ment]
meet [mit]	met [met]	met [met]

Infinitive Bezokolicznik	Past Czas przeszły	Past Participle Imiesłów czasu przeszłego
mistake [mɪˈsteɪk]	mistook [mɪˈstuk]	mistaken [mɪˈsteɪkn]
mow [məu]	mowed [məud]	mown [məun], *am.* mowed [məud]
pay [peɪ]	paid [peɪd]	paid [peɪd]
put [put]	put [put]	put [put]
read [rid]	read [red]	read [red]
rend [rend]	rent [rent]	rent [rent]
rid [rɪd]	ridded [ˈrɪdɪd]	rid [rɪd]
	rid [rɪd]	ridded [ˈrɪdɪd]
ride [raɪd]	rode [rəud]	ridden [ˈrɪdn]
ring [rɪŋ]	rang [ræŋ]	rung [rʌŋ]
rise [raɪz]	rose [rəuz]	risen [ˈrɪzn]
run [rʌn]	ran [ræn]	run [rʌn]
saw [sɔ]	sawed [sɔd]	sawn [sɔn]
		sawed [sɔd]
say [seɪ]	said [sed]	said [sed]
see [si]	saw [sɔ]	seen [sin]
seek [sik]	sought [sɔt]	sought [sɔt]
sell [sel]	sold [səuld]	sold [səuld]
send [send]	sent [sent]	sent [sent]
set [set]	set [set]	set [set]
sew [səu]	sewed [səud]	sewed [səud]
		sewn [səun]
shake [ʃeɪk]	shook [ʃuk]	shaken [ˈʃeɪkən]
shear [ʃɪə(r)]	sheared [ʃɪəd]	sheared [ʃɪəd]
	shore [ʃɔ(r)]	shorn [ʃɔn]
shed [ʃed]	shed [ʃed]	shed [ʃed]
shine [ʃaɪn]	shone [ʃɔn]	shone [ʃɔn]
shoe [ʃu]	shod [ʃɔd]	shod [ʃɔd]
shoot [ʃut]	shot [ʃɔt]	shot [ʃɔt]
show [ʃəu]	showed [ʃəud]	shown [ʃəun]
		showed [ʃəud]
shrink [ʃrɪŋk]	shrank [ʃræŋk]	shrunk [ʃrʌŋk]
shrive [ʃraɪv]	shrived [ʃraɪvd]	shrived [ʃraɪvd]
	shrove [ʃrəuv]	shriven [ˈʃrɪvn]
shut [ʃʌt]	shut [ʃʌt]	shut [ʃʌt]
sing [sɪŋ]	sang [sæŋ]	sung [sʌŋ]
sink [sɪŋk]	sank [sæŋk]	sunk [sʌŋk]
sit [sit]	sat [sæt]	sat [sæt]
slay [sleɪ]	slew [slu]	slain [sleɪn]
sleep [slip]	slept [slept]	slept [slept]
slide [slaɪd]	slid [slɪd]	slid [slɪd]
		slidden [ˈslɪdn]
sling [slɪŋ]	slung [slʌŋ]	slung [slʌŋ]
slink [slɪŋk]	slunk [slʌŋk]	slunk [slʌŋk]
slit [slɪt]	slit [slɪt]	slit [slɪt]

Infinitive Bezokolicznik	Past Czas przeszły	Past Participle Imiesłów czasu przeszłego
smell [smel]	smelt [smelt] smelled [smeld]	smelt [smelt] smelled [smeld]
smite [smaɪt]	smote [smout] smitten [`smɪtn]	smote [smout]
sow [sou]	sowed [soud] sown [soun]	sown [soun] sowed [soud]
speak [spik]	spoke [spouk]	spoken [`spoukən]
speed [spid]	sped [sped] speeded [`spidɪd]	sped [sped] speeded [`spidɪd]
spell [spel]	spelt [spelt] spelled [speld]	spelt [spelt] spelled [speld]
spend [spend]	spent [spent]	spent [spent]
spill [spɪl]	spilt [spɪlt] spilled [spɪld]	spilt [spɪlt] spilled [spɪld]
spin [spɪn]	spun [spʌn] span [spæn]	spun [spʌn]
spit [spɪt]	spit [spɪt] spat [spæt]	spit [spɪt] spat [spæt]
split [splɪt]	split [splɪt]	split [splɪt]
spoil [spɔɪl]	spoilt [spɔɪlt] spoiled [spɔɪld]	spoilt [spɔɪlt] spoiled [spɔɪld]
spread [spred]	spread [spred]	spread [spred]
spring [sprɪŋ]	sprang [spræŋ]	sprung [sprʌŋ] sprang [spræŋ]
stand [stænd]	stood [stud]	stood [stud]
stave [steɪv]	staved [steɪvd] stove [stouv]	staved [steɪvd] stove [stouv]
steal [stil]	stole [stoul]	stolen [`stoulən]
stick [stɪk]	stuck [stʌk]	stuck [stʌk]
sting [stɪŋ]	stung [stʌŋ]	stung [stʌŋ]
stink [stɪŋk]	stunk [stʌŋk] stank [stæŋk]	stunk [stʌŋk]
strew [stru]	strewed [strud]	strewn [strun] strewed [strud]
stride [straɪd]	strode [stroud]	stridden [`strɪdn]
strike [straɪk]	struck [strʌk]	struck [strʌk] † stricken [`strɪkən]
string [strɪŋ]	strung [strʌŋ] † stringed [strɪŋd]	strung [strʌŋ] † stringed [strɪŋd]
strive [straɪv]	strove [strouv]	striven [`strɪvn]
swear [sweə(r)]	swore [swɔ(r)]	sworn [swɔn]
sweep [swip]	swept [swept]	swept [swept]
swell [swel]	swelled [sweld]	swelled [sweld] swollen [`swoulən]
swim [swɪm]	swam [swæm]	swum [swʌm] † swam [swæm]
swing [swɪŋ]	swung [swʌŋ]	swung [swʌŋ]
take [teɪk]	took [tuk]	taken [`teɪkən]

Infinitive Bezokolicznik	Past Czas przeszły	Past Participle Imiesłów czasu przeszłego
teach [tiːtʃ]	taught [tɔt]	taught [tɔt]
tear [teə(r)]	tore [tɔ(r)]	torn [tɔn]
tell [tel]	told [təuld]	told [təuld]
think [θɪŋk]	thought [θɔt]	thought [θɔt]
thrive [θraɪv]	throve [θrəuv] thrived [θraɪvd]	thriven [ˈθrɪvən] thrived [θraɪvd]
throw [θrəu]	threw [θru]	thrown [θrəun]
thrust [θrʌst]	thrust [θrʌst]	thrust [θrʌst]
tread [tred]	trod [trod]	trodden [ˈtrodn] trod [trod]
understand [ˌʌndəˈstænd]	understood [ˌʌndəˈstud]	understood [ˌʌndəˈstud]
wake [weɪk]	woke [wəuk] waked [weɪkt]	woken [ˈwəukən] waked [weɪkt]
wear [weə(r)]	wore [wɔ(r)]	worn [wɔn]
weave [wiːv]	wove [wəuv]	woven [ˈwəuvn] wove [wəuv]
weep [wiːp]	wept [wept]	wept [wept]
win [wɪn]	won [wʌn]	won [wʌn]
wind [waɪnd]	wound [waund]	wound [waund]
wring [rɪŋ]	wrung [rʌŋ]	wrung [rʌŋ]
write [raɪt]	wrote [rəut]	written [ˈrɪtn]

GEOGRAPHICAL NAMES

NAZWY GEOGRAFICZNE*

Aden [ˈeɪdn] Aden

Adriatic [ˌeɪdrɪˈætɪk] Adriatyk; Adriatic Sea [ˌeɪdrɪˈætɪk ˈsi] Morze Adriatyckie

Afghanistan [æfˈgænɪstæn] Afganistan

Africa [ˈæfrɪkə] Afryka

Alabama [ˌæləˈbæmə] Alabama

Alaska [əˈlæskə] Alaska

Albania [ælˈbeɪnɪə] Albania; People's Socialist Republic of Albania [ˈpiplz ˈsəʊʃlɪst rɪˈpʌblɪk əv ælˈbeɪnɪə] Ludowa Socjalistyczna Republika Albanii

Algeria [ælˈdʒɪərɪə] Algieria (kraj)

Algiers [ælˈdʒɪəz] Algier (miasto)

Alps [ælps] Alpy

Amazon [ˈæməzn] Amazonka

America [əˈmerɪkə] Ameryka

Amsterdam [ˈæmstədæm] Amsterdam

Andes [ˈændiz] Andy

Ankara [ˈæŋkərə] Ankara

Antarctic [ænˈtɑktɪk], Antarctic Continent [ˈkɒntɪnənt] Antarktyda

Antilles [ænˈtɪlɪz] Antyle

Appenines [ˈæpɪnaɪnz] Apeniny

Arabian Sea [əˈreɪbɪən ˈsi] Morze Arabskie

Arctic [ˈɑktɪk] Arktyka; Arctic Ocean [ˈɑktɪk ˈəʊʃn] Ocean Lodowaty Północny, Morze Arktyczne

Argentina [ˌɑdʒənˈtinə] Argentyna

Arizona [ˌærɪˈzəʊnə] Arizona

Arkansas [ˈɑkənsɔ] Arkansas

Athens [ˈæθnz] Ateny

Atlantic, Atlantic Ocean [ətˈlæntɪk ˈəʊʃn] Atlantyk, Ocean Atlantycki

Atlas Mts [ˈætləs ˈmaʊntɪnz] góry Atlas

Auckland [ˈɔklənd] Auckland

Australia [ɒˈstreɪlɪə] Australia

Austria [ˈɒstrɪə] Austria

Azerbaijan [ˌɑzəbaɪˈdʒɑn] Azerbejdżan

Azores [əˈzɔz] Azory

Baghdad, Bagdad [bægˈdæd] Bagdad

Balkans [ˈbɔlkənz] Bałkany; Balkan Peninsula [ˈbɔlkən pənɪnsjʊlə] Półwysep Bałkański

Baltic [ˈbɔltɪk] Bałtyk; Baltic Sea [ˈbɔltɪk ˈsi] Morze Bałtyckie

Bangladesh [ˈbæŋgləˈdeʃ] Bangladesz

Barents Sea [ˈbɑrents ˈsi] Morze Barentsa

Bath [bɑθ] Bath

Beirut [beɪˈrut] Bejrut

Belfast [ˈbelfɑst] Belfast

Belgium [ˈbeldʒəm] Belgia

Belgrade [ˈbelˈgreɪd] Belgrad

Bengal [beŋˈgɔl] Bengalia

Bering Sea [ˈberɪŋ ˈsi] Morze Beringa; Bering Strait [ˈberɪŋ streɪt] Cieśnina Beringa

Berlin [bɜˈlɪn] Berlin; West Berlin [ˈwest bɜˈlɪn] Berlin Zachodni

* Uwaga: skróty „Ils" i „Mts" odpowiadają wyrazom „Islands" i „Mountains".

Bern, Berne [bɜn] Berno

Birmingham [ˈbɜmɪŋəm] Birmingham

Black Sea [ˈblæk si] Morze Czarne

Bolivia [bəˈlɪvɪə] Boliwia

Bombay [bomˈbeɪ] Bombaj

Bonn [bon] Bonn

Borneo [ˈbɔnɪəʊ] Borneo

Bosphorus [ˈbosfərəs], Bosporus [ˈbospərəs] Bosfor

Boston [ˈbostən] Boston

Brazil [brəˈzɪl] Brazylia

Brighton [ˈbraɪtn] Brighton

Britain = Great Britain

British Columbia [ˈbrɪtɪʃ kəˈlʌmbɪə] Kolumbia Brytyjska

British Commonwealth (of Nations) [ˈbrɪtɪʃ ˈkomənwelθ (əv neɪʃənz)] Brytyjska Wspólnota Narodów

Brooklyn [ˈbruklɪn] Brooklyn

Brussels [ˈbrʌslz] Bruksela

Bucharest [ˈbjukəˈrest] Bukareszt

Buckingham [ˈbʌkɪŋəm] Buckingham

Budapest [ˈbjudəˈpest] Budapeszt

Buenos Aires [ˈbweɪnəs ˈeərɪz] Buenos Aires

Bulgaria [bʌlˈgeərɪə] Bułgaria; People's Republic of Bulgaria [ˈpiplz rɪˈpʌblɪk əv bʌlˈgeərɪə] Ludowa Republika Bułgarii

Burma [ˈbɜmə] Birma

Cairo [ˈkaɪərəʊ] Kair

Calcutta [kælˈkʌtə] Kalkuta

California [ˈkælɪˈfɔnɪə] Kalifornia

Cambodia [kæmˈbəʊdɪə] Kambodża

Cambridge [ˈkeɪmbrɪdʒ] Cambridge

Canada [ˈkænədə] Kanada

Canary Ils [kəˈneərɪ aɪləndz] Wyspy Kanaryjskie

Canberra [ˈkænbərə] Canberra

Capetown, Cape Town [ˈkeɪptaun] Kapsztad, Capetown

Cardiff [ˈkadɪf] Cardiff

Caribbean Sea [ˈkærɪˈbɪən si] Morze Karaibskie

Carpathians [kaˈpeɪθɪənz], Carpathian Mts [kaˈpeɪθɪən mauntɪnz] Karpaty

Caspian Sea [ˈkæspɪən si] Morze Kaspijskie

Caucasus, the [ˈkɔkəsəs] Kaukaz

Celebes [səˈlibɪz] Celebes

Ceylon [sɪˈlon] Cejlon

Channel Ils [ˈtʃænl aɪləndz] Wyspy Normandzkie

Chelsea [ˈtʃelsɪ] Chelsea (w Londynie)

Chicago [ʃɪˈkagəʊ] Chicago

Chile [ˈtʃɪlɪ] Chile

China [ˈtʃaɪnə] Chiny; Chinese People's Republic [tʃaɪˈniz ˈpiplz rɪˈpʌblɪk] Chińska Republika Ludowa

Cleveland [ˈklivlənd] Cleveland

Colorado [ˈkoləˈradəʊ] Kolorado

Columbia [kəˈlʌmbɪə] Kolumbia

Congo [ˈkoŋgəʊ] Kongo

Connecticut [kəˈnetɪkət] Connecticut

Constantinople [ˈkonstəntɪˈnəupl] hist. Konstantynopol, Stambuł

Copenhagen [ˈkəupnheɪgən] Kopenhaga

Cordilleras [ˈkɔdɪlˈjeərəz] Kordyliery

Cornwall [ˈkɔnwl] Kornwalia

Corsica [ˈkɔsɪkə] Korsyka

Cracow [ˈkrakəʊ] Kraków

Crete [krit] Kreta

Crimea [kraɪˈmɪə] Krym

Cuba [ˈkjubə] Kuba

Cyprus [ˈsaɪprəs] Cypr

Czechoslovakia [ˈtʃekəʊsləˈvækɪə] Czechosłowacja; Socialist Republic of Czechoslovakia [ˈsəʊʃəlɪst rɪˈpʌblɪk əv ˈtʃekəʊsləˈvækɪə] Czechosłowacka Republika Socjalistyczna

Damascus [dəˈmæskəs] Damaszek

Danube [ˈdænjub] Dunaj

Dardanelles [ˈdadəˈnelz] Dardanele

Delaware [ˈdeləweə(r)] Delaware

Delhi [ˈdelɪ] Delhi

Denmark [ˈdenmak] Dania

Djakarta [dʒəˈkatə] Djakarta

Dover [ˈdəʊvə(r)] Dover; Strait of Dover [ˈstreɪt əv ˈdəʊvə(r)] Cieśnina Kaletańska

Dublin [ˈdʌblɪn] Dublin

Edinburgh [´ednbrə] Edynburg
Egypt [´idʒɪpt] Egipt
Eire [´eərə] Irlandia (Republika Irlandzka)
England [´ɪŋglənd] Anglia
English Channel [´ɪŋglɪʃ ´tʃænl] kanał La Manche
Erie [´ɪəri] Erie
Ethiopia [´iθɪ´əupɪə] Etiopia
Europe [´juərəp] Europa
Everest [´evərɪst] Everest

Federal Republic of Germany [´fedṛl rɪ´pʌblɪk əv ´dʒɜːmənɪ] Republika Federalna Niemiec
Finland [´fɪnlənd] Finlandia
Florida [´florɪdə] Floryda
France [frɑns] Francja

Geneva [dʒɪ´nivə] Genewa
Georgia [´dʒɔːdʒə] Georgia
German Democratic Republic [´dʒɜːmən demə´krætɪk rɪ´pʌblɪk] Niemiecka Republika Demokratyczna
Gibraltar [dʒɪ´brɔːltə(r)] Gibraltar
Glasgow [´glazgəu] Glasgow
Great Britain [´greɪt ´brɪtn] Wielka Brytania
Greece [gris] Grecja
Greenland [´grinlənd] Grenlandia
Greenwich [´grɪnɪdʒ] Greenwich
Guinea [´gɪnɪ] Gwinea

Hague, the [heɪg] Haga
Haiti [´heɪtɪ] Haiti
Hanoi [hæ´nɔɪ] Hanoi
Havana [hə´vænə] Hawana
Hawaii [hə´waɪɪ], **Hawaiian Ils** [hə´waɪən aɪləndz] Hawaje, Wyspy Hawajskie
Hebrides [´hebrədiz] Hebrydy
Helsinki [´helsɪŋkɪ] Helsinki
Himalayas [´hɪmə´leɪəz] Himalaje
Hiroshima [´hɪrə´ʃimə] Hiroszima
Holland [´holənd] Holandia
Houston [´hjustən] Houston
Hudson Bay [´hʌdsn beɪ] Zatoka Hudsona
Hull [hʌl] Hull
Hungary [´hʌŋgərɪ] Węgry; Hungarian **People's Republic** [hʌŋ´geərɪən ´piplz rɪ´pʌblɪk] Węgierska Republika Ludowa

Iceland [´aɪslənd] Islandia
Idaho [´aɪdəhəu] Idaho
Illinois [´ɪlɪ´nɔɪ] Illinois
India [´ɪndɪə] Indie (państwo); Półwysep Indyjski
Indiana [´ɪndɪ´ænə] Indiana
Indian Ocean [´ɪndɪən əuʃn] Ocean Indyjski
Indonesia [´ɪndə´nizɪə] Indonezja
Iowa [´aɪəwə] Iowa
Iran [ɪ´rɑn] Iran
Iraq [ɪ´rɑk] Irak
Ireland [´aɪələnd] Irlandia
Israel [´ɪzreɪl] Izrael
Italy [´ɪtəlɪ] Włochy

Jamaica [dʒə´meɪkə] Jamajka
Japan [dʒə´pæn] Japonia
Java [´dʒɑvə] Jawa
Jerusalem [dʒə´rusələm] Jerozolima
Jordan [´dʒɔdn] Jordan; Jordania
Jugoslavia = Yugoslavia

Kansas [´kænzəs] Kansas
Kentucky [ken´tʌkɪ] Kentucky
Korea [kə´rɪə] Korea; **Democratic People's Republic of Korea** [demə´krætɪk ´piplz rɪ´pʌblɪk əv kə´rɪə] Koreańska Republika Ludowo-Demokratyczna; **South Korea** [´sauθ kə´rɪə] Korea Południowa

Labrador [´læbrədo(r)] Labrador
Laos [´lɑ-us] Laos
Lebanon [´lebənən] Liban
Leeds [lidz] Leeds
Leicester [´lestə(r)] Leicester
Leningrad [´leningræd] Leningrad
Libya [´lɪbɪə] Libia
Lisbon [´lɪzbən] Lizbona
Liverpool [´lɪvəpul] Liverpool
London [´lʌndən] Londyn
Londonderry [´lʌndən´derɪ] Londonderry
Los Angeles [´los ændʒəlɪz] Los Angeles

Luisiana [lu'izi'ænə] Luisiana

Luxemburg ['lʌksmbɜg] Luksemburg

Madagascar ['mædə'gæskə(r)] Madagaskar

Madrid [mə'drɪd] Madryt

Magellan [mə'gelən], **Strait of Magellan** ['streɪt əv mə'gelən] Cieśnina Magellana

Maine [meɪn] Maine

Malay Archipelago [mə'leɪ ɑkɪ'pel ɪgəu] Archipelag Malajski

Malay Peninsula [mə'leɪ pɪ'nɪnsjulə] Półwysep Malajski

Malaysia [mə'leɪzɪə] Malezja

Manchester ['mæntʃɪstə(r)] Manchester

Manitoba ['mænɪ'təubə] Manitoba

Maryland ['meərɪlænd] Maryland

Massachusetts ['mæsə'tʃusɪts] Massachussets

Mediterranean Sea ['medɪtə'reɪnɪən si] Morze Śródziemne

Melanesia ['melə'nizɪə] Melanezja

Melbourne ['melbən] Melbourne

Mexico ['meksɪkəu] Meksyk

Miami [maɪ'æmɪ] Miami

Michigan ['mɪʃɪgən] Michigan

Minnesota ['mɪnɪ'səutə] Minnesota

Mississippi ['mɪsɪ'sɪpɪ] Missisipi

Missouri [mɪ'zuərɪ] Missouri

Mongolia [mɒŋ'gəulɪə] Mongolia; **Mongolian People's Republic** [mɒŋ'gəulɪən 'piplz rɪ'pʌblɪk] Mongolska Republika Ludowa

Montana [mɒn'tænə] Montana

Mont Blanc ['mõ'blõ] Mont Blanc

Montevideo ['montɪvɪ'deɪəu] Montevideo

Montreal ['montrɪ'ɔl] Montreal

Morocco [mə'rokəu] Maroko

Moscow ['moskəu] Moskwa

Munich ['mjunɪk] Monachium

Nebraska [nɪ'bræskə] Nebraska

Netherlands ['neðələndz] Niderlandy, Holandia

Nevada [nɪ'vɑdə] Nevada

New Delhi ['nju'delɪ] Nowe Delhi

Newfoundland ['njufənd'lænd] Nowa Fundlandia

New Guinea ['nju 'gɪnɪ] Nowa Gwinea

New Hampshire [nju 'hæmpʃə(r)] New Hampshire

New Jersey ['nju 'dʒɜzɪ] New Jersey

New Mexico [nju 'meksɪkəu] Nowy Meksyk

New Orleans ['nju ɔ'lɪənz] Nowy Orlean

New South Wales ['nju sauθ 'weɪlz] Nowa Południowa Walia

New York ['nju 'jɔk] Nowy Jork

New Zealand ['nju 'zilənd] Nowa Zelandia

Niagara Falls [naɪ'ægrə fɔlz] Wodospad Niagara

Niger ['naɪdʒə(r)] Niger

Nigeria [naɪ'dʒɪərɪə] Nigeria

Nile [naɪl] Nil

North America ['nɔθ ə'merɪkə] Ameryka Północna

North Carolina ['nɔθ 'kærə'laɪnə] Karolina Północna

North Dakota ['nɔθ də'kəutə] Dakota Północna

Northern Ireland ['nɔðən 'aɪələnd] Irlandia Północna

Northern Territory ['nɔðən 'terɪtərɪ] Terytorium Północne

North Sea ['nɔθ si] Morze Północne

Norway ['nɔweɪ] Norwegia

Nova Scotia ['nəuvə 'skəuʃə] Nowa Szkocja

Oder ['əudə(r)] Odra

Ohio [əu'haɪəu] Ohio

Oklahoma ['əuklə'həumə] Oklahoma

Ontario [on'teərɪəu] Ontario

Oregon ['orɪgən] Oregon

Oslo ['ozləu] Oslo

Ottawa ['otəwə] Ottawa

Oxford ['oksfəd] Oksford, Oxford

Pacific Ocean [pə'sɪfɪk əuʃn] Pacyfik, Ocean Spokojny

Pakistan ['pakɪ'stan] Pakistan

Panama ['pænə'ma] Panama; **Panama Canal** ['pænə'ma kənæl] Kanał Panamski

Paris [`pærɪs] Paryż
Peking [`pi:kɪŋ] Pekin
Pennsylvania [`pensl`veɪnɪə] Pensylwania
Persia [`pɜːʃə] Persja; Persian Gulf [`pɜːʃən gʌlf] Zatoka Perska
Peru [pə`ru:] Peru
Philadelphia [`fɪlə`delfɪə] Filadelfia
Philippines [`fɪlɪpi:nz] Filipiny
Plymouth [`plɪməθ] Plymouth
Poland [`pəulənd] Polska; Polish People's Republic [`pəulɪʃ `pi:plz rɪ`pʌblɪk] Polska Rzeczpospolita Ludowa
Polynesia [`polɪ`ni:zɪə] Polinezja
Portugal [`pɔ:tʃugl] Portugalia
Prague [pra:g] Praga
Pyrenees [`pɪrə`ni:z] Pireneje

Quebec [kwɪ`bek] Quebec
Queensland [`kwi:nzlənd] Queensland

Reading [`redɪŋ] Reading
Red Sea [`red si:] Morze Czerwone
Republic of South Africa [rɪ`pʌblɪk əv `sauθ `æfrɪkə] Republika Południowej Afryki
Reykjavik [`reɪkɪəvɪk] Reykjavik
Rhine [raɪn] Ren
Rhode Island [`rəud aɪlənd] Rhode Island
Rhodesia [rəu`di:ʃə] Rodezja
Rio de Janeiro [`rɪəu dɪ dʒə`neərəu] Rio de Janeiro
Rockies [`rokɪz], Rocky Mts [`rokɪ mauntɪnz] Góry Skaliste
Rome [rəum] Rzym
Rumania [ru:`meɪnɪə] Rumunia; Socialist Republic of Rumania [`səuʃəlɪst rɪ`pʌblɪk əv ru:`meɪnɪə] Socjalistyczna Republika Rumunii
Russia [`rʌʃə] Rosja

Sahara [sə`ha:rə] Sahara
Saigon [saɪ`gon] Sajgon
San Francisco [`sæn frən`sɪskəu] San Francisco
Santiago [`sæntɪ`agəu] Santiago
Sardinia [sa`dɪnɪə] Sardynia

Saskatchewan [səs`kætʃəwən] Saskatchewan
Saudi Arabia [`saudɪ ə`reɪbɪə] Arabia Saudyjska
Scandinavia [`skændɪ`neɪvɪə] Skandynawia
Scotland [`skotlənd] Szkocja
Seine [seɪn] Sękwana
Seoul [səul] Seul
Shanghai [ʃæŋ`haɪ] Szanghaj
Siam [saɪ`æm] = Thailand
Sicily [`sɪslɪ] Sycylia
Singapore [`sɪŋgə`pɔ:(r)] Singapur
Sofia [`səufɪə] Sofia
South America [`sauθ ə`merɪkə] Ameryka Południowa
Southampton [sau`θæmptən] Southampton
South Australia [`sauθ ɔs`treɪlɪə] Australia Południowa
South Carolina [`sauθ `kærə`laɪnə] Karolina Południowa
South Dakota [`sauθ də`kəutə] Dakota Południowa
Southern Yemen [`sʌðən jemən] Jemen Południowy
Spain [speɪn] Hiszpania
Stamboul [stæm`bu:l] Stambuł
Stockholm [`stokhəum] Sztokholm
Sudan [su`dæn] Sudan
Suez [`su:z] Suez; Suez Canal [`su:z kənæl] Kanał Sueski
Sumatra [su`matrə] Sumatra
Sweden [`swi:dn] Szwecja
Switzerland [`swɪtsələnd] Szwajcaria
Sydney [`sɪdnɪ] Sydney
Syria [`sɪrɪə] Syria

Taiwan [`taɪwan] Taiwan
Tatra Mts [`tætrə mauntɪnz] Tatry
Teheran [teə`ran] Teheran
Tel-Aviv [`telə`vi:v] Tel-Awiw
Tennessee [`tenə`si:] Tennessee
Texas [`teksəs] Teksas
Thailand [`taɪlænd] Tajlandia; hist. Syjam
Thames [temz] Tamiza
Tiber [`taɪbə(r)] Tyber
Tibet [trɪ`bet] Tybet
Tirana [tɪ`ranə] Tirana

Tokyo [ˈtəukɪəu] Tokio
Toronto [təˈrontəu] Toronto
Tunis [ˈtjunɪs] Tunis (miasto)
Tunisia [tjuˈnɪzɪə] Tunezja (kraj)
Turkey [ˈtɜːkɪ] Turcja

Ulan-Bator [ˈulən batɔ(r)] Ułan
Bator
Ulster [ˈʌlstə(r)] Ulster
Union of Soviet Socialist Republics
[ˈjuːnɪən əv ˈsəuvɪət ˈsəuʃəlɪst
rɪˈpʌblɪks] Związek Socjalistycz-
nych Republik Radzieckich
United Kingdom of Great Britain
and Northern Ireland [juˈnaɪtɪd
ˈkɪŋdəm əv ˈgreɪt ˈbrɪtən ənd
ˈnɔːðən ˈaɪələnd] Zjednoczone
Królestwo Wielkiej Brytanii i
Północnej Irlandii
United States of America [juˈnaɪtɪd
ˈsteɪts əv əˈmerɪkə] Stany Zjed-
noczone Ameryki
Ural [ˈjuərəl] Ural
Uruguay [ˈjuərəgwaɪ] Urugwaj
Utah [ˈjutə] Utah

Venezuela [ˌvenɪˈzweɪlə] Wenezue-
la
Venice [ˈvenɪs] Wenecja
Vermont [vəˈmont] Vermont
Victoria [vɪkˈtɔrɪə] Wiktoria
Vienna [vɪˈenə] Wiedeń

Vietnam [vɪətˈnæm] Wietnam;
Socialist Republic of Vietnam
[ˈsəuʃəlɪst rɪˈpʌblɪk əv vɪətˈnæm]
Socjalistyczna Republika Wiet-
namu
Virginia [vəˈdʒɪnɪə] Wirginia
Vistula [ˈvɪstʃulə] Wisła
Volga [ˈvolgə] Wołga

Wales [weɪlz] Walia
Warsaw [ˈwɔsə] Warszawa
Washington [ˈwoʃŋtən] Waszyngton
Wellington [ˈwelɪŋtən] Wellington
Wembley [ˈwemblɪ] Wembley
West Virginia [ˈwest vəˈdʒɪnɪə]
Wirginia Zachodnia
Wisconsin [wɪsˈkonsɪn] Wisconsin
Wyoming [waɪˈəumɪŋ] Wyoming

Yangtze-Kiang [ˈjæŋtse kjaŋ] Jangcy-ciang, Jangcy
Yemen [ˈjemən] Jemen
Yugoslavia [ˈjugəuˈslavɪə] Jugosławia; Socialist Federative Republic of Yugoslavia [ˈsəuʃəlɪst ˈfed-
ərətɪv rɪˈpʌblɪk əv ˈjugəuˈslavɪə]
Socjalistyczna Federacyjna Republika Jugosławii
Yukon [ˈjukon] Yukon

Zaire [zɑˈɪə(r)] Zair
Zambia [ˈzæmbɪə] Zambia

A LIST OF PROPER NAMES
SPIS IMION WŁASNYCH

Abigail [`æbɪgeɪl] Abigail
Adam [`ædəm] Adam
Adrian [`eɪdrɪən] Adrian
Agatha [`ægəθə] Agata
Agnes [`ægnɪs] Agnieszka
Alan [`ælən] Alan
Alastair [`æləstə(r)] Alastair
Albert [`ælbət] Albert
Alec, Alex [`ælɪk, `ælɪks] zdrob. od Alexander
Alexander [`ælɪg`zandə(r)] Aleksander
Alexandra [`ælɪg`zandrə] Aleksandra
Alfred [`ælfrɪd] Alfred
Alice [`ælɪs] Alicja
Alison [`ælɪsn] zdrob. od Alice
Amanda [ə`mændə] Amanda
Amelia [ə`mɪlɪə] Amelia
Andrew [`ændru] Andrzej
Andy [`ændɪ] zdrob. od Andrew
Angus [`æŋgəs] Angus
Ann [æn], Anna [`ænə] Anna
Anthony [`æntənɪ] Antoni
Archibald [`atʃɪbold] Archibald
Arnold [`anld] Arnold
Arthur [`aθə(r)] Artur
Audrey [`ɔdrɪ] Audrey

Barbara [`babrə] Barbara
Barry [`bærɪ] Barry
Bartholomew [ba`θoləmju] Bartłomiej
Basil [`bæzl] Bazyli
Beatrice [`bɪətrɪs] Beatrycze, Beatriks
Becky [`bekɪ] zdrob. od Rebecca
Belinda [bə`lɪndə] Belinda
Ben [ben] zdrob. od Benjamin
Benjamin [`bendʒəmɪn] Beniamin

Bernard [`bɜnəd] Bernard
Bert [bɜt] zdrob. od Bertram, Albert, Gilbert, Herbert, Robert
Bertram [`bɜtrəm] Bertram
Beryl [`berl] Beryl
Betty [`betɪ] zdrob. od Elisabeth
Bill [bɪl] zdrob. od William
Bob [bob] zdrob. od Robert
Brenda [`brendə] Brenda
Brian, Bryan [`braɪən] Brian
Bridget [`brɪdʒɪt] Brygida
Bruce [brus] Bruce

Carol [`kærl] zdrob. od Caroline
Caroline [`kærəlaɪn] Karolina
Catherine [`kæθrɪn] Katarzyna
Cecil [`sesl] Cecyl
Cecilia [sə`sɪlɪə], Cecily [`sesəlɪ] Cecylia
Charles [tʃalz] Karol
Chris [krɪs] zdrob. od Christopher
Christina [krɪ`stinə], Christine [`krɪstɪn] Krystyna
Christopher [`krɪstəfə(r)] Krzysztof
Clara [`kleərə], Clare [kleə(r)] Klara
Clarence [`klærəns] Clarence
Clive [klaɪv] Clive
Colin [`kolɪn] zdrob. od Nicholas
Connie [`konɪ] zdrob. od Constance
Constance [`konstəns] Konstancja
Constantine [`konstəntaɪn] Konstanty
Cynthia [`sɪnθɪə] Cynthia
Cyril [`sɪrl] Cyryl

Daisy [`deɪzɪ] Daisy
Daniel [`dænɪəl] Daniel
Danny [`dænɪ] zdrob. od Daniel

Daphne [ˈdæfnɪ] Dafne
Dave [deɪv] zdrob. od David
David [ˈdeɪvɪd] Dawid
Deborah [ˈdebərə] Debora
Denis [ˈdenɪs] Denis
Derek [ˈderɪk] Derek
Diana [daɪˈænə] Diana
Dick [dɪk] zdrob. od Richard
Dinah [ˈdaɪnə] Dinah
Dolly [ˈdɒlɪ] zdrob. od Dorothy
Donald [ˈdɒnld] Donald
Dora [ˈdɔːrə] zdrob. od Dorothy
Doris [ˈdɒrɪs] zdrob. od Dorothy
Dorothy [ˈdɒrəθɪ] Dorota
Douglas [ˈdʌɡləs] Douglas

Edgar [ˈedɡə(r)] Edgar
Edith [ˈiːdɪθ] Edyta
Edmund [ˈedmənd] Edmund
Edward [ˈedwəd] Edward
Eleanor [ˈelɪnə(r)] Eleonora
Elisabeth, Elizabeth [ɪˈlɪzəbəθ] Elżbieta
Emily [ˈemɪlɪ] Emilia
Eric [ˈerɪk] Eryk
Ernest [ˈɜːnɪst] Ernest
Esther [ˈestə(r)] Estera
Ethel [ˈeθəl] Ethel
Eugene [juˈdʒiːn] Eugeniusz
Eve [iːv] Ewa
Evelyn [ˈiːvlɪn] Ewelina

Fanny [ˈfænɪ] zdrob. od Frances
Felix [ˈfiːlɪks] Feliks
Florence [ˈflɒrns] Florentyna
Frances [ˈfrɑːnsɪs] Franciszka
Frank [fræŋk] Franciszek
Frieda [ˈfriːdə] zdrob. od Winifred

Gabriel [ˈɡeɪbrɪəl] Gabriel
Gay [ɡeɪ] Gay
Gene [dʒiːn] zdrob. od Eugene
Geoffrey [ˈdʒefrɪ] Geoffrey
George [dʒɔːdʒ] Jerzy
Georgie, Georgy [ˈdʒɔːdʒɪ] zdrob. od George
Gerald [ˈdʒerld] Gerald
Gerard [ˈdʒerəd] Gerard
Gilbert [ˈɡɪlbət] Gilbert
Giles [dʒaɪlz] Giles, Idzi
Gladys [ˈɡlædɪs] Gladys
Gloria [ˈɡlɔːrɪə] Gloria

Gordon [ˈɡɔdn] Gordon
Grace [ɡreɪs] Gracja
Graham(e) [ˈɡreɪəm] Graham
Gregory [ˈɡreɡərɪ] Grzegorz
Guy [ɡaɪ] Guy

Harold [ˈhærld] Harold
Harriet [ˈhærɪət] Henryka
Harry [ˈhærɪ] zdrob. od Henry
Hazel [ˈheɪzl] Hazel
Helen [ˈhelɪn], Helena [ˈhelənə] Helena
Henry [ˈhenrɪ] Henryk
Herbert [ˈhɜːbət] Herbert
Horace [ˈhɒrɪs] Horacy
Hugh [hjuː] Hugo

Ian [ˈiːən] zdrob. od John
Irene [aɪəˈriːnɪ] Irena
Isabel [ˈɪzəbel] Izabela
Ivan [ˈaɪvən] zdrob. od John

Jack [dʒæk] zdrob. od John
James [dʒeɪmz] Jakub
Jane [dʒeɪn] Janina
Janet [ˈdʒænɪt] zdrob. od Jane
Jean [dʒiːn] zdrob. od Joan
Jen(n)ifer [ˈdʒenɪfə(r)] Jennifer
Jenny [ˈdʒenɪ] zdrob. od Jane
Jessica [ˈdʒesɪkə] Jessica
Jessie [ˈdʒesɪ] zdrob. od Jessica
Jill [dʒɪl] zdrob. od Julia
Jim [dʒɪm] zdrob. od James
Joan [dʒəʊn], Joanna [dʒəʊˈænə] Joanna
Jocelyn [ˈdʒɒslɪn] Jocelyn
Joe [dʒəʊ] zdrob. od Joseph
John [dʒɒn] Jan
Johnny [ˈdʒɒnɪ] zdrob. od John
Jonathan [ˈdʒɒnəθən] Jonatan
Joseph [ˈdʒəʊzɪf] Józef
Josephine [ˈdʒəʊzɪfiːn] Józefina
Joy [dʒɔɪ] Joy
Joyce [dʒɔɪs] Joyce
Judith [ˈdʒuːdɪθ] Judyta
Judy [ˈdʒuːdɪ] zdrob. od Judith
Julia [ˈdʒuːlɪə] Julia
Julian [ˈdʒuːlɪən] Julian
Juliet [ˈdʒuːlɪet] zdrob. od Julia
June [dʒuːn] June

Kate [keɪt] zdrob. od Catherine
Katherine = Catherine

Kathleen ['kæθlin] zdrob. od Ca-
therine
Keith [kiθ] Keith
Kenneth ['keniθ] Kenneth
Kit [kit] zdrob. od Christopher
Kitty ['kiti] zdrob. od Catherine

Larry ['læri] zdrob. od Laurence
Laura ['lɔrə] Laura
Laurence, Lawrence ['lorns] Lau-
renty, Wawrzyniec
Leonard ['lenəd] Leonard
Leslie, Lesley ['lezli] Leslie
Lewis ['luis] Leon
Lil(l)ian ['liliən] Liliana
Linda ['lində] Linda
Lionel ['laiənl] Lionel
Lisa, Liza ['laizə], Liz [liz] zdrob.
od Elisabeth
Lucy ['lusi] Łucja
Luke [luk] Łukasz
Lydia ['lidiə] Lidia

Mabel ['meibl] Mabel
Magdalene ['mægdəlin] Magdale-
na
Margaret ['magrət] Małgorzata
Maria [mə'riə] Maria
Marjorie, Marjory ['madʒəri]
zdrob. od Margaret
Mark [mak] Marek
Martha ['maθə] Marta
Martin ['matin] Marcin
Mary ['meəri] Maria
Matthew ['mæθju] Mateusz
Maud [mod] Maud
Michael ['maikl] Michał
Micky ['miki] zdrob. od Michael
Mike [maik] zdrob. od Michael
Miles ['mailz] Miles
Moll [mol], Molly ['moli] zdrob.
od Mary
Muriel ['mjuəriəl] Muriel

Nan [næn], Nancy ['nænsi] zdrob.
od Ann
Ned [ned] zdrob. od Edgar, Ed-
mund, Edward
Nell [nel], Nelly ['neli] zdrob. od
Eleonor, Helen
Nicholas ['nikləs] Mikołaj
Nick [nik] zdrob. od Nicholas

Oliver ['olivə(r)] Oliwier
Oscar ['oskə(r)] Oskar
Owen ['əuən] Owen

Pamela ['pæmlə] Pamela
Pat [pæt] zdrob. od Patrick
Patricia [pə'triʃə] Patrycja
Patrick ['pætrik] Patrycy
Paul [pol] Paweł
Pauline [po'lin] Paulina
Pearl [pɔl] Pearl
Peggy ['pegi] zdrob. od Margaret
Penelope [pə'neləpi] Penelopa
Peter ['pitə(r)] Piotr
Phil [fil] zdrob. od Philip
Philip ['filip] Filip
Polly ['poli] zdrob. od Mary
Prudence ['prudəns] Prudence

Quentin ['kwentin] Quentin

Rachel ['reitʃl] Rachela
Ralph [rælf] Ralf
Ray [rei] zdrob. od Raymond
Raymond ['reimənd] Rajmund
Rebecca [rə'bekə] Rebeka
Reginald ['redʒinld] Reginald
Richard ['ritʃəd] Ryszard
Rick [rik] Rick
Rob [rob] zdrob. od Robert
Robert ['robət] Robert
Robin ['robin] zdrob. od Robert
Roger ['rodʒə(r)] Roger
Roland ['rəulənd] Roland
Ronald ['ronld] Ronald
Rose [rəuz] Róża
Rosemary ['rəuzməri] Rosemary
Ruby ['rubi] Ruby
Ruth [ruθ] Ruth

Sally ['sæli] zdrob. od Sarah
Salomon ['soləmən] Salomon
Sam [sæm], Sammy ['sæmi]
zdrob. od Samuel
Samuel ['sæmjuəl] Samuel
Sandra ['sændrə] zdrob. od Alex-
andra
Sara(h) ['seərə] Sara
Sean [ʃon] Jan
Sheila ['ʃilə] Sheila
Shirley ['ʃɔli] Shirley
Sidney ['sidni] Sidney

Simon [ˈsaɪmən] Szymon
Sophia [səˈfaɪə], Sophie [ˈsəufɪ] Zofia
Stella [ˈstelə] Stella
Stephen [ˈstivn] Stefan
Steve [stiv] zdrob. od Stephen
Stewart [ˈstjuət] Stewart
Sue [su] zdrob. od Susan
Susan [ˈsuzn] Zuzanna
Sybil [ˈsɪbl] Sybilla
Sylvia [ˈsɪlvɪə] Sylwia

Ted [ted] zdrob. od Theodore, Edward
Terence [ˈterns] Terence
Teodore [ˈθɪəbeɪ(r)] Teodor
Teresa [təˈreɪzə] Teresa
Thomas [ˈtɒməs] Tomasz
Timothy [ˈtɪməθɪ] Tymoteusz
Tom [tɒm], Tommy [ˈtɒmɪ] zdrob. od Thomas
Tony [ˈtəunɪ] zdrob. od Anthony

Ursula [ˈɜsjulə] Urszula

Valentine [ˈvæləntaɪn] Walenty
Vanessa [vəˈnesə] Vanessa
Veronica [vəˈrɒnɪkə] Weronika
Victor [ˈvɪktə(r)] Wiktor
Victoria [vɪkˈtɔrɪə] Wiktoria
Vincent [ˈvɪnsnt] Wincenty
Viola [ˈvaɪələ] Wioletta
Virginia [vəˈdʒɪnɪə] Wirginia
Vivian, Vivien [ˈvɪvɪən] Vivian, Vivien

Wa(l)t [wɒt] zdrob. od Walter
Walter [ˈwɒltə(r)] Walter
Wendy [ˈwendɪ] Wendy
Will [wɪl] zdrob. od William
William [ˈwɪlɪəm] Wilhelm
Winifred [ˈwɪnɪfrəd] Winifreda
Winston [ˈwɪnstən] Winston

Yvonne [ɪˈvon] Iwona

A LIST OF ABBREVIATIONS IN COMMON USE
SPIS NAJCZĘŚCIEJ UŻYWANYCH SKRÓTÓW

a	for account of — na rachunek
A.A.	**Automobile Association** — Związek Automobilowy
abbr., abbrev.	abbreviated — skrócony; **abbreviation** — skrót, skrócenie
ABC	atomic, biological and chemical (weapons) — (broń) atomowa, biologiczna i chemiczna
A.B.C.	the alphabet — abecadło; **alphabethical train time-table** — alfabetyczny rozkład jazdy pociągów; **American Broadcasting Company** — Amerykańskie Radio
-bomb	atomic bomb — bomba atomowa
a/c; A/c, A/C	account/current — *bank.* rachunek bieżący
A.C.	ante Christum *łac.* = before Christ — przed narodzeniem Chrystusa
a.c.	account — rachunek
A.D.	Anno Domini *łac.* — w roku Pańskim, po narodzeniu Chrystusa, n.e.
Adm., Adm.	**Administration** — administracja
adv., advt	advertisement — ogłoszenie
adv.	advance — zaliczka; **advice** — awiz; **advised** — awizowany
AEC	**Atomic Energy Commission** — Komisja do spraw Energii Atomowej
Afr.	Africa — Afryka; **African** — afrykański
aft.	afternoon — popołudnie
agr., agric.	agricultural — rolny; **agriculture** — rolnictwo
A.L.P.	**Australian Labour Party** — Australijska Partia Pracy
a.m.	ante meridiem *łac.* = before noon — przed południem; above mentioned — wyżej wspomniany
Am.	**America** — Ameryka; **American** — amerykański
A.M.	**Artium Magister** — magister nauk humanistycznych
A.P.	**Associated Press** — amerykańska agencja prasowa
Apr.	April — kwiecień
arr.	arrives — przyjeżdża (*w rozkładzie jazdy pociągów itp.*)
AR	**Agency Reuter** — Agencja Reutera (*w Wielkiej Brytanii*)
ass., Assoc.	association — stowarzyszenie, związek
asst	assistant — asystent
att.	**Attorney** — adwokat
austral.	**Australian** — australijski

436

Av., Ave	Avenue — aleja, ulica
avdp.	avoirdupois — system wag handlowych
b.	bachelor — niższy od stopnia magistra naukowy st pień uniwersytecki, bakalaureus; born — urodzony
B.A.	Bachelor of Arts — bakalaureus nauk humanistyc nych; British Academy — Akademia Brytyjska; Britis Airways — Brytyjskie Linie Lotnicze
B.Agr(ic).	Bachelor of Agriculture — bakalaureus rolnictwa
b.b.b.	bed, breakfast and bath — pokój ze śniadaniem i k pielą
B.B.C.	British Broadcasting Corporation — Brytyjskie Radio
B.C.	Before Christ — przed Chrystusem; p.n.e.; Bachelor Chemistry — bakalaureus chemii; British Council Brytyjska Rada Wymiany Kulturalnej
B.Com.	Bachelor of Commerce — bakalaureus nauk ekonomic nych
B.E.	Bachelor of Engineering — bakalaureus nauk technic nych
BEA, B.E.A.	British European Airways — Brytyjskie Europejsk Linie Lotnicze
B.Ed.	Bachelor of Education — bakalaureus nauk pedagogic nych
B/H	Bill of Health — świadectwo zdrowia
B.L.	Bachelor of Law — bakalaureus prawa
bldg, Bldg	building — budynek
B.Litt.	Bachelor of Letters — bakalaureus literatury
blvd, Blvd	boulevard — bulwar
B.M.	Bachelor of Medicine — bakalaureus medycyny
B.O.A.C.	British Overseas Airways Corporation — Towarzystw Brytyjskich Zamorskich Linii Lotniczych
B.O.T.	Board of Trade — Ministerstwo Handlu
B.P.	Bachelor of Philosophy — bakalaureus filozofii
B.R.	British Railways — Koleje Brytyjskie
Brit.	Britain — Wielka Brytania; British — brytyjski
Bros	Brothers — bracia
B.Sc.	Bachelor of Science — bakalaureus nauk matematyc no-przyrodniczych
bush. (bu., bus.)	bushel — buszel (miara)
c.	cent; centime; central; chapter; circa — cent; cer tym; centralny; rozdział; około
Can.	Canada — Kanada
Care, CARE	Co-operative American Remittance for Europe — Am rykańskie Spółdzielcze Towarzystwo Przesyłek do E ropy
c.c.	cubic centimetre — centymetr sześcienny
C.C.	Chamber of Commerce — Izba Handlowa; Consula Corps — Korpus Konsularny; Concentration Camp obóz koncentracyjny; continuous current — prąd sta
cent.	century — stulecie, wiek
Cent.	centigrade — stopień (w skali Celsjusza)

ert.	certificate — zaświadczenie
g.s., C.G.S.	centimetre-gramme-second-system — system metryczny centymetr-gram-sekunda
h., C.H.	central heating — centralne ogrzewanie
.H.	Custom House — Urząd Celny
h., chap.	chapter — rozdział
.I.	Channel Islands — Wyspy Normandzkie
/I	Certificate of Insurance — polisa ubezpieczeniowa
IA	Central Intelligence Agency — Centralna Agencja Wywiadowcza (w USA)
.I.D.	Criminal Investigation Department — Wydział Śledczy do spraw Kryminalnych (Scotland Yard)
.-in-C.	Commander-in-Chief — naczelny wódz
it.	citation — cytat
.J.	Chief Justice — Prezes Sądu Najwyższego
m.	centimetre — centymetr
MEA	Council for Mutual Economic Assistance — Rada Wzajemnej Pomocy Gospodarczej
N	Commonwealth of Nations — Wspólnota Narodów
o.	Company — kompania; towarzystwo, spółka
/o	care of — z listami ... (w adresie)
.O.	Commanding Officer — dowódca
.O.D.	Concise Oxford Dictionary — Oksfordzki Słownik Podręczny
oll.	College — szkoła wyższa; szkoła średnia
omecon	zob. CMEA
o.-op.	Co-operative Society — spółdzielnia, towarzystwo spółdzielcze
orn.	Cornwall — Kornwalia
p.	compare — porównaj
P	Conservative and Unionist Party — Partia Konserwatywna (w Wielkiej Brytanii)
PC	Communist Party of Canada — Komunistyczna Partia Kanady
.P.S.U.	Communist Party of the Soviet Union — Komunistyczna Partia Związku Radzieckiego
.P.U.S.	Communist Party of the United States — Komunistyczna Partia Stanów Zjednoczonych
wt	hundredweight — cetnar (waga)
d.	penny (łac. denarius); died; date; daughter; degree — pens; zmarł; data; córka; stopień
D.	department; deputy; district; doctor — departament; deputowany; okręg; doktor
l.c.	direct current elektr. prąd stały
D.C.	District of Columbia — Okręg Kolumbii (obszar Kolumbii z Waszyngtonem, stolicą St. Zjednoczonych)
d-d	damned — przeklęty
Dec.	December — grudzień
leg.	degree — stopień temperatury
lep.	departs — odjeżdża (w rozkładzie jazdy pociągów itp.)
lept	department — dział, oddział; uniw. katedra

D.M.	**Doctor of Medicine** — doktor medycyny
doc.	doktor
dol. (dols)	dollar(s) — dolar(y)
doz.	dozen — tuzin
D.P.	**Democratic Party** — Partia Demokratyczna (*w USA*)
d.p.	displaced person — wysiedlony uchodźca
D.Phil.	**Doctor of Philosophy** — doktor filozofii
Dr	**Doctor** — doktor
D.Sc.	**Doctor of Science** — doktor nauk przyrodniczych
D.S.O.	**Distinguished Service Order** — order za wybitne zasług

E.	**East; England; English** — wschód, wschodni okręg pocztowy w Londynie; Anglia; angielski
E.C.	**East Central** — wschodni okręg pocztowy w śródmieś ciu Londynu
EEC	**European Economic Community** — Europejska Wspól nota Gospodarcza (EWG)
E.F.T.A.	**European Free Trade Association** — Europejskie Sto warzyszenie Wolnego Handlu
e.g.	**exempli gratia** *łac.* = for example — na przykład
Eng., Engl.	**England** — Anglia; **English** — angielski
E.R.	**Elizabeth Regina** *łac.* = Queen Elizabeth — Królowa El żbieta
Esq.	**Esquire** — Wielmożny Pan (*tytuł w adresie, po nazwisku*
etc.	**et cetera** *łac.* = and so on — i tak dalej
EURATOM	**European Atomic Energy Community** — Europejsk Wspólnota Energii Atomowej
eve.	evening — wieczorem
exc.	except — z wyjątkiem
ext.	**extension (telephone)** — telefon wewnętrzny

f.	**foot, feet** — stopa, stopy; **franc** — frank
F.A.	**Football Association** — Związek Piłki Nożnej
FAO, F.A.O.	**Food and Agriculture Organization** — Organizacja do spraw Wyżywienia i Rolnictwa (ONZ)
F.B.I.	**Federal Bureau of Investigation** — *am.* Federalne Biu ro Śledcze (*kontrwywiad USA*); **Federation of Britis Industries** *bryt.* — Związek Przemysłów Brytyjskich
F.C.	**Football Club** — Klub Piłki Nożnej
Feb.	**February** — luty
F.I.F.A.	**Fédération Internationale de Football Associations** *fr* = **International Football Federation** — Międzynarodo wa Federacja Związków Piłki Nożnej
F.O.	**Foreign Office** — Ministerstwo Spraw Zagranicznych (*w Wielkiej Brytanii*)
fr.	franc(s) — frank(i)
Fr	**Father** — ksiądz
Fr.	**French** — francuski
Fr., Fahr.	**Fahrenheit** — w skali Fahrenheita
FRG, F.R.G.	**Federal Republic of Germany** — Republika Federalna Niemiec
Fri.	**Friday** — piątek

gram(me) — gram; guinea — gwinea (21 szylingów)

A. General Assembly — Zgromadzenie Ogólne

., gall. gallon — galon

A.T.T. General Agreement on Tariffs and Trade — Układ Ogólny w sprawie Ceł i Handlu

, G.B. Great Britain — Wielka Brytania

.R, G.D.R. German Democratic Republic — Niemiecka Republika Demokratyczna

r. German — niemiecki

H.Q. General Headquarters — główna kwatera

. government issue — „emisja rządowa" (*popularna nazwa żołnierza amerykańskiego*)

M.T. Greenwich Mean Time — średni czas zachodnioeuropejski (Greenwich)

(s) guinea(s) — gwinea, gwinee

v., Govt. Government — rząd

P.O. General Post Office — *bryt.* Główny Urząd Pocztowy

S. General Secretary — Sekretarz Generalny

hour(s) — godzina, godziny

hard — twardy (*ołówek o twardym graficie*)

and c. hot and cold (water) — gorąca i zimna woda

C. House of Commons — Izba Gmin

-Fi, hi-fi high fidelity — wysoka wierność (*odtwarzania*)

L. House of Lords — Izba Lordów

M.S. His ⟨Her⟩ Majesty's Service — w służbie Jego ⟨Jej⟩ Królewskiej Mości; His ⟨Her⟩ Majesty's Ship — okręt Jego ⟨Jej⟩ Królewskiej Mości

O. Home Office — Ministerstwo Spraw Wewnętrznych (*w Wielkiej Brytanii*)

sp. hospital — szpital; szpitalny

)., H.P. horse power — *techn.* koń mechaniczny

P. Houses of Parliament — Parlament Brytyjski

R. House of Representatives — *am.* Izba Reprezentantów

R.H. His ⟨Her⟩ Royal Highness — Jego ⟨Jej⟩ Królewska Wysokość

A.F. International Automobile Federation — Międzynarodowa Federacja Automobilowa

, ibid. ibidem *łac.* = in the same place — tamże

.J. International Court of Justice — Międzynarodowy Trybunał Sprawiedliwości

.R.C. International Committee of the Red Cross — Międzynarodowy Komitet Czerwonego Krzyża

idem *łac.* = also, likewise — (*o autorze*) tenże

). Intelligence Department — oddział wywiadowczy

id est *łac.* = that is — to jest

IF International Monetary Fund — Międzynarodowy Fundusz Walutowy

inch — cal

. incorporated — zarejestrowany; *am.* (~ company) spółka akcyjna

incl.	including — włącznie
I.N.S.	International News Service — Międzynarodowa Agen Informacyjna (*U.S.A.*)
inst.	instant (of the current month) — bieżącego miesiąca
INTERPOL	International Criminal Police Commission — Między rodowa Organizacja Policji Kryminalnej
IOC	International Olympic Committee — Międzynarodo Komitet Olimpijski
IOU	I owe you — rewers, *dosł.* jestem ci winien
I.Q.	Intelligence Quotient — współczynnik inteligencji
I.R.A.	Irish Republican Army — Irlandzka Armia Republik ska
I.R.C.	International Red Cross — Międzynarodowy Czerwo Krzyż
I.S.	Intelligence Service — Tajna Służba Wywiadowcza
I.S.C.	International Students' Council — Międzynarodowa da Studencka
I.T.A.	International Touring Alliance — Międzynarodo Związek Turystyczny
I.T.V.	Independent Television telewizja niezależna (*w Brytanii*)
I.U.S.	International Union of Students — Międzynarodo Związek Studentów
I.U.S.Y.	International Union of Socialist Youth — Międzyna dowy Związek Młodzieży Socjalistycznej
I.Y.H.F.	International Youth Hostel Federation — Międzynaro wa Federacja Schronisk Młodzieżowych
Jan.	January — styczeń
Jul.	July — lipiec
Jun.	June — czerwiec
jun., junr	junior — junior
kg.	kilogram — kilogram
K.K.K.	Ku-Klux-Klan — tajna organizacja amerykańska (*skr nie reakcyjna*)
km.	kilometre — kilometr
k.o., K.O.	knock-out; knocked out — nokaut; znokautowany
kw., kW.	kilowatt — kilowat
l.	litre — litr
L., Lab.	Labour — Partia Pracy; świat pracy
L., £	libra *łac.* = sovereign, pound sterling — suweren, fu szterling
lb.	libra *łac.* = pound — funt (*waga*)
Lb.P.	Liberal Party — Partia Liberalna (*w Wielkiej Brytan*
Ld	limited — ograniczony
L.h., L.H.	left-hand — lewy, lewostronny
Lon., Lond.	London — Londyn
LP	longplay — *muz.* płyta długogrająca
L.P.	Labour Party — Partia Pracy (*w Wielkiej Brytanii*)

P.A.	Liberal Party of Australia — Partia Liberalna Australii
d	Limited (Company) — spółka (z ograniczoną odpowiedzialnością)
.d., £.S.D.	librae, solidi, denari *łac.* = pounds, shillings and pence — funty, szylingi i pensy
m.	metre — metr; mile — mila
A.	Master of Arts — magister nauk humanistycznych
ar.	maritime — morski
ar.	March — marzec
ax.	maximum — maksimum
C.	Member of Congress — *am.* Członek Kongresu; Military Cross — Krzyż Wojenny
D.	Medicinae Doctor *łac.* = Doctor of Medicine — doktor medycyny
emo.	memorandum — memorandum
essrs	Messieurs — Panowie
g.	milligram(s) — miligram(y)
g.	machine gun — karabin maszynowy
G.M.	Metro Goldwyn Mayer — nazwa amerykańskiej wytwórni filmowej
O.	money order — przekaz pieniężny; Medical Officer — lekarz wojskowy
on.	Monday — poniedziałek
P.	Member of Parliament — członek parlamentu, poseł
p.h.	miles per hour — mil na godzinę
r	Mister — pan *(przed nazwiskiem)*
rs	Mistress — pani *(przed nazwiskiem)*
s., MS.	manuscript — rękopis
'S, M.S.	Motor Ship — statek motorowy
Sc.	Master of Science — magister nauk matematyczno-przyrodniczych
t.	mountain — góra
	North — północ; północny okręg pocztowy w Londynie
ASA	National Aeronautics and Space Administration — Narodowa Agencja do spraw Aeronautyki i Przestrzeni Kosmicznej *(w U.S.A.)*
A.T.O.	North Atlantic Treaty Organization — Organizacja Paktu Północnego Atlantyku
BC	National Broadcasting Company — Radio Amerykańskie
E.	North East — północny wschód; New England — Nowa Anglia
E.D.	New English Dictionary — Nowy Słownik Angielski *(wielki słownik oksfordzki)*
o.	number — liczba
ov.	November — listopad
S.W.	New South Wales — Nowa Południowa Walia *(w Australii)*

N.W.	**North-West** — północny zachód; **North-Western** — nocno-zachodni okręg pocztowy w Londynie
N.Y.(C)	New York City — miasto Nowy Jork
N.Z.	New Zealand — Nowa Zelandia
N.Z.L.P.	New Zealand Labour Party — Partia Pracy Nowej landii
N.Z.N.P.	New Zealand National Party — Nowozelandzka Pa Narodowa
OAS	**Organization of American States** — Organizacja Pań Amerykańskich
Oct.	October — październik
O.E.	Old English — język staroangielski
O.E.C.D.	**Organization for Economic Co-operation and Devel** ment — Organizacja Współpracy Gospodarczej i R woju
O.E.D.	**Oxford English Dictionary** — (Wielki) Słownik O fordzki Języka Angielskiego
O.H.M.S.	**On His (Her) Majesty's Service** — w służbie Jego (J Królewskiej Mości
O.K.	**Okay = all correct** — wszystko w porządku, bar dobrze
oz, ozs	ounce, ounces — uncja, uncje
p.	page; pint — strona; pinta, kwarta (*miara*)
P.	(car) park; pedestrian (crossing); police; post; p sident — postój; parking; przejście dla pieszych; licja; poczta; prezydent
p.c.	postcard — karta pocztowa
P.E.N.(-Club)	**International Association of Poets, Playwrights, Ess** ists, Editors and Novelists — Pen Club, Międzynaro wy Związek Poetów, Dramaturgów, Eseistów, Wyda ców i Powieściopisarzy
ph.	per hour — na godzinę
Ph.D.	**Philosophiae Doctor** *łac.* = Doctor of Philosophy — d tor filozofii
p.m.	post meridiem *łac.* — po południu, po godz. 12 w ludnie, do północy
P.O.	**Post Office** — urząd pocztowy; postal order — przek pocztowy
P.O.B.	post-office box — skrzynka pocztowa
P.O.S.B.	**Post Office Savings Bank** — Pocztowa Kasa Oszcze ności
P.O.W.	Prisoner of War — jeniec wojenny
pp.	pages — stronice
prof., Prof.	professor — profesor
prox.	proximo *łac.* = next month — następnego miesiąca
p.s.	per second — na sekundę
P.S.	Police Sergeant; postscript — policjant; dopisek (*w* cie)
pt.	pint — pinta, kwarta (*miara*)
P.T.O.	please turn over — proszę odwrócić, verte

qr.	quarter; quarterly — kwartał; kwartalnik, kwartalny
	Queen — królowa
ual.	quality — jakość
	River; Réaumur; Rex, Regina — rzeka; w skali Réaumura; król, królowa
.A.	Royal Academy — Akademia Królewska
.A.F.	Royal Air Force — Królewskie Lotnictwo Wojskowe
.C.	Red Cross — Czerwony Krzyż; Roman Catholic — wyznania rzymskokatolickiego
.C.A.	Radio Corporation of America — Radio Amerykańskie
., Rd	road — droga, ulica
.g., regd	registered — zarejestrowany, polecony
h.	right hand — prawy, prawostronny
.N.	Royal Navy — Królewska Marynarka Wojenna
.P.	Republican Party — Partia Republikańska (w U.S.A.)
.R.	railroad — am. kolej
.S.P.C.A.	Royal Society for the Prevention of Cruelty to Animals — Królewskie Towarzystwo Ochrony Zwierząt
y	railway — bryt. kolej
	second; shilling; singular; son — sekunda; szyling; pojedynczy; syn
	South — południe
	dollar — dolar
.A.	Salvation Army — Armia Zbawienia
ALT	Strategic Armaments Limitation Talks — Rokowania w sprawie Ograniczenia Zbrojeń Strategicznych
AS	Scandinavian Airlines System — Skandynawskie Linie Lotnicze
at.	Saturday — sobota
ch.	school — szkoła
cil.	scilicet [‘sailiset] łac. = namely — mianowicie
.D.	State Department — ministerstwo spraw zagranicznych (w U.S.A.)
E, S.E.	South-East — południowy wschód; South-Eastern — południowo-wschodni okręg pocztowy w Londynie
.E.A.T.O.	South-east Asian Treaty Organization — Organizacja Paktu Południowo-Wschodniej Azji
ec.	Secretary — sekretarz
ep., Sept.	September — wrzesień
n.	shilling(s) — szyling(i)
oc.	society — towarzystwo
OS, S.O.S.	save our souls — wezwanie pomocy (na morzu)
q.	square — kwadrat, plac
r	Senior — senior
/s, s.s.	steamship — statek parowy
t	Saint — święty; street — ulica
tg	sterling — szterling
ov. Un.	Soviet Union — Związek Radziecki
un.	Sunday — niedziela

SW, S.W.	**South-West** — południowy zachód; **South-western** — południowo-zachodni okręg pocztowy w Londynie
syn.	**synonym** — synonim
t.	**ton** — tona
tel.	**telegram; telegraph; telephone** — telegram; telegraf; telefon
temp.	**temperature** — temperatura
Thurs.	**Thursday** — czwartek
t.m.	**trade mark** — fabryczna marka ochronna
T.U.	**Trade Union** — związek zawodowy
T.U.C.	**Trades Union Congress** — Kongres Związków Zawodowych
Tues.	**Tuesday** — wtorek
T.V.	**television** — telewizja
UEFA	**Union of European Football Associations** — Unia Europejskich Związków Piłki Nożnej
uhf, UHF, U.H.F.	**ultra-high frequency** — fale ultrakrótkie (UKF) (*o dużych częstotliwościach drgań*)
U.K.	**United Kingdom (of Great Britain and Northern Ireland)** — Zjednoczone Królestwo (Wielkiej Brytanii i Irlandii Północnej)
ult.	**ultimo** *łac.* = **last month** — ostatniego miesiąca
U.N.	**United Nations** — Narody Zjednoczone
U.N.E.S.C.O.	**United Nations Educational Scientific and Cultural Organization** — Organizacja Narodów Zjednoczonych do spraw Nauki i Kultury
UNGA	**United Nations General Assembly** — Zgromadzenie Ogólne Narodów Zjednoczonych
UNICEF	**United Nations Children's Fund** — Fundusz Narodów Zjednoczonych Pomocy Dzieciom
U.N.O.	**United Nations Organization** — Organizacja Narodów Zjednoczonych
U.N.R.R.A.	**United Nations Relief and Rehabilitation Administration** — Organizacja Narodów Zjednoczonych do spraw Pomocy i Odbudowy
U.P.	**United Press** — *am.* Prasa Zjednoczona (*agencja prasowa*)
U.P.I.	**United Press International** — *am.* Zjednoczona Prasa Międzynarodowa (*agencja prasowa*)
U.S.A.	**United States of America** — Stany Zjednoczone Ameryki
U.S.A.F.	**United States Air Force** — Lotnictwo Wojskowe Stanów Zjednoczonych
U.S.N.	**United States Navy** — Marynarka Wojenna Stanów Zjednoczonych
U.S.S.R.	**Union of Soviet Socialist Republics** — Związek Socjalistycznych Republik Radzieckich
usu.	**usually** — zwykle
v.	**versus** *łac.* = **against** — przeciw; **verse; volt; volume** — wiersz; wolt; tom

Day	Victory Day — Dzień Zwycięstwa
.	veterinary surgeon — weterynarz
.	very good — bardzo dobry, bardzo dobrze
.P.	Very Important Person — bardzo ważna osobistość
.	videlicet *łac.* = namely — mianowicie
., vols	volume, volumes — tom, tomy
.	vice versa [ˈvaɪsɪˈvɜːsə] *łac.* — na odwrót

Welsh — walijski; West — zachód; zachodni okręg pocztowy w Londynie

C. — West Central — zachodni okręg pocztowy w śródmieściu Londynu

water closet — ustęp

C.P. — World Council of Peace — Światowa Rada Pokoju

d. — Wednesday — środa

F.D.Y. — World Federation of Democratic Youth — Światowa Federacja Młodzieży Demokratycznej

F.T.U. — World Federation of Trade Unions — Światowa Federacja Związków Zawodowych

H.O. — World Health Organization — Światowa Organizacja Zdrowia

weight — ciężar, waga

mas — Christmas — Boże Narodzenie

yd — yard — jard

H.A. — Youth Hostels Association — Stowarzyszenie Schronisk Młodzieżowych

M.C.A. — Young Men's Christian Association — Chrześcijańskie Stowarzyszenie Młodzieży Męskiej

year — rok; your — wasz

s — yours — wasz

W.C.A. — Young Women's Christian Association — Chrześcijańskie Stowarzyszenie Młodzieży Żeńskiej

G. — Zoological Gardens — Ogród Zoologiczny

zloty — złoty

MONEY

PIENIĄDZE

I. British Brytyjskie
£1 (1 pound) = 100 p (100 pence)

Notes Banknoty

£ 20 — twenty pounds ['twentɪ 'paundz]
£ 10 — ten pounds ['ten 'paundz]
£ 5 — five pounds ['faɪv 'paundz]
£ 1 — a pound [ə'paund]

Coins Monety

50p — fifty pence ['fɪftɪ 'pens]
10p — ten pence ['ten 'pens]
5p — five pence ['faɪv 'pens]
2p — twopence ['tapəns], two pence ['tu 'pens]
1p — a penny [ə'penɪ]
1/2p — a halfpenny [ə'heɪpnɪ], half a penny ['haf ə'penɪ]

II. American (USA) Amerykańskie (St. Zjednoczone)
$1 (1 dollar) = 100c (100 cents)

Notes Banknoty

$ 20 — twenty dollars ['twentɪ 'doləz]
$ 10 — ten dollars ['ten 'doləz]
$ 5 — five dollars ['faɪv 'doləz]
$ 1 — a dollar [ə'dolə(r)]

Coins Monety

50 c — half-dollar ['haf dolə(r)]
25 c — twenty five cents ['twentɪ /faɪv 'sents], pot. a quarter [ə 'kwɔtə(r)]
10 c — ten cents ['ten 'sents], pot. a dime [ə 'daɪm]
5 c — five cents ['faɪv 'sents], pot. a nickel [ə'nɪkl]
1 c — a cent [ə 'sent], pot. a penny [ə'penɪ]

WEIGHTS AND MEASURES

MIARY I WAGI

I. British Brytyjskie

a) Measures of length and surface
Miary długości i powierzchni

mile [maɪl] = 1 760 yards [jadz]	1 609,3 m
yard [jad] = 3 feet [fit]	91,44 cm
foot [fut] = 12 inches [ˈɪntʃɪz]	30,48 cm
inch [ɪntʃ]	2,54 cm
square [skweə(r)] mile = 640 acres [ˈeɪkəz]	258,99 ha
acre [ˈeɪkə(r)] = 4 840 square yards	0,40 ha
square yard = 9 square feet	0,836 m²
square foot = 144 square inches	929 cm²
square inch	6,45 cm²

b) Measures of capacity
Miary pojemności

quarter [ˈkwɔtə(r)] = 8 bushels [ˈbuʃlz]	290,941 l
bushel [ˈbuʃl] = 8 gallons [ˈgælənz]	36,368 l
gallon [ˈgælən] = 4 quarts [kwɔts]	4,546 l
quart [kwɔt] = 2 pints [paɪnts]	1,136 l
pint [paɪnt]	0,568 l

c) Weights (avoirdupois)
Wagi (handlowe, tzw. avoirdupois)

ton [tʌn] = 20 hundredweight [ˈhʌndrədweɪt]	1 016,047 kg
hundredweight [ˈhʌndrədweɪt] = 112 pounds [paundz]	50,802 kg
pound [paund] = 16 ounces [ˈaunsɪz]	453,59 g
ounce [auns] = 16 drams [dræmz]	28,35 g
dram [dræm] = 3 scruples [skruplz]	1,77 g
scruple [skrupl]	0,59 g
grain [greɪn]	64,7989 mg

Poza tym istnieją jeszcze następujące układy wag:

troy weight, używany w handlu kruszcami oraz
apothecaries weight, używany w aptekach. "Grain" we wszystkich
powyższych układach jest identyczny.

II. American Amerykańskie (U.S.A.)

a) Measures of length and surface, as British
Miary długości i powierzchni — jak brytyjskie

b) Measures of capacity
Miary pojemności

1 bushel ['buʃl] = 8 gallons ['gælənz]	35,238
1 gallon ['gælən] = 4 quarts [kwɔts]	3,785
1 quart [kwɔt] = 2 pints [paɪnts]	0,946
1 pint [paɪnt]	0,473

c) Weights (avoirdupois)
Wagi (handlowe, tzw. avoirdupois)

1 ton [tʌn] = 20 hundredweight ['hʌndrədweɪt] . . .	907,185 k
1 hundredweight ['hʌndrədweɪt] = 100 pounds [paʊndz]	45,359 k.
1 pound [paʊnd] = 16 ounces ['aʊnsɪz]	453,59
1 ounce ['aʊns] = 16 drams [dræmz]	28,35
1 dram [dræm] = 3 scruples [skruplz]	1,77
1 scruple [skrupl]	0,59

POLISH-ENGLISH

ADVICE TO THE USER

1. Headwords

The headwords are printed in bold-faced type in strictly alphabetical order. They are labelled by pertinent abbreviations indicating their grammatical categories, the others denoting the respective branches of learning or the special walks of life.

Homonyms are grouped under separate entries and marked with successive Arabic ciphers, e.g.:

muł 1. *m* slime, ooze
muł 2. *m zool.* mule

If a Polish headword contains various English meanings or denotes different grammatical functions, the particular lexical units on the Polish side are separated by means of a semicolon and, besides, they are provided with a pertinent grammatical label, e.g.:

palący *p praes i adj* burning; (*tytoń*) smoking; *sm* smoker;...

If an entry, or a part of it, or an explanatory note, is provided with the abbreviation *zob.* the reader is asked to refer to some other entry, or to some information found elsewhere in the Dictionary.

Nouns

Some Polish nouns of feminine gender have been omitted since their masculine and feminine

WSKAZÓWKI DLA KORZYSTAJĄCYCH ZE SŁOWNIKA

1. Hasła

Wyrazy hasłowe podano pismem półgrubym w ścisłym porządku alfabetycznym. Objaśniano je, zależnie od przynależności do poszczególnych części mowy lub do specjalnych dziedzin życia, odpowiednimi skrótami umownymi.

Homonimy podano jako osobne hasła oznaczone kolejnymi cyframi arabskimi, np.:

Jeżeli poszczególne wyrazy hasłowe zawierają odpowiedniki o różnych znaczeniach, albo pełnią różne funkcje gramatyczne — oddzielono je średnikiem oraz odpowiednim kwalifikatorem gramatycznym, np.:

Jeżeli wyraz hasłowy opatrzony jest skrótem *zob.* oznacza to, że hasła tego wraz z odpowiednikami należy szukać w artykule hasłowym, do którego wyraz ten odesłano.

Hasła rzeczownikowe

Ze względu na rozmiary słownika pominięto pewną ilość rzeczowników żeńskich, które w języku

equivalents are identical in English, e.g.: **nauczyciel** t e a c h e r, **nauczycielka** t e a c h e r, Niemiec G e r m a n, **Niemka** G e r m a n.

Most Polish diminutives have been omitted as they have no lexical equivalents in English; so their diminutive nouns are usually formed by means of adjectives "l i t t l e" or "s m a l l". '

But if a Polish diminutive has evolved a distinct additional meaning, its inclusion has been considered necessary. E.g.

angielskim mają formę identyczną z odpowiednimi rzeczownikami męskimi, np.: **nauczyciel** t e a c h e r, **nauczycielka** t e a c h e r Niemiec G e r m a n, **Niemk** G e r m a n itp.

Pominięto też większość rzeczowników zdrobniałych. W takic wypadkach odpowiedniki angielskie tworzy się zastępczo, stosując przymiotniki „l i t t l e" „s m a l l".

Uwzględniono jednak te polski rzeczowniki zdrobniałe, który znaczenia różnią się od form pier wotnych, np.:

> **rączka** *f* l i t t l e h a n d; *(u-chwyt)* h a n d l e; *(steru)* t i l l e r; *(obsadka do pióra)* p e n - h o l d e r

Most verbal nouns have been left out, too, e.g.: **pisanie**, which is' derived from the infinitive **pisać**, writing ⟨to write⟩ *(zob.* maszyna do pisania, pisanie na maszynie).

But if there are no English derivatives in -ing, other equivalents have been, of necessity, inserted, e.g.:

Dla oszczędności miejsca wyeli minowano większość rzeczowni ków odsłownych, gdyż znajomoś form bezokolicznikowych odpo wiedników angielskich wystarcz do utworzenia odpowiednich forn rzeczownikowych.

Wyjątek stanowią te wypadk gdy angielskie odpowiedniki ni posiadają końcówki słowotwór czej, np.:

> **głosować** *vi* v o t e, *(tajnie)* b a l - l o t; ...
> **głosowanie** *n* v o t i n g, p o l l, *(tajne)* b a l l o t

Adjectives

Polish adjectives which correspond to English nouns used attributively are not included, e.g.: the noun **kamień** ⟹ t h e s t o n e is being also used as an adjective: **kamienny** ⟹ s t o n e. But if there are two variant adjectival forms, both of them are given as equivalents of the Polish headwords, but used in a different meaning. E.g.:

Hasła przymiotnikowe

Ponieważ w języku angielskin zasadniczo nie ma formalnej róż nicy pomiędzy przymiotnikiem rzeczownikiem, np. **kamień** *m* the stone i **kamienny** *adj* stone, haseł przymiotnikowyc nie zamieszczamy. Uwzględnion jednak te formy oboczne, któr różnią się pod względem znacze nia, np.:

złoty 1. *adj* g o l d, *przen.* g o l d -
e n; ~ wiek g o l d e n a g e
złoty 2. *m (jednostka monetarna)*
zloty

Verbs

The reader is sometimes faced
with very serious difficulties
whenever he may occasionally
have to deal with verbal aspects
we find in English as compared
with those in Polish, e.g.: siadać and siedzieć and usiąść —
t o s i t and t o b e s i t t i n g
and t o s i t d o w n, padać and
upaść — t o b e f a l l i n g and
t o f a l l (d o w n), myć się and
umyć się — t o w a s h and t o
h a v e a w a s h etc. The above
and similar verbs may be rendered
by means of a variety of forms.

Most verbs, with regard to their
aspects, are neutral: pisać — t o
w r i t e, napisać — t o w r i t e.

As a rule, in the present D i c -
t i o n a r y the verbs ought to be
looked up in their imperfect
form.

If the Polish headword is a verb,
its syntactic function in a sentence is shown, between round
brackets, alongside of the corre-
sponding function of its English
equivalent.

The same refers to transitive
verbs which require the direct
object in either language; so their
use in a sentence will hardly present any difficulties. E.g.:

Hasła czasownikowe

Brak analogii w tworzeniu postaci dokonanej i niedokonanej
czasownika w języku polskim i angielskim nastręcza wiele trudności. Tak np. dokonana postać czasownika paść, upaść — t o f a l l
zmienia się w niedokonaną przez
zastosowanie *Continuous Form* —
t o b e f a l l i n g. W innych wypadkach czasownik o postaci niedokonanej siadać — t o s i t,
zmienia postać przez dodanie przy-
słówka d o w n: siąść — t o s i t
d o w n. Stosuje się także formę
opisową: umyć się — t o h a v e a
w a s h itp. Polską formę dokona-
ną można też czasami oddać przez
angielską formę gramatyczną.

W większości wypadków angielskie postaci czasownikowe są z
natury neutralne: pisać — t o
w r i t e, napisać — t o w r i t e.
Czasowników należy szukać pod
ich formą podstawową w jej postaci zasadniczo niedokonanej.

Różnice w składni czasowników
zaznaczamy za pomocą odpowiednich zaimków i przyimków, u-
mieszczonych w nawiasach okrągłych, tuż po czasowniku.

Takie przykłady użycia związków składniowych stosuje się zarówno w przypadku, gdy czasownik polski i jego angielski odpowiednik występują w tej samej
funkcji przechodniej lub nieprzechodniej, np.:

reagować *vi* r e a c t (na coś t o
s t h)
darzyć *vt* p r e s e n t (kogoś
czymś s b w i t h s t h) ...

But if the English verb is transitive and its Polish equivalent intransitive or vice versa, grammatical information is a necessity, e.g.:

jak też i wówczas, gdy polskie mu czasownikowi w funkcji przechodniej odpowiada angielski czasownik w funkcji nieprzechodniej lub odwrotnie. Np.:

> operować *vt* o p e r a t e (kogoś
> o n, u p o n s b)
> zbliżać ... się *vr* a p p r o a c h (do
> kogoś s b) ...

2. Equivalents

The English equivalents of the Polish headwords and their expressions are given in light type. Their synonyms printed along with them, if any, are separated by commas, those more distant in meaning are marked off by semicolons. In case of need the given synonyms have been provided with explanations, placed in round brackets, concerning their meaning and usage. E.g.:

2. Odpowiedniki

Angielskie odpowiedniki wyrazów, wyrażeń i zwrotów podano pismem jasnym. Odpowiedniki bliskoznaczne oddzielono przecinkami; odpowiedniki dalsze — średnikami. W wypadkach koniecznych — przed angielskimi odpowiednikami — umieszczono w nawiasach okrągłych objaśnienia, drukowane kursywą, dotyczące zakresu, znaczenia i zastosowania wyrazu, np.:

> chować *vt* (*ukrywać*) h i d e,
> c o n c e a l; (*przechowywać*)
> k e e p; (*wkładać, np. do szuflady*) p u t (u p); (*grzebać zwłoki*) b u r y; (*hodować*)
> b r e e d, r e a r; (*wychowywać*)
> b r i n g u p, e d u c a t e; ...

EXPLANATORY SIGNS

ZNAKI OBJAŚNIAJĄCE

The angled stress mark denotes that the syllable following it is the principal stressed syllable.

Pochylony znak akcentu (w formie transkrybowanej wyrazu hasłowego) poprzedza główną akcentowaną sylabę.

`[ ]` Square brackets enclose the pronunciation of some Polish words (e.g. marznąć [r-z]) or that of loanwords.

W nawiasach kwadratowych zaznaczono wymowę niektórych wyrazów polskich, np. marznąć [r-z] oraz wymowę wyrazów pochodzenia obcego.

`( )` Round brackets enclose the explanatory informations, irregular forms of the headwords, words and letters which can be omitted.

W nawiasach okrągłych umieszczono objaśnienia, nieregularne formy wyrazu hasłowego, wyrazy i litery, które mogą być opuszczone.

`< >` Angular brackets enclose words and parts of the expressions which are interchangeable.

W nawiasach trójkątnych umieszczono wymienne wyrazy lub człony związków frazeologicznych.

† Archaism.

Krzyżykiem oznaczono wyrazy przestarzałe.

~ The tilde replaces the headword, or as much of it as has been cut off by a vertical line.

Tzw. tylda zastępuje w zwrotach hasło lub tę jego część, która jest odcięta pionową kreską.

The vertical line separates that part of the headword which has been replaced in phrases by the tilde.

Kreska pionowa oddziela część hasła zastąpioną w zwrotach tyldą.

1., 2. ... The Arabic ciphers denote the sequence of the headwords having the same spelling, but differing in etymology and meaning.

Cyfry arabskie po hasłach objaśniają odrębność znaczenia i pochodzenia wyrazów o tej samej pisowni, podanych jako osobne hasła.

The semicolon is used to denote a distinct shade of difference in the meaning of two or more equivalents of the headword and to separate particular items of grammatical informations.

Średnik oddziela odpowiedniki o całkowicie różnym znaczeniu, związki frazeologiczne oraz objaśnienia gramatyczne.

The comma is used to separate equivalents close in meaning.

Przecinek oddziela odpowiedniki bliskie pod względem znaczeniowym.

ABBREVIATIONS

SKRÓTY

adj	— adjective	przymiotnik
adv	— adverb	przysłówek
am.	— American	amerykański
anat.	— anatomy	anatomia
arch.	— architecture	architektura
astr.	— astronomy	astronomia
attr	— attribute, attributive	przydawka, przydawkowy
bank.	— banking	bankowość
biol.	— biology	biologia
bot.	— botany	botanika
bryt.	— British	brytyjski
chem.	— chemistry	chemia
comp	— comparative (degree)	stopień wyższy
conj	— conjunction	spójnik
dent.	— dentistry	dentystyka
dial.	— dialect	dialekt
dod.	— positive (meaning)	znaczenie dodatnie
dosł.	— literal, literally	dosłowny, dosłownie
druk.	— printing	drukarstwo
elektr.	— electricity	elektryczność
f	— feminine (gender)	(rodzaj) żeński
filat.	— philately	filatelistyka
filoz.	— philosophy	filozofia
fin.	— finances	finansowość
fiz.	— physics	fizyka
fot.	— photography	fotografia
fut	— future tense	czas przyszły
genit	— genitive	dopełniacz

geogr.	— geography	geografia
geol.	— geology	geologia
górn.	— mining	górnictwo
gram.	— grammar	gramatyka
handl.	— commerce	handlowość
hist.	— history	historia
imp	— impersonal form	forma nieosobowa
inf	— infinitive	bezokolicznik
itp.	— and so on	i tym podobne
int	— interjection	wykrzyknik
inter	— interrogation, interrogative	pytajnik, pytający
kin.	— cinematography	kinematografia
kolej.	— railway system	kolejnictwo
lit.	— literature	literatura
lotn.	— aviation	lotnictwo
łac.	— Latin word	wyraz łaciński
m	— masculine (gender)	(rodzaj) męski
mal.	— painting	malarstwo
mors.	— marine	morski
mat.	— mathematics	matematyka
med.	— medicine	medycyna
miner.	— mineralogy	mineralogia
muz.	— music	muzyka
n	— neuter (gender)	(rodzaj) nijaki
neg	— negative form	forma przecząca
nieodm.	— indeclinable word	wyraz nieodmienny
np.	— for example	na przykład
num	— numeral	liczebnik
p	— past tense, preterite	czas przeszły
part	— particle	partykuła
pl	— plural	liczba mnoga
poet.	— word used in poetry	wyraz poetycki
polit.	— politics, policy	polityka
pot.	— colloquialism	wyraz potoczny
pp	— past participle	imiesłów przeszły
p praes	— present participle	imiesłów czasu teraźniejszego
praed	— predicative	orzecznik, orzecznikowy
praef	— prefix	przedrostek
praep	— preposition	przyimek
praes	— present tense	czas teraźniejszy
prawn.	— law term	termin prawniczy
pron	— pronoun	zaimek
przen.	— metaphorically	przenośnie
przysł.	— proverb	przysłowie
reg.	— regular	regularny
rel.	— religion	religia
rów.	— also	również
s	— substantive	rzeczownik
sb, sb's	— somebody, somebody's	ktoś, kogoś, komuś
sing	— singular	liczba pojedyncza
skr.	— abbreviation	skrót
s pl	— noun plural	rzeczownik w liczbie mnogiej

sport	— sport, sports	sport, sportowy
sth	— something	coś
suf	— suffix	przyrostek
sup	— superlative	stopień najwyższy
teatr	— theatre	teatr
techn.	— technical	techniczny
uj.	— pejorative	ujemny
uż.	— used	używany
v	— verb	czasownik
v aux	— auxiliary verb	czasownik posiłkowy
vi	— intransitive verb	czasownik nieprzechodni
v imp	— impersonal verb	czasownik nieosobowy
vr	— reflexive verb	czasownik zwrotny
vt	— transitive verb	czasownik przechodni
wojsk.	— military term	termin wojskowy
wyj.	— exception	wyjątek
zam.	— instead of	zamiast
zbior.	— collective word	wyraz zbiorowy
zdrob.	— diminutive	wyraz zdrobniały
znacz.	— meaning	znaczenie
zob.	— see	zobacz
zool.	— zoology	zoologia
zw.	— usually	zwykle

THE POLISH ALPHABET

The order of the letters in the Polish alphabet is as follows:

a [a]	m [m]
ą [ɔ̃]	n [n]
b [b]	ń [ŋ]
c [ts], ch [x], cz [tʃ]	o [ɔ]
ć [tɕ]	ó [u]
d [d], dz [dz], dź [dz], dż [dʒ]	p [p]
e [ε, e]	r [r], rz [ʒ, ʃ]
ę [ε̃]	s [s], sz [ʃ]
f [f]	ś [ɕ]
g [g]	t [t]
h [x]	u [u]
i [i]	w [v]
j [j]	y [i]
k [k]	z [z]
l [l]	ź [z]
ł [w]	ż [ʒ]

a

A, a pierwsza litera alfabetu; od „a" do „z" from beginning to end; gdy się powiedziało „a", trzeba powiedzieć i „b" in for a penny, in for a pound; *conj* and; but; *int* ah!

abażur *m* lampshade

abdykacja *f* abdication (z czegoś of sth)

abdykować *vi* abdicate (z czegoś sth)

abecadło *n* A.B.C., ABC, alphabet

aberracja *f* aberration

Abisyńczyk *m* Abyssinian

abisyński *adj* Abyssinian

abiturient *m* school-leaving pupil

abnegacja *f* abnegation

abonament *m* subscription (czegoś, na coś to sth); (w teatrze, tramwaju, na kolei) season-ticket

abonent *m* subscriber (czegoś to sth)

abonować *vt* subscribe (coś to sth); (w teatrze) buy a season-ticket

absencja *f* absence

absolucja *f* absolution (czegoś of sth; od czegoś from sth)

absolut *m* absolute

absolutny *adj* absolute, complete

absolutorium *n* absolution, release; school-leaving ⟨university-leaving⟩ certificate

absolutyzm *m* absolutism

absolwent *m* school-leaving student ⟨pupil⟩, alumnus

absorbować *vt* absorb

absorpcja *f* absorption

absorpcyjny *adj* absorptive

abstrah|ować *vi* abstract; (pomijać)

take no account (od czegoś of sth); ~ując od tego, że ... without counting that ...

abstrakcja *f* abstraction

abstrakcyjny *adj* abstract

abstynencja *f* abstinence, temperance; ~ całkowita (od alkoholu) teetotalism

abstynent *m* abstainer, teetotaller

absurd *m* absurdity; sprowadzić do ~u reduce to absurdity

absurdalność *f* absurdity

absurdalny *adj* absurd

aby *conj* that, in order that; (przed bezokolicznikiem) to, in order to; ~ wrócić wcześniej (in order) to come back soon; ~ nie lest; in order not to; ~m mógł so that I may

aceton *m* chem. acetone

acetylen *m* chem. acetylene

ach! *int* ah!, oh!

achromatyczny *adj* fiz. achromatic

a conto *adv handl.* on account

aczkolwiek *conj* though, although

adamaszek *m* damask

adaptacja *f* adaptation

adapter *m* pick-up; record player

adaptować *vt* adapt

adiunkt *m* (uniwersytecki) senior assistant ⟨lecturer⟩

adiutant *m* wojsk. adjutant; (generała) aide-de-camp

administracja *f* administration, management

administracyjny *adj* administrative

administrator *m* administrator, manager

administrować *vt* administer, manage (czymś sth)
admiralicja *f* admiralty
admirał *m* admiral
adnotacja *f* annotation
adopcja *f* adoption
adoptować *vt* adopt
adoracja *f* adoration
adorator *m* adorer
adorować *vt* adore
adres *m* address; pod ~em to ⟨at⟩ the address
adresat *m* addressee
adresować *vt* address
adwent *m* advent
adwokacki *adj* lawyer's, barrister's, solicitor's
adwokat *m* lawyer, barrister, (*niższy*) solicitor; *przen.* advocate
adwokatura *f* legal profession, bar
aerodynamiczny *adj* aerodynamic
aerodynamika [-`na-] *f* aerodynamics
aeroklub *m* flying club
aerometr *m* aerometer
aeronauta *m* aeronaut
aeronautyczny *adj* aeronautic
aeronautyka [-`nau-] *f* aeronautics
aeroplan *m* aeroplane; *am.* airplane
aerostatyczny *adj* aerostatic
aerostatyka [-`sta-] *f* aerostatics
afek|t *m* affection, emotion; działać w ~cie act in severe mental strain
afektacja *f* affectation
afektowany *adj* affected
afera *f* bad job, shady transaction, scandal
aferzysta *m* swindler, bad jobber
Afgańczyk *m* Afghan
afgański *adj* Afghan
afisz *m* poster, bill
afiszować się *vr* make a show (z czymś of sth), show off
aforyzm *m* aphorism
afront *m* affront, insult; zrobić komuś ~ affront sb
Afrykanin *m* African
afrykański *adj* African
agat *m* *miner.* agate
agencja *f* agency; ~ prasowa news agency
agenda *f* branch of business; (*terminarz*) agenda
agent *m* agent; (*giełdowy*) broker; (*podróżujący*) commercial traveller; ~ obcego wywiadu intelligencer
agentura *f* agency; ~ wywiadu intelligence agency
agitacja *f* agitation; (*wyborcza*) canvassing, campaign
agitator *m* agitator; (*wyborczy*) canvasser
agitować *vi* agitate; (*w wyborach*) canvass, campaign
agnostycyzm *m* agnosticism
agnostyk *m* agnostic
agonia *f* agony of death, death-agony
agrafka *f* safety-pin, clasp
agrarn|y *adj* agrarian; reforma ~a land reform
agresja *f* aggression
agresor *m* aggressor
agrest *m* gooseberry
agresywny *adj* aggressive
agronom *m* agronomist
agronomia *f* agronomy
agronomiczny *adj* agronomic
agrotechnika *f* agrotechnics
ajencja, ajent *zob.* agencja, agent
akacja *f* *bot.* acacia
akademia *f* academy; (*uroczyste zebranie*) session of celebration, commemorative meeting
akademicki *adj* academic(al); dom ~ students' hostel
akademik *m* (*członek akademii*) academician; (*student*) (university) student; *pot.* (*dom akademicki*) hostel
akcelerator *m* accelerator
akcent *m* accent, stress
akcentować *vt* accent, accentuate, stress
akcentowanie *n* accentuation
akcept *m* *handl.* acceptance, accepted draft
akceptacja *f* acceptance
akceptować *vt* accept
akces *m* accession
akcesoria *s pl* accessories *pl*

akcj|a *f* action; *handl.* share; ~a
ratunkowa rescue action; ~a powieści, sztuki plot, action; ~a
wyborcza election campaign; ~a
żniwna harvesting campaign; prowadzić ~ę carry on a campaign;
wszcząć ~ę launch a campaign

akcjonariusz *m handl.* sharehold-
er, stockholder

akcyjn|y *adj handl.* bank ~y
joint-stock bank; kapitał ~y
joint stock; spółka ~a joint-
-stock company

akcyza *f* excise, *(miejska)* toll

aklamacj|a *f* acclamation; uchwa-
lić przez ~ę carry by acclamation

aklimatyzacja *f* acclimatization

aklimatyzować *vt* acclimatize; ~
się *vr* become acclimatized

akomodacja *f* accomodation, adjustment

akomodować *vt* accomodate, adjust

akompaniamen|t *m* accompani-
ment; przy ~cie accompanied
(czegoś by sth)

akompaniator *m* accompanist

akompaniować *vt* accompany (komuś sb)

akord *m muz.* chord, harmony;
praca na ~ piece-work, job-
-work; pracować na ~ do piece-
-work, work by the job

akordeon *m muz.* accordion

akordow|y *adj muz.* accordant;
praca ~a piece-work, job-work;
robotnik ~y piece-worker, jobber

akr *m* acre

akredytować *vt* accredit (przy rzą-
dzie to a government)

akredytywa *f fin.* letter of credit

akrobata *m* acrobat

akrobatyczny *adj* acrobatic

akrobatyka *f* acrobatics

aksamit *m* velvet

aksjomat *m* axiom

aksjomatyczny *adj* axiomatic

akt *m* act, deed; *(w malarstwie,
rzeźbie)* nude; ~ kupna purchase
deed; ~ oskarżenia bill of in-

dictment; ~ zgonu death certificate; *pl* ~a deeds, records

aktor *m* actor

aktorka *f* actress

aktorski *adj* histrionic; zespół ~
troupe, company of actors; *(ob-
jazdowy)* touring company

aktorstwo *n* stage-playing, histrion-
ics; staging

aktualnoś|ć *f* reality, present-day
interest; ~ci dnia current events

aktualny *adj* current, topical

aktyw *m* active body, action
group

aktywa *s pl* holdings, *fin.* assets

aktywista *m* active member, activist

aktywizować *vt* activate

aktywność *f* activity

aktywny *adj* active

akumulacja *f* accumulation; ~
pierwotna primary ⟨primitive⟩
accumulation

akumulator *m elektr.* accumula-
tor, (storage) battery

akumulować *vt* accumulate; ~ się
vr accumulate

akurat *adv* just, exactly

akuratny *adj* accurate

akustyczny *adj* acoustic

akustyka [-'ku-] *f* acoustics

akuszer *m* obstetrician

akuszerka *f* midwife

akuszerstwo *n* obstetrics, midwife-
ry

akwaforta *f* etching

akwarela *f* water colour

akwarium *n* aquarium

akwatynta *f* aquatint

akwedukt *m* aqueduct

akwizycja *f (nabywanie)* acquisition; *(zjednywanie klienteli)* solicitation

akwizytor *m* solicitor; *(ubezpieczeniowy)* insurance-agent

alabaster *m* alabaster

alarm *m* alarm; *(zw. lotn.)* alert;
uderzyć na ~ sound the alarm

alarmować *vt* alarm

alarmowy *adj* alarm *attr*; dzwonek
~ alarm-bell

Albańczyk *m* Albanian

albański *adj* Albanian
albatros *m zool.* albatross
albinos *m* albino
albo *conj* or; ~, ... ~ ... either ...
or ...; ~ ten, ~ tamten either
of them ⟨of the two⟩; ~ tędy, ~ tamtędy either this way
or that; either way; ~ też or
else
albowiem *conj* for, because
album *m* album; ~ do znaczków
pocztowych stamp-album
alchemia *f* alchemy
alchemik *m* alchemist
ale *conj* but; however, yet; *int* ~!
there now!
alegoria *f* allegory
alegoryczny *adj* allegoric(al)
aleja *f* avenue, alley
alembik *m* alembic
alergia *f med.* allergy
ależ *conj* but; ~ tak! why yes!;
why of course!
alfabet *m* alphabet
alfabetyczny *adj* alphabetical
algebra *f* algebra
algebraiczny *adj* algebraic(al)
alians *m* alliance
aliant *m* ally
alibi *n nieodm.* alibi; udowodnić
⟨wykazać⟩ swoje ~ to establish
one's alibi
alienacja *f* alienation
alienować *vt* alienate
aligator *m zool.* alligator
alimenty *s pl* alimony
alkalia *s pl chem.* alkali(e)s
alkaliczny *adj chem.* alkaline
alkaloid *m* alkaloid
alkohol *m* alcohol; ~ skażony
denaturated alcohol
alkoholik *m* alcoholic
alkoholizm *m* alcoholism
alkoholowy *adj* alcoholic
alkowa *f* alcove
almanach *m* almanac
aloes *m bot.* aloe
alopatia *f* allopathy
al pari *adv handl.* at par
alpejski *adj* alpine; *bot.* fiołek ~

cyclamen
alpinista *m* alpinist
alt *m muz.* alto
altana *f* bower
alternatywa *f* alternative
alternatywny *adj* alternative
altówka *f muz.* viola
altruista *m* altruist
altruistyczny *adj* altruistic
altruizm *m* altruism
aluminium *n* aluminium
aluwialny *adj* alluvial
aluwium *n* alluvium
aluzja *f* allusion, hint; robić ~ę
allude (do czegoś to sth), hint
(do czegoś at sth)
Alzatczyk *m* Alsatian
ałun *m chem.* alum
amalgamat *m* amalgam
amant *m* lover
amarant *m* amaranth
amator *m* amateur, lover, fan
amatorski *adj* amateurish, amateur;
teatr ~ amateur theatricals
amatorstwo *n* amateurism
amazonka *f* Amazon; (ubiór) (woman's) riding-habit
ambaras *m* embarrassment; być w
~ie be embarrassed
ambasada *f* embassy
ambasador *m* ambassador (w Polsce to Poland)
ambicja *f* ambition
ambitny *adj* ambitious
ambona *f* pulpit
ambrozja *f* ambrosia
ambulans *m* ambulance
ambulatorium *n* out-patients' department, dispensary (for out-
-patients), infirmary
ambulatoryjny *adj*, pacjent ~ out-
-patient
ameba *f zool.* amoeba
amen *nieodm.* amen; *pot.* na ~
completely, most surely; już ~
it's finished; pewne jak ~ w
pacierzu as sure as fate, dead
sure
Amerykanin *m* American
amerykanizm *m* Americanism

Amerykanka f American
amerykański adj American
ametyst m amethyst
amfibia f zool. amphibian; (czołg) amphibious tank
amfilada f suite of rooms
amfiteatr m amphitheatre
amfora f amphora
amnestia f amnesty
amnestiować vt amnesty
amon m chem. ammonium
amoniak m chem. ammonia
amortyzacja f handl. prawn. a-mortization, sinking; techn. shock-absorption
amortyzacyjny adj sinking
amortyzator m techn. shock-ab-sorber
amortyzować vt handl. prawn. a-mortize, sink; techn. absorb shocks
amper m elektr. ampere
ampułka f ampoule
amputacja f amputation
amputować vt amputate
amulet m amulet
amunicja f ammunition, muni-tion
anachroniczny adj anachronistic
anachronizm m anachronism
analfabeta m illiterate
analfabetyzm m illiteracy
analityczny adj analytical
analityka [-'li-] f analytics
analiza f analysis
analizować vt analyse
analogi|a f analogy; (odpowiednik) analogue; **przez ~ę** by (way of) analogy; **przeprowadzić ~ę** anal-ogize (czegoś sth)
analogiczny adj analogous
ananas m pineapple
anarchia f anarchy
anarchiczny adj anarchic(al)
anarchista m anarchist
anatom m anatomist
anatomia f anatomy
anatomiczny adj anatomical
androny pl pot. foolish talk; **pleść ~** talk nonsense
andrus m pot. street Arab, urchin
andrut m wafer cake

anegdota f anecdote
anegdotyczny adj anecdotical
aneks m annex
aneksja f annexation
anektować vt annex
anemia f anaemia
anemiczny adj anaemic
aneroid m aneroid
anewryzm m aneurism
angażować vt engage; **~ się** vr engage (do czegoś for sth, w coś in sth), be engaged (w czymś in sth), commit oneself (w coś to sth)
angażowanie n engagement; **~ się** commitment
Angielka f Englishwoman
angielsk|i adj English; med. cho-roba **~a** (krzywica) rickets; **mówić po ~u** speak English; **ulotnić się po ~** take French leave
angielszczyzna f English
angina f angina
Anglik m Englishman
anglikanin m Anglican
anglikański adj Anglican; **kościół ~** Church of England
anglista m student of English; (naukowiec) anglist, anglicist
anglistyka f English studies; English philology
Anglosas m Anglo-Saxon
anglosaski adj Anglo-Saxon
ani conj not even, not a, neither; **~ nawet** not even; **~ razu** not even once; **~ to, ~ tamto** nei-ther this nor that; **~ więcej, ~ mniej** neither more nor less; **~ żywej duszy** not a living soul; **~ jeden człowiek nie widział** not a man saw; **~ mi się śni** never in my life
anielski adj angelic(al)
anilana f aniline
animozja f animosity
anioł m angel
aniżeli conj than
ankieta f questionnaire; public opinion poll
ano part well then, now then
anoda f elektr. anode

anomalia f anomaly

anonim m anonym; (list) anonymous letter

anonimowy adj anonymous

anons m announcement

anonsować vt announce

anormalność f anomaly, abnormality

anormalny adj abnormal

ans|a f grudge; czuć ~ę do kogoś bear sb a grudge

antagonista m antagonist

antagonistyczny adj antagonistic

antagonizm m antagonism

antałek m barrel, cask

antarktyczny adj Antarctic

antena f (zewnętrzna) aerial; ~ pokojowa indoor antenna

antenat m ancestor

antologia f anthology

antracen m anthracene

antracyt m anthracite

antrakt m interval

antresola f entresol

antropolog m anthropologist

antropologia f anthropology

antropologiczny adj anthropological

antropometria f anthropometry

antybiotyk m antibiotic

antyczny adj antique

antydatować vt antedate

antyk m antique, old curiosity, antiquity

antykwa f druk. roman (type)

antykwariat m old curiosity shop; (książkowy) second-hand bookshop

antykwariusz m antiquary; (handlujący książkami) second-hand bookseller

antykwarski adj antiquarian

antykwaryczn|y adj antiquarian; książka ~a second-hand book

antylopa f zool. antelope

antymon m chem. antimony

antypatia f antipathy

antypatyczny adj repugnant

antysemicki adj anti-Semitic

antysemita m anti-Semite

antysemityzm m anti-Semitism

antyseptyczny adj antiseptic

antyteza f antithesis

anulować vt annul, cancel

anulowanie n annulment

a nuż conj and if

anyż m anise

aorta f anat. aorta

apanaż m ap(p)anage

aparat m apparatus; appliance; ~ fotograficzny camera; ~ nadawczy broadcasting apparatus; ~ odbiorczy receiver; ~ radiowy wireless (set), radio set

apartament m apartment, suite of rooms

apatia f apathy

apatyczny adj apathetic

apel m appeal; (odczytanie obecności) roll-call, call-over; stanąć do ~u turn out for roll-call

apelacj|a f appeal; wnieść ~ę appeal (do kogoś to sb)

apelacyjny adj appealing; sąd ~ court of appeal

apelować vi appeal (do kogoś to sb, w sprawie czegoś for sth)

apetyczny adj appetizing

apetyt m appetite

aplauz m applause; przyjąć z ~em applaud; spotkać się z ~em meet with applause

aplikacja f application; (staż) probation, practice

aplikant m probationer, apprentice

aplikować vt apply; vi (odbywać staż) practise, undergo training

apodyktyczny adj peremptory

apolityczny adj non-political

apologia f apology

apopleksja f med. apoplexy

apoplektyczny adj med. apoplectic

apostolski adj apostolic; Stolica Apostolska Holy See

apostolstwo n apostolate

apostoł m apostle

apostrof m apostrophe

apostrofa f apostrophe

apoteoza f apotheosis

apretura f dressing, finishing

aprioryczny adj a priori

aprobat|a *f* approval; **spotkać się z ~ą** approve (**kogoś, czegoś** of sb, sth)

aprobować *vt* approve (**coś** sth, **of** sth)

aprowizacja *f* provisioning, food supply

apteczka *f* medicine chest

apteka *f* chemist's (shop), *am.* druggist's (shop), pharmacy, (*w szpitalu*) dispensary

aptekarstwo *n* pharmacy

aptekarz *m* chemist, *am.* druggist

Arab *m* Arab

arabski *adj* Arabian, Arabic; **język ~** Arabic

arak *m* arrack

aranżer *m* organizer; *muz.* arranger

aranżować *vt* organize, *także muz.* arrange

arbiter *m* arbiter

arbitralność *f* arbitrariness

arbitralny *adj* arbitrary

arbitraż *m* arbitration

arbitrażowy *adj* arbitral

arbuz *m bot.* watermelon

archaiczny *adj* archaic

archaizm *m* archaism

archaizować *vt* archaize

archanioł *m* archangel

archeolog *m* archaeologist

archeologia *f* archaeology

archeologiczny *adj* archaeological

archipelag *m* archipelago

architekt *m* architect

architektoniczny *adj* architectonic, architectural

architektonika *f* architectonics

architektura *f* architecture; **~ wnętrz** interior decoration

archiwista *m* archivist

archiwum *n* archive(s)

arcy- *praef* arch-

arcybiskup *m* archbishop

arcydzieło *n* masterpiece

arcykapłan *m* high priest

aren|a *f także przen.* arena, ring; **~ polityczna** arena of politics; *przen.* **wkraczać na ~ę** come into prominence

areometr *m* areometer

areszt *m* arrest; (*więzienie*) prison; **położyć ~** seize (**na coś** sth)

aresztant *m* prisoner

aresztować *vt* arrest, imprison

aresztowani|e *n* arrest, imprisonment; **nakaz ~a** writ of arrest; capias

Argentyńczyk *m* Argentine

argentyński *adj* Argentine

argument *m* argument; wysuwać, przytaczać **~y** put forward arguments (**na coś** for sth)

argumentacja *f* argumentation

argumentować *vi* argue

aria *f muz.* aria, air

arianin *m* Arian

ariański *adj* Arian

arka *f* ark

arkada *f* arcade

arkana *s pl* arcana

arktyczny *adj* Arctic

arkusz *m* sheet

armata *f* gun, cannon

armatni *adj* gun; **ogień ~** gunfire; *przen.* **mięso ~e** cannon fodder

armator *m* shipowner

armatura *f* fitting; *elektr.* armature

Armeńczyk *m* Armenian

armeński *adj* Armenian

armia *f* army

arogancja *f* arrogancę

arogancki *adj* arrogant

arogant *m* arrogant fellow

aromat *m* aroma, flavour

aromatyczny *adj* aromatic, fragrant

arras *m* arras

arsen *m chem.* arsenic

arsenał *m* arsenal

arszenik *m* arsenic trioxide, *pot.* arsenic

arteria *f* artery

artezyjski *adj* artesian

artretyczny *adj med.* arthritic

artretyzm *m med.* arthritis

artykulacja *f* articulation

artykuł *m* article; commodity; **~ wstępny** (*do gazety*) leader, editorial; **~y spożywcze** articles of consumption

artyleria *f* artillery; ~ przeciwlotnicza anti-aircraft
artylerzysta *m* artillerist, gunner
artysta *m* artist
artystyczn|y *adj* artistic; rzemiosło
~e artistic handicraft
artyzm *m* artistry
Aryjczyk *m* Aryan
aryjski *adj* Aryan
arystokracja *f* aristocracy
arystokrata *m* aristocrat
arystokratyczny *adj* aristocratic
arytmetyczny *adj* arithmetical
arytmetyka *f* arithmetic
arytmometr *m* arithmometer
as *m także przen.* ace; największy
~ the ace of aces
asceta *m* ascetic
ascetyczny *adj* ascetic(al)
ascetyzm *m* asceticism
asekuracja *f* insurance
asekurować *vt* insure; ~ się *vr* insure (oneself)
aseptyczny *adj* aseptic
aseptyka *f* asepsis
asfalt *m* asphalt
asocjacja *f* association
asortyment *m* assortment
aspekt *m* aspect; rozważyć coś we
wszystkich ~ach consider a
thing in all its bearings; sprawa
ma inny ~ the problem has
another complexion
aspiracja *f* aspiration
aspirować *vi* aspire (do czegoś to,
after sth)
aspiryna *f* aspirin
aster *m bot.* aster
astma *f med.* asthma
astmatyczny *adj* asthmatic
astmatyk *m* asthmatic
astrofizyka *f* astrophysics
astrologia *f* astrology
astrologiczny *adj* astrological
astronauta *m* astronaut
astronautyka [-'nau-] *f* astronau-
tics
astronom *m* astronomer
astronomia *f* astronomy
astronomiczny *adj także przen.* as-
tronomic(al)

asygnata *f* assignation, allocation
asygnować *vt* assign
asymetria *f* asymmetry
asymilacja *f* assimilation
asymilacyjny *adj* assimilative
asymilować *vt* assimilate; ~ się *v*
assimilate, become assimilated
asy|sta *f* attendance, escort, assisance; w ~ście attended by (ko
goś sb)
asystent *m* assistant
asystować *vi* assist (komuś sb, prz
czymś at sth)
atak *m* attack; (choroby) fit; spo
(w piłce nożnej) the forwards
med. ~ serca heart attack
atakować *vt* attack
atawizm *m* atavism
ateista *m* atheist
ateistyczny *adj* atheistic
ateizm *m* atheism
atlantycki *adj* Atlantic
atlas *m* atlas
atleta *m* athlete; (w zapasach
wrestler; (w cyrku) strong man
atletyczny *adj* athletic
atletyka *f sport zw.* lekka ~
athletics
atłas *m* satin
atmosfera *f* atmosphere
atmosferyczny *adj* atmospheric(al
atol *m geogr.* atoll
atomow|y *adj* atomic; bomba ~
atomic bomb, A-bomb; broń ~
nuclear weapon; *chem.* ciężar ~
atomic weight; stos ~y atomi
pile
atrakcja *f* attraction
atrakcyjny *adj* attractive
atrament *m* ink
atramentowy *adj*, ołówek ~ ink
-pencil
atrofia *f med.* atrophy
atrybut *m* attribute
atut *m* trump
atutować *vt* trump
audiencj|a *f* audience; przyjąć n
~i receive in audience
audycja *f* broadcast (service)
programme
audytorium *n* (sala) auditorium
(słuchacze) audience

ukcja f auction
ula f hall, aula
ureola f halo, aureole
uspicjle pl auspices; **pod ~ami ...** under the auspices of ...
Australijczyk m Australian
ustralijski adj Australian
ustriacki adj Austrian
Austriak m Austrian
utentyczność f authenticity
utentyczny adj authentic
uto n auto
utobiografia f autobiography
utobiograficzny adj autobiographical
utobus m bus; coach; **jechać ~em** go by bus
utochton m native, aboriginal, autochthon
utochtoniczny adj autochthonous
utograf m autograph
utokar m (motor-)coach
utokracja f autocracy
utomacja f automation
utomat m automatic device ⟨machine⟩; (do sprzedaży biletów itp.) slot-machine; **~ telefoniczny** public telephone
utomatyczny adj automatic
utomatyzacja f automation
utomobilista m motorist
utonomia f autonomy, self-government; (miejska) local government
utonomiczny adj autonomous, self-governing
utoportret m self-portrait
utopsja f autopsy
utor m author
utorka f authoress
utorstwo n authorship
utorytatywny adj authoritative
utorytet m authority
utoryzacja f authorization
utoryzować vt authorize
utostop m hitch-hike, hitch-hiking; **podróżować ~em** hitch-hike
utostopowicz m hitch-hiker
utostrada f motorway; am. superhighway
utożyro m autogyro
wangarda f vanguard

awans m promotion, advancement; (zaliczka) advance; **dać ~ promote** (komuś sb); **dostać ~ be promoted**; **~ społeczny** social advancement
awansować vt promote; vi be promoted (na wyższe stanowisko to a higher rank)
awantur|a f brawl, row; **zrobić ~ę** make a scene, pot. kick up a row
awanturniczy adj rowdy
awanturnik m brawler, rowdy fellow
awanturować się vr brawl, make a row
awaria f damage
awaryj|ny adj damage (report etc.); **wyjście ~e** emergency exit
awersja f aversion
awionetka f babyplane, aviette
awitaminoza f avitaminosis
awizacja f letter of advice
awizo n advice (note)
awizować vt advice
azalia f bot. azalea
azbest m asbestos
azbestowy adj asbestic
Azjata m Asiatic
azjatycki adj Asiatic
azot m nitrogen
azotan m nitrate
azotawy adj chem. nitrous
azotowy adj chem. nitrogenous, nitric
azyl m asylum, refuge, sanctuary; **prawo ~u** right of sanctuary; **skorzystać z prawa ~u** take refuge; **szukać ~u** seek refuge; **udzielić komuś ~u** grant asylum
azymut m mat. geogr. azimuth
aż conj till, until; part z praep a) (o czasie) **aż do, aż po** till, until; as late as; **aż do 1965 r.** till 1965; **aż dotąd** ⟨do tej chwili⟩ till now, up to now; b) (o przestrzeni) **aż do** as far as; **aż do Warszawy** as far as Warsaw; **aż dotąd** ⟨do tego miejsca⟩ up to here; c) (o ilości) as much as, as

many as; aż tysiąc książek as
many as one thousand books; aż
za dużo only too much

ażeby *conj* = aby

ażio *n fin.* agio, premium

ażur *m* open ⟨pierced⟩ work

ażurow|y *adj* open-work, pierced
~a robota open work

b

ba! *int* really!, indeed!, well!

baba *f pot.* old woman; (*wieśniaczka*) peasant woman

babka *f* grandmother; *pot.* old
woman; (*ciasto*) brioche

babrać się *vr* puddle, dabble

babski *adj* womanly, old woman's;
~e gadanie old wives' tale

bachor *m pot.* brat

baczno|ść *f* attention; (*ostrożność*)
caution; mieć się na ~ci stand
on one's guard, look out; stać na
~ć stand at attention; stanąć na
~ć come to attention

baczny *adj* attentive (na coś to
sth); (*ostrożny*) cautious

baczyć *vi* pay attention (na coś to
sth); ~ ażeby mind ⟨watch out⟩
that

bać się *vr* be afraid (kogoś, czegoś
of sb, of sth), fear (kogoś, czegoś sb, sth, o kogoś, o coś for
sb, for sth); (*bardzo się bać*)
dread; nie bój się! never fear!

badacz *m* investigator, explorer,
research worker

badać *vt* investigate, explore, stud-
y, do research work; (*chorego,
świadka itp.*) examine

badanie *n* investigation, explora-
tion, research, study; (*chorego,
świadka itp.*) examination

badawcz|y *adj* searching, scruti-
nizing; praca ~a research work;
zakład ~y research institution

badyl *m* stalk

bagatela *f* trifle

bagatelizować *vt* slight, disregard;

~ sobie make nothing ⟨coś o
sth⟩

bagaż *m* luggage, *am.* baggage;
oddać na ~ register one's luggage; przechowalnia ~u left-lug-
gage office

bagażnik *m* (luggage-)container
(*w samochodzie*) boot

bagażowy *adj*, wagon (wóz) ~ lug-
gage-van; *m* porter

bagnet *m* bayonet

bagnisty *adj* marshy, swampy, bog-
gy

bagno *n* marsh, swamp, bog

bajdurzyć *vi pot.* twaddle

bajeczka *f* fairy-tale, fable

bajeczny *adj* fabulous

bajka *f* fable, fairy-tale

bajkopisarz *m* fabulist

bajoro *n* puddle

bak *m* tank

bakalie *s pl* sweetmeats, dainties

bakcyl *m* bacillus

baki *s pl* side-whiskers

bakier, na ~ *adv* crossways, slantwise, awry; w kapeluszu na ~
with one's hat cocked; *przen.* by
z kimś na ~ be cross with sb

bakteria *f* bacterium

bakteriobójczy *adj* bactericidal

bakteriolog *m* bacteriologist

bakteriologia *f* bacteriology

bakteriologiczny *adj* bacteriologi-
cal

bal 1. *m* (*zabawa*) ball; ~ kostiumowy fancy-dress ball; ~ ma-
skowy masked ball

bal 2. *m* (*belka*) beam, log

last m ballast; **obciążyć ~em** ballast

ldachim m canopy, baldachin

leron m ham in bladder

let m ballet

letmistrz m ballet-master

letnica f ballerina

lia f wash-tub

listyczny adj ballistic

listyka f ballistics

lkon m balcony

llada f ballad

lon m balloon; (sterowy) dirigible (balloon); (wywiadowczy) **olimp;** ~ **na uwięzi** captive balloon

lotować vi ballot

lotowanie n ballot(ing)

lować vi attend balls

lsam m balsam, balm

lsamiczny adj balsamic

lsamować vt embalm

lustrada f balustrade, rail

łagan m pot. mess, muddle; **narobić ~u** make a mess (w czymś of sth)

łamucić vi seduce; confuse; muddle; embarrass; mislead

łamut m seducer; (kobieciarz) ladies' man

łamutny adj muddling; misleading; confusing

łkański adj Balcan

łtycki adj Baltic

łwan m (fala) billow; (bożyszcze) idol; (głupiec) blockhead; (ze śniegu) snowman

łwochwalca m idolater

łwochwalczy adj idolatrous

łwochwalstwo n idolatry

ambus m bamboo

analność f banality

analny adj hackneyed, banal, commonplace, trite

anał m banality, commonplace

anan m banana

anda f (grupa) gang, band; sport (krawędź) border

andaż m bandage

andażować vt bandage, dress

ander|a f flag; **podnieść ⟨opuścić⟩ ~ę** hoist ⟨haul down⟩ a flag

banderola f banderole

bandycki adj bandit's; **napad ~ robbery with assault**

bandyta m bandit

bandytyzm m banditry

bania f (naczynie) receptacle; (kula) ball, globe; bot. gourd

banicja f banishment; **skazać na ~ę** banish, outlaw

banita m outlaw

bank m bank; ~ **emisyjny** bank of issue; ~ **handlowy** commercial bank

bankier m banker

bankrut m bankrupt

banknot m (bank-)note

bankowiec m banker, bank employee

bankowość f banking

bankructwo n bankruptcy; **ogłosić czyjeś ~ to** adjudge sb bankrupt

bankrut m bankrupt

bankrutować vi go bankrupt, fail

bańk|a f (naczynie) can; med. cupping glass, cup; (powietrzna, mydlana itp.) bubble; (kula) ball, globe; **puszczać ~i blow bubbles; med. stawiać ~i cup (komuś sb)**

bar 1. m bar; ~ **kawowy** coffee bar; ~ **samoobsługowy** snack-bar

bar 2. m chem. barium

barak m barrack

baran m ram; przen. **wziąć na ~a** take pick-a-back

baranek m lamb

baranina f mutton

baraszkować vi dally, trifle, frivol

barbarzyńca m barbarian

barbarzyński adj barbarian, barbarous

barbarzyństwo n barbarity

barchan m fustian

barczysty adj broad-shouldered

baré f wild beehive

bardz|o adv very; (z czasownikiem) much, greatly; **~iej** more, better; **coraz ~iej** more and more; **tym ~iej** all the more; **najbar-**

dziej most, best; **nie** ~o not quite, hardly

bariera f bar, barrier

bark m anat. shoulder

barka f barge

barkarola f muz. barcarole

barkowy adj anat. scapular, shoulder-(joint etc.)

barłóg m pallet

barman m barman, bartender

barmanka f barmaid

barok m baroque

barometr m barometer

barometryczny adj barometric(al); **niż** ~ depression; low pressure; **wyż** ~ high pressure

baron m baron

baronowa f baroness

baronowski adj baronial

barszcz m borsch, beetroot soup

bartnictwo n wild-bee rearing

bartnik m wild-bee keeper

barwa f colour, hue; (farba) dye; ~ **ochronna** protective colouring

barwić vt colour, dye

barwnik m colouring matter, dye; pigment

barwny adj coloured

barykada f barricade

barykadować vt barricade

baryłka f barrel

baryton m baritone

bas m bass

basen m basin; tank; ~ **pływacki** ⟨**kąpielowy**⟩ swimming pool

basista m (grający) bass-player; (śpiewak) bass-singer

basta! int enough! that'll do!

bastion m bastion

baszta f dungeon

baśniowy adj fabulous, fairy

baśń f fable, fabulous tale

bat m whip; **dać** ⟨**dostać**⟩ ~y give ⟨get⟩ a licking; **trzaskać** ~em crack the whip

batalion m battalion

batalista m battle-painter

bateria f battery

batog m whip

batut|a f baton; **pod** ~**ą** conducted by

batyst m cambric, batiste

bawełn|a f cotton; przen. owi... **w** ~**ę** beat about the bush

bawialnia f drawing-room, parlo...

bawić vt amuse, entertain; ~ vr amuse oneself, enjoy o... self; play (**w coś** at sth); t... trifle (**czymś** with sth); dob... **się** ~ have a good time; vi (pr... **bywać**) stay

bawół m buffalo

baza f basis, base

bazalt m basalt

bazar m bazaar

bazgrać vt scrawl, scribble

bazgranina f scrawl, scribble

bazia f bot. catkin

bazować vt vi base, rely (**na czy**... on, upon sth)

bazylika f basilica

bazyliszek m zool. basilisk

bażant m zool. pheasant

bąbel m bubble; med. blister

bądź imp od **być** be; ~ **co** ~ any rate; ~ ... ~ ... either or ...

bąk m (owad) bumble-bee; (z... bawka) (humming) top; p... (dziecko) brat; pot. **strzelić** ... make a bloomer; **zbijać** ~**i** i... time away

bąkać vt vi mumble, mutter

beczeć vi bleat; pot. (o człowiek...) blubber

beczk|a f cask, barrel; lotn. ba... rel-roll; **piwo z** ~**i** beer on dra... ~**a wina** caskful of wine

beczkować vt barrel

beczułka f keg

bednarstwo n coopery

bednarz m cooper

befsztyk m beefsteak

bejca f mordant

bejcować vt mordant; (mię... pickle

bek m bleat; (płacz) blubber

bekas m zool. snipe

bekon m bacon

beksa m f pot. blubberer

bela f log; (materiału) bale; ~ papieru ten reams of paper

beletrysta m belletrist

beletrystyka f belles-lettres

belfer m pot. usher

Belg m Belgian

belgijski adj Belgian

belka f beam; pot. wojsk. (naszywka) bar; ~ stropowa tie-beam

bełkot m (o mowie) gabble; mumble

bełkotać vi vt (o mowie) gabble; mumble

bełtać vt stir

bemol m muz. flat

bengalski adj Bengal(i)

beniaminek f favourite

benzen m, **benzol** m chem. benzene

benzyna f (czysta) benzine; (paliwo) petrol, am. gasolene

benzynow|y adj benzine, petrol, am. gasolene; **stacja ~a** filling-station, am. gas station

berek m (zabawa) tag

beret m beret

berlinka f barge

berło n sceptre; **dzierżyć ~** hold the sceptre

bernardyn m Bernardine; (pies) St. Bernard's dog

bessa f handl. slump

bestia f beast

bestialski adj bestial

bestialstwo n bestiality

besztać vt scold

beton m concrete; ~ zbrojony reinforced concrete

betonować vt concrete

bez 1. m bot. lilac; (dziki) elder

bez 2. praep without; ~ butów ⟨kapelusza⟩ with no shoes ⟨hat⟩ on; ~ deszczu, słońca rainless, sunless; ~ grosza penniless; ~ ogródek without mincing words; ~ wątpienia doubtless; ~ względu na coś regardless of sth; ~ ustanku unceasingly, incessantly

beza f meringue

bezalkoholowy adj non-alcoholic; (o napoju) soft

bezapelacyjny adj unappealable, beyond appeal

bezbarwny adj colourless

bezbłędny adj faultless

bezbolesny adj painless

bezbożnik m atheist

bezbożny adj atheistic, impious

bezbronność f defencelessness

bezbronny adj defenceless

bezbrzeżny adj boundless, limitless

bezcelowość f aimlessness, uselessness

bezcelowy adj aimless, useless, to no purpose

bezcen, za ~ adv dirt-cheap, pot. for a mere song

bezcenny adj priceless, invaluable

bezceremonialnie adv in a free and easy way; roughly; off-hand

bezceremonialność f free and easy way; unceremoniousness; informality; bluntness

bezceremonialny adj free and easy, unceremonious; informal; downright; blunt

bezchmurny adj cloudless

bezcielesny adj incorporeal, fleshless, immaterial

bezczelność f insolence, impertinence, pot. cheek

bezczelny adj insolent, impertinent, pot. cheeky, outrageous

bezcześcić vt desecrate, profane

bezczynność f inactivity, inaction, idleness

bezczynny adj inactive, idle

bezdenny adj bottomless, fathomless, abysmal

bezdeszczowy adj rainless

bezdomny adj homeless

bezdroże n impassable way, unbeaten track; przen. **zejść na ~a** go astray

bezdrzewny adj treeless, woodless; **papier ~** rag paper

bezduszny adj soulless, lifeless, dull

bezdymny *adj* smokeless

bezdzietny *adj* childless

bezdźwięczny *adj* soundless, hollow; *gram.* surd, unvoiced

bezecność *f* villainy, infamy

bezecny *adj* villainous, infamous

bezgorączkowy *adj* feverless

bezgraniczny *adj* boundless, infinite

bezgrzeszny *adj* sinless, impeccable

bezhołowie *n* pot. confusion, mess

bezimienność *f* namelessness, anonymousness

bezimienny *adj* nameless, anonymous

bezinteresowność *f* disinterestedness

bezinteresowny *adj* disinterested

bezkarnie *adv* with impunity; ujść ~ go unpunished, *pot.* get off scot-free, get away with it

bezkarność *f* impunity

bezkarny *adj* unpunished

bezklasow|y *adj* classless; społeczeństwo ~e classless society

bezkompromisowy *adj* uncompromising

bezkonkurencyjny *adj* unrivalled

bezkresny *adj* boundless

bezkrólewie *n* interregnum

bezkrwawy *adj* bloodless

bezkrwisty *adj* anaemic

bezkrytyczny *adj* uncritical, indiscriminate

bezksiężycowy *adj* moonless

bezkształtność *f* shapelessness

bezkształtny *adj* shapeless

bez liku *adv* no end (czegoś of sth)

bezlitosny *adj* merciless, ruthless

bezludny *adj* desolate, uninhabited

bezludzie *n* wilderness, waste

bezład *m* confusion, disorder, chaos

bezładny *adj* confused, disorderly; (np. o mowie) disconnected, incoherent

bez mała *adv* nearly, almost, all but

bezmiar *m* immensity, infinity

bezmierny *adj* immense, infin immeasurable

bezmięsny *adj* fleshless; ema ated; (postny) meatless

bezmyślność *f* thoughtlessne carelessness

bezmyślny *adj* thoughtless, ca less

beznadziejnie *adv* hopelessly, l yond hope

beznadziejność *f* hopelessness

beznadziejny *adj* hopeless, desp ate

beznamiętny *adj* dispassionate

beznogi *adj* legless, footless

bezokolicznik *m* gram. infinitiv

bezosobowy *adj* impersonal

bezowocny *adj* fruitless, unprod tive, ineffectual

bezpańsk|i *adj* ownerless, mast less, unclaimed; ~i pies str dog; ziemia ~a no man's land

bezpartyjny *adj* non-party at independent

bezpieczeństw|o *n* safety, securi klapa ~a safety-valve; środki measures of precaution, preca tionary measures; Rada Bezp czeństwa Security Council

bezpiecznik *f* safety-cock, safet -tap; *elektr.* fuse

bezpieczny *adj* safe, secure

bezpieniężny *adj* moneyless

bezplanowy *adj* planless

bezpłatnie *adv* gratuitously, gra free (of charge)

bezpłatny *adj* gratuitous, fr (ticket, instruction etc.)

bezpłciowość *f* sexlessness

bezpłciowy *adj* sexless, *biol.* ase ual

bezpłodność *f* barrenness, sterili infertility

bezpłodny *adj* barren, sterile, i fertile

bezpodstawność *f* groundlessne baselessness

bezpodstawny *adj* groundle baseless

bezpostaciowy *adj* amorphous

zpośredni *adj* direct, immediate;
⟨o *człowieku*⟩ straightforward;
pociąg ⟨bilet⟩ ~ through train
⟨ticket⟩
zpośrednio *adv* directly, immediately
zpośredniość *f* directness, imme-
diateness
zpotomnie *adv* without issue
⟨progeny⟩
zpotomny *adj* heirless, issueless
zpowrotnie *adv* irretrievably,
beyond retrieve
zpowrotny *adj* irretrievable,
irredeemable, irreparable
zprawie *n* lawlessness; illegal
action
zprawny *adj* lawless, unlawful,
illegal
zpretensjonalny *adj* unpreten-
tious, unpretending, unassuming
zprocentowy *adj* without interest
zprzedmiotowy *adj* insubstan-
tial, matterless, purposeless
zprzykładny *adj* unexampled,
unprecedented
zradność *f* helplessness, perplex-
ity
zradny *adj* helpless, perplexed
zręki *adj* handless, armless
zrobocie *n* unemployment
zrobotn|y *adj* unemployed, out
of work; *pl* ~i the unemployed
zrolny *adj* landless
zruch *m* immobility, standstill;
w ~u at a standstill
zsenność *f* sleeplessness
zsenny *adj* sleepless
zsens *m* nonsense, absurdity
zsensowny *adj* absurd
zsilnikowy *adj* motorless
zsilność *f* impotence
zsilny *adj* powerless, impotent
zskutecznie *adv* to no avail, in
vain
zskuteczność *f* ineffectiveness
zskuteczny *adj* ineffective, un-
availing
zspornie *adv* undeniably, beyond dispute

bezsporność *f* incontestability
bezsporny, bezsprzeczny *adj* incontestable, undisputed
bezstronnie *adv* impartially, dis-
passionately
bezstronność *f* impartiality
bezstronny *adj* impartial, dispassionate
bezterminowo *adv* without time-
-limit
bezterminowy *adj* termless
beztreściowy *adj* void of substance,
empty
beztroska *f* unconcern
beztroski *adj* unconcerned, careless
bezustannie *adv* incessantly, without intermission
bezustanny *adj* incessant
bezużyteczność *f* uselessness
bezużyteczny *adj* useless, (of) no
use
bezwartościowy *adj* worthless
bezwarunkowo *adv* unconditional-
ly; absolutely
bezwarunkowy *adj* unconditional;
absolute
bezwiednie *adv* unknowingly; involuntarily
bezwiedny *adj* unknowing, unconscious; involuntary
bezwład *m* inertia; *med.* paralysis
bezwładnoś|ć *f* inertness, inertia;
fiz. siła ~ci force of inertia
bezwładny *adj* inert; (*np. o inwa-*
lidzie) disabled
bezwłasnowolny *adj* (*prawnie*) le-
gally incapable, disabled
bezwodny *adj* waterless; *chem.* an-
hydrous
bezwolny *adj* involuntary; passive;
undecided
bezwonny *adj* inodorous
bezwstyd *m* impudence, shame-
lessness
bezwstydnie *adv* impudently
bezwstydnik *m* impudent fellow
bezwstydny *adj* impudent, shame-
less
bezwyznaniowiec *m* irreligionist
bezwyznaniowy *adj* irreligious; (*o*
szkole) undenominational

bezwzględność *f* absoluteness; peremptoriness; positiveness

bezwzględny *adj* absolute; peremptory; positive

bezzębny *adj* toothless

bezzwłocznie *adv* immediately, instantly, without delay

bezzwłoczny *adj* immediate, instant

bezzwrotny *adj* unrepayable, unredeemable

bezżenny *adj s m* celibate

bezżeństwo *n* celibacy

beż *m* beige

beżowy *adj* beige

bęben *m* drum

bębenek *m muz.* tambourine; *anat.* tympanum

bębnić *vi* drum

bęcwał *m* dolt, dullard

bękart *m* bastard

biada *int* woe!

biadać *vi* wail, groan and moan; deplore (**nad czymś** sth)

białaczka *f med.* leukaemia

białawy *adj* whitish

białko *n* (*oka, jajka*) white; *chem.* albumen

Białorusin *m* Byelorussian

białoruski *adj* Byelorussian

białość *f* whiteness

białowłosy *adj* white-haired

biały *adj* white; ~**a broń** cold steel; ~**y dzień** broad daylight; ~**y wiersz** blank verse; **czarno na** ~**ym** black and white

biblia *f* Bible

biblijny *adj* biblical

bibliofil *m* bibliophile

bibliograf *m* bibliographer

bibliografia *f* bibliography

biblioteka *f* library; (*szafa*) bookcase

bibliotekarz *m* librarian

bibularz *m* blotting-pad

bibuła *f* blotting-paper; *pot.* (*prasa nielegalna*) illegal press

bibułka *f* tissue-paper

bicz *m* whip; ~ **boży** scourge; **trzaskać z** ~**a** crack the whip

biczować *vt* lash, whip, flagellate

biczowanie *n* flagellation

bić *vt vi* beat, strike; ~ **braw** applaud (**komuś** sb); ~ **czołe** prostrate oneself; ~ **w dzwor** ring the bells; ~ **kogoś po tw** rzy slap sb's face; ~ **pieniąd** mint coins; coin (money); ~ **r** kordy break records; ~ **z dzia** fire the gun; **biją pioruny** light ing bolts strike; ~ **się** *vr* figh (**na pięści**) box; ~ **się z myślar** be in two minds; ~ **się w pier** beat one's breast; **to bije w oc** this strikes the eyes

biec *zob.* **biegać**

bied|a *f* poverty, misery; war need; (*zły los*) adversity, d tress; (*kłopot*) embarrassmen **klepać** ~**ę** *pot.* bite on the b **narobić sobie** ~**y** get into a me

biedactwo *n* poor devil ⟨so thing⟩

biedak *m* poor man, pauper

biedny *adj* poor, miserable; *s* poor man

biedota *f zbior.* (*biedacy*) poor pe ple, the poor, the destitute

biedować *vi* suffer want, eke o one's existence

biedronka *f zool.* ladybird

biedzić się *vr* take pains (**na czymś** with, over sth), toil (**na czymś** at, on sth)

bieg *m* run, race; (*życia, czas rzeki*) course; *techn.* gear; pierw szy ~ first gear; najwyższy ~ top gear; **skrzynka** ~**ów** gea box; **włączyć** ~ engage the gea *sport* **krótki** ~ sprint; ~ **sztaf** towy relay-race; ~ **z przeszkod** mi obstacle race; **w pełnym** ~ at full speed; **z** ~**iem lat in t** course of years

biegacz *m* runner, racer

biegać *vi* run (**za czymś** after sth ~ **na posyłki** run errands

biegle *adv* fluently

biegłość *f* (*w mowie*) fluenc; (*zręczność*) skill, dexterit; (*wprawa*) routine

egły *adj* skilful, skilled, expert (w czymś in sth); *s m* expert

egnąć *zob.* biegać

egun *m fiz. geogr.* pole; (*np. kołyski*) rocker; rocking-horse; krzesło na ~ach rocking-chair

egunka *f med.* diarrhoea; krwawa ~ dysentery

egunowo *adv* diametrically

egunowy *adj* polar

el *f* white; ~ cynkowa zink white; ~ ołowiowa white lead; ~ do malowania ścian whitewash

elić *vt* whiten; (*naczynia metalowe*) tin; (*ściany*) whitewash; (*bieliznę*) bleach

elidło *n* whitewash

elizna *f* linen, underwear; ~ pościelowa bed-linen; ~ damska lingerie

elmo *n med.* leucoma, film; ~ na oku web eye

ernie *adv* passively

ernik *m gram.* accusative (case)

erność *f* passivity

erny *adv* passive; ~ opór non-cooperation; *handl.* ~ stan (*rachunków*) liabilities

esiada *f* feast

esiadnik *m* feaster

esiadować *vi* feast, banquet

eżący *adj* running, current; (*o miesiącu w dacie*) instant; dług ~ floating debt; rachunek ~ current account

eżnia *f* running track; (*na torze wyścigowym*) race-course

gamia *f* bigamy

gamista *m* bigamist

igos *m* sauerkraut stew; *przen.* mess, jumble; narobić ~u make a mess (z czymś of sth)

jatyka *f* scrimmage, scuffle

kiniarz *m* Teddy boy

ilans *m* balance; ~ handlowy balance of trade; ~ płatniczy balance of accounts; sporządzić ~ make up the balance, balance; zestawić ~ strike the balance

bilansow|y *adj*, zestawienie ~e balance sheet

bilard *m* billiards

bilet *m* ticket; (*wizytowy*) visiting card; ~ ulgowy reduced ticket; ~ w jedną stronę (powrotny) single (return) ticket

bileter *m* ticket-collector

bilion *m* billion

bilon *m* coins; small change

binokle *pl* eye-glasses

biochemia *f* biochemistry

biodro *n* hip, haunch

biograf *m* biographer

biografia *f* biography

biograficzny *adj* biographic(al)

biolog *m* biologist

biologia *f* biology

biologiczny *adj* biologic(al)

biret *m* beret; (*księży*) biretta

bis *int i s m* encore

biskup *m* bishop

biskupstwo *n* bishopric

bisować *vt vi* encore

biszkopt *m* sponge-cake

bitka *f* scuffle, scrimmage

bitny *adj* warlike, brave

bitw|a *f* battle; pole ~y battle-field; wydać ~ę give battle

biuletyn *m* bulletin

biuralista *m* official, clerk

biurko *n* writing-table, desk

biuro *n* office; ~ informacyjne information office; ~ podróży travel agency

biurokracja *f* bureaucracy, *przen.* red tape

biurokrata *m* bureaucrat, *przen.* red tapist

biust *m* breast; bust

biustonosz *m* brassière, *pot.* bra

biwak *m* bivouac

biwakować *vi* bivouac

bizantyjski *adj* Byzantine

bizmut *m* bismuth

biżuteria *f* jewellery

blacha *f* (*biała*) tin plate; (*ciemna*) sheet iron; (*kuchenna*) (kitchen-) range

blacharnia *f* sheet-iron works (shop)

blacharz m tinsmith
bladoczerwony adj pale-red, pink
bladoróżowy adj pale-pink
bladość f paleness
blady adj pale, pallid
blaga f blague, hoax
blagier m liar, hoaxer
blagować vi blague, hoax
blaknąć vi discolour, fade
blamować się vr ridicule oneself, discredit oneself
blankiet m (blank) form
blanko, czek in ~ handl. blank cheque
blask m brilliance, brightness, splendour; (np. słońca) glare
blaszanka f can
blaszany adj tin, tinplate
blaszka f metal plate; bot. lamina, blade
blat m sheet, plate; ~ stołu table top
blednąć vi grow pale; (o barwach) fade
blednica f med. chlorosis, green-sickness
blenda f geol. blende; fot. diaphragm
blichtr m tinsel, false show
bliski adj near, close; (zbliżający się — np. o nieszczęściu) imminent; ~ śmierci on the point ⟨on the verge⟩ of death; ~ znajomy close ⟨intimate⟩ acquaintance; pozostawać w ~ch stosunkach be in close ⟨intimate⟩ relations; ~e podobieństwo close resemblance
blisko adv near(ly), close(ly); ~ spokrewniony closely related; ~ dwa miesiące nearly two months; być ~ czegoś be quite close to sth; daleko i ~ far and near; praep ~ rzeki near the river; ~ siebie close to each other
bliskość f nearness, proximity; (w czasie) imminence
bliskoznaczny adj synonymous
blizna f scar
bliźni m fellow creature, neighbour

bliźniaczy adj twin
bliźniak m twin
bliżej adv nearer, closer, mor nearly ⟨closely⟩
bliższy adj nearer, closer
bloczek m pad, (small) notebook filat. miniature-sheet
blok m block; techn. pulley; ~ kasowy cash-block; ~ mieszka ny block of flats; ~ rysunkow drawing-block
blokada f blockade
blokować vt block
blond adj nieodm. fair(-haired blond
blondyn m blond (man)
blondynka f blond woman, blond
blotka f (w kartach) low card
bluszcz m bot. ivy
bluza f blouse; wojsk. tunic
bluzgać vi spout, squirt
bluzka f blouse
bluźnić vi blaspheme
bluźnierca m blasphemer
bluźnierstwo n blasphemy
błagać vt implore, beseech, su plicate
błagalny adj imploring, beseech ing, suppliant
błaganie n imploration; entreaty
błahostka f trifle
błahy adj trifling, futile
błam m fur-lining
bławatek m bot. cornflower
błazen m fool, buffoon, clown
błazeńsk|i adj clownish; czapka ~ fool's cap
błazeństwo n foolery, buffoonery
błaznować vi play the fool, foo around
błąd m mistake, error, fault; ~ drukarski misprint
błądzić vi err, blunder; wander roam
błąkać się vr stray, roam
błędn|y adj faulty, incorrect, er roneous; ~e koło vicious circle ~y rycerz knight errant; ~e o czy wild look; ~y ognik jack-o -lantern, will-o'-the-wisp; być ~ej drodze on the wrong track
błękit m sky-blue, azure

ękitnooki *adj* blue-eyed
ękitny *adj* sky-blue
ogi *adj* blissful, happy
ogosławić *vt* bless
●gosławieństwo *n* blessing
ogostan *m* blissfulness
ona *f* membrane; film
oniasty *adj* membraneous, filmy
onica *f* med. diphtheria
onie *n* pasturage; (*wiejskie*) village green
onka *f* pellicle, film
otnik *m* mudguard, wing, *am.* fender
otnisty *adj* muddy, swampy
oto *n* mud, muck, dirt
ysk *m* glitter, flash; (*rażący*) glare
yskа|ć *vt* flash, glitter; ~ się *it* lightens
yskawica *f* (flash of) lightning
yskawicznie *adv* like lightning, in no time at all; *pot.* like a streak
yskawiczn|y *adj* swift, rapid; wojna ~a blitz; zamek ~y zip fastener, zipper
yskotk|a *f* gewgaw; *zbior.* ~i tinsel
yskotliwość *f* brightness; *uj.* gaudiness
yskotliwy *adj* flashy; *uj.* gaudy
ysnąć *vi* flash
yszczący *adj* brilliant, shining
yszczeć *vi* shine, glitter
● *conj* because, for
azeria *f* wainscot(ing)
obkow|y *adj* liście ~e bay leaves
obo *n nieodm. pot.* babe, kiddy
obslej *m sport.* bobsleigh
●chen(ek) *m* loaf
ocian *m zool.* stork
oczek *m* flank, side; (*wędlina*) flitch of bacon
ocznica *f* siding (track)
oczn|y *adj* lateral, side *attr*; ~e światło side-light; ~a ulica by-street, off street
oczyć się *vr pot.* be sulky (na kogoś with sb)
éwina *f* red-beet leaves; (*zupa*)

red-beet soup
bodaj *part* may...; ~by tak było may it be so
bodziec *m* stimulus, incentive, goad; dodać bodźca stimulate (komuś sb)
bogacić *vt* enrich; ~ się *vr* enrich oneself, grow rich
bogactwo *n* wealth, riches
bogacz *m* rich man
bogaty *adj* rich, wealthy
bogini *f* goddess
boginka *f* nymph
bogobojny *adj* godly, pious
bohater *m* hero
bohaterka *f* heroine
bohaterski *adj* heroic
bohaterstwo *n* heroism
bohomaz *m* daub
boisko *n sport* sports field, playground; (*szkolne*) close
boja *f* buoy; ~ świetlna beacon--buoy
bojaźliwość *f* shyness, timidity
bojaźliwy *adj* shy, timid
bojaźń *f* awe, fear
bojer *m sport* ice boat
bojkot *m* boycott
bojkotować *vt* boycott
bojler *m* boiler
bojownik *m* fighter; champion; ~ o pokój peace-fighter
bojow|y *adj* pugnacious, combative; gotowość ~a alert; okrzyk ~y battle-cry; szyk ~y battle--array; siły ~e striking force
bojówka *f* fighting group, armed band
bok *m* side, flank; ~iem sidelong; patrzeć ~iem look askance (na kogoś at sb); pod ~iem near by, at hand; *przen.* to mi ~iem wychodzi I'm fed up with it; zrywać ~i ze śmiechu split one's sides with laughing; robić ~ami be one one's last legs; przy czymś ~u at sb's side; na ~, na ~u aside, apart; uwaga na ~u side note; zarobić coś na ~u earn sth on the side; kłucie w ~u stitch in the side; stać na ~u

stand aloof; **z ~u** from the side; **widok z ~u** side-view; **uderzenie z ~u** side-blow, by-blow
bokobrody *s pl* sidewhiskers
boks 1. *m (pięściarstwo)* boxing
boks 2. *m (skóra)* box-calf
bokser *m* boxer
boksować *vt* box; **~ się** *vr* box
bolący *adj* painful, aching
boląezka *f* pain; grief, worry
boleć *vi* ache, hurt, pain; *(żałować)* regret, grieve; **~i mnie głowa ⟨ząb⟩** I have a headache ⟨a toothache⟩; **~i mnie palec my finger hurts**, I have a sore finger; **~i mnie gardło** I have a sore throat; **co cię ~i?** what ails ⟨hurts⟩ you?; **~eję nad jego śmiercią** I mourn over his death
bolesny *adj* painful, sore; *(moralnie)* grievous
boleść *f (moralna)* grief; *pl* **~ci** pains
bolszewicki *adj* Bolshevist, Bolshevik
bolszewik *adj* Bolshevik
bolszewizm *m* Bolshevism
bomba *f* bomb; *(czekoladowa)* ball; *(kufel)* pint; *(sensacja)* startling piece of news, sensation; **~ atomowa** atomic bomb, A-bomb; **~ wodorowa** hydrogen bomb, H-bomb; **wpaść jak ~** rush in, burst in; **~ pękła** it has come off
bombardować *vt* bombard
bombardowanie *n* bombardment
bombastyczny *adj* bombastic
bombonierka *f* bonbonnière
bombowiec *m wojsk. lotn.* bomber
bon *m* bill, bond, ticket, coupon; *fin.* **~ skarbowy** treasury bond
bonifikacja *f* compensation, indemnity, allowance
bonifikować *vt* compensate (**komuś coś** sb for sth)
boraks *m chem.* borax
bordo *n i adj nieodm. (kolor)* crimson-dark red; *(wino)* Bordeaux

borny *adj* **kwas ~** boric acid
borówka *f* bilberry, whortleberry
borsuk *m zool.* badger
borykać się *vr* wrestle, grapple
bosak *m* boat-hook; fire-hook; **~a** barefoot
boski *adj* divine, godlike; **oddawać cześć ~ą** worship; **na litos ~a!** for goodness' sake!; **ran ~ie!** good heavens!
boskość *f* divinity
bosman *m mors.* boatswain
boso *adv* barefoot
bosy *adj* barefooted
bot *m* (high) overshoe
botaniczny *adj* botanical
botanika *f* botany
bowiem *conj* for
bożek *m* idol, god
boży *adj* divine; **~a krówka** lady bird; **Boże Ciało** Corpus Christ **Boże Narodzenie** Christmas
bożyszcze *n* idol
bób *m* (broad) beans
bóbr *m* beaver; **płakać jak ~** melt into tears
Bóg *m* God; **mój Boże!** good God dear me!; **chwała Bogu!** than God!; **nie daj Boże!** God forbid **szczęść Boże!** God speed you!
bój *m* fight, battle; **prowadzić ~** fight, battle
bójka *f* scrimmage, scuffle
ból *m* pain, ache; **~ głowy** head ache; **~ gardła** sore throat; **~ zębów** toothache
bór *m* forest
bóstwo *n* deity
bóść *vt* gore
bóżnica *f* synagogue
bractwo *n* confraternity

brać *vt* take; **~ do wojska** en list; **~ górę** get the upper han *(nad kimś, czymś* of sb, sth)* **~ na serio** take seriously; **~ na się bie obowiązek** take on duty; **~ pod uwagę** take into considera tion; **~ ślub** get married *(z kim to sb)*, **wed** *(z kimś sb)*; **~ udzia take part; **~ w rachubę** take in to account; **~ za dobrą monet ake in good part; ~ za złe take amiss; bierze mnie chęć I feel inclined, I have a mind; bierze mróz it begins to freeze; ~ się do dzieła set about one's work

ak *m* lack, deficiency, absence, want; (*wada*) fault, shortcoming; (*o towarze*) defective article; ~ ni pieniędzy I lack money; cierpieć na ~ czegoś lack sth; suffer from the lack of sth; nie ~ mu odwagi he abounds in courage; z ~u czasu for lack of time; zaspokoić ~ supply a want

akarz *m* sorter

akorób *m* defective worker, oungler

akoróbstwo *n* defective work, oungling

ak|ować 1. *vt* (*sprawdzać jakość*) cast off, reject, sort

ak|ować 2. *vi* be wanting, be missing, be deficient; ~uje wielu książek many books are missing; ~uje pieniędzy there is lack of money, money is lacking; ~uje mi pieniędzy I lack money; ~uje mi słów words fail me; ~uje mi sił my power fails me; nic mi nie ~uje nothing is the matter with me

ama *f* gate; ~ wjazdowa gateway

amk|a *f* sport goal; zdobyć ~ę score a goal

amkarz *m* sport goalkeeper

anka *f* (*pobór*) impressment; † (*kobieta*) (female) captive

ansolet(k)a *f* bracelet

ranża *f* line (of business); branch; craft

at *m* brother; (*zakonny*) brother (pl brethren); bracia czescy Moravian Brethren; ~ cioteczny first cousin; ~ przyrodni stepbrother; być za pan ~ be on easy terms (z kimś with sb)

ratać się *vr* fraternize

ratanek *m* nephew

ratanica *f* niece

ratanie się *n* fraternization

bratek *m* bot. pansy

braterski *adj* brotherly, fraternal

braterstwo *n* brotherhood, fraternity; (*brat i bratowa*) brother and his wife

bratni *adj* = braterski

bratowa *f* sister-in-law

brawo *int* bravo; applause; bić ~ applaud (komuś sb)

brawura *f* gallantry, bravery; muz. bravura

Brazylijczyk *m* Brazilian

brazylijski *adj* Brazilian

brąz *m* bronze; (*kolor*) brown

brązownik *m* brazier

brązowy *adj* bronze; (*o kolorze*) brown

brednia *f* (*zw. pl* ~e) bosh

bredzić *vi* rave, maunder

brelok *m* trinket

brew *f* brow

brewerie *s pl* uproar, row; wyprawiać ~ make a row

brewiarz *m* breviary

brezent *m* canvas, tarpaulin

brnąć *vi* flounder, wade; ~ w długi incur debts over head and ears

broczyć *vi* (*ociekać*) ~ krwią bleed, drip with blood

brod|a *f* chin; (*zarost*) beard; zapuścić ~ę grow a beard

brodaty *adj* bearded

brodawka *f* wart; (*sutkowa*) nipple

brodzić *vi* wade

broić *vi* be up to mischief, skylark

brokat *m* brocade

brom *m* chem. bromine

brona *f* harrow

bronchit *m* med. bronchitis

bronić *vt* defend (przed kimś, czymś against ⟨from⟩ sb, sth); (*pokoju, kraju*) guard, protect; (*poglądów, honoru itp.*) vindicate; (*praw, sprawy itp.*) assert; (*orędować*) advocate (za czymś sth); ~ czyjejś sprawy plead sb's cause; ~ się *vr* defend oneself

bronować *vt* harrow

broń f weapon, arms; ~ biała cold weapon; ~ boczna side-arms; ~ palna fire-arms; pod bronią in arms; chwycić za ~ take up arms; składać ~ lay down arms

broszka f brooch

broszura f pamphlet; (prospekt, ulotka) folder

broszurowan|y adj stitched, unbound; książka ~a paperback

browar m brewery

bród m ford; przechodzić w ~ ford

bródka f little beard; kozia ~ goatee

bróg m (hay-)rick

brud m dirt; filth; pl ~y (brudna bielizna) dirty linen

brudas m sloven

brudn|y adj dirty, filthy; pisać na ~o make a rough copy

brudzić vt soil, make dirty; ~ sobie twarz, ręce soil one's face, hands; ~ się vr get soiled, become dirty

bruk m pavement, paved road; przen. szlifować ~i loaf about; wyrzucić na ~ turn out adrift

brukać vt soil, make dirty

brukiew f bot. (Swedish) turnip

brukować vt pave, cobble

brukowiec m paving-stone, cobble; (gazeta) gutter paper

brukow|y adj paving; prasa ~a gutter press

brukselka f bot. Brussels sprouts

brulion m rough copy ⟨notebook⟩

brunatny adj brown

brunet m dark-haired man

brunetka f brunette

brusznica f bot. cranberry

brutal m brute

brutalność f brutality; (w grze) roughness

brutaln|y adj brutal; (o grze) rough

brutto adv (in) gross; cena ~ gross price; waga ~ gross weight

bruzda f furrow

bruździć vt furrow; vi pot. make difficulties, muddle, obstruct

bryczka f britzka

brydż m bridge

brydżysta m bridge-player

brygada f brigade

brygadier m brigadier

brygadzista m foreman

brygadzistka f forewoman

bryk m pot. crib; am. pony

brykać vi (o koniu) rear, kic (swawolić) frolic, gambol, jun about

brykiet m briquette; zbior. ~ patent fuel

brylant m brilliant, diamond

bryła f block, lump, (ziemi) clo mat. solid

bryłka f lump, clot

bryłkowaty adj cloddy, clotty

bryłowaty adj lumpy, massive

bryndza f ewe's cheese

brystol m Bristol board

brytan m mastiff

brytfanna f frying-pan

Brytyjczyk m British subject, a Britisher

brytyjski adj British

bryza f breeze

bryzg m splash

bryzgać vi splash (wodą water)

brzask m dawn, daybreak; z ~ie at daybreak

brzdąc m brat

brzdąkać vi strum

brzdęk int twang!

brzeg m bank, riverside; (morz jeziora) shore, coast; seasid seashore; (plaża) beach; (prze paści) brink; (krawędź) edg (stronicy) margin; (sukni, las skirt; (kapelusza, kubka itp brim; na ~, na ~u ashore; wy rzucić na ~ strand; osiąść na ~ run ashore

brzemienność f pregnancy

brzemienny adj pregnant

brzemię n burden, lit. burthen

brzezina f birchwood

brzęcz|eć vi ring, (o metal, thinkle, clink, chink; (o pienie dzach) jingle; (o owadach) buz hum; (o talerzach) clatter; ~ą moneta hard cash

brzęczyk m buzzer

rzęk m ring, clink, jingle; buzz

rzmieć vi (re)sound, ring; (o tekście, ustawie itp.) purport; tekst ~ jak następuje the text runs as follows; to ~ dziwnie this rings (sounds) strange

zmienie n sound; (tekstu, umowy itp.) purport, tenor, wording

rzoskwinia f peach

rzoza f birch

rzuch m belly, stomach, pot. paunch

zuchacz m pot. pot-belly, paunchy man

zuchaty adj big-bellied

rzuchomówca m ventriloquist

zuszny adj abdominal; med. dur ~ enteric (typhoid) (fever)

zydactwo n ugliness; ugly thing (person)

rzydal m ugly man

rzydki adj ugly

rzydnąć vi become ugly

rzydota f ugliness

rzydzić się vr abhor, loathe (czymś sth), have an aversion (czymś to sth)

rzytw|a f razor; przysł. tonący ~y się chwyta a drowning man catches at a straw

uchać vi (o płynach) gush; (o dymie, ogniu) belch; pot. (kraść) pinch, lift, filch; ~ płomieniem blaze forth

uchalter m book-keeper

uchalteria f book-keeping

ucik m shoe, boot

uczeć vi buzz, drone

uczyna f beech-wood, beech-grove

uda f shed, shack; (jarmarczna) booth; psia ~ kennel

udka f shelter, cabin; (np. strażnika) box; ~ telefoniczna telephone (call) box; telephone booth

udow|a f construction, structure; building; biuro ~y building-office; plac ~y building-site; ~a ciała structure of the body, build; ~a zdania sentence structure

budować vt build, construct; (moralnie oddziaływać) edify; przen. ~ zamki na lodzie build castles in the air

budowla f building, edifice

budowlan|y adj building, architectural; przedsiębiorca ~y builder, building contractor; przedsiębiorstwo ~e building enterprise

budownictwo n architecture; ~ socjalistyczne socialist public work; ~ wielkopłytowe system-building

budowniczy m builder

budulec m timber, am. lumber

budynek m building

budyń m pudding

budzić vt wake (up), waken, awake, awaken, rouse, call; (uczucie) prompt; (sympatię, podejrzenia) arouse; (zaufanie) inspire; ~ się vr wake (up), awake, start up

budzik m alarm-clock; nastawić ~ na siódmą (godzinę) set the alarm-clock for seven (o'clock)

budżet m budget

budżetowy adj budgetary; rok ~ financial year

bufet m (mebel) sideboard, cupboard; (w restauracji) bar; (w teatrze, szkole itp.) refreshment room

bufetowa f barmaid

bufetowy m barman

bufon m buffoon

bufonada f buffoonery

bufor m buffer

buhaj m bull

bujać vi (unosić się) float, hover, soar; (wałęsać się) roam; (kiełkować) sprout, shoot, pullulate; vt (huśtać) rock, swing; pot. (nabierać) spoof, hoax

bujak m rocking-chair

bujda f pot. spoof, hoax

bujny adj exuberant, abundant, luxuriant; (o włosach) bushy; (o fantazji, pomyśle) fertile

buk m beech

bukiecik m posy, nosegay

bukiet m bouquet; bunch of flowers

bukmacher m bookmaker

bukmacherstwo n booking

bukszpan m boxtree, box-wood

buldog m bulldog

buldozer, buldożer zob. spychacz

bulgot m bubble, gurgle

bulgotać vi bubble, gurgle

bulier m techn. boiler

bulion m bouillon, broth, beef-tea

bulla f bull

bulwa f bot. bulb, tuber

bulwar m boulevard, avenue; (nad rzeką) embankment

bulwiasty adj bulbous, tuberous

bułanek m dun horse

buława f mace, truncheon; (marszałkowska) baton

Bułgar m Bulgarian

bułgarski adj Bulgarian

bułka f roll; ~ tarta (bread) crumbs; słodka ~ bun

bumelanctwo n loafing, shirking, absenteeism

bumelant m loafer, shirker, absentee; am. pot. bummer

bumelować vi shirk

bumerang m boomerang

bunkier m wojsk. pill-box

bunt m rebellion, revolt, sedition, mutiny; **podnieść** ~ rise in revolt

buntować vt stir (up), rouse to revolt; ~ **się** vr revolt, rebel

buntowniczy adj rebellious, seditious

buntownik m rebel, mutineer

buńczuczny adj cocky, perky

burda f pot. reprimand, scolding; **dać** ~ę reprimand (komuś sb), give a scolding; scold, pot. give it hot; **dostać** ~ę get a scold, pot. get it hot

burak m beet (root); ~ **cukrowy** white beet; ~ **ćwikłowy** red beet

burczeć vi rumble; (gderać) grumble (na kogoś at sb)

burda f brawl

burgund m (wino) Burgundy

burmistrz m mayor

burnus m burnoose

bursa f pupils' hostel

bursztyn m amber

burt|a f mors. (ship's) side, (ship's) board; **lewa** ~a port side; **prawa** ~a starboard side; **wyrzucić za** ~ę throw overboard

bury adj dark-grey, grizzly

burza f storm, tempest; przen. ~ **w szklance wody** a storm in a teacup

burzliwy adj stormy, tempestuous, turbulent

burzyciel m destroyer

burzycielski adj destructive

burzyć vt destroy, demolish; (rozebrać, np. dom, maszynę) pull down; (podburzać) stir up, raise; ~ **się** vr rebel, rise in revolt

burżuazja f bourgeoisie

burżuazyjny adj bourgeois

burżuj m pog. bourgeois

busola f compass

buszować vi rummage

but m boot, shoe; **głupi jak** ~ dull as ditch water

buta f haughtiness, insolence

butelka f bottle

butelkować vt bottle

butla f demijohn, (opleciona) carboy

butny adj haughty, overbearing, insolent

butonierka f buttonhole

butwieć vi rot, moulder

by zob. aby; part warunkowa: on **by to zrobił** he would do it

byczek m bull calf

byczy adj bull, bull's, taurine; pot. capital, glorious; pot. ~ **chłop** brick

być vi, v aux be; ~ **dobrej myśli** be of good cheer; ~ **może** perhaps, maybe; **niech będzie, co chce** come what may; **niech i tak będzie let it be so;** ~ **u siebie** be at home; **co z nim będzie?** what will become of him?

bydlę n beast, brute

bydło n cattle

yk *m* bull; (*gafa*) bloomer, howler; **walka ~ów** bullfight; **wziąć ~a za rogi** take the bull by the horns; **palnąć** ⟨**strzelić**⟩ **~a** make a bloomer; **jak czerwona płachta na ~a** like a red rag to a bull

yle *adv* **~ co** anything; **~ kto** anybody; **~ jak** anyhow; **~ gdzie** anywhere; **~ jaki** any, any... whatever; **~ jaka odzież** any dress whatever; **to nie ~ jaki uczeń** he is no mean pupil; **nie ~ jak** in no mean fashion

ylina *f bot.* perennial

yły *adj* former, past, old, ex-, late; **~ prezydent** ex-president, late president

ynajmniej *adv* not at all, by no means, not in the least; (*z oburzeniem*) I should say ⟨think⟩ not

ystrość *f* (*szybkość*) rapidity, quickness; (*bystrość umysłu*) keenness, shrewdness, acuteness

ystry *adj* (*szybki*) rapid, quick; (*umysłowo*) keen, keenwitted,

acute; (*o wzroku*) sharp, keen

byt *m* existence; **walka o ~** struggle for existence ⟨life⟩; **mieć zapewniony ~** have one's existence ⟨living⟩ secured

bytność *f* sojourn, stay

bytow|y *adj* existential; **warunki ~e** living conditions

bywa|ć *vi* frequent (**w pewnym miejscu** some place); **to be** ⟨**to go**⟩ often ...; frequently call (**u kogoś** on sb); (*zdarzać się*) happen; **~j zdrów!** farewell!

bywalec *m* frequenter, habitué

bywały *adj* experienced

bzdur|a *f* nonsense, absurdity, silly talk, rubbish; **pleść ~y** talk nonsense

bzdurny *adj* nonsensical, absurd

bzik *m pot.* eccentricity, craze; oddity; (*wariat*) crank, loony; **mieć ~a** be crazy, *przen.* have a screw loose, have a bee in one's bonnet

bzykać *vi* buzz, hiss

C

cacko *n* knick-knack, trinket

cal *m* inch

calówka *f* folding rule

całka *f mat.* integral

całkiem *adv* quite, entirely, completely

całkować *vt mat.* integrate

całkowicie *adv* altogether, throughout, entirely, completely

całkowit|y *adj* entire, total, complete; **liczba ~a** integer

całkowy *adj mat.* integral; **rachunek ~** integral calculus

cało *adv* safely, unharmed; **wyjść ~** get off safe and sound

całodzienny *adj* full day's, daylong

całokształt *m* totality, the whole

całonocny *adj* full night's, nightlong

całopalenie *n* holocaust

całoroczny *adj* full year's

całoś|ć *f* totality, entirety, whole, bulk, (complete) body; **w ~ci** on the whole

całować *vt* kiss, embrace; **~ się** *vr* kiss

całun *m* shroud

całus *m* kiss

cał|y *adj* whole, all, entire; (*zdrów*) safe; **~y rok** all the year (round); **~a Europa** all ⟨the whole of⟩ Europe; **przez ~y**

dzień all day long; ~ymi godzinami for hours and hours; zdrów i ~y safe and sound

cap *m* male goat, buck

capstrzyk *m* tattoo

car *m* tsar, tzar, czar

carat *m* tsarism, tsardom

carowa *f* tsarina, tzarina, czarina

ceb|er *m* tub; *przen.* **leje jak z ~ra** it rains cats and dogs

cebula *f* onion

cebulka *f* onion; *(np. kwiatowa, włosowa)* bulb

cebulkowaty *adj* bulbous

cech *m* guild, corporation

cecha *f* feature, character, quality; stamp, seal, mark; *(stempel probierczy)* hallmark

cechować *vt* characterize, brand; *(znaczyć)* mark, stamp

cedować *vt* cede (coś na kogoś sth to sb), transfer

cedr *m* *bot.* cedar

ceduła *f* schedule, list; ~ **giełdowa** list of quotations

cedzak *m* strainer, cullender

cedzić *vt* filter; *przen.* ~ **słówka** drawl one's words

cegielnia *f* brick-yeard, brick-field

cegiełka *f* (little) brick; *(składka)* share

ceglasty *adj* brick-coloured

cegła *f* brick

cel *m* aim, purpose, end, object, goal; *(tarcza strzelnicza i przen.)* target; *(środek tarczy)* bull's eye; **brać na ~** take aim (coś at sth); **mieć na ~u** have in view; **osiągnąć swój ~** gain one's end; **trafić do ~u** hit the mark; **chybić ~u** miss the mark; ~**em** for the purpose (czegoś of sth); **w tym ~u** for this purpose, with this end in view; **to nie ma ~u** that's of no avail; **strzelanie do ~u** target practice; ~ **podróży** destination; ~ **pośmiewiska** laughing-stock

cela *f* cell

celebracja *f* celebration

celebrować *vt* celebrate

celibat *m* celibacy

celnik *m* custom-house ⟨customs⟩ officer

celność *f* accuracy (of aiming) precision; *(dobre strzelanie)* marksmanship

celny 1. *adj (trafny)* accurate, accurately-aimed

celn|y 2. *adj* custom, relating to customs; **deklaracja** ~a custom-house declaration; **opłata** ~a (customs) duty; **rewizja** ~a customs inspection; **urząd** ~y custom-house; **odprawa** ~a customs clearance

celofan *m* cellophane

celować *vi* aim, take aim (do czegoś at sth); *(z karabinu)* level one's gun (do czegoś at sth) *(przodować)* excel (w czymś in sth)

celownik *m* *gram.* dative

celowo *adv* on purpose, intentionally

celowość *f* suitableness, purposefulness, expediency

celowy *adj* suitable, purposeful expedient; *gram. (o zdaniu)* final

Celsjusz, *x* **stopni** ~a *x* degrees centigrade

Celt *m* Celt, Kelt

celtycki *adj* Celtic, Keltic

celujący *adj* excellent

celuloza *f* cellulose

cembrować *vt* board, frame with boards

cembrowina *f* boarding

cement *m* cement

cementować *vt* cement

cen|a *f* price, value; ~**a stała** fixed price; ~**a zniżona** reduced price; **po tej** ~**ie** at that price **za wszelką** ~**ę** at any price

cenić *vt (wyceniać)* price; *(wysoko sobie cenić)* prize

cennik *m* price-list

cenny *adj* valuable, precious

cent *m* cent

centrala *f* head-office, headquar

ters; *(techniczna)* central station; *(telefoniczna)* exchange

centralizacja *f* centralization

centralizować *vt* centralize

centralny *adj* central

centrum *n sing nieodm.* centre, *am.* center; ~ **handlowe miasta** city 〈town〉 centre

centryfuga *f* centrifugal machine

centymetr *m* centimetre

cenzor *m* censor

cenzura *f (urząd)* censorship; *(krytyka)* censure; *(szkolna)* school report

cenzurować *vt (przeprowadzać cenzurę)* censor; *(ganić)* censure

cenzus *m (spis)* census; ~ **naukowy** degree of education; ~ **majątkowy** property requirement

cep *m* flail

cera 1. *f (twarzy)* complexion

cera 2. *f (cerowane miejsce)* darn, darning

ceramiczny *adj* ceramic

ceramika *f* ceramics, pottery

cerata *f* oilcloth

ceregiele *s pl* fuss, ceremony; **robić** ~ stand on 〈upon〉 ceremony (**z kimś** with sb), make a fuss (**z kimś, czymś** of sb, sth)

ceremonia *f* ceremony, fuss

ceremonialny *adj* ceremonial, ceremonious

ceremoniał *m* ceremonial

cerkiew *f* Orthodox church

cerować *vt* darn

cesarski *adj* imperial

cesarstwo *n* empire

cesarz *m* emperor

cesarzowa *f* empress

cesja *f prawn.* cession

cetnar *m* centner, hundredweight, quintal

cewka *f* reel, bobbin; *techn.* spool; *elektr.* coil; *anat.* duct; ~ **moczowa** urethra

cęgi *s pl* tongs

cętka *f* speckle, spot

cętkować *vt* speckle, spot

cętkowany *adj* spotted

chaber *m bot.* cornflower

chałupa *f* hut, cabin

chałupnictwo *n* outwork, domestic work

chałupnik *m* outworker

chałwa *f* halva(h)

cham *m* cad, boor

chamski *adj* caddish, boorish

chamstwo *n* caddishness, boorishness

chan *m* khan

chandr|a *f* doldrums, blues; **mieć** ~**ę** have 〈get〉 the blues

chaos *m* chaos

chaotyczny *adj* chaotic

charakte|r *m* character; *(rola, funkcja)* capacity; ~**r pisma** handwriting; **człowiek z** ~**rem** man of character; **brak** ~**ru** lack of principle, want of backbone; **w** ~**rze dyrektora** in the capacity of director

charakterystyczny *adj* characteristic **(dla kogoś, czegoś** of sb, sth)

charakterystyka *f* (description of the) character

charakteryzacja *f* characterization; *teatr* make-up

charakteryzować *vt* characterize; *teatr* make up (**na kogoś** for sb); ~ **się** *vr* make up

charczeć *vi* rattle in one's throat

charkać *vi* cough up, expectorate

charkot *m* rattling in the throat, rattle

chart *m* greyhound

charytatywny *adj* charitable, charity *attr*

chaszcze *s pl* brushwood, thicket

chata *f* hut, cabin

chcąc|y *adj* willing; *przysł.* **dla** ~**ego nie ma nic trudnego** where there's a will there's a way

chcieć *vt vi* want, be willing, intend, desire, wish; **chce mi się** I want, I have (half) a mind (**czegoś** to do sth); **chce mi się spać** I want to sleep, I feel as if I could sleep, I have (half) a mind to go to sleep; **chce mi się pić**

I am thirsty; **chciałbym** I should like; **chcę, żeby wrócił** I want him to come back; **on sam nie wie, czego chce** he does not know his own mind

chciwiec m greedy man

chciwość f greed, covetousness

chciwy adj greedy, covetous

chełpić się vr boast (**czymś** of sth), pride oneself (**czymś** on sth)

chełpliwy adj boastful

chemia f chemistry

chemiczny adj chemical; **ołówek ~ indelible** pencil; **związek ~** chemical compound

chemik m chemist

cherlak m cachectic creature, valetudinarian

cherlawy adj cachectic

cherubin m cherub

chęć f (wola) will, willingness; (życzenie) desire, inclination; (zamiar) intention; **dobre ~ci** good intentions; **mieć ~ć** have a mind; **~ć mnie bierze** I have a mind ⟨a wish⟩; **z miłą ~cią** with pleasure

chętka f fancy, desire; pot. itch; **nabrać ~i** take a fancy (**do czegoś** for, to sth); **mam ~ę** I itch (**na coś** for sth)

chętnie adv willingly, readily

chętny adj willing, ready; **~ do nauki** eager to learn

chichot m chuckle, giggle

chichotać vi chuckle, giggle

Chilijczyk m Chilean

chilijski adj Chilean

chimera f (w mitologii) chimera; (przywidzenie) phantom, fancy; (kaprys) caprice, whim

chimeryczny adj chimerical; capricious, whimsical; fanciful

chinina f quinine

Chińczyk m Chinese

chiński adj Chinese

chiromancja f chiromancy, palmistry

chirurg m surgeon

chirurgia f surgery

chirurgiczny adj surgical

chlapać vi splash

chlasnąć vt whack, flap, slap

chleb m bread; **~ z masłem** bread and butter; **~ powszedni** daily bread; **zarabiać na ~** earn one's daily bread

chlebodawca m employer, master

chlew m sty, pigsty

chlipać vt lap up; vi (szlochać) sob

chlor m chem. chlorine

chloran m chem. chlorate

chlorek m chem. chloride

chlorofil m bot. chlorophyll

chloroform m chloroform

chloroformować vt chloroform

chlorować vt chlorinate

chlorowy adj chloric

chluba f glory, pride; **to mu przynosi ~ę** this does him credit

chlubić się vr boast (**czymś** of sth), glory (**czymś** in sth)

chlubny adj glorious; (o opinii) honourable, excellent

chlupać vi splash; gurgle

chlustać vi spout, splash

chłeptać vt lap up

chłodnia f refrigerator

chłodnica f radiator

chłodnieć vi cool (down), become cool

chłodnik m cold borsch

chłodno adv coolly; **jest ~** it is cool; **jest mi ~** I am ⟨I feel⟩ cool

chłodny adj cool; (oschły) reserved

chłodzić vt chill, cool; (zamrażać) refrigerate; **~ się** vr cool (down), become cool

chłonąć vt absorb, suck in

chłonność f absorbency, power of absorption

chłonny adj absorbent, absorptive

chłop m peasant; pot. fellow, chap

chłopak, chłopiec m boy, lad

chłopięctwo n boyhood

chłopięcy adj boyish; boy's, boys'

chłopka f peasant (woman)

chłopski adj peasant, rustic

chłopstwo n peasantry

chłost|a f flogging, lashing; **kara** ~y lash

chłostać vt flog, lash

chłód m cool, coolness, cold

chłystek m greenhorn

chmara f (wielka ilość) swarm, (ludzi) crowd

chmiel m bot. hop; (artykuł przemysłowy) hops pl

chmur|a f cloud; przysł. z wielkiej ~y mały deszcz much cry and little wool

chmurka f cloudlet

chmurny adj cloudy; przen. gloomy

chmurzyć vt, ~ czoło frown, knit the brow; ~ się vr become cloudy, cloud up

chochla f ladle

chochlik m sprite, imp, brownie; ~ drukarski the printer's imp

chochoł m straw-cover

cho|ciaż, cho|ć conj though, although, as; adv even so; at least; ~ć trochę even so little; ~ć 5 pensów fivepence at least

choćby conj even if; adv at the very least; ~ jeden fakt a single fact; ~ nie wiem jak (się starał) no matter how (hard he tried)

chodak m clog

chodnik m pavement, footpath, am. sidewalk; (dywan) carpet, rug

chodzić vi walk, go; (w kartach) lead; (o pociągach) run; ~ do szkoły go to school; ~ na wykłady attend lectures; ~ na medycynę study medicine; ~ koło czegoś busy oneself with sth (about sth); ~ w czymś (np. w mundurze) wear sth (e.g. uniform); ~ za kimś follow sb; o co chodzi? what is the matter?; chodzi o twoje życie your life is at stake; o ile o mnie chodzi as far as I am concerned

choina f pine

choinka f Christmas tree

choler|a f cholera; pot. idź do ~y! go to hell!

cholerny adj pot. bloody, damned

choleryczny adj choleric

cholewa f bootleg; **buty z** ~mi top boots

chomąto n horse-collar

chomik m zool. hamster

chorągiew f banner, flag; (kościelna) gonfalon

chorągiewka f pennon, banderole; (na dachu) weathercock

chorąży m standard-bearer; † wojsk. ensign

choreografia f choreography

chorob|a f illness, ailment, (trwała) disease; ~a morska seasickness; ~a umysłowa mental deficiency; insanity; złożony ~ą bedridden

chorobliwość f morbidity

chorobliwy adj morbid, sickly

chorobowy adj morbid; **urlop** ~ sick leave; **zasiłek** ~ sick benefit

chorować vt be ill (na coś with sth), suffer (na coś from sth), be afflicted (na coś with sth)

chorowity adj sickly

chory adj ill (na coś with sth), sick, unwell; **izba** ~ch sickward; **lista** ~ch sick-list

chować vt (ukrywać) hide, conceal; (przechowywać) keep; (wkładać, np. do szuflady) put (up); (grzebać zwłoki) bury; (hodować) breed, rear; (wychowywać) bring up, educate; ~ do kieszeni pocket; ~ się vr hide (przed kimś from sb), conceal oneself (przed kimś from sb); (rosnąć, dobrze się trzymać) grow, thrive

chowan|y pp od chować; s m bawić się w ~ego play (at) hideand-seek

chód m gait, walk; (o koniu) pace; (o maszynie) action, going, working order; na chodzie in action, in working order; pot. mieć chody have connexions

chór m chorus; (zespół śpiewaczy

ł *chór kościelny*) choir; ~em in chorus

chóralny *adj* choral

chórzysta *m* chorister

chów *m* rearing, breeding

chrabąszcz *m zool.* chafer

chrapać *vi* snore

chrapliwy *adj* raucous, hoarse

chrobotać *vi* grate

chrom *m* chrome; *chem.* chromium; (*skóra*) box-calf

chromać *vi* † limp, halt

chromatyczny *adj* chromatic

chromow|y *adj* chromic; skóra ~a box-calf

chromy *adj* † limping, lame

chronicznie *adv* chronically

chroniczny *adj* chronic

chronić *vt* protect, preserve, shelter (przed czymś from sth), guard (przed czymś against sth): ~ się *vr* protect oneself, guard (oneself); (*chować się*) shelter, take shelter; (*szukać bezpiecznego miejsca*) take refuge

chronologia *f* chronology

chronologiczny *adj* chronological

chronometr *m* chronometer

chropawy *adj* rough, harsh, coarse

chropowaty *adj* rough, rugged

chrupać *vt* crunch

chrupki *adj* crisp

chrupot *m* crunch, crackle

chrust *m* faggots *pl*, brushwood; (*ciasto*) cracknel

chrypieć *vi* speak in a hoarse voice

chrypka *f* hoarseness, hoarse voice

chrypliwy *adj* hoarse, husky

chrystianizm *m* Christianity

chryzantema *f* chrysanthemum

chrzan *m* horse-radish

chrząkać *vi* hawk, (*ironicznie lub znacząco*) hem, (*o świni*) grunt

chrząstka *f* cartilage

chrząstkowy *adj* cartilaginous

chrząszcz *m* beetle, chafer

chrzciciel *m* baptist

chrzcić *vt* baptize, christen; ~ się *vr* be ⟨become⟩ christened

chrzcielnica *f* font

chrzciny *s pl* baptism; christening-party

chrzest *m* baptism, christening

chrzestn|y *adj* baptismal; ojciec ~y godfather; matka ~a godmother; rodzice ~i godparents

chrześcijanin *m* Christian

chrześcijański *adj* Christian

chrześcijaństwo *n* (*religia*) Christianity, Christianism; (*ogół chrześcijan*) Christendom

chrześniaczka *f* goddaughter

chrześniak *m* godson

chrzęst *m* rattle, rattling, clank

chrzęścić *vi* rattle, clank

chuchać *vi* puff, blow

chuchro *n* weakling, valetudinarian

chuć *f* concupiscence, lust

chuderlawy *adj* weakly, sickly, meagre

chudeusz *m* lean fellow

chudnąć *vi* become lean, lose flesh

chudoba *f* live stock; meagre property

chudy *adj* lean, meagre

chuligan *m* hooligan, rowdy

chusta *f* wrap, shawl; zbladł jak ~ he grew pale as death

chustka *f* kerchief; ~ do nosa handkerchief

chwalebny *adj* glorious, praiseworthy

chwalić *vt* praise, extol; ~ się *vr* boast (czymś of sth)

chwała *f* glory; praise

chwast *m* (*ziele*) weed; (*frędzla*) tassel

chwat *m* valiant fellow; *pot.* brick of a fellow

chwiać *vt* shake, sway; ~ się *vr* shake, sway, totter, reel, rock; (*wahać się*) hesitate; (*o cenach*) fluctuate

chwiejność *f* shakiness, tottering position; unsteadiness; hesitation, indecision; (*cen*) fluctuation

chwiejny *adj* shaky, tottering; unsteady; hesitating

chwil|a *f* moment, instant, while;

co ~a every moment, every now and again; do tej ~i up to this moment, until now; lada ~a, każdej ~i any moment (minute); na ~ę for a moment; od tej ~i from this time onward, from now on; przed ~ą a while ago; przez ~ę for a while; w danej ~i at the given moment; w jednej ~i at once; w ostatniej ~i at the last moment; w wolnych ~ach at one's leisure, in leisure hours; nie mieć wolnej ~i not to have a moment to spare; za ~ę in a moment; z ~ą on, upon; z ~ą jego przybycia on his arrival

chwilowy adj momentary, temporary

chwyt m grip, grasp, seizure; (sposób, zabieg) catch, trick; (w zapasach) grapple, catch; **mocny ~** firm grasp

chwytać vt catch, seize; (mocno) grasp, grip; catch ⟨get⟩ hold ⟨coś of sth⟩; ~ za broń take up arms; ~ za serce go to sb's heart; ~ się vr catch ⟨czegoś at sth⟩, seize ⟨czegoś on, upon sth⟩; ~ się za głowę clutch one's head

chyba part i adv probably, maybe; ~ tak I think so; ~ tego nie zrobił he can scarcely have done it; conj ~ że unless

chybić vi miss, fail, miscarry; na ~ł trafił at random, at a venture

chybiony adj abortive; ~ cios ⟨krok⟩ miss

chylić vt incline, bow; ~ czoło do reverence ⟨przed kimś to sb⟩; ~ się vr incline; (ku upadkowi) decline; verge ⟨ku starości towards old age⟩

chyłkiem adv furtively, sneakingly

chytrość f cunning, slyness, astuteness

chytry adj cunning, sly, astute, crafty

chyży adj swift, brisk

ciałko n little body; biol. corpuscle; **białe ~ krwi** leucocyte; **czerwone ~ krwi** erythrocyte

ciało n (korpus) body; (żywe mięso) flesh; przen. (grono) staff; **jędrne ~** firm flesh; **budowa ciała** physique; fiz. ~ **stałe** solid; astr. ~ **niebieskie** celestial body

ciarki pl creeps; **przechodzą mnie ~** my flesh creeps, it makes my flesh creep

ciasno adv tightly, closely; ~ **nam w tym pokoju** we are cramped in this room

ciasnota f narrowness, tightness; ~ **mieszkaniowa** housing shortage; przen. ~ **umysłowa** narrow-mindedness

ciasny adj narrow, tight; (o mieszkaniu) cramped; (o butach) tight; (o umyśle) narrow

ciastko n cake, (owocowe, z kremem) tart, tarlet

ciast|o n dough, paste; pl ~a pastry

ciąć vt cut (na kawałki into pieces), (posiekać, porozcinać) cut up

ciąg m draught, (pociągnięcie) draw; (bieg) course; (wędrówka ptaków) flight (of birds); mat. sequence; ~ **dalszy** continuation; ~ **dalszy** (poprzedniego tekstu) continued; ~ **dalszy nastąpi** to be continued; jednym ~iem at a stretch; w ~u roku in (the) course of the year; w dalszym ~u coś robić continue to do sth

ciągle adv continually

ciągłość f continuity

ciągły adj continuous, continued

ciągnąć vt draw; pull; (wlec) drag, haul; (pociągać, nęcić) attract; (korzyści) derive; ~ **dalej** continue, carry ⟨go⟩ on; tu ciągnie there is a draught here; ~ się vr (rozciągać się) extend, stretch; (w czasie) continue, last, drag on ciągnienie n (loterii) drawing

ciągnik m tractor

ciąż|a f pregnancy; być w ~y be pregnant

ciążenie n inclination; fiz. gravitation

ciąż|yć vi weigh, lie heavy, press heavily; (skłaniać się) incline, lean (do czegoś to sth); fiz. gravitate; na domu ~ą długi the house is encumbered with debts; ~y na mnie obowiązek it is incumbent on me; ~y na nim zarzut ... he is charged with ...

cichaczem adv furtively, stealthily

cichnąć vi calm down, become still

cicho adv in a low voice, softly; bądź ~! silence!; pot. hush!; ~ mówić speak in a low voice; ~ siedzieć ⟨stać⟩ sit ⟨stand⟩ still

cich|y adj still, silent, quiet; ~a zgoda tacit consent; przysł. ~a woda brzegi rwie still waters run deep

ciec vi flow, stream; (kapać) drip; (przeciekać) leak

ciecz f liquid, fluid

ciekawość f curiosity; przez ~ out of curiosity

ciekawy adj curious, inquisitive; (interesujący) interesting, curious; jestem ~ I wonder

ciekły adj liquid, fluid

cieknąć zob. ciec

cielec m, przen. złoty ~ golden calf

cielesny adj carnal, bodily, corporeal; (o karze) corporal

cielę n calf; pot. (głuptas) fool, simpleton

cielęcina f veal

cielęc|y adj calf, calf's; pieczeń ~a roast veal; skóra ~a calf skin

cielisty adj flesh-coloured

ciemię n crown (of the head), anat. top, vertex; przen. on jest nie w ~ bity he is nobody's fool, he is no fool

ciemięga m gawk, lout

ciemięzca m oppressor

ciemiężyć vt oppress

ciemnia f dark chamber

ciemnica f dark cell

ciemnieć vi darken, grow dark

ciemno adv darkly; jest ~ it is dark; robi się ~ it's getting dark

ciemnobłękitny adj dark-blue

ciemnoskóry adj dark-skinned, swarthy

ciemność f darkness, dark

ciemnota f obscurity; ignorance

ciemnowłosy adj dark-haired

ciemny adj dark; obscure; (o chlebie) brown; przen. ~ typ shady person

cieniować vt shade off, gradate

cienisty adj shady, shadowy

cienki adj thin, slender, (o tkaninie) fine

cienkość f thinness, fineness

cie|ń m shade; (odbicie człowieka, drzewa itp.) shadow; chodzić za kimś jak ~ń to shadow sb; pozostawać w ~niu keep in the background

cieplarnia f hothouse

ciepleć vi grow warm

ciepln|y adj thermic, thermal; energia ~a thermal ⟨heat⟩ energy

ciepło n warmth, heat; fiz. ~ utajone latent heat; trzymać w cieple keep warm; adv warmly; jest ~ it is warm; jest mi ~ I am warm; ubierać się ~ dress warmly

ciepłota f temperature

ciepły adj warm

ciernisty adj thorny

cierń m thorn

cierpi|eć vt vi suffer (coś sth, na coś, z powodu czegoś from sth); (znosić) bear; ~eć głód starve; ~eć na ból zębów have a toothache; nie ~ę tego I cannot bear it

cierpienie n suffering, pain; (dolegliwość) ailment

cierpki adj tart, acrid, harsh; ~e słowa harsh words

cierpkość f tartness, acridness; harshness

cierpliwość f patience; **straciłem ~** I'm out of patience (**do niego** with him)

cierpliwy adj patient

cierpnąć vi grow numb, become torpid

ciesielstwo n carpentry

cieszyć vt gladden, delight, give pleasure; **~ się vr** be glad (**czymś** of sth), rejoice (**czymś** at sth); **~ się dobrym zdrowiem** enjoy good health

cieśla m carpenter

cieśnina f strait (zw. pl straits)

cietrzew m zool. black-cock

cięcie n cut, cutting; med. **cesarskie ~** caesarean section

cięciwa f (łuku) string; mat. chord

cięgi pl sound cudgelling, licking; **dostać ~** get a licking

cięt|y pp cut; adj (ostry, bystry) smart, quick-witted; (zgryźliwy) pungent, caustic; **~y dowcip** ready wit; **~e pióro** ready pen

ciężar m burden, load, weight; **~ właściwy ⟨gatunkowy⟩** specific gravity; **~ własny** dead load; lotn. **~ całkowity** all-up weight; **być ~em** encumber (**dla kogoś** sb), be a burden (**dla kogoś to** sb)

ciężar|ek m weight; pl **~ki** gimnastyczne dumb-bells

ciężarna adj f pregnant

ciężarowy adj, **wóz ~** goods van; **samochód ~** lorry, am. truck

ciężarówka f lorry, am. truck

ciężki adj heavy, weighty; (o pracy, sytuacji) hard; (o chorobie) serious; (o ranie) dangerous; (trudny) difficult; **~e roboty** hard labour; (o bokserze) **~ej wagi** heavy-weight

ciężko adv heavily; hard; with difficulty; **~ pracować** work hard; **~ strawny** hard to digest, indigestible; **~ mi na sercu** I have a heavy heart; **~ mu idzie**

w życiu it goes hard with him; **~ mu idzie praca** he finds it hard to work; **~ myślący** slow of wit; **~ chory** seriously ill

ciężkoś|ć f heaviness, weight; **siła ~ci** gravity; **środek ~ci** centre of gravity

ciołek m bull-calf

cios m blow, stroke; **zadać ~** strike ⟨deal⟩ a blow

ciosać vt hew

cioteczn|y adj, **brat ~y, siostra ~a** first cousin

ciotka f aunt

cis m yew

ciskać vt hurl, throw; **~ się vr** fret and fume

cisnąć vt press; (o bucie) pinch; **~ się vr** press, crowd; zob. **ciskać**

cisz|a f stillness, calm, peace; **głęboka ~a** dead silence; **proszę o ~ę!** silence, please!

ciśnienie n pressure; **~ krwi** blood pressure

ciuciubabk|a f blindman's buff; **bawić się w ~ę** play blindman's buff

ciułać vt scrape together, economize

ciupaga f hatchet; (kij alpinistyczny) alpenstock

ciura m lout, bumpkin

ciżba f throng, crowd

ckliwość f mawkishness, nausea

ckliwy adj mawkish, nauseating

clić vt lay duty (**coś on,** upon sth)

cło n duty, customs, custom-duty; **opłacanie cła** clearance; **wolny od cła** duty-free; **podlegający cłu** dutiable

cmentarz m cemetery, burial-ground, graveyard; (przy kościele) churchyard

cmokać vi smack; **~ językiem** smack one's tongue

cnota f virtue

cnotliwość f virtuousness

cnotliwy adj virtuous

co pron what; **co do** as regards; **co do mnie** as for me; **co mie-**

siąc every month; **dopiero co** just now; **co za pożytek z tego?** what's the use of it?, what use is it?; **co za widok!** what a sight!; **co z tego?** what of that?; **co mu jest?** what's the matter with him?

codziennie adv every day, daily

codzienny adj everyday, daily; (powszedni) commonplace

cofać vt retire, withdraw; (odwoływać) repeal, recall, retract; (zegarek) put back; ~ **słowo** go back on one's word; ~ **się** vr draw back, withdraw, retreat, retire

cofnięcie (się) n withdrawal, retraction

cokolwiek pron anything; whatever; (nieco) some, something; ~ **bądź** no matter what; ~ **on zrobi** whatever he may do; ~ **się stanie** whatever may happen

cokół m socle, base

comber m saddle (of venison)

coraz adv, ~ **lepiej** better and better; ~ **więcej** more and more

corocznie adv every year, yearly, annually

coroczny adj yearly, annual

coś pron something, anything; ~ **w tym rodzaju** something like that; ~ **niecoś** a little, something, somewhat

córka f daughter

cóż pron what; ~ **to?** what is it?; **no i** ~? what now?; **więc** ~ **z tego?** well, what of it?; ~ **z tego, że** what if, what though

cuchnąć vi stink (czymś of sth), smell nasty

cucić vt bring back to consciousness, try to revive

cud m miracle, wonder, prodigy; **dokazywać** ~**ów** work wonders; ~**em** by a miracle, miraculously

cudaczny adj queer, odd

cudak m odd man, crank

cudny adj wonderfully fine, wonderful

cudo n wonder, marvel, prodigy

cudotwórca m miracle worker, thaumaturge

cudotwórstwo n thaumaturgy

cudown|y adj prodigious, miraculous; (niezwykle piękny, dobry) wonderful, marvellous; ~**y obraz** miraculous image; ~**e dziecko** prodigy

cudzołożyć vi commit adultery

cudzołóstwo n adultery

cudzoziemiec m foreigner, alien

cudzoziemski adj foreign, alien

cudzy adj somebody else's; other's, another's, others'; alien; strange

cudzysłów m inverted commas pl, quotation marks pl

cugl|e s pl reins; **popuścić** ~**i** give reins

cukier m sugar; ~ **kryształowy** crystal sugar; ~ **miałki** caster sugar; ~ **w kostkach** lump sugar; **głowa cukru** loaf of sugar; **kostka cukru** lump of sugar

cukierek m sweet, sweetmeat, am. candy

cukiernia f confectioner's (shop), confectionery

cukiernica f sugar-basin

cukiernik m confectioner

cukrownia f sugar-works

cukrownictwo n sugar industry

cukrzyca f med. diabetes

cukrzyć vt sugar

cumować vt mors. moor

cumy s pl mors. moorings

cwał m full gallop

cwałować vi ride at full gallop

cwaniak m pot. slyboots

cybernetyka f cybernetics

cyfra f cipher, digit

Cygan m gipsy; **cygan** (oszust) cheat, trickster

cyganeria f Bohemia

cyganić vt vi pot. cheat, trick

cygański adj gipsy; Bohemian

cygarniczka f cigarette holder

cygaro n cigar

cyjanek m cyanide

cykl m cycle

cykliczny adj cyclic

cyklista *m* cyclist
cyklon *m* cyclone
cykoria *f* chicory
cykuta *f* bot. (water) hemlock
cylinder *m* (walec) cylinder; (kapelusz) top hat

cymbał *m* pot. (dureń) duffer, blockhead; muz. pl ~y dulcimer
cyna *f* tin
cynadry *s* pl kidneys
cynamon *m* cinnamon
cynfolia *f* tin-foil
cyngiel *m* trigger
cyniczny *adj* cynical
cynik *m* cynic
cynizm *m* cynicism
cynk *m* zinc
cynkować *vt* zinc, coat with zinc
cynober *m* cinnabar, Chinese red, vermillion
cynować *vt* tin, coat with tin
cypel *m* jut, point; (przylądek) promontory; (wierzchołek) peak
cyprys *m* bot. cypress
cyrk *m* circus
cyrkiel *m* a pair of compasses, compasses pl
cyrkowiec *m*, cyrkówka *f* circus performer
cyrkulacja *f* circulation
cyrkulacyjny *adj* circulatory
cysterna *f* cistern, tank; statek ⟨samochód⟩ ~ tanker
cytadela *f* citadel
cytat *m* quotation
cytować *vt* quote, cite
cytra *f* muz. zither
cytryna *f* lemon
cywilizacja *f* civilization
cywilizować *vt* civilize
cywiln|y *adj* civil; civilian; stan ~y status; urząd stanu ~ego registry office
cyzelować *vt* chase, chisel; przen. smooth
czad *m* coal smoke; chem. carbon oxide
czaić się *vr* lurk
czajka *f* zool. pe(e)wit
czajnik *m* tea-kettle; (do zaparza-

nia herbaty) teapot
czako *n* shako
czambuł, w ~ adv altogether, in the bulk, wholesale
czapka *f* cap
czapla *f* zool. heron
czapnik *m* capmaker
czaprak *m* horse-rug
czar *m* charm, spell; pl ~y witchcraft, sorcery, magic
czara *f* bowl
czarci *adj* diabolical, devilish, devil's
czarno *adv* blackly; ubierać się na ~ dress in black; malować na ~ paint black; ~ na białym down in black and white
czarnobrunatny *adj* brownish black
czarnogiełdziarz *m* black marketeer
czarnoksięsk|i *adj* magic; różdżka ~a sorcerer's wand
czarnoksiężnik *m* sorcerer
czarnooki *adj* black-eyed
czarnowłosy *adj* black-haired
czarnoziem *m* humus, (black) mould
czarn|y *adj* black; przen. ~y rynek black market; na ~ą godzinę against a rainy day
czarodziej *m* sorcerer, wizard
czarodziejka *f* sorceress
czarodziejski *adj* magic(al)
czarować *vt* charm
czarownica *f* witch, hag
czarownik *m* sorcerer, wizard
czarowny *adj* charming, enchanting
czart *m* † devil
czarujący *adj* charming, fascinating
czas *m* time; gram. tense; ~ przeszły preterite, past; ~ przyszły future; ~ teraźniejszy present; ~ miejscowy ⟨lokalny⟩ local time; ~ wolny ⟨spare⟩ time; ~em sometimes; do ~u aż till, until; na ~ in (good) time; na ~ie timely, well-timed; nie na ~ie untimely, ill-timed; na jakiś ~ for a time; od ~u do ~u from time to time; od ~u jak...

since...; **od jakiegoś** ~**u** for some time now; **od owego** ~**u** ever since; **po pewnym** ~**ie** after a while; **przez cały ten** ~ all the time; **w sam** ~ just in time; **z** ~**em** in course of time; **za** ~**ów** at the time; **za moich** ~**ów** at my time

czasem *adv* sometimes

czasopismo *n* periodical

czasownik *m gram.* verb

czasowy *adj* temporal; temporary

czasza *f* bowl

czaszka *f* skull

czatować *vi* lurk (**na kogoś** for sb), lie in wait (**na kogoś** for sb)

czat|y *s pl* lying in wait, look-out; **być na** ~**ach** be on the look-out; keep (a good) watch

cząsteczka *f* particle; *chem. fiz.* molecule

cząstka *f* particle, small part; share

cząstkowy *adj* partial, fractional

czciciel *m* adorer, worshipper

czcić *vt* adore, worship; (*np. rocznicę*) celebrate; (*pamięć*) commemorate

czcigodny *adj* venerable, honourable

czcionk|a *f* letter, type; *pl* ~**i** letters, *zbior.* type

czczo, na czczo *adv* on ⟨with⟩ an empty stomach; **jestem na** ~ I have not had my breakfast

czczość *f* emptiness of the stomach; (*daremność*) vanity, futility

czczy *adj* (*pusty*) empty; (*daremny*) vain, futile

Czech *m* Czech

czek *m* cheque, *am.* check; ~**iem** by cheque; **honorować** ~ meet a cheque

czekać *vi* wait (**na kogoś** for sb), expect (**na kogoś** sb)

czekolada, czekoladka *f* chocolate

czekow|y *adj*, **książka** ~**a** cheque-book; **rachunek** ~**y** cheque account, *am.* checking account; **obrót** ~**y** cheque system, transactions in cheques

czeladnik *m* journeyman

czeladź *f* † domestics *pl*, household

czelność *f* insolence, impudence

czelny *adj* insolent, impudent

czeluść *f* chasm, abyss, gulf

czemu *adv* why

czep|ek *m* bonnet, cap; *przen.* **urodzić się w** ~**ku** be born with a silver spoon in one's mouth

czepiać się *vr* cling, hang on (**czegoś** to sth), catch (**czegoś** at sth); (*szykanować, zaczepiać*) pick (**kogoś** at sb)

czepiec *m* hood, cap

czerep *m* shell, sherd; *pot.* (*czaszka*) skull

czereśnia *f* cherry; (*drzewo*) cherry-tree

czernić *vt* blacken, black; paint black

czernidło *n* blacking; *druk.* printing-ink

czernić *vt* blacken, become black

czernina *f* black soup

czerń *f* blackness, black (colour); (*motłoch*) mob, rabble

czerpać *vt* draw; (*wygarniać*) scoop

czerpak *m* scoop

czerstwieć *vi* (*o chlebie*) become stale; (*krzepnąć*) become ruddy, grow vigorous

czerstwość *f* staleness; vigour

czerstwy *adj* (*o chlebie*) stale; (*krzepki*) hale, ruddy; **mieć** ~ **wygląd** look hale

czerwiec *m* June

czerwienić się *vr* redden, become red; (*na twarzy*) blush

czerwienieć *vi* redden, turn red

czerwień *f* red (colour), redness; (*w kartach*) hearts *pl*

czerwonka *f med.* dysentery

czerwony *adj* red

czesać *vt* comb; (*len*) hackle; (*wełnę*) card; ~ **się** *vr* to comb one's hair

czesanka *f* worsted, carded wool

czeski *adj* Czech

czesne *n* school-fees *pl*, tuition fee

cześć f honour, reverence; **odda-wać ~ do** honour, pay reverence; **ku czci, na ~ in** honour (kogoś of sb)

często adv often, frequently

częstokół m palisade

częstokroć adv frequently, repeatedly

częstokrotny adj frequent, repeated

częstotliwość f frequency

częstotliwy adj frequent; reiterative; gram. frequentative

częstować vt treat (kogoś czymś sb to sth); **~ się** vr treat oneself (czymś to sth); help oneself (czymś to sth)

częsty adj frequent

częściowo adv partly, in part

częściow|y adj partial, part attr; **~y etat** part-time work; **~a spłata** part-payment

częś|ć f part, portion; (udział) share; **~ć składowa** component (part); **~ć zamienna** spare (part); **lwia ~ć** lion's share; **pięć ~ci świata** five continents; **po ~ci** partly; **po największej ~ci** for the most part, mostly; gram. **~ci mowy** parts of speech

czkawka f hiccup

czlek m = człowiek

człon m member

członek m member; (kończyna) limb

członkini f woman member

członkostwo n membership

człowieczek m little fellow, homuncule

człowieczeństwo n humanity; human nature

człowieczy adj human

człowiek m (pl ludzie) man (pl people), human being

czmychać vi pot. scamper off, bolt

czołg m tank

czołgać się vr crawl, creep

czoło n forehead, brow; (pochodu, oddziału wojskowego) head; **marszczyć ~o** frown; **stawić ~o** face, brave; **wysunąć się na ~o** come to the front; **na czele** at the head; **w pocie ~a** in the sweat of the brow

czołobitny m servile

czołowy adj frontal; (przodujący) leading, chief

czołówka f forefront; wojsk. spearhead

czop m tap, plug

czopek m stopper; techn. spigot; med. suppository

czopować vt stop up, plug; tampon

czosnek m garlic

czółenko n small boat; (tkackie) shuttle

czółno n boat, canoe

czterdziestka f forty

czterdziestoletni adj (o wieku) forty years old; (o okresie czasu) forty years'

czterdziesty num fortieth

czterdzieści num forty

czternasty num fourteenth

czternaście num fourteen

czterokrotny adj fourfold

czteroletni adj (o wieku) four years old; (o okresie czasu) four years'

czterowiersz m quatrain

cztery num four

czterysta num four hundred

czub m tuft; (hełmu, koguta) crest; przen. **brać się za ~y** come to blows; pot. **mieć w ~ie** be tipsy

czubaty adj tufted, crested

czubić się vr bicker, squabble

czucie n feeling; **paść bez ~a** fall senseless

czuć vt feel; smell; **~ do kogoś urazę** bear sb a grudge; **~ czosnkiem** it smells of garlic; **~ się** vr feel; **~ się dobrze** feel well ⟨all right⟩; **~ się szczęśliwym** feel happy

czujka f wojsk. vedette

czujność f vigilance, watchfulness; **zmylić (czyjąś) ~** put (sb) off guard

czujny adj vigilant, watchful

czule *adv* tenderly, affectionately

czułość *f* tenderness, sensitiveness

czuły *adj* tender, affectionate; sensitive (na coś to sth)

czupryna *f* crop of hair

czupurny *adj* pugnacious

czuwać *vi* watch (nad kimś, czymś over sb, sth); keep vigilance; (nie spać) wake; sit up (przy chorym by a sick person)

czuwanie *n* watch, wake

czwartek *m* Thursday; Wielki Czwartek Maundy Thursday

czwarty *num* fourth; jedna ~a one fourth; wpół do ~ej half past three; o ~ej at four

czworak *m*, na ~ach on all fours

czworaki *adj* fourfold

czworo *num* four (children etc.)

czworobok *m* quadrilateral

czworokąt *m* quadrangle

czworonożny *adj* quadrupedal

czworonóg *m* quadruped

czwórka *f* four

czy *conj* w zdaniach pytających podrzędnych: if, whether; w zdaniach pytających głównych nie tłumaczy się: ~ wierzysz w to? do you believe that?; ~ ... ~ whether ... or; ~ tu ~ tam whether here or there; ~ chcesz tego ~ nie? do you want it or not?

czyhać *vi* lurk, lie in wait (na kogoś for sb)

czyj *pron* whose

czyjś *pron* somebody's, anybody's

czyli *conj* or

czyn *m* deed, act, action, feat; ~ bohaterski heroic deed, exploit; ~ pierwszomajowy First-May deed; wprowadzić w ~ carry into effect; człowiek ~u man of action

czynić *vt* do, act

czynienie *n* doing, acting; mieć z kimś do ~a have to do with sb

czynnik *m* factor, agent; ~ mia-

rodajny competent authority

czynność *f* activity, function, action; operation

czynny *adj* active; (pełniący obowiązki) acting; (o maszynie, automacie) in operation; sklep jest ~y the shop is open; *gram.* strona ~a active voice

czynsz *m* rent

czynszowy *adj*, dom ~ tenement--house

czyrak *m* furuncle

czystka *f* purge

czysto *adv* cleanly, purely, neatly; dochód na ~ net profit; mówić ~ po polsku speak good Polish; przepisać na ~ make a fair copy (coś of sth); wyjść na ~ get off clear

czystopis *m* fair copy

czystość *f* purity, cleanness, tidiness; (moralna) chastity

czysty *adj* clean, pure, neat; (schludny) tidy; (moralnie) chaste; *handl.* net; *filat.* mint; ~a angielszczyzna good English; ~a prawda plain truth; ~e sumienie clear conscience; ~y arkusz blank sheet; ~y dochód net profit

czyszczenie *n* cleaning; *med.* purgation; (biegunka) diarrhoea

czyścibut *m* shoeblack

czyścić *vt* clean; purify; *przen.* i *med.* purge; (rafinować) refine

czyściec *m* purgatory

czytać *vt* *vi* read (coś sth, o czymś of, about sth); ~ po angielsku read English

czytanie *n* reading; książka do ~a reading-book; nauka ~a instruction in reading

czytanka *f* piece for reading, piece of reading-matter; (podręcznik) reader

czytelnia *f* reading-room

czytelnik *m* reader

czytelny *adj* legible

czyż *conj* = czy

czyżyk *m* *zool.* siskin

ć

ćma f zool. moth

ćmi|ć vt (przyciemniać) obscure, darken; vi (dymić) reek, smoke; ~ **mi się w oczach** my head swims

ćwiartka f quarter, one fourth (part); (mięsa) joint

ćwiartować vt quarter

ćwiczenie n exercise, drill; (na fortepianie, skrzypcach itp.) practising; (trening) training; (na wyższej uczelni) class

ćwiczyć vt vi exercise, drill, instruct; (na fortepianie, skrzypcach itp.) practise; (trenować) train; (bić) flog

ćwiek m nail

ćwierć f quarter, one fourth (part)

ćwierkać vi twitter, chirp

ćwikła f beetroot salad

d

dach m roof; **bez ~u nad głową** without shelter; **mieć ~ nad głową** have a shelter

dachówka f tile

dać vt give; ~ **do zrozumienia** give to understand; ~ **komuś spokój** let (leave) sb alone; ~ **komuś w twarz** slap sb's face; ~ **możność** enable (komuś sb); ~ **wiarę** give credit; ~ **za wygraną** give up; ~ **znać** give information, inform; **daj mi znać o sobie** let me hear from you; **dano mi znać** word came to me; ~ **żyć** let live; ~ **przykład** set an example; ~ **ognia** fire; ~ **ognia do papierosa** give a light; **dajmy na to** suppose

daktyl m bot. date; (miara wiersza) dactyl

daktyloskopia f finger-printing

dal f distance, remoteness; **w ~i** far away, in the distance; **z ~a** from afar; **z ~a od** off, away from

dalece adv greatly, by far; **tak ~, że ...** so far (so much) that ...; **to such an extent that ...**

dalej adv farther, further; **i tak ~** and so on

daleki adj far, far-off, distant, remote

daleko adv far (off), a long way off; **tak ~, że** so far as; ~ **idący** far-reaching

dalekobieżny adj long-distance attr

dalekonośny adj long-range attr

dalekowidz m far-sighted person; med. presbyope

dalekowzroczność f far-sightedness; med. prebyopia

dalekowzroczny adj far-sighted

dalia f bot. dahlia

dalszy adj comp farther, further; (następny) next, following

daltonizm m daltonism

dama f lady; dame; (w kartach) queen; ~ **serca** lady-love

damasceński adj damask

damski adj ladies'

dane s pl data pl, evidence; (możliwości, kwalifikacje) makings, chance; **bliższe ~** description; ~ **osobiste** personal details; **mieć wszelkie ~** have every chance

danie n dish, course

danina f tribute

danser m, **danserka** f dancer

dansing m dancing

dantejski *adj* Dantean

dany *adj i pp* given; w ~ch warunkach under the given conditions

dar *m* gift, present; w darze as a gift

darcie *n* tearing, rending; (*w kościach*) pains; (*pierza*) picking

daremnie *adv* in vain

daremny *adj* vain, futile

darmo *adv* gratis, gratuitously, for nothing; (*bezpłatnie*) free of charge; na ~ in vain

darmozjad *m* sponger

darnina *f* turf; *poet.* sward, sod

darować *vt* give; present (*komuś coś* sb with sth); (*przebaczyć*) pardon, forgive; ~ komuś dług remit sb's debt; ~ komuś winę ⟨grzechy⟩ absolve sb from guilt ⟨sins⟩; ~ komuś życie spare sb's life

darowizna *f* donation, gift

darwinizm *m* Darwinism

darzyć *vt* present (*kogoś czymś* sb with sth); (*względami*) favour; ~ kogoś zaufaniem put one's trust in sb

daszek *m* rooflet; (*osłona*) screen; (*u czapki*) peak

dat|a *f* date; świeżej ~y of recent date; *pot.* być pod dobrą ~ą be in one's cups, be tipsy

datować *vt* ~ się *vr* date

datownik *m* date-stamp, dater; *filat.* postmark

dawać *zob.* dać

dawca *m* giver, donor; ~ krwi blood donor

dawka *f* dose

dawkować *vt* dose

dawniej *adv* formerly, in former times

dawno *adv* long ago, in times past; jak ~ tu jesteś? how long have you been here?

dawny *adj* old, old-time *attr*; (*poprzedni*) former; za ~ch dni in the old days; od dawna for ⟨since⟩ a long time

dąb *m* oak; stawać dęba (*o ko-*

niu) rear; jib; *przen.* włosy stają mu dęba his hair stands on end

dąć *vi* blow; ~ w róg blow a horn

dąsać się *vr* sulk (*na kogoś* with sb), be in the sulks

dąsy *pl* sulks

dążenie *n* aspiration, endeavour, pursuit

dążność *f* tendency

dążyć *vi* aspire (*do czegoś* to sth, after sth), strive (*do czegoś* after sth), aim (*do czegoś* at sth); (*podążać*) make one's way, proceed

dbać *vi* care (*o coś* for sth), take care (*o coś* of sth), be concerned (*o coś* about sth), look (*o coś* after sth)

dbałość *f* care, solicitude (*o coś* for sth)

dbały *adj* careful (*o coś* of sth), solicitous (*o coś* for, about sth)

debata *f* debate

debatować *vi* debate (*nad czymś* sth, on sth)

debet *m* *handl.* debit

debit *m* the right to sell (periodicals)

debiut *m* début

debiutant *m* débutant

debiutantka *f* débutante

debiutować *vi* make one's début

decentralizacja *f* decentralization

decentralizować *vt* decentralize

dech *m* breath; bez tchu out of breath; co tchu as fast as possible, in all haste; wypić jednym tchem drink at one gulp; zaczerpnąć tchu draw one's breath

decydować *vi* determine, decide (*o czymś* sth); ~ na korzyść kogoś, czegoś decide in favour of sb, sth; ~ się *vr* determine; decide (*na coś* on sth)

decydujący *adj* decisive; ~ moment decisive moment

decyzj|a *f* decision; powziąć ~ę come to ⟨arrive at⟩ a decision

dedykacja *f* dedication

dedykować *vt* dedicate

efekt m defect

efensyw|a f defensive; **w ~ie** on the defensive

eficyt m deficit

efilada f march past

efilować vi march past (**przed kimś** sb)

efinicja f definition

efiniować vt define

efinitywny adj decisive, final

eformować vt deform, disfigure

efraudacja f embezzlement

efraudant m embezzler

egeneracja f degeneration

egenerować się vr degenerate

egradacja f degradation

egradować vt degrade

eka n nieodm. zob. **dekagram**

ekada f decade

ekadencja f decadence

ekagram m decagramme

ekatyzować vt shrink

eklamacja f declamation, recitation

eklamator m reciter

eklamować vt recite, declaim

eklaracja f declaration

eklarować vt declare

eklinacja f gram. declension

eklinować vt gram. decline

ekompletować vt render incomplete

ekoracja f decoration; teatr scenery; (wystawy sklepowej) window-dressing

ekoracyjny adj decorative

ekorator m decorator; teatr scene-painter

ekorować vt decorate

ekret m decree

ekretować vt decree

elegacja f delegation; (z pełnomocnictwem) commission; pot. (wyjazd służbowy) business trip

elegat m delegate

elegować vt delegate, depute

elektować się vr relish (czymś sth), delight (czymś in sth)

elfin m zool. dolphin

elicje s pl delicacies, dainties; pleasures

delikatesy s pl dainties; (sklep) delicatessen

delikatność f delicacy, subtlety

delikatny adj delicate, subtle

delikwent m delinquent

demagog m demagogue

demagogia f demagogy

demarkacyjn|y adj, **linia ~a** line of demarcation

demaskować vt unmask, show up, expose

demobilizacja f demobilization

demobilizować vt demobilize

demokracja f democracy

demokrata m democrat

demokratyczny adj democratic

demokratyzować vt democratize

demolować vt demolish

demon m demon

demoniczny adj demonic

demonstracja f demonstration

demonstracyjny adj demonstrative

demonstrować vt demonstrate

demontować vt dismantle

demoralizacja f demoralization

demoralizować vt demoralize; **~ się** vr become demoralized

denat m defunct

denaturat m methylated spirit

denerwować vt get on sb's nerves, irritate, excite; **~ się** vr get excited, become flustered (**czymś** about sth)

denko n (kapelusza) crown

dentysta m dentist

dentystyczny adj dental, dentist's

dentystyka f dentistry

denuncjacja f denunciation, information

denuncjant m, **denuncjator** m informer, denouncer

denuncjować vt inform (**kogoś** against sb), denounce (**kogoś** sb)

departament m department

depesza f telegram, wire; **~ radiowa** radiogram

depeszować vi telegraph, wire

deponować vt prawn. deposit

deportacja f deportation

deportować vt deport

depozyt m deposit; **do ~u** on deposit
deprawacja f depravation
deprawować vt deprave
deprecjacja f depreciation
deprecjonować vt depreciate; **~ się** vr become depreciated
depresja f depression
deprymować vt depress
deptać vt vi trample, tread (coś sth, po czymś upon sth)
deptak m promenade
deputacja f deputation
deputat m (przydział) allowance, ration
derka f rug, blanket
dermatolog m dermatologist
dermatologia f dermatology
desant m descent; wojsk. landing, landing-operation
desantowy adj wojsk. landing; oddział ~ landing party
deseń m design, pattern; (szablon) stencil
deser m dessert
desk|a f board, plank; pot. **od ~i do ~i** from cover to cover, from beginning to end; **do grobowej ~i** till death itself
desperować vi despair
despota m despot
despotyczny adj despotic
despotyzm m despotism
destrukcja f destruction
destrukcyjny adj destructive
destylacja f distillation
destylarnia f distillery
destylować vt distil
desygnować vt designate
desygnat m referent, designation
deszcz m rain; **pada ~** it rains; przen. **z ~u pod rynnę** out of the frying pan into the fire
deszczówka f rain-water
deszczułka f lath
detal m detail
detalicznie adv handl. by (at) retail; **sprzedawać ~** sell by retail
detaliczny adj retail attr; **handel ~** retail trade; **kupiec ~** retailer
detektyw m detective

detektywistyczny adj detective
determinować vt determine
detonacja f detonation
detonować vt abash, disconcert; ι (eksplodować) detonate; **~ się** v lose countenance
detronizacja f dethronement
detronizować vt dethrone
dewaluacja f devaluation
dewaluować vt devaluate; **~ się** v become devaluated
dewiz|a f device, motto; pl **~** fin. foreign bills (exchange)
dewocja f devotion, piety
dewotka f devotee, bigot
dezercja f desertion
dezerter m deserter
dezerterować vi desert
dezorganizacja f disorganization
dezorganizować vt disorganize
dezorientacja f disorientation, con fusion
dezorientować vt disorientate, con fuse; **~ się** vr become confused lose one's way
dezynfekcja f disinfection
dezynfekować vt disinfect
dębczak m oakling
dębieć vi be taken aback, stan dumbfounded
dębina f oakwood
dętka f tire, tyre
dęt|y adj blown; hollow; **instru ment ~y** wind-instrument; **or kiestra ~a** brass band
diabelski adj diabolical, devilish
diabeł m devil
diabełek m devilkin, imp
diagnostyka f diagnosis
diagnoz|a f diagnosis; **postawić ~** to diagnose, to make a diagnosis
diagram m diagram
dialekt m dialect
dialektyczny adj dialectical; **ma terializm ~** dialectical material ism
dialektyk m dialectician
dialektyka f dialectics
dialog m dialogue
diament m diamond
diametralny adj diametrical
diatermia f diathermy

diecezja f diocese

diecezjalny adj diocesan

diet|a f diet; (pieniężna) zw. pl ~y expense ⟨travelling⟩ allowance

dietetyczny adj dietetic

dla praep for, in favour of, for the sake of; uprzejmy ⟨dobry⟩ ~ kogoś kind ⟨good⟩ to sb

dlaczego adv why, what for

dlatego adv therefore, for that reason, that's why; ~ że conj because, for

dławić vt strangle, suffocate, choke; techn. throttle; ~ się vr suffocate

dławik m techn. throttle

dłoń f palm; jasne jak na ~ni as clear as daylight

dłubać vt vi dig, bore; (w zębach) pick

dług m debt; wpaść w ~i incur debts; zaciągnąć ~ contract a debt; spłacić ~ pay off a debt

długi adj long; upadł jak ~ he fell down flat

długodystansowiec m sport long-distance runner

długo adv long, for a long time; jak ~ as long as; jak ~? how long?

długofalowy adj long-wave attr; przen. long-range attr

długoletni adj long-time, of long standing

długonogi adj long-legged

długopis m ball-point pen

długoś|ć f length; geogr. longitude; mieć x metrów ~ci be x meters long

długoterminowy adj long-term attr

długotrwały adj lasting, durable

długowieczność f longevity

długowieczny adj longeval; long-lived

dłuto n chisel

dłużnik m debtor

dłużny adj owing; jestem mu ~ I owe him

dłużyć się vr (o czasie) pass slowly

dmuchać vi blow, puff

dnieć vi dawn

dniówk|a f daywork, day's work; pracować na ~ę work by the day

dno n bottom

do praep to, into; (o czasie) till, until; aż do granicy as far as the frontier; co do mnie as for me; do cna through and through; do piątku till ⟨until⟩ Friday; łyżeczka do herbaty teaspoon; raz do roku once a year; idę do apteki I go to the chemist's; idę do przyjaciela I go to see my friend; iść do domu go home; przybyć do Londynu arrive at ⟨in⟩ London; wyjechać do Londynu leave for London; wejść do pokoju enter the room; wsadzić do więzienia put into prison

dob|a f day (and night), twenty-four hours; całą ~ę the clock round; w dzisiejszej ~ie at present, at the present time

dobiegać vi approach, be coming near

dobierać vt select, choose; assort (coś do czegoś sth with sth); być dobranym match (do czegoś sth); ~ się vr try to get (do czegoś at sth); dobrali się they are well matched

dobijać vt deal (kogoś sb) a death-blow; ~ targu strike a bargain; vi ~ do lądu reach land; ~ się vr try to enter; (osiągnąć) contend, scramble (czegoś for sth); ~ się do drzwi batter the door

dobitk|a f, na ~ę on top of all that

dobitny adj distinct, emphatic

doborowy adj choice, select

dobosz m drummer

dobór m selection, assortment; biol. ~ naturalny natural selection

dobrać zob. dobierać

dobranoc int good night!

dobrnąć *vi* wade through (**do czegoś** to sth)

dobr|o *n* good; ~o społeczne public welfare; *handl.* na moje ~o to my credit; **dla mojego** ~a for my good; *pl* ~a fortune, riches; *(ziemskie)* landed property; ~a ruchome movable property, personalty

dobrobyt *m* well-being, prosperity

dobroczynność *f* beneficence, charitableness; charity

dobroczynn|y *adj* beneficent, charitable; cele ~e charities

dobroczyńca *m* benefactor

dobroć *f* goodness

dobroduszność *f* kind-heartedness, good nature

dobroduszny *adj* kind-hearted, good-natured

dobrodziej *m* benefactor

dobrodziejstwo *n* benefaction, boon; *prawn.* benefit (of the law)

dobrotliwy *adj* kind-hearted, good-natured

dobrowolnie *adv* of one's own free will, voluntarily

dobrowoln|y *adj* voluntary; free-will *attr*; umowa ~a amicable agreement

dobr|y *adj* good, kind; nie wyjdzie z tego nic ~ego no good will come of it; to jest warte ~e 10 tysięcy it is well worth 10 thousand; to wyjdzie na ~e this will come to good, this will take a good turn; to mu nie wyjdzie na ~e it will turn out badly for him; w tej sprawie jedno jest ~e there is one good part in this; życzyć wszystkiego ~ego to give one's best wishes; a to ~e! I like this!; co ~ego? what is the best news?; przez ~e dwie godziny for a good two hours

dobrze *adv* well, all right; czuję się ~ I'm (feeling) well; ~ czy źle right or wrong; to ci ~ zrobi this will do you good; ~ ci tak! it has served you right

dobudować *vt* build an annex, build on

dobudówka *f* annex

dobyć *zob.* dobywać

dobytek *m sing* property, goods (and chattels); *(inwentarz)* cattle

dobywać *vt* take out, get out, produce

doceniać *vt* (duly) appereciate

docent *m* docent

dochodowy *adj* profitable, payable; podatek ~ income tax

dochodzenie *n* investigation, research, inquiry

dochodzi|ć *vi* approach, get near, reach; come about; *(badać)* investigate (**czegoś** sth), inquire (**czegoś** into sth), claim; *(ścigać sądownie)* prosecute; ~ trzecia godzina it is getting on to three o'clock; on ~ siedemdziesiątki he is getting on for seventy, he is close on seventy; rachunek ~ do 100 funtów the bill amounts to £ 100; jak do tego doszło? how did it come about?

dochować *vt* preserve; *(tajemnicy, wiary)* keep; ~ się *vr (dzieci)* manage to bring up; *(inwentarza)* manage to rear (breed)

dochód *m* income, profit, proceeds *pl*; ~ państwowy revenue

dociągać *vt vi* draw (**do czegoś** as far as sth); reach; tighten; ~ do końca reach the end

dociekać *vt* investigate (**czegoś** sth), inquire (**czegoś** into sth)

dociekanie *n* investigation, inquiry, enquiry

dociekliwy *adj* inquisitive

docierać *vt* reach (**dokąd** a place) advance (**dokąd** to a place); get (**do czegoś** at sth); reach (**do czegoś** sth); *vt (silnik, samochód)* run in, *am.* break in

docinać *vi* taunt, sting (**komuś** sb)

docinek *m* taunt

doczeka|ć się *vr* live to see; nie ~sz się go no use waiting for him; ~ć się późnej starości live

to an old age; **nie mogę się ~ć ...**
I can hardly wait to ...

...czepiać vt attach, append

...czesny adj temporal, earthly

...daé zob. **dodawać**

...datek m addition; appendix, supplement; pl **dodatki** accessories; (krawieckie itp.) materials, furnishings; **~ do pensji, wynagrodzenia** extra pay; **~ drożyźniany** cost-of-living bonus; **~ mieszkaniowy** residence allowance; **~ nadzwyczajny** (do gazety) extra edition; **~ rodzinny** family bonus; **na ~** in addition, besides

...odatkowo adj additionally, in addition, extra

...odatkowy adj additional, supplementary, extra

...datni adj positive, advantageous; fin. (o bilansie) favourable, active; **strona ~a** good side

...dawać vt add; (sumować) add up, sum up; give in addition; **~ ducha** cheer up; **~ odwagi** encourage

...odawanie n addition

...ogadać się vr come to an understanding; (w obcym języku) make oneself understood

...ogadzać vi gratify, satisfy; pamper; indulge; **~ć sobie** indulge oneself, do oneself well; **to mi ~** this suits me, this is convenient to me

...oglądać vi look (kogoś, czegoś after sb, sth), watch (kogoś, czegoś over sb, sth); (pielęgnować chorego) tend, nurse; (pilnować trzody) tend

...ogmat m dogma

...ogmatyczny adj dogmatic

...ogmatyka f dogmatics

...ogmatyzm m dogmatism

...ogodnie adv conveniently; **jak ci będzie ~** at your convenience

...ogodność f convenience

...ogodny adj convenient; **na ~ch warunkach** on easy terms

...ogodzić zob. **dogadzać**

dogonić vt catch up (kogoś sb, with sb), overtake

dogorywać vi be in death-agony, be dying away, be breathing one's last

dogrzewać vi warm additionally; scorch; **słońce ~** the sun is scorching

doić vt milk

dojadać zob. **dojeść; nie ~** starve, not eat enough

dojazd m approach, access; (przed domem) drive; (dojeżdżanie) regular travel

dojechać vi arrive (dokąd at ⟨in⟩ a place), reach (dokąd a place), (konno, na motorze) come riding (dokąd to a place)

dojeść vt finish eating, eat up the rest; **nie ~** not to eat up one's fill

dojeżdżać vi travel regularly; zob. **dojechać**

dojeżdżający adj i m non-resident

dojmujący adj painful, penetrating; (o bólu) acute

dojny adj, **krowa ~a** milch cow

dojrzałość f maturity; **egzamin ~ci** secondary school-leaving examination

dojrzały adj ripe, mature

dojrzeć 1. zob. **dojrzewać**

dojrzeć 2. vt (zobaczyć) catch sight (kogoś, coś of sb, sth); lit. behold

dojrzewać vi ripen, grow ripe, mature; (osiągnąć dojrzałość) reach the age of manhood ⟨womanhood⟩

dojście n access, approach; (do władzy) accession

dojść vi arrive (dokąd at ⟨in⟩ a place), reach (dokąd a place); **~ do skutku** come off ⟨about⟩; **~ do sławy** win fame; **~ do władzy** arrive at a power; **~ do wniosku** arrive at ⟨to⟩ a conclusion; **~ w czymś do doskonałości** bring sth to perfection; **doszedłem do przekonania** I came to believe; **doszło do porozumienia** an un-

derstanding has been established,
an agreement has been reached;
jak do tego doszło? how did this
come about?; *zob.* **dochodzić**

dok *m* dock

dokarmiać *vt* nourish additionally

dokazać *vt* achieve, perform; ~ **cudu** work a miracle; ~ **swego** accomplish one's design, have one's way

dokazywać *vt* (*swawolić*) skylark, romp; *zob.* **dokazać**

dokąd *adv* where; † whither; ~ **bądź** anywhere, wherever

doker *m* docker

dokładać *vt* add, throw in; ~ **do interesu** have a losing business; ~ **wszelkich starań** do one's best

dokładnie *adv* exactly, precisely

dokładność *f* exactitude, precision

dokładn|y *adj* exact, precise; ~e **badanie** close examination

dokoła *adv praep* round (about), around

dokonać *vt* achieve, accomplish, bring about; ~ **żywota** end one's days; ~ **się** *vr* take place ⟨effect⟩, come off ⟨about⟩

dokonanie *n* achievement

dokonany *adj* (*o fakcie*) accomplished; *gram.* perfect

dokończenie *n* conclusion, end(ing)

dokończyć *vt* finish up, conclude

dokształca|ć *vt* impart further instruction; ~ć **się** *vr* acquire ⟨receive⟩ further instruction; **szkoła** ~**jąca** continuation school

doktor *m* doctor

doktorat *m* doctorate; **zrobić** ~ take the doctor's degree

doktorsk|i *adj* doctor's, doctoral; **praca** ~**a** a doctor's thesis

doktoryzować się *vr* take one's doctor's degree

doktryna *f* doctrine

dokuczać *vt* vex, harass, annoy

dokuczliwy *adj* vexing, annoying, grievous

dokument *m* document; record; ~ **urzędowo poświadczony** legalized

deed

dokumentalny, dokumentarny *a*⟨ documentary

dokumentować *vt* document

dol|a *f* lot, destiny; **w** ~**i i ni**⟨ **doli** through thick and thin

dolat|ywać *vi* come flying, reach ~**uje zapach** the smell make⟨ itself felt

dolega|ć *vi* pain, ail; **co ci** ~ what's the matter with you' what ails you?; ~ **mi artretyz**⟨ I am troubled with arthritis; **ni** **mi nie** ~ nothing is the matte with me

dolegliwość *f* suffering, pain, a⟨ ment

dolewać *vt* pour additionally; **sobie herbaty** help oneself ⟨ more tea

doliczy|ć *vt* add; throw in, in clude (in a sum); *vr* ~**łem s**⟨ **tylko pięciu** I could count fiv⟨ only; **nie mogłem się** ~**ć** I coul⟨ not make up the sum

dolina *f* valley; *lit.* dale

dolny *adj* lower

dołączyć *vt* annex, attach, en⟨ close; ~ **się** *vr* join (**do kogo**⟨ sb)

dołek *m* pit, hole; (*na twarz*⟨ dimple

dołożyć *zob.* **dokładać**

dom *m* house; home; **do** ~**u** hom⟨ **poza** ~**em** abroad, away fro⟨ home, out of doors; **w** ~**u** a⟨ home; **czuć się jak u siebie w** ~ feel at home

domagać się *vr* demand, claim

domator *m* stay-at-home

domek *m* little house; ~ **jednoro**⟨ **dzinny** cottage, bungalow

domena *f* domain

domiar *m* (*podatkowy*) supertax na ~ **wszystkiego** to crown all

domierzyć *vt* fill the measure; (*p*⟨ *datek*) assess additionally

domieszać *vt* admix

domieszka *f* admixture

dominium *n sing nieodm.* domir⟨ ion

mino n domino; (gra) dominoes
pl

minować vi prevail, predominate
(nad kimś, czymś over sb, sth)

minujący adj predominant

mniemany adj conjectural

mokrążca m pedlar, hawker

morosły adj homeborn

mostwo n homestead

mownik m housemate

mow|y adj domestic, home
(house, indoor) attr; gospodarstwo ~e housekeeping; wojna ~a
civil war

mysł m conjecture, presumption

myślać się vr conjecture, sur-
mise; guess

myślny adj quick to understand,
quick-witted

niczka f flower-pot

niesienie n (władomość) report,
communication; (denuncjacja)
denunciation; handl. (komunikat)
advice

nieść vt comunicate, report, announce; denounce (na kogoś sb),
inform (na kogoś against sb);
handl. advise; donoszą nam, że ...
we are informed that ...

niosłość f importance, weighti-
ness

niosły adj important, weighty

nosiciel m denunciator, denouncer, informer

nosić zob. **donieść**

nośność f (głosu) sonority;
(strzału) range

nośny adj (o głosie) sonorous; (o
strzale) of long range

ookoła = **dokoła**

opadać vi get (czegoś at sth),
reach (czegoś sth)

opalać vt burn the rest, finish
burning; ~ się vr be burning out

opasować vt fit, adapt, adjust;
~ się vr adapt oneself, conform
oneself

opasowanie n adjustment, adaptation

opełniacz m gram. genitive (case)

opełniać vt complete, fill up; ful-

fil; ~ zobowiązań meet one's
obligations; ~ ślubu keep one's
vow

dopełniający adj complementary,
supplementary

dopełnienie m completion; fulfilment; gram. object; ~ bliższe
⟨dalsze⟩ direct ⟨indirect⟩ object

dopędzić vt catch up (kogoś sb,
with sb), overtake

dopiąć vt buckle up, button up;
(osiągnąć) attain, achieve; ~
swego gain one's end

dopiero adv only; ~ co only just,
just now; ~ wtedy not till then;
a co ~ let alone

dopiln|ować vi see (czegoś to sth);
~uj, żeby to było zrobione see
that it is done

dopingować vt spur on, incite,
stimulate

dopis|ać vt write in addition, add
in writing; vi (sprzyjać) favour,
be favourable; pogoda ~uje the
weather is fine; szczęście mu
~ało he met with success; he
was successful ⟨lucky⟩; zdrowie
mi ~uje I'm well; pamięć mi nie
~uje my memory fails me;
szczęście mi nie ~ało I have
failed

dopisek m postscript, footnote

dopłacać vt pay in addition

dopłata f additional payment, extra charge; (do biletu) excess
fare; filat. postage due

dopłynąć vi reach (swimming,
sailing, floating)

dopływ m (rzeki) tributary, afflu-
ent; (ludzi, pieniędzy) influx,
inflow; (krwi) afflux; (towarów,
prądu) supply

dopływać vi flow in; zob. **dopłynąć**

dopomagać vi help, aid, assist

dopominać się vr claim (o coś
sth, u kogoś from sb)

dopóki conj as long as; **dopóty** ~
as long as, till

doprawdy adv really, truly

doprowadzać vt conduct, conduce,

lead, bring; ~ **do doskonałości**
bring to perfection; ~ **do nędzy**
reduce to misery; ~ **do końca**
bring to an end; ~ **do rozpaczy**
drive into despair; ~ **do skutku**
carry into effect; ~ **do porządku** put in order; ~ **do szału**
drive (sb) mad

dopuszczać *vt vi* admit; permit;
~ **się** *vr* commit (czegoś sth)

dopuszczalny *adj* admissible; permissible

dopuszczenie *n* admission

dopytywać się *vr* inquire, make
inquiries (o kogoś, coś after ⟨for,
about⟩ sb, sth)

dorabiać *vt vi* work in addition,
make additionally; ~ **muzykę
do słów** set the words to music;
~ **się** *vr* make one's way; grow
more prosperous

doradca *m* adviser

doradczy *adj* advisory

doradzać *vi* advise (komuś sb)

dorastać *vi* grow up; rise (do zadania, sytuacji to the task, situation)

doraźnie *adv* immediately, on the
spot

doraźny *adj* immediate; extemporary; (o postępowaniu sądowym) summary

doręczać *vt* hand, deliver

doręczenie *n* delivery

dorob|ek *m* acquisition, property;
(np. naukowy) attainments *pl*,
production; być na ~ku make
one's way

dorobkiewicz *m* upstart, parvenu

doroczny *adj* annual, yearly

dorodny *adj* handsome

dorosły *adj i m* adult, grown-up

dorożka *f* cab

dorożkarz *m* cabman

dorównywać *vi* equal (komuś sb),
be equal, come up (komuś to sb)

dorsz *m* zool. cod

dorywczo *adv* occasionally, irregularly, by fits and starts

dorywcz|y *adj* occasional, improvised; ~a **praca** odd job

dorzecze *n* (river-)basin

dorzucać *vt* throw in, add

dosadny *adj* forcible, emphatic

dosiadać *vi* mount (konia a hors
on a horse)

dosięgać *vi* reach

doskonale *adv* perfectly, splendid

doskonalić *vt* perfect; ~ **się**
perfect oneself

doskonałość *f* perfection

doskonały *adj* perfect, excellen

dosłowny *adj* literal

dosłużyć się *vr* gain through se
vice; be promoted (stopnia pu
kownika to the rank of colone

dosłyszalny *adj* audible

dosłyszeć *vt* hear, catch; nie
mishear; be hard of hearing

dostać *vt* get, receive, obtai
attain, reach; ~ **kataru** cat
cold; ~ **się** *vr* get; ~ **się do d**
mu get home; ~ **się do środ**
get in; ~ **się do niewoli** be take
prisoner; ~ **się gdzieś** arrive
a place; ~ **się w czyjeś ręce** fa
⟨get⟩ into sb's hands; ~ **się**
czegoś get at sth

dostarczać *vt* supply, provide (k
muś czegoś sb with sth)

dostateczny *adj* sufficient; sati
factory; (o stopniu) passabl
fair; stopień ~ passing grade

dostat|ek *m* abundance; pod ~kie
in abundance, in plenty, enou

dostatni *adj* abundant; (zamożn
wealthy, well-to-do

dostawa *f* supply, delivery

dostawca *m* supplier, provide
purveyor

dostawiać *vt* supply, deliver; (n
więźnia) convoy, escort

dostąpić *vi* approach (do kog
sb); ~ **łaski** find favour (cz
jejś with sb); ~ **zaszczytów** ga
⟨obtain⟩ honours

dostęp *m* access, approach

dostępny *adj* accessible, easy
approach; (o książce, wykładzi
popular

dostojeństwo *n* dignity

dostojnik *m* dignitary

ostojny *adj* dignified, worthy

ostosować *vt* adapt, adjust, fit; ~ się *vr* adapt oneself, conform

ostosowanie *n* adaptation, adjustment

ostroić *vt* tune (up), attune; ~ się *vr* adapt oneself, conform

ostrzec *vt* catch sight (coś of sth), perceive

ostrzegalny *adj* perceptible

ostrzeganie *m* perception

osyć *adv* enough, sufficiently; ~ tego enough of it, that's enough, that will do

osypać *vt* add, strew additionally

o syta *adv* amply; najeść się ~ eat one's fill

oszczętnie *adv* completely, utterly, down to the ground

oszczętny *adj* through, complete

osztukować *vt* piece on, eke out

oścignąć *vt* overtake, catch up

ość *zob.* dosyć

ośrodkowy *adj* centripetal

oświadcz|ać *vt* (*doznawać*) experience (czegoś sth), go (czegoś through sth); (*próbować, robić doświadczenie*) test, put to the test, try; ~ycie nieszczęścia undergo a misfortune; los go ciężko ~ył fate has severely tried him

oświadczalny *adj* experimental

oświadczenie *n* (*życiowe*) experience; (*naukowe*) experiment; robić ~ experiment, make an experiment

oświadczony *adj* experienced, expert

oświadczyć *zob.* doświadczać

otacja *f* donation, endowment; allowance

otąd *adv* (*o miejscu*) up to here; thus far; (*o czasie*) up to now, so far

otkliwy *adj* keen, acute, severe

otknąć *vt* touch, feel; affect; (*urazić*) hit, hurt; ~ ważnej sprawy touch upon an important question

otknięcie *n* touch

otrwać *vi* persevere, hold out

otrzeć *zob.* docierać

dotrzymywać *vt* keep (obietnicy, słowa, tajemnicy a promise, one's word, a secret); ~ komuś kroku keep pace with sb, keep up with sb; ~ komuś towarzystwa keep sb company; ~ placu hold one's ground; ~ warunków stand by ⟨keep⟩ the terms

dotychczas *adv* up to now, so far

dotychczasow|y *adj* hitherto prevailing; ~e wiadomości the news received up to now

dotycz|yć *vi* concern (kogoś, czegoś sb, sth), relate (kogoś, czegoś to sb, to sth), regard (kogoś, czegoś sb, sth); co ~y with regard to, in respect of, relative to; as far as sth is concerned; co mnie ~y as for me; to mnie nie ~y it is no concern of mine; ~ący relative (kogoś, czegoś to sb, to sth), concerning

dotyk *m* feeling, touch

dotykać *zob.* dotknąć

dotykalny *adj* tangible, palpable

douczać *zob.* dokształcać

dowcip *m* joke, witticism; (*humor, bystrość*) wit

dowcipkować *vi* display one's wit

dowcipniś *m* wit

dowcipny *adj* witty

dowiadywać się *vr* inquire (o kogoś, coś after sb, sth, od kogoś of sb)

do widzenia *int* good-bye!

dowiedzieć się *vr* get to know, learn

dowierzać *vi* trust (komuś sb, in sb); (*polegać*) rely, trust (komuś, czemuś to sb, sth); nie ~ to distrust, to mistrust (komuś sb)

dowieść *vt* (*doprowadzić*) bring, lead; (*udowodnić*) prove; *zob.* dowodzić

dowlec *vt* drag as far as; ~ się *vr* come dragging along

dowodowy *adj* evidential, demonstrative, conclusive; materiał ~ evidence

dowodzenie n demonstration; (*dowództwo*) command

dowodzić vt prove, demonstrate (czegoś sth), be demonstrative (czegoś of sth); (*argumentować*) argue; (*komenderować*) command

dowolnie adv (*samowolnie*) arbitrarily; (*według woli*) at will, at discretion

dowolność f (*samowola*) arbitrariness; (*własne uznanie*) discretion

dowolny adj (*samowolny*) arbitrary; (*do uznania*) discretional, optional; (*bezpodstawny*) unfounded; (*jakikolwiek*) any, whatever; w ~m kolorze of any colour you choose; w ~m kierunku in any direction

dowozić vt bring, supply

dowód m proof, evidence; (*pamięci, wdzięczności*) token, sign; (*dokument*) certificate; na ~ in proof ⟨token⟩; ~ osobisty identity card; ~ odbioru receipt; ~ rzeczowy legal instrument

dowódca m commander

dowództwo n command; objąć ~ take command

dowóz m supply

doza f dose

dozbroić vt rearm

dozbrojenie n rearmament

dozgonny adj lifelong

doznać vi experience, go through; (*straty, krzywdy*) suffer; ~ rozczarowania meet with disappointment; ~ wrażenia get an impression

dozorca m guard, overseer; (*domowy*) housekeeper, doorkeeper, porter; (*więzienny*) gaoler, jailer

dozorować vt oversee, supervise

dozować vt doze

dozór m supervision; (*policyjny*) surveillance

dozwalać vi allow, permit

dożycie n, ubezpieczenie na ~ life insurance

dożyć vi live till, live to see; ~ późnego wieku live to an ol⟨ age; ~ stu lat live to be a hu⟨ dred years old

dożynki s pl harvest home

dożywiać vt give supplementar⟨ alimentation

dożywienie n supplementary al⟨ mentation; extra food

dożywocie n life-estate; (*rent⟨* life-annuity; na ~ for life

dożywotni adj lifelong; kar ~ego więzienia imprisonment fo⟨ life, life sentence

dół m pit, hole; lower part; bo⟨ tom; na dole below, down; dołu from below; na ~, w ⟨ downstairs; down hill; schodzi⟨ na ~ go down ⟨downstair⟨ downhill⟩

drab m pot. rascal, scoundrel

drabina f ladder; ~ sznurow⟨ rope-ladder

dragon m wojsk. dragoon

dramat m drama

dramaturg m dramatist, playwrigh⟨

dramaturgia f dramaturgy

dramatyczny adj dramatic

dramatyzować vt dramatize

drań m pot. scoundrel, rascal

drapacz m scraper; ~ chmur sky⟨ scraper

drapać vt scrape, scratch; ~ si⟨ vr, ~ się w głowę scratch one'⟨ head; (*piąć się*) clamber, scram⟨ ble

draperia f drapery; (*ścienno⟨* hanging(s)

drapichrust m scamp

drapieżnik m beast ⟨bird⟩ of pre⟨

drapieżność f rapacity

drapież|ny adj rapacious; zwierz⟨ ~e beast of prey

drapować vt drape

drasnąć vt scratch, graze; przen⟨ (*dotknąć*) hurt

drastyczny adj drastic; (*drażliwy⟨* ticklish; indecent

dratwa f (shoemaker's) thread

drażetka f dragée; farm. dragée⟨ pill

rażliwość f susceptibility, ticklish-
ness

rażliwy adj susceptible, ticklish,
touchy

rażnić vt irritate, gall, tease

rąg m pole, bar

rążlek m bar, rod; ~ki gimna-
styczne bars

rążyć vt hollow out

relich m drill(ing)

ren m drain

renować vt drain

reptać vi trip

reszcz m shudder; pl ~e fit of
shivers, cold fits

reszczyk m thrill

rewniak m (but) clog; (budynek)
wooden house

rewniany adj wooden

rewnieć vi lignify

rewno n log, piece of wood; timber

rezyna f trolley

ręczyć vt torment, harass, vex;
~ się vr worry, be vexed

rętwieć vi stiffen, grow stiff

rętwy adj stiff, numb, rigid

rgać vi shiver, tremble; (o sercu, pulsie) palpitate; (o głosie,
strunie itp.) vibrate; (o mięś-
niach, twarzy) twitch

rganie n trembling; palpitation;
vibration

rgawka f spasm, convulsion

robiazg m trifle, detail

robiazgowość f pedantry, punc-
tiliousness

robiazgowy adj pedantic, punctilious

robić vt (kruszyć) crumble; (drobno siekać) mince; (nogami) trip

robina f particle; fiz. molecule

robnica f piece-goods

robnostka f trifle

robnostkowy adj punctilious, pedantic

robnoustrój m microbe, micro-
organism

robny adj tiny, minute; (kupiec,
rolnik) small; (pomniejszy) petty;
~e wydatki pocket expenses;

~a suma petty sum; ~e s pl
small change

droczyć się vr tease (z kimś sb)

dro|ga f way, road, track, route;
~ga dla pieszych footpath; ~ga
powietrzna airway; ~ga wodna
waterway; krótsza ~ga (na
przełaj) short cut; wolna ~ga
the way is clear; rozstajne ~gi
cross-roads; być na dobrej ~dze
be on the right path; iść tą
samą ~gą go the same way;
wejść komuś w ~gę get in sb's
way; wybrać się w ~gę set out
on one's way; zejść z ~gi (ustąpić) give way; ~gą lądową by
land; ~gą na (przez) Warszawę
by way of Warsaw; ~gą wodną
by water, by sea; ~gą służbową
through official channels; nie
po ~dze out of the way; po
~dze on the way; pół godziny
~gi half-an-hour's walk (drive,
ride); w pół ~gi half-way; w
~dze wyjątku by way of exception; szczęśliwej ~gi! good-
-bye!; † farewell!

drogeria f druggist's (shop), am.
drugstore

drogista m druggist

drogo adv dear(ly), at a high price

drogocenny adj precious

drogowskaz m signpost, guidepost

drogow|y adj road attr; przepisy
~e traffic regulations; przewodnik ~y road-book; znaki ~e
road signs

dromader m zool. dromedary

drozd m zool. thrush

drożdże s pl leaven, yeast

drożeć vi grow dear

drożyć się vr sell at a high price;
(robić ceremonie) stand on (upon)
ceremony

drożyzna f dearness, high prices,
expensive cost of living

drożyźniany adj, dodatek ~ cost-
-of-living bonus

drób m poultry

dróżka f path

dróżnik m lineman, railway
watchman

druczek *m* (blank) form; *(ulotka)*
leaflet; *(drobny druk)* small
print

drugi *num* second, other; **książka**
z ~ej ręki second-hand book;
kupować z ~ej ręki buy second-hand; **co ~** every other
(second); **co ~ dzień** every other
(second) day; **~e tyle** twice as
much; **jeden po ~m** one after
another, one after each other;
po ~e in the second place; **po**
~ej stronie on the other side;
z ~ej strony ... on the other
hand ...

drugorzędny *adj* second-class, sec-
ond-rate, secondary

druh *m* friend, *pot.* crony; *(har-*
cerz) boy scout

druhna *f* bridesmaid; *(harcerka)*
Girl Guide

druk *m* print(ing); *(przesyłka pocz-*
towa) printed matter; **w ~u** in
the press; **drobny ~** small type;
tłusty ~ bold type; **omyłka ~u**
misprint

drukarnia *f* printing-office

drukarsk|i *adj* printer's; typo-
graphical; **farba ~a** printer's
(printing) ink; **błąd ~i** misprint;
maszyna ~a printing machine

drukarz *m* printer

drukować *vt* print

drut *m* wire; *elektr.* (sznur) cord;
telegraf bez ~u wireless; **~ do**
robienia pończoch itp. knitting-
-needle; **robić na ~ach** knit

drutować *vt* wire; fasten with wire

druzgotać *vt* smash, shatter

drużba *m* bridesman, best man

drużyna *f* team, crew, troop; **~**
ratownicza relief party

drużynowy *m* group leader

drwa *s pl* wood, firewood

drwal *m* woodcutter

drwić *vi* mock, *(z czegoś* at sth)

drwiny *s pl* mockery, raillery

dryblas *m* *pot.* tall fellow

dryfować *vi* *mors.* drift

dryg *m* *pot.* knack (*do czegoś* of
sth); inclination

dryl *m* drill

drylować *vt* *(owoce)* seed, ston▮

drynda *f* *pot.* hackney, cab

dryndziarz *m* *pot.* cabby

drzazga *f* splinter

drzeć *vt* *(rwać)* tear; *(ubranie*
buty) wear out, use; **~ się** ▮
(o ubraniu, butach) wear out▮
(krzyczeć) scream

drzemać *vi* doze, nap

drzemka *f* doze, nap

drzewce *n* shaft

drzewko *n* little tree; *(choinka*
Christmas tree

drzewny *adj* wooden, wood-; pa▮
pier ~ wood-paper; **spirytus ~**
wood-spirit; **węgiel ~** charcoa▮

drzewo *n* tree; *(ścięte)* wood, tim▮
ber

drzeworyt *m* woodcut

drzwi *s pl* door; *(podnoszone*
trap; **~ wejściowe** front door

drzwiczki *s pl* little door; *(u pie*
ca) fire-door; *(u powozu, samo*
chodu) door

drżeć *vi* tremble, shiver; **~ o ko**
goś tremble for sb; **~ z zimn**
shiver with cold

drżenie *n* trembling, tremor

dubeltówka *f* double-barrelled gu▮

dublet *m* duplicate; double

dublować *vt* double

duch *m* ghost, spirit; **dodać ~**
cheer up, encourage; **podnosić n**
~u encourage, brisk up; **upada**
na ~u lose heart; **wyzionąć ~**
breathe one's last; expire; **ni**
ma żywego ~a there is not
living soul; **zły ⟨dobry⟩ ~** evi▮
⟨good⟩ genius

duchowieństwo *n* clergy

duchowny *adj* spiritual; ecclesias▮
tical; **stan ~** clerical state; *s* ▮
clergyman

duchowy *adj* spiritual, mental▮
psychical

dudek *m* *zool.* hoopoe; **prze**▮
dupe; wystrychnąć na ~ka mak▮
a dupe (*kogoś* of sb), dupe

dudnić *vi* resound, drone; *(o wo*
dzie) brawl

dudy *s pl* *muz.* bagpipes

dukat *m* ducat

duma *f* pride, haughtiness

dumka *f* lit. elegiac ditty

dumny *adj* proud (z czegoś of sth)

Duńczyk *m* Dane

duński *adj* Danish

duplikat *m* duplicate

dur 1. *m* med. typhus; ~ brzuszny typhoid fever

dur 2. *m* nieodm. muz. major

dureń *m* fool

durny *adj* silly, foolish

durszlak *m* colander

durzyć się *vr* pot. be infatuated (w kimś with sb)

dusiciel *m* strangler; zool. boa ~ boa constrictor

dusić *vt* strangle, stifle; ~ się *vr* stifle, suffocate; (o potrawie) stew

dusz|a *f* soul; (do żelazka) heater; z całej ~y with all my soul; nie ma tu żywej ~y there is not a living soul here; pot. nie mam grosza przy ~y I have not a farthing to bless myself with

duszkiem *adv* at a draught

dusznica *f* med. asthma

dusznoś|ć *f* sultriness; pl ~ci oppression

duszny *adj* sultry, close

duszpasterski *adj* pastoral

duszpasterstwo *n* pastoral office

duszpasterz *m* pastor, clergyman

dużo *adv* much, many

duży *adj* great, big, large

dwa *num* two

dwadzieścia *num* twenty

dwakroć *num* twice

dwieście *num* two hundred

dwoi|ć *vt* double; ~ć się *vr* double; ~ mu się w oczach he sees double

dwoistość *f* doubleness, duality

dwoisty *adj* double, dual

dwojaczki *s pl* twins

dwanaście *num* twelve

dwoje *num* two

dworak *m* courtier

dworek *m* country house, cottage

dworować *vi* make fun (sobie z kogoś, czegoś of sb, sth)

dworski *adj* courtlike, courtly, court *attr*

dworskość *f* courtliness, courtly manners

dworzanin *m* courtier

dworzec *m* railway station

dwója *f* pot. (nota szkolna) bad mark

dwójka *f* couple, pair, two; = dwója

dwójnasób, w ~ *adv* doubly

dwór *m* court; (wiejski, szlachecki) manor-house, country-house; (dziedziniec) yard; na dworze out, outside, out of doors; na ~ out

dwudniowy *adj* two days'

dwudziestka *f* twenty, score

dwudziesty *num* twentieth

dwugłoska *f* gram. diphthong

dwugodzinny *adj* two hours'

dwujęzyczny *adj* bilingual

dwukropek *m* colon

dwukrotnie *adv* twice

dwukrotny *adj* twofold

dwuletni *adj* two years'

dwulicowość *f* duplicity

dwulicowy *adj* double-faced, hypocritical

dwumasztowiec *m* mors. two-master

dwumasztowy *adj* mors. two-masted

dwumian *m* mat. binomial

dwumiesięcznik *m* bimonthly

dwumiesięczny *adj* bimonthly

dwunastka *f* twelve

dwunastnica *f* anat. duodenum

dwunasty *num* twelfth

dwunożn|y *adj* two-legged; ~e stworzenie biped

dwuosobowy *adj* for two persons; (o grze) two-handed

dwupiętrowy *adj* three-storied

dwupłatowiec *m* biplane

dwuręczny *adj* two-handed

dwurzędowy *adj* double-rowed; (o marynarce) double-breasted

dwustronny *adj* two-sided; (o umowie) bilateral

dwutlenek *m chem.* dioxide
dwutomowy *adj* two-volume *attr*
dwutorowy *adj* double-track *attr*
dwutygodnik *m* biweekly
dwutygodniowy *adj* fortnightly
dwuwiersz *m* couplet
dwuzgłoskowy *adj gram.* disyllabic
dwuznacznik *m* quibble, equivoke
dwuznaczność *f* ambiguity
dwuznaczny *adj* equivocal, ambiguous
dwużeństwo *n* bigamy
dychawica *f med.* asthma
dychawiczny *adj med.* asthmatic
dydaktyczny *adj* didactic
dydaktyka *f* didactics
dyfteryt *m med.* diphtheria
dyfuzja *f fiz.* diffusion
dyg *m* curtsy
dygnitarz *m* dignitary (*zw. kościelny*); *pot.* topman
dygotać *vi* shiver
dygresja *f* digression
dykcja *f* diction
dykta *f* plywood
dyktando *n* dictation
dyktator *m* dictator
dyktatorski *adj* dictatorial
dyktatura *f* dictatorship; ~ proletariatu dictatorship of the proletariat
dykteryjka *f* anecdote
dyktować *vt* dictate
dylemat *m* dilemma
dyletancki *adj* dilettantish
dyletant *m* dilettante
dyliżans *m* stage-coach
dym *s* smoke; puścić z ~em send up in smoke; pójść z ~em go up in smoke (flames)
dymić *vi* smoke, reek
dymisj|a *f* dismissal; resignation; podać się do ~i hand in one's resignation, resign
dymisjonować *vt* dismiss
dymny *adj* smoky
dynamiczny *adj* dynamic
dynamika *f* dynamics
dynamit *m* dynamite
dynia *f bot.* pumpkin
dyplom *m* diploma

dyplomacja *f* diplomacy
dyplomata *m* diplomat
dyrekcja *f* management
dyrektor *m* director, manager
dyrygent *m* conductor
dyscyplina *f* discipline
dysk *m* disc; *sport* discus
dyskretny *adj* discreet
dyskryminacja *f* discrimination
dyskusja *f* discussion
dyskwalifikować *vt* disqualify
dyspozycj|a *f* disposition; disposal; być do czyjejś ~i be at sb's disposal
dysproporcja *f* disproportion
dysputa *f* dispute, disputation
dysputować *vi* dispute (o czymś on, about sth)
dystans *m* distance
dystansować *vt* outdistance
dystrakcja *f* distraction, distractedness
dystrybucja *f* distribution
dystyngowany *adj* distinguished
dystynkcja *f* distinction
dysydent *m* dissident, dissenter
dyszeć *vi* gasp, pant
dyszel *m* thill
dyszkant *m muz.* treble
dywan *m* carpet, rug
dywersja *f* diversion
dywidenda *f* dividend
dywizja *f* division
dywizjon *m lotn.* wing
dyzenteria *f med.* dysentery
dyżu|r *m* duty; mieć ~r be on duty; nie być na ~rze be off duty
dyżurny *adj* on duty; *s m* officer (clerk etc.) on duty
dzban *m* jug, pitcher
dzbanek *m* jug
dziać *vt vi* knit
dziać się *vi* go on, happen, take place, occur; co się tu dzieje? what's up here?; niech się dzieje, co chce happen (come) what may; co się z nim dzieje? what's happening to him?
dziad *m* grandfather; old man; (żebrak) beggar; zejść na ~y go to the dogs

:iadek *m* grandpapa; *(żebrak)* beggar; ~ **do orzechów** nut-cracker(s)

:iadowski *adj (żebraczy)* beggarly; *(tandetny)* rotten

:iał *m* section, division, part, sphere; *geogr.* ~ **wód** watershed

:iałacz *m* man of action; ~ **spo-łeczny** social worker; ~ **politycz-ny** activist; ~ **partyjny** party worker

:iałać *vi* act, be active, operate; *(o leku)* be effective; *(o wraże-niu)* affect; ~ **komuś na nerwy** get on sb's nerves; **zacząć** ~ come into operation; ~ **cuda** work wonders

:iałalność *f* activity

:iałanie *n* activity; effect; oper-ation; *mat.* rule

:iałka *f* lot, allotment, parcel

:iało *n* cannon, gun

:ian|y *adj* knitted; **wyroby** ~e knitted goods

:iarski *adj* brisk, brave

:iąsło *n* gum

:icz *f* savages, rabble, riff-raff

:iczeć *vi* become savage, grow wild

:iczyzna *f* venison

:ida *f* spear

:ieciak *m* kid

:ieciarnia *f* children, *zbior.* small fry

:iecięcy *adj* child's, children's; *med.* **paraliż** ~ infantile paral-ysis

:iecinada *f* childishness

:iecinnieć *vi* become childish

:iecinny *adj* childish

:ieciństwo *n* childhood

:iecko *n* child; *(do 7 lat)* infant; *(niemowlę)* baby

:iedzic *m* heir

:iedzictwo *n* inheritance, heritage

:iedziczka *f* heiress

:iedziczn|y *adj* hereditary; **ob-ciążenie** ~e taint

:iedziczyć *vt* inherit

:iedzina *f* domain, sphere

:iedziniec *m* court, yard, court-yard

dziegieć *m* tar

dzieje *s pl* history

dziejopisarstwo *n* historiography

dziejopisarz *m* historian

dziejowy *adj* historic(al)

dziekan *m* dean

dziekanat *m* dean's office, deanery

dzielenie *n* division

dzielić *vt* divide; distribute; sepa-rate; *(podzielić)* share; *mat.* ~**ć** **przez** divide by; ~ **się** *vr* be divided; share (czymś z kimś sth with sb); **15** ~ **się przez 3** 15 can be divided by 3; **ta książ-ka** ~ **się na 3 części** this book is divided into 3 parts

dzielna *f mat.* dividend

dzielnica *f* quarter; district

dzielnik *m mat.* divisor

dzielność *f* bravery

dzielny *adj* brave

dzieło *n* work, act, deed

dziennie *adv* daily, a day; **2 razy** ~ twice a day

dziennik *m (gazeta)* daily; *(pa-miętnik)* diary; ~ **buchalteryjny** day-book; ~ **lekcyjny** class book ⟨register⟩

dziennikarski *adj* journalistic

dziennikarstwo *n* journalism

dziennikarz *m* journalist

dzienn|y *adj* daily, day's; **praca** ~**a** *(całodzienna)* day's work, *(wykonywana w dzień)* day-work; **światło** ~**e** daylight

dzień *m* day; ~ **po dniu** day by day; ~ **powszedni** workday, weekday; **cały** ~ the whole day long; **co drugi** ~ every other day; **na drugi** ~ on the next day; **raz na** ~ once a day; **z dnia na** ~ from day to day; **za dnia** by day, in the day-time; **pewnego dnia** one day; **któregoś dnia** some day, the other day

dzierżawa *f* lease, tenancy

dzierżawca *m* tenant, leaseholder, lessee

dzierżawczy *adj gram.* possessive

dzierżawić *vt* lease, take on lease, hold by lease

dzierżawn|y *adj*, **czynsz ~y** rental, rent-charge; **umowa ~a** leasehold deed

dzierżyć *vt* hold, keep

dziesiątka *f* ten

dziesiątkować *vt* decimate

dziesiąty *num* tenth

dziesięcina *f* tithe

dziesięciokrotny *adj* tenfold

dziesięciolecie *n* tenth anniversary

dziesięć *num* ten

dziesięciokroć *num* ten times

dziesiętny *adj* decimal

dziewczę *n* girl, maiden

dziewczęcy *adj* girl's, girlish, maidenly

dziewczyna *f* girl

dziewczynka *f* girl, *pot.* (*podlotek*) flapper

dziewiątka *f* nine

dziewiąty *num* ninth

dziewica *f* virgin, maiden

dziewictwo *n* virginity, maidenhood

dziewicz|y *adj* virgin(al), maiden; **~a gleba** virgin soil; **las ~y** virgin forest

dziewięć *num* nine

dziewięćdziesiąt *num* ninety

dziewięćdziesiąty *num* ninetieth

dziewięćset *num* nine hundred

dziewiętnastka *f* nineteen

dziewiętnasty *num* nineteenth

dziewiętnaście *num* nineteen

dziewka *f* maid; *uj.* wench

dzięcioł *m* woodpecker

dziękczynienie *n* thanksgiving

dziękczynny *adj* thankful; **list ~** letter of thanks

dzięki *s pl* thanks; *praep* thanks to, owing to

dziękować *vi* thank

dzik *m* (wild) boar

dziki *adj* wild, savage; *s m* savage

dziobać *vt* peck

dziobaty *adj* (*po ospie*) pock-marked

dziobek *m* (*np. imbryka*) spout, nozzle

dziób *m* beak, bill; (*okrętu*) prow

dzisiaj, dziś *adv* today; **~ rano** this morning; **~ wieczór** this

evening; **od ~ za tydzień** th day week

dzisiejszy *adj* today's, presen present-day; **w ~ch czasac** nowadays, these days

dziura *f* hole, opening, cavity

dziurawić *vt* hole, make holes

dziurawy *adj* leaky, full of hole

dziurkować *vt* perforate

dziw *m* marvel, wonder

dziwactwo *n* eccentricity, pecul arity

dziwaczeć *vi* become eccentric

dziwaczny *adj* eccentric, odd

dziwak *m* eccentric

dziwić *vt* astonish; **~ się** *vr* won der, be astonished (**komuś, cze muś** at sb, sth); **nie ma się cze mu ~** it is no wonder

dziwn|y *adj* strange, queer; **ni ~ego, że ...** no wonder that .. **cóż ~ego, że ...** what wonde that

dziwo *n* marvel, wonder; prodigy

dziwoląg *m* monster, deforme creature, monstrosity, oddity

dzwon *m* bell; **bić w ~y** ring th bells

dzwonek *m* (hand-)bell; (*dzwo nienie*) ring; (*telefoniczny*) ca

dzwoni|ć *vi* ring; (*telefonowad* ring up (**do kogoś** sb); **~ć d drzwi** ring at the door; **~ m w uszach** my ears tingle

dzwonko *n* (*ryby*) slice

dzwonnica *f* belfry

dzwonnik *m* bell-ringer

dźwięczeć *vi* sound, resound, rin

dźwięczność *f* sonority

dźwięczny *adj* sonorous

dźwięk *m* sound

dźwiękowy *adj* sound; **film ~** sound film; *pot.* talkies

dźwig *m* (*winda*) lift, *am.* eleva tor; (*żuraw*) crane

dźwigać *vt* (*nosić*) carry; (*podno sić*) lift, heave; **~ się** *vr* rais oneself, rise

dźwignia *f* lever

dżdżownica *f* *zool.* rainworm

żdżysty *adj* rainy
żem *m* jam
żentelmen *m* gentleman
żinsy *s pl* jeans, denims

dżokej *m* jockey
dżonka *f* junk
dżuma *f* med. plague
dżungla *f* jungle

e

bonit *m* ebonite
cho *n* echo; *przen.* response
lukacja *f* education, instruction
dycja *f* edition
dykt *m* edict
tekt *m* effect
tektowny *adj* effective, showy
tektywny *adj* efficient, effective
femeryczny *adj* ephemeral
femeryda *f* ephemera
gipcjanin *m* Egyptian
gipski *adj* Egyptian
goista *m* egoist
goistyczny *adj* egoistic, selfish
goizm *m* egoism
gzaltacja *f* exaltation
gzaltować się *vr* go into ecstasies
  (czymś over sth)
gzamin *m* examination, *pot.*
  exam; zdawać ~ sit for an examination; zdać ~ pass an examination; nie zdać ~u fail in
  an examination
gzaminując|y *adj* examinational;
  komisja ~a board of examiners
gzaminator *m* examiner
gzaminować *vt* examine
gzekucja *f* execution
gzekucyjny *adj* executive; pluton ~ firing squad
gzekutor *m* executor
gzekutywa *f* executive (power)
gzekwować *vt* execute; (*pieniądze, należność itp.*) exact (coś
  od kogoś sth from sb)
gzema *f* med. eczema
gzemplarz *m* copy
gzotyczność *f* exotism
gzotyczny *adj* exotic
gzystencja *f* existence

egzystencjalizm *m* existentialism
egzystować *vi* exist
ekierka *f* set-square
ekipa *f* crew, team
eklektyczny *adj* eclectic
ekonom *m* (land) steward
ekonomia *f* economy; (*nauka*)
  economics
ekonomiczny *adj* economic(al)
ekonomika *f* economics
ekonomista *m* economist
ekran *m* screen
ekscelencja *f* excellency
ekscentryczność *f* eccentricity
ekscentryczny *adj* eccentric,
  quaint
eksces *m* (*zw. pl* ~y) excesses,
  disturbances
ekshumacja *f* exhumation
ekshumować *vt* exhume
ekskluzywny *adj* exclusive
ekskomunika *f* excommunication
eksmisja *f* eviction
eksmitować *vt* evict
ekspansja *f* expansion
ekspansywny *adj* expansive
ekspedient *m* (*w sklepie*) shop-
  -assistant, salesman
ekspediować *vt* dispatch, forward;
  sell
ekspedycja *f* dispatch; expedition; (*biuro*) forwarding department
ekspedycyjny *adj* expeditionary
ekspedytor *m* forwarding agent
ekspert *m* expert (w czymś at,
  in sth)
ekspertyza *f* expert's report ⟨in-
  quiry⟩
eksperyment *m* experiment

eksperymentować *vi* experiment
eksploatacja *f* exploitation
eksploatować *vt* exploit; (*robotnika*) sweat
eksplodować *vi* explode
eksplozja *f* explosion
eksponat *m* exhibit
eksponować *vt* expose, exhibit
eksport *m* export, exportation
eksporter *m* exporter
eksportować *vt* export
ekspress *m* express (train); (*list*) express letter
ekspresja *f* expression
ekstaza *f* ecstasy
eksterminacja *f* extermination
eksternista *m* extramural student ⟨pupil⟩
eksterytorialny *adj* extraterritorial
ekstrakt *m* extract
ekstrawagancja *f* extravagance
ekstrawagancki *adj* extravagant
ekwipować *vt* equip, fit out
ekwipunek *m* equipment, outfit
ekwiwalent *m* equivalent
elastyczność *f* elasticity
elastyczny *adj* elastic
elegancja *f* elegance
elegancki *adj* elegant, smart
elegant *m* dandy
elegia *f* elegy
elektroda *f* electrode
elektroliza *f* electrolysis
elektroluks *m* vacuum-cleaner; Hoover
elektromagnes *m* electromagnet
elektrometr *m* electrometer
elektron *m* *fiz.* electron
elektronika *f* electronics
elektrotechnik *m* electrician
elektrotechnika *f* electrical engineering
elektrownia *f* power-station
elektryczność *f* electricity
elektryczny *adj* electric
elektryfikacja *f* electrification
elektryfikować *vt* electrify
elektryk *m* electrician
elektryzacja *f* electrisation

elektryzować *vt* electrify; przegalvanize
element *m* element
elementarny *adj* elementary
elementarz *m* primer, ABC
elewacja *f* elevation
elewator *m* elevator, grain elvator
eliksir *m* elixir
eliminacja *f* elimination
eliminacyjn|y *adj* eliminating; zwody ~e trial heats
eliminować *vt* eliminate
elipsa *f* *mat.* ellipse; *gram.* ellisis
elita *f* élite
emalia *f* enamel
emaliować *vt* enamel
emancypacja *f* emancipation
emancypantka *f* suffragette, ponew woman
emancypować *vt* emancipate
emblemat *m* emblem
embrion *m* embryo
emeryt *m* pensioner, retired (oficer, teacher etc.)
emerytować *vt* pension off
emerytowany *adj* retired
emerytur|a *f* retiring pension, rtired pay; przejść na ~ę retire
emfatyczny *adj* emphatic
emfaza *f* emphasis
emigracja *f* emigration, exile
emigracyjny *adj* emigration attrząd ~ government in exile
emigrant *m* emigrant; (*polityczny*) émigré
emigrować *vi* emigrate
eminencja *f* eminence
emisariusz *m* emissary
emisja *f* emission, issue; *radi*broadcast
emitować *vt* emit, issue; *radi*broadcast
emocja *f* emotion
empiryczny *adj* empirical
empiryzm *m* empiricism
emulsja *f* emulsion
encyklika *f* encyclical

ncyklopedia *f* encyclopaedia
ncyklopedyczny *adj* encyclopaedic
nergetyka *f* energetics
nergia *f* energy
nergiczny *adj* energetic, active, vigorous
ntuzjastyczny *adj* enthusiastic
ntuzjazm *m* enthusiasm
ntuzjazmować się *vr* be enthusiastic (czymś about sth)
nuncjacja *f* enunciation
piczny, epicki *adj* epic(al)
pidemia *f* epidemic
pika *f* epic poetry
pilepsja *f med.* epilepsy
pileptyk *m* epileptic
pilog *m* epilogue
piskopat *m* episcopate
pitet *m* epithet
pizod *m* episode
poka *f* epoch
pokowy *adj* epoch-making
popeja *f* epic, epopee
pos *m* epos
ra *f* era
rotyczny *adj* erotic
rotyzm *m* eroticism
rudycja *f* erudition
rudyta *m* erudite (person)
rupcja *f geol. med.* eruption
sencja *f* essence
skadra *f mors. lotn.* squadron
skapada *f* escapade
skorta *f* escort
skortować *vt* escort
steta *m* aesthete
stetyczny *adj* aesthetic
stetyka *f* aesthetics
Estończyk *m* Estonian
stoński *adj* Estonian
strada *f* platform
tap *m* stage
ta|t *m* permanency, permanent

post; być na ~cie hold a regular post
etatowy *adj* permanent
etatyzm *m* State control
etażerka *f* what-not, shelf; (na książki) bookstand
eter *m* ether
etniczny *adj* ethnic
etnograf *m* ethnographer
etnografia *f* ethnography
etnograficzny *adj* ethnographic
etnolog *m* ethnologist
etnologia *f* ethnology
etyczny *adj* ethical
etyka *f* ethics
etykieta *f* etiquette; (napis, kartka) label, tag
etymologia *f* etymology
etymologiczny *adj* etymologic(al)
eugenika *f* eugenics
eukaliptus *m bot.* eucalyptus
Europejczyk *m* European
europejski *adj* European
ewakuacja *f* evacuation
ewakuować *vt* evacuate
ewangelia *f* gospel
ewangelicki *adj* Protestant
ewangeliczny *adj* evangelic(al)
ewangelik *m* Protestant
ewentualnie *adv* possibly, in case
ewentualność *f* contingency, eventuality
ewentualny *adj* contingent, possible, likely
ewidencj|a *f* register, registry; record; file; biuro ~i registry office
ewolucja *f* evolution; ~ drogą doboru naturalnego the survival of the fittest
ewolucjonizm *m* evolutionism
ewolucyjny *adj* evolutionary

f

fabryczny *adj* manufactured, *attr* factory; znak ~ trade mark

fabryka *f* factory, works, (*tekstylna, papieru*) mill, plant

fabrykant *m* manufacturer

fabrykat *m* manufacture, manufactured article

fabrykować *vt* manufacture, make, produce

fabularny *adj*: film ~ feature film

fabuła *f* contents, plot

facet *m* pot. fellow, guy

fach *m* occupation, profession

fachowiec *m* expert, specialist

fachowy *adj* professional, expert

facjata *f* garret, attic; pot. (*twarz*) phiz

fagot *m* muz. bassoon

fajans *m* common china, faience

fajerka *f* fire-disk, fire-pan

fajerwerk *m* firework (*zw. pl*)

fajka *f* pipe

fajny *adj* pot. tip-top

fajtłapa *m* pot. galoot

fakt *m* fact

faktor *m* agent, broker

faktura *f* handl. invoice

faktycznie *adv* in fact, actually

faktyczny *adj* actual, real

fakultatywny *adj* optional

fakultet *m* faculty

fala *f* wave; (*bałwan*) billow; (*duża i długa*) roller; ~a zimna ⟨gorąca⟩ cold ⟨heat⟩ wave; (*radio*) zakres ~ wave-band

falanga *f* (*szyk*) phalanx; polit. Falange

falbana *f* flounce

falisty *adj* wavy, undulating

falochron *m* breakwater

falować *vi* wave, undulate

falset *m* muz. falsetto

falsyfikat *m* forgery, counterfeit

falsyfikować *vt* falsify, forge, counterfeit

fałda *f* fold, pleat

fałsz *m* falsehood, deceit

fałszerstwo *n* falsification, forgery

fałszerz *m* falsifier, forger

fałszować *vt* falsify, forge, counterfeit

fałszywy *adj* false; (*podrobiony*) spurious, forged

fanatyczny *adj* fanatical

fanatyk *m* fanatic

fanatyzm *m* fanaticism

fanfara *f* flourish (of trumpets)

fanfaron *m* swaggerer

fant *m* pawn, pledge; gra w ~ game of forfeits

fantasta *m* dreamer, visionary

fantastyczny *adj* fantastic(al)

fantazja *f* fantasy, phantasy; fancy

fara *f* parish church

faraon *m* Pharaoh

farba *f* dye, paint, colour; ~ drukarska printer's ink; ~ olejna oil-colour; ~ wodna water-colour

farbiarnia *f* dyer's, dye-works

farbować *vt* dye, paint, colour; ~ na czarno dye black

farmaceuta *m* pharmacist

farmacja *f* pharmacy

farmakologia *f* pharmacology

farmakopea *f* pharmacopoeia

farsa *f* farce

farsz *m* stuffing

fartuch *m* apron

fartuszek *m* pinafore

faryzeusz *m* rel. Pharisee

fasada *f* façade

fascynować *vt* fascinate, charm

fasola *f* bean (*zw. pl* beans); ~ szparagowa French beans

fason *m* pattern, fashion; (*szyk*) style, chic

fastryga *f* tacks

fastrygować *vt* tack

faszerować *vt* stuff

faszyna *f* fascine

faszysta *m* fascist
fatalista *m* fatalist
fatalizm *m* fatalism
fatalny *adj* fatal
fatyg|a *f* fatigue, trouble; zadać sobie ~ę take the trouble
fatygować *vt* fatigue, trouble; ~ się *vr* take trouble, trouble
fauna *f* fauna; ~ wodna aquatic fauna
faworek *m* crisped cake
faworyt *m* favourite
faworyzować *vt* favour
faza *f* phase
febra *f* med. ague, fever
federacja *f* federation
federacyjny *adj* federal
felczer *m* assistant surgeon
felieton *m* feuilleton
feminista *m* feminist
feniks *m* phoenix
fenomen *m* phenomenon
fenomenalny *adj* phenomenal
feralny *adj* disastrous, ominous
ferie *s pl* holiday, vacation
ferma *f* farm
ferment *m* ferment
fermentacja *f* fermentation
fermentować *vi* ferment
festiwal *m* festival
festyn *m* festive garden-party, feast
fetor *m* stench
fetysz *m* fetish
feudalizm *m* feudalism
feudalny *adj* feudal
fiask|o *n* fiasco; skończyć się ~iem come to grief, go by the board
figa *f* fig
fig|iel *m* joke, trick; spłatać ~la play a trick (komuś on sb)
figlarz *m* jester, joker
figlować *vi* joke, play tricks; (o dzieciach) romp
figow|y *adj* fig attr; drzewo ~e fig-tree; listek ~y fig-leaf
figura *f* figure; statue; shape; ~ przydrożna roadside image; przen. wielka ~ big shot
fikać *vi* vt strike out (legs), gambol, kick up; ~ koziołki turn somersaults

fikcj|a *f* fiction, sham; podtrzymywać ~ę keep up the sham
fikcyjny *adj* fictitious
fiksować *vt* † (utrwalać) fix; *vi* (wariować) go mad
filantrop *m* philanthropist
filantropia *f* philanthropy
filar *m* pillar
filatelista *m* stamp-collector, philatelist
filatelistyka *f* philately
filc *m* felt
filharmonia *f* Philharmonic Hall
filia *f* branch (office)
filister *m* Philistine
filisterstwo *m* Philistinism
filiżanka *f* cup
film *m* film, moving picture; movie; ~ dokumentalny documentary; ~ długometrażowy full-length film; ~ fabularny feature film; ~ krótkometrażowy short subject, short film; ~ rysunkowy cartoon film; nakręcać ~ shoot a film; wyświetlanie ~u projection, screening
filmow|y *adj* film attr; atelier ~e film-studio; gwiazda ~a film star; kronika ~a news-reel
filolog *m* philologist
filologia *f* philology
filologiczny *adj* philological
filozof *m* philosopher
filozofia *f* philosophy
filozoficzny *adj* philosophic(al)
filtr *m* filter
filtrować *vt* filter
filut *m* wag, jester
filuterny *adj* waggish
Fin *m* Finn
finalizować *vt* finish (up)
finał *m* final; muz. finale
finans|e *s pl* finances; minister ~ów bryt. Chancellor of the Exchequer, am. Secretary of the Treasury; ministerstwo ~ów bryt. Exchequer, am. Treasury
finansista *m* financier
finansować *vt* finance
finansowy *adj* financial
fiński *adj* Finnish

fiolet 520

fiolet *m* violet
fioletowy *adj* violet
fiołek *m* bot. violet
fiord *m* geogr. fiord
firanka *f* curtain
firma *f* firm
firmament *m* firmament
fisharmonia *f* muz. harmonium
fiszbin *m* whalebone
fiszka *f* label, slip; (żeton) counter; (w kartotece) card
fizjolog *m* physiologist
fizjologia *f* physiology
fizjologiczny *adj* physiological
fizjonomia *f* physiognomy
fizyczn|y *adj* physical; pracownik ~y manual worker; wychowanie ~e physical training
fizyk *m* physicist
fizyka *f* physics
flaga *f* flag, banner

flak *m* (zw. pl ~i) intestines, guts; (potrawa) tripe
flakon *m* bottle, phial; (do kwiatów) flower-glass
Flamandczyk *m* Fleming
flamandzki *adj* Flemish
flanca *f* seedling
flanela *f* flannel
flank|a *f* wojsk. flank; uderzyć z ~i flank
flaszeczka *f* phial; (na ocet, oliwę) cruet
flaszka *f* bottle

flądra *f* zool. flounder
flegma *f* phlegm
flegmatyczny *adj* phlegmatic
flek *m* heel-tap
flet *m* muz. flute
flirciarka *f*, flirciarz *m* flirt
flirt *m* flirt, flirtation
flirtować *vi* flirt
flisak *m* raftsman
flora *f* flora
flota *f* fleet; ~ wojenna navy; ~ handlowa merchant marine
flotylla *f* flotilla
fluid *m* fluid
fluktuacja *f* fluctuation
fochy *s pl* pot. sulks; stroić ~ sulk, be in the sulks

foka *f* zool. seal
foksterier *m* fox-terrier
fokstrot *m* foxtrot
folgować *vi* indulge (komuś w jego kaprysach sb in his whims); slacken, relax; (np. o deszczu, chłodzie) abate; (zelżeć) ease off; ~ swym namiętnościom indulge one's passions
foliał *m* folio
folklor *m* folklore
folwark *m* (manorial) farm
fonem *m* phoneme
fonetyczny *adj* phonetic(al)
fonetyka *f* phonetics
fonoteka *f* record ⟨tape⟩ library
fontanna *f* fountain
foremny *adj* well-shaped, shapely
form|a *f* shape; (w odlewnictwie) mould; ~y towarzyskie good form, conventions; zbior. być w ~ie be in due form; nie być w ~ie be out of form
formacja *f* formation
formalista *m* formalist
formalizm *m* formalism
formalność *f* formality
formaln|y *adj* formal; kwestia ~a point of order
format *m* size
formować *vt* form, shape, mould; ~ się *vr* form
formularz *m* form
formuł(k)a *f* formula
formułować *vt* formulate, word
fornir *m* veneer
fornirować *vt* veneer
forsa *f* pot. (pieniądze) dough
forsować *vt* force; ~ się *vr* exert oneself
forsowny *adj* forced, intense
fort *m* wojsk. fort
forteca *f* wojsk. fortress
fortel *m* subterfuge
fortepian *m* (grand) piano
fortuna *f* fortune
fortyfikacja *f* wojsk. fortification
fortyfikować *vt* wojsk. fortify
fosa *f* ditch; wojsk. moat
fosfor *m* chem. phosphorus
fotel *m* arm-chair
fotogeniczny *adj* photogenic

fotograf m photographer
fotografia f (technika) photography; (zdjęcie) photograph, picture
fotograficzny adj photographic
fotografować vt photograph
fotokomórka f photo-cell
fotokopia f photocopy
fotometr m photometer
fotomontaż m (technika) photo-montage; (obraz) montage (photograph)
fotoreporter m camera-man
fotos m photo
fracht m freight
fragment m fragment
fragmentaryczny adj fragmentary
frak m dress-coat, tail-coat
frakcja f fraction; polit. faction
francuski adj French
Francuz m Frenchman
Francuzka f Frenchwoman
frank m franc
franko adj adv post-paid
frant m sly-boots; sly dog playing a fool
frasobliwy adj uneasy, sorrowful
fraszka f trifle; lit. limerick
fraza f phrase
frazeologia f phraseology
frazeologiczny adj phraseological
frazes m hollow phrase, cliché; zbior. ~y claptrap
fregata f mors. frigate
frekwencja f (w szkole, na zebraniu itp.) attendance
fresk m fresco
frędzla f fringe
front m front; wojsk. front, fighting line; **pójść na ~** to go ⟨to be sent⟩ to the front; przen. zmiana ~u change of front
froterować vt polish
fruwać vi flitter, flutter; (latać) fly
frykas m delicacy, dainty (bit)
frywolny adj frivolous

fryz m arch. frieze
fryzjer m hairdresser, barber
fujara f pipe; przen. (niedołęga) galoot
fujarka f (rural) pipe
fundacja f foundation
fundament m foundation; (podstawa) groundwork
fundamentalny adj fundamental
fundator m founder
fundować vt found, establish; (częstować) treat (komuś coś sb to sth), stand (szklankę piwa glass of beer)
fundusz m fund
funkcja f function
funkcjonalny adj functional
funkcjonariusz m functionary
funkcjonować vi function, act
funt m pound; **~ szterling** pound sterling
fura f cart
furażerka f forage-cap
furgon m baggage-cart
furia f fury, rage; **dostać ~i** fly into a fury
furiat m raging fellow
furman m carter
furor|a f furore; **zrobić ~ę** make a furore
furta f gate
furtka f wicket
fusy s pl (np. w kawie) grounds
fuszer m bungler, botcher
fuszerka f bungle, botch
fuszerować vt vi bungle, botch; make a bungle (coś of sth)
futbol m (association) football, soccer
futbolista m football player, footballer
futerał m case, cover
futro n fur
futryna f window-frame, door-frame
fuzja f fusion; (strzelba) rifle, gun

g

gabardyna *f* gabardine
gabinet *m* cabinet; (*pokój do pracy*) study
gablota *f* glass-case, show-case
gad *m* zool. reptile
gadać *vt vi pot.* talk, prattle; ~ od rzeczy talk nonsense
gadanie *n pot.* talk, prattle
gadatliwość *f* talkativeness
gadatliwy *adj* talkative
gaduła *m pot.* clapper
gadzina *f* reptile, viper
gafa *f* bloomer
gaj *m* grove
gajowy *m* gamekeeper
galaktyka *f* galaxy
galanteria *f* fancy-goods; (*uprzejmość*) gallantry
galar *m* scow
galaret(k)a *f* jelly
galera *f hist.* galley
galeria *f* gallery; ~ obrazów picture-gallery, gallery of pictures
galernik *m* galley-slave
galimatias *m pot.* muddle, jumble
galon *m* (*miara*) gallon; (*ozdoba*) galloon
galop *m* gallop; ~em at a gallop
galopować *vi* gallop
galowy *adj* gala; strój ~ gala-suit, gala-dress, gala-uniform
galwanizować *vt* galvanize
gałązka *f* twig
gałąź *f* branch
gałgan *m* rag; *pot.* (*łajdak*) rascal, scamp
gałganiarz *m* rag-and-bone man
gałka *f* ball, globe; (*u drzwi, laski*) knob
gama *f muz. i przen.* gamut, scale
gamoń *m pot.* lout, galoot
ganek *m* porch, veranda(h)
gangrena *f* gangrene
gangrenować *vt* gangrene
ganić *vt* blame
gap *m* gaper

gap|a *m f* gull, dupe; pasażer na ~ę stowaway; jechać na ~ę stow away
gapić się *vr* gape (na coś at sth)
garaż *m* garage
garb *m* hunch, hump
garbarnia *f* tannery
garbarz *m* tanner
garbaty *adj* hunch-backed
garbić się *vr* stoop
garbnik *m* tannin
garbować *vt* tan
garbus *m* hunchback
garderoba *f* (*szafa*) wardrobe; (*sztalnia*) cloakroom; (*odzież*) stock of clothes, clothing
gardlany *adj* throat *attr*
gard|ło *n* throat; *przen.* wąskie ~ło bottle-neck; mieć ból ~ła have a sore throat; mieć nóż na ~le have the knife at one's throat
gardzić *vi* despise, scorn (czymś sth)
gardziel *f* gullet
garkuchnia *f* soup-kitchen
garnąć *vt* gather up; ~ do siebie hug; ~ się *vr* cling (do kogoś, czegoś to sb, sth); strive (do czegoś after sth); hunger (do nauki itd. after learning etc.); apply oneself (do czegoś to sth)
garncarnia *f* pottery
garncarstwo *n* pottery, ceramics
garncarz *m* potter
garnek *m* pot
garnirować *vt* trim, garnish
garnitur *m* (*ubranie*) suit (of clothes), clothes; *zbior.* set, fittings, mountings
garnizon *m* garrison; stać (obsadzić) ~em garrison
garnuszek *m* little pot, mug
garstka *f* handful; small number
garś|ć *f* handful; *przen.* trzymać w ~ci hold under one's thumb; wziąć się w ~ć pull oneself together

gęsi

gasić *vt* extinguish, put out; (*pragnienie*) quench; (*wapno*) slake
gasnąć *vi* go out; (*umierać*) die away, expire
gastronomia *f* gastronomy
gastronomiczny *adj* gastronomical, catering
gaśnica *f* (fire-)extinguisher
gatunek *m* kind, sort; *biol.* species
gatunkowy *adj* specific, generic; ciężar ~ specific gravity
gawęda *f* chat; story, tale
gawędziarz *m* story-teller
gawędzić *vi* chat
gawiedź *f* rabble
gawron *m zool.* rook
gaz *m* gas; ~ świetlny lighting gas; ~ trujący poison-gas; ~ ziemny natural gas; zatruć ~em gas; zatruć się ~em be gassed
gaza *f* gauze
gazda *m* highland farmer
gazeciarz *m* newsman, newspaper-boy
gazela *f zool.* gazelle
gazeta *f* newspaper
gazetka *f* news-sheet; (*tajna*) underground paper
gazolina *f techn.* gasolene
gazomierz *m* gas-meter
gazownia *f* gas-works
gazowy *adj* gaseous, gas *attr*; maska ~a gas-mask; kuchenka ~a gas-range
gaźnik *m* carburettor
gaża *f* salary, pay
gąbczasty *adj* spongy
gąbka *f* sponge
gąsienica *f zool.* caterpillar
gąsienicowy *adj*, koło ~e caterpillar-wheel
gąsior *m zool.* gander; (*butla*) demijohn
gąszcz *m* (*gęstwina*) thicket; (*gęsty osad*) sediment
gbur *m* rude fellow, boor
gburowaty *adj* rude, coarse, boorish
gdakać *vi* cackle
gderać *vi* grumble (na kogoś, coś at sb, sth)
gdy *conj* when, as

gdyby *conj* if; jak ~ as if; ~ nie to but for that
gdyż *conj* for, because
gdzie *adv conj* where; ~ indziej elsewhere
gdziekolwiek *adv* anywhere
gdzieniegdzie *adv* here and there
gdzieś *adv* somewhere, someplace
gejzer *m* geyser
gen *m biol.* gene
genealogia *f* genealogy
genealogiczny *adj* genealogic(al)
generacja *f* generation
generalizować *vt vi* generalize
generał *m* general
generator *m elektr.* generator
genetyczny *adj* genetic
genetyka *f* genetics
geneza *f* genesis, origin
genialn|y *adj* full of genius; człowiek ~y man of genius; myśl ~a stroke of genius
geniusz *m* genius, man of genius
geodezja *f* geodesy
geograf *m* geographer
geografia *f* geography
geograficzny *adj* geographic(al)
geolog *m* geologist
geologia *f* geology
geologiczny *adj* geological
geometra *m* geometrician, (land) surveyor
geometria *f* geometry; ~ wykreślna descriptive geometry
geometryczny *adj* geometric(al)
georginia *f bot.* dahlia
germanista *m* student of German philology; Germanist
germanizm *m* germanism
germański *adj* Germanic
gerontologia *f* gerontology
gest *m* gesture
gestykulacja *f* gesticulation
gestykulować *vi* gesticulate
getry *s pl* (*długie*) gaiters, (*krótkie*) spats
getto *n* ghetto
gęb|a *f pot.* mug; *wulg.* stulić ~ę shut up
gęgać *vi* gaggle
gęsi *adj* goose *attr*; ~e pióro

goose quill; iść ~ego walk in Indian file

gęsina f roast goose

gęstnieć vi thicken

gęstość f thickness, density

gęstwina f thicket

gęsty adj thick, dense; (np. o tkaninie) close

gęś f zool. goose

gęślarz m rebeck player

gęśle s pl rebeck

giąć vt bend, bow; ~ się vr bend, bow (down)

gibki adj flexible, pliant

gibkość f flexibility, pliability

giełda f stock exchange; czarna ~ black market

giełdow|y adj, cedula ~a list of quotations, stock-exchange list; makler ~y stock-broker

giełdziarz m stock-exchange operator, stock-jobber

giemza f chamois-leather

giermek m hist. shield-bearer, squire; (w szachach) bishop

giez m gadfly

giętki adj flexible, pliant

giętkość f flexibility, pliability

gięt|y adj, meble ~e bentwood furniture

gigant m giant

gigantyczny adj gigantic, giant

gilotyna f guillotine

gimnastyczny adj gymnastic

gimnastyk m gymnast

gimnastyka f gymnastics

gimnastykować się vr do gymnastics

gimnazjalista m grammar-school boy

gimnazjum n sing nieodm. grammar school

ginąć vi perish; go lost

ginekolog m gynaecologist

ginekologia f gynaecology

gips m plaster

gipsować vt plaster

girlanda f garland

giser m founder, moulder

gisernia f foundry

gitara f muz. guitar

glansować vt glaze

glazura f glaze; (materiał) glazing

glazurować vt glaze

gleba f soil

ględzić vi pot. twaddle

gliceryna f glycerine

glin m chem. aluminium

glina f clay

glinianka f clay-pit

glinian|y adj earthen; naczynia ~e earthenware zbior.

gliniasty adj clayey

glinka f potter's clay, argil

glista f (earth-)worm; (ludzka) ascarid

glob m globe

globalnie adv in the gross, in bulk

globalny adj total

globus m globe

gloria f glory; (aureola) halo

gloryfikować vt glorify

glosa f gloss

glukoza f chem. glucose

gładki adj smooth; plain; (o włosach, futrze) sleek; (o manierach) polished, refined; ~ materiał (bez wzoru) plain fabric

gładkość f smoothness, ease; (obejścia) refinement

gładzić vt smoothe, polish

głaskać vt stroke

głaz m rock; (otoczak) boulder

głąb 1. f = głębia

głąb 2. m (np. kapusty) stump

głębi|a f depth, deep; przen. profundity; w ~ lasu in the heart of the forest; z ~ serca from the bottom of one's heart

głębinowy adj deep-sea attr

głębok|i adj deep; przen. profound; w ~ą noc in the dead of night

głębokość f depth; profundity

głodny adj hungry

głodomór m starveling

głodować vi starve, hunger

głodow|y adj hunger attr; kuracja ~a hunger-cure; strajk ~y hunger-strike

głodówka f (protestacyjna) hunger-strike; (lecznicza) hunger-cure

głodzić vt starve, famish; ~ **się** vr starve, famish; ~ **się na śmierć** starve oneself to death

głos m voice; (w głosowaniu) vote; (dzwonka) sound; **prawo ~u** right of vote; **większość ~ów** majority of votes; **czytać na ~** read aloud; **dopuścić do ~u** give permission to speak; **mieć ~** have a voice; **oddać ~ na kogoś** give sb one's vote; **prosić o ~** ask for permission to speak; **u-dzielić ~u** give permission to speak, give the floor; **zabrać ~** begin to speak, stand up to speak, take the floor

głosiciel m proclaimer

głosić vt proclaim, propagate

głoska f gram. sound

głosować vi vote, (tajnie) ballot; ~ **nad czymś** put sth to the vote; ~ **na kogoś** vote for sb

głosowanie n voting, poll, (tajne) ballot

głosownia f gram. phonetics

głosowy adj vocal

głosujący m voter

głośnia f anat. glottis

głośnik m megaphone, loud-speaker

głośno adv loud(ly), aloud, in loud voice

głośny adj loud; (sławny) famous

głow|a f head; ~**a kapusty** head of cabbage; **w kapeluszu na ~ie** with one's hat on; **z obnażoną ~ą** bare-headed; przen. **łamać sobie ~ę** rack one's brains (nad czymś about sth); **on ma coś na ~ie** have sth on one's hands; **on ma przewrócone w ~ie** he has a queer head; **on ma źle w ~ie** there is sth wrong in his head; **pobić na ~ę** rout, defeat thoroughly; **przychodzi mi do ~y** it occurs to me; **zmyć komuś ~ę** take sb to task; **co ~a to ro-zum** so many men, so many minds; **od stóp do głów** from top to toe

głowica f head; arch. capital

głowić się vr rack one's brains (nad czymś about sth)

głownia f firebrand

głód m hunger (czegoś for sth); (powszechny) famine; **poczuć ~** become hungry; przen. ~ **mie-szkaniowy** scarcity of lodgings; ~ **ziemi** land hunger

głóg m bot. hawthorn

główka f (small) head; ~ **maku** poppy-head

głównodowodzący m commander--in-chief

główn|y adj main, chief, principal, cardinal; (o stacji, zarządzie) central; (o poczcie) general; ~**a wygrana** first prize

głuchnąć vi grow deaf

głuchoniemy adj deaf and dumb, deaf-mute

głuchota f deafness

głuch|y adj deaf (na lewe ucho in the left ear); (o dźwięku) hollow, dull; ~**a cisza** dead silence; ~**a wieść** vague news; **być ~ym na prośby** turn a deaf ear to entreaties

głupi adj silly, stupid, foolish

głupiec m fool, blockhead

głupieć vi grow stupid

głupkowaty adj half-witted, dull

głupota f stupidity

głupstw|o n silly stuff, nonsense; (drobnostka) trifle; **pleść ~a** talk nonsense (rot)

głusz|a f solitude, dead silence

głuszec m zool. capercaillie, wood--grouse

głuszyć vt deafen; (przyciszać) damp; zob. **zagłuszać**

gmach m edifice

gmatwać vt tangle, embroil

gmatwanina f tangle, imbroglio

gmerać vi fumble (w czymś at, in, with sth; za czymś after, for sth)

gmina f community; (wiejska) parish; (miejska) municipality, municipal corporation; **Izba Gmin** House of Commons

gminn|y adj communal; (pospolity) vulgar; **rada ~a** parish council

gnać vt drive; vi run

gnat m pot. bone

gnębiciel m oppressor

gnębić vt oppress; (dręczyć) worry; (dokuczać) harass

gniady adj bay

gniazdko n (little) nest; elektr. socket

gniazdo n nest; przen. ~ rodzinne hearth, home

gnicie n rotting, decay, putrefaction; **podlegający** ~u liable to decay

gnić vi rot, decay, putrefy

gnida f nit

gnieść vt press, squeeze; (ciasto) knead; ~ **się** vr press, crush

gniew m anger; **wpaść w** ~ get angry, burst out in anger

gniewać vt anger; ~ **się** vr be angry (na kogoś with sb, na coś at sth)

gniewliwy adj irritable, irascible

gniewny adj angry, irritated

gnieździć się vr nest, nestle (down)

gnoić vt (nawozić) dung, manure; ~ **się** vr (jątrzyć się) fester

gnojówka f liquid manure

gnom m gnome

gnój m dung, manure

gnuśnieć vi stagnate, be slothful

gnuśność f stagnation, sloth

gnuśny adj stagnant, slothful

gobelin m gobelin

godło n device; ~ **Polski** Polish ensign

godność f dignity

godny adj worthy; (pełen godności) dignified; ~ **podziwu** admirable; ~ **polecenia** recommendable; ~ **pożałowania** lamentable; ~ **szacunku** respectable; ~ **widzenia** worth seeing

gody s pl feast; (weselne) nuptials

godzić vt (najmować) engage, hire; (jednać) conciliate; vi hit (w coś sth), aim (w coś at sth); ~ **na** czyjeś życie attempt sb's life; ~ **się** vr agree, consent (na coś to sth); reconcile oneself (np. z losem to one's lot)

godzin|a f hour; ~y **nadliczbowe** overtime; ~y **przyjęć** reception, office-hours, consulting-hours; ~y **urzędowe** office hours; **pracować poza** ~ami **urzędowymi** work overtime; **pół** ~y half-an-hour; **która** ~? what time is it?; **jest** ~**a trzecia** it is three o'clock; **co dwie** ~y every second hour; przen. **na czarną** ~ę for a rainy day; **całymi** ~ami by the hours

godziwy adj suitable, fair

goić vt heal, cure; ~ **się** vr heal (up), be cured

golenie n shave; **maszynka do** ~a safety-razor

goleń m shin(-bone), anat. tibia

golić vt shave; ~ **się** vr shave, have a shave

golonka f pig's feet, pettitoes

gołąb m pigeon; **siwy jak** ~ snow-white

gołąbek m (także przen.) dove

gołębi adj dove-like

gołębiarz m pigeon-keeper

gołębica f dove

gołębnik m pigeon-house

gołoledź f glazed frost

gołosłowny adj unfounded, groundless

gołowąs m youngster

goł|y adj naked; (ogołocony) bare; (obnażony) nude; ~ym **okiem** with the naked eye; **na** ~ej **ziemi** on the bare ground; **z** ~ą **głową** bare-headed; **pod** ~ym **niebem** under the open sky; **z** ~ymi **rękoma** empty-handed; pot. ~y **jak święty turecki** as poor as a church mouse

gomółka f lump

gondola f gondola; lotn. nacelle

gong m gong

gonić vt chase, drive, pursue; vi run, chase, be after; ~ **ostatkami** be short (czegoś of sth); ~ **się** vr chase one another; race

goniec m messenger; (w hotelu) bell-boy; (w szachach) bishop

goniometr m goniometer

gonitwa f run, chase

gont *m* shingle

gończy *adj*, list ~ warrant of arrest; pies ~ hound

gorąco 1. *adv* hot(ly); jest mi ~ I am (feel) hot; ~ dziękować thank warmly; *przen.* na ~ without a moment's delay

gorąco 2. *n* heat

gorąc|y *adj* hot; (*o strefie*) torrid; *przen.* (*płomienny*) ardent, (*żarliwy*) fervent; *przen.* w ~ej wodzie kąpany hot-blooded; złapać na ~ym uczynku catch red-handed ⟨in the very act⟩

gorączka *f* fever; *przen.* excitement, passion; biała ~ delirium tremens; ~ złota gold fever ⟨rush⟩

gorączkować *vi* have a fever; ~ się *vr* be excited

gorączkowy *adj* feverish; stan ~ temperature

gorczyca *f bot.* mustard

gorczyczny *adj* mustard *attr*

gordyjski *adj* Gordian; *przen.* przeciąć węzeł ~ cut the Gordian knot

gorliwiec *m* zealot

gorliwość *f* zeal, fervour

gorliwy *adj* zealous, fervent

gors *m* breast; plastron

gorset *m* corset; stays *pl*

gorszy *adj comp* worse

gorszyć *vt* scandalize, demoralize; ~ się *vr* be scandalized (czymś at sth)

gorycz *f* bitterness

goryczka *f* bitter taste; *bot.* gentian

goryl *m zool.* gorilla

gorzałka *f* vodka

gorzeć *vi* burn, be ablaze

gorzej *adv comp* worse; tym ~ so much the worse; ~ się czuję I am worse

gorzelnia *f* distillery

gorzki *adj* bitter

gorzknieć *vi* become bitter

gospoda *f* inn, public house, tavern

gospodarczy *adj* economic

gospodarka *f* economy; (*domowa*) housekeeping, management

gospodarny *adj* economical

gospodarować *vi* farm; manage, administer; (*w domu*) keep house

gospodarstwo *n* (*rolne*) farm, farming; (*domowe*) household

gospodarz *m* (*rolnik*) farmer; landlord; (*właściciel*) master (of the house); (*pan domu*) host; (*zarządca*) manager

gospodyni *f* mistress (of the house); (*pani domu*) hostess; manageress; landlady

gosposia *f* housekeeper

gościć *vt* receive, entertain; (*przyjąć na nocleg*) put up; *vi* stay (u kogoś with sb)

gościec *m med.* gout

gościna *f* stay, visit

gościniec *m* highroad; † (*podarunek*) present, gift

gościnność *f* hospitality

gościnny *adj* hospitable; pokój ~ guest-room

gość *m* guest, visitor; (*klient*) customer, patron; (*w pensjonacie*) boarder

gotować *vt* cook, boil; (*przygotowywać*) prepare; ~ się *vr* (*o wodzie, mleku*) boil, (*o potrawach*) be cooking; (*przygotowywać się*) prepare (do czegoś, na coś for sth)

gotowość *f* readiness

gotow|y *adj* ready, prepared (na coś, do czegoś for sth); finished; ~e ubranie ready-made clothes

gotówk|a *f* cash, ready money; płacić ~ą pay (in) cash

gotycki *adj* Gothic

gotyk *m* Gothic (style); (*pismo*) Gothic letters

goździk *m bot.* carnation, pink

gór|a *f* mountain; (*szczyt, górna część*) top; ~a lodowa iceberg; do ~y nogami upside down; na górze up, above, at the top, (*na piętrze*) upstairs; z ~y down, downwards, downstairs, from above; u ~y stronicy at the top of the page; płacić z ~y pay in advance; ręce do ~y! hands up!; traktować z ~y look down (kogoś upon sb); z ~ą (ponad) over; brać ~ę get the upper hand (nad kimś of sb); w ~ę rzeki upstream; zbocze ~y hillside; pod ~ę uphill

góral m mountaineer, highlander

górka f hill

górnictwo n mining (industry)

górniczy adj mining

górnik m miner; inżynier ~ mining-engineer

górnolotny adj highflown

górn|y adj upper, superior; ~a granica upper ⟨top⟩ limit

górować vi prevail (nad kimś over sb), be superior (nad kimś to sb)

górski adj mountain attr; łańcuch ~ mountain-chain

górujący adj prevalent, predominant

górzysty adj mountainous

gra f play; game; teatr acting; (hazard) gamble; ~ słów play upon words, pun; wchodzić w grę come into play

grab m bot. hornbeam

grabarz m grave-digger

grabić vt (np. siano) rake; (rabować) rob, plunder

grabie s pl rake

grabieć vi grow numb

grabież f plunder

grabieżca m plunderer

grabieżczy adj rapacious

graca f hoe

gracja f grace, charm

gracować vt hoe

gracz m player; (hazardowy) gambler; ~ na giełdzie stock-exchange speculator; ~ na wyścigach betting-man; (w tenisie) ~ podający server, ~ przyjmujący striker

grać vi play; ~ na giełdzie operate on Change; ~ na loterii play in the lottery; ~ na skrzypcach play (on) the violin; ~ na wyścigach bet in horse-racing; ~ w karty ⟨w szachy⟩ play cards ⟨chess⟩

grad m hail; ~ pada it hails

gradacja f gradation

gradobicie n hailstorm

graficzny adj graphic

grafik m graphic artist

grafika f graphic art

grafit m miner. graphite

grafologia f graphology

grafoman m scribbler

grafomania f mania for scribbling

grajek m player, fiddler

gram m gram, gramme

gramatyczny adj grammatical

gramatyka f grammar

gramofon m gramophone

granat m (kolor) navy-blue; (owoc) pomegranate; (pocisk) grenade, shell; (kamień) garnet

granatnik m wojsk. howitzer

granatowy adj navy-blue

graniastosłup m prism

graniasty adj angular

granic|a f (kres, zakres) limit; (geograficzna, polityczna) border, frontier; (demarkacja) boundary; za ~ą, za ~ę abroad; przekroczyć ~e przyzwoitości transgress the laws of propriety; wszystko ma swoje ~e there is a limit to everything

graniczn|y adj border(ing), frontier attr; kamień ~y borderstone, landmark; kordon ~y military cordon, patrolled border; linia ~a boundary(-line)

graniczyć vi border (z czymś on sth)

granit m granite

granulacja f granulation

granulować vt granulate; ~ się vr granulate

grań f ridge

grasica f anat. thymus

grasować vi maraud, prowl; (o chorobach) spread, prevail

grat m pot. stick; przen. (o starym człowieku) fogey

gratis adv gratis, free of charge

gratisowy adj free of charge, gratuitous

gratka f windfall

grudka

gratulacja *f* congratulation

gratulować *vt* congratulate (komuś czegoś sb on sth)

gratyfikacja *f* gratuity, extra pay

grawer *m* engraver

grawerować *vt* engrave

grawerstwo *n* engraving

grawerunek *m* engraving

grawitacja *f* gravitation

grawitować *vi* gravitate (ku komuś, czemuś towards sb, sth)

grawiura *f* engraving

grdyka *f* *anat.* Adam's apple

grecki *adj* Greek

Grek *m* Greek

gremialnie *adv* in a body, in a mass

gremialny *adj* general

gremium *n* *sing nieodm.* staff, body

grenadier *m* grenadier

grępel *m* card

gręplować *vt* card

grobla *f* dam

grobowiec *m* tomb, sepulchre

grobow|y *adj* sepulchral; kamień ~y tomb-stone; *przen.* cisza ~a dead silence

groch *m* pea; (*potrawa*) peas *pl*; *pot.* ~ z kapustą hotch-potch

grochówka *f* pea-soup

grodzić *vt* hedge, fence

grodzki *adj* municipal

grom *f* thunderbolt; ~ z jasnego nieba bolt from the blue

gromada *f* crowd, throng; troop, group

gromadny *adj* numerous, collective

gromadzić *vt* accumulate, amass, heap up; ~ się *vr* assemble, gather

gromadzki *adj* communal, common

gromić *vt* thunder, storm (kogoś at sb); (*rozbijać, niszczyć*) rout, smash

gromki *adj* resonant, thunderous

gromnica *f* *rel.* blessed wax-candle

gromniczny *adj*, dzień Matki Boskiej Gromnicznej Candlemas

grono *n* bunch of grapes; (*grupa*) circle, company, staff

gronostaj *m* *zool.* ermine

gronostajow|y *adj*, futro ~e ermine

grosz *m* grosh; *przen.* penny; bez ~a penniless; co do ~a to a penny; ~ wdowi widow's mite

grot *m* pike, dart, bolt, arrow-head

grota *f* grotto, cave

groteska *f* grotesque

groz|a *f* horror, terror; przejąć ~ą strike with awe, terrify

grozi|ć *vi* threaten (komuś czymś sb with sth), menace; ~ nam burza we are threatened with a storm; ~ epidemia an epidemic is imminent

groźba *f* menace, threat

groźny *adj* threatening; terrible, dangerous, severe

grożący *adj* threatening, imminent

grób *m* grave; (*grobowiec*) tomb; *lit. i rel.* sepulchre

gród *m* *lit.* town; (fortified) castle

grubas *m* fatty

grubianin *m* boor

grubiański *adj* boorish, rude

grubiaństwo *n* boorishness, rudeness

grubieć *vi* grow stout, become thick, thicken

gruboskórny *adj* coarse-skinned, thick-skinned, coarse

grubość *f* thickness, stoutness; (*objętość*) bulk

gruby *adj* thick, stout, big, bulky; (*o suknie, rysach twarzy*) coarse; (*o błędzie*) gross; (*o głosie*) low, deep

gruchać *vi* coo

gruchn|ąć *vi* tumble down, bump; wieść ~ęła the rumour has been set afloat

gruchot *m* crash, rattle; (*o człowieku*) decrepit creature

gruchotać *vt* smash, shatter

gruczoł *m* *anat.* gland

gruczołowy *adj* glandular

gruda *f* clod (of earth)

grudka *f* (*np. zakrzepłej krwi*) clot; (*kulka*) globule

grudzień m December

grun|t m ground; (rolny) soil; (dno) bottom; (istota rzeczy) essence; do ~tu thoroughly, to the core; w ~cie rzeczy as a matter of fact, at bottom, essentially; na mocnym ~cie on solid ground

gruntować vt (opierać, bazować) ground; (sondować) fathom, sound; vi bottom, touch bottom

gruntownie adv thoroughly

gruntowny adj solid, well-grounded; through

gruntowy adj, podatek ~ land-tax

grupa f group

grupować vt group; ~ się vr group

grusza f pear-tree

gruszk|a f pear; przen. ~i na wierzbie castles in the air

gruz m rubbish, rubble; pl ~y debris zbior., ruin; rozpadać się w ~y fall to ruin; leżeć w ~ach lie in ruin

gruzeł m clot

Gruzin m Georgian

gruziński adj Georgian

gruźlica f med. tuberculosis, consumption

gruźliczy adj tuberculous

gruźlik m consumptive

gryczan|y adj, kasza ~a buckwheat groats pl

gryf m muz. fingerboard

gryka f bot. buckwheat

grymas m grimace, caprice

grymasić vi be fastidious; (przy jedzeniu) be particular

grymaśny adj fastidious, capricious; (przy jedzeniu) particular

grynszpan m chem. verdigris

grypa f med. influenza, pot. flu(e), grippe

grysik m semolina

gryzący adj mordant, corrosive

gryzipiórek m uj. ink-slinger

gryzmolić vt scribble, scrawl

gryzoń m zool. rodent

gryźć vt bite, gnaw, nibble; (np.

o pieprzu) burn; (o sumieniu, troskach) prick, sting; ~ się vr bicker, wrangle; (martwić się) worry, be grieved (czymś about sth)

grzać vt warm, heat; ~ się vr warm (oneself); (na słońcu) bask

grzałka f heater; ~ nurkowa immersion heater

grzanka f toast

grządka f bed

grząski adj quaggy

grzbiet m back; (góry, fali) crest

grzebać vt bury, inter; rake (up); vi fumble (w czymś at sth); dig (np. w kieszeni in the pocket)

grzebieniasty adj comblike

grzebień m comb; (górski) crest; ~ koguci cock's comb, crest

grzech m sin

grzechotać vi rattle

grzechotka f rattle

grzechotnik m zool. rattlesnake

grzeczność f politeness, kindness, courtesy; wyświadczyć ~ render a (kind) service

grzeczny adj polite, kind; (o dziecku) good

grzejnik m heater, radiator

grzesznik m sinner

grzeszny adj sinful

grzeszyć vi sin

grzęda f bed; (dla kur) perch

grzęznąć vi sink, get stuck

grzmi|eć vi thunder; ~ it thunders

grzmocić vt thrash, thump

grzmot m thunder

grzyb m mushroom, fungus

grzybnia f mushroom spawn

grzywa f mane

grzywn|a f fine; ukarać ~ą fine

gubernator m governor

gubernia f government

gubić vt lose; (niszczyć) destroy; ~ się vr lose oneself, lose one's way, go lost; ~ się w domysłach be lost in conjectures

guma f gum; (na koła itp.) rubber; (elastyczna) india-rubber; (żywiczna) resin; (do wycierania) eraser, india-rubber; ~ arabska gum arabic

gumować *vt* gum

gusła *s pl* sorcery, witchcraft

gust *m* taste; **w moim guście** to my taste

gustować *vi* take delight (**w czymś** in sth), relish (**w czymś** sth), like

gustowny *adj* in good taste, graceful, elegant

guwernantka *f* governess

guwerner *m* tutor, private instructor

guz *m* bump, bruise; *med.* tumour

guzdrać się *vr* dawdle, dillydally

guzik *m* button; **zapiąć na ~** button (on)

gwałcić *vt* violate, rape

gwałt *m* violence; ~em forcibly

gwałtowny *adj* violent

gwar *m* clatter, murmur

gwara *f* dialect; slang

gwarancja *f* guarantee, security, *prawn.* guaranty

gwarant *m* guarantee

gwarantować *vt vi* guarantee

gwardia *f* guard (*także pl*); ~ przyboczna body-guard; (*królewska*) Life Guards

gwardzista *m* guardsman

gwarny *adj* noisy

gwarzyć *vi* chat

gwiazda *f* star

gwiazdka *f* starlet; (*w druku*) asterisk; (*wigilia*) Christmas Eve; (*podarunek świąteczny*) Christmas gift

gwiazdor *m* (film) star

gwiazdozbiór *m* constellation

gwiaździsty *adj* (*oświetlony gwiazdami*) starlit; (*ozdobiony gwiazdami*) starry

gwint *m* screw-thread

gwizd *m* whistle

gwizdać *vi* whistle

gwizdek *m* whistle

gwoździk *m* little nail; *zob.* goździk

gwóźdź *m* nail; przybić gwoździami nail

gzyms *m* cornice

h

habit *m* frock

haczyk *m* hook

hafciarka *f* embroiderer

haft *m* embroidery

haftka *f* clasp

haftować *vt vi* embroider

hak *m* hook

hala *f* hall; ~ targowa market-hall; ~ maszyn engine-room

halka *f* petticoat

halucynacja *f* hallucination

hałas *m* noise, fuss; wiele ~u o nic much ado about nothing

hałasować *vi* make a noise

hałastra *f* rabble

hałaśliwy *adj* noisy

hałda *f* heap, pile (of ore, coal)

hamak *m* hammock

hamować *vt* brake; (*wstrzymywać*) check, slacken; (*tłumić*) repress; ~ się *vr* restrain oneself

hamulec *m* brake; *przen.* restraint

handel *m* trade; commerce; ~ winem, zbożem itd. trade in wine, corn etc.; ~ wymienny barter; ~ zagraniczny foreign trade; prowadzić ~ carry on trade

handlarz *m* trader, dealer (winem, zbożem itd. in wine, corn etc.); ~ wędrowny pedlar

handlować vi trade, deal (czymś in sth)

handlowiec m tradesman, merchant

handlowość f commercial affairs

handlow|y adj commercial, mercantile; **izba** ~a chamber of commerce; **korespondencja** ~a commercial correspondence; **marynarka** ~a merchant marine; **statek** ~y merchant ship; **księga** ~a account book; **spółka** ~ partnership; **towarzystwo** ~e trading company

hangar m hangar

haniebny adj shameful, disgraceful

hańba f shame, disgrace, dishonour

hańbić vt disgrace, dishonour

haracz m tribute

harce s pl (swawola) frolics, pranks; **wyprawiać** ~ frolic, play pranks

harcerka f Girl Guide, am. girl scout

harcerstwo n scouting, boy scouts movement

harcerz m boy scout

harcmistrz m scoutmaster, scout leader

harcować vi (swawolić) frolic, romp

hardość f haughtiness

hardy adj haughty

harfa f muz. harp

harfiarz m harpist

harmonia f harmony; (instrument) concertina

harmoniczny adj harmonic

harmonijka f harmonica, mouth organ

harmonijny adj harmonious

harmonizować vi harmonize

harmonogram m plan of work, timetable

harować vi pot. sweat, drudge

harówka f pot. sweat, drudgery

harpun m harpoon

hart m hardness; techn. temper; (charakteru) fortitude

hartować vt harden; inure; techn.

temper; zob. zahartowany; ~ się vr harden, inure oneself

hasło n watchword; slogan; wojsk. password

haszysz m hashish

haubica f wojsk. howitzer

haust m draught; **jednym** ~em at a draught

hazard m hazard; (w grze) gamble

hazardować się vr gamble

heban m ebony

hebel m plane

heblować vt plane

hebrajski adj Hebrew

heca f pot. fun

hegemonia f hegemony

hej int heigh!, ho!

hejnał m trumpet-call

hektar m hectare

helikopter m helicopter

hellenista m Hellenist, Greek scholar

hełm m helmet

hemoglobina f biol. haemoglobin

hemoroidy s pl med. haemorrhoids

heraldyka f heraldry, heraldic art

herb m coat-of-arms; (na sygnecie) crest

herbaciarnia f tea-shop

herbata f. tea

herbatnik m biscuit

heretycki adj heretical

heretyk m heretic

herezja f heresy

hermetyczny adj hermetic, air-tight, water-tight

heroiczny adj heroic

heroizm m heroism

herold m hist. herald

herszt m ringleader

hetman m hist. commander-in-chief; (w szachach) queen

hiacynt m bot. hyacinth

hiena f zool. hyena

hierarchia f hierarchy

hierarchiczny adj hierarchic

hieroglif m hieroglyph

higiena f hygiene

higieniczny adj hygienic

Hindus m Hindu

hinduski adj Hindu

hiobow|y adj, ~a wieść Job's ⟨dismal⟩ news

hiperbola f hyperbole; mat. hyperbola

hipnotyczny adj hypnotic

hipnotyzer m hypnotist

hipnotyzować vt hypnotize

hipnoza f hypnosis

hipochondria f hypochondria

hipochondryk m hypochondriac

hipokryta m hypocrite

hipokryzja f hypocrisy

hipopotam m zool. hippopotamus

hipoteczn|y adj mortgage attr; bank ~y mortgage bank; dłużnik ~y mortgager; pożyczka ~a mortgage loan

hipoteka f mortgage

hipotetyczny adj hypothetic

hipoteza f hypothesis

histeria f hysterics

histeryczny adj hysterical

histeryk m hysteric

historia f history; story

historyczny adj (dotyczący historii) historical; (doniosły, epokowy) historic

Hiszpan m Spaniard

hiszpański adj Spanish

hodować vt rear, breed, raise; (uprawiać) cultivate; (o jarzynach) grow

hodowca m (bydła) breeder; (jarzyn itp.) grower

hodowla f breeding, growth, culture

hojność f liberality, generosity, open-handedness

hojny adj liberal, generous, open--handed

hokej m hockey

Holender m Dutchman

holenderski adj Dutch

holować vt haul, tow, have in tow, tug

holownik m tugboat

hołd m homage; składać ~ pay ⟨do⟩ homage

hołdować vi pay ⟨do⟩ homage; (wyznawać, np. zasady) profess (czemuś sth)

hołota f rabble

hołysz m † pauper, have-not

homar m zool. lobster

honor m honour, am. honor

honorarium n sing nieodm. fee; (autorskie) royalty

honorować vt honour, respect

honorowy adj honourable

horda f horde

hormon m biol. hormone

horoskop m horoscope

horrendalny adj horrible, scandalous

horyzont m horizon

horyzontalny adj horizontal

hossa f boom

hotel m hotel

hoży adj brisk, spirited

hrabia m count, (angielski) earl

hrabina f countess

hrabstwo n county

hreczka f bot. buckwheat

huba f touchwood

hubka f tinder

huczeć vi roar, resound; make a noise

huczny adj resonant, clamorous; (okazały) sumptuous, pompous

huk m roar, bang; (trzask) crash

hulać vi carouse; run wild

hulajnoga f scooter

hulaka m carouser

hulanka f carousal

hulaszczy adj debauched, dissolute

hultaj m rogue, scamp

humanista m humanist

humanistyczn|y adj humanistic, humane; studia ~e humane studies; literatura ~a humanistic literature

humanistyka f humanities pl

humanitarny adj humanitarian, humane

humanizm m humanism

humor m humour, mood; (kaprys) whim, fancy

humoreska f humorous story; muz. humoresque

humorystyczny adj humoristic, humorous

humus m geol. humus

hura *int* hurrah!
huragan *m* hurricane
hurt *m* wholesale; **~em wholesale, in (the) gross**
hurtownik *m* wholesaler
hurtow|y *adj*, **handel ~y** wholesale trade; **sprzedaż ~a** wholesale
huśtać *vt*, **~ się** *vr* rock, swing
huśtawka *f* swing; *(podparta w środku)* seesaw
huta *f* foundry, steel-works, smelting-works; **~ szkła** glass-works
hutnictwo *n* metallurgy

hutniczy *adj* metallurgic(al)
hutnik *m* founder
hybryda *f* hybrid
hydra *f* hydra
hydrant *m* hydrant; hose
hydraulika *f* hydraulics
hydropatia *f* hydropathy
hydroplan *m* seaplane
hydroskop *m* hydroscope
hydrostatyka *f* hydrostatics
hydroterapia *f* hydrotherapy
hymn *m* hymn; **~ narodowy** national anthem

i

i *conj* and; also, too; **i tak dalej** and so on
idea *f* idea
idealista *m* idealist
idealistyczny *adj* idealistic
idealizm *m* idealism
idealizować *vt* idealize
idealny *adj* ideal
ideał *m* ideal
identyczność *f* identity
identyczny *adj* identical
identyfikować *vt* identify
ideolog *m* ideologist
ideologia *f* ideology
ideologiczny *adj* ideological
ideowiec *m* idealist
ideowy *adj* ideological, attached to an idea
idiom *m* idiom
idiomatyczny *adj* idiomatic(al)
idiosynkrazja *f* idiosyncrasy
idiota *m* idiot
idiotyczny *adj* idiotic
idiotyzm *m* idiotism, idiocy
idylla *f* idyl(l)
iglast|y *adj*, **drzewo ~e** coniferous tree
iglica *f* needle; *(u broni palnej)* pin; *(na wieży)* spire
igł|a *f* needle; **nawlec ~ę** thread

a needle; *przen.* **prosto z ~y** brand-new
ignorancja *f* ignorance
ignorant *m* ignoramus
ignorować *vt* ignore, disregard
igrać *vt* play, sport
igraszka *f* frolic, play; toy, plaything
igrzysk|o *n* play, spectacle; *pl* **~a olimpijskie** Olympic games
ikra *f* *zool.* roe; *pot.* spirit
ile *adv* how much, how many; **tyle ... ~** as much ⟨many⟩ ... as; **~ masz lat?** how old are you?; **o ~** how far, so far as, in so far as, as long as; **o ~ ~ wiem** for all I know
ilekroć *adv* how many times; *conj* whenever, as often as
iloczas *m* quantity (of a vowel)
iloczyn *m* *mat.* product
iloraz *m* *mat.* quotient
ilościowy *adj* quantitative
ilość *f* quantity
iluminacja *f* illumination
iluminować *vt* illuminate
ilustracja *f* illustration, picture
ilustrator *m* illustrator
ilustrować *vt* illustrate
iluzja *f* illusion

ił *m* loam

im *adv* the; im ... tym ... the ...
the ...; ~ więcej tym lepiej the
more the better

imać się *vr* take up

imadło *n* (hand-)vice, handle

imaginacja *f* imagination

imaginacyjny *adj* imaginary

imbir *m* ginger

imbryk *m* tea-pot

imieniny *s pl* name-day

imiennik *m* namesake

imienny *adj* nominal

imiesłów *m gram.* participle

imię *n* name, first ⟨Christian⟩
name; denomination; z ~enia, na
~ę by name; w ~eniu in the
name (kogoś of sb); dobre ~ę
good reputation; jak ci na ~ę?
what's your name?

imigracja *f* immigration

imigrować *vi* immigrate

imitacja *f* imitation

imitować *vt* imitate

immatrykulacja *f* matriculation

immatrykulować *vt*, ~ się *vr* matriculate

impas *m* deadlock, blind alley; (*w
kartach*) finesse

imperialista *m* imperialist

imperialistyczny *adj* imperialistic

imperializm *m* imperialism

imperium *n sing nieodm.* empire

impertynencja *f* impertinence

impertynencki *adj* impertinent

impertynent *m* impertinent person

impet *m* impetus, impulse

implikować *vt* imply

imponować *vt* impress (komuś sb)

imponujący *adj* impressive, impos-
ing

import *m* import, importation

importować *vt* import

impregnować *vt* impregnate

impresjonizm *m* impressionism

impreza *f* enterprise; (*widowisko*)
spectacle, show

improwizacja *f* improvisation

improwizować *vt* improvise

impuls *m* impulse

impulsywny *adj* impulsive

inaczej *adv* otherwise, differently;
tak czy ~ one way or another;
bo ~ or else

inauguracja *f* inauguration

inauguracyjny *adj* inaugural

inaugurować *vt* inaugurate

in blanko *adv* in blank

incydent *m* incident

indagacja *f* examination

indagować *vt* examine, interrogate

indeks *m* index

indemnizacja *f prawn.* indemnity,
indemnification

Indianin *m* Indian

indiański *adj* Indian

Indonezyjczyk *m* Indonesian

indonezyjski *adj* Indonesian

indukcja *f* induction

indukcyjny *adj* inductive

indyczka *f* turkey-hen

indyjski *adj* Indian, Hindu

indyk *m* turkey

indywidualista *m* individualist

indywidualizm *m* individualism

indywidualność *f* individuality; (*o-
soba*) personality

indywidualny *adj* individual

indywiduum *n sing nieodm.* individual

inercja *f* inertia, inertness

infekcja *f* infection

inflacja *f* inflation

informacja *f* information (o czymś
on ⟨about⟩ sth)

informacyjn|y *adj* informative;
biuro ~e inquiry-office, intelli-
gence-office

informator *m* informant; (*publikacja*) guide-book

informować *vt* inform; ~ się *vr*
inquire (u kogoś of sb, w sprawie czegoś for ⟨after⟩ sth), get
information (u kogoś from sb, w
sprawie czegoś about sth)

ingerencja *f* interference

ingerować *vi* interfere (w coś
with sth)

inhalacja *f* inhalation

inicjał *m* initial

inicjator *m* initiator

inicjatyw|a *f* initiative; wystąpić z

~ą take the initiative; z ~y on
the initiative
inicjować *vt* initiate
iniekcja *f med.* injection
inkasent *m* collector
inkaso *n* encashment
inkasować *vt* encash
innowacja *f* innovation
innowierca *m hist.* dissenter
inny *adj* other, different; kto ~
somebody else; ~m razem another time
inscenizacja *f* staging, mise-en-
-scene
inscenizować *vt* stage
inspekcja *f* inspection
inspektor *m* inspector
inspekty *s pl* hothouse, hotbed
inspiracja *f* inspiration
inspirować *vt* inspire
instalacja *f* installation; (*gazowa,
hydrauliczna*) plumbery
instalować *vt* install; put in; (*wodę, gaz, elektryczność*) lay on
instancj|a *f* instance, authority;
(*sądowa*) court; niższa ~a inferior court; wyższa ~a superior
court; w ostatniej ~i in the last
resort
instrukcj|a *f* instruction; *pl* ~e
(*dyrektywy, wskazówki*) directions
instruktor *m* instructor
instrument *m* instrument; appliance
instrumentalny *adj* instrumental
instynkt *m* instinct
instyktowny *adj* instinctive
instytucja *f* institution
instytut *m* institute
insygnia *s pl* insignia
insynuacja *f* insinuation
insynuować *vt* insinuate
integracja *f* integration
integralny *adj* integral
integrować *vt* integrate
intelekt *m* intellect
intelektualista *m* intellectualist
intelektualny *adj* intellectual
inteligencja *f* intelligence; (*warstwa społeczna*) the intellectuals

pl, intelligentsia
inteligent *m* intellectual; (*pracownik umysłowy, urzędnik*) white
-collar worker
inteligentny *adj* intelligent
intencja *f* intention
intendent *m* superintendent, man
ager; *wojsk.* commissary
intendentura *f* board of management, supply department; *wojsk.*
commissariat
intensywność *f* intensity
intensywny *adj* intensive
interes *m* interest, business, affair
człowiek ~u business man; dobry
~ good bargain; mieć ~ do ko
goś have business with sb
przyjść w ~ie come on business
robić wielkie ~y do a grea
business; to nie twój ~ it is n
business of yours; to leży w mo
im ~ie it is in my own interes
interesant *m* (interested) party
client
interes|ować *vt* interest, concern
to mnie wcale nie ~uje it is no
of any interest to me; ~ować si
vr be interested (czymś in sth)
be concerned (czymś about, with
in sth), take interest (czymś in
sth)
interesowny *adj* self-interested
selfish
interesujący *adj* interesting
internacjonalizm *m* international
ism
internat *m* boarding-establish
ment; (*szkoła*) boarding-school
internować *vt* intern
internowany *m* internee; obóz ~c
internment camp
interpelacja *f* interpellation
interpelować *vt* interpellate
interpolacja *f* interpolation
interpolować *vt* interpolate
interpretacja *f* interpretation
interpretować *vt* interpret
interpunkcja *f* punctuation
interwencja *f* intervention
interweniować *vt* intervene
intonacja *f* intonation

atonować vt strike up (a tune); (wymawiać z intonacją) intone
atratny adj lucrative
atroligator m bookbinder
atroligatornia f bookbinder's (shop)
atroligatorstwo n bookbinding
atrospekcja f introspection
atrospekcyjny adj introspective
atruz m intruder
atryga f intrigue, scheme
atrygant m intriguer, schemer
atrygować vt intrigue, scheme
atuicja f intuition, insight
atuicyjny adj intuitive
atymny adj intimate
awalida m invalid; (żołnierz) disabled soldier ⟨sailor⟩
awazja f invasion
awektywa f invective
awentaryzować vt take stock (coś of sth)
awentarz m inventory, stock-book; żywy ~ livestock
awersja f inversion
awestować vt invest
awestycja f investment
awigilacja f invigilation
awigilować vt invigilate; watch (kogoś, coś over sb, sth)
ażynier m engineer
ażynieria f engineering
rlandczyk m Irishman
rlandzki adj Irish
ronia f irony
roniczny adj ironical
ronizować vi speak with irony
rracjonalny adj irrational
rygacja f irrigation
rygator m med. irrigator
rys m bot. iris
rytacja f irritation
rytować vt irritate; ~ się vr become irritated (czymś at sth)
schias m med. sciatica
skra f spark

iskrzyć się vr sparkle
Islandczyk m Icelander
islandzki adj Icelandic
istnieć vi exist
istnienie n existence
istny adj real; ~ łajdak a very rogue
istota f being, creature; (to, co zasadnicze) essence, substance; ~ rzeczy heart of the matter; w istocie rzeczy as a matter of fact
istotnie adv in reality, really
istotny adj real, essential (dla kogoś, czegoś to sb, sth), substantial
iście adv really, truly
iść vi go, walk; ~ dalej go on; ~ po coś go and fetch ⟨get⟩ sth; ~ za kimś, czymś follow sb, sth; ~ w czyjeś ślady follow in sb's steps; jak ci idzie? how are you doing?; o co idzie? what's the matter?; interes idzie dobrze the business is a going concern; idzie o życie life is at stake
iwa f bot. sallow
izba f apartment, room; (parlamentu, sala) chamber; ~ handlowa Chamber of Commerce; Izba Gmin ⟨Lordów⟩ House of Commons ⟨of Lords⟩; ~ chorych sick-room
izolacja f isolation; (elektryczna, cieplna) insulation
izolacjonizm m isolationism
izolacyjny adj insulating
izolator m insulator
izolować vt isolate; fiz. insulate
izoterma f fiz. isotherm
izotop m isotope
Izraelita f Israelite
izraelski adj Israeli
iż conj that

j

ja *pron* I; to ja it's me, it is I; własne ja self
jabłecznik *m* cider
jabłko *n* apple; ~ Adama Adam's apple
jabłoń *f* apple-tree
jacht *m* yacht
jachtklub *m* yacht-club
jad *m* venom
jadalnia *f* dining-room
jadalny *adj* eatable, edible
jadło *n* food, fare
jadłodajnia *f* eating-house, restaurant
jadłospis *m* bill of fare
jadowity *adj* venomous
jaglan|y *adj*, kasza ~a millet--groats
jaglica *f med.* trachoma
jagnię *n* lamb
jagoda *f* berry; czarna ~ bilberry
jajecznica *f* scrambled eggs
jajk|o *n* egg; ~o na miękko ⟨na twardo⟩ soft ⟨hard⟩ boiled egg; ~a sadzone fried eggs; ~o świę-cone Easter egg
jajnik *m anat.* ovary
jak *adv conj part* how, as; ~ to? how is that?; ~ najprędzej as soon as possible; ~ najwięcej as much ⟨many⟩ as possible; ~ tyl-ko as soon as; ~ bądź anyhow; tak ... ~ ... as ... as ...; nie tak ... ~ ... not so ... as ...; ~ gdyby as if; ~ również as well as; on jest taki ~ ja he is like me
jakby *adv conj* as if
jak|i *pron* what; ~a to książka? what book is this?; ~i bądź any one; ~im sposobem in what way, how; ~im bądź sposobem in any way; ~iś ty dobry! how good are you!; ~i ojciec taki syn like father like son
jakikolwiek *pron* any, whatever
jakiś *pron* some
jakkolwiek *conj* (al)though; *adv*

anyhow, somehow, in any ⟨som[
way
jako *adv conj* as; ~ też also, [
well as; ~ tako in a fashion, t[
lerably
jakoś *adv* somehow; ~ to będz[
things will work out
jakościowy *adj* qualitative
jakość *f* quality
jałmużna *f* alms
jałowiec *m bot.* juniper
jałowieć *vi* grow barren, becom[
sterile
jałowy *adj* barren, sterile; prze[
futile, vain
jałówka *f* heifer
jama *f* pit, burrow; ~ ustna or[
cavity
jamnik *m* badgerdog
Jankes *m* Yankee
Japończyk *m* Japanese
japoński *adj* Japanese
jar *m* ravine
jarmark *m* fair
jarosz *m* vegetarian
jarski *adj* vegetarian
jar|y *adj*, zboże ~e summer cor[
spring crops
jarząbek *m zool.* hazelhen
jarzeniówka *f elektr.* glow-tub[
lamp
jarzębiak *m* rowan vodka
jarzębina *f bot.* sorb, rowan
jarzmo *n* yoke
jarzyn|a *f* vegetable, *zw. pl* ~[
greens, vegetables
jarzynow|y *adj*, zupa ~a veget[
ble-soup
jasełka *s pl* Christmas play ⟨pu[
pet-show⟩
jasiek *m* small pillow
jaskier *m bot.* buttercup
jaskinia *f* cave, cavern
jaskiniowy *adj*, człowiek ~ cave[
-man

askółka *f zool.* swallow

askrawy *adj* glaring; (*o kolorze*) garish; (*wierutny*) arrant, rank; (*rażący*) crass

asno *adv* clearly, brightly; ~ mówić speak plain; zrobiło się ~ it downed

asność *f* clearness, brightness

asnowidz *m* seer

asny *adj* bright, clear, light; (*o cerze, włosach*) fair

astrząb *m zool.* hawk

asyr *m hist.* slavery, captivity

aszcz *m wojsk.* caisson

aszczur *m zool.* salamander

aszczurka *f zool.* lizard

aśmin *m bot.* jasmine

aśnieć *vi* shine

atka *f* butcher's shop; *przen.* (*rzeź*) shambles

aw *m*, wyjść na ~ come to light; wydobyć na ~ bring to light

aw|a *f* waking; sen na ~ie daydream

awnie *adv* openly, evidently

awność *f* publicity, evidence, openness

awny *adj* manifest, evident, open, public

awor *m bot.* sycamore

az *m* weir

azd|a *f* ride, drive; (*podróż*) journey; (*krótka podróż*) trip; (*statkiem*) sail, voyage; ~a konna horsemanship; prawo ~y driver's ⟨driving⟩ license

aźń *f* ego, self

ądro *n* kernel; *biol. fiz.* nucleus

ądrowy *adj* nuclear

ąkać się *vr* stammer

ąkała *m* stammerer

ątrzyć *vt* irritate, excite, chafe; (*podjudzać*) instigate; ~ się *vr* (*o ranie*) suppurate, fester

echać *vi* go (*pociągiem* by train, *statkiem* by boat); ride (*konno* on horseback, autobusem in a bus, samochodem in a motor-car, rowerem a bicycle, on a bicycle); drive; travel

ed|en *num* one, a; ani ~en not a

single; co do ~nego to the last man ⟨thing⟩; ~en po drugim one after another; sam ~en alone, all by himself; wszystko ~no all the same, no matter; co to za ~en? who is he?; na ~no wychodzi makes no difference

jedenasty *num* eleventh

jedenaście *num* eleven

jedlina *f* fir-wood; fir-grove

jednać *vt* conciliate, reconcile; (*sobie*) win; ~ się *vr* become reconciled

jednak *conj adv* but yet, still; however, nevertheless, after all, for all that

jednaki, jednakowy *adj* the same, equal, identical

jednakowo *adv* equally, alike, in the same way

jednoaktówka *f* one-act play

jednobarwny *adv* one-coloured, plain

jednoczesny *adj* simultaneous

jednocześnie *adv* simultaneously, at the same time

jednoczyć *vt*, ~ się *vr* unite, consolidate

jednodniowy *adj* one day's

jednogłośny *adj* unanimous

jednokierunkowy *adj*, ruch ~ one-way traffic

jednokomórkowy *adj* unicellular

jednokrotny *adj* single

jednolitość *f* uniformity

jednolity *adj* uniform

jednomyślnie *adv* unanimously, with one consent

jednomyślność *f* unanimity

jednomyślny *adj* unanimous

jednonogi *adj* one-legged

jednoosobowy *adj* single, one-man *attr*

jednopiętrowy *adj* one-storied

jednopłatowiec *m* monoplane

jednorazowy *adj* single

jednoręczny *adj* one-handed

jednoroczny *adj* one-year *attr*, one year's

jednorodny *adj* homogeneous

jednostajność *f* monotony

jednostajny *adj* monotonous
jednostk|a *f* unit, individual; **kult ~i** personality cult
jednostronność *f* unilaterality, one-sidedness
jednostronny *adj* unilateral, one-sided
jedność *f* unity
jednotorowy *adj* single-track, single-line
jednozgłoskowy *adj* monosyllabic
jednoznaczny *adj* synonymous
jedwab *m* silk
jedwabnik *m zool.* silkworm
jedynaczka *f* only daughter
jedynak *m* only son
jedynie *adv* only, solely, merely
jedynka *f* one
jednowładca *m* autocrat
jednowładztwo *n* autocracy
jedyny *adj* only, sole, single; *(wyjątkowy)* unique
jedzeni|e *n* eating; meal, food; **po ~u** after meal(s)
jeleń *m* deer; *(samiec)* stag
jelit|o *n* intestine; *pl* **~a** intestines, bowels
jełczeć *vi* become rancid
jemioła *f bot.* mistletoe
jeniec *m* prisoner, captive; **~ wojenny** prisoner of war
jesienny *adj* autumnal, *(o modzie, porze)* autumn *attr*
jesień *f* autumn, *am.* fall
jesion *m bot.* ash(-tree)
jesionka *f* overcoat
jesiotr *m zool.* sturgeon
jestestwo *n* being
jeszcze *adv* still, yet; beside; else; more; **~ długo** for a long time to come; **~ do niedawna** until quite recently; **~ dwie mile** another two miles; **~ do dzisiaj** to this very day; **~ jedna szklanka** one more glass; **~ pięć minut** another five minutes; **~ raz** once more; **czego ~ chcesz?** what more (else) do you want?; **czy (chcesz) ~ trochę chleba?** a little more bread?
jeść *vt vi* eat; **chce mi się ~** I'm hungry; **~ śniadanie** have break-

fast; **~ obiad** have dinner, dine
~ kolację have supper, sup
jeśli *conj* if; **~ nie** unless
jezdnia *f* road, roadway
jezioro *n* lake
jezuicki *adj* Jesuit; *przen.* (pod stępny) Jesuitical
jezuita *m* Jesuit
jeździć *vi* travel, go; **~ po Polsce** travel about Poland; *zob.* **je chać**
jeździec *m* horseman, rider
jeż *m zool.* hedgehog
jeżeli *zob.* **jeśli**
jeżyć się *vr* bristle
jeżyna *f bot.* blackberry
jęczeć *vi* groan, moan; *(utyski wać)* grumble **(na coś** at, **abou** sth)
jęczmień *m bot.* barley; *(na oku* stye
jędrny *adj* pithy, sappy; vigorou
jędza *f* shrew, vixen
jęk *m* groan, moan
języczek *m* little tongue; *(u wagi* cock
język *m* tongue; language; **~ oj czysty** mother tongue; vernacu lar; **pokazać ~** put out one's tongue; *przen.* **zapomnieć ~a w gębie** lose one's tongue
językowy *adj* linguistic; *anat.* lin gual
językoznawstwo *n* linguistics
jod *m* iodine
jodełk|a *f* small fir; **wzór w ~ę** herring-bone pattern
jodła *f bot.* fir(-tree)
jodoform *m* iodoform
jodyna *f* tincture of iodine, *pot.* iodine
jolka *f mors.* yawl
jon *m fiz.* ion
jowialność *f* joviality
jowialny *adj* jovial
jubilat *m* man celebrating his ju bilee
jubiler *m* jeweller
jubileusz *m* jubilee
jucht *m* Russian leather
juczny *adj,* **koń ~** packhorse
judzić *vt* instigate, abet

ugosłowianin *m* Yugoslav
ugosłowiański *adj* Yugoslav(ian)
unak *m* brave
unior *m* junior
uta *f* bot. jute
urysdykcja *f* jurisdiction
uta *f* jute
utr|o *adv* tomorrow; *n* next day,
lit. morrow; do ~a till ⟨see you⟩

tomorrow
jutrzejszy *adj* tomorrow's
jutrzenka *f* morning star; (*brzask*)
dawn
już *adv* already; ~ nie no more;
~ niedługo very soon; not any
longer; ~ nigdy nevermore; ~
o piątej godzinie as early as 5
o'clock

k

kabał|a *f* (*wróżenie*) fortune-tel-
ling; (*trudne położenie*) scrape;
wpaść w ~ę get oneself into a
bad fix
kabaret *m* cabaret
kabel *m* cable
kabina *f* cabin; (*telefoniczna*)
telephone booth; (*w samolocie*)
cockpit
kabłąk *m* bow, arch
kabłąkowaty *adj* arched
kabotyn *m* buffoon
kabotyński *adj* buffoonish
kabura *f* holster
kabz|a *f* pot. purse; nabić ~ę load
the purse
kacerz *m* rel. heretic
kacyk *m* cacique; *uj.* (*samowolny
dygnitarz*) princeling, petty boss
kaczan *m* stump
kaczk|a *f* zool. duck; *przen.* (*fał-
szywa pogłoska*) canard, hoax;
puszczać ~i na wodzie play
ducks and drakes
kaczor *m* zool. drake
kadencj|a *f* cadence, rhythm; (*czas
urzędowania*) term (of office);
pełnić obowiązki przez jedną ~ę
serve one term
kadet *m* cadet
kadłub *m* trunk; (*statku*) hull;
(*rozbitego statku*) hulk; (*samolotu*) fuselage
kadra *f* staff; *wojsk.* cadre

kaduk *m*, prawem ~a illegally,
lawlessly; do ~a! the duce!
kadzić *vt* incense
kadzidło *n* incense
kadź *f* tub
kafar *m* rammer, pile-driver
kafel *m* tile
kaftan *m* jacket; ~ bezpieczeństwa
strait-jacket
kaftanik *m* bodice; (*dla dziecka*)
vest
kaganek *m* oil-lamp
kaganiec *m* muzzle; (*pochodnia*)
torch; nałożyć psu ~ muzzle the
dog
kajać się *vr* repent (z powodu czegoś sth, of sth), do penance
kajak *m* canoe, kayak; płynąć
~iem canoe
kajdany *s pl* chains, fetters; (*na
ręce*) handcuffs; zakuć w ~ put
in chains ⟨handcuff⟩ ⟨kogoś sb⟩,
put handcuffs ⟨kogoś on sb⟩, to
handcuff; skruszyć ~ throw off
the chains
kajuta *f* cabin
kakao *n nieodm.* cocoa
kakofonia *f* cacophony
kaktus *m* cactus
kalać *vt* foul, pollute
kalafior *m* cauliflower
kalafonia *f* colophony
kalambur *m* quibble, pun
kalarepa *f* kohl-rabi

kalectwo n crippledom, deformity; lameness

kaleczyć vt maim, mutilate; przen. ~ angielski murder one's English

kalejdoskop m kaleidoscope

kaleka m f cripple

kalendarz m calendar; ~ kartkowy block calendar

kalesony s pl drawers, pot. pants

kaliber m calibre

kaligrafia f calligraphy

kaligraficzny adj calligraphic

kalina f bot. guelder-rose

kalka f carbon-paper; (kopia przez kalkę) carbon-copy

kalkomania f transfer, decalcomania

kalkować vt calk, trace over

kalkulacja f calculation, computation

kalkul|ować vt calculate, compute; to się nie ~uje this is a losing deal

kaloria f calorie

kaloryczny adj caloric

kaloryfer m radiator, heater

kalosz m (rubber) overshoe, galosh

kalumni|a f calumny; rzucać ~e calumniate (na kogoś sb)

kalwin m Calvinist

kalwiński adj Calvinist

kał m excrement

kałamarz m inkstand

kałuża f puddle

kamasz m gaiter; (płytki) spat

kamea f cameo

kameleon m zool. chameleon

kamelia f bot. camellia

kamera f fot. camera

kameraln|y adj, muzyka ~a chamber music

kamerton m muz. tuning-fork

kamfora f camphor

kamieniarstwo n stone-cutting

kamieniarz m stone-cutter

kamienica f tenement-house, block of flats, am. apartment-house

kamieniołom m quarry

kamienisty adj stony

kamienn|y adj stone; węgiel ~y (black) coal; sól ~a rock-salt przen. ~e serce heart of stone

kamienować vt stone

kamień m stone; drogi ~ preciou stone; ~ graniczny landmark; ~ młyński millstone; ~ węgielny corner-stone; ~ do zapalniczek flint

kamizelka f waistcoat

kampania f campaign; ~ siewn. sowing compaign; ~ wyborcza electioneering campaign; ~ żniwna harvest campaign

kamrat m pot. chum, pal

kamyk m pebble stone; (do zapalniczki) flint

Kanadyjczyk m Canadian

kanadyjski adj Canadian

kanalia f wulg. scoundrel, rasca

kanalizacja f (budowa kanałów) canalization; (urządzenie) sewerage, sewage works

kanalizować vt provide with a sewage system

kanał m canal; (morski) channel (miejski) sewer; anat. duct

kanapa f sofa, settee

kanapka f couch; (przekąska snack, sandwich

kanarek m canary

kancelaria f office

kancelaryjn|y adj office attr; papier ~y foolscap paper; prac ~a office duties

kancelista m clerk

kanciarz m pot. crook, swindler trickster

kanclerz m chancellor

kandelabr m chandelier

kandydat m candidate

kandydatura f candidature

kandydować vi be a candidate (de czegoś for sth); (do parlamentu contest a seat (in Parliament)

kangur m zool. kangaroo

kanikuła f dog-days

kanon m standard; (także muz. canon

kanonada f cannonade

kanoniczny adj canonic(al)

kanonier m gunner

kanonierka *f wojsk.* gunboat

kanonik *m* canon

kanonizacja *f* canonization

kanonizować *vt* canonize

kant *m* edge; angle; (*u spodni*) crease; *pot.* (*oszustwo*) swindle, take-in, fraud

kantor 1. *m* (*kontuar, lada*) counter; (*biuro*) counting-house

kantor 2. *m* (*śpiewak*) chanter

kantyna *f* canteen

kanwa *f* canvas

kańczug *m* whip, scourge

kapa *f* covering, bed-cover; (*szata*) cope

kapać *vi* dribble, trickle

kapce *s pl* snowboots

kapeć *m* slipper

kapela *f* orchestra, band

kapelan *m* chaplain

kapelmistrz *m* bandmaster

kapelusz *m* hat; **bez** ~**a** with no hat on

kapelusznik *m* hatter

kaperować *vt hist.* privateer, go privateering; *vt* capture, win over

kaperstwo *n* privateering

kapiszon *m* hood; - (*spłonka*) percussion cap

kapitalista *m* capitalist

kapitalistyczny *adj* capitalistic

kapitalizm *m* capitalism

kapitalny *adj* capital; **remont** ~ general overhaul

kapitał *m* capital; ~ **zakładowy** ⟨**akcyjny**⟩ capital stock; ~ **obrotowy** acting ⟨circulating⟩ capital

kapitan *m* captain

kapitel *m arch.* capital

kapitulacja *f* capitulation, surrender

kapitulować *vi* capitulate, surrender

kapituła *f* chapter

kaplica *f* chapel

kapłan *m* priest

kapłański *adj* priestly, sacerdotal

kapłaństwo *n* priesthood

kapłon *m* capon

kapota *f* (long) coat

kapral *m wojsk.* corporal

kaprys *m* caprice, whim, fad, fancy

kapryśny *adj* capricious, whimsical

kapsla *f* (*u butelki*) cap; (*u broni*) percussion cap; (*okucie*) capping

kapsułka *f* capsule

kaptować *vt* win (**sobie kogoś** sb to oneself); (*wyborców, klientów*) canvass

kaptur *m* hood; (*mnisi, u komina*) cowl

kapturek *m* hood; **Czerwony Kapturek** Red Riding Hood

kapusta *f* cabbage; ~ **kiszona** sauerkraut

kapuśniak *m* sauerkraut soup

kar|a *f* punishment; (*sądowa*) penalty; (*pieniężna*) fine; (*śmierci*) capital punishment, death-penalty; **podlegać karze** be punishable: **ponieść** ~**ę** undergo a punishment; **skazać na** ~**ę** **pieniężną** fine; **wymierzyć** ~**ę** inflict a penalty (**komuś** on sb); **pod** ~**ą** under ⟨on⟩ pain (np. śmierci of death)

karabin *m* rifle, gun; ~ **maszynowy** machine-gun

karać *vt* punish; (*sądownie, w sporcie*) penalize; ~ **grzywną** fine; ~ **śmiercią** inflict the capital punishment (**kogoś** on sb)

karafka *f* water-bottle; (*na alkohol*) decanter

karakuły *s pl* (*futro*) astrakhan

karalny *adj* punishable

karaluch *m zool.* cockroach

karambol *m* collision, clash

karaś *m zool.* crucian

karat *m* carat

karawan *m* hearse

karawana *f* caravan

karawaniarz *m* bearer, undertaker's man

karb *m* notch, score; **kłaść na** ~ put it down (**kogoś, czegoś** to sb, sth); **trzymać w** ~**ach** keep a tight hand (**kogoś** on sb)

karbid *m chem.* carbide

karbol *m chem.* carbolic acid

karbować *vt* notch, score; *(fałdować)* crease, fold; *(o włosach)* curl

karburator *m* carburettor

karcer *m* lock-up, detention

karciarz *m* gambler

karcić *vt* reprimand, reprove

karczma *f* tavern, inn

karczmarz *m* innkeeper

karczoch *m bot.* artichoke

karczować *vt (pnie, krzaki)* grub out; *(ziemię)* clear

kardiografia *f* cardiography

kardynalny *adj* cardinal, fundamental

kardynał *m* cardinal

kareta *f* carriage, coach

karetka *f* chaise; ~ **pogotowia** ambulance

kariera *f* career

karierowicz *m* pushing person, *pot.* climber

kark *m* neck; **chwycić za** ~ **collar,** seize by the neck; **mieć na** ~**u** have on one's hands; **pędzić na złamanie** ~**u** drive at a breakneck speed; **siedzieć komuś na** ~**u** be on sb's hand; **skręcić** ~ break one's neck

karkołomny *adj* breakneck *attr*

karłowaty *adj* dwarfish

karmazyn *m* crimson

karmel *m* caramel

karmelek *m* caramel, bonbon

karmić *vt* feed, nourish; *(piersią)* suckle; ~ **się** *vr* feed, live **(czymś** on sth)

karmin *m* carmine

karnawał *m* carnival

karność *f* discipline

karny *adj* disciplined, docile; *(o prawie)* penal; *(o sądzie)* criminal; *(karzący)* punitive (expedition etc.)

kar|o *n (w kartach)* zw. *pl* ~**a** diamonds

karoseria *f* body

karp *m* carp

kart|a *f* card; *(książki)* leaf, page; *(dokument)* charter; *(do gry)* playing-card; ~**a tożsamości**

identity card; ~**a tytułowa** title-page; *(roz)dawać* ~**y** deal cards; **mieć dobrą** ~**ę** have a good hand; *przen.* **odkrycie** ~ show-down; **grać w otwarte** ~**y** show down; **odkryć** ~**y** show down; **stawiać na jedną** ~**ę** stake all on one card

kartel *m* cartel

kartka *f* leaf, slip (of paper); *(na bagażu, towarze)* label; ~ **żywnościowa na chleb** bread coupon; ~ **pocztowa** postcard

kartofel *m* potato

kartografia *f* cartography

karton *m* cardboard, pasteboard; *(pudło tekturowe)* carton

kartoteka *f* card-index

karuzela *f* merry-go-round

karygodny *adj* punishable, culpable

karykatura *f* caricature, cartoon

karykaturzysta *m* cartoonist

karzeł *m* dwarf

kasa *f* cash-desk, cashier's window; *(podręczna)* cash-box, cash-drawer; *(kolejowa)* booking-office, *am.* ticket-office; *(teatralna)* box-office; ~ **oszczędności** savings-bank

kasacja *f* cassation

kasacyjny *adj,* **sąd** ~ court of cassation *(of appeal)*

kasetka *f* casket; cash-box

kasjer *m* cashier, *(bankowy)* teller

kask *m* helmet

kaskada *f* cascade

kasować *vt* cancel, annul

kasownik *m muz.* natural; *filat.* postmark, cancellation; *(datownik)* dater

kasta *f* caste

kastowość *f* caste system

kastrować *vt* castrate

kasyno *n* casino, club

kasza *f* groats

kaszel *m* cough

kaszka *f* gruel

kaszkiet *m* cap

kaszleć *vi* cough

kasztan *m* chestnut(-tree); (*koń*) chestnut

kat *m* executioner, hangman

katafalk *m* catafalque

kataklizm *m* cataclysm

katalizator *m* chem. catalyst, catalyser

katalog *m* catalogue

katalogować *vt* catalogue

katar *m* cold; catarrh; **nabawić się ~u** catch a cold

katarakta *f* cataract

katarynka *f* barrel-organ

katastrofa *f* catastrophe, calamity; (*np. kolejowa*) crash

katastrofalny *adj* catastrophic

katechizm *m* catechism

katedra *f* cathedral; (*na uniwersytecie*) chair

kategoria *f* category

kategoryczny *adj* categorical

katoda *f* elektr. cathode

katolicki *adj* Catholic

katolicyzm *m* Catholicism

katolik *m* Catholic

katorga *f* forced labour, penal servitude

katować *vt* torment, torture

katusze *s pl* torture

kaucja *f* security, deposit; (*sądowa*) bail; **za ~ą** on bail

kauczuk *m* caoutchouc

kaukaski *adj* Caucasian

kawa *f* coffee; **młynek do ~y** coffee-mill

kawaler *m* (*nieżonaty*) bachelor; (*galant*) gallant; (*orderu*) knight; hist. cavalier

kawaleria *f* cavalry

kawalerka *f* bachelor's flat

kawalerski *adj* bachelor's; **stan ~** celibacy; **pokój ~** bachelor's room

kawalerzysta *m* cavalry man, trooper

kawalkada *f* cavalcade

kawał *m* piece, lump; (*dowcip*) joke; **brzydki ~** foul trick; **zrobić komuś ~** play sb a trick, (*okpić*) bamboozle sb

kawałek *m* bit, morsel, piece; **~ek cukru** lump of sugar; **po ~ku** piece by piece

kawiarnia *f* coffee-house, café

kawior *m* caviar

kawka *f* zool. jackdaw

kazać *vi* bid, order, let

kazanie *n* sermon

kazić *vt* pollute, corrupt, contaminate; (*alkohol*) denature

kazirodztwo *n* incest

kaznodzieja *m* preacher

kazuistyka *f* casuistry

kaźń † *f* torture; (*stracenie*) execution

każdy *pron* every, each, everybody, everyone; **~ z dwóch** either

kącik *m* nook

kądziel *f* distaff; **po ~i** on the distaff side

kąkol *m* cockle

kąpać *vt* bathe; **~ się** *vr* bathe, (*w łazience*) have a bath, (*w rzece, morzu*) have a bathe

kąpiel *f* (*w łazience*) bath, (*w rzece, morzu*) bathe; **~ słoneczna** sun-bath

kąpielisko *n* (*miejscowość*) spa, watering place; (*zakład*) bath-house

kąpielowy *adj*, **strój ~** bathing costume

kąsać *vt* bite

kąsek *m* bit, morsel

kąt *m* corner; mat. angle; **~ prosty** right angle; **~ ostry** acute angle; **~ rozwarty** obtuse angle; **~ przeciwległy** alternate angle; **~ przyległy** contiguous angle; **~ załamania światła** angle of refraction; **pod ~em widzenia** from the point of view

kątomierz *m* protractor

kątowy *adj* mat. angular

kciuk *m* thumb

kelner *m* waiter

kelnerka *f* waitress

keson *m* techn. wojsk. caisson

kędzierzawy *adj* curly, crisp

kędzior *m* curl, lock

kępa *f* (*drzew*) clump; (*pęk*) cluster; (*wysepka*) holm

kępka f cluster, (np. włosów) tuft
kęs m bit, morsel
kibic m looker-on; am. pot. kibitzer
kibić f waist, figure
kichać vi sneeze
kicz m daub; kitsch
kiecka f pot. skirt, frock
kiedy conj when, as; adv ever; ~ wrócisz? when will you be back?; rzadko ~ hardly ever; ~ indziej some other time
kiedykolwiek conj whenever; adv ~ indziej some other time
kiedyś adv once, at one time, (w przyszłości) some day
kielich m goblet, cup
kieliszek m glass
kielnia f trowel
kieł m (u człowieka) canine tooth; (u słonia) tusk; (u psa) fang
kiełbasa f sausage
kiełek m sprout, shoot
kiełkować vi sprout, shoot (forth)
kiełznać vt bit, bridle
kiep m simpleton, blockhead
kiepski adj mean, good for nothing
kier m (w kartach) zw. pl ~y hearts
kierat m treadmill
kiermasz m fair; ~ książki book-fair
kierować vi vt lead, direct, govern (czymś sth); drive (samochodem a car); (zarządzać) manage; ~ się vr proceed in the direction; be guided (czymś by sth); act (czymś according to sth)
kierowca m driver
kierownica f steering-wheel; (u roweru) handle bar
kierownictwo n management, administration, direction
kierowniczy adj managing, directive
kierownik s manager, director, head
kierunek s direction, course; przen. trend, tendency
kierunkow|y adj directional; (radio) **antena** ~a beam antenna

kiesa † f purse
kieszeń f pocket
kieszonka f small pocket
kieszonkowe n pocket money
kieszonkowiec m pickpocket
kij m stick, cane; **dostać** ~e get a good beating
kijanka f zool. tadpole
kikut m stump
kilim m rug, carpet
kilka, kilku num some, a few
kilkakrotnie adv several times, repeatedly
kilkakrotny adj repeated
kilkudniowy adj several days'
kilkuletni adj several years'
kilof m pickaxe
kilogram m kilogram(me)
kilometr m kilometre
kinematograf † m cinematograph; (kino) cinema
kinematografia f cinematography
kinetyka f kinetics
kino n cinema, pictures pl, pot. movies pl
kiosk m booth, stall, kiosk; (z gazetami) news stall ⟨stand⟩
kipieć vi boil
kir m pall, shroud
kisić vt (kwasić) sour; (marynować) pickle
kisiel m jelly, fruit cream
kisnąć vi sour, ferment
kiszk|a f intestine, gut; (wędlina) pudding, sausage; pot. **zapalenie ślepej** ~i appendicitis
kiść f bunch, tuft
kit m putty
kitel m smock-frock
kitować vt putty
kiwać vi wag, shake; beckon (na kogoś to sb); ~ **głową** nod; ~ **ręką** wave one's hand (na kogoś to sb); ~ **się** vr wag, totter
klacz f mare
klajster m glue, paste
klaka f claque
klakson m hooter
klamka f (door-)handle, latch

klamra *f* clasp, buckle; *(nawias)* bracket

klan *m* clan

klapa *f* flap; *techn.* valve; *(marynarki)* lapel; *pot. (niepowodzenie)* flop; ~ **bezpieczeństwa** safety-valve

klarnet *m muz.* clarinet; ~ **basowy** bass-clarinet

klarować *vt* clear, clarify; *(wyjaśniać)* explain

klarowny *adj* limpid, clear

klasa *f* class; *(sala szkolna)* classroom; *(rocznik szkolny)* form; ~ **pracująca** working class

klaskać *vi* clap (w ręce one's hands), (*bić brawo*) applaud

klasow|y *adj* class; **świadomość** ~**a** class consciousness; **walka** ~**a** class struggle

klasówka *f* school-work

klasycyzm *m* classicism

klasyczny *adj* classic(al)

klasyfikować *vt* classify

klasyk *m* classic

klasztor *m* cloister, monastery

klasztorny *adj* monastic

klatka *f* cage; *anat.* ~ **piersiowa** chest; ~ **schodowa** staircase

klauzula *f* clause

klawiatura *f* keyboard

klawisz *m* key; ~ **biały** natural

kląć *vi* swear (kogoś at sb); *(przekłinać, złorzeczyć)* curse (na kogoś sb); ~ **się** *vr* swear (na coś by sth)

klątwa *f* anathema, curse

klecić *vt pot.* botch up, concoct

kleić *vt* stick, glue (together), paste; ~ **się** *vr* stick

kleik *m* gruel

kleisty *adj* sticky

klej *m* glue, gum, paste

klejnot *m* jewel

klekot *m* rattle, clatter

klekotać *vi* rattle, clatter

kleks *m* blot

klepać *vt* hammer, beat; *(żelmię)* stamp; *(po plecach)* slap, clap

klepisko *n* threshing-floor

klepk|a *f* stave; *przen. pot.* **brak**

mu piątej ~**i** he is crackbrained; he has a screw loose

klepsydra *f* hourglass; *(ogłoszenie żałobne)* obituary notice

kler *m* clergy

kleryk *m* seminarist

klerykalizm *m* clericalism

klerykalny *adj* clerical; *(o kraju, instytucji)* priest-ridden

klerykał *m* clericalist

kleszcz *m zool.* tick

kleszcze *s pl (instrument)* pincers, pliers

klęczeć *vi* kneel, be on one's knees

klękać *vi* kneel down (przed kimś to sb)

klęsk|a *f* defeat, calamity, disaster; **ponieść** ~**ę** be defeated; **zadać** ~**ę** defeat

klient *m* client; *handl.* customer, patron

klientela *f* customers *pl*

klika *f* clique

klimat *m* climate

klimatyczn|y *adj* climatic; **miejscowość** ~**a** health-resort

klimatyzacja *f* air conditioning

klimatyzować *vt* condition

klin *m* wedge; **wbijać** ~**em** wedge in

klinga *f* (sword-)blade

kliniczny *adj* clinic

klisza *f* cliché; *fot.* plate

kloaka *f* sewer

kloc *m* log, block

klocek *m* block

klomb *m* flowerbed

klon *m bot.* maple

klops *m* meat-ball

klosz *m* glass-cover, glass-bell; *(abażur)* globe; lampshade

kloszow|y *adj*, ~**e spodnie** bell-bottomed trousers

klown *m* clown

klozet *m* water-closet

klub *m* club

klucz *m* key; *muz.* clef; ~ **do nakrętek** spanner; ~ **francuski** wrench; **zamknąć na** ~ lock

kluczow|y *adj* key, fundamental; **nuta** ~**a** keynote

kluć się *vr* hatch
kluska *f* dumpling
kładka *f* foot-bridge
kłak *m* flock, wisp; *pl* ~i *(pakuły)* oakum, wadding
kłam † *m*, zadać komuś ~ give sb the lie
kłamać *vi* lie **(przed kimś** to sb)
kłamca *m* liar
kłamliwy *adj* lying, deceitful, mendacious
kłamstwo *n* lie
kłania|ć się *vr* greet **(komuś** sb), bow **(komuś** to sb); ~**j mu się ode mnie** present him my compliments, give him my regards
kłaść *vt* lay, set, put; ~ **się** *vr* lie down
kłąb *m* clew, ball, roll; **kłęby dymu** wreaths of smoke
kłębek *m* ball, roll; *przen.* ~ **nerwów** bundle of nerves
kłębiasty *adj* billowy; *(o chmurze)* cumulous
kłębić się *vr* swell, surge; *(o dymie)* wreathe
kłoda *f* log, block; clog
kłopo|t *m* embarrassment, trouble, bother; **być w** ~**cie** be at a loss; **mieć** ~**ty pieniężne** have money troubles; **narobić sobie** ~**tu** get into trouble; **narobić komuś** ~**tu** get sb into trouble; **wprawiać w** ~**t** embarass, give trouble
kłopotać *vt* embarass, trouble; ~ **się** *vr* be troubled, bother **(o coś** about sth)
kłopotliwy *adj* troublesome, embarassing
kłos *m* ear; **zbierać** ~**y** glean
kłócić się *vr* quarrel **(o coś** about sth); *(np. o kolorach, poglądach)* clash
kłódk|a *f* padlock; **zamknąć na** ~**ę** padlock
kłótliwy *adj* quarrelsome
kłótnia *f* quarrel
kłucie *n* *(w boku)* stitch
kłuć *vt vi* sting, prick; ~ **w oczy** be an eyesore **(kogoś** to sb)
kłus *m* trot; ~**em** at a trot

kłusować **1.** *vi* *(jechać* **kłusem** trot
kłusować **2.** *vi* *(uprawiać kłusownictwo)* poach
kłusownictwo *n* poaching
kłusownik *m* poacher
kmieć † *m* peasant, farmer
kmin(ek) *m* cumin
knajpa *f* *pot.* pub, tavern
knebel *m* gag
kneblować *vt* gag **(komuś usta** sb
knedel *m* dumpling
knocić *vt* *pot.* bungle, botch
knot *m* wick
knuć *vt* plot, conspire
koalicja *f* coalition
kobiałka *f* wicker-basket
kobieciarz *m* ladies' man
kobiecość *f* womanhood
kobiec|y *adj* womanly, womanlike *(o płci)* female; **prawa** ~**e** women's rights
kobierzec *m* carpet
kobieta *f* woman
kobra *f* *zool.* cobra
kobyła *f* mare
kobza *f* *muz.* bagpipe
kobziarz *m* bagpiper
koc *m* blanket, rug
kochać *vt* love; ~ **się** *vr* be in love **(w kimś** with sb)
kochanek *m* lover, love; *par amour*
kochanka *f* lover, love; *mistress paramour*
koci *adj* catty, catlike; feline
kociak *m* kitten; *(dziewczyna* sweet-and-twenty
kocię *n* kitten
kocioł *m* kettle, cauldron; *muz* kettle-drum; ~ **parowy steam** -boiler
kocur *m* tomcat
koczować *vi* nomadize, migrate
koczownictwo *n* nomadism
koczowniczy *adj* nomadic, migratory
kod *m* code
kodeks *m* code
kodyfikacja *f* codification
kodyfikować *vt* codify
koedukacja *f* co-education

koegzystencja f co-existence
kogut m cock
koić vt soothe
koja f berth
kojarzenie n association
kojarzyć vt match; (pojęcia) associate; ~ się vr associate, be associated; pair
kojący adj soothing, alleviative
kojec m coop
kokarda f cockade
kokieteria f coquetry
kokietka f coquette
kokietować vt coquet (kogoś with sb)
koklusz m med. (w)hooping-cough
kokon m cocoon
kokos m coco-nut
kokoszka f (brood-)hen
koks m coke
koksownia f coking-plant
kolaboracja f collaboration
kolaborant m collaborator
kolaborować vi collaborate
kolacj|a f supper; jeść ~ę have supper, sup
kolano n knee; (rury) joint; (rzeki) bend, turn
kolarstwo n cycling
kolarz m cyclist
kolący adj stinging, thorny
kolba f (strzelby) butt-end; chem. flask; (do lutowania) soldering-iron
kolczasty adj prickly, thorny; drut ~ barbed wire
kolczyk m ear-ring; (u zwierząt) ear-mark
kolebka f cradle
kolec m prick, thorn; (u sprzączki) tongue
kolega m comrade, mate, companion; (z pracy) colleague; (szkolny) schoolmate, classmate
kolegialny adj collegiate
kolegium n sing nieodm. college; (grono) staff, board, committee
koleina f rut
kole|j f railway; am. railroad; (następstwo) turn, succession; po ~i in turn, by turns; ~j na mnie

it is my turn
kolejarz m railwayman
kolej|ka f narrow-gauge railway; (ludzi) queue, line; (dań, kieliszków) round; turn; stać w ~ce queue up, line up
kolejno adv in turn, by turns, successively
kolejnoś|ć f succession, rotation; w ~ci by rotation
kolejny adj successive, next
kolekcja f collection
kolekcjoner m collector
kolekcjonować vt collect
kolektura f lottery office
kolektyw m collective body
kolektywizacja f collectivization
kolektywizm m collectivism
kolektywn|y adj collective; gospodarka ~a collective farming; gospodarstwo ~e collective farm
koleżanka f girl friend, colleague
koleżeński adj friendly
koleżeństwo n comradeship
kolęda f Christmas carol
kolędni|k m carol-singer, caroller; pl ~cy waits
kolędować vi carol
kolia f necklace
kolidować vi collide, clash
koligacja f affinity, connection
kolisty adj circular
kolizj|a f collision; popaść w ~ę come into collision
kolka f colic
kolokwium n sing nieodm. colloquy, examination
kolonia f colony, settlement; (wakacyjna) summer camp
kolonialny adj colonial; kupiec ~ grocer
kolonista m colonist
kolonizacja f colonization
kolonizator m colonizer
kolońsk|i adj, woda ~a eau de Cologne
kolor m colour; (w kartach) suit; dać do ~u follow suit
koloratura f coloratura
kolorować vt colour
kolorowy adj coloured

koloryt *m* colour, colouring
koloryzować *vt* colour
kolos *m* colossus; *przen.* giant
kolosalny *adj* colossal
kolportaż *m* distribution, hawking
kolporter *m* distributor, hawker
kolportować *vt* distribute, hawk
kolumna *f* column, pillar; *wojsk.* column
kolumnada *f* colonnade
kołatać *vi* rattle; knock (**do drzwi** at the door); *przen.* solicit (**do kogoś o coś** sb for sth ⟨sth from sb⟩)
kołchoz *m* kolkhoz
kołczan *m* quiver
kołdra *f* counterpane, coverlet
kołek *m* peg
kołnierz *m* collar
koło 1. *praep* by, near; about
koło 2. *n* wheel; (*obwód; stowarzyszenie*) circle; (*do tortur*) rack; ~ **napędowe** driving wheel; ~ **zębate** cog-wheel
kołodziej *m* wheelwright
kołowacizna *f* dizziness
kołować *vi* move round, circle
kołowrotek *m* spinning-wheel
kołowrót *m* windlass
kołow|y *adj* circular; **ruch** ~**y** vehicular traffic
kołtun *m med.* plica; (*człowiek zacofany*) fogey, stick-in-the-mud
kołysać *vt* rock, lull; ~ **się** *vr* rock, sway
kołysanka *f* cradle-song, lullaby
kołyska *f* cradle
komandor *m* commander; *mors.* commodore
komandos *m* commando
komar *m zool.* mosquito
kombajn *m* combine(-harvester)
kombatant *m* combatant
kombinacja *f* combination
kombinat *m* combine
kombinator *m* speculator, dodger
kombinezon *m* overalls
kombinować *vt* combine; speculate
komedia *f* comedy

komediant *m* pretender
komediopisarz *m* comedist
komenda *f* command
komendant *m* commander, commandant
komenderować *vi* command
komentarz *m* commentary
komentować *vt* comment (**coś** on ⟨upon⟩ sth), annotate
kometa *f* comet
komfort *m* comfort
komfortowy *adj* luxurious
komiczny *adj* comic, funny
komik *m* comedian
komin *m* chimney; (*na dachu*) chimney-pot; (*lokomotywy, statku*) funnel
kominek *m* fire-place
kominiarz *m* chimney-sweep
komis *m* commission; (*sklep*) commission-house; **wziąć w** ~ take on commission
komisariat *m* commissary's office; (*ludowy*) commissariat; ~ **policji** police-station
komisarz *m* commissary; (*ludowy*) commissar
komisja *f* commission, committee, board
komitet *m* committee
komityw|a *f* intimacy, friendly terms; **w dobrej** ~**ie** on good terms
komiwojażer *m* travelling agent
komnata *f f* apartment
komoda *f* chest of drawers
komora *f* chamber; cabin; (*spiżarnia*) larder; ~ **celna** custom-house
komorne *n* rent
komórka *f* closet; *biol. elektr.* cell
kompan *m pot.* chum, pal
kompania *f* company
kompas *m* compass
kompendium *n sing nieodm.* compendium, digest
kompensata *f* compensation
kompensować *vt* compensate (**coś** for sth)
kompetencja *f* competence
kompetentny *adj* competent

kompilacja f compilation
kompilator m compiler
kompilować vt compile
kompleks m complex
komplement m complement; pra-wić ~y pay compliments
komplet m full number ⟨assem-bly⟩; set; ~ stołowy dinner-set; ~ do herbaty tea-set; ~ ubrania suit of clothes
kompletny adj complete, thorough
kompletować vt complete
komplikacja f complication
komplikować vt complicate
komponować vt compose
kompost m compost
kompot m compote, stewed fruit
kompozycja f composition
kompozytor m composer
kompres m compress
kompresja f compression
kompresor m compressor
kompromis m compromise; iść na ~y compromise (w czymś on sth)
kompromisowy adj compromising
kompromitacja f discredit
kompromitować vt discredit, com-promise; ~ się vr discredit one-self
kompromitujący adj compromis-ing, disgraceful
komuna f commune; hist. **Komuna Paryska** Commune of Paris
komunalny adj communal
komunał m commonplace
komunard m hist. Communard
komunia f communion
komunikacja f communication; traffic
komunikat m announcement, news report
komunikować vt announce (komuś coś sth to sb), inform (komuś coś sb about sth); ~ się vr commu-nicate; have intercourse
komunista m communist
komunistyczny adj Communist(ic); **Manifest Komunistyczny** Com-munist Manifesto; **Komunistycz-na Partia Związku Radzieckiego** Communist Party of the Soviet Union

komunizm m communism
konać vi die away
konar m bough
koncentracja f concentration
koncentracyjny adj concentrative; obóz ~ concentration camp
koncentrować vt concentrate
koncepcja f conception
koncept m concept, idea; (zarys) draft
koncern m concern
koncert m concert; (utwór) con-certo
koncesja f concession, licence
koncesjonować vt licence, grant a concession
koncha f conch, shell
kondensator m techn. condenser
kondensować vt condense
kondolencja f condolence; składać ~e condole (komuś z powodu czegoś with sb on ⟨upon⟩ sth
kondor m zool. condor
kondukt m, ~ pogrzebowy funeral procession
konduktor m (kolejowy) guard, (tramwajowy) conductor
konduktorka f conductress
kondycja f condition
kondygnacja f level, tier
koneksja f connexion
konewka f watering-can
konfederacja f confederacy, con-federation
konfederat m confederate
konfekcja f ready-made clothes
konferencja f conference
konferować vi confer
konfesjonał m confessional
konfident m informer, intelligenc-er
konfiskata f confiscation
konfiskować vt confiscate
konfitura f jam
konflikt m conflict
konfrontacja f confrontation
konfrontować vt confront
konfuzja f confusion
kongregacja f congregation
kongres m congress
koniak m cognac, brandy
koniczyna f bot. clover, trefoil

koniec *m* end, conclusion, close; **dobiegać końca** to draw near the end; **położyć ~** put an end; **wiązać ~ z końcem** make both ends meet; **aż do końca** up to the end; **bez końca** no end; **do samego końca** to the very end; **na ~** finally; **na końcu języka** on the tip of one's tongue; **w końcu** at ⟨in⟩ the end

konieczność *f* necessity; **z ~ci** of necessity

konieczny *adj* necessary, indispensable

konik *m* pony; *(mania)* hobby; *pot. (spekulujący biletami)* scalper; *zool.* ~ **polny** grass-hopper

koniokrad *m* horse-thief

koniugacja *f* *jęz.* conjugation

koniunktura *f* juncture, tide of the market; opportunity

koniuszek *m* tip

konkluzja *f* conclusion

konkretny *adj* concrete, real

konkurencja *f* competition

konkurencyjny *adj* competitive

konkurent *m* competitor, rival; *(zalotnik)* suitor

konkurować *vi* compete; *(zalecać się)* court *(do kogoś* sb)

konkurs *m* competition; **ogłaszać ~ na coś** offer sth for competition

konkursowy *adj* competitive

konnica *f* cavalry

konno *adv* on horseback

konn|y *adj* mounted; *(o zaprzęgu)* horse-drawn; **jazda ~a** horse-riding; **wyścigi ~e** horse-race

konopie *s pl* hemp

konosament *m* *handl.* bill-of-lading

konsekwencja *f* consequence, consistency

konsekwentnie *adv* in a consistent way, consistently

konsekwentny *adj* consistent, consequent

konserwa *f* preserve, tinned ⟨*am.* canned⟩ meat ⟨milk, fruit etc.⟩

konserwacja *f* conservation

konserwatorium *n* *sing nieodm.* conservatory, conservatoire

konserwatysta *m* conservative

konserwatywny *adj* conservative

konserwatyzm *m* conservatism

konserwować *vt* conserve; *(o żywności)* preserve

konserwowy *adj*, **przemysł ~** canning industry

konsolidacja *f* consolidation

konsolidować *vt* consolidate

konspekt *m* draft; conspectus

konspiracja *f* conspiracy, plot

konspirator *m* conspirator

konspirować *vi vt* conspire, plot

konstatować *vt* state, ascertain

konstelacja *f* constellation

konsternacja *f* consternation, dismay

konstrukcja *f* construction

konstrukcyjny *adj* constructional

konstruktor *m* constructor

konstruktywny *adj* constructive

konstruować *vt* construct

konstytucja *f* constitution

konstytucyjny *adj* constitutional

konstytuować *vt* constitute

konsul *m* consul

konsularny *adj* consular

konsulat *m* consulate

konsultacja *f* consultation

konsultant *m* consultant; *(o lekarzu)* consulting physician

konsultować *vt* consult; **~ się** *vr* consult, confer

konsum *m* co-operative shop

konsument *m* consumer

konsumować *vt* consume

konsumpcja *f* consumption

konsumpcyjn|y *adj* consumptive; **towary ~e** consumers' goods

konsylium *n* *sing nieodm.* consultation

konsystorz *m* consistory

konszachty *s pl* collusion; **wchodzić w ~** enter into collusion

kontakt *m* contact; **nawiązać ~** contact *(z kimś* sb), come into contact *(z kimś* with sb); **stracić ~** be out of contact

kontaktować *vt vi* bring into contact, contact; **~ się** *vr* be in contact, keep in touch

kontekst m context
kontemplacja f contemplation
kontentować vt content; ~ się vr be contented (czymś with sth)
konto n account; na ~ on account
kontrabanda f smuggling, contraband
kontrabas m double bass
kontradmirał m rear admiral
kontrahent m contracting party
kontrakt m contract (w sprawie czegoś for ⟨of⟩ sth); ~ o pracę contract for work; ~ sprzedaży contract of sale
kontraktować vt vi contract
kontrapunkt m muz. counterpoint
kontrast m contrast
kontrastować vi contrast
kontratak m counter-attack
kontrofensywa f counteroffensive
kontrola f control
kontroler m controller
kontrolować vt control
kontrować vi (w kartach) double
kontrowersja f controversy
kontrowersyjny adj controversial
kontrrewolucja f counter-revolution
kontrrewolucjonista m counter-revolutionary
kontrrewolucyjny adj counter-revolutionary
kontrtorpedowiec m mors. destroyer
kontrwywiad m counter-espionage
kontrybucj|a f contribution; nałożyć na kraj ~ę lay a country under contribution
kontuar m counter
kontur m outline, contour
kontuzja f contusion
kontuzjować vt contuse
kontynent m continent
kontynentalny adj continental
kontyngent m contingent, quota; (żołnierzy) levy
kontynuować vt continue
konwalia f bot. lily of the valley
konwenans m conventionality, convention

konwencja f convention
konwencjonalny adj conventional
konwent m convention, assembly; (klasztor) convent
konwersacja f conversation
konwersacyjny adj conversational
konwojent m escort
konwojować vt convoy, escort
konwój m convoy, escort
konwulsja f convulsion
konwulsyjny adj convulsive
koń m horse; (w szachach) knight; ~ gimnastyczny vaulting-horse; ~ mechaniczny metric horse-power; ~ parowy horse-power; ~ pociągowy draught-horse; ~ wierzchowy saddle-horse; ~ na biegunach rocking-horse; jechać na koniu go on horseback; wsiąść na konia get ⟨mount⟩ on horseback
końcow|y adj final, ultimate; stacja ~a terminus
końcówka f ending, end; (np. węża gumowego) nozzle
kończyć vt end, finish, conclude, close; ~ się vr end, come to a close
kończyna f limb
kooperacja f co-operation
kooperacyjny adj co-operative
kooperatywa f co-operative society
kooptować vt co-opt
koordynacja f co-ordination
koordynować vt co-ordinate
kopa f three-score; (stos) pile; ~ siana haycock
kopać vt dig; (nogą) kick
kopalnia f mine; ~ węgla coal-mine; ~ soli salt-mine
koparka f excavator
kopcić vi smoke, give off soot
kopeć m soot, black
koper m dill
koperta f envelope
kopia 1. f (odbitka) copy, transcript
kopia 2. f (broń) lance
kopiec m mound; (mogiła) tumulus; (kupa, stos) pile; kreci ~ mole-hill

kopiować vt copy
kopuła f cupola, dome
kopyto n hoof; (szewskie) last
kor|a f bark; odzierać drzewo z ~y bark the tree; anat. ~a mózgowa cortex
koral m coral
koralik m bead
korba f crank
korcić vt tempt
kordon m cordon; otaczać ~em cordon off
Koreańczyk m Korean
koreański adj Korean
korek m cork; elektr. fuse; (w bucie) lift
korekt|a f druk. proof; ~a kolumnowa page-proof; robienie ~y proof-reading
korektor m proof-reader
korektura f correction
korepetycja f private lesson
korepetytor m tutor, coach
korespondencja f correspondence
korespondent m correspondent
korespondować vi correspond
korkociąg m corkscrew; lotn. spin
korkować vt cork
kornet 1. m (strój głowy zakonnicy) coif, cornet
kornet 2. m muz. cornet
korniszon m gherkin
koron|a f crown; dent. cap; dent. nałożyć ~ę cap
koronacja f coronation
koronka f lace
koronować vt crown
korowód m procession
korporacja f corporation
korpulentny adj corpulent
korpus m trunk, body; wojsk. corps; ~ dyplomatyczny diplomatic corps; ~ kadetów corps of cadets
korsarstwo n piracy
korsarz m pirate
kort m sport. court
korupcja f corruption
koryfeusz m coryphaeus, leader
korygować vt correct
korytarz m corridor

koryto n trough; (rzeki) bed
korzec m bushel
korze|ń m root; zapuszczać ~nie take ⟨strike⟩ root
korzyć się vr humble oneself
korzystać vi profit (z czegoś by ⟨from⟩ sth), avail oneself (z czegoś of sth), use (z czegoś sth), have the use (z czegoś of sth)
korzystny adj profitable
korzyść f profit, advantage; na ~ to the advantage (czyjąś of sb); na moją ~ to my advantage
kos m zool. blackbird
kosa f scythe
kosiarka f mower
kosiarz m mower
kosić vt mow
kosmaty adj shaggy, hairy
kosmetyczka f (torebka) vanity-bag; (kobieta) cosmetologist; am. beautician
kosmetyczny adj cosmetic; gabinet ~ beauty parlour
kosmetyk m cosmetic
kosmetyka f cosmetics
kosmiczny adj cosmic
kosmografia f cosmography
kosmonauta m cosmonaut
kosmopolita m cosmopolite
kosmopolityzm m cosmopolitism
kosmyk m tuft, wisp
kosodrzewina f dwarf mountain pine
kostium m costume
kostka f small bone; (w grze) die; (u ręki) knuckle; (u nogi) ankle; (sześcian) cube; (brukowa) flag-stone; (cukru) lump
kostnica f ossuary
kostnieć vi grow stiff
kostny adj osseous
kosz m basket; ~ do śmieci waste-paper basket, dustbin; (na ulicy) litter-bin
koszary s pl barracks
koszmar m nightmare
koszt m cost, expense; ~em czegoś at the cost of sth; ~y podróży travelling expenses
kosztorys m estimate

koszt|ować *vt* cost; *(próbować)* taste; **to mnie ~owało dużo pracy** this cost me a lot of work; **ile to ~uje?** how much does it cost ⟨is it⟩?

kosztowny *adj* expensive

koszula *f* shirt; *(damska)* chemise

koszulka *f (podkoszulek)* undershirt

koszyk *m* basket

koszykarstwo *n* basketry

koszykarz *m* basket-maker; *sport.* basketball player

koszykówka *f sport* basketball

kościec *m* skeleton; **~ moralny** backbone

kościelny *adj* ecclesiastical, church- (rate etc.); *m* sexton

kościotrup *m* skeleton

kościół *m* church

kościsty *adj* bony

kość *f* bone; *(do gry)* die; **~ słoniowa** ivory; *przen.* **~ niezgody** bone of contention

koślawić *vt* distort, deform

koślawy *adj* deformed; *(kulawy)* lame; *(np. o meblach)* rickety

kot *m zool.* cat

kotara *f* curtain

kotek *m* kitten

koteria *f* coterie, clique

kotlet *m* cutlet, chop

kotlina *f* dell, hollow

kotłować się *vr pot.* boil, whirl

kotłownia *f* boiler-room; *(na statku)* stakehold

kotwic|a *f* anchor; **podnieść ~ę** weigh anchor; **zarzucić ~ę** cast anchor

kowadło *n* anvil

kowal *m* smith

koza *f zool.* goat

Kozak *m* Cossack

kozetka *f* settee

kozioł *m* (he-)goat, buck; *(u wozu)* box; *przen.* **~ ofiarny** scapegoat

kozioł|ek *m (w zabawie i gimnastyce)* somersault; **robić ⟨fikać⟩ ~ki** turn somersaults

Koziorożec *m astr.* geogr. Capricorn

kożuch *m* sheepskin fur

kół *m* pale, stake

kółko *n* little wheel; circle; *(rolka)* truckle; *(obręcz do zabawy)* hoop; *(do kluczy itp.)* ring; *(towarzyskie)* circle

kpiarz *m* scoffer

kpić *vi* scoff, mock (**z kogoś, czegoś** at sb, sth)

kpiny *s pl* mockery

kra *f* floe, floating ice

krab *m zool.* crab

krach *m* crash, slump

kraciasty *adj* chequered

kradzież *f* theft

kraina *f* land, region

kraj *m* country, land; home; *(skraj)* verge, edge

krajać *vt* cut; *(o mięsie)* carve

krajobraz *m* landscape

krajowiec *m* native

krajowy *adj* native; home-made; home; **przemysł ⟨rynek, wyrób⟩ ~** home industry ⟨market, product⟩

krakać *vi* croak

krakowiak *m (taniec)* Cracovienne

krakowianin *m* man of Cracow

kram *m (stoisko)* booth, stand; *pot. (zamieszanie)* mess

kran *m* tap, cock; *(żuraw)* crane; **otworzyć ⟨zamknąć⟩ ~** turn on ⟨turn off⟩ the cock ⟨the tap⟩

kraniec *m* extremity, extreme, border

krańcowość *f* extremism

krańcowy *adj* extreme

krasa *f poet.* beauty

krasić *vt* season; *poét. (zdobić)* embellish, adorn, colour

krasnoludek *m* brownie

krasomówca *m* orator, rhetorician

krasomówstwo *n* oratory, rhetoric

kraść *vt* steal

krata *f* grate, grating, **bars** *pl*; *(drewniana)* lattice; *(deseń)* chequer

krater *m* crater

kratk|a *zob.* **krata**; **materiał w ~ę** chequered cloth

kratkować *vt* chequer

kratować *vt* grate

krawat m (neck)tie

krawcowa f dressmaker

krawędź f edge, verge, border; (górska) ridge

krawężnik m kerb-stone

krawiec m tailor

krawiectwo n tailoring

krąg m circle; ring; disk; **w kręgu przyjaciół** in the circle of friends

krążek m disk

krążenie n circulation

krążownik m cruiser

krążyć vi circulate, go round; (o słońcu, planetach) revolve; (po morzu) cruise; (wędrować) ramble

kreacja f creation, production

kreatura f pog. low creature

kreci adj mole, mole's; przen. ~a robota underhand dealings pl

kreda f chalk

kredens m cupboard

kredka f crayon; (szminka) lipstick

kredyt m credit; na ~ on credit

kredytować vt credit, give on credit

krem m cream

krematorium n crematorium

kremowy adj cream-coloured

kreować vt create; teatr (rolę) act

krepa f crape

kres m end, term, limit; położyć ~ put an end (czemuś to sth)

kreska f stroke; (myślnik) dash

kreskować vt line

kresy s pl borderland

kreślarz m draughtsman

kreślić vt draw, sketch

kret m zool. mole

kretowisko n molehill

krew f blood; **rozlew krwi** bloodshed; **puszczać ~** bleed (komuś sb); **związki krwi** blood ties; **przelewać ~** bleed, shed blood; **zachować zimną ~** keep cool; **pełnej krwi** (rasowy) thoroughbred; **z zimną krwią** in cold blood

krewki adj sanguine, impetuous

krewny m relative, relation

kręcić vt vi turn, twist; (włosy) curl; pot. (wykręcać się) use crooked ways, quibble; ~ć głową shake one's head; ~ć się vr turn; (wiercić się) fidget, fuss about; ~ mi się w głowie my head turns

kręcony adj twisted; (o włosach) curly; (o schodach) winding

kręg m anat. vertebra

kręgle s pl ninepins

kręgosłup m spine, spinal column, backbone

kręgowiec m zool. vertebrate

krępować vt (wiązać) tie, bind; (utrudniać) constrain, hamper; (żenować) embarrass, make uneasy; ~ się vr be embarrassed, feel uneasy (czymś about sth)

krępy adj thickset

krętacki adj tricky

krętactwo n crooked ways pl, quibbling

krętacz m quibbler, shuffler

kręty adj winding, tortuous, crooked

krnąbrny adj refractory, intractable

krochmal s starch

krochmalić vt starch

krocie s pl heaps

kroczyć vi stride, pace

kroić vt cut

krojczy s cutter

krok m step, pace; dotrzymać ~u keep up (komuś with sb); przedsięwziąć ~i take steps; ~ za ~iem step by step; na każdym ~u at every step; równym ~iem in step; nierównym ~iem out of step

krokodyl m zool. crocodile

krokus m bot. crocus

kromka f slice

kronika f chronicle

kronikarz m chronicler, annalist

kropić vt vi (be)sprinkle; drip; ~ deszcz it drizzles

kropidło n sprinkler

kropielnica f font

kropka f point, dot; (znak przestankowy) full stop

kropkować *vt* dot
kropla *f* drop
krosn|o *n, zw. pl* ~a loom
krosta *f* pimple
krotochwila *f lit.* farce, bur-
lesque
krowa *f zool.* cow
krój *m* cut
król *m* king
królestwo *n* kingdom
królewicz *m* king's son, prince
royal
królewna *f* king's daughter, princess royal
królewski *adj* kingly, royal
królik *m zool.* rabbit
królikarnia *f* warren
królowa *f* queen; ~ piękności
beauty queen
królować *vi* reign (nad kimś, czymś
over sb, sth)
krót|ki *adj* short; (*zwięzły, krót-
kotrwały*) brief
krótko *adv* shortly; (*zwięźle*) in
brief, in short
krótkofalowy *adj* short-wave *attr*
krótkofalówka *f pot.* short-wave
set
krótkometrażówka *f pot.* short
krótkoterminowy *adj* short-term
attr
krótkotrwały *adj* brief, short-lived
attr
krótkowidz *m* myope
krótkowzroczność *f* myopia, short-
-sightedness
krótkowzroczny *adj* short-sighted
krówka *f* small cow; boża ~ lady-
-bird
krtań *f* larynx
kruchość *f* fragility, frailty
kruchta *f* church-porch
kruch|y *adj* fragile, frail, brittle;
(*chrupiący*) crisp; (*o mięsie*) tender; ~e ciasto shortcake, short-
bread
krucjata *f* crusade
krucyfiks *m* crucifix
kruczek *m pot.* (*wybieg, sztuczka*)
trick, shift
krucz|y *adj* raven's; ~e włosy

raven hair
kruk *m zool.* raven
krup|a *f, zw. pl* ~y groats; ~y
jęczmienne barley-groats
kruszec *m* ore; (*pieniądz metalowy*) specie
kruszeć *vi* become brittle; crumble; (*o mięsie*) become tender
kruszyć *vt* crush, crumb; ~ się *vr*
crumble
kruszyna *f* crumb
krużganek *m* gallery
krwawica *f* hard-earned money
krwawić *vi,* ~ się *vr* bleed
krwawy *adj* sanguinary, bloodthirsty
krwinka *f biol.* blood corpuscle
krwiobieg *m biol.* circulation of
the blood
krwiodawca *m* blood-donor
krwionośn|y *adj,* naczynie ~e
blood vessel
krwiożerczy *adj* bloodthirsty
krwisty *adj* sanguineous, blood-
-red
krwotok *m* haemorrhage
kry|ć *vt* (*pokrywać*) cover; (*ukry-
wać*) hide, conceal; ~ć się *vr*
hide; za tymi słowami coś się
~je there is sth behind these
words
kryjówka *f* hiding-place
kryminalista *m* criminal
kryminalny *adj* criminal
kryminał *m* jail
krynica *f poet.* spring, fount
krynolina *f* crinoline
krypta *f* vault
kryptonim- *m* cryptonym
krystaliczny *adj* crystalline
krystalizować *vt,* ~ się *vr* crys-
tallize
kryształ *m* crystal
kryterium *n* criterion
krytycyzm *m* criticism
krytyczny *adj* critical
krytyk *m* critic
krytyka *f* criticism, critique; (*recenzja*) review
krytykować *vt* criticise; (*recenzować*) review
kryza *f* ruff, frill

kryzys m crisis
krzaczasty adj bushy
krzak m bush, shrub
krzątać się vr busy oneself, bustle (koło czegoś about sth)
krzątanina f bustle
krzem m chem. silicon
krzemień m flint
krzemionka f silica
krzepić vt refresh, strengthen
krzepki adj vigorous
krzepnąć vi solidify; (np. o krwi) coagulate; (mężnieć) become vigorous
krzesać vt (ogień) strike
krzesiwo n flint; ~ z hubką tinder-box
krzesło n chair
krzew m shrub
krzewić vt spread, propagate; ~ się vr spread, multiply
krztą|a f, ani ~y not a whit
krztusić się vr choke, stifle
krzyczący adj clamorous; (o kolorze) glaring, loud; (o niesprawiedliwości) burning, gross
krzyczeć vi shout (na kogoś at sb); cry, shriek; ~ z bólu shout with pain; ~ z radości shout for joy
krzyk m cry, scream, shriek
krzykacz m crier, bawler
krzykliwy adj noisy
krzywd|a f wrong, harm, prejudice; wyrządzić ~ę wrong, do wrong (komuś sb); z moją ~ą to my prejudice; spotkała mnie ~a a harm has come to me
krzywdzący adj prejudicial, harmful, injurious (dla kogoś, czegoś to sb, sth)
krzywdzić vt wrong, harm, do wrong ⟨harm⟩
krzywica f med. rickets, rachitis
krzywić vt crook, bend; ~ się vr make a wry face (na kogoś, na coś at sb, sth)
krzywo adv awry; (pisać) aslant, slantwise; (patrzeć) askance
krzywoprzysięgać vt perjure oneself
krzywoprzysięstwo n perjury
krzywoprzysięzca m perjurer

krzyw|y adj crooked; (o minie, uśmiechu itp.) wry; mat. ~a (linia) curve
krzyż m cross; pl ~e anat. loins
krzyżacki adj, zakon ~ Teutonic Order
Krzyżak m Teutonic Knight, Knight of the Cross
krzyżować vt (układać na krzyż) cross; (rozpinać na krzyżu) crucify; (psuć plany) thwart
krzyżowiec m hist. crusader
krzyżow|y adj cross, crossed, cross-shaped; wojsk. ogień ~y cross-fire; hist. wojna ~a crusade; przen. ~y ogień pytań cross-questions; badanie w ~ym ogniu pytań cross-examination
krzyżówka f crossword puzzle
krzyżyk m small cross, crosslet; muz. sharp
ksiądz m priest, clergyman
książeczka f booklet; ~ oszczędnościowa savings-bank book
książę m prince, duke
książęcy adj princely, ducal
książka f book; ~ szkolna school-book; ~ do czytania reading-book; ~ z obrazkami picture-book
księga f book; (urzędowa, rejestracyjna) register; (główna w buchalterii) ledger
księgarnia f bookseller's shop
księgarz m bookseller
księgować vt enter, book
księgowość f book-keeping
księgowy m book-keeper
księgozbiór m library
księstwo n duchy, principality
księżna, księżniczka f duchess, princess
księżyc m moon; przy świetle ~a by moonlight
ksylofon m muz. xylophone
kształcący adj instructive
kształcić vt educate, instruct
kształt m form, shape
kształtny adj shapely
kształtować vt form, shape
kto pron who; ~ inny who else;

somebody else; ~ bądź anybody,
anyone

ktokolwiek *pron* = **kto bądź** *zob.*
kto

ktoś *pron* somebody, someone; ~
inny somebody else

którędy *pron* which way

który *pron* who, which, that

któryś *pron* some

ku *praep* towards, to

Kubańczyk *m* Cuban

kubański *adj* Cuban

kubatura *f* cubature, cubic volume

kubek *m* cup

kubeł *m* pail, bucket

kubizm *m* cubism

kucharka *f* cook

kucharsk|i *adj* culinary; **książka**
~a cookery-book

kucharz *m* cook

kuchenka *f* (*urządzenie*) cooker

kuchnia *f* (*pomieszczenie*) kitchen;
(*urządzenie do gotowania*) stove,
range; (*jakość potraw*) **dobra ~**
good cooking

kucnąć *vi* squat down

kucyk *m* pony

kuć *vt* forge, hammer; (*konia*)
shoe; *pot.* (*uczyć się na pamięć*)
cram

kudłaty *adj* shaggy

kudły *s pl* shaggy hair

kufel *m* (beer-)mug, tankard

kufer *m* box, trunk

kuglarstwo *n* jugglery

kuglarz *m* juggler

kukiełka *f* puppet

kukiełkowy *adj*, **teatr ~** puppet-
-show

kukła *f* puppet

kukułka *f* cuckoo

kukurydza *f* maze

kula *f* ball; (*rewolwerowa itp.*)
bullet; (*geometryczna*) sphere;
(*proteza*) crutch; (*do gry*) bowl;
~ śnieżna snowball; **~ ziemska**
globe

kulawy *adj* lame

kulbaczyć *vt* saddle

kuleć *vi* limp, hobble

kulić się *vr* cower, squat

kulig *m* sleighing party

kulinarny *adj* culinary

kulis *m* coolie

kulis|y *s pl* scenes, wings; *przen.*
za ~ami behind the scenes

kulisty *adj* spherical, round

kulka *f* small ball, globule; (*z pa-*
pieru, chleba) pellet

kulminacyjny *adj*, **punkt ~** cul-
minating point, climax

kult *m* cult, worship

kultura *f* culture, civilization; (*u-*
prawa) cultivation

kulturalny *adj* cultural, civilized;
(*o umyśle, manierach*) cultured

kultywować *vt* cultivate

kuluar *m* corridor, lobby

kułak *m* (*pięść*) fist; (*uderzenie*)
punch; **bić ~iem** punch

kum *m* godfather; *pot.* crony

kuma *f* godmother; *pot.* crony

kumkać *vi* croak

kumoszka *f pot.* gammer, gossip

kumoterstwo *n* favouritism, backing for family reasons; *przen.*
log-rolling

kumulacja *f* cumulation

kumulować *vt*, ~ **się** *vr* cumulate

kuna *f zool.* marten

kundel *m* cur

kunktator *m* cunctator

kunszt *m* art

kunsztowny *adj* artful, artistic

kup|a *f* heap, pile; **składać na ~ę**
heap up; *przen.* **wziąć się do ~y**
pull oneself together

kupić *vt* buy, purchase

kupiec *m* merchant, tradesman,
dealer; (*drobny handlarz*) shopkeeper

kuplet *m* cabaret song; (*dwu-*
wiersz) couplet

kupn|o *m* purchase; **dobre ~o** bar-
gain; **siła ~a** purchasing power

kupny *adj* (*kupowany*) purchased,
bought; ready-made

kupon *m* coupon

kupować *vt* = **kupić**

kura *f* hen

kuracja *f* cure, treatment

kuracjusz *m* patient; (*np. w u-*
zdrowisku) visitor

kuracyjn|y *adj* curative; **miejsco-wość** ~a health-resort

kuratela *f* guardianship, · trustee-ship

kurator *m* trustee; administrator, curator

kuratorium *n* board of trustees; school-board

kurcz *m* cramp, spasm

kurczę *n* chicken

kurczowo *adv* spasmodically

kurczowy *adj* spasmodic

kurczyć *vt*, ~ się *vr* shrink; *fiz.* contract

kurek *m* cock; (*kran*) tap; (*na wie-ży*) weather-cock; **odwieść** ~ **u karabinu** cock a gun

kurhan *m* tumulus, barrow

kuria *f* curia

kurier *m* courier; (*pociąg*) express--train

kuriozum *n* curiosity

kuropatwa *f zool.* partridge

kurować *vt* treat, cure (**na daną chorobę** for a disease)

kurs *m* course; ~ **dewizowy** rate of exchange

kursować *vi* run, circulate

kursywa *f* italics

kurtka *f* jacket

kurtuazja *f* courtesy

kurtuazyjny *adj* courteous

kurtyna *f* curtain

kurz *m* dust

kurzajka *f* wart

kurzawa *f* dust-storm; (snow-)drift

kurzyć *vi* raise dust; *pot.* (*palić papierosa itp.*) smoke; ~ **się** *vr* be ⟨get⟩ dusty; (*dymić się*) smoke, reek

kusiciel *m* tempter, seducer

kusić *vt* tempt, seduce; ~ **się** *vr* seek to obtain, attempt

kustosz *m* custodian, keep, trust-ee

kusy *adj* short-tailed; shortish; (*nie wystarczający*) scanty

kusza *f* cross-bow

kuśnierz *m* furrier

kuter *m mors.* cutter

kutwa *f* miser, niggard

kuty *adj* wrought, forged; (*o ko-niu*) shod; (*chytry*) cunning

kuzyn *m* cousin

kuźnia *f* forge, smithy

kwadra *f astr.* quarter

kwadrans *m* quarter of an hour; ~ **na szóstą** a quarter past 5; **za** ~ **szósta** a quarter to 6

kwadrat *m* square

kwadratow|y *adj* square; **liczba** ~a square number; **5 stóp** ~**ych** 5 square feet

kwakać *vi* quack

kwakier *m* Quaker

kwalifikacja *f* qualification

kwalifikować *vt* qualify; ~ **się** *vr* be qualified, qualify (**do czegoś** for sth)

kwalifikowany *adj* (*o pracowniku*) skilled

kwapić się *vr* be eager (**do czegoś** for, after sth; to do sth)

kwarantanna *f* quarantine

kwarc *m miner.* quartz

kwarta *f* quart

kwartalnie *adv* quarterly

kwartalnik *m* quarterly

kwartalny *adj* quarterly

kwartał *m* quarter

kwartet *m* quartet

kwas *m* acid; (*zaczyn*) leaven; *pl* ~y (*w żołądku*) acidity; *przen.* (*niezadowolenie, dąsy*) ill-humour

kwasić *vt* sour; ferment; (*np. o-górki*) pickle

kwaskowaty *adj* sourish, acidulous

kwasota *f* acidity

kwaszon|y *adj*, **kapusta** ~a sauer-kraut

kwaśnieć *vi* sour, become sour

kwaśn|y *adj* sour, acid; ~a **mina** wry face

kwatera *f* lodging; *wojsk.* billet; ~ **główna** headquarters *pl*

kwatermistrz *m* quartermaster

kwaterować *vt* quarter; *wojsk.* bil-let; *vi* be quartered ⟨billeted⟩

kwaterunek *m* quartering; *wojsk.* billeting

kwesta *m* collection

kwestarz *m* collector

kwesti|a *f* question; ~a **pieniężna**

money matter; ~a gustu matter of taste; to nie ulega ~i there is no doubt about it

kwestionariusz *m* inquiry-sheet, questionnaire

kwestionować *vt* question, call in question

kwestor *m* bursar

kwestować *vi* collect (money)

kwestura *f* bursary

kwiaciarka *f* florist; (*uliczna*) flower-girl

kwiaciarnia *f* florist's shop

kwiat *m* flower; (*drzewa owocowego*) blossom; *przen.* w kwiecie wieku in the prime of life

kwiczeć *vi* squeak

kwiczoł *m* *zool.* fieldfare

kwiecień *m* April

kwiecisty *adj* flowery; (*o stylu*) florid

kwietnik *m* flower-bed

kwik *m* squeak

kwilić *vi* whimper

kwintesencja *f* quintessence

kwit *m* receipt; ~ bagażowy check; ~ celny certificate of clearance; ~ zastawny pawn-ticket

kwitariusz *s* receipt-book

kwitnąć *vi* bloom, blossom, flower; *przen.* flourish

kwitować *vt* receipt; ~ odbiór przesyłki acknowledge the receipt of a parcel

kwoka *f* sitting hen

kworum *n* *nieodm.* quorum

kwota *f* (sum) total, amount

I

labirynt *m* labyrinth, maze

laborant *m* laboratory assistant

laboratorium *n* laboratory

laboratoryjny *adj* laboratorial

lać *vt* *vi* (*nalewać*) pour; (*wylewać*) shed; (*odlewać np. metal*) cast; deszcz leje it pours; ~ się *vr* pour; (*strumieniem*) gush, flow, stream; krew się leje blood is being shed; pot leje mu się z czoła sweat trickles from his brow

lada 1. *f* chest, box, (*stół sklepowy*) counter

lada 2. *part* any, whatever; ~ chwila any minute; ~ dzień any day; ~ kto anybody; to zawodnik nie ~ he is far from being an average competitor

ladacznica *f* harlot

laguna *f* lagoon

laik *m* layman

lakier *m* varnish

lakierki *s* *pl* patent shoes

lakierować *vt* varnish

lakmus *m* *chem.* litmus

lakoniczny *adj* laconic

lakować *vt* seal

lalka *f* doll

lament *m* lament, lamentation

lamentować *vi* lament (**nad kimś, czymś** for, over sb, sth)

lamować *vt* border

lamówka *f* border, (*do ubrań*) lace

lampa *f* lamp; (*radiowa*) valve

lampart *m* leopard

lampas *m* (trouser-)galloon

lampion *m* lampion, Chinese lantern

lampa *f* lamp; (*radiowa*) valve; ~ nocna night-lamp; ~ wina glass of wine

lamus *m* lumber-room

lanca *m* lance

lancet *m* lancet

landrynka *f* fruit drop

lanie *n* pouring; (*odlewanie*) casting; *pot.* (*bicie*) good thrashing, flogging

lanolina *f* lanolin

lansować *vt* launch

lapidarny *adj* pointed, concise

lapis *m* lunar caustic, lapis infernalis

lapsus *m* lapse

larwa *f* zool. larva

las *m* wood, forest; dziewiczy ~ virgin forest

laseczka *f* wand, (small) stick

lasecznik *m* biol. bacillus

lasek *m* grove

lask|a *f* stick, cane; ~a marszałkowska speaker's staff, *bryt.* mace; złożyć wniosek do ~i marszałkowskiej table a motion

laskowy *adj*, orzech ~ hazel-nut

lasować *vt* slake

latać *vi* fly; (*biegać*) run about

latarka *f* lantern; ~ elektryczna (electric) torch, flashlight

latarnia *f* lantern, lamp; ~ morska lighthouse; ~ projekcyjna projection lantern

latarnik *m* lighthouse-keeper

latawiec *m* kite; puszczać ~ca fly a kite

lato *n* summer; babie ~ (*okres*) Indian summer; (*pajęczyna*) gossamer

latorośl *f* shoot, offshoot; *przen.* offspring; winna ~ vine

laufer *m* (*w szachach*) bishop

laur *m* laurel

laureat *m* laureate, prize-winner; ~ nagrody Nobla Nobel-Prize winner

lawa *f* lava

lawenda *f* bot. lavender

laweta *f* gun-carriage

lawina *f* avalanche

lawirować *vi* mors. tack, beat about; *przen.* veer

lazaret *m* † hospital

lazur *m* azure, sky-blue

ląd *m* land; ~ stały continent; ~em by land

lądować *vi* land

lądowisko *n* lotn. landing-ground

lecieć *vi* fly; (*pędzić*) run, hurry; (*o czasie*) pass, slip away; ~ z góry drop, fall down

leciwy *adj* advanced in years

lecz *conj* but

leczeni|e *n* treatment; ~e się cure; poddać się ~u try a cure, follow a course of treatment

lecznica *f* clinic, nursing home

lecznictwo *n* therapeutics; health service

leczniczy *adj* medicinal; środek ~ medicine

leczyć *vt* treat (kogoś na coś sb for sth); (*kurować*) cure (kogoś z czegoś sb of sth); (*goić*) heal; ~ się *vr* undergo a treatment, take a cure

ledwie, ledwo *adv* hardly, scarcely; ~ dyszy he can hardly breathe; ~ nie umarł he nearly died; *conj* no sooner... than...; ~ wyszliśmy, zaczęło padać no sooner had we left than it started to rain

legalizować *vt* legalize

legalny *adj* legal, rightful

legat *n* (*zapis*) legacy, bequest; (*papieski*) nuncio, legate

legawiec *m* pointer; (*długowłosy*) setter

legenda *f* legend

legendarny *adj* legendary

legia *f* legion; ~ cudzoziemska foreign legion

legion *m* legion

legionista *m* legionary

legitymacja *f* identity card, certificate

legitymować *vt* indentify, establish sb's identity; ~ się *vr* prove one's identity

legować *vt* prawn. bequeath

legowisko *n* couch, bed; (*dzikich zwierząt*) lair

legumina *f* pudding, sweet

lej *m* funnel; (*w ziemi*) crater

lejce *s pl* reins

lejek *m* funnel

lek *m* medicine

lekarski *adj* medical; **wydział ~** faculty of medicine

lekarstwo *n* medicine, remedy; **zażyć ~** take a medicine

lekarz *m* physician, doctor; (*urzędowy*) medical officer; **~ ogólnie praktykujący** general practitioner; **~ wojskowy** army surgeon

lekceważący *adj* disregardful, disdainful

lekceważenie *n* disregard, disdain, slight(ing)

lekceważyć *vt* disregard, disdain, slight

lekcj|a *f* lesson; **pobierać ~e angielskiego** take English lessons; **udzielać ~i angielskiego** give English lessons

lekk|i *adj* light; *sport* **~a atletyka** (light-weight) athletics; (*w boksie*) **waga ~a** light weight

lekkoatleta *m* (light-weight) athlete

lekkomyślność *f* light-mindedness, recklessness

lekkomyślny *adj* light-minded, reckless

lekkość *f* lightness; (*łatwość*) easiness

leksykografia *f* lexicography

lektor *m* lector, reader; (*prowadzący lektorat*) teacher

lektorium *n* reading-room

lektura *f* (*czytanie*) reading; (*materiał do czytania*) reading-matter

lemiesz *m* ploughshare

lemoniada *f* lemonade

len *m* flax

lenić się *vr* laze, idle

lenieć *vt* moult, shed one's hair; (*o gadach*) slough

leninizm *m* Leninism

leninowski *adj* Leninist

lenistwo *n* idleness, laziness

leniuch *m* lazy bones, idler, sluggard

leniuchować *vi* laze, idle one's time away

leniwiec *m* *zool.* sloth

leniwy *adj* idle, lazy

lennik *m* *hist.* vassal

lenno *n* *hist.* fief

leń *m* lazy-bones, idler

lep *m* glue; **~ na muchy** fly-paper

lepianka *f* mud-hut

lepić *vt* glue, stick; **~ z gliny** loam, make of loam; **~ się** *vr* stick, be sticky

lepiej *adv comp* better; **tym ~** all the better, so much the better; **~ byś poszedł sobie** you had better go

lepki *adj* sticky; (*przylepny*) adhesive

lepszy *adj comp* better; **kto pierwszy, ten ~** first come first served

lesisty *adj* woodéd, woody

leszcz *m* *zool.* bream

leszczyna *f* *bot.* hazel

leśnictwo *n* forestry, forest district

leśniczówka *f* forester's cottage

leśniczy, leśnik *m* forester

leśny *adj* forest- (law etc.); wood- (nymph etc.)

letarg *m* *med.* lethargy; *przen.* torpor

letni *adj* (*niegorący*) tepid, lukewarm; *attr* (*dotyczący lata*) summer

letnik *m* summer-visitor, holiday-maker

letnisko *n* health-resort, summer-resort

leukocyt *m* *biol.* leucocyte

lew *m* lion

lew|a *f* (*w kartach*) trick; **wziąć ~ę** take ⟨win⟩ a trick

lewar *m* lever; (*hydrauliczny*) siphon

lewatywa *f* *med.* enema

lewica *f* left hand ⟨side⟩; *polit.* the left, left wing

lewicowiec *m* leftist

lewkonia *f* *bot.* stock

lew|y *adj* left; **~a strona** wrong side; (*monety*) reverse; **na ~o** on the left, to the left

leźć *vi* pot. *(wspinać się)* climb, creep upwards; *(wlec się)* drag (oneself) along, shuffle

leżak *m* folding-chair, deck-chair

leże *n* couch, lodging, resting-place; *wojsk.* camp, quarters *pl*; ~ **zimowe** winter-quarters *pl*

leżeć *vi* lie; *(znajdować się)* be placed, be situated; *(o ubraniu)* **dobrze** ~ sit ⟨fit⟩ well; **źle** ~ sit badly

lędźwie *s pl* loins

lęgnąć się *vr* come out of the shell, hatch

lęk *m* fear; *(groza)* awe

lękać się *vr* fear (o kogoś, coś for sb, sth), be anxious (o kogoś, coś about sb, sth)

lękliwy *adj* timid

lgnąć *vi* adhere, stick; *przen.* cling, be attached

libacja *f* libation, pot. booze

liberalizm *m* liberalism

liberalny *adj* liberal

liberał *m* liberal

liberia *f* livery

libertyn *m* libertine

libra *f druk.* quire

libretto *n* libretto

licencja *f* licence

liceum *n* secondary ⟨grammar⟩ school

licho 1. *adv* poorly, meanly, shabbily

lich|o 2. *n* evil, devil; *pot.* **co u ~a!** what the deuce!

lichota *f* rubbish, trash

lichtarz *m* candlestick

lichwa *m* usury

lichwiarz *m* usurer

lichy *adj* poor, mean, miserable, shabby

lic|ować *vi* harmonize (z czymś with sth), become (z kimś, czymś sb, sth); **to nie ~uje z tobą** it does not become you

licytacj|a *f* auction; *(w brydżu)* bid; **oddać na ~ę** put up to auction; **sprzedać na ~i** sell by auction

licytator *m* auctioneer

licytować *vt* sell by auction, put to auction; *(w brydżu)* bid

liczba *f* number; figure; *gram.* ~ **pojedyncza** ⟨**mnoga**⟩ singular ⟨plural⟩ (number); *mat.* ~ **wymierna** rational number

liczbowy *adj* numerical

liczebnie *adv* numerically, in number

liczebnik *m gram.* numeral, number

liczebny *adj* numerous; numerical

liczeni|e *n* calculation; **maszyna do ~a** calculating machine, calculator

licznik *m mat.* numerator; *(automat)* counter, meter; ~ **elektryczny** electrometer; ~ **gazowy** gas-meter; ~ **w taksówce** taximeter

liczny *adj* numerous

licz|yć *vt (obliczać)* count, reckon, compute; *(wynosić)* number, count; *(podawać cenę)* charge; ~**ć na kogoś** depend ⟨rely⟩ on ⟨upon⟩ sb; **klasa** ~ **20 uczniów** the class numbers 20 pupils; **on** ~ **sobie około 60 lat** he may be some 60 years old; ~**ć się** *vr* count; **to się nie** ~ that does not count; ~**ć się z kimś, czymś** take sb, sth into account; **on się nie** ~ **z pieniędzmi** he holds his money of no account

liczydło *n* abacus

liga *f* league

lignina *f* lignin

likier *m* liqueur

likwidacja *f* liquidation

likwidować *vt* liquidate, wind up

lila *adj nieodm.* lilac, pale violet

lilia *f bot.* lily

liliowy *adj* lily *attr*, lily-white; pale violet

liliput *m* Lilliputian, pygmy

limfa *f biol.* lymph

limfatyczny *adj* lymphatic

limit *m* limit

limuzyna *f* limousine

lin *m zool.* tench

lina *f* rope, line, cord

lincz *m* lynch law

lnczować vt lynch

lngwista m linguist

lngwistyka f linguistics

linja f line; (liniał) rule, ruler; **cienkie** ~e (na papierze) faint lines

linijka f (liniał) ruler; (wiersz) line

liniować vt rule, line; (o papierze) cienko ~ny ruled ⟨lined⟩ faint

liniowy adj wojsk. mors. line attr, of the line; pułk ~y line regiment; oddziały ~e troups of the line; okręt ~y (pasażerski) liner; (wojskowy) ship of the line

linoleum n nieodm. linoleum

linoskoczek m rope-dancer

linotyp m druk. linotype

linowy adj, kolejka ~a funicular railway

lipa f bot. lime, linden; pot. humbug

lipiec m July

lira f muz. lyre

liryczny adj lyrical

liryk m lyrist

liryka f lyric poetry

lis m zool. fox

list m letter; ~ polecony registered letter; ~ żelazny safe-conduct; ~y uwierzytelniające credentials

lista f list, register; ~ obecności attendance record; ~ płacy pay-sheet; ~ zmarłych death-roll

listek m leaflet

listonosz m postman

listopad m November

listownie adv by letter, in writing

listowny adj by letter, in writing

listowy adj, papier ~ letter-paper, note-paper

listwa f fillet, batten; (mała, cienka) slat

liszaj m med. herpes

liszka 1. f (gąsienica) caterpillar

liszka 2. f (samica lisa) vixen

liściasty adj leafy

liść m leaf

litania f litany

litera f letter

literacki adj literary

literalny adj literal

literat m man of letters

literatura f literature

litewski adj Lithuanian

litograf m lithographer

litografia f lithography

litościwy adj merciful

litość f mercy, pity

litować się vr take pity (nad kimś on sb)

litr m litre

liturgia f liturgy

liturgiczny adj liturgical

lity adj massive, solid; (lany) molten, cast

lizać vt lick; pot. liznął trochę angielskiego he has a smattering of English

lizol m lysol

lizus m pot. toady

lniany adj linen; siemię ~e linseed; płótno ~e linen

loch m dungeon

lodowaty adj glacial, icy

lodowiec m glacier

lodowisko n ice field; (tor łyżwiarski) skating-rink

lodownia f ice-chamber, ice-house

lodowy adj ice attr, glacial; geol. epoka ~a Ice Age; góra ~a iceberg

lodówka f refrigerator, ice-box, pot. fri⟨d⟩ge

lody s pl ice-cream

lodziarz m iceman

logarytm m mat. logarithm

logiczny adj logical

logika f logic

lojalność f loyalty

lojalny adj loyal

lok m lock

lokaj m lackey

lokal m premises pl, place, room(s), apartment(s); ~ rozrywkowy place of entertainment

lokalizować vt localize, locate

lokalny adj local

lokata f investment

lokator m lodger; dziki ~ squatter

lokaut m lock-out

lokomocja f locomotion

lokomotywa f (railway-)engine, locomotive

lokować vt place, locate; ⟨inwestować⟩ invest

lombard m pawnshop

londyńczyk m Londoner

lont m fuse

lora f lorry

lornetka f ⟨polowa⟩ field-glasses pl; ⟨teatralna⟩ opera-glasses pl

los m lot, fate; ⟨na loterii⟩ lottery-ticket; ⟨wybrana na loterii⟩ prize; ciągnąć ⟨rzucać⟩ ~y draw ⟨cast⟩ lots; na ~ szczęścia at venture, at hazard; zdać się na ~ szczęścia chance one's luck

losować vt draw lots

losowanie n drawing of lots, lottery-drawing

lot m flight; widok z ~u ptaka bird's eye view

loteri|a f lottery; wygrana na ~i prize

lotka f zool. pinion; lotn. aileron

lotnictwo n aviation, aircraft: air force; ~ wojskowe Air Force; ⟨w Anglii⟩ Royal Air Force

lotnicz|y adj, baza ~a air-base; linia ~a air-line, airway; poczta ~a air-mail

lotnik m airman, flyer, flier

lotnisko n ⟨cywilne⟩ airport, aerodrome

lotniskowiec m aircraft carrier

lotny adj quick, bright; chem. volatile; wojsk. ~ oddział flying squad; piasek ~ quick ⟨shifting⟩ sand

lotos m bot. lotus

loża f box; ⟨masońska⟩ lodge

lód m ice

lśniący adj brilliant, lustrous

lśnić vi shine, glitter

lub conj or

lubić vt like, ⟨bardzo⟩ love; nie ~ dislike

lubieżnik m voluptuary

lubować się vr take pleasure, delight (w czymś in sth)

lud m people, folk

ludność f population

ludny adj populous

ludobójca m genocide

ludobójstwo n genocide

ludow|y adj people's attr; popular; pieśń ~a folksong; stronnictwo ~e peasant party; Polska Ludowa People's Poland; republika ~a people's republic

ludożerca m cannibal

ludzie s pl people, persons, men

ludzki adj human; ród ~ mankind

ludzkość f mankind; ⟨człowieczeństwo⟩ humanity; human nature

luf|a f barrel; otwór ~y muzzle

lufcik m vent-hole

luk m mors. scuttle, hatch; ⟨okienko⟩ porthole

luka f gap, breach

lukier m sugar-icing

lukratywny adj lucrative

luksus m luxury

luksusow|y adj luxury attr, luxurious; artykuły ~e fancy articles, articles of luxury

lunatyk m sleep-walker

lunąć vi ⟨o deszczu⟩ come down in a torrent; pot. ⟨uderzyć⟩ slap, hit

luneta f telescope

lupa f magnifying glass

lusterko m pocket-glass, hand-glass; ~ wsteczne rear-view mirror

lustracja f inspection; review

lustro n looking-glass, mirror

lustrować vt review, pass in review; inspect

lut m techn. solder

luteranin m Lutheran

lutnia f muz. lute

lutnista m lutenist

lutować vt solder

luty m February

luz m gap, breach; ~em loosely separately

luzować vt replace, relay; wojsk. relieve

luźny adj loose

lwi adj lion's, leonine; przen. ~ część lion's share

lżyć vi insult (kogoś sb)

łabędź *m* swan; *przen.* ~dzi śpiew swan song
łach *m pot.* rag, tatter; *pl* ~y duds
łachman *m* rag, tatter
łacina *f* Latin
ład *m* order
ładny *adj* pretty, nice; neat
ładować *vt* load, charge
ładownica *f wojsk.* pouch
ładunek *m* load; (*okrętowy*) cargo; (*kolejowy*) freight; (*nabój*) cartridge; (*elektryczny*) charge
łagodnieć *vi* become mild, soften
łagodność *f* mildness, softness
łagodny *adj* mild, soft, gentle
łagodzący *adj* soothing; alleviating; okoliczności ~e extenuating circumstances
łagodzić *vt* appease, alleviate; soothe
łajać *vt* scold, chide
łajdacki *adj* roguish, villainous
łajdactwo *n* villainy
łajdak *m* villain
łaknąć *vi* be hungry; (*pożądać*) be desirous (czegoś of sth)
łakocie *s pl* sweets, dainties
łakomić się *vr* covet (na coś sth)
łakomstwo *n* greediness, gluttony
łakomy *adj* greedy (na coś of sth)
łamacz *m* breaker; ~ fal breakwater; ~ lodów icebreaker
łamać *vt* break; ~ głowę rack one's brains (nad czymś about sth); ~ się *vr* break
łamigłówka *f* puzzle, riddle, poser
łamistrajk *m* strike-breaker
łamliwy *adj* brittle, fragile
łan *m* corn-field
łania *f* hind
łańcuch *m* chain; ~ gór mountain range
łańcuchow|y *adj*, most ~y chain bridge; *chem.* reakcja ~a chain reaction
łańcuszek *m* little chain; (*u zegarka*) watch-chain

łapa *f* paw
łapać *vt* catch, seize
łapczywość *f* greed
łapczywy *adj* greedy (na coś for, of sth)
łapka 1. *f* little paw
łapka 2. *f* (*pułapka*) trap; ~ na myszy mouse-trap
łapownictwo *n* bribery
łapówk|a *f* bribe; dać ~ę bribe
łapserdak *m pot.* ragamuffin
łasica *f zool.* weasel
łasić się *vr* fawn (do kogoś on, upon sb)
łas|ka *f* grace, favour; akt ~ki act of grace; na ~ce at the mercy
łaskawość *f* kindness
łaskaw|y *adj* kind (dla kogoś to sb); gracious; bądź ~ to zrobić be so kind as to do it
łaskotać *vt* tickle
łaskotki *s pl* tickling
łasy *adj* greedy (na coś for, of sth)
łata 1. *f* patch
łata 2. *f* (*deska*) lath, batten
łatać *vt* patch, piece together
łatanina *f pot.* patch-work
łatwopalny *adj* inflammable
łatwość *f* easiness, ease, facility
łatwowierność *f* credulity
łatwowierny *adj* credulous
łatwy *adj* easy
ław|a *f* bench; ~a przysięgłych jury; kolega z ~y szkolnej schoolmate
ławica *f* bank; ~ ryb shoal of fish
ławka *f* bench; (*kościelna*) pew; (*szkolna*) desk
ławnik *m* alderman
łazić *vi* crawl, tramp, loaf; ~ po drzewach climb trees
łazienka *f* bathroom
łazik *m pot.* tramp, vagabond
łaźnia *f* vapour-bath
łączący *adj* binding, joining; *gram.* tryb ~ subjunctive mood

łącznica f techn. (kolejowa) junction; (telefoniczna) exchange

łącznie adv together

łącznik m link; wojsk. liaison officer; gram. hyphen

łączność f connexion, union; służba ~ci signal-service; wojsk. oficer ~ci signal officer

łączny adj joint; ~a suma sum total

łączyć vt join, unite, connect; ~ się vr unite, combine

łąka f meadow

łeb m pot. pate; na ~, na szyję headlong, head over heels

łechtać f tickle

łęk m saddle-bow

łgać vi lie, tell lies

łgarstwo n lie

łkać vi sob

łobuz m rogue, villain; urchin

łobuzerstwo n petty villainy; knavery

łodyga f stalk

łojówka f (świeca) tallow-candle

łok|ieć m elbow; (miara) ell; trącać ~ciem elbow

łom m crowbar; (złodziejski) jemmy, am. jimmy

łomot m crack, din

łono n bosom; womb; (podołek) lap

łopata f spade, shovel

łopatka f little shovel, spatula; anat. shoulder-blade

łopotać vi flap ⟨flutter⟩ (skrzydłami, żaglami the wings, the sails)

łoskot m crash, crack

łosoś m zool. salmon

łoś m zool. elk

łowca m hunter

łowczy adj hunting; pies ~ hound; m huntsman, master of the chase

łowić vt catch; ~ ryby fish, (na wędkę) angle

łowiectwo n hunting, huntsmanship

łowy s pl hunting, chase

łoza f bot. osier, wicker

łoż|e n bed; ~e małżeńskie marriage-bed; ~e śmierci death-bed dziecko z nieprawego ~a illegitimate child

łożyć vt lay out, bestow; vi (ponosić koszty) bear expenses

łożysko n bed; techn. bearing; ~ kulkowe ball-bearing; ~ rzeki river-bed

łódka f (small) boat

łódź f boat

łój m tallow; (barani etc.) suet

łów m hunting, chase

łóżeczko n cot

łóżk|o n bed; (bez materaca i pościeli) bedstead; leżeć w ~u (chorować) keep to one's bed położyć się do ~a go to bed słać ~o make the bed

łubin m bot. lupine

łucznictwo n archery

łucznik m archer, bowman

łuczywo n resinous wood

łudzący adj delusive

łudzenie się n delusion

łudzić vt delude; ~ się vr be deluded, deceive oneself

ług m lye

łuk m bow; arch. (sklepienie) arch mat. fiz. elektr. arc

łukow|y adj, elektr. lampa ~a ar lamp; światło ~e arc-light

łuna f glow

łup m booty, spoil; paść ~em fa a prey (kogoś, czegoś to sb, sth

łupać vt split, cleave; chip

łupek m miner. slate

łupić vt plunder, loot

łupież m dandruff

łupieżca m plunderer, looter

łupina f peel, hull, husk, shell

łuska f (ryby) scale; (owocu) husk (orzecha, grochu, naboju) shell przen. ~ spadła komuś z ocz the scale fell from sb's eyes

łuskać vt husk, peel, pee (groch, fasolę) hull, (migdały itp scale, (groch, orzechy) shell

łuszczyć się vr scale off

łydka f calf

łyk m draught, gulp; jednym ~iem at one gulp

łykać *vt* swallow, gulp
łyko *n* bast
łykowaty *adj (o mięsie)* tough, sinewy
łysek *m* pot. *(człowiek łysy)* baldpate
łysieć *vi* become bald
łysina *f* bald head
łysy *adj* bald
łyżeczka *f* (little) spoon, teaspoon
łyżka *f* spoon; *(zawartość)* spoonful; ~ do butów shoe-horn; ~

wazowa ladle; ~ zupy spoonful of soup
łyżwa *f* skate
łyżwiarstwo *n* skating
łyżwiarz *m* skater
łza *f* tear; lać gorzkie łzy shed bitter tears; zalewać się łzami be all in tears
łzawi|ć *vi* water; gaz ~ący tear-gas
łzawy *adj* tearful; *(ckliwy)* maudlin

m

macać *vt* touch, feel; ~ po ciemku grope
macerować *vt* macerate
machać *vi* wave (ręką one's hand); wag (ogonem the tail); brandish (szablą the sword); ~ ręką na przywitanie *(pożegnanie)* (kogoś to sb) wave welcome ⟨farewell⟩; machnąć na coś ręką wave sth aside
machina *f* machine
machinacja *f* machination
machnąć *zob.* machać
macica *f anat.* uterus; ~ perłowa mother-of-pearl
macierz † *f* mother
macierzanka *f bot.* thyme
macierzyński *adj* maternal
macierzyństwo *n* maternity, motherhood
macierzysty *adj* mother *attr*; kraj ~ mother country; port ~ port of registry; home port
macka *f* tentacle, feeler
macocha *f* step-mother
maczać *vt* soak, steep, dip
maczuga *f* mace, club
magazyn *m* store, storehouse; *wojsk.* magazine; *(czasopismo)* magazine
magazynier *m* store-keeper

magazynować *vt* store up, keep in store
magia *f* magic, sorcery; czarna ~ black art
magiczny *adj* magic(al)
magiel *m* mangle
magik *m* magician
magister *m* master
magisterium *n (stopień)* master's degree
magistracki *adj* municipal
magistrant *m* candidate for the master's degree
magistrat *m (budynek)* town-hall; *(władza)* municipality
maglować *vt* mangle
magnat *m* magnate
magnes *m* magnet
magnetofon *m* tape-recorder
magnetyzować *vt* magnetize
magnez *m chem.* magnesium
magnezja *f chem.* magnesia
magnificencja *f* magnificence
magnolia *f bot.* magnolia
mahometanin *m* Mohammedan
mahometański *adj* Mohammedan
mahoń *m* mahogany
maić *vt* decorate with leaves
maj *m* May
majaczeć *vi* loom, appear dimly in the distance

majaczenie n hallucinations; ravings

majaczyć vi (mówić od rzeczy) talk deliriously, rave

majątek m property, fortune, estate

majeranek m bot. marjoram

majestat m majesty

majestatyczny adj majestic

majętność f property, estate

majętny adj wealthy, well-to-do

majolika f majolica

majonez m mayonnaise

major m major

majówka f May-party

majster m foreman, master; sl boss; ~ do wszystkiego jack of all trades

majstersztyk m masterpiece

majstrować vi pot. tamper (koło czegoś with sth)

majtek m sailor, mariner

majtki s pl drawers; pot. panties

mak m poppy; (ziarno) poppy-seed; jest cicho jak ~iem zasiał one might hear a pin drop

makaron m macaroni

makata f piece of tapestry; pl ~y tapestry zbior.

makieta f model

makler m handl. broker

makówka f poppy-head

makrela f mackerel

maksimum n nieodm. sing maximum

maksyma f maxim

maksymalny adj maximum

makuch m oil-cake

makulatura f waste-paper

malaria f med. malaria

malarstwo n painting

malarz m painter

malec m small boy, pot. nipper

maleć vi grow small, dwindle

maleństwo n little thing

malina f raspberry

malkontent m malcontent

malować vt paint; (na szkle) stain; (na porcelanie) enamel; ~ się vr (szminkować się) make up

malowidło n painting, picture

malowniczy adj picturesque

maltretować vt maltreat, ill-treat

malwa f bot. mallow

malwersacja f malversation, embezzlement

mało adv little, few; ~ kiedy very seldom; o ~ nearly; mieć ~ pieniędzy be short of money

małoduszność f pusillanimity

małoduszny adj pusillanimous

małoletni adj under age, minor

małoletniość f minority

małomówność f taciturnity

małomówny adj taciturn

małostkowość f petty-mindedness

małostkowy adj petty-minded

małowartościowy adj of little worth

małpa f (człekokształtna) ape; (niższego rzędu) monkey

małpować vt ape

mały adj small, little; (drobny) tiny

małż m zool. crustacean

małżeńsk|i adj matrimonial, marital, conjugal; para ~a married couple

małżeństwo n marriage; married couple

małżonek m husband, spouse

małżonka f wife, spouse

mama f mamma, mummy, mammy

mamić vt delude, allure

mamona f mammon

mamrotać vt mumble, mutter

mamut m zool. mammoth

manatki s pl pot. goods and chattels, bag and baggage

mandat m mandate

mandolina f muz. mandolin(e)

manekin m mannequin, manikin, model

manewr m manoeuvre

manewrować vi manoeuvre

maneż m manege, riding-school

mangan m chem. manganese

mania f mania, obsession; ~ prześladowcza persecution mania; ~ wielkości megalomania

maniak m maniac

manicure [-kiur] m manicure; robić ~ to manicure

masa

maniera *f* manner; (*zmanierowanie*) mannerism

manierka *f* flask; (*żołnierska*) canteen

manifest *m* manifesto

manifestacja *f* demonstration

manifestować *vi* demonstrate

manipulacja *f* manipulation

manipulacyjn|y *adj* manipulative; opłaty ~e handling charges

manipulować *vi* manipulate, handle

mankiet *m* cuff, wristband

manko *n*. deficit, deficiency

manna *f* manna; kasza ~ semolina

manow|iec *m*, *zw. pl* ~ce wrong ways, impracticable tracts; sprowadzić na ~ce lead astray; zejść na ~ce go astray

mansarda *f* attic

manufaktura *f hist.* linen-drapery; manufacture

manuskrypt *m* manuscript

mańkut *m* left-handed person

mapa *f* map; (*morska*) chart

mara *f* spectre, phantom

maratoński *adj*, bieg ~ Marathon race

marcepan *m* marchpane

marchew *f* carrot

margaryna *f* margarine

margines *m* margin

margrabia *m* margrave

marionetka *f* marionette, puppet

marka *f* mark; ~ fabryczna trademark

markiz *m* marquis

markiza *f* (*żona markiza*) marchioness; (*osłona*) awning, marquee

markotny *adj* grumbling, discontent

marksista *m* Marxist

marksistowski *adj* Marxist, Marxian

marksizm *m* Marxism

marmolada *f* jam, (*zw. z pomarańcz*) marmalade

narmur *m* marble

narnieć *vi* languish, waste away, perish

narność *f* vanity

narnotrawca *m* spendthrift

marnotrawić *vt* waste, squander

marnotrawny *adj* prodigal

marnotrawstwo *n* prodigality

marnować *vt* waste, trifle away; ~ się *vr* be wasted, go to waste

marn|y *adj* miserable, meagre, mean; wszystko poszło na ~e it all dissolved into thin air

marsowy *adj* martial

marsz *m* march; *int* ~! *wojsk.* forward march!; (*wynoś się!*) clear off!, clear out!

narszałek *m* marshal

marszczyć *vt* wrinkle; ~ brwi knit one's brows; ~ się *vr* wrinkle, become wrinkled

marszruta *f* itinerary, route

martwica *f med.* necrosis

martwić *vt* vex, grieve, worry; ~ się *vr* worry (o kogoś, o coś about, over sb, sth), grieve, be grieved (o kogoś, o coś at, for sb, sth)

martw|y *adj* lifeless, dead; ~a natura still life; ~y sezon slack season; ~y punkt deadlock; stanąć na ~ym punkcie come to a deadlock

martyrologia *f* martyrology

maruder *m* marauder

marudzić *vt* (*guzdrać się*) loiter; (*gderać*) grumble

mary *s pl* bier

marynarka *f* marine; (*wojenna*) navy; (*część ubrania*) coat

marynarz *m* sailor, mariner

marynata *f* pickle, marinade

marynować *vt* pickle, marinade

marzanna *f bot.* madder

marzec *m* March

marzenie *n* dream, reverie

marznąć [-r-z-] *vi* freeze, feel ⟨be⟩ cold

marzyciel *m* dreamer

marzyć *vi* dream (o kimś, o czymś of sb, sth)

masa *f* mass; (*wielka ilość*) a lot, a great deal; *fiz.* ~ atomowa atomic ratio ⟨weight, mass⟩; *chem.* ~ cząsteczkowa molecular mass ⟨weight⟩; ~ drzewna wood pulp; ~ **papiernicza** paper-pulp; *prawn.* ~ **upadłościowa** bankrupt's estate

masakra *f* massacre
masakrować *vt* massacre
masaż *m* massage
masażysta *m* masseur
masażystka *f* masseuse
maselniczka *f* butter-box
maska *f* mask
maskarada *f* masquerade
maskować *vt* mask, disguise
masło *n* butter
masoneria *f* freemasonry
masować *vt* massage
masowo *adv* in a mass
masow|y *adj* massy, mass *attr*; ~a **produkcja** mass production
masówka *f* mass meeting
masyw *m* massif
masywny *adj* massive, solid
maszerować *vi* march
maszkara *f* (*poczwara*) monster; (*maska*) mask
maszt *m* mast
maszyn|a *f* machine, engine; ~a **do pisania** typewriter; **pisać na** ~ie typewrite; ~a **do szycia** sewing-machine; ~a **parowa** steam-engine
maszynista *m* engineer; (*kolejowy*) engine-driver
maszynistka *f* typist
maszynka *f*, ~ **do golenia** safety-razor; ~ **do mięsa** mincing-machine; ~ **do gotowania** cooker; ~ **spirytusowa** spirit lamp
maszynopis *m* typescript
maść *f* ointment; (*konia*) colour
maślanka *f* buttermilk
mat *m* (*barwa*) dull colour; (*w szachach*) mate; **dać** ~a checkmate (**komuś** sb)
mata *f* mat
matactwo *n* fraudulence, trickery, machination
matczyny *adj* maternal
matematyczny *adj* mathematical
matematyk *m* mathematician
matematyka *f* mathematics

materac *m* matress
materia *f* matter; **stuff**
materialista *m* materialist
materialistyczny *adj* materialistic
materializm *m* materialism; ~ **dialektyczny** dialectical materialism
materialn|y *adj* material; **środki** ~e material means, pecuniary resources
materiał *m* material, stuff; *przen.* makings
matka *f* mother; ~ **chrzestna** god--mother
matni|a *f* trap, snare; **złapać w** ~ę ensnare, entrap
matowy *adj* dull, mat
matrona *m* *lit.* matron
matryca *f* matrix; (*w mennicy*) die
matrymonialny *adj* matrimonial
matura *f* secondary-school leaving examination; matriculation
maturzysta *m* secondary-school graduate
maurytański *adj* Moorish; (*styl*) Moresque
mazać *vt* smear, daub
mazgaj *m* *pot.* sniveller, noodle
mazur *m* (*muz. i taniec*) mazurka
mazurek *m* *muz.* mazurka
maź *m* grease
mąci|ć *vt* trouble, disturb; ~ **mi się w głowie** my head reels
mączka *f* fine flour
mądrość *f* wisdom
mądry *adj* wise, sage
mąka *f* flour
mątwa *f* *zool.* cuttle-fish
mąż *m* man; husband; ~ **stanu** statesman; **wychodzić za** ~ marry, get married; **jak jeden** ~ to a man
mdleć *vi* faint, swoon away
mdli|ć *v impers* ~ **mnie** I feel sick
mdłości *s pl* sickness, qualm, nausea
mdły *adj* insipid, dull
meb|el *m* piece of furniture; *pl* ~le (*umeblowanie*) *zbior.* furniture
meblować *vt* furnish
mecenas *m* Maecenas; (*adwokat*) lawyer, barrister

mech *m* moss
mechaniczny *adj* mechanical
mechanik *m* mechanic
mechanika *f* mechanics
mechanizacja *f* mechanization
mechanizm *m* mechanism
mecz *m sport* match; ~ sparingo-
wy spar
meczet *m* mosque
medal *m* medal
medium *n* medium
meduza *f zool.* jelly-fish
medycyna *f* medicine
medyczny *adj* medical
medyk *m* medical student
medykament *m* medicine, medic-
ament
megafon *m* loud-speaker
megaloman *m* megalomaniac
megalomania *f* megalomania
Meksykanin *m* Mexican
meksykański *adj* Mexican
melancholia *f* melancholy
melancholijny *adj* melancholy
melancholik *m* melancholiac
melasa *f* molasses *pl*
meldować *vt* report, announce; ~
się *vr* report oneself; (*zgłaszać
urzędowo przyjazd*) register
meldunek *m* report, notification;
(*meldowanie*) registration
melioracja *f* melioration
meliorować *vt* meliorate
melodia *f* melody
melodramat *m* melodrama
melodyjny *adj* melodious
melon *m* melon; (*kapelusz*) bowl-
er
memorandum *n* memorandum
memoriał *m* memorial
menażeria *f* menagerie
menażka *f* mess-tin
mennica *f* mint
menstruacja *f* menstruation, menses
mentalność *f* mentality
mentol *m* menthol
menu [meniu] *n nieodm.* menu,
bill of fare
menuet *m* minuet
mer *m* mayor

merdać *vi pot.* wag (ogonem the
tail)
mereżka *f* hemstitch
merynos *m zool.* merino
merytoryczny *adj* essential, substantial; rozważać sprawę pod
względem ~m consider a matter
on its merits
meszek *m* fine moss; (*puszek*)
down
met|a *f* goal, terminus; na dalszą
~ę in the long run, at long-range
metafizyczny *adj* metaphysical
metafizyka *f* metaphysics
metal *m* metal
metaliczny *adj* metallic
metalowy *adj* metal *attr*
metalurgia *f* metallurgy
metamorfoza *f* metamorphosis
meteor *m* meteor
meteorolog *m* meteorologist
meteorologia *f* meteorology
metoda *f* method
metodyczny *adj* methodical
metr *m* metre
metraż *m* surface in square metres
metro *n* underground (railway),
pot. tube; *am.* subway (railway)
metropolia *f* metropolis
metropolita *m* metropolitan
metrum *n nieodm. lit.* metre,
measure
metryczny *adj* (*system*) metric; (*w
prozodii*) metrical
metryka *f* birth ⟨marriage⟩ certificate
metyl *m chem.* methyl
mewa *f* (sea-)mew, sea-gull
mezalians *m* misalliance
męczarnia *f* torment, torture
męczennica *f*, męczennik *m* martyr
męczeński *adj* martyr's
męczeństwo *n* martyrdom
męczyć *vt* torment, torture; (*dokuczać*) vex; (*nużyć*) tire; ~ się *vr*
take pains, exert oneself, labour;
(*umysłowo*) rack one's brains
mędrek *m pot.* wiseacre
mędrzec *m* sage

męka f pain, fatigue, toil, torment

męski adj male; masculine; (pełen męskości, mężny) manful; **chór** ~ chorus of men; **garnitur** ~ men's suit; **obuwie** ~**e** men's boots; gram. **rodzaj** ~ masculine gender

męskość f manhood, manliness

męstwo n bravery, valour

mętniactwo n pot. woolliness

mętny adj dull; (nieprzejrzysty) troubled, turbid

męty s pl grounds, dregs; ~ **społeczne** zbior. scum of society

mężatka f married woman

mężczyzna m man, male

mężny adj brave, valiant

mgiełka f haze

mglisty adj hazy, misty, foggy

mgła f fog, mist

mgławica f mist; astr. nebula

mgnieni|e n twinkling; **w** ~**u oka** in the twinkling of an eye

miał m dust

miałki adj fine

miano n name

mianować vt name, appoint

mianowicie adv namely; (w piśmie) viz.

mianownik m mat. denominator; gram. nominative

miar|a f measure; (skala) gauge; **ubranie na** ~**ę** suit to measure; **brać** ~**ę** measure (z kogoś sb); **w** ~**ę jak się zbliżał** as he was approaching; **w jakiej mierze?** to what extent?; **w** ~**ę możności** as far as possible, to the best of my ⟨your itd.⟩ ability; **w pewnej mierze** in some measure, to a certain extent; **żadną** ~**ą** by no means

miarka f gauge; (menzura) burette

miarkować vt moderate; (domyślać się) guess, infer

miarodajny adj competent, authoritative

miarowy adj measured; (rytmiczny) rhytmic

miasteczko n little town; **wesołe**

~ amusement park

miasto n town, city

miauczeć vi mew

miazga f (miąższ) pulp; (wyciśnięte ta masa) squash

miażdżyć vt crush, squash

miąć vt rumple, crumple; ~ **się** v crumple, get crumpled

miąższ m pulp

miech m (pair of) bellows

miecz m sword

mieć vt have; ~ **kogoś za coś** take sb for sth; ~ **się dobrze** be (feel) well; ~ **zamiar** intend, have the intention; **ma się na deszcz** it is going to rain, it looks like rain; **mam na sobie palto** I have my overcoat on; **miałem wyjechać** I was going to leave; **co miałem robić?** what was I to do?; **czy mam to zrobić?** shall I do it?; **ile masz lat?** how old are you?; **mam 30 lat** I am 30 years old; **jak się masz?** how do you do?, how are you?; **nie ma gdzie pójść** there's no place ⟨there's nowhere⟩ to go; **nie mam przy sobie pieniędzy** I have no money about me; **nie masz się czego bać** you needn't be afraid of anything; **nie ma jak Zakopane** there's nothing like Zakopane

miednica f (wash-) basin, am washbowl; anat. pelvis

miedza f balk

miedziak m copper

miedzioryt m copper-plate

miedź f copper

miejsc|e n place; sport. (przestrzeń) room; (posada) situation, employment; ~**e pobytu** residence; ~**e przeznaczenia** destination; ~**e siedzące** ⟨stojące⟩ sitting, ⟨standing⟩ room; ~**e urodzenia** birthplace; **płatne na** ~**u** payable on the spot; **jest dużo** ~**a** there is plenty of room; **zająć** ~**e** ⟨siedzące⟩ take one's seat; **zrobić** ~**e** make room (dla kogoś, czegoś for sb, sth); **nie na**

~u out of place; na ~e in place, instead (kogoś, czegoś of sb, sth)
miejscownik m gram locative (case)
miejscowość f locality
miejscowy adj local
miejscówka f reserved seat ticket
miejsk|i adj municipal, town- attr, city- attr; rada ~a town-council, city-council
mieli|zna f shallow water, shoal; osiąść na ~źnie run aground
mielony adj pp ground; zob. mleć
mienić się vr change colour, shimmer
mienie n property
miernictwo n geodesy, surveying
mierniczy adj geodetic, surveying; s m (land-)surveyor
miernota f mediocrity
mierny adj mediocre, mean
mierzić [-r-z-] vt disgust, sicken
mierznąć [-r-z-] vi become disgusting
mierzwić vt tousle
mierzyć vt measure; vi (celować) aim (do kogoś, czegoś at sb, sth)
miesiąc m month; † (księżyc) moon; od dziś za ~ this day month
miesić vt knead
miesięcznie adv monthly, a month
miesięcznik m monthly
miesięczny adj monthly
mieszać vt mix; (np. zupę) stir; (karty) shuffle; (peszyć, wprowadzać w zakłopotanie) confuse; ~ się vr mix, become mixed; (wtrącać się) interfere, meddle (do czegoś with sth)
mieszanina f mixture
mieszanka f blend, mixture
mieszczanin m townsman, burgher, bourgeois
mieszczanka f middle-class woman, bourgeoise
mieszczański adj middle-class attr, bourgeois; stan ~ middle class, bourgeoisie
mieszczaństwo n middle class, bourgeoisie

mieszek m bag; hand-bellows pl
mieszkać vi live, stay, reside; poet. dwell
mieszkalny adj habitable; dom ~ dwelling-house
mieszkanie n flat, lodgings pl
mieszkaniec m inhabitant, resident
mieszkaniow|y adj, problem ~y housing problem; urząd ~y housing office; dzielnica ~a residential district
mieścić vt comprise, contain; ~ się vr be comprised; be included; (zmieścić się) find enough room
mieścina f little ⟨paltry⟩ town
mięczak m zool. mollusc
miedlić vt crush
między praep (o dwóch osobach, rzeczach) between; (o większej liczbie) among(st), amid(st)
międzymiastow|y adj, rozmowa ~a trunk call
międzynarodowy adj international
międzynarodówka f (organizacja) International; (hymn) Internationale
międzyplanetarny adj interplanetary
miękczyć vt make soft, soften, mollify
miękisz m pulp, flesh
miękki adj soft; (o mięsie) tender
miękko adv softly; jajka na ~ soft-boiled eggs
miękkość f softness
mięknąć vi soften, become soft
mięsień m muscle
mięsisty adj fleshy; (muskularny) barwny
mięsiwo n meat
mięso n flesh; (jadalne) meat
mięsożerny adj carnivorous
mięta f mint
miętosić vt knead, crumple
miętówka f peppermint (liqueur)
mig m twinkling; w ~, ~iem in a twinkling; mówić na ~i speak by signs
migać vi twinkle, glimmer
migawka f fot. shutter; ~ sekto-

rowa diaphragm shutter; ~
szczelinowa focal-plane shutter
migawkow|y adj, fot. **zdjęcie** ~e
snapshot
migdał m almond
migotać vi twinkle, shimmer
migracja f migration
migrena f migraine
mijać vt pass, go past; vi (przemijać) pass away; ~ **się** vr pass
⟨cross⟩ each other; ~ **się z prawdą** swerve from the truth
mikrob m microbe
mikrofon m microphone
mikroskop m microscope
mikroskopijny adj microscopic
mikstura f mixture
mila f mile
milczący adj silent
milczeć vi be ⟨keep⟩ silent
milczenie n silence; **pominąć** ~m
pass over in silence
milczkiem adv stealthily, secretly
miliard m milliard; am. billion
milicja f militia
milicjant m militiaman
miligram m milligramme
milimetr m millimeter
milion m million
milioner m millionaire
milionowy adj millionth
militarny adj military
militarysta m militarist
militaryzm m militarism
militaryzować vt militarize
milknąć vi become silent; (cichnąć) become quiet, calm down
milowy adj, **kamień** ~ milestone
miło adv agreeably; ~ **mi pana
spotkać** I'm glad to see you; ~
to usłyszeć it's a pleasure to hear
miłosierdzi|e n mercy, charity; **sio-
stra** ~a Sister of Mercy
miłosierny adj merciful, charitable
miłosny adj love attr, amatory,
amorous; **list** ~ love letter
miłostka f love affair
miłość f love; ~ **własna** self-love;
self-respect
miłośnik m amateur, lover
miłować vt love
miły adj pleasant, agreeable, dear,

beloved
mimiczny adj mimic
mimika f mimics, mimic art
mimo praep in spite of; (obok) by
adv past, by; ~ **to** nevertheless
~ **woli** involuntarily; ~ **wszystk**
after all
mimochodem adv by the way, i
passing
mimowolny adj involuntary
mimoza f bot. sensitive plant
min|a 1. f (wyraz twarzy) air
countenance; **kwaśna** ~a wry
face; **robić** ~y pull ⟨make⟩ face
mina 2. f wojsk. mine
minąć vi pass, be past, be over
dawno minęła 5 godzina it is lon
past 5 o'clock; **burza minęła** the
storm is over; ~ **się** vr pass
⟨cross⟩ each other; ~ **się z po**
wołaniem miss one's calling; zob
mijać
mineralny adj mineral
mineralogia f mineralogy
minerał m mineral
minia f minium
miniatura f miniature
minimalny adj minimal
minimum n nieodm. minimum
miniony adj past, bygone
minister m minister; ~ **handl**
President of the Board of Trade
~ **oświaty** Minister of Education
~ **skarbu** Chancellor of the Ex
chequer, am. Secretary of th
Treasury; ~ **spraw wewnętrz**
nych Home Secretary; ~ **spraw**
zagranicznych Foreign Secretary
am. Secretary of State; ~ **o**
pieki społecznej Minister of So
cial Welfare
ministerialny adj ministerial
ministerstwo n ministry
minuta f minute
miodownik m honey-cake
miodowy adj honey attr, hon
eyed; **miesiąc** ~ honeymoon
miotacz m thrower; wojsk. ~
bomb bomb-thrower; ~ **mi**
mine-thrower; ~ płomieni flame-
-projector
miotać vt throw, fling, launch

miotła f broom
miód m honey; (pitny) mead
mirra f myrrh
mirt m myrtle
misa f bowl
misja f mission
misjonarz m missionary
miska f pan, bowl
misterium n nieodm. mystery
misterny adj fine
mistrz m master
mistrzostwo n mastership, mastery
mistrzowski adj masterly; master's, master attr
mistycyzm m mysticism
mistyczny adj mystic(al)
mistyfikacja f mystification
mistyfikować vt mystify
mistyk m mystic
miś m bear; (z bajki) Bruin; (zabawka) Teddy bear
mit m myth
mitologia f mythology
mitologiczny adj mythologic(al)
mitra f mitre
mitręga f pot. waste of time
mityczny adj mythical
mizantrop m misanthrope
mizantropia f misanthropy
mizdrzyć się vr pot. ogle (do kogoś at sb)
mizerak m pot. poor devil
mizeria f cucumber salad
mizernieć vi grow meagre ⟨wan⟩
mizerny adj meagre, wan
mknąć vi flit, fleet
mlaskać vi smack (językiem one's tongue)
mlecz m marrow; (rybi) soft roe
mleczarnia f dairy
mleczarstwo n dairying
mleczko n milk
mleczn|y adj milk attr, milky; chem. lactic; astr. Droga Mleczna Milky Way; bar ~y milk-bar; gospodarstwo ~e dairy-farm; ząb ~y milk-tooth
mleć vt grind, mill
mleko n milk; ~ zbierane skimmed milk
młockarnia f trashing-machine
młocka f thrashing

młode adj zob. młody; s n young ⟨little⟩ one
młodociany adj youthful; (nieletni) juvenile; sąd dla ~ch juvenile court
młodość f youth
młod|y adj young; pan ~y bridegroom; panna ~a bride; ~e drzewo sapling
młodzian m young man, youth
młodzieniaszek m stripling
młodzieniec m young man, youth
młodzieńczy adj youthful, adolescent; wiek ~ adolescence
młodzież f youth
młodzieżowy adj juvenile
młodzik m youngster, sapling
młokos m stripling
młot m hammer
młotek m hammer; (drewniany) mallet
młócić vt thrash
młyn m mill
młynek m (ręczny) handmill; (do kawy) coffee-mill
młyński adj mill attr; kamień ~ millstone, grindstone
mnemotechnika f mnemotechnics
mnich m monk
mniej adv less, fewer; ~ więcej more or less; ~sza o to never mind
mniejszość f minority
mniejszy adj smaller, less, minor
mniemać vi think, believe
mniemanie n opinion
mniszka f nun
mnog|i adj numerous; gram. liczba ~a plural (number).
mnogość f plurality, multitude
mnożeni|e n multiplication; tabliczka ~a multiplication table
mnożnik m mat. factor, multiplier
mnożyć vt multiply; ~ się vr multiply, increase in number
mnóstwo n multitude, a lot, lots; całe ~ ludzi lots of people
mobilizacja f mobilization
mobilizować vt mobilize
moc f might, power; pot. a lot; ~ prawna legal force, na ~y in virtue of, on the strength of;

w mojej ~y in ⟨within⟩ my
power

mocarstwo *f* (great) power

mocarz *m* potentate, powerful
man

mocno *adv* fast, firmly; ~ bić
strike hard; ~ spać sleep fast; ~
stać na nogach stand firm on
one's legs; ~ trzymać hold
tight; ~ przekonany firmly convinced; ~ zobowiązany deeply
obliged

mocny *adj* strong, vigorous, firm

mocować się *vr* wrestle

mocz *m* urine

moczar *m* marsh, bog

moczopędny *adj* diuretic

moczowy *adj* urinary; (o kwasie)
uric; pęcherz ~ urinary bladder

moczyć *vt* wet, drench

mod|a *f* fashion; wchodzić w ~ę
come into fashion; wychodzić z
~y grow out of fashion

model *m* model, pattern

modelarz *m* modeller, pattern-
-maker

modelka *f* model

modelować *vt* model, shape, fashion

modernizm *m* modernism

modernizować *vt* modernize

modlić się *vr* pray, say one's pray-
ers

modlitewnik *m* prayer-book

modlitwa *f* prayer

mod|ła *f* mould, form, fashion;
na ~ę after the fashion

modniarka *f* milliner, modiste

mogiła *f* tomb, grave; ~ zbiorowa
common grave

moknąć *vi* become moist, grow
wet

mokry *adj* moist, wet

molekularny *adj* fiz. molecular

molekuła *f* fiz. molecule

molestować *vt* molest, torment,
annoy

molo *n* mole, pier, jetty

moment *m* moment

momentalny *adj* instantaneous

monarcha *m* monarch

monarchia *f* monarchy

monarchiczny *adj* monarchic(al)

monarchista *m* monarchist

monet|a *f* coin; ~a zdawkowa
small ⟨token⟩ coin; przen. brzę-
cząca ~a hard cash; przyjmować
za dobrą ~ę accept at face value

monetarny *adj* monetary

mongolski *adj* Mongolian

Mongoł *m* Mongolian

monitor *m* monitor

monitować *vt* admonish

monizm *m* filoz. monism

monografia *f* monograph

monograficzny *adj* monographic

monogram *m* monogram

monokl *m* eye-glass

monolog *m* monologue, soliloquy

monologować *vi* soliloquize

monopol *m* monopoly

monopolizować *vt* monopolize

monoteizm *m* filoz. monotheism

monotonia *f* monotony

monotonny *adj* monotonous

monstrualność *m* monstrosity

monstrualny *adj* monstrous

monstrum *n* monster

montaż *m* mounting, fitting up;
(składanie np. maszyny) assembly

monter *m* mechanic, fitter; (gazowy, wodociągowy) plumber; (liniowy, elektryk) lineman

montować *vt* mount, fit up; (składać, np. maszynę) assemble

monumentalny *adj* monumental

moralizator *m* moralizer

moralizować *vi* moralize (na temat
czegoś on sth)

moralnoś|ć *f* (etyka) morality;
(moralne postępowanie, obyczaje) morals *pl*; nauka ~ci moral
teaching ⟨science⟩; świadectwo
~ci certificate of conduct; upadek ~ci corruption of morals
⟨manners⟩

moralny *adj* moral

morał *m* moral

mord *m* murder, manslaughter

morda *f* pot. muzzle

morderca *m* murderer

morderczy *adj* murderous

morderstwo *n* murder

mordęga *f pot.* toil, drudge

mordować *vt* murder; *(dręczyć)* torment; ~ **się** *vr* toil, drudge

morela *f* apricot; *(drzewo)* apricot--tree

morfina *f* morphia, morphine

morfologia *f* morphology

morganatyczny *adj prawn.* morganatic

morow|y *adj* pestilential; ~e powietrze pestilence; *pot.* ~y chłop a brick

mors *m zool.* walrus

morsk|i *adj* maritime; sea- *attr*; bitwa ~a sea-fight; brzeg ~i sea-coast; choroba ~a seasickness; podróż ~a voyage

morwa *f* mulberry; *(drzewo)* mulberry-tree

morz|e *n* sea; na ~u at sea; na pełnym ~u on the high seas; nad ~em at the seaside; za ~em oversea

morzyć *vt* starve; *vr* ~ **się** (głodem) starve

mosiądz *m* brass

mosiężny *adj* brass *attr*; brazen

moskit *m zool.* mosquito

most *m* bridge

mostek *m* little bridge, footbridge; *anat.* sternum; *(rodzaj protezy)* bridge

moszcz *m* must

motać *vt (nawijać)* reel, wind

motek *m* reel, ball

motel *m* motel

motłoch *m* mob, rabble

motocykl *m* motor-cycle

motor *m* motor

motorowy, motorniczy *m* motor driver, *am.* motorman

motorówka *f* motor-boat

motoryzacja *f* motorization, mechanization

motoryzować *vt* motorize, mechanize

motyka *f* hoe

motyl *m zool.* butterfly

motyw *m* motif; *(bodziec)* motive

motywować *vt* motive, motivate, substantiate; give reasons (**coś** for sth)

mow|a *f* speech; *gram.* ~a zależna 〈niezależna〉 indirect 〈direct〉 speech; wygłosić ~ę make a speech

mozaika *f* mosaic

mozolić się *vr* toil, drudge (**nad czymś** at sth)

mozolny *adj* toilsome

mozół *m* pains *pl*, exertion

moździerz *m* mortar

może *adv* maybe, perhaps

możliwość *f* possibility, chance

możliwy *adj* possible

można *impers* it is possible, it is allowed, one can; jak ~ najlepiej as well as possible; czy ~ usiąść? may I sit down?; jeśli ~ if possible

możność *f* power; possibility

możny *adj* potent, powerful

móc *vi aux* can; be able; mogę I can; I may

mój *pron* my, mine

mól *m zool.* moth; *przen.* ~ książkowy bookworm

mór *m* pestilence

mórg *m* land measure

mówca *m* speaker, orator

mówić *vt* speak, say, tell, talk; nie ma o czym ~ nothing to speak of

mównica *f* platform

mózg *m* brain

mózgowy *adj* cerebral

mroczny *adj* gloomy, dusky

mrok *m* gloom, dusk

mrowić się *vr* teem, swarm (**od czegoś** with sth)

mrowie *n* swarm, teeming multitude

mrowisko *n* ant-hill

mrozić *vt* freeze, congeal, refrigerate

mroźny *adj* frosty

mrówka *f* ant

mróz *m* frost

mruczeć *vi* murmur, mumble, mutter

mrugać *vi* wink (**na kogoś** at sb), twinkle

mruk *m* mumbler, grumbler

mrukliwy *adj* mumbling, grumbling

mrużyć *vt* blink

mrzonka *f* fancy, reverie

msz|a *f* mass; **odprawiać ~ę** say mass

mszał *m* missal

mściciel *m* avenger

mścić *vt* avenge; **~ się** *vr* revenge oneself, take revenge (**na kimś** on sb)

mściwy *adj* revengeful, vindictive

mucha *f* fly

mufka *f* muff

mularstwo *n* masonry

Mulat *m* mulatto

mulisty *adj* slimy, oozy

muł 1. *m* slime, ooze

muł 2. *m* zool. mule

mułła *m* mullah

mumia *f* mummy

mundur *m* uniform

municypalny *adj* municipal

munsztuk *m* mouthpiece

mur *m* wall; *przen.* **przyprzeć do ~u** drive into a corner

murarz *m* bricklayer, mason

murawa *f* lawn

murowa|ć *vt* mason, build in stone ⟨in bricks⟩; **dom ~ny** house of stone ⟨of bricks⟩

Murzyn *m* Negro

mus 1. *m* necessity, compulsion; **z ~u** of necessity, forcibly

mus 2. *m* (*pianka*) mousse, froth

musieć *v aux* be obliged; have to; **muszę** I must, I am obliged

muskać *vt* stroke

muskularny *adj* muscular, brawny, sinewy

muskuł *m* muscle

musować *vi* effervesce, froth; (*o winie*) sparkle

muszka *f* fly; (*na twarzy*) beauty-spot; (*na lufie*) bead

muszkat *m* (*gałka muszkatołowa*) nutmeg

muszkiet *m* musket

muszkieter *m* musketeer

muszla *f* shell, conch; **~ kloze-towa** lavatory pan

musztarda *f* mustard

musztra *f* drill

musztrować *vt* drill

muślin *m* muslin

mutacja *f* mutation

muza *m* Muse

muzealny *adj*, **przedmiot ~** museum-piece

muzeum *n* museum

muzułmanin *m* Moslem

muzułmański *adj* Moslem

muzyczny *adj* musical

muzyk *m* musician

muzyka *f* music

muzykalność *f* musicality

muzykalny *adj* musical

muzykant *m* musician, bandsman

my *pron* we

myć *vt* wash; **~ się** *vr* wash; (*dokładnie*) wash oneself

mydlarnia *f* soap-store

mydlarstwo *n* soap-trade

mydlarz *m* soap-boiler

mydlić *vt* soap; (*twarz do golenia*) lather; **~ się** *vr* soap

mydliny *s pl* (soap-)suds

mydło *n* soap

mylić *vt* mislead, misguide; **~ się** *vr* be mistaken (**co do czegoś** about sth), make a mistake, be wrong

mylny *adj* erroneous, wrong

mysz *f* mouse

myszkować *vi* mouse about (**za czymś** for sth)

myśl *f* thought, idea; **dobra ~** bright idea; **być dobrej ~i** be of good cheer; **mieć na ~i** mean, have in mind; **przychodzi mi na ~** it occurs to me; **na samą ~** at the mere thought (**o czymś** of sth); **po mojej ~i** after my heart; **z ~ą o czymś** with a view to sth

myślący *adj* thinking, thoughtful, reflective

myśl|eć *vt vi* think; (*mniemać, za-
mierzać*) mean; co o tym ~isz?
what do you think of it?; ~ę,
że tak I think so; nie ~ę tego
robić I do not mean to do it;
o czym ~isz? what are you
thinking about?
myśliciel *m* thinker

myślistwo *n* hunting
myśliwiec *m lotn.* fighter
myśliwy *m* hunter, huntsman
myślnik *m gram.* dash
myślowy *adj* mental
myto *n* (*opłata*) toll
mżawka *f* drizzle
mżyć *vi* drizzle

n

na *praep* on, upon; at; by; for;
in; na dole down; na dworze out
of doors; na górze up; na końcu
at the end; na moją prośbę at
my request; na pamięć by heart;
na piśmie in writing; na sprzedaż for sale; na stare lata in
⟨for⟩ one's old age; na wiosnę in
spring; na zawsze for ever; cóż
ty na to? what do you say to
it?; raz na tydzień once a week;
na mój koszt at my expense;
na ulicy in the street; głuchy na
lewe ucho deaf in his left ear;
na całe życie for life; na pierwszy rzut oka at first sight; iść na
obiad go to dinner; umrzeć na
tyfus die of typhus
nabawić się *vr* bring upon oneself,
incur; ~ choroby contract a disease; ~ kataru catch a cold; ~
kłopotów get into trouble
nabiał *m* dairy-goods, dairy-prod-
ucts
nabierać *vt* take; draw in; *pot.* (*o-
szukiwać*) take in; (*drażnić, żartować złośliwie*) tease
nabijać *vt* (*np. gwoździami*) stud;
(*broń*) charge, load; *pot.* ~ sobie głowę czymś get an idea into
one's head
nabożeństwo *n* divine service
nabożny *adj* pious
nabój *m* (*jednostka amunicji*) cartridge; *elektr.* charge; ślepy ~
blank cartridge

nabrać *zob.* nabierać
nabrzmiały *adj* swollen
nabytek *m* acquisition
nabywać *vt* acquire, obtain, purchase
nabywca *m* purchaser
nabywczy *adj* purchasing
nachodzić *vt* importune by coming; intrude (*kogoś upon sb*);
przen. (*o myślach itp.*) invade,
haunt
nachylać *vt* bend, bow, incline; ~
się *vr* bow, incline, stoop, lean
nachylenie *n* inclination, slope
naciągać *vt* stretch, strain; (*o łuku*) bend; *pot.* (*nabierać*) tease,
take in; *vi* (*o herbacie*) draw
naciek *m* infiltration; deposit
nacierać *vt* (*trzeć*) rub; *vi* (*atakować*) attack (*na kogoś sb*)
nacięcie *n* notch, cut
nacinać *vt* notch, cut
nacisk *m* pressure, stress; kłaść ~
stress, lay stress; z ~iem em-
phatically
naciskać *vt vi* press (*na coś sth, on
sth*)
nacjonalista *m* nationalist
nacjonalizacja *f* nationalization
nacjonalizm *m* nationalism
nacjonalizować *vt* nationalize
na czele *adv* at the head
naczelnik *m* head, chief, manager;
~ stacji station-master
naczeln|y *adj* head-, chief; para-
mount; ~y dowódca commander-

-in-chief; ~e dowództwo command-in-chief, supreme command; *zool.* ~e *pl* primates

naczyni|e *n* vessel; ~a gliniane *zbior.* earthenware, pottery; ~a kuchenne kitchen untensils; *anat.* ~a krwionośne blood-vessels

nać *f* top, leaves *pl*

nad *praep* over, above, on, upon, beyond; ~ chmurami above the clouds; ~ miarę beyond measure; Londyn leży ~ Tamizą London is situated on the Thames; niebo jest ~ naszymi głowami the sky is over our heads

nadal *adv* still; ~ coś robić continue to do sth ⟨doing sth⟩; on ~ pracuje he continues working

nadaremnie *adv* in vain

nadaremny *adj* vain

nadarz|ać się *vr* present itself, occur; ~yła się okazja an opportunity presented itself, an occasion arose

nadawać *vt* bestow, confer (coś, komuś sth on, upon sb); grant; (*na poczcie*) dispatch, post, send off; ~ czemuś wygląd czegoś make sth look like sth; ~ się *vr* be fit ⟨fitted⟩, be suited (do czegoś for sth)

nadawca *m* scnder, consigner

nadążać *vi* keep pace (za kimś with sb)

nadbałtycki *adj* Baltic, situated on the Baltic

nadbiec *vi* come running

nadbrzeże *n* coast; embankment

nadbrzeżn|y *adj* coastal; miasto ~e river-side ⟨sea-side⟩ town

nadbudowa *f* superstructure

nadbudować *vt* raise a structure (na czymś above sth)

nadchodzi|ć *vi* approach, come round; ~ zima winter is drawing on; nadszedł pociąg the train is in

nadciągać *vi* draw near, approach

nadciśnienie *n* high blood-pressure

nadczłowiek *m* superman

nadejście *n* arrival

nadepnąć *vi* tread, step

nader *adv* excessively

nadesłać *vt* send (in)

nadetatowy *adj* supernumerary, not permanent, not on a permanent basis

nade wszystko *adv* above all

nadęty *adj* inflated, puffed up; (*zarozumiały*) bumptious

nadgraniczny *adj* border *attr*, frontier *attr*

nadjechać *vi* arrive, come driving

nadlecieć *vi* come flying

nadleśniczy *m* chief forester

nadliczbow|y *adj* supernumerary, overtime; godziny ~e overtime hours; praca ~a overtime work

nadludzki *adj* superhuman

nadmiar *m* excess, surplus

nadmienić *vt* mention

nadmiernie *adv* in ⟨to⟩ excess, excessively

nadmierny *adj* excessive

nadmorski *adj* maritime, coastal, sea-side

nadobny *adj* † handsome, pretty, fair

nadobowiązkowy *adj* optional, facultative

nadpłacić *vt* overpay, surcharge

nadpłata *f* overpay

nadpłynąć *vi* come swimming ⟨sailing⟩

nadprodukcja *f* overproduction

nadprogramow|y *adj* extra; praca ~a extra ⟨overtime⟩ work

nadprzyrodzony *adj* supernatural

nadpsuty *adj* a little spoiled

nadrabiać *vt* make up (coś for sth); *vi* work additionally; ~ czas make up for lost time; *przen.* ~ miną put on a good face to a bad business

nadruk *m* (*drukowany napis*) letter-head, overprint; *filat.* surcharge

nadskakiwać *vi* court (komuś sb); dance attendance (komuś on sb)

nadspodziewany *adj* unexpected, above all expectation

nadstawiać *vt* hold out; *przen.* ~

uszu prick up one's ears; *pot.*
~ karku risk one's neck
nadto *adv* moreover, besides; aż ~
too much, more than enough
nadużycie *vt* abuse, misuse; malversation
nadwartość *f* surplus value
nadwątlić *vt* impair
nadwerężyć *vt* impair
nadwodny *adj* situated on ⟨near⟩
the water, waterside-; *(np. o
ptaku, roślinie)* aquatic, water
attr
nadworny *adj* court *attr*; ~ dostawca court-purveyor
nadwozie *n* body (of a car)
nadwyżka *f* surplus
nadymać *vt* inflate, puff up; *(np.
policzki)* blow out; ~ się *vr*
swell
nadymić *vi* fill with smoke
nadziej|a *f* hope; mieć ~ę hope
(na coś for sth), have good hope
(na coś of sth)
nadziemny [d-z] *adj* above-ground
nadziemski [d-z] *adj* supermun-
dane
nadzienie *n* stuffing
nadziewać *vt* (*np. na rożen*) stick;
(np. gęś) stuff, fill
nadzór *m* superintendence; ~ policyjny police control
nadzwyczajn|y *adj* extraordinary;
wydanie ~e extra edition; poseł ~y envoy extraordinary
nafta *f* oil; *(ropa)* petroleum; *(o-
czyszczona)* kerosene
naftalina *f* naphthaline
nagabywać *vt* importune, molest
nagana *f* blame, reprimand
nagi *adj* naked, bare
naginać *vt* bend
naglący *adj* urgent
naglić *vt* urge, press
nagłość *f* urgency, suddenness
nagłówek *m* heading; *(w gazecie)*
headline
nagły *adj* urgent, sudden; w ~m
wypadku in case of emergency
nagminny *adj* (*powszechny*) common, universal; *(epidemiczny)*

epidemic
nagniotek *m* corn
nagonka *f* battue, drive
nagrać *vt* record
nagranie *n* recording
nagradzać *vt* reward, recompense;
indemnify (komuś stratę sb for
a loss)
nagrobek *m* tombstone, tomb
nagroda *f* reward; *(w sporcie, na
konkursie itp.)* prize
nagrodzić zob. nagradzać
nagromadzenie *n* amassment, accumulation
nagromadzić *vt* heap up, accumulate
nagrzewać *vt* warm, heat
naigrawać się *vr* mock (z kogoś at
sb), make fun (z kogoś of sb)
naiwność *f* naivety, simple-mind-
edness
naiwny *adj* naive, simple-minded
najazd *m* invasion, raid
najbardziej *adv* most (of all)
najecha|ć *vt* (*wtargnąć*) invade,
overrun; *vi* (*wpaść*) dash (na kogoś, coś against sb, sth), run (na
kogoś, coś into sb, sth); wóz ~ł
na drzewo the car has struck
against the tree
najem *m* hire
najemnik *m* hireling
najemny *adj* hired, mercenary
naje|ść się *vr* eat one's fill; ~dzo-
ny full
najeźdźca *m* invader
najeżdżać zob. najechać
najgorszy *adj* worst
najlepiej *adv* best
najlepszy *adj* best
najmniej *adv* least; co ~ at least
najmniejszy *adj* least, smallest
najmować *vt* hire, let
najpierw *adv* first, first of all
najście *n* invasion (na coś of sth)
najść *vt* invade (na dom, kraj a
house, a country); come (na kogoś upon sb); zob. nadchodzić
najwięcej *adv* most
najwyżej *adv* highest; *(w najlepszym razie)* at most, at best
najwyższy *adj* highest; *(o sędzie,*

mądrości) supreme; *(o władzy)* sovereign; ~ czas high time; *gram.* stopień ~ superlative (degree)

nakaz *m* order, command

nakazywać *vt* order, command

nakleić *vt* stick, paste up

nakład *m (koszt)* expenditure; *(książki)* edition, issue, impression

nakładać *vt* lay on, put on; *(podatek, obowiązek)* impose; *(karę)* inflict

nakłaniać *vt* induce

nakręcać *vt* wind up, turn; *(film)* shoot; ~ numer telefonu dial

nakrętka *f* nut (of a screw), female screw

nakrycie *n* cover(ing); *(serwis)* service; ~ głowy head-gear

nakrywać *vt* cover; lay **(do stołu** the table)

nakrywka *f* cover, lid

nalega|ć *vi* insist **(na coś** on sth); press, urge **(na kogoś** sb); ~ł **na mnie, żebym to zrobił** he urged me to do this

naleganie *n* insistence, solicitation

nalepiać *vt* stick, paste up

nalepka *f* label

naleśnik *m* pancake

nalewać *vt* pour (out)

należ|eć *vi* belong; ~y *(wypada)* it becomes; *(trzeba)* it is necessary; ~eć się *vr* be due

należność|ć *f* due, amount due; **cała moja** ~ć the whole amount due to me; **zaległe** ~ci *pl* arrears; ~ć **nadal nie uregulowana** the arrears still outstanding

należny *adj* due

należycie *adv* duly, properly

należyty *adj* fit, proper

nalot *m* raid; ~ **powietrzny** air-raid; *med.* rash, eruption

nałogowiec *m* addict

nałogowy *adj* habitual, addicted (to a habit); ~ **pijak** habitual drunkard

nałóg *m* addiction, (bad) habit

namaszczać *vt* grease; *(olejami)* anoint

namaszczenie *n* anointment, unction

namawiać *vt* induce, persuade

namazać *vt* besmear, daub over

namiastka *f* substitute

namiestnictwo *n* regency

namiestnik *m* regent, governor-general

namiętność *f* passion

namiętny *adj* passionate

namiot *m* tent

namoczyć *vt* steep, soak

namoknąć *vi* become soaked

namow|a *f* persuasion; instigation; za ~ą persuaded **(czyjąś by** sb)

namulić *vt* slime, cover with slime

hamydlić *vt* soap; *(twarz)* lather

namy|sł *m* reflexion, consideration; bez ~słu inconsiderately; po ~śle on consideration

namyślać się *vr* reflect **(nad czymś** on sth)

na nowo *adv* anew

naocznie *adv* with one's own eyes

naoczny *adj* ocular; ~ **świadek** eye-witness

naokoło *adv* round, all round, round about; *praep* round

na opak *adv* contrariwise, amiss

na oścież *adv*, **otwarty** ~ wide open; **otworzyć** ~ fling open

na oślep *adv* blindly; **strzelać** ~ shoot wild

naówczas *adv lit.* then, at that time

napad *m* attack, assault; *(o chorobie, gniewie)* fit; ~ **rabunkowy** robbery by assault

napadać *vt* attack, assail

napar *m* infusion

naparstek *m* thimble

naparzyć *vt* infuse

napastliwość *f* aggressiveness

napastliwy *adj* aggressive

napastnik *m* aggressor; *sport* forward

napastować *vt* attack; *(molestować)* importune, pester

napaść *f* attack, assault

napawać *vt* impregnate; imbue fill; ~ **się** *vr* become imbued;

(rozkoszować się) delight (czymś in sth)

napełniać *vt* fill (up); ~ **ponownie refill;** ~ **się** *vr* fill, become filled

na pewno *adv* certainly, to be sure

napęd *m* propulsion

napędow|y *adj* propulsive; **siła** ~**a** motive power

napędzać *vt* propel; *(wprawiać w ruch maszynę)* drive, run; *(przynaglać)* press, urge; *przen.* ~ **strachu** frighten

napić się *vr* have a drink; ~ **kawy** have a cup of coffee

napierać *vi* press; ~ **się** *vr* insist (czegoś on sth)

napięcie *n* tension, strain; *elektr.* voltage

napiętek *m* heel

napięty *adj* tense, taut; *(o stosunkach)* strained

napinać *vt* strain; *(łuk)* string

napis *m* inscription

napitek *m* pot. drink

napiwek *m* tip

napływ *m* inflow, influx; *(np. krwi, wody)* flush

napływać *vi* flow in; rush; *(przybyć gromadnie)* flock

napływowy *adj* inflowing, immigrant

napoczynać *vt* *(butelkę)* open; *(beczkę)* broach; make the first cut

napominać *vt* admonish

napomknąć *vt* mention

napomnienie *n* admonishment

napotykać *vt* meet (coś with sth), come (coś across sth)

napowietrzny *adj* aerial, air *attr*

napój *m* drink; ~ **bezalkoholowy** soft drink; ~ **alkoholowy** strong drink, alcoholic liquor; ~ **chłodzący** refreshing drink

napór *m* pressure

napraw|a *f* repair, reparation; **muszę dać zegarek do** ~**y** I must have my watch repaired

naprawdę *adv* indeed, really

naprawiać *vt* mend, repair, put right; make good; *(nadrabiać)*

make up (coś for sth); ~ **krzywdę** redress the wrong

naprędce *adv* hurriedly

naprężenie *n* tension, strain

naprężony *adj* = **napięty**

naprężyć *vt* ~ **się** *vr* stretch, strain; tauten

naprowadzać *vt* lead; *(myślowo)* suggest (kogoś na coś sth to sb)

naprzeciw *adv* opposite; *praep* opposite, against

na przekór *adv praep* in spite (komuś, czemuś of sb, sth)

na przemian *adv* alternately

naprzód *adv* forward, on; *(najpierw)* first, in the first place

na przykład *adv* for instance, for example

naprzykrzać się *vr* importune (komuś sb)

napuszony *adj* inflated, puffed; *(o stylu)* bombastic; *(zarozumiały)* bumptious

napychać *vt* cram, stuff, pack

narad|a *f* consultation, conference; **odbywać** ~**ę** hold a conference

naradzać się *vr* confer; *(radzić się)* take counsel (z kimś with sb)

naramiennik *m* armlet

narastać *vi* grow, augment; *(o procentach, dochodach, korzyściach)* accrue

naraz *adv* at once, suddenly

na razie *adv* for the present, for the time being

narażać *vt* expose (na coś to sth); ~ **na niebezpieczeństwo** endanger; ~ **na niewygody** put to inconvenience; ~ **się** *vr* risk (na coś sth), run the risk (na coś of sth); ~ **się na kłopoty** ask for trouble, get oneself into trouble; lay oneself open (na plotki to gossip); expose oneself (na coś to sth); ~ **się komuś** incur sb's displeasure

narciarstwo *n* skiing

narciarz *m* skier

narcyz *m bot.* narcissus

nareszcie *adv* at last

naręcze *n* armful

narkotyczny *adj* narcotic

narkotyk m narcotic

narkotyzować vt narcotize

narkoza f narcosis

narobić vt make, do; ~ długów get into debts; ~ hałasu ⟨zamieszania⟩ make a noise ⟨trouble⟩, pot. kick up a row ⟨a fuss⟩; ~ komuś kłopotu get sb into trouble; ~ sobie kłopotu get oneself into trouble

narodowościowy adj national, concerning nationality

narodowość f nationality

narodowy adj national

narodzenie n birth; Boże Narodzenie Christmas

narodzić się vr be born

narośl f excrescence, overgrowth

narowisty adj (o koniu) restive

narożnik m corner

narożny adj corner attr; dom ~ corner-house

naród m nation

nart|a f ski; pl ~y skis; a pair of skis; jeździć na ~ach ski

naruszać vt violate; (np. honor, uczucie) injure; (np. spokój) trouble, disturb; (np. zapasy) broach; (np. gotówkę) touch; ~ czyjeś interesy prejudice sb's interests; ~ czyjeś prawa encroach on ⟨upon⟩ sb's rights; ~ prawo ⟨regulamin itp.⟩ offend against the law ⟨the rules etc.⟩; ~ terytorium encroach on ⟨upon⟩ a territory

naruszenie n violation; (zasady, umowy, obowiązków itp.) breach; (spokoju publicznego) disturbance; prejudice, injury (czegoś to sth, czyjejś reputacji to sb's reputation); ~ prawa offence against the law

narwany adj crazy

narybek m fry

narząd m organ

narzecze n dialect

narzeczona f fiancée

narzeczony m fiancé

narzekać vi complain (na coś of sth)

narzekanie n complaint

narzędnik m gram. instrumental (case)

narzędzie n instrument, tool

narzucać vt throw in, cast up, put on; force, obtrude (coś komuś sth on sb); ~ się vr obtrude oneself (komuś on sb)

narzucanie się n obtrusion

narzuta f cover

narzutka f cape

nasenny adj soporific; środek ~ sleeping-draught

nasiadówka f hip-bath

nasiąkać vi imbibe (czymś sth), become imbued (czymś with sth)

nasienie n seed; biol. sperm

nasilenie n intensification, intensity

naskórek m epidermis

nasłuch m (radiowy) monitoring

nasłuchiwać vi listen intently (czegoś to sth); (drogą radiową) monitor

nastać vi set in, come on, ensue

nastarczyć vt supply sufficiently, satisfy; ~ potrzebom meet the needs

nastawać vi insist (na coś on sth); attempt (na czyjeś życie sb's life)

nastawiać vt set (right), put, put on ⟨right⟩; (umysłowo, moralnie) dispose; (radio) tune in (na dany program to a programme); przen. ~ uszu prick up one's ears

nastawienie n disposition; (postawa) attitude

następca m successor (tronu to the throne)

następnie adv next, subsequently, then

następny adj following, next, subsequent

następować vi follow (po kimś, czymś sb, sth); take place, set in

następstwo n succession; result; gram. ~ czasów sequence of tenses

następujący *adj* following; *(kolejny)* consecutive, subsequent

nastraszyć *vt* frighten; ~ **się** *vr* be frightened, take fright **(czymś at sth)**

nastręczać *vt* procure; afford; *(sposobność)* offer; *(trudności)* present; *(wątpliwości)* cause; ~ **się** *vr* occur, be present, present itself

nastroić *vt* tune (up); *(usposobić kogoś)* predispose

nastroszyć *vt* creet, bristle up; ~ **się** *vr* bristle up

nastr|ój *m* mood, disposition, spirits; **w dobrym** ~**oju** in high spirits; **mieć** ~**ój do czegoś** be in the mood for sth; **nie mieć** ~**oju** be in no mood

nasturcja *f bot.* nasturtium

nasuwać *vt* shove, push; *(myśl)* suggest; *(wątpliwości)* cause; ~ **się** *vr* occur, arise

nasycać *vt* satiate; saturate; *(głód)* satisfy

nasycenie *n* satiation; *chem.* saturation; *handl. (rynku)* glut

nasycony *adj* satiate, satiated; *chem.* saturated

nasyłać *vt* send on

nasyp *m* embankment

nasypać *vt* strew, pour (in)

naszpikować *vt* lard, stuff

naszyć *vt* sew on, trim **(czymś with sth)**

naszyjnik *m* necklace

naśladować *vt* imitate

naśladowca *m* imitator

naśladownictwo *n* imitation; *(w przyrodzie)* mimicry

naśladowczy *adj* imitative

naświetlać *vt* enlighten, light up; *(wyjaśniać)* throw light **(coś on sth)**; elucidate; *med.* irradiate; *fot.* expose

naświetlanie *n*, **naświetlenie** *n* elucidation; *med.* irradiation; *fot.* exposure

natarcie *n* rubbing, friction; *(atak)* attack, charge

natarczywość *f* importunity

natarczywy *adj* importunate

natchnąć *vt* inspire

natchnienie *n* inspiration

natężać *vt* strain

natężenie *n* intensity

natężony *adj* strained, intense

natknąć się *vr* meet **(na kogoś, coś with sb, sth)**, come **(na kogoś, coś across sb, sth)**

natłoczyć *vt* crowd, cram

natomiast *adv* but, on the contrary, yet

natrafić *vt* meet **(na kogoś, coś with sb, sth)**, encounter **(na kogoś, coś sb, sth)**

natręctwo *n* importunity

natręt *m* importuner

natrętny *adj* importunate

natrysk *m* shower-bath

natrząsać się *vr* scoff **(z kogoś at sb)**

natu|ra *f* nature; **z** ~**ry** by nature; *(malować)* **z** ~**ry** from nature; **płacić w** ~**rze** pay in kind

naturalizacja *f* naturalization

naturalizm *m* naturalism

naturalizować *vt* naturalize; ~ **się** *vr* naturalize, become naturalized

naturalnie *adv* naturally; *(oczywiście)* of course

naturaln|y *adj* natural; **rzecz** ~**a** a matter of course; **portret** ~**ej wielkości** life-size portrait

natychmiast *adv* at once, instantly; immediately, straight off

natychmiastowy *adj* instantaneous

nauczać *vt* teach, instruct

nauczanie *n* teaching, instruction

naucz|ka *f* lesson; **dać** ~**ę** teach a lesson **(komuś sb)**

nauczyciel *m* teacher

nauczyć się *vr* learn

nauka *f (szkolna)* instruction, lessons; *(wyższa)* study; *(wiedza)* learning, science

naukowiec *m* scholar

naukowość *f* scientific character; *(wiedza)* erudition, scholarship

naukow|y *adj* scientific; **stopień** ~**y** academic degree; **praca** ~**a**

research work; **towarzystwo** ~e
learned society

naumyślnie zob. **umyślnie**

nauszniki s pl ear-flaps

nawa f arch. nave; przen. ~ **pań-stwowa** ship of State

nawadniać vt irrigate

nawalić vt pile up, heap; vi pot. (zawieść, nie dopisać) conk

nawał m mass, pot. heaps

nawała f crowd, invasion

nawalnica f tempest, hurricane

nawet adv even

nawias m parenthesis, brackets pl; ~**em mówiąc** by the way

nawiasowy adj parenthetical

nawiązać vt tie (up); ~ **do czegoś** refer to sth; ~ **korespondencję** enter into correspondence; ~ **rozmowę** engage in conversation; ~ **stosunki** enter into relations; ~ **znajomość** strike up an ac-quaintance

nawiązanie n reference; **w** ~**u do czegoś** with reference to sth

nawiedzać vt frequent; (o myślach, o duchach) haunt

nawierzchnia f toplayer, surface

nawijać vt wind up, reel

nawlekać vt (igłę) thread; (np. ko-rale) string

nawodnienie n irrigation

nawoływać vt call; (wzywać) ex-hort; (przynaglać) urge (**kogoś do czegoś** sb to do sth)

nawozić vt manure

nawóz m manure

nawracać vt (konie) wheel; (na inną wiarę) convert; vi return; ~ **się** vr become converted (na **coś** to sth)

nawrócenie n conversion

nawrót m relapse, return

na wskroś adv throughout, clean through

nawyk m habit

nawykać vi become accustomed

nawykły adj accustomed

nawzajem adv mutually, one ano-ther, each other

nazajutrz adv on the next day

nazbyt adv too, excessively

naznaczyć vt mark; (ustalić) fix; (mianować) appoint

nazwa f name, designation

nazwisk|o n name, surname, fam-ily name; ~**iem Smith** Smith by name

nazywa|ć vt call, name; ~**ć kogoś osłem** call sb an ass; ~ **się** vr be called, be named; ~**m się X. Y.** my name is X.Y.; **jak się** ~**sz?** what is your name?; **to się** ~ **szczęście!** that's really good luck!

negacja f negation

negatyw m negative

negatywny adj negative

negliż m undress

negocjacje s pl negotiations

negować vt deny, disavow

nekrolog m obituary

nektar m nectar

neofita m neophyte

neologizm m neologism

neon m chem. neon; (reklama) neon sign; (lampa) neon lamp

ner|ka f kidney; med. **zapalenie** ~**ek** nephritis

nerw m nerve

nerwica f neurosis

nerwoból m neuralgia

nerwowość f nervousness

nerwowy adj nervous

neseser m dressing-case

netto adv net

neurastenia f neurasthenia

neurastenik m neurasthenic

neutralizować vt neutralize

neutralność f neutrality

neutralny adj neutral

neutron m chem. fiz. neutron

newralgia f med. neuralgia

newroza f med. neurosis

nęcić vt allure, entice

nędza f misery

nędzarz m pauper

nędznik m villain

nędzny adj miserable, wretched

nękać vt torment, molest

ni conj, adv, praef zob. **ani**; ~ **stąd** ~ **zowąd** without any reason

niańczyć vt nurse

niańka f nurse

niby conj as if; (rzekomo) apparently; praef (pseudo-) sham-, would-be; ~-doktor sham-doctor, would-be doctor

nic pron nothing; ~ a ~ nothing whatever; ~ podobnego nothing of the sort; ~ z tego this amounts to nothing; mnie ~ do tego it's no business of mine; ~ mi nie jest nothing is the matter with me; po ~ po tym I have no use for it; ~ nie szkodzi it does not matter; nie mam ~ więcej do powiedzenia I have no more to say; odejść z niczym go away empty-handed; skończyć się na niczym come to nothing; to na ~ it's no use

nicość f nothingness

nicować vt turn

nicpoń m good-for-nothing

niczyj adj nobody's, no man's

nić f thread

nie part not; (zaprzeczenie całej wypowiedzi) no; jeszcze ~ not yet; już ~ no more; także ~ neither, nor... either; ja tego także ~ wiem I do not know it either; wcale ~ not at all; ~ mniej no less; ~ więcej no more

nieagresja f non-aggression; pakt o ~i non-aggression pact

niebaczny adj inconsiderate, imprudent

niebawem adv shortly, before long

niebezpieczeństwo n danger; narazić na ~ endanger

niebezpieczny adj dangerous

niebiański adj celestial, heavenly

niebieskawy adj bluish

niebieski adj blue; zob. niebiański

niebieskooki adj blue-eyed

niebiosa s pl rel. Heavens

niebo n (firmament) sky; rel. Heaven; na ~ie in the sky; rel. in Heaven; pod gołym ~em under the open sky

nieborak m poor soul

nieboszczyk m deceased; jego oj-

ciec ~ his late father

niebotyczny adj sky-high

nieboże n poor thing

niebyły adj bygone; prawn. null and void

niebywale adv uncommonly

niebywały adj uncommon, unheard-of

niecały adj incomplete, not all; ~a godzina a short hour; ~e 10 minut a short ten minutes; ~e pół arkusza not so much as half a sheet

niech part let; ~ sobie idzie let him go

niechcąco adv, **niechcący** adj unintentionally

niechęć f unwillingness, reluctance (do czegoś to do sth); czuć ~ do kogoś bear sb a grudge

niechętny adj unwilling, reluctant; ill-disposed (komuś towards sb)

niechlujny adj dirty, slovenly

niechybny adj infallible

nieciekawy adj uninteresting

niecierpliwić vt try sb's patience; ~ się vr grow impatient

niecierpliwość f impatience

niecierpliwy adj impatient

niecka f kneading trough

niecny adj infamous, vile

nieco adv a little, somewhat

niecodzienny adj uncommon

nieczułość f insensibility (na coś to sth)

nieczuły adj insensible (na coś to sth); (nie reagujący) unresponsive (na coś to sth)

nieczynny adj inactive, inoperative

nieczystość f uncleanness, impurity, unchastity

nieczysty adj unclean, impure, unchaste

nieczytelność f illegibility

nieczytelny adj illegible

niedaleki adj not far distant; w ~ej przyszłości in the near future

niedaleko adv not far (away)

niedawno adv recently; (onegdaj)

the other day; of late; ~ **temu**
not long ago
niedbalstwo n negligence, carelessness
niedbały adj negligent, careless
niedelikatność f indelicacy
niedelikatny adj indelicate
niedługi adj not long
niedługo adv soon, before long;
not long
niedobitki s pl wrecks; remains;
survivors
niedobór m deficit
niedobrany adj ill-suited
niedobry adj not good, bad; wicked
niedobrze adv not well, badly, ill;
czuć się ~ feel sick
niedociągnięcie n shortcoming
niedogodność f inconvenience
niedogodny adj inconvenient
niedojadać vi underfeed
niedojrzałość f immaturity
niedojrzały adj immature; (o owo-
cach) unripe
niedokładność f inaccuracy
niedokonany adj, czas ~ gram. imperfect (tense)
nie dokończony adj unfinished
niedokrwistość f med. anaemia
niedola f adversity
niedołęga m pot. galoot, noodle
niedołęstwo n awkwardness, inef-
ficiency
niedołężny adj awkward, ineffi-
cient
niedomagać vi be suffering (na coś
from sth), be indisposed
niedomaganie n indisposition; defect, imperfection, deficiency
niedomówienie n reticence
niedomyślny adj slow-witted, slow,
dull
niedopałek m cigarette-end; (świe-
cy) candle-end
niedopatrzenie n oversight; przez
~ through oversight
niedopełnienie n non-fulfilment
niedopuszczalność f inadmissibility
niedopuszczalny adj inadmissible
niedorostek m stripling, green-

horn
niedorozwinięty adj underdeveloped; (umysłowo) mentally defi-
cient
niedorozwój m underdevelopment;
undergrowth; (umysłowy) underdevelopment
niedorzeczność f absurdity
niedorzeczny adj absurd
niedoskonałość f imperfection
niedoskonały adj imperfect
niedosłyszalny adj inaudible
niedostateczność f insufficiency
niedostateczny adj insufficient, inadequate; stopień ~ bad mark,
am. failure
niedostatek m indigence, penury;
(brak) deficiency, shortness; ~
artykułów spożywczych dearth
of provisions
niedostępność f inaccessibility
niedostępny adj inaccessible
niedostrzegalny adj imperceptible
niedościgły adj unattainable, unsurpassable
niedoświadczenie n inexperience
niedoświadczony adj inexperienced
niedotykalny adj intangible
niedowarzony adj (niedojrzały) immature
niedowiarek m unbeliever
niedowidzieć vi be weak-sighted
niedowierzanie n distrust, mistrust
niedowład m med. paresis
niedozwolony adj prohibited, illicit
niedrogi adj inexpensive
nieduży adj small, little
niedwuznaczny adj unequivocal
niedyskrecja f indiscretion
niedyskretny adj indiscreet
niedyspozycja f indisposition
niedziela f Sunday
niedźwiadek m whelp (of a bear)
niedźwiedzica f she-bear; astr.
Wielka Niedźwiedzica Great Bear
niedźwiedź m bear
nieestetyczny adj unaesthetic
niefachowy adj unprofessional, incompetent

nieformalny *adj* not formal, informal

niefortunny *adj* unfortunate, unsuccessful

niefrasobliwy *adj* carefree, unconcerned

niegdyś *adv* once, at one time

niegodny *adj* unworthy, undignified

niegodziwość *f* wickedness, villainy

niegodziwy *adj* wicked, villainous

niegościnny *adj* inhospitable

niegramatyczny *adj* ungrammatical, incorrect

niegrzeczność *f* (*nieuprzejmość*) unkindness, impoliteness; (*o dzieciach*) naughtiness

niegrzeczny *adj* (*nieuprzejmy*) unkind, impolite; (*o dzieciach*) naughty

niegustowny *adj* tasteless, in bad taste

nieharmonijny *adj* unharmonious

niehonorowy *adj* dishonourable, dishonest

nieistotny *adj* inessential

niejaki *adj* certain, a, some; ~ p. Smith a certain Mr. Smith, a Mr. Smith; od ~ego czasu for some time past

niejasność *f* dimness, vagueness, obscurity

niejasny *adj* dim, vague, obscure

niejeden *adj* many a; ~na dobra książka many a good book

niejednokrotny *adj* repeated

niekarny *adj* undisciplined

niekiedy *adv* sometimes, now and then

niekompetentny *adj* incompetent

niekonsekwentny *adj* inconsistent

niekorzystny *adj* unprofitable, disadvantageous

niekorzyść *f* disadvantage, detriment; na ~ to the detriment (kogoś, czegoś of sb, sth)

niekształtny *adj* unshapely

niektóry *adj* some

niekulturalny *adj* uncultured

nieledwie *adv* all but

nielegalny *adj* illegal

nieletni *adj* under age, minor

nieliczn|y *adj* not numerous; ~e wyjątki a few exceptions

nielitościwy *adj* unmerciful

nielogiczność *f* illogicality

nielogiczny *adj* illogical

nieludzki *adj* inhuman

nieludzkość *f* inhumanity

nieład *m* disorder, confusion

nieładnie *adv* unhandsomely; to ~ it is not nice

niełaska *f* disfavour

niełaskawy *adj* unkind, unfavourable

niemal *adv* almost, nearly

niemało *adv* not a little, not a few, pretty much ⟨many⟩

niemały *adj* pretty big ⟨great, large⟩

niematerialny *adj* immaterial

niemądry *adj* unwise

Niemiec *m* German

niemiecki *adj* German

niemiłosierny *adj* unmerciful, merciless

niemiły *adj* unpleasant

niemniej *adv*, ~ jednak nevertheless, none the less

niemoc *f* impotence, infirmity

niemodny *adj* out of fashion, unfashionable, outmoded

niemoralność *f* immorality

niemoralny *adj* immoral

niemota *f* dumbness

niemowa *m, f* mute

niemowlę *n* infant, baby

niemożliwość *f* impossibility

niemożliwy *adj* impossible

niemrawy *adj* sluggish, tardy

niemy *adj* dumb; (*o filmie*) silent

nienaganny *adj* blameless, irreproachable

nienaruszalny *adj* inviolable

nienaruszony *adj* intact

nienasycony *adj* insatiable; *chem.* unsatisfied

nienaturalny *adj* unnatural, affected

nienawidzić *vt* hate, detest

nienawistny *adj* hateful, detestable

nienawiść *f* hatred

nienormalny *adj* abnormal, anomalous

nieobecność *f* absence

nieobecny *adj* absent

nieobliczalny *adj* incalculable; (*niepoczytalny*) unreliable

nieobowiązkowy *adj* optional

nieobyczajność *f* immorality

nieobyczajny *adj* immoral

nieoceniony *adj* inestimable

nieoczekiwany *adj* unexpected

nieodłączny *adj* inseparable

nieodmienny *adj* invariable; *gram.* indeclinable

nieodparty *adj* irresistible; (*np. argument*) irrefutable

nieodpowiedni *adj* inadequate; unsuitable; unfit

nieodpowiedzialność *f* irresponsibility

nieodpowiedzialny *adj* irresponsible

nieodstępny *adj* inseparable

nieodwołalny *adj* irrevocable

nieodwracalny *adj* irreversible

nieodzowny *adj* indispensable

nieodżałowan|y *adj* ever memorable; ~ej pamięci the late lamented

nieoględność *f* inconsideration

nieoględny *adj* inconsiderate

nieograniczony *adj* unlimited

nieokiełznany *adj* unmanageable, unbridled

nieokreślony *adj* indefinite

nieokrzesany *adj* uncouth, rude

nieomal *adv* nearly, all but

nieomylność *f* infallibility

nieomylny *adj* infallible

nieopatrzność *f* improvidence, inconsideration

nieopatrzny *adj* improvident, inconsiderate

nieopisany *adj* indescribable

nieopłacalny *adj* unprofitable

nie opodal *adv praep* near by

nieoprawiony *adj* (*o książce*) unbound

nieorganiczny *adj* inorganic

nieosobowy *adj* impersonal

nieostrożność *f* incaution, inadvertence

nieostrożny *adj* incautious, inadvertent

nieoswojony *adj* (*dziki*) untamed

nieoświecony *adj* uneducated, ignorant

nie oznaczony *pp i adj* indefinite, indeterminate

niepalący *adj* not smoking; *s m* non-smoker

niepalny *adj* incombustible

niepamięć *f* oblivion

niepamiętny *adj* immemorable; forgetful (czegoś of sth); od ~ch czasów from times immemorial

nieparlamentarny *adj* unparliamentary

nieparzysty *adj* odd

niepełnoletni *adj* under age, minor

niepełnoletność *f* minority

niepełny *adj* incomplete

niepewność *f* uncertainty

niepewny *adj* uncertain; unreliable

niepiśmienny *adj* illiterate; *s m* illiterate

niepłatny *adj* unpaid, gratuitous

niepłodność *f* sterility

niepłodny *adj* sterile, barren

niepłonny *adj* infallible, certain

niepochlebny *adj* unflattering

niepocieszony *adj* inconsolable

niepoczytalność *f* irresponsibility

niepoczytalny *adj* irresponsible

niepodejrzany *adj* unsuspected

niepodległość *f* independence

niepodległy *adj* independent

niepodobieństwo *n* unlikelihood; improbability, impossibility

niepodobn|y *adj* unlike (do kogoś, czegoś sb, sth); oni są do siebie ~i they are dissimilar; they are unlike each other

niepodzielny *adj* indivisible

niepogoda *f* bad weather

niepohamowany *adj* unrestrained, irrepressible

niepojętny *adj* dull, unintelligent

niepojęty *adj* unintelligible, inconceivable

niepokalany *adj* unspotted, immaculate

niepokaźny *adj* inconspicuous

niepokoić vt disturb, disquiet; ~
się vr be alarmed, feel uneasy
(czymś about sth)

niepokonany adj unconquerable,
invincible

niepokój m anxiety, uneasiness (o
kogoś, coś about sb, sth); trouble, disorder

niepolityczny adj impolitic

niepomierny adj incommensurable

niepomny adj oblivious, forgetful
(na coś of sth)

niepomyślność f adversity

niepomyślny adj adverse, unfavourable, unsuccessful

niepopłatny adj unprofitable

niepoprawność f incorrigibility;
incorrectness

niepoprawny adj incorrigible; incorrect

niepopularność f unpopularity

niepopularny adj unpopular

nieporadny adj awkward, unpractical

nieporęczny adj unhandy, inconvenient

nieporozumienie n misunderstand-
ing

nieporównany adj incomparable

nieporuszony adj immovable

nieporządek m disorder

nieporządny adj disorderly, un-
tidy

nieposłuszeństwo n disobedience

nieposłuszny adj disobedient

niepospolity adj uncommon

nieposzlakowany adj unblemished,
unspotted

niepotrzebny adj unnecessary

niepowetowany adj irreparable, irretrievable

niepowodzenie n adversity, failure

niepowołany adj incompetent

niepowstrzymany adj unrestrain-
able, uncontrollable

niepowszedni adj uncommon

niepowściągliwość f incontinence

niepowściągliwy adj incontinent

niepozorny adj inconspicuous

niepożądany adj undesirable

niepożyteczny adj useless

niepraktyczny adj unpractical

nieprawda f untruth, falsehood; to
~ this is not true

nieprawdopodobny adj improbable

nieprawdziwy adj untrue

nieprawidłowość f irregularity,
anomaly

nieprawidłowy adj irregular, abnormal

nieprawny adj illegal

nieprawomyślność f unorthodoxy

nieprawomyślny adj unorthodox

nieprawość f iniquity

nieprawy adj iniquitous

nieproporcjonalny adj dispropor-
tionate

nieproszony adj unbidden, un-
called-for

nieprzebaczalny adj unpardonable

nieprzebłagany adj implacable

nieprzebrany adj inexhaustible

nieprzebyty adj impassable

nieprzechodni adj gram. intransitive

nieprzejednany adj irreconcilable

nieprzejrzysty adj untransparent

nieprzekupny adj incorruptible

nieprzemakalny adj impermeable,
waterproof, rainproof; **płaszcz** ~
raincoat

nieprzenikniony adj impenetrable

nieprzepuszczalny adj impermeable, impervious

nieprzerwany adj uninterrupted,
continuous; (o locie, jeździe) attr
non-stop

nieprześcigniony adj unsurpassable

nieprzewidziany adj unforeseen

nieprzezorność f improvidence

nieprzezorny adj improvident

nieprzezroczysty adj untransparent

nieprzezwyciężony adj invincible,
insuperable

nieprzychylność f disfavour

nieprzychylny adj unfavourable,
unfriendly

nieprzydatność f uselessness

nieprzydatny adj useless

nieprzyjaciel m enemy, lit. foe

nieprzyjacielski adj inimical; attr
enemy; **siły** ~e enemy forces;
działanie ~e hostilities

nieprzyjazny *adj* unfavourable, unfriendly

nieprzyjaźń *f* enmity

nieprzyjemność *f* disagreeableness

nieprzyjemny *adj* disagreeable, unpleasant

nieprzymuszony *adj* unconstrained

nieprzystępność *f* inaccessibility

nieprzystępny *adj* inaccessible; (*o cenach*) prohibitive

nieprzytomność *f* unconsciousness; (*roztargnienie*) absent-mindedness

nieprzytomny *adj* unconscious; (*roztargniony*) absent-minded

nieprzyzwoitość *f* indecency

nieprzyzwoity *adj* indecent

niepunktualność *f* unpunctuality

niepunktualny *adj* unpunctual

nierad *adj* reluctant, disinclined; **rad** ~ willy-nilly

nieraz *adv* many a time

nierdzewny *adj* rustless, rustproof; (*o stali*) stainless

nierealność *f* unreality

nierealny *adj* unreal

nieregularność *f* irregularity

nieregularny *adj* irregular

niereligijny *adj* irreligious

nierogacizna *f* zbior. swine

nierozdzielny *adj* inseparable

nierozerwalny *adj* indissoluble

nierozgarnięty *adj* dull

nierozłączny *adj* inseparable

nierozmyślny *adj* unpremeditated

nierozpuszczalność *f* indissolubility

nierozpuszczalny *adj* indissoluble

nierozsądny *adj* unreasonable, imprudent

nierozwaga *f* inconsideration, imprudence

nierozważny *adj* inconsiderate, imprudent

nierozwiązalny *adj* insoluble; (*o zagadnieniu*) irresolvable

nierozwinięty *adj* undeveloped; (*opóźniony w rozwoju*) backward

nierówność *f* inequality

nierówny *adj* unequal, uneven

nieruchliwy *adj* slow, impassive

nieruchomoś|ć *f* immobility; (*o majątku*) real estate; *pl* ~ci *prawn.* immovables

nieruchomy *adj* immovable, motionless; **majątek** ~ real estate

nierzadko *adv* often, not infrequently

nierząd *m* prostitution

nierzeczywisty *adj* unreal

nierzetelność *f* dishonesty

nierzetelny *adj* dishonest, unreliable

niesamowity *adj* uncanny

niesforność *f* unruliness, indocility

niesforny *adj* unruly, indocile

nieskalany *adj* immaculate, stainless

nieskazitelność *f* spotlessness; integrity

nieskazitelny *adj* unblemished, stainless

nieskładny *adj* awkward

nieskończenie *adv* infinitely; ~ **mały** infinitesimal

nieskończoność *f* infinity

nieskończony *adj* infinite

nieskromny *adj* immodest

nieskuteczność *f* inefficacy

nieskuteczny *adj* ineffective, inefficacious

niesława *f* disrepute, dishonour

niesławny *adj* disreputable

niesłowny *adj* false to one's word, unreliable

niesłuszność *f* injustice, unfairness

niesłuszny *adj* unjust, unfair

niesłychany *adj* unheard-of

niesmaczny *adj* tasteless

niesmak *m* distaste (**do czegoś** for sth), disgust (**do czegoś** at, for sth)

niesnaski *s pl* dissension

niespełna *adv* nearly; ~ **rozumu** crack-brained

niespodzianka *f* surprise

niespodziewany *adj* unexpected

niespokojny *adj* unquiet

nie sposób *adv* it's impossible

niespożyty *adj* (*niestrudzony*) indefatigable; (*trwały*) everlasting

niesprawiedliwość *f* injustice

niesprawiedliwy *adj* unjust

nie sprzyjający *adj* unfavourable, adverse

niestałość f inconstancy, instability

niestały adj inconstant, unstable

niestawiennictwo n non-appearance

niestety adv unfortunately, *lit.* alas; ~ on nie wróci I'm afraid he will not come back; ~ nie mogę tego zrobić I'm sorry I can't do it

niestosowny adj unsuitable, improper

niestrawność f indigestion

niestrawny adj indigestible

niestrudzony adj indefatigable

niestworzon|y adj, *pot.* opowiadać ~e rzeczy tell tall stories

niesumienność f dishonesty, unscrupulousness

niesumienny adj dishonest, unscrupulous

nieswojo adj not at ease; czuć się ~ feel uneasy

nieswój adj strange; uneasy, ill at ease

niesymetryczny adj asymmetrical

niesympatyczny adj uncongenial

nieszczególny adj not peculiar, mediocre, tolerable, moderate

nieszczelny adj leaky, not tight

nieszczerość f insincerity

nieszczery adj insincere

nieszczęsny adj ill-fated, unfortunate; disastrous

nieszczęście n misfortune; disaster; bad luck; na ~ unfortunately; na moje ~ to my misfortune

nieszczęśliwy adj unfortunate, unhappy, unlucky

nieszkodliwy adj harmless

nieszpory s pl vespers

nieścisłość f inexactitude, inaccuracy

nieścisły adj inexact, inaccurate

nieść vt carry, bear, bring; (o kurze) lay

nieślubny adj illegitimate

nieśmiałość f timidity, shyness

nieśmiały adj timid, shy

nieśmiertelność f immortality

nieśmiertelny adj immortal

nieświadomość f unconsciousness, ignorance

nieświadomy adj unconscious, ignorant

nietakt m tactlessness

nietaktowny adj tactless

nietknięty adj intact, untouched

nietolerancja f intolerance

nietolerancyjny adj intolerant

nietoperz m bat

nietrafny adj improper, wrong; (strzał) missing the mark

nietrzeźwy adj inebriate; *pot.* tipsy, tight; w stanie ~m under the influence of drink

nietykalność f inviolability; (posłów) privilege; *prawn.* immunity

nietykalny adj inviolable; *prawn.* enjoying immunity

nie tyle adv not so much

nie tylko adv not only

nieubłagany adj implacable

nieuchronny adj unavoidable, inevitable

nieuchwytny adj unseizable

nieuctwo n ignorance

nieuczciwość f dishonesty

nieuczciwy adj unfair, dishonest

nieuczynny adj disobliging

nieudany adj unsuccessful, abortive

nieudolność f inability, incompetence, clumsiness

nieudolny adj incapable, incompetent, clumsy

nieufnoś|ć f mistrust; wotum ~ci vote of censure

nieufny adj distrustful

nieugaszony adj unquenchable, inextinguishable

nieugięty adj inflexible

nieuk m ignoramus

nieukojony adj unappeasable, unappeased, inconsolable

nieuleczalny adj incurable

nieumiarkowany adj immoderate, intemperate

nieumiejętność f inability, unskilfulness

nieumiejętny adj incapable, unskilful

nieumyślny adj unintentional

nieunikniony adj unavoidable

nieuprzedzony *adj* unprejudiced
nieuprzejmość *adj* unkind, impolite
nieurodzaj *adj* sterile, infertile, barren
niesprawiedliwiony *adj* unjustified; inexcusable
nieustanny *adj* incessant, unceasing
nieustraszony *adj* fearless
nieusuwalność *f* irremovability
nieusuwalny *adj* irremovable
nieutulony *adj* inconsolable
nieuwag|a *f* inattention, inadvertence; przez ~ę through inadvertence, by oversight
nieuważny *adj* inattentive, inadvertent
nieuzasadniony *adj* unfounded
nieuzbrojony *adj* unarmed
nieużyteczny *adj* useless
nieużyty *adj* disobliging
niewart *adj* unworthy
nieważki *adj* imponderable
nieważność *f* invalidity
nieważny *adj* unimportant, trivial; *(np. dokument)* invalid
niewątpliwie *adv* undoubtedly, no doubt
niewątpliwy *adv* indubitable, undoubted
niewczesny *adj* inopportune, improper; unseasonable, untimely
niewdzięczność *f* ingratitude
niewdzięczny *adj* ungrateful
niewesoły *adj* joyless; unpleasant
niewiadom|y *adj* unknown; ~a *s f mat.* unknown quantity
niewiara *f* disbelief, unbelief
niewiarygodny *adj* incredible
niewiasta *f* woman
niewidomy *adj* blind; *s m* blind man
niewidzialn|y *adj* invisible, unseen; *fiz.* promienie ~e obscure rays
niewiedza *f* ignorance
niewiele *adv* little, few
niewielki *adj* small, little
niewierność *f* unfaithfulness, faithlessness, disloyalty
niewierny *adj* faithless, unfaithful, disloyal

niewiniątko *n* innocent
niewinność *f* innocence
niewinny *adj* innocent
niewłaściwość *f* impropriety
niewłaściwy *adj* improper
niewol|a *f* slavery, captivity; wziąć kogoś do ~i take sb prisoner
niewolić *vt* force, constrain
niewolniczy *adj* slavish
niewolnik *m* slave
niewód *m* drag-net
niewprawny *adj* unskilled, inexpert
niewspółmierność *f* incommensurability
niewspółmierny *adj* incommensurable
niewyczerpany *adj* inexhaustible
niewygoda *f* inconvenience, discomfort
niewygodny *adj* inconvenient, uncomfortable
niewykonalny *f* impracticable, unfeasible
niewymierny *adj mat.* irrational
niewymowny *adj* ineffable, unspeakable; ineloquent
niewymuszony *adj* unaffected, unconstrained, free and easy
niewypał *m* blind shell, live shell; *pot.* dud
niewypłacalność *f* insolvency
niewypłacalny *adj* insolvent
niewypowiedziany *adj* unspeakable, unutterable
niewyraźny *adj* indistinct
niewyrobiony *adj* unwrought; *(niewprawny)* unskilled, inexperienced
niewyrozumiały *adj* intolerant, not indulgent, ruthless
niewysłowiony *adj* ineffable, unspeakable
niewystarczający *adj* insufficient
niewytłumaczony *adj* inexplicable
niewytrwały *adj* unenduring, not persistent
niewytrzymały *adj* = niewytrwały
niewzruszony *adj* unmoved, imperturbable

niezachwiany *adj* unshaken

niezadowalający *adj* unsatisfactory

niezadowolenie *n* discontent, dissatisfaction (z czegoś with sth)

niezadowolony *adj* discontented, dissatisfied (z czegoś with sth)

niezależność *f* independence (od czegoś, kogoś of sth, sb)

niezależny *adj* independent (od kogoś, czegoś of sb, sth)

niezamężna *adj* unmarried, single

niezamożny *adj* not well-to-do, indigent, of limited means

niezapominajka *f* forget-me-not

niezapomniany *adj* unforgotten

niezaprzeczalny *adj* incontestable, undeniable

niezaradny *adj* helpless, unpractical

niezasłużony *adj* ineffaceable

niezawisłość *f* independence (od kogoś, czegoś of sb, sth)

niezawisły *adj* independent (od kogoś, czegoś of sb, sth)

niezawodnie *adv* without fail, unfailingly

niezawodny *adj* unfailing, infallible

nieząbkowany *adj* filat. imperforate

niezbadany *adj* inexplorable, inscrutable

niezbędność *f* indispensability

niezbędny *adj* indispensable

niezbity *adj* irrefutable

niezbyt *adv* not all too

niezdarny *adj* awkward, clumsy

niezdatny *adj* unfit

niezdecydowany *adj* undecided

niezdolność *f* inability, incapability; ~ do pracy incapacity for work

niezdolny *adj* incapable, unable; ~ do służby wojskowej unfit for military service; ~ do pracy incapable of work

niezdrowy *adj* unhealthy, unwell; (szkodliwy dla zdrowia) unwholesome

niezdyscyplinowany *adj* undisciplined

niezgłębiony *adj* unfathomable, inscrutable

niezgoda *f* disagreement, discord, dissent

niezgodność *f* discordance; inconformity; (charakterów) incompatibility

niezgodny *adj* disagreeing, discordant; incompatible, inconsistent

niezgrabność *f* clumsiness, awkwardness

niezgrabny *adj* clumsy, awkward

nieziszczalny *adj* unrealizable, unattainable

niezliczony *adj* unnumerable, countless

niezłomny *adj* inflexible, unshaken

niezmącony *adj* untroubled, unruffled

niezmienność *f* immutability

niezmienny *adj* immutable, unchanging, invariable

niezmierność *f* immensity

niezmierny *adj* immense

niezmordowany *adj* indefatigable, tireless

nieznaczny *adj* insignificant, trivial, slight

nieznajomość *f* ignorance (czegoś of sth), unacquaintance (czegoś with sth)

nieznajomy *adj* unknown; *s m* unknown person, stranger

nieznany *adj* unknown, unfamiliar

nieznośny *adj* unsupportable, unbearable, intolerable

niezręczność *f* awkwardness

niezręczny *adj* awkward

niezrozumiałość *f* unintelligibility

niezrozumiały *adj* unintelligible, incomprehensible

niezrównany *adj* incomparable, matchless, unrivalled; człowiek ⟨przedmiot⟩ ~ nonsuch

niezrównoważony *adj* unbalanced

niezupełny *adj* incomplete

niezwłocznie *adv* immediately, without delay

niezwłoczny *adj* immediate, instant

niezwyciężony *adj* invincible

niezwykły adj uncommon, unusual

nieżonaty adj unmarried, single

nieżyczliwość adj unfriendliness; unkindness

nieżyczliwy adj unfriendly, ill-disposed (**dla kogoś** towards sb)

nieżyt m med. catarrh, inflammation

nieżywotny adj inanimate

nieżywy adj lifeless, dead

nigdy adv never, not ... ever

nigdzie adv nowhere, not ... anywhere

nijak adv nowise

nijaki adj indeterminate; no ... whatever; gram. **rodzaj ~** neuter

nijako adv indeterminately; **czuć się ~** feel queer

nikczemnik m villain

nikczemność f villainy, meanness

nikczemny adj villainous, mean; vile

nikiel m nickel

niklować vt nickel

nikły adj exiguous, scanty

niknąć vi vanish, disappear; (**marnieć**) waste away

nikotyna f nicotine

nikt pron none, no one, nobody, not anybody

nim conj = **zanim**

nimfa f nymph

niniejszy adj present; **~m zaświadczam** I hereby testify

niski adj low; (o wzroście) short

nisko adv low; **~ mierzyć** aim low; **~ kłaniać się** bow low

nisza f niche

niszczący adj destructive

niszczeć vi waste away, decay

niszczyć vt destroy, spoil, ruin; (ubranie, obuwie) wear; **~ się** vr. spoil, deteriorate; (o ubraniu, obuwiu) wear

nit m techn. rivet

nitka f thread

niwa f poet. corn-field

niweczyć vt destroy, frustrate

niwelacja f levelling

niwelować vt level

nizać vt thread, string

nizina f lowland

niż 1. conj than

niż 2. m lowland; (barometryczny) depression

niżej adv lower; down, below; **~ podpisany** the undersigned

niższość f inferiority

niższy adj lower; (gatunkowo, służbowo) inferior

no part well, now, (well) then

noc f night; **~ą** by night, at night; **przez ~** overnight; **dziś w ~y** to-night; **całą ~** all night long

nocleg m night's rest; (miejsce) place to sleep in

nocnik m chamber-pot

nocn|y adj night(ly); **koszula ~a** night-shirt; **służba ~a** night-duty; **spoczynek ~y** night's rest

nocować vi stay overnight, stay for the night

nog|a f leg; (stopa) foot; **być na ~ach** be up; **do góry ~ami** upside down; **podstawić komuś ~ę** trip sb up

nogawica f leg

nokturn m muz. nocturne

nomenklatura f nomenclature

nominacja f appointment

nominalny adj nominal

nonsens m nonsense

nora f burrow, hole

norka f zool. mink

norma f standard, norm

normalizacja f normalization

normalizować vt normalize, standardize

normalny adj normal

normować vt regulate

Norweg m Norwegian

norweski adj Norwegian

nos m nose; **wycierać ~** blow one's nose; **zadzierać ~a** put up one's nose high; pot. **mieć ~a** have a sharp nose; **wodzić za ~** lead by the nose

nosacizna f med. glanders

nosić vt (dźwigać) carry, bear; (mieć na sobie) wear; (brodę, wąsy) grow; **~ się** vr (o ubraniu)

wear; ~ się z myślą entertain
an idea

nosorożec *m zool.* rhinoceros

nostalgia *f* nostalgia, homesickness

nosze *s pl* stretcher

nota *f* note

notarialny *adj* notarial

notariusz *m* notary public

notatka *f* note

notatnik *m*, notes *m* notebook

notoryczny *adj* notorious

notować *vt* take notes (coś of sth),
put down; (*rejestrować na giełdzie*) quote

notowanie *n* record; (*kurs na giełdzie*) quotation

nowator *m* innovator

nowela *f* short-story; *prawn.* novel; (*dodatkowa ustawa*) amendment

nowelista *m* short-story writer

nowicjat *m* novitiate, probation time

nowicjusz *m* novice, probationer

nowina *f* news

nowoczesny *adj* modern, up-to-date

nowo narodzony *adj* new-born

noworoczny *adj* New Year's

nowość *f* novelty

nowotwór *m med.* tumour; *gram.* neologism

nowo wstępujący *adj i s m* (do uczelni, zawodu itp.) entrant

nowożytny *adj* modern

nowy *adj* new

nozdrze *n* nostril

nożownik *m* (*bandyta*) cutthroat; † (*rzemieślnik*) cutler

nożyce *s pl* shears, clippers

nożyczki *s pl* scissors

nożyk *m* knife, pocket-knife; (*do golenia*) blade

nów *m* new moon

nóż *m* knife

nucić *vt vi* hum; (*o ptakach*) warble

nuda *f* boredom

nudności *s pl* nausea, qualm

nudny *adj* tedious, wearisome, dull, boring; nauseating

nudziarz *m* bore

nudzi|ć *vt* bore; *imp* mnie to ~ I am tired of this; ~ się *vr* feel bored

numer *m* number

numeracja *f* numeration

numerować *vt* number

numerek *m* (*np. w szatni*) check

numizmatyka *f* numismatics

nuncjusz *m* nuncio

nurek *m* diver

nurkować *vi* dive; *lotn.* nose-dive

nurkowanie *n* diving; *lotn.* nose-dive

nurkowiec *m lotn.* dive-bomber

nurkowy *adj, lotn.* lot ~ nose-dive

nurt *m* current

nurt|ować *vt* penetrate, pervade; to mnie ~uje I feel uneasy about it

nurzać *vt* plunge, immerse; ~ się *vr* plunge, welter

nut|a *f* note; melody, tune; *pl* ~y music *zbior.*

nuż *part* there now; a ~ and if; a ~ przyjdzie suppose he comes; a ~ wygram what if I win?; a ~ mi się uda what if I succeed?

nużący *adj* tiring

nużyć *vt* tire (out), weary; ~ się *vr* grow weary, get tired

nylon *m* nylon

O

o *praep* of, for, at, by, about, with; **boję się o twoje bezpieczeństwo** I fear for your safety; **chodzić o lasce** walk with a stick; **powiększyć o połowę** increase by one-half; **prosić o coś** ask for sth; **o co chodzi?** what's the matter?; **o czym mówisz?** what are you speaking of ⟨about⟩?; **o 5 godzinie** at 5 o'clock

oaza *f* oasis

oba, obaj, obie, oboje *num* both

obalenie *n* overthrow; (*zniesienie*) abolition; *prawn.* (*wyroku*) reversal

obalić *vt* overthrow, upset; (*znieść*) abolish

obarcz|yć *vt* burden, charge; **~ony smutkiem** laden with sorrow; **~ony troską** care-laden

obaw|a *f* fear, anxiety; **z ~y** for fear (**przed czymś** of sth, **o coś** of sth); **żywić ~ę** be anxious (**o coś** about sth)

obawiać się *vr* fear (**czegoś** sth, **o coś** for sth), be afraid (**czegoś** of sth), be anxious (**o coś** about sth)

obcas *m* heel

obcesowo *adv* outright

obcęgi *s pl* tongs

obchodzenie się *n* dealing (**z kimś, czymś** with sb, sth), treatment (**z kimś, czymś** of sb, sth)

obchodzi|ć *vt* walk ⟨go⟩ round; (*prawo*) evade; (*święto, urodziny*) celebrate; **to ciebie nic nie ~** it is no concern of yours; **to mnie szczególnie ~** it is of great concern to me; **to mnie nic nie ~** it is no concern of mine; **~ć się** *vr* do (**bez czegoś** without sth), dispense (**bez czegoś** with sth), spare (**bez czegoś** sth); deal (**z kimś** with sb), treat (**z kimś** sb); **źle się ~ć** ill-treat (**z kimś** sb)

obchód *m* (*okrążenie*) round; (*obchodzenie święta*) observation; (*rocznicy*) celebration

obciągać *vt* pull down, make tight; (*np. fotel*) cover; *techn.* (*ostrzyć*) whet

obciąża|ć *vt* burden, charge; (*rachunek*) debit; **okoliczności ~jące** aggravating circumstances

obciążenie *n* charge, burden, ballast; (*rachunku*) debit

obcierać *vt* wipe (away, off); (*np. skórę do krwi*) rub (off)

obcinać *vt* cut; (*pensję, wydatki*) cut down; (*gałęzie*) lop; (*nożyczkami*) clip; (*paznokcie*) pare

obcisły *adj* tight, close-fitting

obcokrajowiec *m* foreigner, alien

obcokrajowy *adj* foreign, alien

obcować *vi* keep up intercourse, associate

obcowanie *n* intercourse

obcy *adj* strange, foreign; *s m* stranger

obczyzna *f* foreign country

obdarowywać *vt* present (**kogoś czymś** sb with sth)

obdartus *m pot.* ragamuffin

obdarty *adj* ragged

obdarzyć *vt* present (**kogoś czymś** sb with sth); (*nadać*) bestow (**czymś kogoś** sth upon sb); **~ łaską** favour (**kogoś** sb), bestow favour (**kogoś** upon sb)

obdukcja *f* post-mortem examination

obdzielić *vt* give everybody his share; distribute

obdzierać *vt* take ⟨pull⟩ off; rob (**z czegoś** of sth); **~ ze skóry** skin; **~ z kory** bark

obecnie *adv* at present

obecno|ść *f* presence; **lista ~ci** attendance record, roll; **odczytać listę ~ci** call the roll; **odczytanie listy ~ci** roll-call

601   obłowić się

obecny adj present; być ~m na zebraniu attend a meeting

obejmować vt embrace; (zawierać) comprise, contain; (przejmować, brać na siebie) take over; ~ obowiązki enter on ⟨upon⟩ one's duties; ~ coś w posiadanie take possession of sth

obejrzeć vt have a glance (coś at sth), inspect

obejście n premises pl, homestead; (sposób bycia) manners pl, behaviour

belga f insult, outrage

belżywy adj insulting, outrageous

berża † f tavern, inn

bezwładnić vt render unable, disable

bfitość|ć f abundance, profusion, plenty; róg ~ci horn of plenty

bfitować vi abound (w coś with, in sth)

bfity adj abundant, plentiful, profuse

biad m dinner; jeść ~ dine, have dinner

bicie n (tapeta) wallpaper, tapestry; (pokrycie mebli itp.) covering

biecywać vt promise

bieg m circulation; puścić w ~ circulate; wycofać z ~u withdraw from circulation

biegać vi circulate; run round

biegowy adj circulating; pieniądz ~ currency; środek ~ circulating medium

obiekcja f objection

obiekt m object

obiektyw m objective; fot. lens

obiektywizm m objectivism

obiektywny adj objective

obierać vt (wybierać) elect, choose; (zawód) embrace; (ziemniaki) peel; (owoce) pare

obieralny adj elective, eligible

obietnic|a f promise; dotrzymać ~y keep the promise

obijać vt beat; (materiałem) cover, line; ~ gwoździami nail

objadać się vr overeat oneself

objaśniać vt explain, (ilustrować) illustrate

objaśniający adj explanatory

objaśnienie n explanation

objaw m symptom

objawiać vt show, reveal

objawienie n revelation

objazd m circuit, round

objazdow|y adj, droga ~a by-pass; sądowa sesja ~a circuit

objeżdżać vt go ⟨ride⟩ round; tour; (omijać) by-pass

objęcie n (ramionami) embrace; (zajęcie, przejęcie) taking over; (w posiadanie) taking possession; ~ obowiązków entering ⟨entrance⟩ on ⟨upon⟩ one's duties

objętość f volume, circumference, bulk

oblegać vt besiege, beleaguer

oblekać vt water, sprinkle, pour on; ~ się vr put on; ~ się potem be bathed in sweat; ~ się rumieńcem flush, blush

oblężenie n siege

obliczać vt count, calculate

oblicze n face

obliczenie n calculation, computation

obligacja f (zobowiązanie) obligation; (papier wartościowy) bond

oblizywać vt lick

oblubienica f bride, betrothed

oblubieniec m bridegroom, betrothed

obładow|ywać vt charge, (over)load, (over)burden; ciężko ~any heavy-laden

obława f chase, raid, round-up; (myśliwska) battue

obłąkanie n = obłęd

obłąkan|y adj insane, mad, pot. loony; s m madman; s f ~a madwoman; szpital dla ~ych lunatic asylum, madhouse

obłęd m insanity, madness

obłędny adj insane, mad

obłok m cloud

obłowić się vr make one's pile, enrich oneself

obłożnie adv, ~ **chorować** be bed-ridden

obłoż|yć vr cover, overlay; (warstwą czegoś) layer; ~ony język coated tongue

obłuda f hypocrisy

obłudnik m hypocrite

obłudny adj hypocritical

obły adj oval

obmacać vt feel about, finger; pot. paw

obmawiać vt gossip (kogoś about sb), backbite, slander

obmierzły [-r-z-] adj disgusting, detestable

obmierz|nąć [-r-z-] vi become disgusting; to mi ~ło I am disgusted with it

obmowa f backbiting, slander

obmurować vt surround with a wall, wall in

obmyślać vt reflect (coś on, upon sth), turn over in one's mind; (planować, knuć) contrive, devise

obnażać vt bare, lay bare, uncover, strip; ~ się vr strip

obnażony adj bare, naked, nude

obniżać vt lower, abate; (cenę) reduce; (zarobki) cut down; (wartość) depreciate; ~ się vr sink, go down, decrease

obniżenie n lowering, abatement, reduction

obniżka f abatement, decrease; (cen) reduction, (wartości) depreciation; (potrącenie) deduction

objczyk m anat. collar-bone

obojętnieć vi grow indifferent

obojętność f indifference

obojętn|y adj indifferent, impassive; (nieważny) unimportant; **to mi jest** ~e I don't care for it

obok adv praep near, by, near by

obopóln|y adj reciprocal, common; **za** ~ą **zgodą** by common consent

obora f cow-shed

obosieczny adj two-edged

obowiąz|ek m duty, (zobowiązanie) obligation; **spełnić swój** ~ek do one's duty; **pełniący** ~ki acting (np. **kierownika** manager); **mieć** ~ki **(moralne) w stosunku do kogoś** be under an obligation to sb

obowiązkowość f dutifulness

obowiązkowy adj (wierny obowiązkom) dutiful; (urzędowo obowiązujący) obligatory, compulsory

obowiązujący adj obliging, obligatory; **mieć moc** ~ą be in force; **nabrać mocy** ~ej come into force

obowiązywać vt vi oblige, bind in duty; **być w** force

obozować vi encamp, be encamped; (nocować w namiotach) camp out

obozowisko n encampment

obozowy adj camp attr; **sprzęt** ~ camping outfit

obój m muz. oboe

obóz m camp; **stanąć obozem** encamp; **rozbić** ~ pitch a camp; **zwinąć** ~ decamp; break up a camp

obrabiać vt work; pot. ~ **sprawę** (interes) settle an affair (a business)

obracać vt turn (over); ~ **się** vr turn; (na coś) revolve; (przebywać) move; **gdzie on się teraz obraca?** where may he be now?

obrachować vt calculate, sum up

obrachunek m calculation, settlement

obradować vi deliberate (nad czymś upon sth), confer; be in session

obramować vt frame, border; (oblamować) hem

obrastać vi overgrow

obraz m picture, painting; (wizerunek, podobizna) image

obraza f offence; ~ **majestatu** lese-majesty

obraz|ek m picture; illustration; **książka z** ~kami picture-book

obrazić *vt* offend, give offence; **nie chciałem** ~ I meant no offence; ~ **się** *vr* take offence (o coś at sth)

obrazowy *adj* pictorial, picturesque; (*o stylu*) figurative

obraźliwy *adj* offensive; susceptible, touchy

obrażenie *n* offence; (*uszkodzenie ciała*) injury; ~**a cielesne** bodily injuries

obrąbek *m* hem

obrączka *f* ring; ~ **ślubna** wedding ring

obręb *m* compass; **w** ~**ie miasta** within the town

obrębiać *vt* hem

obręcz *f* hoop; (*u koła*) tyre

obrok *m* fodder

obrona *f* defence; *sport zbior.* backs *pl*

obronność *f* defensive power

obronny *adj* defensive

obrońca *m* defender; (*sądowy*) lawyer, counsel for the defence; *sport* back

obrośnięty *adj* overgrown; hairy

obrotność *f* activity, adroitness

obrotny *adj* active, adroit

obrotowy *adj* rotative; **podatek** ~ turnover tax

obroża *f* (dog-)collar

obróbka *f* treatment, working

obrócić *zob.* obracać

obrót *m* rotation, turn; *handl.* turnover, return; ~ **czekowy** business in cheques; ~ **gotówkowy** cash transactions; **przybrać pomyślny** ~ take a favourable turn; *przen.* **na pełnych obrotach** in full swing

obrus *m* table-cloth

obrywać *vt* pluck, tear off

obrządek *m* rite, ritual

obrzęd *m* ceremony; rite

obrzędowy *adj* ceremonial, ritual

obrzęk *m* swell(ing), tumour

obrzękły *adj* swollen

obrzucać *vt* throw (**kogoś czymś** sth on sb), cover (**czymś** with sth), pelt (**obelgami, kamieniami** with abuse, with stones)

obrzydliwość *f* abomination

obrzydliwy *adj* abominable, disgusting

obrzyd|nąć *vi* become abominable; **to mi** ~**ło** I'm disgusted with it

obrzydzenie *n* aversion, abomination

obrzydzić *vt* make disgusting

obsada *f* stock, fitting; (*uchwyt*) handle; (*oprawka*) holder; (*załoga*) crew; (*personel*) staff; *teatr* cast

obsadka *f* penholder

obsadzać *vt* (*ogród*) plant; (*miejsce*) fill, occupy; (*personelem*) staff, man; ~ **kimś urząd** nominate sb for an office; *wojsk.* ~ **załogą** garrison

obserwacja *f* observation

obserwator *m* observer

obserwatorium *n* observatory

obserwować *vt* watch, observe

obsługa *f* service, attendance

obsług|iwać *vt* wait (**kogoś** on, upon sb), serve (**kogoś** sb), attend (**kogoś** to sb); (*w sklepie*) **czy pana ktoś** ~**uje?** are you being attended to?

obstalować *vt* order

obstalunek *m* order

obstawać *vi* insist (**przy czymś** on sth)

obstrukcja *f* obstruction; *med.* constipation

obsypywać *vt* strew (**czymś kogoś** sth upon sb); ~ **pudrem** powder

obszar *m* space, area

obszarnik *m* landowner

obszerny *adj* extensive, ample, spacious

obszycie *n* border, trimming

obszywać *vt* border, trim, sew round

obudzić *zob.* budzić

obumarły *adj* half-dead

obumierać *vi* die away, mortify

oburzać *vt* fill with indignation; revolt; ~ **się** *vr* become indignant (**na kogoś** with sb, **na coś** at sth)

oburzenie *n* indignation

oburzony adj indignant (**na kogoś** with sb, **na coś** at sth)

obustronn|y adj two-sided, bilateral; **~a korzyść** mutual advantage

obuwie n footwear, shoes pl

obwieszczać vt proclaim, make known, announce

obwieszczenie n proclamation, announcement

obwiniać vt accuse (**kogoś o coś** sb of sth), charge (**kogoś o coś** sb with sth)

obwisać vi hang down, droop

obwoluta f wrapper; (*książki*) book-jacket

obwołać vt proclaim

obwód m circumference; *mat.* perimeter; (*okręg*) district

obwódka f border

oby part. **~ on wyzdrowiał** may he recover; **~ tak było** may it be so

obycie n good manners pl

obyczaj m custom, manner, way

obyczajny † adj moral, decent

obydwaj num both

obyty adj experienced, familiar

obywać się zob. **obchodzić się**; **bez tego nie mogło się obyć** this could not be spared

obywatel m citizen; (*członek danego państwa*) national; † **~ ziemski** squire, landowner

obywatelsk|i adj civic, civil; **komitet ~i** civic committee; **prawa ~ie** civil rights; **straż ~a** civic guard

obywatelstwo n citizenship; nationality; **nadać ~** naturalize, naturalize; **przyjąć ~** naturalize

obżarstwo n gluttony

ocaleć vi remain safe, survive, be rescued

ocalenie n salvation, rescue

ocalić vt save, rescue

ocean m ocean

oceaniczny adj oceanic

ocena f estimate, estimation; opinion; (*recenzja*) review

oceniać vt estimate, appreciate,

value (**na pewną sumę** at a certain sum)

ocet m vinegar

ochładzać vt, **~ się** vr cool (down)

ochłonąć vi calm down, compose oneself, recover

ochoczy adj willing, eager, ready

ochot|a f desire, willingness; **mam ~ę** I would like, I have a mind (**coś zrobić** to do sth)

ochotniczy adj voluntary

ochotnik m volunteer

ochraniać vt protect, shelter, preserve (**przed czymś** from sth)

ochrona f protection, shelter; **~ przyrody** conservancy

ochronny adj protective, preventive

ochrypły adj hoarse

ochrypnąć vi become hoarse

ociągać się vr tarry, linger; **~ robieniem czegoś** do sth reluctantly

ociekać vi drip (**czymś** with sth)

ociemnia|ły adj blind; s m blind man; pl **~li** the blind

ocieniać vt shade

ocieplać vt warm, make warm; **~ się** vr grow warm

ocierać vt wipe (off); (*ścierać na skórek*) gall

ociężałość f heaviness, dullness

ociężały adj heavy, dull

ocknąć się vr awake

oclenie n clearance; **podlegający ~u** dutiable; **dać do ~a** declare **mieć coś do ~a** have sth to declare

ocl|ić vt impose duty (**coś on** sth) **~ony** duty-paid

octowy adj acetic

ocukrzyć vt sugar

oczarować vt charm, enchant

oczekiwać vi wait (**kogoś, czegoś** for sb, sth), look forward (**czegoś** to sth), await, expect (**kogoś, czegoś** sb, sth)

oczekiwani|e n expectation; **wbrew ~om** contrary to expectations

oczerniać vt slander, defame

oczko n eyelet; (*igły, rośliny*) eye

(*sieci*) mesh; spuszczone ~ (*w pończosze*) ladder, *am.* runner

●czyszczać *vt* clean, cleanse, clear; (*np. wodę, powietrze*) purify; ~ z kurzu dust; ~ z zarzutów clear of blame

●czytany *adj* well-read

●czywistość *f* evidence, obviousness

●czywisty *adj* evident, obvious

●czywiście *adv* evidently, obviously, of course; ~! absolutely!, most certainly!

●d *praep* from; off; of; for; (*poczwszy od*) since; na wschód od Warszawy to the East of Warsaw; od czasu do czasu from time to time; już od dawna go nie widziałem I have not seen him for a long time now; od dwóch miesięcy for the last two months; od niedzieli since Sunday; od owego dnia from that day on; odpaść od ściany fall off the wall; od ręki directly, extempore, on the spot; od stóp do głów from top to toe; starszy od brata older than his brother

●da *f* ode

●dbarwić się *vr* discolour

●dbicie *n* beating back; (*odzwierciedlenie*) picture, image; (*np. w wodzie*) shadow; (*światła*) reflexion; (*uwolnienie*) relief, rescue; kąt ~a angle of reflexion; ~ się (*piłki*) bounce; (*kuli*) ricochet

●dbić zob. odbijać

●dbiegać *vi* run away; (*zbaczać*) deviate, stray (od czegoś from sth)

●dbierać zob. odebrać

●dbijać *vt* beat away ⟨back⟩; (*o druku*) print; (*o świetle*) reflect; (*o statku*) put off; (*o samolocie*) take off; (*uwolnić*) relieve, rescue; ~ się *vr* rebound; (*o głosie*) resound; (*kontrastować*) contrast (od czegoś with sth); (*w lustrze*) be reflected

odbiorca *m* receiver; (*nabywca*) buyer, purchaser

odbiorczy *adj* receiving; aparat ~ receiver

odbiornik *m* receiver; (*radio*) receiving ⟨wireless⟩ set, (radio) receiver

odbiór *m* receipt; ~ radiowy reception; potwierdzić ~ acknowledge the receipt

odbitka *f* copy, reprint

odblask *m* reflex

odbudowa *f* rebuilding, reconstruction

odbudować *vt* rebuild, reconstruct

odbywać *vt* execute, perform, do, make; ~ zebranie hold a meeting; ~ studia follow one's studies; ~ podróż make a journey; ~ wykład deliver a lecture; ~ się *vr* take place, go on, come off, proceed, be held

odchodzić *vi* go away, leave, withdraw; ~ć od zmysłów be out of one's senses; pociąg ~ o godz. 10 the train leaves at 10

odchudzać się *vr* reduce weight, slim

odchylać *vt* draw aside, remove; ~ się *vr* deviate

odchylenie *n* deviation

odciągać *vt* draw away

odciążać *vt* relieve, alleviate

odcień *m* shade, hue

odcięcie *n* cutting off; *med.* amputation

odcinać *vt* cut off; *med.* amputate; (*oddzielać*) detach; ~ się *vr* (*ostro odpowiadać*) retort; (*kontrastować*) contrast (od czegoś with sth)

odcinek *m* sector; (*kupon*) coupon; (*koła*) segment; ~ kontrolny counterfoil

odcisk *m* impression; (*nagniotek*) corn; ~ palca finger-print

odciskać *vt* impress, imprint

odcyfrować *vt* decipher

odczepić *vt* detach, untie; ~ się *vr* become detached; *pot.* get rid (od kogoś of sb)

odczucie *n* feeling

odczuć zob. odczuwać; to daje się ~ it makes itself felt

odczuwać *vt* feel; notice; (*boleśnie*) suffer

odczyn *m chem.* reaction

odczynnik *m chem.* reagent

odczyt *m* lecture; mieć ~ lecture, give a lecture

odczytać *vt* read over;. (*dorozumieć się*) make out

oddać *vt* give back, render; (*dług*) pay back; (*np. list*) deliver; *hist.* ~ hołd pay homage; ~ przysługę do ⟨render⟩ service; ~ sprawiedliwość do justice; ~ wizytę pay a visit; ~ życie give life; ~ się *vr* (*poświęcić się*) devote oneself; ~ się rozpaczy abandon oneself to despair

oddalać *vt* remove; (*zwolnić*) dismiss; ~ się *vr* retire, withdraw

oddaleni|e *n* (*odległość*) distance; (*wydalenie*) dismissal; (*odsunięcie*) removal; w ~u in the distance, a long way off; w pewnym ~u at a distance; z ~a from afar

oddalony *adj* distant, remote

oddany *adj* devoted; given

oddawać *zob.* oddać

oddech *m* breath, respiration

oddychać *vi* breathe, respire

oddychanie *n* breathing, respiration

oddział *m* section; (*dział instytucji*) department; *wojsk.* detachment; (*filia*) branch (office)

oddziaływać *vi* affect (na kogoś, coś sb, sth), influence (na kogoś, coś sb, sth), act (na kogoś, coś on, upon sb, sth)

oddziaływanie *n* influence, action

oddzielać *vt* separate; ~ się *vr* separate, become separated

oddzielny *adj* separate

oddźwięk *m* echo; (*odzew*) response

odebrać *vt* take away ⟨back⟩, withdraw; (*otrzymać*) receive; ~ sobie życie take one's own life

odechcie|ć się *vr*, ~ało mi się I have lost the liking (robić to do this), I no longer care (tego for it)

odegrać się *vr* win back, recove (one's money); (*zemścić się, zre wanżować się*) to get one's ow back

odejmować *vt* take away; deduct *mat.* subtract

odejmowanie *n* deduction; *mat* subtraction

odejście *n* departure

odejść *zob.* odchodzić

odemknąć *vt* open; (*zamek*) unlock

odepchnąć *vt* push away ⟨back⟩ beat off; *zob.* odpychać

odeprzeć *zob.* odpierać

oderwać *zob.* odrywać

oderwani|e *n* tearing away; w ~u od czegoś apart from sth

odesłać *zob.* odsyłać

odetchnąć *vi* take breath; *przen* ~ z ulgą heave a sigh of relief

odezwa *f* proclamation, address

odezwać się *zob.* odzywać się

odgadywać *vt* guess, unriddle, make out

odgałęzienie *n* branch

odganiać *vt* drive away

odgarniać *vt* shove away

odginać *vt* unbend

odgłos *m* echo, report; ~ strzału report; ~y dzwonów chime, ringing

odgrażać się *vr* threaten (komuś sb), utter threats

odgrodzić *vt* separate; (*np. parkanem*) fence off; (*ścianką*) partition off

odgrywać *vt* play, (*w teatrze*) act, perform

odgryzać *vt* bite off

odgrzebywać *vt* dig up

odgrzewać *vt* warm up again, warm over

odjazd *m* departure

odjeżdżać *vi* leave (do Warszawy for Warsaw), depart

odkażać *vt* disinfect

odkażający *adj*, środek ~ disinfectant

odkażanie *n* disinfection

ikąd conj since; adv since when, since what time

ikleić vt unglue, unstick; ~ **się** vr come unstuck

ikładać vt set aside, put away; (pieniądze) lay by ⟨up⟩; (odraczać) delay, put off, defer, postpone

ikłonić się vr return the bow

ikopać vt dig up, unearth

ikorkować vt uncork

ikręcić vt unwind; (śrubę) unscrew; (kurek) turn on

ikroić vt cut off

ikrycie n discovery; (odsłonięcie) uncovering

ikrywać vt discover, find out, detect; (odsłonić) uncover; (karty) show down

ikupiciel m redeemer

ikupić vt repurchase; rel. redeem

ikupienie n repurchase; rel. redemption

ikurzacz m vacuum-cleaner, Hoover

ilatywać vi fly away

iległoś|ć f distance; **na** ~**ć, w pewnej** ~**ci** at a distance

iległy adj distant, remote

ilepiać vt unstick, unglue

ilew m cast

ilewać vt (płyn) pour off; techn. (metal) cast; mould

ilewnia f foundry

iliczać vt deduct, discount; (przeliczyć) count off

iliczenie n deduction, discount

ilot m flight, departure

iludek m recluse

iludny adj solitary

iłam m fraction, fragment

iłamać m break away ⟨off⟩

iłazić vi come off

iłączyć vt separate, set apart, disconnect; ~ **dziecko od piersi** to wean the baby; ~ **się** vr separate, sever oneself, go apart; (wystąpić) secede

iłożyć zob. **odkładać**

di|łóg m (zw. pl ~ogi) fallow; **leżeć** ~**ogiem** lie fallow

odłupać vt, ~ **się** vr split off

odma f med. pneumothorax

odmarznąć [-r-z] vi thaw, melt off, unfreeze

odmawiać vt refuse, deny; (modlitwę) say

odmęt m whirlpool, eddy; przen. trouble, confusion

odmiana f change; variety; gram. declension, (czasowników) conjugation

odmieniać vt change, alter; gram. decline, (czasowniki) conjugate

odmienność f dissimilarity, difference; mutability

odmienny adj dissimilar (od kogoś, czegoś to sb, sth), different (od kogoś, czegoś from sb, sth); mutable

odmierzać vt measure off

odmłodzić vt make younger, rejuvenate; ~ **się** vr grow younger, rejuvenate, become rejuvenated

odmowa f refusal

odmowny adj negative

odmówić zob. **odmawiać**

odmrozi|ć vt thaw; ~**łem sobie palec** my finger has been frost-bitten, I have a frozen finger; (spowodować odmarznięcie) defrost

odmrożenie n frost-bite; (np. mięsa zamrożonego) defrosting

odmrożony adj frost-bitten

odmykać zob. **odemknąć**

odnająć vt let; hire

odnawiać vt renew, renovate

od niechcenia adv carelessly, negligently

odniesieni|e n carrying back; (aluzja, zwrócenie się) reference; **w** ~**u with reference** ⟨regard⟩ (do czegoś to sth)

odnieść vt bring back, carry; ~ **korzyść** derive profit (z czegoś from sth); ~ **wrażenie** get the impression; ~ **zwycięstwo** win a victory, zob. **odnosić**

odnoga f branch; (kolejowa) branch-line

odnosić vt zob. **odnieść**; ~ **się** vr (traktować) treat (do kogoś sb), behave (**dobrze do kogoś** well towards sb, **źle do kogoś badly**, shamefully towards sb); *tylko 3 pers (dotyczyć)* refer, apply (**do kogoś, czegoś** to sb, sth)

odnośnie *adv praep* respecting, with reference (**do czegoś** to sth)

odnośnik *m* mark of reference; *(przypisek)* footnote

odnośny *adj* relative, respective

odnowa *f* renewal, restoration

odosobnić *vt* isolate

odosobnienie *n* isolation

odór *m* smell

odpadać *vi* fall off; *(zerwać, odstąpić)* break away

odpadki *s pl* waste, refuse, offal *zbior.*

odparcie *n (ataku)* repulse; *(zarzutu, argumentu)* refutation

odparować *vt* repel, parry; *chem.* evaporate

odparzenie *n* scalding, gall

odparzyć *vt* scald, gall

odpędzać *vt* drive away

odpiąć *vt* unbutton, undo

odpieczętować *vt* unseal

odpierać *vt (atak)* repel; *(zarzut, argument)* refute; *(atak słowny, oskarżenie)* retort

odpis *n* copy, duplicate

odpisać *vt (przepisać)* copy; *(odpowiedzieć pisemnie)* answer (in writing), write back

odpłacić *vt vi* repay, recompense; ~ **niewdzięcznością** repay with ingratitude; ~ **pięknym za nadobne** give tit for tat

odpłynąć *vi (o cieczy)* flow away; *(odjechać okrętem)* sail away; *(oddalić się wpław)* swim away; *przen. (ubywać)* drop away

odpływ *m* outflow; *(morza)* ebb

odpoczynek *m* rest, repose

odpoczywać *vi* rest, take a rest

odpokutować *vt* atone (**coś for** sth), expiate; *przen.* pay dearly

odporność *f* resistance (**na coś** to sth); *(o chorobie)* immunity (np. **na ospę** from smallpox)

odporny *adj* resistant (**na coś** to sth); *(o chorobie)* immune (np.

na ospę from smallpox); *(o przymierzu)* defensive

odpowiadać *vi* answer (**na coś** sth), reply (**na coś** to sth); *(by odpowiednim)* suit; ~**ć celowi** te answer the purpose; **to mi nie ~** this does not suit me

odpowiedni *adj* adequate; suitabl (**do kogoś, czegoś** ⟨for⟩ sb, sth) **w ~m czasie** in due time

odpowiedzialność *f* responsibility liability; **pociągnąć do ~ci** cal to account; **pociągnąć do ~c sądowej** arraign; **ponosić ~** bear the responsibility

odpowiedzialny *adj* responsibl (**przed kimś** to sb, **za coś fo** sth)

odpowiedź *f* answer, reply (**na co** to sth)

odpór *m* resistance

odprasować *vt* iron

odprawa *f* dispatch; *(np. pracown ka)* discharge, dismissal; *(zapła ta)* separation pay; *(udzielen instrukcji)* briefing; *(ostra odpo wiedź)* retort, rebuff

odprawiać *vt* dispatch; *(zwalniać* discharge, dismiss; *(np. nabożeń stwo)* celebrate

odprężać *vt* relax

odprężenie *n* relaxation

odprowadzać *vt (towarzystwo)* ac company, escort, see off; *(np wodę)* drain off; ~ **kogoś do do mu** see sb home; ~ **kogoś d drzwi** see sb to the door

odpruć *vt* unsew, rip; ~ **się v** come unsewn

odsprzedać *vt* resell

odsprzedaż *f* resale

odpust *m* indulgence; *(uroczystoś kościelna)* kermess

odpuszczenie *n* remission, forgive ness

odpuścić *vt* remit, forgive, par don

odpychać *vt* repulse; *(odtrącić)* re pel; *zob.* **odepchnąć**

odpychający *adj* repulsive, repel lent

odpychanie n repulsion

odra f med. measles pl

odrabiać vt do, perform; (np. zaległości) work off; ~ stracony czas make up for lost time; ~ lekcje do one's lessons (homework)

odraczać vt put off, postpone, adjourn

odradzać vt dissuade (komuś coś sb from sth)

odrastać vi grow anew

odraza f repugnance (do czegoś to sth), disgust (do czegoś at, for sth)

od razu adv on the spot, at once

odrażający adj repulsive

odrąbać vt chop off

odrębność f separateness, peculiarity

odrębny adj separate, peculiar

odręczny adj autographic; (natychmiastowy, od ręki) off-hand attr; (o rysunku) free-hand attr

odrętwiały adj torpid, benumbed

odrętwienie n torpor

odroblina f bit; ani ~y not a bit

odroczenie n postponement; adjournment

odrodzenie n revival, regeneration; (okres) Renaissance

odrodzić się vr regenerate

odróżniać vt distinguish; ~ się vr differ

odróżnienie n distinction; w ~u in contradistinction (od czegoś to sth)

odruch m reflex, instinctive reaction

odruchowy adj instinctive

odrywać vt tear off; (uwagę, od nauki itp.) divert, distract; (siłą) rend; ~ wzrok turn one's sight away (od czegoś from sth); ~ się vr tear oneself away (od kogoś from sb); (o guziku itp.) come off

odrzec vi reply

odrzucać vt reject; throw away; drive back; (nie przyjmować) decline

odrzutowiec m jet-plane, pot. jet

odrzutowy adj jet-propelled; napęd ~ jet propulsion

odrzwia s pl arch. door-frame

odrzynać vt cut off

odsetek m percentage

odsetki s pl interest; ~ składane compound interest

odsiadywać vt sit out; ~ karę w więzieniu serve a sentence

odsiecz f relief, rescue; przybyć na ~ come to the rescue (miasta of the town), relieve (miastu the town)

odsiew m throw-out

odskocznia f spring-board, jumping-off ground

odskoczyć vi jump off, bounce

odskok m bounce

odsłona f teatr scene

odsłonić vt put aside, set apart

odstąpić vi step (draw) off; desist (od czegoś from sth); depart (od zasady from a rule); (odpaść) secede; vt (kogoś) leave, (coś) cede; ~ komuś miejsca resign one's place to sb

odstęp m interval, margin, distance; (w druku) space; w pewnych ~ach at intervals; w krótkich ~ach at short intervals

odstępca m apostate

odstępne n compensation

odstępstwo n apostasy; (odstąpienie, odchylenie) departure

odstraszyć vt deter (od czegoś from sth), frighten away

odstręczyć vt estrange, alienate; (odwieść, odradzić) dissuade

odsunąć vt shove (put) away, draw aside

odsyłacz m mark of reference

odsyłać vt send (back), convey

odsypać vt pour off

odszkodowanie n indemnity, compensation, damages pl; ~a wojenne reparations; dać ~e indemnify (komuś za coś sb for sth)

odszukać vt find out

odśrodkowy adj centrifugal

odświeżyć *vt* refresh, renew; ~ się *vr* refresh oneself

odświętny *adj zob.* świąteczny; w ~m stroju in cne's Sunday best

odtąd *adv* from now on, from then on, ever since

odtrącać *vt* knock off, push away; *(odstręczać)* repel; *(nie przyjmować)* repudiate

odtrutka *f* antidote, counterpoison

odtwarzać *vt* reproduce, reconstruct, perform

odtwórca *m* reproducer, performer, *(zw. muzyczny)* executant

oduczać *vt* unteach; *(odzwyczajać)* disaccustom (kogoś od czegoś sb to do sth); ~ się *vr* unlearn; *(odzwyczajać się)* get out of the habit (od czegoś of sth)

odurzać *vt* dizzy, stupefy, intoxicate

odurzenie *n* stupor, stupefaction, intoxication

odwach *m* guardhouse

odwadniać *vt* drain; *chem. med.* dehydrate

odwaga| *f* courage; dodać ~i encourage (komuś sb); nabrać ~i pluck up heart

odwalić *vt* roll away, remove; *pot.* *(pozbyć się)* get over (coś with sth)

odwar *m* decoction

odważnik *m* weight

odważny *adj* courageous, brave

odważyć *vt (odmierzyć)* weigh out; ~ się *vr (ośmielić się)* dare, venture

odwdzięczyć się *vr* repay (np. za przysługę the service), show oneself grateful

odwet *m* retaliation, reprisal, revenge; w ~ za coś in revenge (reprisal) for sth

odwetowy *adj* retaliatory

odwiązać *vt* untie, unbind, detach; ~ się *vr* come loose, get detached

odwieczny *adj* eternal

odwiedzać *vt* call (kogoś on sb), visit, come to see; *(uczęszczać)* frequent (jakieś miejsce a place)

odwiedziny *s pl* call, visit; przyjść w ~ make a call (do kogoś on sb)

odwijać *vt* unroll, unwrap, unwind

odwilż *f* thaw; jest ~ it thaws

odwlekać *vt* put off, delay

odwodnić *zob.* odwadniać

odwodnienie *n* drainage; *chem. med.* dehydration

odwodzić *vt* divert, draw off; *(odradzać)* dissuade (od czegoś from sth); ~ kurek u karabinu cock the gun

odwołać *vt* recall, repeal; *(cofnąć)* withdraw, retract; *(zamówienie)* countermand; ~ się *vr* appeal

odwołanie *n* repeal, recall; withdrawal; retractation; ~ się appeal; aż do ~a until further notice

odwód *m wojsk.* reserve

odwracać *vt* turn back, reserve; *(niebezpieczeństwo)* avert; *(uwagę)* divert; ~ się *vr* turn round

odwracalny *adj* reversible

odwrotność *f* reverse; *mat.* reciprocal

odwrotn|y *adj* inverse, inverted, contrary, reverse; ~a stroną back, reverse

odwrót *m* retreat; *(odwrotna strona)* back, reverse; na ~ on the contrary, inversely

odwykać *zob.* odzwyczajać się

odwzajemniać się *vr* requite, repay (komuś za usługę sb's service), reciprocate (komuś przyjaźnią sb's friendship)

odyniec *m* boar

odzew *m* echo; *przen. (reakcja)* response; *wojsk.* countersign

odziedziczyć *vt* inherit

odzienie *n* clothing, clothes *pl*

odzież *f* clothes *pl*, dress, garments *pl*

odzieżowy *adj* clothing *attr*; przemysł ~ clothing trade

odznaczenie *n* distinction; *(o egzaminie)* z ~m with honours

odznaczyć *vt* distinguish; *(orde-*

rem) decorate; ~ **się** *vr* distinguish oneself

odznaka *f* badge

odzwierciedlać *vt* reflect, mirror

odzwierciedlenie *n* reflex, mirror, image

odzwyczajać *vt* disaccustom (**kogoś czegoś** sb to sth); ~ **się** *vr* get out of the habit (**od czegoś** of sth, of doing sth)

odzyskać *vt* regain, recover, retrieve; ~ **przytomność** recover one's senses

odzywać *vt* regain, recover, retrieve; ~ **przytomność** recover one's senses

odzywać *vt* regain, recover, re-heard, reply; (*przemówić*) address (**do kogoś** sb); **nie odezwałem się ani słowem** I did not so much as utter one word

odźwierny *m* porter, doorkeeper

odżałować *vt* put up (**coś with the** loss of sth)

odżyć *vi* revive, come to life again

odżywczy *adj* nutritive, nutritious

odżywiać *vt* nourish, feed; ~ **się** *vr* nourish oneself, feed

odżywianie *n* nutrition

ofensyw|a *f* offensive; **w ~ie** on the offensive

ofensywny *adj* offensive

oferować *vt* offer

oferta *f* offer, tender

ofiar|a *f* offering; (*datek*) contribution, charity; (*osoba ulegająca przemocy*) victim; (*poświęcenie*) sacrifice; **paść ~ą** fall a victim (**czegoś** to sth)

ofiarność *f* generosity, liberality; (*poświęcenie*) self-sacrifice

ofiarny *adj* sacrificial; (*gotowy do ofiar*) generous, liberal; (*pełen poświęcenia*) self-sacrificing

ofiarodawca *m* donor

ofiarować *vt* offer; ~ **usługi** render service

oficer *m* officer

oficjalny *adj* official

oficyna *f* back-premises *pl*, outhouse

ofuknąć *vt pot.* snub, rebuke

ogar *m* hound

ogarek *m* candle-end

ogarniać *vt* embrace; (*przeniknąć*)

pervade; (*o strachu*) seize

ogień *m* fire; (*płomień*) flame; (*światło, płonący przedmiot*) light; **sztuczne ognie** fire-works; **dać ognia** (*do papierosa*) give a light; **otworzyć ~** open fire; **podłożyć ~** set fire (**pod coś** to sth); **zaprzestać ognia** cease fire

ogier *m* stallion

oglądać *vt* look (**kogoś, coś** at sb, sth), see; inspect; ~ **się** *vr* look back (**round**)

oględność *f* circumspection

oględny *adj* cautious, circumspect

oględziny *s pl* examination, inspection; ~ **zwłok** post-mortem examination

ogłada *f* good manners *pl*, polish

ogładzać *vt* polish, refine

ogłaszać *vt* publish, make known; announce; (*w gazecie*) advertise

ogłoszenie *n* announcement; (*w gazecie*) advertisement

ogłuchnąć *vi* become deaf

ogłupiały *adj* stupefied

ogłupieć *vi* become stupid

ogłuszyć *vt* deafen, stun

ognik *m*, **błędny ~** will-o'-the-wisp

ogniotrwał|y *adj* fireproof; **kasa ~a** safe

ogniow|y *adj* fire *attr*; **straż ~a** fire-brigade; *przen.* **próba ~a** ordeal

ognisko *n* fire, hearth; (*impreza pod gołym niebem*) bonfire; (*punkt centralny*) centre, focus; *fiz.* focus; ~ **domowe** hearth, home; ~ **kowalskie** forge; ~ **obozowe** camp-fire

ogniskować *vt* focus; ~ **się** *vr* centre, be focused

ognisty *adj* fiery, ardent

ogniwo *n* link; *elektr.* element

ogolić *vt* shave; ~ **się** *vr* shave, have a shave

ogołocić *vt* lay bare, denude (**z czegoś** of sth); (*pozbawić*) deprive (**z czegoś** of sth)

ogon *m* tail; (*u sukni*) train

ogon|ek *m* tail; (*kolejka*) queue; **stać w ~ku** queue up

ogorzały *adj* sunburnt

ogólnik *m* generality

ogólnikowy *adj* general, vague

ogólny *adj* general, universal

ogół *m* generality, totality, the whole; ~em, na ~ on the whole, in general; w ogóle generally, in general

ogórek *m* cucumber

ogórkowy *adj* cucumber *attr*; *przen.* sezon ~ silly season

ograbić *vt* rob (kogoś z czegoś sb of sth)

ograniczenie *n* restraint, limitation, restriction

ograniczony *adj* limited, restricted; ~ umysłowo narrow-minded

ograniczyć *vt* limit, confine, restrain, restrict

ogrodnictwo *n* gardening

ogrodnik *m* gardener

ogrodzenie *n* fence, enclosure

ogrodzić *vt* fence in, enclose

ogrom *m* immensity

ogromny *adj* immense, huge

ogród *m* garden; ~ warzywny kitchen-garden

ogródek *m* little garden; ~ dziecięcy kindergarten

ogryzać *vt* gnaw away

ogryzek *m* fag-end, (*owocu*) core

ogrzewacz *m* heater

ogrzewać *vt* heat, warm

ogrzewanie *n* heating; centralne ~ central heating

ohyda *f* abomination

ohydny *adj* abominable

o ile *conj* as far as

ojciec *m* father; ~ chrzestny godfather

ojcostwo *n* fatherhood, paternity

ojcowizna *f* patrimony

ojcowski *adj* fatherly, paternal, father's

ojczym *m* step-father

ojczysty *adj* paternal; (*np. kraj, miasto*) native; język ~ mother tongue

okalać *vt* surround, encircle

okaleczenie *n* mutilation

okaleczyć *vt* mutilate, maim

okamgnieni|e *n*, w ~u in the twinkling of an eye

okap *m* eaves *pl*

okaz *m* specimen

okazały *adj* showy, magnificent, stately

okazanie *n* showing, demonstration; za ~m on presentation; *handl.* płatny za ~m payable at sight

okaziciel *m* holder; *handl.* (*czeku*) bearer

okazj|a *f* occasion; (*sposobność*) opportunity; (*okazyjne kupno*) bargain; z ~i czegoś on the occasion of sth; przy tej ~i on that occasion

okazowy *adj* model, specimen *attr*

okazyjnie *adv* occasionally, on occasion

okazyjn|y *adj* occasional; ~e kupno bargain

okazywać *vt* show; ~ się *vr* appear; turn out, prove; on okazał się oszustem he turned out ⟨proved⟩ to be an impostor

okiełznać *vt* bridle

okienko *n* window; (*przerwa między zajęciami*) break; (*biletowe*) booking-office window

okiennica *f* shutter

oklaski *s pl* applause

oklaskiwać *vt* applaud

okleić *vt* paste over

oklepany *adj* well-worn, trite

okład *m* cover, coating; (*leczniczy*) compress; z ~em and more than that; 50 lat z ~em 50 odd years

okładać *vt* cover, overlay; (*bić*) thrash

okładka *f* cover

okłamywać *vt* lie (kogoś to sb)

okno *n* window; ~ wystawowe show-window

oko *n* eye; (*w sieci*) mesh; (*gra w karty*) pontoon, twenty-one; mieć na oku have in view; mieć otwarte oczy be alive (na coś to sth); patrzeć komuś w oczy look sb in the face; stracić z oczu lose sight (kogoś, coś of sb, sth); **zejdź mi z oczu** get out of my sight; **na czyichś oczach** in the eyes of sb; **na pierwszy rzut oka** at first sight; **w cztery oczy** face to face

okolica *f* environs *pl*, neighbourhood

okolicznik *m gram.* adverbial

okolicznościowy *adj* occasional

okoliczność *f* circumstance; **zbieg ~ci** coincidence; **w tych ~ciach** under such circumstances

okoliczny *adj* adjacent, neighbouring

około *praep* about, near

okop *m* trench, entrenchment

okopać *vt* dig up; entrench; (*jarzyny*) hoe; ~ **się** *vr* entrench oneself

okopcić *vt* smoke, blacken with soot

okostna *f anat.* periosteum

okowy *s pl* fetters; chains

okólnik *m* circular

okólny *adj* circular, circuitous

okpić *vt* cheat, *pot.* bamboozle

okradać *vt* steal (**kogoś z czegoś** sth from sb), rob (**kogoś z czegoś** sb of sth)

okrakiem *adv* astraddle

okrasa *f* fat, grease; (*ozdoba*) ornament

okrasić *vt* season with grease; (*ozdobić*) adorn

okratować *vt* rail ⟨wire⟩ in, grate

okratowanie *n* grating

okrąg *m* circuit, circumference, circle; (*obszar*) district

okrągły *adj* round

okrążać *vt* surround, encircle

okrążenie *n* encirclement

okres *m* period; (*szkolny, kadencja*) term; *mat.* (*ułamka*) recurring decimals *pl*

okresowy *adj* periodical

określać *vt* define, determine

określenie *n* definition, designation

określony *adj* definite

okręcać *vt* wind round

okręg *zob.* **okrąg**

okręgowy *adj* district *attr*

okręt *m* ship, vessel, boat; ~ **bojowy** ⟨**liniowy**⟩ battleship; ~ **handlowy** merchantman; ~ **parowy** steamship; ~ **wojenny** warship, man-of-war; **wsiąść na** ~ go on board, embark; **wziąć towar na** ~ take goods on board, embark goods; **~em** by ship; *zob.* **statek**

okrętow|y *adj* naval, **ship** *attr*, ship's *attr*; **agent** **~y** shipping agent; **budownictwo** **~e** naval constructions; **dziennik** **~y** log-book; **lekarz** **~y** naval surgeon, ship's doctor; **papiery** **~e** ship's papers; **warsztaty** **~e** dockyard; **załoga** **~a** crew

okrężn|y *adj* circular; roundabout *attr*; **iść drogą** **~ą** go a roundabout way

okroić *vt* cut around; (*płacę, wydatki*) cut down

okropność *f* horror

okropny *adj* horrible, terrible, awful

okruch *m* crumb, fragment, bit

okrucieństwo *n* cruelty

okruszyna *f* crumb

okrutnik *m* cruel man

okrutny *adj* cruel

okrycie *n* covering; (*wierzchnie ubranie*) overcoat

okrywać *vt* cover

okrzepnąć *vi* recover, become vigorous

okrzesać *vt* (*ociosać*) rough-hew; (*ogładzić*) polish

okrzyczany *adj* famous; notorious, (ill-)reputed

okrzyk *m* outcry, shout; **~i uznania** applause; ~ **wojenny** battle-cry

okrzyknąć *vt* acclaim (**wodzem** leader)

oktawa *f muz. lit.* octave

okucie *n* ironwork, metal fitting; (*konia*) shoeing

okuć *vt* cover with metal; (*konia*) shoe; ~ **w kajdany** fetter, chain, put in chains

okular *m* eyeglass, eye-piece; *pl* **~y** spectacles, eyeglasses

okularnik *m zool.* cobra, spectacle snake

okulista *m* oculist

okulistyka *f* ophtalmology

okultyzm *m* occultism

okup *m* ransom

okupacja *f* occupation

okupant *m* occupant

okupić *vt* ransom; ~ się *vr* buy oneself off

okupować *vt* occupy

olbrzym *m* giant

olbrzymi *adj* gigantic, giant *attr*; ~a siła giant strength

olcha *f bot.* alder(-tree)

oleander *m bot.* oleander

oleisty *adj* oily, oleaginous

olej *m* oil; ~ lniany linseed oil; ~ lotniczy aeroplane oil; ~ skalny rock oil

oligarcha *m* oligarch

oligarchia *f* oligarchy

olimpijski *adj* Olympic, Olympian

oliwa *f* olive-oil

oliwić *vt* oil

oliwka *f* olive(-tree)

oliwn|y *adj* olive *attr*; gałązka ~a olive-branch

olszyna *f* alder-forest

olśniewać *vt* dazzle

ołów *m* lead

ołówek *m* (lead-) pencil

ołtarz *m* altar

omack|iem *adv* gropingly; iść po ~u grope one's way

omal *adv* nearly

omamić *vt* delude, deceive

omamienie *n* delusion

omasta *f* grease

omaścić *vt* grease

omawiać *vt* discuss

omdlały *adj* faint(ed)

omdlenie *n* faint, swoon

omen *m* omen; zły ~ ill omen

omieszka|ć *vi* (*zw.* nie ~ć) fail; nie ~m zawiadomić cię o tym I shall not fail to let you know about it

omijać *vt* pass (coś by sth), evade, omit

omlet *m* omelette

omłot *m* thrashing; thrashed corn

omłócić *vt* thrash out

omnibus *m* omnibus, bus; (*specjalista od wszystkiego*) Jack of all trades

omotać *vt* entangle

omówić *zob.* omawiać

omówienie *n* discussion

omylić *vt* mislead; ~ się *vr* make a mistake, be mistaken (co do czegoś about sth)

omylność *f* fallibility

omylny *adj* fallible

omyłk|a *f* error, mistake; ~a drukarska misprint; przez ~ę by mistake

omyłkowy *adj* erroneous

on, ona, ono *pron* he, she, it; *pl* oni, one they

ondulacja *f* (*włosów*) wave; trwała ~ permanent wave

one *zob.* on

onegdaj *adv* the other day

ongiś *adv* once, at one time

oni *zob.* on

oniemiały *adj* dumb, stupefied

onieśmielać *vt* intimidate, make feel uneasy

ono *zob.* on

onuca *f* foot-clout

opactwo *n* abbey; (*godność opata*) abbacy

opaczny *adj* wrong, perverse

opad *m* fall; ~y deszczowe rainfall; ~y śnieżne snowfall; *med.* ~ krwi blood sedimentation

opadać *vi* fall, sink, drop; (o wodzie) subside; ~ z sił break down

opak, na ~ *adv* contrariwise, awry

opakować *vt* pack up

opakowanie *n* packing; container

opal *m miner.* opal

opalać *vt* scorch; (*ogrzewać*) heat; ~ się *vr* (*na słońcu*) sunburn, become sunburnt

opalanie *n* (*ogrzewanie*) heating; ~ się sun-bathing, sun-burning

opalenizna *f* sunburn

opalony *pp i adj* scorched; (*na słońcu*) sunburnt

opał *m* fuel

opamiętać się *vr* come to one's senses, collect oneself

opancerzyć *vt* armour

opanować *vt* master, subdue, control

opanowanie *n* mastery, control; (*np. języka*) command; ~ się self-control

opanowany *adj* (*panujący nad sobą*) self-possessed

opar *m* vapour; *pl* ~y fumes

oparcije *n* support; punkt ~a footing, hold; (*u dźwigni*) fulcrum

oparzelina *f* scald

oparzyć *vt* burn, scorch

opasać *vt* gird; encircle

opaska *f* band

opasły *adj* obese

opatentować *vt* take out a patent (coś for sth), patent

opatrunek *m* dressing

opatrunkowy *adj* dressing *attr*; punkt ~ dressing-station

opatrywać *vt* provide (w coś with sth); (*ranę*) dress

opatrznościowy *adj* providential

opatrzność *f* providence

opera *f* opera

operacj|a *f* operation; poddać się ~i undergo an operation

operator *m* operator; (*chirurg*) operating surgeon; ~ filmowy film camera man, projectionist

operatywny *adj* operative

operetka *f* operetta

operować *vt* operate (kogoś on, upon sb)

opędzać *vt* drive away ⟨back⟩; ~ potrzeby supply one's needs; ~ wydatki defray the expenses; ~ się *vr* try to get rid (przed kimś, czymś of sb, sth)

opęta|ć *vt* ensnare; possess; co cię ~ło? what possesses you?; być ~nym myślą be possessed with an idea; być ~nym przez diabła be possessed by the devil

opętanie *n* possession

opieka *f* protection, custody; (*ku-ratela*) tutelage, guardianship; ~ społeczna social welfare

opiekować się *vr* protect, guard (kimś sb; have the custody (kimś of sb); take care (o coś, czymś of sb); ~ się chorym nurse a patient

opiekun *m* guardian, protector

opiekuńczy *adj* tutelary

opierać *vt* lean, rest; (*uzasadniać*) found, base; ~ się *vr* lean (o coś on ⟨upon, against⟩ sth); (*polegać*) rely, depend (na kimś, czymś on ⟨upon⟩ sb, sth); (*przeciwstawiać się*) resist (komuś sb); ten zarzut na niczym nie jest oparty this accusation is unfounded

opieszałość *f* sloth, sluggishness

opieszały *adj* sluggish

opiewa|ć *vt* praise (in song), chant; *vi* (*brzmieć, orzekać*) run, be worded, read; rachunek ~ na 10 funtów the bill amounts to £ 10; umowa ~ na 2 lata the contract runs for 2 years; ustawa ~ następująco the law reads as follows

opięty *adj* close-fitting

opilstwo *n* (habitual) drunkenness

opiłki *s pl* file-dust; (*trociny*) saw-dust

opinia *f* opinion

opiniować *vt vi* pronounce one's opinion (coś, o czymś, o kimś on sth, sb)

opis *m* description

opisać *vt* describe; *mat.* circumscribe

opisowy *adj* descriptive

opium *n nieodm.* opium

oplatać *vt* wreathe, entwine; (*np. butelkę*) cover with basket-work

oplątać *vt* entangle

opluć *vt* bespit

opłacać *vt* pay (coś for sth); ~ z góry prepay; ~ się *vr* pay

opłacony *pp i adj* (o liście, przesyłce) post-paid; z góry ~ prepaid opłakany *adj* deplorable, lamentable

opłakiwać *vt* deplore, lament

opłata *f* charge; (*urzędowa*) duty; (*składka członkowska itp.*) fee; (*za przejazd*) fare; jaka jest ~ za przejazd? what is the fare?

opłatek *f* wafer

opłotek *m* (wicket-)fence, hurdle

opłucna *f anat.* pleura

opływać *vt* swim ⟨sail⟩ round, flow round; *vi* (*mieć pod dostatkiem*) abound (**w coś** in ⟨with⟩ sth)

opływow|y *adj*, linia ~a streamline

opodal *adv* at some distance, near by

opodatkować *vt* tax, (*w samorządzie*) rate

opodatkowanie *n* taxation, (*lokalne*) rating

opoka *f* rock

opon|a *f* (*u koła*) tyre; *anat.* ~y mózgowe meninges

oponent *m* opponent

oponować *vi* oppose (**przeciwko czemuś** sth), object (**przeciwko czemuś** to sth)

opornie *adv* with difficulty

oporny *adj* refractory

oportunista *m* opportunist; time-server

oportunizm *m* opportunism

opowiadać *vt vi* tell, relate; ~ się *vr* declare (**za kimś, czymś** for sb, sth)

opowiadanie *n* narrative, tale, story

opowieść *f* tale, story

opozycja *f* opposition

opozycyjny *adj* opposing

opój *m* drunkard

opór *m* resistance; ruch oporu resistance movement; iść po linii najmniejszego oporu take the line of least resistance; stawiać ~ offer resistance, resist

opóźnia|ć *vt* retard, delay; ~ć się *vr* be late, be slow; lag behind

opóźnienie *n* delay, retardation

opóźniony *pp i adj* retarded; ~ w rozwoju backward; (*gospodarczo*) under-developed

opracować *vt* work out, elaborate

opracowanie *n* elaboration; (*szkolne*) paper

oprawa *f* frame; (*okładka książki*) binding; (*oprawianie*) mount

oprawca *m* hangman

oprawiać *vt* (*książkę*) bind; (*obraz w ramy*) frame; (*dawać oprawę*) mount

oprawka *f* collet; ~ żarówki lamp--socket

opresja *f* oppression

oprocentować *vt bank. fin.* pay interest

oprocentowanie *n bank. fin.* interest

oprowadzać *vt* guide ⟨show⟩ round

oprócz *praep* except, save; ~ tego besides

opróżniać *vt* empty; (*mieszkanie*) quit, leave; (*miasto, obóz*) evacuate; (*posadę, tron*) vacate

opryskać *vt* splash; ~ drzewa ⟨rośliny⟩ spray trees ⟨plants⟩

opryskliwość *f* brusqueness, abruptness

opryskliwy *adj* brusque, abrupt

opryszek *m* brigand

oprzeć *zob.* opierać

oprzęd *m* cocoon

oprzytomnieć *vi* become conscious; recover (oneself)

optyczny *adj* optical

optyk *m* optician

optyka *f* optics

optymalny *adj* best; optimum *attr*

optymista *f* optimist

optymizm *m* optimism

opuchlina *f* swelling

opuchły *adj* swollen

opuchnąć *vi* swell

opukiwać *vt* sound; *med.* percuss

opustoszały *adj* deserted, desolate

opustoszyć *vt* desolate, lay waste

opuszczać *vt* (*pozostawiać*) leave; abandon; (*np. wyraz w zdaniu*) omit, leave out; (*lekcję, wykład*) miss; (*kurtynę, głowę itp.*) lower, drop; (*cenę*) abate; ~ **się** *vr* go down, let oneself down; (*zaniedbywać się*) grow remiss, become negligent

opuszczenie *n* omission; (*pozostawienie*) abandonment

oracz *m* ploughman

orać *vt* plough, till

orangutan *m* zool. orang-outang

oranżada *f* orangeade

oranżeria *f* hothouse, orangery

oraz *conj* and, as well as

orbita *f* orbit

order *m* order; decoration

ordynacja *f* regulation; system; (*majątek*) fee-tail

ordynans *m* orderly

ordynarny *adj* vulgar

ordynator *m* (*lekarz*) head of a ward

orędownik *m* intercessor

orędzie *n* proclamation, message

oręż *m* weapon, arms

orężny *adj* armed

organ *m* organ; ~**y sądowe** magistrates, magistracy; ~**y władzy** administrative board, police authorities, powers

organiczny *adj* organic

organista *m* organist

organizacja *f* organization

organizator *m* organizer

organizm *m* organism

organizować *vt* organize

organki *pl* mouth organ, harmonica

organy *s pl* muz. organ

orgia *f* orgy

orientacja *f* orientation

orientalny *adj* oriental

orientować *vt* orient, orientate; ~ **się** *vr* orient oneself; find one's way

orka *f* tillage, ploughing; *przen.* (*ciężka praca*) drudgery

orkiestra *f* orchestra, band

orlę *n* eaglet

orli *adj* (*o nosie*) aquiline; (*o wzroku*) eagle *attr*, eagle's *attr*

ornament *m* ornament

ornamentacja *f* ornamentation

orny *adj* arable

orszak *m* train; (*świta*) retinue; (*pogrzebowy itp.*) procession

ortodoksja *f* orthodoxy

ortodoksyjny *adj* orthodox

ortografia *f* orthography, right spelling

ortograficzny *adj* orthographical

ortopedia *f* orthopaedy

oryginalność *f* originality

oryginalny *adj* original, authentic; (*dziwaczny*) eccentric

oryginał *m* original; (*dziwak*) eccentric

orzech *m* nut; ~ **kokosowy** coconut

orzeczenie *n* pronouncement, statement; *gram.* predicate

orzecznik *m* gram. predicate

orzekać *vt vi* pronounce, state

orzeł *m* zool. eagle

orzeźwiać *vt* refresh

osa *f* zool. wasp

osaczyć *vt* drive to bay, beset

osad *m* sediment

osada *f* settlement

osadnictwo *n* colonization

osadnik *m* settler

osadzać *vt* settle; set, put; (*powodować osad*) deposit; ~ **się** *vr* settle; be deposited; *chem.* precipitate

osamotnienie *n* isolation, estrangement

osąd *m* judgment

osądzić *vt* judge; (*skazać*) sentence, condemn (**na coś** to sth)

oschły *adj* arid, dry

osełka *f* whetstone; (*masła*) piece

oset *m* thistle

osiadać zob. **osiąść**

osiadły *adj* settled; (*zamieszkały*) resident

osiągnąć *vt* reach, attain, obtain, aquire, achieve

osiągnięcie *n* attainment, achievement

osiąść *vt* settle; (*opaść*) sink, subside; (*o ptakach*) alight

osiedlać *vt* settle; ~ **się** *vr* settle, establish oneself

osiedle n settlement; ~ mieszka-niowe housing estate; residential district

osiedleniec m settler

osiem num eight

osiemdziesiąt num eighty

osiemdziesiąty num eightieth

osiemnasty num eighteenth

osiemnaście num eighteen

osiemset num eight hundred

osierocić vt orphan

osiodłać vt saddle

osioł m ass, donkey

oskarżać vt accuse (o coś of sth), charge (o coś with sth)

oskarżenie n accusation, charge; wystąpić z ~m bring an accusa-tion (przeciw komuś against sb)

oskarżony m the accused

oskarżyciel m accuser; ~ publicz-ny public prosecutor

oskrzele n anat. bronchus; pl ~a bronchi; med. zapalenie ~i bron-chitis

oskrzydlać vt wojsk. outflank

osłabiać vt weaken, enfeeble

osłabienie n weakness

osłaniać vt cover, protect, shelter

osławiony adj ill-reputed, noto-rious (z powodu czegoś for sth)

osłoda f solace, consolation

osłodzić vt sweeten

osłona f cover, shelter, protec-tion

osłupiały adj stupefied

osłupieć vi become stupefied

osłupienie n stupor; wprawić w ~ stupefy

osmalić vt singe

osmarować vt besmear; przen. (o-czernić) libel

osnowa f (tkacka) warp; (treść) tenor, contents pl

osoba f person; (osobistość) per-sonage

osobistość f personality, personage

osobisty adj personal; dowód ~ identity card

osobiście adv personally, in per-son

osobliwość f singularity, particu-larity; curiosity

osobliwy adj singular, particular, strange

osobnik m individual

osobny adj separate, isolated

osobowość f personality, individ-uality

osobowy adj personal; pociąg ~ passenger-train

osowiały adj depressed; być ~m mope

ospa f med. smallpox; ~ wietrzna chicken pox

ospały adj drowsy, sluggish

ospowaty adj pockmarked

ostateczność f finality; (krańco-wość) extremity, extreme; w ~ci in the end, ultimately; wpadać w ~ć go to extremes

ostateczny adj final, ultimate

ostatek m remainder, rest; na ~ finally, at last

ostatni adj last; (najświeższy, nie-dawno miniony) latest, recent; ~a moda latest fashion; ~a wola last will; ~e wiadomości latest news

ostatnio adv lately, recently

ostemplować zob. **stemplować**

ostentacja f ostentation

ostoja f mainstay

ostroga f spur

ostrokrzew m bot. holly

ostrosłup m mat. pyramid

ostrożność f caution, prudence

ostrożny adj cautious, careful

ostr|y adj sharp; (o bólu, kącie itp.) acute; (spiczasty) pointed; (o zimie itp. — przenikliwy) keen; ~e pogotowie instant readiness; ~e strzelanie ball-fir-ing; przen. ~y język bitter tongue

ostryga f oyster

ostrze n blade; (ostry brzeg) edge

ostrzegać vt warn (kogoś przed kimś, czymś sb against ⟨of⟩ sb, sth)

ostrzeżenie n warning (przed kimś, czymś of sb, sth)

ostrzyc vt zob. **strzyc**; muszę dać

sobie ~ włosy I must have a haircut

ostrzyć *vt* sharpen, whet, (*na pasku*) strop

osunąć się *vr* sink

oswobodzenie *n* liberation

oswobodziciel *m* liberator

oswobodzić *vt* liberate, free (**od kogoś, czegoś** from sb, sth)

oswoić *vt* tame, domesticate; (*przyzwyczajać*) accustom (**z czymś** to sth); ~ **się** *vr* become domesticated; become familiar (**z czymś** with sth), become accustomed (**z czymś** to sth)

oswojony *adj* tame; (*przyzwyczajony*) accustomed (**z czymś** to sth), familiar (**z czymś** with sth)

oszczep *m* spear; *sport.* javelin

oszczerca *m* calumniator, slanderer

oszczerczy *adj* slanderous, calumnious

oszczerstw|o *n* calumny, slander; rzucać ~a slander (**na kogoś** sb)

oszczędnościow|y *adj* economical; akcja ~a economy drive

oszczędnoś|ć *f* thrift, parsimony, economy; *pl* ~ci savings; kasa ~ci savings bank; robić ~ci economize, practise economy

oszczędny *adj* frugal, economical (**w czymś, pod względem czegoś** of sth), thrifty

oszczędz|ać, oszczędz|ić *vt* save, spare, economize; ~ć **pieniędzy** ⟨wydatków, czasu, trudu⟩ save money ⟨expenses, time, trouble⟩; ~ić **komuś nieprzyjemności** spare sb an unpleasantness

oszołomić *vt* stun, stupefy, benumb; (*np. alkoholem*) intoxicate

oszołomienie *n* stupor, stupefaction; (*np. alkoholowe*) intoxication

oszukać *vt* cheat, swindle

oszukańczy *adj* fraudulent

oszust *m* swindler, impostor

oszustwo *n* swindle, fraud

oś *f* (*koła*) axle; *mat. astr. przen.* axis

ościenny *adj* adjacent

oścież, na ~ *adv*, otwarty na ~ wide open; otworzyć na ~ fling open

ość *f* (fish-)bone

oślep, na ~ *adv* blindly, at random

oślepiać *vt* blind; (*o słońcu, świetle*) dazzle

oślepnąć *vi* become blind

ośmielać *vt* embolden, encourage; ~ **się** *vr* venture, dare, make bold

ośmieszać *vt* ridicule; ~ **się** *vr* make oneself ridiculous

ośnieżyć *vt* snow over, cover with snow

ośrodek *m* centre

oświadczać *vt vi* declare; ~ **się** *vr* declare (**za kimś** for sb); propose (**kobiecie** to a woman)

oświadczenie *n* declaration

oświadczyny *s pl* proposal, declaration of love

oświat|a *f* education, civilization; **minister** ~y Minister of Education

oświatowy *adj* educational

oświecać *vt* (*oświetlać*) light; (*kształcić*) enlighten

oświecenie *n* enlightenment; O-świecenie (*epoka*) Enlightenment

oświetlenie *n* lighting, illumination

oświetlić *vt* light up

otaczać *vt* surround; *wojsk.* (*okrążać*) envelop

otchłań *f* abyss

oto *part i int* here, there, behold!; ~ **on** here he is; ~ **jestem** here I am

otoczenie *n* surroundings *pl*, environment

otoczyć zob. otaczać

otok *m* circumference; ~ **czapki** cap band

otomana *f* ottoman, couch

otóż *adv i part* now; ~ **słuchaj!** now listen!

otręby s pl bran zbior.

otrucie n poisoning

otruć vt poison

otrzaskać się vr become at home (z czymś with, in sth)

otrząsnąć vt shake down; ~ **się** vr shake oneself free (z czegoś from sth)

otrzewna f anat. peritoneum

otrzeźwić vi sober down, become sober

otrzymać vt get, receive, obtain

otuch|a f courage; **dodać ~y** encourage, hearten up (**komuś** sb); **nabrać ~y** take heart

otulić vt, ~ **się** vr wrap up

otwarcie adv frankly, openly, outright

otwartość f openness, frankness

otwarty adj open; (szczery) frank, plain

otwierać vt, ~ **się** vr open

otw|ór m opening, aperture; (wylot) orifice; (podłużny) slot; **stać ~orem** lie open

otyłość f obesity

otyły adj fat, obese

owa zob. **ów**

owacja f ovation

owad m insect

owadobójczy adj insecticide

owal m oval

owalny adj oval

owca f sheep

owczarek m zool. sheep-dog

owczarnia f sheepfold

owczarz m shepherd

owdowiały adj widowed

owdowieć vi become a widow ⟨a widower⟩

owieczka f lamb

owies m oat(s)

owijać vt wrap up; (okręcać) wind;

~ **się** vr wrap up ⟨oneself⟩; (okręcać się) wind round

owładnąć vi take possession (**czymś** of sth)

owo zob. **ów**

owoc m fruit; ~**e konserwowe** tinned ⟨am. canned⟩ fruit

owocarnia f fruitshop

owocny adj fruitful

owocować vi fruit, fructify

owrzodzenie n med. ulceration

owrzodziały adj med. ulcerous

owrzodzieć vi ulcerate, become ulcerous

owsianka f (zupa) porridge

owszem adv quite (so), certainly

ozdabiać vt adorn, decorate

ozdoba f adornment; decoration

ozdobny adj decorative, ornamental

oziębić vt chill, cool down; ~ **się** vr cool down, become cool

oziębłość f frigidity, coolness

oziębły adj frigid

ozimina f winter corn

oznaczać vt mark; (znaczyć, wyrażać) signify, mean

oznajmiać vt announce, make known

oznajmienie n announcement

oznaka f sign, token, mark, (numer np. bagażowego) badge

ozór m tongue

ożenek m marriage

ożenić się vr marry (z kimś sb), get married (z kimś to sb)

ożyć vi come to life, revive

ożywczy vi vivifying

ożywiać vt vivify, enliven, animate; ~ **się** vr become animated, brisk up

ożywienie n animation

ożywiony adj animated, brisk; (żyjący) animate

Ó

ósemka *f* eight
ósmy *num* eighth
ów, owa, owo *pron* that

ówczesny *adj* then *attr*; ~ prezydent the then president
ówcześnie *adv* at that time

p

pach|a *f* arm-pit; pod ~ą under one's arm
pachnący *adj* fragrant
pachnieć *vi* smell, smell sweet (czymś of sth)
pachołek *m* fellow, groom, servant
pachwina *f* anat. groin
pacierz *m* prayer; odmawiać ~ say one's prayer
pacierzowy *adj* anat. spinal; rdzeń ~ spinal column
paciorek *m* bead
pacjent *m* patient
pacyfikacja *f* pacification
pacyfikować *vt* pacify
pacyfista *m* pacifist
pacyfizm *m* pacifism
paczka *f* packet, parcel
paczyć *vt*, ~ się *vr* warp
padaczka *f* med. epilepsy
pada|ć *vi* fall; deszcz ~ it rains; śnieg ~ it snows; ~ć trupem drop dead; ~ć na kolana go down on one's knees; ~ć ofiarą czegoś fall a victim ⟨a prey⟩ to sth; padł strzał a shot was fired; *zob.* paść
padalec *m* zool. slow-worm
padlina *f* carrion
paginacja *f* pagination
pagórek *m* hill
pagórkowaty *adj* hilly
pajac *m* harlequin
pająk *m* spider
pajęczyna *f* cobweb
paka *f* pack; (skrzynia) case

pakiet *m* packet
pakować *vt*, ~ się *vr* pack (up)
pakowani|e *n* packing; papier do ~a wrapping-paper
pakowny *adj* capacious; roomy
pakt *m* pact
paktować *vi* negotiate
pakuły *s pl* oakum
pakunek *m* package, parcel, bundle
pal *m* pale, stake; wbić na ~ impale
palacz *m* stoker; (palący tytoń) smoker
palarnia *f* smoking-room
palący *p praes i adj* burning; (tytoń) smoking; *s m* smoker; przedział dla ~ch smoking compartment
palec *m* finger; (u nogi) toe; ~ środkowy middle finger; ~ wielki thumb; ~ wskazujący index; stać na palcach stand on tiptoe
palenie *n* burning; combustion; (w piecu) stoking; (papierosów) smoking
palenisko *n* hearth
palestra *f* bar
paleta *f* palette
pali|ć *vt vi* burn; (w piecu domowym) make fire; (w piecu fabrycznym, lokomotywie itp.) stoke; (papierosy itp.) smoke; ~ się *vr* burn, be on fire; *pot.* ~ się do czegoś be keen on sth
paliwo *n* fuel
palma *f* palm(-tree)

palnąć *vt vt pot.* fire; shoot; (*u-derzyć, grzmotnąć*) discharge a shot; strike; ~ głupstwo put one's foot in it; ~ sobie w łeb blow out one's brains

palnik *m* burner

paln|y *adj* combustible; broń ~a fire-arms

palto *n* overcoat

pałac *m* palace

pałać *vi* glow, be inflamed (czymś with sth); ~ zemstą breathe nothing but vengeance; ~ żądzą władzy burn with lust for power

pałąk *m* bow, arch

pałąkowaty *adj* bowlike, arched

pałeczka *f* wand, rod

pałk|a *f* stick, club, cudgel; (*policyjna*) truncheon; bić ~ą club, cudgel

pamflet *m* lampoon, squib

pamiątk|a *f* keepsake, souvenir; na ~ę in token of remembrance

pamiątkowy *adj* memorial, commemorative

pamięciowy *adj* memorial, of memory

pamię|ć *f* memory; na ~ć by heart; świętej ~ci mój ojciec my late father

pamiętać *vt* remember, keep in mind

pamiętnik *m* diary

pamiętny *adj* memorable; mindful (czegoś of sth)

pan *m* gentleman; (*np. domu*) master; (*feudalny*) lord; (*forma grzecznościowa*) you; (*przed nazwiskiem*) mister (*skr. Mr*), ~ Kowalski Mr Kowalski; ~ młody bridegroom

pancernik *m* armoured cruiser

pancerny *adj* armoured

pancerz *m* armour

panegiryk *m* panegyric

pani *f* lady; (*np. domu*) mistress; (*forma grzecznościowa*) madam; you; ~ Kowalska Mrs Kowalska

paniczny *adj* panic, *pot.* panicky

panienka *f* miss, maiden

panieński *adj* girlish, maiden(ly)

panieństwo *n* maidenhood

panika *f* panic, scare

panna *f* miss, maid; ~ młoda bride; stara ~ old maid

panoszyć się *vr* boss

pan|ować *vi* rule, reign (nad czymś over sth); command (nad czymś sth); ~ować nad sobą be master of oneself, be self-possessed; ~ować powszechnie ~ować prevail; ~ować nad sytuacją have the situation well in hand; ~uje piękna pogoda the weather is lovely; ~uje epidemia tyfusu there is an epidemic of typhus

panowanie *n* rule, reign, command; ~ nad sobą self-control

pantalony *s pl* pantaloons

panteizm *m filoz.* pantheism

pantera *f zool.* panther

pantof|el *m* shoe; ranne ⟨nocne⟩ ~le slippers; *przen.* być pod ~lem be henpecked

pantomima *f teatr* pantomime

panujący *p praes i adj* reigning, ruling; (*przeważający*) dominant, prevalent

pański *adj* lord's, gentleman's; (*w zwrotach grzecznościowych*) your, yours

państw|o *n* (*kraj*) state; (*małżeństwo*) Mr and Mrs; proszę ~a! ladies and gentlemen!; ~o młodzi bridal pair

państwow|y *adj* state *attr*; public; przemysł ~y state-owned industry; służba ~a civil service

pańszczyzna *f hist.* serfdom; statute-labour

pańszczyźniany *adj*, chłop ~ serf

papa 1. *f* tar-board

papa 2. *m* (*ojciec*) papa, dad

papier *m* paper; arkusz ~u sheet of paper; ~ kancelaryjny foolscap; ~ listowy note-paper

papierek *m* slip

papieros *m* cigarette

papierośnica *f* cigarette-case

papiestwo *n* papacy

papież *m* pope
papilot *m* curl-paper
papirus *m* papyrus
papka *f* pulp, mash
paplać *vi* prattle
paproć *f bot.* fern
papryka *f* paprika, red pepper
papuga *f zool.* parrot
par|a 1. *f* pair, couple; ~a małżeńska married couple; do ~y to match; rękawiczka nie do ~y odd glove; ~ę a few; za ~ę dni in a few days; ~ę razy once or twice
para 2. *f (wodna)* steam, vapour
parabola *f mat.* parabola
parada *f* parade
paradoks *m* paradox
paradoksalny *adj* paradoxical
paradować *vi* parade
parafia *f* parish
parafialny *m* parish *attr*, parochial
parafianin *m* parishioner
parafina *f* paraffin
paragraf *m* paragraph, section
paralityczny *adj* paralytic
paraliż *m med.* paralysis, palsy
paraliżować *vt* paralyse
parapet *m* parapet; *(okienny)* window-sill
parasol *m* umbrella
parasolka *f* umbrella; sunshade, parasol
parawan *m* screen
parcela *f* lot, parcel
parcelować *vt* parcel out
parcie *n* pressure, pression
parias *m* pariah
park *m* park
parkan *m* fence, hoarding
parkiet *m* parquet
parking *m* park, parking-place
parkować *vt* park
parkowanie *n* parking; ~ wzbronione no parking
parlament *m* parliament
parlamentarny *adj* parliamentary
parlamentariusz *m* bearer of a white flag, negotiator
parny *adj* sultry, close
parobek *m* farm-hand

parodia *f* parody
parodiować *vt* parody
parokrotny *adj* repeated
paroksyzm *m* paroxysm; attack
parować *vi* vaporize, evaporate
parowanie *n* evaporation
parowiec *m* steamship, steamboat
parowóz *m* (steam-)engine, locomotive
parowy *adj* steam *attr*; *fiz.* koń ~ horse-power; statek ~ = parowiec
parów *m* ravine
parówka *f (kąpiel)* sweating bath; *(kiełbaska)* frankfurter
parsk|ać *vi* snort; ~nąć śmiechem burst out laughing
parszywy *adj* scabby, mangy
partactwo *n* botching, bungling; botch, bungle
partacz *m* bungler, botcher
partaczyć *vt* bungle, botch
parter *m* ground-floor; *am.* first floor; *teatr* pit
part|ia *f* party; *(część)* part; *(towaru)* lot; *(rola)* role, part; *(w grze)* game; *(w brydżu)* po ~i vulnerable; przed ~ą invulnerable
partner *m* partner
partyjny *adj* party *(tylko attr)*; *s m* party-man
partykularyzm *m* particularism
partykuła *f gram.* particle
partyzant *m* guerilla
partyzantka *f* guerilla war
parweniusz *m* upstart, parvenu
parytet *m fin.* parity, par; ~ złota gold parity; według ~u at par
parzyć *vt* scald; *(np. herbatę)* draw, infuse; *(poddawać działaniu pary)* steam; ~ się *vr (o herbacie)* draw
parzysty *adj* even
pas *m* belt, girdle; popuszczać ⟨zaciskać⟩ ~a loosen ⟨tighten⟩ one's belt; *pot.* wziąć nogi za ~ take to one's heels
pasat *m* trade-wind
pasaż *m* passage; *(uliczka)* passage-way

pasażer *m* passenger

pas|ek *m* belt, girdle; (*do brzytwy*) strop; (*kreska, wzór*) stripe; materiał w ~ki striped cloth; (*nielegalny handel*) black-market, profiteering

paser *m* receiver ⟨concealer⟩ of stolen goods

pasieka *f* apiary

pasierb *m* stepson

pasierbica *f* stepdaughter

pasj|a *f* passion; fury; wpaść w ~ę fly into a fury

paskarz *m* black-market dealer, profiteer

pasmo *n* (*gór*) range; (*przędzy*) skein; strand; (*taśma*) band; *elektr. i radio* band; (*smuga*) streak; *elektr.* ~ częstotliwości frequency band; *przen.* ~ żywota thread of life

pas|ować 1. *vt vi* fit, suit; (*być do pary*) match; krawat ~uje do ubrania the tie matches the suit

pasować 2. *vt*, ~ kogoś na rycerza dub sb a knight

pasować 3. *vi* (*w kartach*) pass

pasożyt *m* parasite

pasożytniczy *adj* parasitic(al)

pasta *f* paste; ~ do butów boot-polish; ~ do podłogi floor-polish; ~ do zębów tooth-paste

pastel *m* crayon, pastel; malować ~ami crayon

pasterka *f* shepherdess; (*nabożeństwo*) Christmas midnight mass

pasterski *adj* pastoral

pasterstwo *n* pastoral life

pasterz *m* shepherd

pastewny *adj* pasture *attr*, fodder *attr*

pastor *m* pastor, minister

pastuch *m* herdsman

pastw|a *f* † prey; paść ~ą fall a prey (*kogoś, czegoś* to sb, sth)

pastwić się *vr* treat with cruelty (*nad kimś* sb)

pastwisko *n* pasture

pastylka *f* tablet

pasywa *s pl fin.* liabilities

pasywny *adj* passive

pasza *f* fodder

paszcza *f* jaw

paszkwil *m* lampoon, libel

paszport *m* passport; biuro ~ów passport office

pasztet *m* pie, pâté

paść 1. *vi* fall down, come down; *zob.* padać

paść 2. (*bydło*) pasture; ~ się *vr* (*o bydle*) pasture, graze

patelnia *f* frying-pan

patent *m* patent

patetyczny *adj* pathetic

patolog *m* pathologist

patologia *f* pathology

patos *m* pathos

patriarcha *m* patriarch

patriarchalny *adj* patriarchal

patriota *m* patriot

patriotyczny *adj* patriotic

patriotyzm *m* patriotism

patrol *m* patrol

patrolować *vt* patrol

patron *m* patron (saint); (*szablon*) stencil

patronat *m* patronage, auspices *pl*

patronka *f* patroness

patronować *vi* patronize (*komuś, czemuś* sb, sth)

patroszyć *vt* eviscerate; (*kurę*) draw; (*rybę*) gut; (*zająca*) hulk

patrycjusz *m* patrician

patrzeć *vi* look (*na kogoś, coś* at sb, sth); ~ na kogoś jak na wroga look on ⟨upon⟩ sb as a foe; ~ na kogoś z góry look down upon sb; ~ przez okno look out of the window; ~ przez palce connive (*na coś* at sth); ~ spode lba scowl (*na kogoś, coś* at sb, sth); ~ uporczywie stare (*na kogoś, coś* at sb, sth); jest na co ~ it is worth seeing

patyk *m* rod

patyna *f* patina

pauza *f* pause; (*szkolna*) break; *¡ muz.* rest; (*myślnik*) dash

pauzować *vi* pause, make a pause

paw *m* peacock

pawilon *m* pavilion

paznok|ieć *m* nail; obcinać ~cie pare nails

pazur *m* claw, (*szpon, także techn.*) clutch

paź *m* page

październik *m* October

październikowy *adj* October *attr*; Rewolucja Październikowa October Revolution

pączek *m* bud; (*ciastko*) doughnut

paczkować *vi* bud

pąk *m* bud

pchać *m* push, thrust; ~ się *vr* push one another, crush

pchełki *s pl* (*gra*) tiddly-winks

pchła *f* flea

pchnięcie *n* push, thrust

pech *m* ill-luck

pedagog *m* pedagogue

pedagogia *f* pedagogy

pedagogika *f* pedagogics

pedał *m* pedal

pedant *m* pedant

pedanteria *f* pedantry

pedantyczny *adj* pedantic

pejcz *m* horsewhip

pejzaż *m* landscape

peleryna *f* cape; (*damska*) pelerine

pelikan *m* zool. pelican

pelisa *f* pelisse

pełnia *f* plenty, abundance, fullness; ~a księżyca full moon; w ~ completely, fully

pełnić *vt* perform, fulfil, accomplish; ~ obowiązek do one's duty

pełno *adv* plenty (czegoś of sth); mieć ~ czegoś be full of sth

pełnoletni *adj* adult, of age

pełnoletność *f* majority, full age

pełnometrażowy *adj*, film ~ feature film

pełnomocnictwo *n* (*prawo*) power of attorney; (*dokument*) letter of attorney

pełnomocnik *m* plenipotentiary; authorized agent

pełnomocny *adj* plenipotentiary, authorized

pełnowartościowy *adj* praed of full value

pełny *adj* full; na ~m morzu on the high seas

pełzać *vi* (*poruszać się*) crawl, creep

pełznąć *vi* (*płowieć*) fade; lose colour; *zob.* pełzać

penicylina *f* penicillin

pensja *f* (*pobory*) salary; † (*szkoła*) girls' boarding-school

pensjonat *m* boarding-house

perfidia *f* perfidy

perfidny *adj* perfidious

perfumeria *f* perfumery

perfumować *vt* perfume, scent

perfumy *s pl* perfume, scent

pergamin *m* parchment

period *m* (*menstruacja*) periods, menses; † (*okres*) period

periodyczny *adj* periodical

perkal *m* calico

perkusja *f* percussion

perkusyjny *adj* percussive; instrument ~ percussion instrument

perliczka *f* zool. guinea-fowl

perła *f* pearl

peron *m* platform

peronówka *f* platform-ticket

Pers *m* Persian, Iranien

perski *adj* Persian, Iranien

personalny *adj* personal

personel *m* staff, personnel

personifikacja *f* personification

perspektywa *f* perspective, prospect, view

perswadować *vt* persuade, try to persuade (komuś, żeby coś zrobił sb into doing sth, komuś, żeby czegoś nie zrobił sb out of doing sth)

perswazja *f* persuasion

pertraktacje *s pl* negotiations

pertraktować *vi* negotiate (w sprawie czegoś sth)

peruka *f* wig

perwersja *f* perversion

perwersyjny *adj* perverse

peryferje. *s pl* periphery; na ~ach on the outskirts

peryskop *m* periscope

pestka *f* stone, kernel, (*w jabłku, pomarańczy*) pip

pesymista *m* pessimist

pesymistyczny *adj* pessimistic

pesymizm m pessimism

petarda f petard

petent m petitioner

petycja f petition

pewien adj (niejaki) a, one, a certain; **po pewnym czasie** after some time; **przez ~ czas** for some time; zob. **pewny**

pewnik m axiom

pewno, na ~ adv certainly, for sure, assuredly; **on na ~ przyjdzie** he is sure to come

pewnoś|ć f certitude, certainty; (bezpieczeństwo) security; **~ć siebie** self-assurance; **z ~cią** certainly

pewny adj sure, certain; (bezpieczny) safe, secure; **~ siebie** self--assured, self-confident; **czuć się ~m ⟨bezpiecznym⟩** feel sure ⟨safe⟩

pęcak m peeled barley

pęcherz m anat. bladder

pęcherzyk m anat. vesicle; (bąbel) blister; (bańka) bubble

pęczek m bunch, tuft

pęcznieć vi swell

pęd m (szybki bieg) rush, career; (naped, impuls) impulse; (rozpęd) impetus; fiz. momentum; (dążenie, zamiłowanie) aspiration (do czegoś after ⟨for⟩ sth); bot. shoot, sprout; **puszczać ~y** shoot forth, sprout; **całym ~em** at full speed

pędzel m brush

pędzić vt drive; (życie) lead; (czas) spend; (wódkę) distil; vi run (za kimś after sb), race, hurry, scurry

pędzlować vt brush

pęk m (kwiatów, kluczy) bunch; (papierów) file; (wiązka) bundle

pęka|ć vi burst; (rozłupać się) crack; **~ć z zazdrości** burst with envy; **serce mi ~** my heart breaks; **głowa mi ~** my head is splitting

pękaty adj bulging, bulged; (przysadkowaty) dumpy, podgy

pępek m navel

pęta s pl fetters, chains; (końskie) hobble; **zerwać ~** break the bonds

pętać vt fetter; (konia) hobble

pętelka, pęt|la f loop, noose; (o samolocie) **robić ~lę** loop, (całą) loop the loop

piać vi crow

piana f froth, foam; **~ mydlana** lather

pianino n cottage ⟨upright⟩ piano

pianista m pianist

pianow|y adj foam attr; **gaśnica ~a** foam extinguisher

piasek m sand

piaskowiec m sandstone

piaskownica f sand-pit

piaskowy adj sandy, sand attr

piasta f nave

piastować vt (dzieci) nurse; (urząd) hold

piastun m guardian, foster-father; (godności, urzędu) holder

piastunka f nurse, foster-mother

piaszczysty adj sandy, sand attr

piąć się vr climb (na drzewo a tree, po drabinie a ladder); (o roślinach) creep

piątek m Friday; **Wielki Piątek** Good Friday

piąty num fifth

pici|e n drinking; **woda do ~a** drinking water

pić vt vi drink; **~ mi się chce** I'm thirsty

piec 1. m stove, fire-place; (piekarski) oven; techn. furnace; **wielki ~** blast-furnace

piec 2. vt bake; (zw. o mięsie) roast; (palić) burn, scorch; **~ się** vr bake, roast

piechota f infantry

piechotą adv on foot

piecyk m (little) stove; (do ogrzewania) heater; pot. (piekarnik) oven

piecz|a f care, charge (nad kimś, czymś of sb, sth); **mieć ~ę** take care (nad kimś, czymś of sb, sth); **powierzyć coś czyjejś ~y** trust sb with sth; **pod ~ą** in charge

pieczara *f* cavern
pieczarka *f bot.* champignon
pieczątka *f* seal, stamp
pieczeniarz *m* sponger
pieczeń *f* roast-meat; ~. **cielęca** roast veal; ~ **wołowa** roast beef
pieczęć *f* seal, stamp
pieczętować *vt* seal, stamp
pieczołowitość *f* solicitude
pieczołowity *adj* solicitous
pieczyste *n* roast-meat, roast
pieczywo *n* baker's goods; (*słodkie*) pastry
pieg *m* freckle
piegowaty *adj* freckled
piekarnia *f* bakery, baker's (shop)
piekarz *m* baker
piekieln|y *adj* hellish, devilish, infernal; **maszyna** ~a infernal machine; *przen.* **ogień** ~y hellfire
piekło *n* hell
pielęgniarka *f* nurse
pielęgniarz *m* (male) nurse
pielęgnować *vt* (*chorych*) nurse; (*rośliny*) cultivate; (*umiejętność*) foster, cultivate; (*ręce, fryzurę*) take care
pielgrzym *m* pilgrim
pielgrzymka *f* pilgrimage
pielucha *f* swaddling-cloth, napkin; *am.* diaper
pieniacz *m* litigious person
pieniądz *m* coin, piece of money; *pl* ~e money; **drobne** ~e (small) change
pienić się *vr* foam; (*o winie*) sparkle; ~ **ze złości** foam with rage
pieniężn|y *adj* pecuniary, money *attr*; **kara** ~a fine
pień *m* (*trzon, łodyga*) trunk; stem; (*pniak*) stump; **zboże na pniu** standing corn
pieprz *m* pepper
pieprzny *adj* peppery; (*nieprzyzwoity*) spicy
piernik *m* ginger-bread
pierś *f* breast; (*klatka piersiowa*) chest
pierścieniowy *adj* annular
pierścień *m* ring; (*włosów*) ring-

let; (*tłoka*) piston-ring
pierścionek *m* ring
pierwej *adv lit.* (at) first, before
pierwiastek *m* element; *chem.* element; *mat.* (*wartość*) root; *mat.* (*znak*) radical; ~ **kwadratowy** ⟨*sześcienny*⟩ square ⟨cube⟩ root; ~ **piątego stopnia** fifth root
pierwiastkowy *adj* original, primary; *mat.* radical
pierwiosnek *m bot.* primrose
pierworodny *adj* first-born; (*o grzechu*) original
pierwotniak *m zool.* protozoan
pierwotność *f* primordiality; (*prymitywizm*) primitiveness
pierwotny *adj* primordial; (*prymitywny*) primitive; (*pierwszy*) primary
pierwowzór *m* prototype
pierwszeństwo *n* priority
pierwszorzędny *adj* first-rate
pierwsz|y *num* first; **na** ~**ego stycznia** on the first of January; ~**a pomoc** first aid; ~**y lepszy** just any, at random; ~**a godzina** one o'clock; **po** ~**e** firstly, in the first place
pierzchać *vi* flee, take flight
pierze *n* feathers *pl*
pierzyna *f* eiderdown
pies *m* dog; *pot.* **zejść na psy** go to the dogs
pieszczota *f* caress
pieszczotliw|y *adj* caressing, cuddlesome; ~**e imię** pet name; ~**e słowo** word of endearment
pieszo *adv* on foot
pieścić *vt* caress, pet, fondle
pieśń *f* song
pietruszka *f bot.* parsley
pietyzm *m* pietism
pięciobój *m sport* pentathlon
pięciokrotny *adj* fivefold
pięcioletni *adj* five-year *attr*; (*o wieku*) five-year old
pięcioraczki *s pl* quintuplets
pięcioraki *adj* fivefold
pięć *num* five
pięćdziesiąt *num* fifty
pięćdziesiąty *adj* fiftieth

pięćset *num* five hundred
piędź *f* span
pięknie *adv* beautifully, finely; jest ~ it is fine weather; wyglądać ~ look fine
pięknieć *vi* grow beautiful
piękno *n* beauty, the beautiful
piękność *f* beauty
piękn|y *adj* beautiful, handsome, lovely, fair; **literatura** ~a belles-lettres; ~a **pogoda** fine weather; **sztuki** ~e fine arts
pięściarz *m* boxer
pięść *f* fist
pięta *f* heel
piętnastoletni *adj* fifteen-year *attr*; (*o wieku*) fifteen-year old
piętnasty *num* fifteenth
piętnaście *num* fifteen
piętno *n* stigma, stamp; **wycisnąć** ~ impress a stamp
piętnować *vt* stigmatize, stamp
piętro *n* stor(e)y, floor
piętrzyć *vt* pile up; ~ **się** *vr* be piled up; (*wznosić się*) tower
pigułka *f* pill
pijak *m* drunkard
pijany *adj praed* drunk; drunken *attr*
pijaństwo *n* drunkenness
pijatyka *f* drinking-bout
pijawka *f* zool. leech
pik *m* spade
pika 1. *f* pike
pika 2. *f* (*tkanina*) piqué
pikantny *adj* piquant; (*nieprzyzwoity*) spicy
pikling *m* kipper
piknik *m* picnic
pikować *vt* (*tkaninę*) quilt; *vi* lotn. dive
pilnik *m* file
pilność *f* diligence
pilnować *vt* look after, watch; ~ **swego interesu** mind one's business; ~ **się** *vr* be on one's guard
pilny *adj* diligent, assidous; (*naglący*) urgent
pilot *m* pilot
pilotować *vt* pilot

pilśń *f* felt
piła *f* saw; **przen. pot.** (*nudziarz*) bore
piłka 1. *f* (*narzędzie*) hand-saw
piłka 2. *f* (*do gry*) ball; **sport** ~ **nożna** football, association football, soccer
piłkarz *m* football player, footballer
piłować *vt* (*piłą*) saw; (*pilnikiem*) file; pot. (*nudzić, dręczyć*) bore
pingwin *m* zool. penguin
piołun *m* bot. wormwood
piołunówka *f* absinth
pion *m* perpendicular; (*narzędzie*) plummet; **przen.** line
pionek *m* pawn
pionier *m* pioneer
pionowy *adj* vertical
piorun *m* lightning; **trzask** ~u thunderclap; **rażony** ~em thunderstruck
piorunochron *m* lightning-conductor
piosenka *f* ditty
piórko *n* feather; (*stalówka*) pen
piórnik *m* pencase
pióro *n* feather; (*do pisania*) pen; ~ **wiosła** blade; **gęsie** ~ quill; **wieczne** ~ fountain pen
pióropusz *m* plume
pipeta *f* pipette
piracki *adj* piratical
piractwo *n* piracy
piramida *f* pyramid
pirat *m* pirate
pirotechnik *m* pyrotechnist
pirotechnika *f* pyrotechnics
pisać *vt vi* write (**ołówkiem, atramentem** in pencil, in ink); ~ **na maszynie** typewrite; **jak się ten wyraz pisze?** how do you spell this word?; ~ **się** *vr* be written, be spelt; (*zgadzać się*) subscribe (**na coś** to sth)
pisarz *m* (*autor*) writer; † (*niższy urzędnik*) clerk, copyist
pisemnie *adv* in writing
pisemny *adj* written, in writing; **egzamin** ~ written examination
pisk *m* squeal, squeak

pleść

piskłę *n* nestling; *(kurczątko)* chickling

piskorz *m zool.* loach

pismo *n* writing, letter; *(czasopismo)* newspaper; periodical; *(charakter pisma)* handwriting; na piśmie in writing; **Pismo Święte** Holy Scripture

pisnąć *vi vt* zob. piszczeć; nie ~ ani słówka not breathe a word

pisownia *f* spelling

pistolet *m* pistol

piszczałka *f* pipe, fife

piszczeć *vi* squeak, squeal

piszczel *m anat.* shinbone, tibia

piśmidło *n pog.* scrawl

piśmiennictwo *n* letters *pl*, literature

piśmiennie *adv* in writing

piśmienn|y *adj* literate; *(pisemny)* written; artykuły ~e writing-materials, stationery

piwiarnia *f* beer-house

piwnica *f* cellar

piwny *adj* beer *attr*; *(kolor)* brown

piwo *n* beer; ~ z beczki beer on draught; dać na ~ give a tip

piwonia *f bot.* peony

piwowar *m* brewer

piżama *f* pyjamas *pl*

piżmo *n* musk

piżmowiec *m zool.* musk-rat

plac *m* ground; *(parcela)* lot, parcel; *(okrągły, u zbiegu ulic)* circus, /*(kwadratowy)* square; ~ boju battlefield; ~ budowy building-ground

placek *m* cake

placówka *f* outpost

plaga *f* plague

plagiat *m* plagiarism; popełnić ~ plagiarize

plakat *m* poster, bill

plakieta *f* plaque

plama *f* spot, stain

plamić *vt* spot, stain; ~ się *vr* spot

plan *m* plan, scheme; pierwszy ~ foreground; dalszy ~ background

planeta *f* planet

plan'etarny *adj* planetary

planować *vt* plan; *vi lotn.* plane

planowanie *n* planning

planowo *adv* according to plan

planowy *adj* planned

plantacja *f* plantation

plantator *m* planter

plastelina *f* plasticine

plaster *m* plaster; ~ miodu honeycomb

plasterek *m (np. szynki)* slice

plastik *m* = plastyk 2.

plastycznie *adv* plastically

plastyczność *f* plasticity

plastyczn|y *adj* plastic; sztuki ~e fine arts

plastyk 1. *m (artysta)* artist

plastyk 2. *m (masa plastyczna)* plastic

platerować *vt* plate

platery *s pl zbior.* plate

platforma *f* platform; *(wóz ciężarowy)* lorry

platoniczny *adj* Platonic

platyna *f chem.* platinum

plazma *f* plasm

plaża *f* beach

plądrować *vt vi* plunder

pląsać *vi* hop, toe and heel it

pląsy *s pl* dance, dancing

plątać *vt* entangle; ~ się *vr* tangle, become entangled; *pot. (tazić)* slouch about

plątanina *f* tangle

plebiscyt *m* plebiscite

plecak *m* knapsack, rucksack

plecionka *f* plait; *(wyrób koszykarski)* wickerwork

plec|y *s pl* back; za ~ami behind one's back; obrócić się ~ami turn one's back (do kogoś on sb)

pleć zob. plewić

pled *m* plaid

plejada *f* pleiad

plemienny *adj* tribal, racial

plemię *n* tribe, race

plenarny *adj* plenary; full

plenić się *vr* multiply

plenum *n nieodm.* plenary session

pleść *vt* twist, plait; *(gadać)* babble

pleśnieć *vi* mould
pleśń *f* mould
plewa *f* chaff
plewić *vt* weed
plik *m* bundle
plisa *f* pleat
plisować *vt* pleat
plomba *f* lead, leaden seal; (*w zębie*) filling, stopping
plombować *vt* seal up, lead; (*ząb*) fill, stop
plon *m* crop, yield
plotka *f* gossip
plotkarka *f*, **plotkarz** *m* gossip(er)
plotkować *vi* gossip
pluć *vi* spit
plugawić *vt* (be)foul
plugawy *adj* foul, filthy
plus *m* (*znak*) plus sign; (*zaleta*) plus, advantage; *adv* (*ponadto*) plus
pluskać *vi* splash; ~ się *vr* splash
pluskiewka *f* tack, drawing-pin
plusz *m* plush
plutokracja *f* plutocracy
pluton *m* *wojsk.* platoon
plutonowy *adj wojsk.* lance sergeant
plwocina *f* spittle
płac|a *f* pay, salary, wages *pl*; **lista** ~ pay-sheet, pay-roll
płachta *f* sheet
płacić *vt* pay; ~ **gotówką** pay in cash; ~ **z góry** pay in advance, prepay
płacz *m* cry; crying, weeping; **wybuchnąć** ~em burst into tears
płakać *vi* cry, weep
płaski *adj* flat
płasko *adv* flatways, flatwise
płaskorzeźba *f* bas-relief
płaskowzgórze *n* tableland
płaszcz *m* overcoat, cloak; ~ **nieprzemakalny** ⟨deszczowy⟩ raincoat
płaszczyć *vi* flatten; ~ **się** *vr* become flat; *przen.* fawn (**przed kimś** on, upon sb)
płaszczyk *m* cape, mantle; *przen.* **pod** ~iem under the cloak
płaszczyzna *f* plain, level; *mat.*

plane
płat *m* (*kawał, szmat*) slice; (*mięsa*) collop; *anat.* lobe
płatać *vi* cut; ~ **figle** play tricks (**komuś** on sb)
płat|ek *m* shred, piece; (*plasterek*) slice; (*kwiatu*) petal; (*śniegu*) flake; ~ki **owsiane** oat flakes
płatniczy *adj, fin.* **bilans** ~ balance of ⟨accounts⟩ payments; **środek** ~ legal tender
płatnik *m* payer
płatnoś|ć *f* maturity; ~ć **natychmiastowa** money down; **dzień** ~ci pay-day; *handl.* (*o wekslu*) date ⟨time⟩ of maturity
płatny *adj* payable, due; *handl.* (*o wekslu*) mature; (*płacony*) paid
płaz 1. *m zool.* amphibian
płaz 2. *m* the flat of a sabre; *przen.* **puścić coś** ~em pass sth over, connive at sth
płciow|y *adj* sexual, sex *attr*; **życie** ~e sexual life; **popęd** ~y sex instinct ⟨urge⟩
płeć *f* sex; (*cera*) complexion; ~ **piękna** fair sex
płetwa *f* fin
płetwonurek *m* frogman
płochliwy *adj* shy
płochy *adj* frivolous
płodność *f* fertility
płodny *adj* fertile
płodozmian *m* rotation of crops
płodzenie *n* procreation
płodzić *vt* procreate; ~ **się** *vr* multiply
płomienny *adj* flaming, fiery; (*żarliwy*) ardent
płomień *m* flame
płonąć *vi* burn, be on fire; *przen.* ~ **ze wstydu** burn with shame
płonica *f med.* scarlet-fever
płonić się *vr* blush
płonny *adj* vain
płoszyć *vt* scare (away); ~ **się** *vr* be scared (**czymś** by sth)
płot *m* fence, ledge
płot|ek *m sport* hurdle; **bieg przez** ~ki hurdle-race
płowieć *vi* fade (away)

płow|y adj fallow; zwierzyna ~a fallow deer

płód m fruit, product; anat. phoetus

płótno n linen; (malarskie, żaglowe) canvas

płuc|o n lung; zapalenie ~ pneumonia

płucny adj pulmonary

pług m plough; ~ śnieżny snow-plough

płukać vt rinse, wash; ~ gardło gargle

płyn m liquid; (do włosów, apteczny itp.) lotion

płynąć vi flow; (pływać) swim; (o statkach) sail; (o podróży morskiej) go by water, sail; ~ łódką boat

płynny adj liquid; (o mowie) fluent

płyta f plate, slab; ~ gramofonowa record; ~ kamienna (do brukowania) flag-stone

płytki adj shallow; (np. o talerzu) flat

pływać vi swim; (np. o korku) float

pływak m swimmer; (w zbiorniku, u wędki itp.) float

pneumatyczny adj pneumatic

pniak m stump

po praep after; to, up to; for; past; zaraz po on, upon; po wykładach after the lectures; po dzień dzisiejszy up to the present day; po uszy up to the ears; posłać po taksówkę send for a taxi; kwadrans po piątej a quarter past five; zaraz po jego powrocie on his return; po co? what for?; po czemu? how much?; po kolei by turns; każdemu po szylingu one shilling each; po szylingu za sztukę one shilling apiece; po raz pierwszy for the first time; po pierwsze firstly, in the first place; mówić po angielsku speak English

pobić vt beat, defeat; ~ rekord break ⟨beat⟩ the record; ~ się vr come to blows

pobielać vt (metal) tin; (ścianę) whitewash

pobierać vt (np. pensję) receive; (np. podatek) collect; (lekcje) take; ~ się vr get married

pobieżny adj superficial

pobliski adj near

pobliż|e n, w ~u near by

pobłażać vi be indulgent (komuś to sb); connive (czemuś at sth); ~ sobie indulge oneself

pobłażliwość f indulgence

pobłażliwy adj indulgent

poboczny adj lateral; (o przedmiocie) secondary

pobojowisko n battlefield

poborca m (tax-)collector

poborowy adj conscript; s m conscript

pobory s pl salary

pobożn|y adj pious; pot. ~e życzenie wishful thinking

pobór m (do wojska) conscription, levy; (podatku) collection, levy

pobranie n, za ~m to be paid on delivery, cash on delivery

pobrzeże n shoreland, seashore

pobudka f impulse, stimulus; wojsk. reveille

pobudliwość f excitability

pobudliwy adj excitable

pobudzić vt excite, impel; (zbudzić) wake up

pobyt m sojourn, stay; miejsce stałego ~u residence; wiza ~owa visitor's visa

pocałunek m kiss

pochlebca m flatterer

pochlebiać vi flatter (komuś sb)

pochlebn|y adj flattering; ~a opinia high opinion

pochlebstwo n flattery

pochłania|ć vt absorb, swallow; ~ go nauka he is absorbed in study

pochmurny adj cloudy; przen. (ponury) gloomy

pochodnia f torch

pochodny adj derivative, secondary

pochodzenie n origin, descent, extraction

pochodzić vi descend, be descended (od kogoś from sb), derive, be derived (od **kogoś, czegoś** from sb, sth); (*wynikać*) result (z **czegoś** from sth), proceed (z **czegoś** from sth)

pochopność *f* eagerness, hastiness

pochopny *adj* eager, hasty

pochować *vt* (*pogrzebać*) bury; zob. **chować**

pochód *m* procession; march

pochwa *f* sheath

pochwalać *vt* praise; (*uznawać*) approve (**coś** of sth)

pochwaln|y *adj* laudatory; **mowa** ~a eulogy

pochwała *f* praise

pochylenie *n* inclination

pochylić *vt* bend, bow; ~ **się** *vr* bow down

pochyłość *f* slope, slant

pochyły *adj* sloping, inclined

pociąg *m* train; (*skłonność*) attraction, inclination; (*upodobanie*) liking, fondness; ~ **osobowy** ⟨**towarowy**⟩ passenger ⟨goods⟩ train; ~ **pospieszny** fast ⟨express⟩ train

pociągać *vt vi* pull (**coś** sth, **za coś** at sth), draw; (*nęcić*) attract; ~ **do odpowiedzialności** call to account

pociągający *adj* attractive

pociągły *adj* oblong

pociągnięcie *n* draught, pull; (*np. w grze*) move

pociągowy *adj*, **koń** ~ draught ⟨draft⟩ horse

po cichu *adv* in a low voice; (*w tajemnicy*) tacitly; secretly

pocić się *vr* perspire, sweat

pociecha *f* consolation, comfort; **niewielka** ~ no great shakes

po ciemku *adv* in the dark

pocierać *vt* rub

pocieszać *vt* console, comfort, cheer up; ~ **się** *vr* console oneself

pocieszenie *n* consolation, comfort

pocieszny *adj* funny, droll

pocieszyciel *m* comforter

pocisk *m* missile, projectile; ~ **armatni** shell; ~ **zapalający** fire-ball

począć *vt* begin, commence; (*zajść w ciążę*) conceive; **co mam** ~? what am I to do?

począt|ek *m* beginning; origin; **na** ~**ek** to start with; **na** ~**ku** at the beginning, at the outset

początkowo *adv* at first, initially

początkowy *adj* initial, primary

początkujący *m* beginner

poczciwiec *m* good fellow

poczciwy *adj* good, good-hearted

poczekalnia *f* waiting-room

poczekani|e *n*, **na** ~**u** on the spot; off-hand; there and then

poczernić *vt* black(en)

poczernieć *vi* blacken, become black

poczerwienić *vt* redden, make red

poczerwienieć *vi* redden, become red; (*zarumienić się*) blush

poczesny *adj* honorable, respectable

poczęcie *n* beginning; *biol.* conception

poczęstunek *m* treat

poczt|a *f* post, mail; (*budynek*) post-office; ~**a lotnicza** air mail; ~**ą** by post; **odwrotną** ~**ą** by return of post

pocztow|y *adj* postal, post *attr*; **kartka** ~**a** post-card, *am.* postal card; **opłata** ~**a** postage; **stempel** ~**y** postmark; **unia** ~**a** postal union; **urząd** ~**y** post-office; **znaczek** ~**y** (postage-)stamp

pocztówka *f* post-card

poczucie *n* feeling; sense; ~ **obowiązku** ⟨**humoru**⟩ sense of duty ⟨humour⟩

poczuwać się *vr*, ~ **się do obowiązku** feel it one's duty; ~ **się do winy** admit one's guilt, feel guilty

poczwarka *f* chrysalis

poczwórny *adj* fourfold

poczynać *vt vi* begin, originate; ~ **sobie** behave

poczytać *vt* read (a little); zob. **poczytywać**

poczytalny *adj* accountable

poczytność *f* popularity

poczytny *adj* widely read, popular

poczytywać *vt* regard ⟨kogoś, coś sb, sth; za kogoś, coś as sb, sth⟩; ~ **się za bardzo ważnego** consider oneself very important; ~ **sobie za wielki zaszczyt** look upon something ⟨esteem sth⟩ as a great honour; ~ **coś komuś za przestępstwo** impute sth to sb as an offence

pod *praep* under, beneath, below; ~ **drzwiami** at the door; ~ **karą śmierci** on the penalty of death; ~ **nazwiskiem X.Y.** by the name of X.Y.; ~ **ręką** at hand; ~ **tym względem** in this regard; ~ **Warszawą** near Warsaw; **bitwa** ~ **Warszawą** battle of Warsaw; ~ **warunkiem** on condition; ~ **wieczór** towards the evening

podać *zob.* podawać

podagra *f med.* gout

podający *m* ⟨w tenisie⟩ server

podanie *n* ⟨prośba⟩ petition, application; ⟨legenda⟩ legend; *sport* service, pass; **wnieść** ~ **file** an application

podarek *m* gift, present

podarty *adj* torn, worn

podatek *m* ⟨państwowy⟩ tax; ⟨samorządowy⟩ rate

podatnik *m* ⟨państwowy⟩ tax-payer; ⟨samorządowy⟩ rate-payer

podatny *adj* susceptible ⟨na coś to sth⟩; subject ⟨na choroby to diseases⟩; *przen.* ~ **grunt** favourable conditions

podawać *vt* give, hand, pass; ~ **rękę** shake hands ⟨komuś with sb⟩; ~ **na stół** serve; ~ **do wiadomości** make known; ~ **w wątpliwość** call into question

podaż *f* supply, offer

podążać *vi* go, hurry along; ~ **za kimś** follow sb

podbicie *n* ⟨kraju⟩ conquest; ⟨podszycie⟩ lining; ⟨u stopy⟩ instep

podbiegać *vi* come running

podbiegunowy *adj* polar

podbijać *vt* run up; ⟨zawojować⟩ conquer, subdue

podbój *m* conquest

podbródek *m* chin

podburzać *vt* incite, stir ⟨up⟩

podchodzić *vi* come near, approach

podchwycić *vt* catch up

podciągać *vt* draw up; ⟨pod kategorię⟩ subsume

podcinać *vt* undercut; ⟨np. skrzydła⟩ clip

podcyfrować *vt* initial, sign

podczas *praep* during; ~ **gdy** *conj* while; whereas

podczerwon|y *adj fiz.* infra-red; **promienie** ~**e** infra-red radiation

poddać *vt* subject; ⟨np. twierdzę⟩ surrender; ⟨podsunąć myśl⟩ suggest; ~ **próbie** put to trial; ~ **się** *vr* surrender; ⟨operacji, egzaminowi⟩ undergo ⟨an operation, examination⟩; ⟨ulec⟩ submit

poddanie się *n* submission

poddany *m* subject; *hist.* serf

poddaństwo *n hist.* serfdom

poddasze *n* attic, garret

podejmować *vt* take up, undertake; ⟨np. gości⟩ entertain, receive; ~ **kroki** take steps; ~ **pieniądze** raise money; ~ **się** *vr* undertake ⟨czegoś sth⟩

podejrzany *adj* suspect⟨ed⟩; ⟨budzący podejrzenie⟩ suspicious

podejrzenie *n* suspicion

podejrzewać *vt* suspect ⟨kogoś o coś sb of sth⟩

podejrzliwie *adv* suspiciously; **patrzeć** ~ look askance

podejrzliwość *f* suspiciousness

podejrzliwy *adj* suspicious

podejście *n* approach

podejść *vt* ⟨podstępnie⟩ circumvent, deceive; *vi zob.* podchodzić

podeptać *vt* trample under foot

poderżnąć *zob.* podrzynać

podeszły *adj* ~ **wiekiem** aged, advanced in years

podeszwa *f* sole

podjazd *m* approach; ⟨droga do budynku⟩ drive⟨way⟩

podjazdow|y *adj*, **walka** ~**a** guerilla warfare

podjąć *vt* pick up; *zob.* podejmować

podjechać *vi* drive up, come riding

podjudzać *vt* abet, stir up

podkleić *vt* stick under

podkład *m* base, foundation; *kolej.* sleeper

podkładać *vt* put ⟨lay⟩ under

podkładka *f* pad, bolster

podkop *m* sap, subway

podkopywać *vt* undermine, sap

podkowa *f* (*końska*) horseshoe

podkradać się *vr* steal secretly

podkreślać *vt* underline; (*uwydatniać*) stress, lay stress

podkręcać *vt* twist up, screw up

podkuwać *vt* (*konia*) shoe; (*but*) tap

podlatywać *vi* fly up

podlegać *vi* be subject (*komuś, czemuś* to sb, sth); (*karze, podatkowi itp.*) be liable

podległy *adj* subject

podlewać *vt* water

podlizywać się *vr* fawn (*komuś on, upon sb*)

podlotek *m* young girl, *pot.* flapper, teen-ager

podłoga *f* floor

podłość *f* vileness

podłoże *n* substratum; (*podstawa*) base, background

podłożyć *zob.* podkładać

podług *praep* according to, after

podłużny *adj* oblong

podły *adj* vile, mean

podmalować *vt* ground, paint the background

podmiejski *adj* suburban

podminować *vt* undermine

podmiot *m* subject

podmiotowy *adj* subjective

podmuch *m* blast, puff

podmywać *vt* wash away, underwash; (*o rzece, morzu*) sap

podniebienie *n* palate

podniecać *vt* excite, incite, stir up (*do czegoś* to sth)

podniecenie *n* excitement; (*podnieta*) incitement

podniesienie *n* lifting, hoisting, elevation

podnieść *zob.* podnosić

podnieta *f* incitement, stimulus, incentive

podniosłość *f* sublimity

podniosły *adj* sublime, lofty

podnosić *vt* raise, lift, take up; (*z ziemi*) pick up; (*ręce*) hold up; (*kotwicę*) weigh; (*pieniądze, ceny, podatki itp.*) raise; (*w banku, zasiłek itp.*) draw; ~ **bunt** raise a revolt; ~ **na duchu** encourage, *pot.* buoy up; ~ **zarzuty** level charges; *mat.* ~ **do kwadratu** square, raise to the square; ~ **się** *vr* rise, get up

podnóżje *n* (*góry*) foot; **u** ~**a** at the foot

podnóżek *m* footstool

podobać się *vr* please; ~ **mi się tutaj** I like this place; **on mi się** ~ I like him; **jak ci się to** ~? how do you like this?; **rób, jak ci się** ~ do as you please; **weź, ile ci się** ~ take as much ⟨many⟩ you please

podobieństwo *n* resemblance, likeness

podobizna *n* photo, image; likeness

podobnie *adv* likewise, alike; ~ **jak** like

podobno *adv* I suppose that, I understand that; **on** ~ **wraca jutro** he is supposed to come back tomorrow

podobny *adj* similar (*do kogoś* to sb), like (*do kogoś* sb); **być** ~**m** resemble (*do kogoś* sb)

podoficer *m* *wojsk.* non-commissioned officer

podołać *vi* be up (*czemuś* to sth), manage (*czemuś* sth)

podówczas *adv* at that time

podpadać *vi* fall (*czemuś, pod coś* under sth)

podpalacz *m* incendiary

podpalać *vt* set fire (*coś* to sth), set on fire (*coś* sth)

podpalenie *n* arson

podpałka *f* kindling-wood

podpatrywać *vt* watch furtively, spy

podpierać *vt* support, prop

podpinać *vt* fasten, buckle up

podpis *m* signature; złożyć ~ put one's signature (na czymś to sth)

podpisa|ć *vt* sign; subscribe (pożyczkę to a loan); niżej ~ny the undersigned

podpora *f* support, prop; *przen.* (ostoja) mainstay

podporucznik *m wojsk.* second lieutenant

podporządkować *vt* subordinate (komuś, czemuś to sb, sth); ~ się *vr* conform, submit

podpowiadać *vt* prompt (komuś sb)

podpórka *f* support, prop

podpułkownik *m wojsk.* lieutenant-colonel

podrabiać *vt* forge

podrastać *vi* grow up

podrażnić *vt* excite, irritate

podrażnienie *n* excitement, irritation

podręcznik *m* handbook

podręczn|y *adj* (znajdujący się pod ręką) handy, at hand; książka ~a reference book

podróbki *s pl* pluck *zbior.*

podróż *f* travel, journey; (krótka) trip; (morska) voyage; odbywać ~ make a journey

podróżnik *m* traveller

podróżny *m* traveller, passenger; *adj* travelling

podróżować *vi* travel

podrygi *s pl* gambols

podrygiwać *vi* gambol, skip

podrywać *vt* pull down; jerk; *przen.* sap; *pot.* (np. dziewczynę) pick up

podrzeć *vt* tear up

podrzędny *adj gram.* subordinate; (drugorzędny) second-rate

podrzucać *vt* throw up, toss; (np. ulotkę, dokument) foist; (niemowlę) expose

podrzutek *m* foundling

podrzynać *vt* undercut; ~ sobie

gardło cut one's throat

podsądny *m* accused, defendant

podsekretarz *m* undersecretary

podskakiwać *vi* jump, leap up, bounce; (o cenach) rise, shoot up; ~ z radości leap for joy

podskok *m* jump, leap

podskórn|y *adj* subcutaneous, (o zastrzyku) hypodermic; woda ~a subsoil water

podsłuch *m* eavesdropping; (telefoniczny) wire-tapping; (radiowy) monitoring

podsłuchiwać *vt* overhear, eavesdrop; (w radiu) monitor

podstarzały *adj* aged, elderly

podstaw|a *f* base, basis; na tej ~ie on this ground; na ~ie czegoś on the ground of sth

podstawić *vt* put under; substitute (coś na miejsce czegoś sth for sth)

podstawow|y *adj* fundamental, essential; szkoła ~a elementary school

podstęp *m* trick

podstępny *adj* tricky, trickish

podsumować *vt* sum up

podsunąć *vt* shove, slip; (wsunąć ukradkiem) foist; (myśl) suggest

podsycać *vt* foment, excite; (ogień) feed, blow

podszeptywać *vt* whisper furtively; (podsunąć) prompt (komuś pomysł sb with an idea), suggest

podszewka *f* lining

podszycie *n* (lasu) undergrowth

podszyć *vt* (ubranie) line; ~ się *vr* pretend to be (pod kogoś sb), assume the character (pod kogoś of sb)

podścielić *vt* underlay, litter

podściółka *f* underlay, litter

podświadomość *f* subconsciousness

podświadomy *adj* subconscious

podtrzymywać *vt* support; (stosunki, poglądy itp.) maintain; (życie, nastrój) sustain; *przen.* (bronić kogoś, czyjejś sprawy) advocate

podupad|ać *vi* decline, go down;

~ać na siłach break up; ~ł na zdrowiu his health broke down

poduszczeni|e n abetment, instigation; z czyjegoś ~a at sb's instigation

poduszka f (*pościelowa*) pillow; (*ozdobna*) cushion; ~ do stempli ink-pad

podwalina f foundation

podważyć vt lever; (*łomem*) lift up; przen. (*osłabić*) weaken, sap, shake

podwiązać vt tie up, bind up

podwiązka f garter, suspender

podwieczorek m afternoon tea

podwieźć vt (*dostarczyć*) supply; ~ kogoś (*samochodem, autem*) give sb a lift

podwinąć vt turn up, tuck up

podwładny adj i sm subordinate

podwodn|y adj underwater attr, submarine; mors. łódź ~a submarine

podwoić vt double

podwozie n chassis

podwójnie adv doubly, twofold

podwójn|y adj double, twofold; ~a gra double-dealing

podwórze n (court-)yard

podwyżka f augmentation; (*cen*) rise; (*płacy*) increase

podwyższać vt raise, heighten; lift; (*powiększać*) increase

podwyższenie n elevation

podzelować vt sole

podzia|ć vt put somewhere, misplace, lose; ~ć się vr be misplaced, go lost; gdzie się to ~ło? what's become of it?

podział m division, partition; ~ godzin timetable

podziałka f scale

podzielać vt share

podzielić vt divide; ~ się vr share; ~ się z kimś wiadomościami impart news to sb

podzielny adj divisible

podziemie n underground

podziemny adj underground, subterranean

podziękować zob. dziękować

podziękowanie n thanks pl

podziw m admiration

podziwiać vt admire

podzwrotnikowy [-d-z-] adj tropical

podżegacz m abetter; ~ wojenny war-monger

podżegać vt abet, instigate

poemat m poem

poeta m poet

poetka f poet, poetess

poetycki adj poetic(al)

poezja f poetry

pogadać vi pot. (*także* ~ sobie) have a chat

pogadanka f chat; (*popularny wykład*) talk

poganiacz m driver

poganiać vt drive; urge, push on

poganin m heathen, pagan

pogański m heathen, pagan

pogaństwo n paganism

pogard|a f contempt, disdain; godny ~y contemptible

pogardliwy adj contemptuous, disdainful

pogardzać vt despise, disdain

pogarszać zob. pogorszyć

pogawędka f chat, talk

pogawędzić vi (*także* ~ sobie) have a chat

pogląd m view, opinion

poglądow|y adj, lekcja ~a object-lesson

pogłaskać vt stroke, caress

pogłębiać vt deepen

pogłosk|a f rumour; chodzą ~i it is rumoured

pogoda f weather; przen. (*ducha*) serenity

pogodny adj fair; (*na duchu*) serene, cheerful

pogodzenie (się) n conciliation, reconciliation

pogodzić vt reconcile; ~ się vr reconcile oneself (z kimś with sb, z czymś to sth), become reconciled

pogoń f chase (za kimś after sb), pursuit (za kimś of sb)

pogorszenie n change for worse, deterioration

pogorszyć vt make worse, worsen, deteriorate; ~ **się** vr become worse, deteriorate

pogorzelec m victim of a fire

pogotowi|e n readiness; (instytucja) emergency service; **karetka** ~a ambulance; ~e **milicyjne** emergency police squad; ~e **ratunkowe** medical emergency service; **być w** ~u be on the alert

pogranicze n borderland

pograniczn|y adj border-, frontier-, bordering; **miasto** ~e frontier--town; **teren** ~y border-territory

pogrążyć vt sink, plunge; ~ **się** vr sink, plunge; przen. become absorbed; ~ **się w żalu** be overwhelmed by sorrow

pogrobowiec m posthumous child

pogrom m pogrom; (rozbicie wojsk) rout

pogromca m conqueror; (zwierząt) tamer

pogróżka f threat

pogrzeb m funeral, interment, burial

pogrzebacz m poker

pogrzebać zob. **grzebać**

pogrzebowy adj funeral; **orszak** ~ funeral procession

pogwałcenie n violation

pogwałcić vt violate

poić vt drink; (konie) water

pojawić się vr appear, turn up, make one's appearance

pojazd m vehicle, conveyance

pojąć vt comprehend, grasp; ~ **za męża** ⟨**za żonę**⟩ take as a husband ⟨as a wife⟩; take in marriage

pojechać vi go (**dokąd** to a place), leave (**dokąd** for a place)

pojednać vt reconcile; ~ **się** vr reconcile oneself, become reconciled

pojednanie n reconciliation

pojednawczy adj conciliatory

pojedynczo adv singly, one by one

pojedynczy adj single; gram. singular

pojedynek m duel; **wyzwać na** ~ challenge to a duel

pojedynkować się vr duel, fight a duel

pojemnik m container

pojemność f capacity

pojemny adj capacious

pojęcie n idea, notion; **to przechodzi moje** ~ it passes my comprehension

pojętność f comprehension, apprehension

pojętny adj quick of apprehension, clever

pojmać vt seize, catch

pojmować vt comprehend, apprehend, grasp

pojmowanie n comprehension, apprehension

pojutrze adv the day after tomorrow

pokarm m food, nourishment

pokarmowy adj alimentary; **przewód** ~ alimentary canal

pokaz m show; display; ~ **lotniczy** air display; **na** ~ for show

pokazywać vt show, display, demonstrate; (wskazywać) point (**na kogoś** at sb); ~ **się** vr appear, come into sight

pokaźny adj considerable; showy, stately

pokątny adj clandestine; (nielegalny) unlicensed, illegal

poker m (gra) poker

poklask m applause

pokła|d m layer; mors. deck; **na** ~d, **na** ~dzie on board, aboard

pokładać vt lay, place; przen. ~ **nadzieję** set hopes (**w kimś, czymś** on sb, sth)

pokłon m bow, homage

pokło|nić się vr bow; ~ń **mu się ode mnie** present him my compliments, give him my regards

pokłosie n gleaning; przen. (plon) aftermath

pokłócić vt set at variance; ~ **się** vr fall out (**z kimś** with sb), pot. fall to ⟨at⟩ loggerheads

pokochać vt fall in love (**kogoś** with sb), become fond (**kogoś, coś** of sb, of sth)

pokojowy adj peace attr, peaceful; (znajdujący się w pokoju) indoor; okres ~ peace-time; układ ~ peace treaty; piesek ~ lap dog

pokojówka f chamber-maid

pokolenie n generation

pokonać vt (pobić) defeat; (przemóc) overcome, (trudności) surmount; ~ odległość cover a distance

pokora f humility

pokorny adj humble

pokost m varnish

pokostować vt varnish

pokój f peace; (pomieszczenie) room; ~ stołowy dining-room; ~ sypialny bedroom; pokoje do wynajęcia rooms to let; Światowa Rada Pokoju World Peace Council; światowy ruch pokoju world peace movement; zawierać ~ make peace

pokrewieństwo n relationship, affinity

pokrewny adj related (komuś to sb), (duchowo) congenial (komuś sb, with sb)

pokrowiec m cover, dust-cloth

pokr|ój m; innego ~oju of another cast; tego ~oju of this stamp

pokrótce adv in short, briefly

pokrycie n (także fin.) cover, covering; ~ w złocie gold backing

pokryć vt cover; (koszty) defray

po kryjomu adv stealthily, secretly

pokrywa f cover, lid

pokrywać vt zob. pokryć; ~ się vr be covered; przen. (zbiegać się) coincide

pokrzepiać vt invigorate, strengthen; refresh; ~ na duchu fill with high spirits, cheer; ~ się vr refresh oneself

pokrzepienie n refreshment; invigoration; (duchowe) encouragement

pokrzywa f bot. nettle

pokrzywka f med. nettle-rash

pokupny adj saleable, in great demand

pokusa f temptation; ~ mnie bierze I fell tempted

pokusić się vr attempt, venture (o coś sth)

pokut|a f penance, penitance; odprawiać ~ę do penance

pokutować vi do penance; przen. (trwać nadal) linger on

pokwitować vt receipt

pokwitowanie n receipt

Polak m Pole

polana f glade, clearing

polano n billet

polarn|y adj polar; gwiazda ~a pole-star

polaryzacja f polarization

pole n field; ~ bitwy battlefield; ~ widzenia field of vision; przen. wywieść w ~ jockey, hoax

polec vi fall, be killed

polec|ać vt recommend; (powierzać) commend; handl. (zlecać) command; list ~ający letter of introduction; list ~ony registered letter

polecenie n recommendation; handl. (zlecenie) command; ~ wypłaty order of payment

poleg|ać vi consist (na czymś in sth); rely, depend (na kimś, czymś on sb, sth); na nim można ~ć he can be relied upon; nasze zadanie ~ na wspólnym wysiłku our task consists in a common effort; rzecz ~ na czymś innym the matter consists in sth else, the point of the matter is different

polemiczny adj polemic(al)

polemika f polemics

polepsz|ać vt improve, make better; ~ać się vr improve, grow better; (o zdrowiu) ~yło mu się he is better

polerować vt polish

polewa f glaze, enamel

polewaczka f watering-can

polewać vt (wodą) water; (pokrywać glazurą) glaze

polędwica f loin
policja f police
policjant m policeman
policzek m cheek, face; (uderzenie w twarz) slap; **wymierzyć komuś ~** slap sb's face
polisa f insurance policy
politechniczny adj polytechnic(al)
politechnika f polytechnical school, engineering college
politowanie n pity, mercy
politura f polish
politurować vt polish
polityczny adj political
polityk m politician
polityka f (taktyka) politics; (kierunek postępowania, dyplomacja) policy
polka f (taniec) polka; **Polka** Pole, Polish woman
polon m chem. polonium
polonez m (taniec) polonaise
polor m lustre, gloss; (ogłada) refinement
polot m imaginativeness, enthusiasm
polować vi hunt, chase (na zwierzynę the deer); shoot; pot. (poszukiwać) hunt (na kogoś, coś sb, sth)
polowanie n chase, hunting; **iść na ~** go hunting
polski adj Polish
polszczyzn|a f Polish (language); **mówić i pisać dobrą ~ą** speak and write good Polish
polubić vt take a liking (kogoś, coś for ⟨to⟩ sb, sth)
polubowny adj arbitral; **sąd ~** arbitration
poła f skirt
połać f stretch of land, expanse
poławiacz m fisherman, diver; **~ pereł** pearl-diver; **~ min** mine-sweeper
połączenie n connexion (także kolejowe); union; fusion; **w ~u z czymś** in connexion with sth
połączyć vt connect; unite; (telefonicznie) put through (z kimś to sb); **~ się** vr unite; become con-

nected; (telefonicznie) get through (z kimś to sb)
połow|a f half; (środek) middle; **~a roku** half a year; **w ~ie marca** in the middle of March; **na ~ę** by half; **za ~ę ceny** at half price
połowica f, pot. **moja ~** my better half
połowiczny adj half; partial
położeni|e n situation; (zw. trudne) plight; **w ciężkim ~u** in sad ⟨sorry⟩ plight
położna f midwife
położyć vt lay (down), place, put; przen. **~ koniec** put an end (czemuś to sth); **~ trupem** kill; **~ życie** sacrifice one's life; **~ się** vr lie down, go to bed; zob. **kłaść**
połóg m delivery, childbirth
połów m catch (ryb of fish), fishing; (wynik połowu, ryby w sieci) haul; **~ pereł** pearl-fishing; przen. **obfity ~** large booty
południe n midday, noon; **w ~** at noon; (strona świata) south; **na ~ od ...** to the south of ...; **przed ~m** in the morning, in the forenoon
południk m meridian
południowo-wschodni adj south-eastern
południowo-zachodni adj south-western
południow|y adj southern, south; **~a pora** noontide
połykać vt swallow
połysk m lustre, glitter, gloss, polish
połyskiwać vi glitter
pomadka f chocolate cream; **~ do ust** lipstick
pomagać vi help, aid, assist; be good, be of use (na coś for sth); **co to pomoże?** what's the use of it?; **płacz nic nie pomoże** it's no use crying
pomału adv slowly, little by little
pomarańcza f orange

pomarszczony *adj* wrinkled

pomawiać *vt* impute (kogoś o coś sth to sb), charge (kogoś o coś sb of sth)

pomazać *vt* smear over, besmear

pomiar *m* measurement; (*geodezyjny*) survey

pomiarkować się *vr* become aware (co do czegoś of sth)

pomiatać *vt* disdain, spurn (kimś sb)

pomidor *m* tomato

pomieszać *vt* mix up, stir up; (*wprowadzić zamęt*) confuse; ~ komuś szyki thwart sb's designs; zob. **mieszać**

pomieszanie *n* confusion; ~e zmysłów insanity; dostać ~a zmysłów go mad

pomieszczenie *n* place, lodging, accomodation

pomieścić *vt* put, place; (*mieścić w sobie*) contain; (*dać mieszkanie, nocleg*) lodge, accomodate

pomiędzy zob. **między**

pomijać *vt* pass over, omit, overlook; ~ć milczeniem pass over in silence; ~jąc ... apart from ...

pomimo *praep* in spite of

pomniejszać *vt* diminish, belittle

pomniejszy *adj* minor, petty

pomnik *m* monument

pomny *adj* mindful (czegoś of sth)

pomoc *f* help, aid, assistance; *sport* half-back; ~ domowa maid-servant; ~e naukowe instructional aids; udzielenie pierwszej ~y first-aid treatment; przyjść komuś z ~ą come to sb's help; wzywać kogoś na ~, call on sb for help; przy ~y ⟨za ~ą⟩ czegoś with the aid ⟨by means, through the medium⟩ of sth; przy ~y kogoś with aid ⟨help⟩ of sb

pomocnica *f* (female) assistant

pomocniczy *adj* auxiliary

pomocnik *m* assistant

pomocny *adj* helpful

pomorski *adj* Pomeranian

pomost *m* platform; (*ze statku*) gangway

pomóc zob. **pomagać**

pomór *m* pestilence; (*u bydła*) murrain

pompa 1. *f* techn. pump; ~ ssąca suction pump

pomp|a 2. *f* (*wystawność*) pomp; z wielką ~ą in great state

pompatyczny *adj* pompous

pompować *vt* pump

pomsta *f* revenge

pomstować *vi* swear (na coś at sth)

pomyje *spl* slops

pomylić się *vr* make a mistake, commit an error, be mistaken (co do kogoś, czegoś about sb, sth)

pomyłk|a *f* mistake, error; przez ~ę by mistake

pomysł *m* idea

pomysłowość *f* ingenuity

pomysłowy *adj* ingenious

pomyślność *f* prosperity, success

pomyślny *adj* successful, favourable; (*o wietrze*) fair; ~ skutek good effect

pomywaczka *f* scullery-maid

ponad *praep* above; ~ miarę beyond measure; ~ moje siły beyond my power

ponadto *adv* moreover; besides; in addition

ponaglać *vt* urge, press

ponaglenie *n* urgency; (*pismo*) reminder

poncz *m* punch

ponętny *adj* alluring, enticing, attractive

poniechać *vt* give up, abandon

poniedziałek *m* Monday

poniekąd *adv* to some degree

ponieść zob. **ponosić**

ponieważ *conj* because, as, since

poniewczasie *adv* too late

poniewierać *vt* disregard; maltreat

poniewierka *f* miserable life; neglect

poniżać zob. **poniżyć**

poniżej *praep* under, below; *adv* underneath, below

poniżenie *n* humiliation, abasement

poniższy *adj* undernamed, undermentioned

poniżyć vt bring down, lower; degrade; abase, humble; ~ się vr degrade oneself, humble oneself

ponosić vt carry (away); (o uczuciach, namiętnościach) transport; ~ koszty ⟨odpowiedzialność⟩ bear the expenses ⟨the responsibility⟩; ~ karę śmierci ⟨śmierć, stratę⟩ suffer the death penalty ⟨death, a loss⟩; ~ klęskę sustain ⟨suffer⟩ a defeat

ponowić vt renew; (powtarzać) repeat

ponownie adv anew, again

ponowny adj repeated, new, another

ponton m pontoon

ponury adj gloomy

pończoch|a f stocking; ~y bez szwu seamless stockings

pończosznictwo n hosiery

poobiedni adj after-dinner attr

po omacku adv gropingly; iść ~ grope one's way; szukać ~ grope (czegoś for sth)

poparcie n support; na ~ in support (czegoś of sth)

popas m bait

popaść vi fall; ~ w kłopoty ⟨długi⟩ get into trouble ⟨debts⟩; ~ w nieszczęście fall into misfortune

popelina f poplin

popełnić vt commit

popęd m impulse; inclination; ~ płciowy sex instinct; z własnego ~u of one's own free will

popędliwość f impetuosity

popędliwy adj impetuous

popędzać vt drive on, urge

popielaty adj ashen, grey

popielec m Ash-Wednesday

popielniczka f ash-tray

popierać vt support, back

popiersie n bust

popijać vt vi (małymi łykami) sip; (nałogowo) tipple

popiół m ashes pl, cinders pl

popis m display, show

popisowy adj exemplary, show attr, model attr

popisywać się vr display (czymś sth), show off (czymś sth)

poplecznik m supporter, adherent

popłaca|ć vi pay; to nie ~ it does not pay, there is no money in it

popłatny adj profitable, paying

popłoch m panic

popołudni|e n afternoon; po ~u in the afternoon

poprawa f improvement

poprawczy adj corrective; dom ~ penitentiary, reformatory

poprawiać vt correct, improve; (ustawę, tekst) amend; ~ się vr improve; (moralnie) mend one's ways; (na zdrowiu) get better, improve

poprawka f correction; prawn. amendment; (egzamin) repeated examination

poprawność f correctness

poprawny adj correct

po prostu adv simply; plainly; mówiąc ~ to be plain

poprzeczka f sport cross-bar

poprzecznie adv crosswise

poprzeczny adj transversal

poprzedni adj previous, preceding; ~ego dnia the day before

poprzednik m predecessor

poprzednio adv previously, formerly

poprzedzać vt precede, go before; ~ przedmową preface

poprzek, w ~ adv crosswise, athwart, across

poprzestać vi be satisfied (na czymś with sth); na tym nie można ~ the matters cannot rest there

poprzez praep across, through

popularność f popularity

popularny adj popular

popularyzować vt popularize

popuszczać vt slacken, loosen, let loose; relax; (folgować) indulge (komuś w zachciankach sb in his whims); ~ wodze swej fantazji give reins ⟨give full rein⟩ to one's imagination; ~ pasa loosen one's belt

popychać vt push; ~ się vr push on, jostle

popychadło n drudge

popyt *m* demand (na coś for sth); ~ i podaż demand and supply

por 1. *m anat.* pore

por 2. *m bot.* leek

por|a *f* season, time; ~a obiadowa dinner time; 4 ~y roku 4 seasons of the year; do tej ~y till now, up to this time; o każdej porze at any time; w ~ę in good time

porabia|ć *vi,* co ~sz? what are you doing?

porachunek *m* reckoning, settling of accounts

porad|a *f* advice, counsel; udzielić ~y give advice; zasięgnąć czyjejś ~y take sb's advice; za czyjąś ~ą on sb's advice

poradnia *f* (*lekarska*) clinic for outpatients, dispensary

poradnik *m* guide-book, vade-mecum

poranek *m* morning

poranny *adj* morning *attr*

porastać *vi* get overgrown, become grown over; *przen.* ~ w pierze feather one's nest

porazić *vt* strike; paralyze; defeat

porażenie *n* stroke, paralysis; ~ słoneczne sunstroke

porażka *f* defeat

porcelana *f* china

porcja *f* portion, share

poręcz *f* banister, handrail; (*u krzesła*) arm; *pl* ~e *sport* parallel bars

poręczenie *n* surety, guarantee

poręczny *adj* handy

poręczyciel *m* guarantee, guarantor; *prawn.* guaranty

poręczyć *zob.* ręczyć

poręka *zob.* poręczenie

pornografia *f* pornography

poronienie *n* *med.* abortion, miscarriage

poroniony *adj* abortive

porost *m* growth

porowaty *adj* porous

porozbiorowy *adj* post-partition *attr*

porozumieć się *vr* come to an understanding (z kimś with sb);

make oneself understood (z kimś by sb); combine (żeby coś zrobić to do sth); (*kontaktować się*) communicate (z kimś with sb)

porozumieni|e *n* understanding, agreement; dojść do ~a come to an agreement

poród *m* childbirth, delivery

porównać, porównywać *vt* compare

porównanie *n* comparison

porównawczy *adj* comparative

poróżnić *vt* set at variance; ~ się *vr* fall out (z kimś with sb)

port *m* port, harbour; ~ lotniczy airport; komendant ~u harbourmaster

porter *m* porter, stout

portfel *m* wallet; *handl.* (*wekslowy*) portfolio

portier *m* porter, door-keeper

portiernia *f* porter's quarters

portmonetka *f* purse

porto *n* (*opłata*) postage

portret *m* portrait

portretować *vr* portray

Portugalczyk *m* Portuguese

portugalski *adj* Portuguese

portyk *m* portico

poruczać † *vt* charge (komuś coś with sth); entrust (komuś coś with sth, sth to sb); ~ czyjejś opiece commit to sb's care

poruczenie *n* commission, charge

porucznik *m* lieutenant

poruszać *vt* move; stir; touch (kwestię upon a question); ~ się *vr* move, stir

poruszenie *n* movement, stir

poryw *m* impulse; (*zapał*) enthusiasm, rapture; ~ wiatru gust

porywać *vt* seize; snatch; carry off; (*kobietę*) ravish, rape; (*zw. dziecko*) kidnap; (*zachwycać*) enrapture; ~ się *vr* (z *miejsca*) start up; attempt (na coś sth)

porywający *adj* ravishing

porywczy *adj* rash

porząd|ek *m* order; w ~ku in (good) order; nie w ~ku out of order; coś nie jest w ~ku something is wrong with it; przywolać do ~ku call to order; zrobić ~ek put in order

porządkować *vt* order, put in order

porządkowy *adj* ordinal

porządny *adj* well-ordered; neat; (*uczciwy*) honest, decent

porzeczka *f* currant

porzucać *vt* abandon, give up, leave

posada *f* situation, employment, post; (*podstawa*) foundation

posadzić *vt* set, seat; (*roślinę*) plant

posadzka *f* (parquet) floor

posąg *m* dowry

posądzać *vt* suspect (**kogoś o coś** sb of sth)

posądzenie *n* suspicion (**o coś of sth**)

posąg *m* statue

posążek *m* statuette

poselstwo *n* legation; mission

poseł *m* (*pełnomocny*) envoy; (*członek deputacji*) deputy; (*posłaniec*) messenger; ~ **do parlamentu** *bryt.* member of Parliament; *am.* representative

posesja *f* property, real estate

posępny *adj* gloomy

posiadacz *m* owner, man of property

posiada|ć *vt* possess, own; **nie ~ć się z radości ⟨z wściekłości⟩** be beside oneself with joy ⟨fury⟩

posiadłość *f* property, possession

posiąść *vt* come into possession (**coś of sth**), get possession (**coś of sth**)

posiedzenie *n* sitting; **odbywać ~** hold a sitting

posiew *m* sowing; grain sown; *przen.* seeds *pl*

posilać się *vr* refresh oneself, get refreshed

posiłek *m* meal, refreshment; (*pomoc*) *pl* ~ki reinforcements

posiłkować się *vr* make use (**czymś of sth**)

posiłkowy *adj* auxiliary (*także gram.*)

poskramiać *vt* tame; (*konia*)

break; (*wroga, namiętności*) subdue

poskromiciel *m* tamer

posłać 1. *vt* send, convey, dispatch

posłać 2. *vt*, ~ **łóżko** make bed

posłanie *m* message, mission; (*pościel*) bed clothes, bedding

posłaniec *m* messenger

posłuch *m* obedience; **dać ~** give ear (**czemuś to sth**)

posłuchać *vi* (*usłuchać*) obey; (*przysłuchiwać się*) listen (**czegoś to sth**); (*o audycji*) listen in (**czegoś to sth**)

posłuchanie *n* audience; **otrzymać ~** be received in audience

posługa *f* service; (*domowa*) housework

posługacz *m* servant

posługiwać się *vr* make use (**czymś of sth**), use

posłuszeństwo *n* obedience

posłuszny *adj* obedient; **być ~m** obey

posmak *f* aftertaste

pospolity *adj* vulgar, common

pospólstwo *n* populace, mob

posrebrzać *vt* silver

post *m* fast; **Wielki Post** Lent

posta|ć *f* form, shape; figure; (*osoba*) person; (*kreacja*) character; **przybrać ~ć** take the form ⟨shape⟩; **w ~ci** in the shape ⟨czegoś of sth⟩

postanawiać *vt vi* resolve, determine (**coś on sth**), make up one's mind

postanowienie *n* decision, resolution

postawa *f* (*pozycja, prezencja*) stature; (*ustosunkowanie się*) attitude

postawić *vt* set (up); (*budynek*) erect; (*np. warunek*) impose; (*pytanie*) put; ~ **na swoim** carry one's point; ~ **sobie zadanie** set oneself the task

posterunek *m* post, outpost; *wojsk.* sentry

postęp *m* progress, advance

postępek *m* act, action

postępować vi proceed, go on; (za-chowywać się) behave (w sto-sunku do kogoś towards sb); deal (z kimś with sb); act (zgodnie z czymś up to sth)

postępowanie n advance; (zacho-wanie się) behaviour (z kimś to-wards sb), action; ~ sądowe le-gal proceedings

postępowy adj progressive

postny adj fasten, fast, meatless

postój m stay, stop, halting-place; ~ taksówek taxi-stand

postrach m terror, scare

postradać vt lose

postronek m rope; (stryczek) halter

postronny adj side attr, outside attr; alien, strange

postrzał m shot, gunshot-wound; (ból) crick

postrzelić vt wound by a shot

postrzelony adj wounded by a shot; (szalony) crazy

postscriptum n nieodm. postscript

postulat m postulate, demand

postument m pedestal

posucha f drought

posunięcie n move

posuwać vt move (forward), push on; przen. advance; ~ się vr move (forward), go along; przen. advance, make progress

posyłać zob. posłać

posyłk|a f parcel, packet; (sprawu-nek) errand; chodzić na ~i run errands; chłopiec na ~i errand--boy

posypywać vt strew over, powder

poszanowanie n respect, esteem

poszarpany adj rugged, (strzępias-ty) jagged; zob. szarpać

poszczególnie adv individually, one by one

poszczególny adj individual; res-pective; separate; particular; każdy ~ wypadek each particu-lar case

poszczerbiony adj jagged; zob. szczerbić

poszerzać vt widen

poszewka f pillow-case

poszkodowany adj injured, dam-aged; zostać ~m incur damage

poszlaka f trace, indication

poszlakowy adj, materiał ~ cir-cumstantial evidence

poszukiwacz m searcher, resear-cher; prospector; ~ złota gold--digger, gold-prospector

poszukiwać vt search (czegoś for sth); seek (czegoś after sth), be in search (czegoś of sth); (badać) inquire (czegoś into sth); prawn. ~ć na kimś szkody sue sb for damages; ~ny sought after; wanted; (o towarze) in demand

poszukiwanie n search; (naukowe) research; udać się na ~ go in search

poszycie n cover(ing); (dachu) thatch

pościć vi fast

pościel f bed-clothes

pościg m chase, pursuit

pośladek m buttock

pośledni adj inferior, mean

poślizg m slip, skid; wpaść w ~ skid

poślizgnąć się vr slip

poślubić vt marry

pośmiertny adj posthumous

pośmiewisk|o n derision; przed-miot ~a laughing-stock

pośpiech m haste, hurry, speed

pośpieszyć (się) vi vr hasten, hurry

pośpiesznie adv hurriedly

pośpieszny adj hasty; pociąg ~ fast (express) train

pośredni adj indirect, mediate, middle

pośrednictw|o n mediation; za ~em through the medium

pośredniczyć vi mediate

pośrednik m mediator, interme-diary; handl. middleman

pośrodku adv in the middle

pośród praep among(st), amid(st)

poświadczać vt attest, testify

poświadczenie n attestation, cer-tificate

poświęcać vt devote; dedicate; (czynić ofiary) sacrifice; (święcić, *wyświęcać*) consecrate; ~ się *vr* sacrifice oneself; devote oneself

poświęcenie *n* devotion; (*ofiara*) sacrifice

pot *m* sweat, perspiration; lekarstwo na ~y sudorific; w pocie czoła by the sweat of one's brow

potajemny *adj* secret, clandestine

potakiwać *vi* say yes

potas *m chem.* potassium

potaż *m chem. techn.* potash

potąd *adv* (*o czasie*) till now; (*o miejscu*) down to here

potem *adv* afterwards

potencjalny *adj* potential

potencjał *m* potential

potentat *m* potentate

potęga *f* power, might; *mat.* power; druga ~ second power, square

potęgować *vt* augment, heighten, raise; ~ się *vr* increase, intensify

potępiać *vt* condemn; (*skazać na potępienie*) damn

potępienie *n* condemnation; damnation

potężny *adj* powerful, mighty

potknąć się *vr* stumble; *przen.* (*postąpić niewłaściwie*) make a slip

potknięcie się *n* stumbling; *przen.* (*niewłaściwy krok*) slip, lapse

potoczny *adj* current, common, familiar; język ~ colloquial speech

potoczysty *adj* flowing, fluent

potok *m* stream; *przen.* ~ słów ⟨łez⟩ flood of words ⟨tears⟩

potomek *m* descendant

potomność *f* posterity

potomstwo *n* progeny, issue

potop *m* flood, deluge

potrafić *vi* know how to do, manage

potraw|a *f* dish, fare; spis ~ bill of fare

potrawka *f* fricassée

potrącać *vt* push, jostle; (*pieniądze*) knock off, deduct

potrącenie *n* push; (*sumy pieniężnej*) deduction

po trochu *adv* little by little

potroić *vt*, ~ się *vr* treble

potrójnie *adv* threefold

potrójny *adj* threefold

potrzask *m* trap; wpaść w ~ to be caught in a trap

potrząsać *vt* shake

potrzeb|a 1. *f* need, want; (*konieczność*) necessity; nagła ~a emergency; ~y życiowe necessaries of life; nie ma ~y there is no need; w razie ~y in case of need

potrzeba 2. *v imper* it is needed, it is necessary; tego mi ~ I need it; nie ~ mówić it is needless to say; ~ będzie dużo czasu, aby to skończyć it will take long to finish it

potrzebny *adj* needed, wanted, necessary

potrzeb|ować *vt* need, want, be in need of; będę ~ował dwóch godzin, aby to skończyć it will take me two hours to finish it; pociąg ~ uje dwóch godzin, aby tam dojechać the train needs two hours to get there

po trzecie *adv* in the third place

potulność *f* submissiveness, docility

potulny *adj* submissive, docile

poturbować *vt* drub

potwarca *m* slanderer

potwarz *f* slander, calumny

potwierdzać *vt* confirm, corroborate; (*odbiór czegoś*) acknowledge

potwierdzenie *n* confirmation, corroboration; ~ odbioru receipt, acknowledgement of the receipt

potworność *f* monstrosity

potworny *adj* monstrous

potwór *m* monster

potyczka *f* skirmish

potykać się *vr* (*walczyć*) skirmish; zob. potknąć się

potylica *f anat.* occiput

pouczać *vt* instruct

pouczający *adj* instructive

pouczenie *n* instruction

poufałość f intimacy, familiarity
poufały adj intimate, familiar
poufny adj confidential
powabny adj attractive, charming
powaga f gravity, seriousness; (autorytet) authority
powalać vt soil, dirty, make dirty; ~ się vr dirty oneself, become dirty; soil (one's hands, face)
powalić vt knock down, overthrow, bring to the ground; ~ się vr collapse
powała f ceiling
poważać vt respect, esteem
poważanie m respect, esteem; (w liście) z ~m yours truly, yours sincerely ⟨faithfully⟩; z głębokim ~m yours respectfully
poważny adj grave, serious, earnest; (znaczny) considerable; (autorytatywny) authoritative; (o wieku) advanced; ~ człowiek (wpływowy) man of consequence; (o kobiecie) w ~m stanie in the family way
powątpiewać vt doubt (o czymś sth, about sth), be in doubt (o czymś about sth)
powetować vt make up (sobie coś for sth), compensate; ~ sobie stracony czas make up for lost time
powiadamiać vt inform, let know
powiadomienie n information
powiastka f tale, story
powiat m district
powić vt lit. be delivered (dziecko of a child)
powidła s pl (plum) jam
powiedzenie n saying
powie|dzieć vt say; że tak ~m, ~dzmy so to say, say
powieka f eye-lid
powielacz m techn. mimeograph, duplicator; elektr. multiplier
powielać vt mimeograph, duplicate
powiernica f confidante
powiernik m confidant; prawn. trustee
powierzać vt confide, entrust
powierzchnia f surface; (teren)

area
powierzchowność f superficiality; (prezencja) outward appearance
powierzchowny adj superficial; przen. shallow
powiesić vt hang (up); ~ się vr hang oneself
powieściopisarz m novelist
powieść 1. f novel
powieść 2. vt zob. wieść 2.; ~ się vr, jemu się powiodło he has been successful
powietrz|e n air; na wolnym ~u in the open air
powietrzn|y adj aerial; air; droga ~a airway; linia ~a airline; drogą ~ą by air
powiew m breath of wind, breeze; (silny) blast
powiewać vt blow; (na wietrze) stream; (pomachać) wave
powiększać vt enlarge, augment, increase, magnify; ~ się vr increase; (zw. o dochodach, majątku) accrue
powiększenie n enlargement, increase
powijaki s pl swaddling-clothes
powikłać vt entangle, complicate
powikłanie n entanglement, complication
powinien praed on ~ he should, he ought to; ja ~em I should, I ought to
powinność f duty
powinowactwo n affinity
powinowaty adj related; s m relation
powinszowanie n congratulation; z ~m Nowego Roku a happy New Year; z ~m imienin ⟨urodzin⟩ many happy returns of this day
powitanie n welcome, salutation
powlekać vt cover
powłoczka f pillow-case
powłoka f cover; (warstwa) coat(ing)
powodować vt cause, bring about, effect; (wywoływać) provoke
powodzenie n success, prosperity
powodzi|ć się vr get on, prosper;

dobrze mi się ~ I am prospering, I am getting on well; nie ~ mu się he is not prospering, he is not doing well; źle mu się ~ he is doing badly; jak ci się ~? how are you doing?; how are you getting on?

powojenny adj post-war attr

powolny adj slow; (uległy) submissive, compliant

powołanie n call; (pobór) conscription; vocation (np. do stanu duchownego for the ministry)

powoływać vt call; (na stanowisko) appoint; (do wojska) call up; ~ się vr refer (na kogoś, coś to sb, sth)

powonienie n (sense of) smell

powozić vt drive

powód m cause, reason (czegoś of sth, do czegoś for sth); (w sądzie) plaintiff; z powodu by reason of, on account of, because of; bez żadnego powodu for no reason whatever

powództwo n complaint

powódź f flood

powój m bot. bindweed

powóz m carriage

powracać vi return, come back; ~ do zdrowia recover

powrotny adj recurrent; bilet ~ return ticket

powroźnik m rope-maker

powr|ót m return; ~ót do zdrowia recovery; na ~ót, z ~otem back, again; tam i z ~otem to and fro

powróz m rope, cord

powstanie n coming into existence, formation, origin; (zbrojne) rising, insurrection; biol. ~ gatunków origin of species

powstaniec m insurgent

powstawać vi stand up, rise; (zacząć istnieć) come into existence, arise; ~ zbrojnie rise up in arms; ~ przeciw komuś (z inwektywą) inveigh against sb

powstawanie n formation

powstrzymanie n repression, suppression, check

powstrzymywać vt restrain, keep back, check; ~ kogoś od czegoś keep sb from (doing) sth; ~ się vr refrain (od czegoś from sth, from doing sth)

powszechny adj universal, general; (o szkole) primary

powszedni adj every-day, daily, common; chleb ~ daily bread, dzień ~ workday

powściągliwość f restraint, temperance

powściągliwy adj restrained, temperate, self-controlled

powtarzać vt repeat

po wtóre adv secondly, in the second place

powtórka f repetition

powtórnie adv anew, again

powtórny adj repeated, second

powtórzenie n repetition

powyżej adv above

powyższ|y adj above, above-mentioned; ~a klauzula the above clause

powziąć vt take, take up; form, frame, conceive; ~ myśl form ⟨conceive⟩ an idea; ~ postanowienie arrive at a decision; ~ uchwałę pass a resolution

poza 1. f pose, attitude

poza 2. praep beyond, behind; (oprócz) except, apart from; ~ szkołą away from school; ~ tym adv besides; nikt ~ tym nobody else

pozagrobow|y adj, życie ~e after-life, life hereafter

pozbawiać vt deprive (kogoś czegoś sb of sth); ~ majątku dispossess

pozbywać się vr get rid (czegoś of sth); (strachu) banish; (nałogu) abandon

pozdr|awiać vt greet, hail, salute; ~ów go ode mnie give him my kind regards ⟨my love⟩

pozdrowieni|e n greeting, salutation; serdeczne ~a love

pozew m summons, writ

poziom m level

poziomka f (wild) strawberry

poziomy *adj* horizontal; *przen.* (*pospolity*) low, common

pozłacać *vt* gild

pozłota *f* gilding

poznać|ć *vt* become acquainted (kogoś, coś with sb, sth); (*rozpoznać*) recognize; ~ć się *vr'* (z kimś) make sb's acquaintance, become acquainted with sb; ~łem się z nim I made his acquaintance; ~łem się na nim I saw him through

poznajomić *vt* acquaint (kogoś z kimś sb with sb); ~ się *vr* become acquainted

poznanie|e *n* recognition, perception, knowledge; zdolność ~a perceptive faculty; nie do ~a out of all recognition

poznawać *zob.* poznać

pozorny *adj* apparent, seeming

pozostać *zob.* pozostawać

pozostały *adj* remaining, left; *chem.* residual; ~ przy życiu surviving

pozostawać *vi* remain; stay behind; be left; ~wać przy swoim zdaniu persist in one's opinion; ~wać w domu stay at home; ~wać w łóżku keep to one's bed; nie ~je mi nic innego jak tylko... there is nothing left for me but...; niewiele mi ~je I have not much left

pozostawiać *vt* leave; ~ za sobą leave behind

pozować *vi* pose (na kogoś as sb), set oneself up (na kogoś as sb); ~ malarzowi do portretu sit to a painter for one's portrait

pozór *m* appearance, pretence, pretext; zachowywać ~ory keep up appearances; na ~ór seemingly; pod ~orem under the pretence; pod żadnym ~orem under no account; według wszelkich ~orów to all appearances

pozwać *vt* summon

pozwalać *vt* allow, permit, let; ~ sobie allow oneself; (*folgować sobie*) indulge (na coś in sth); ~ sobie na poufałość take lib-

erties (z kimś with sb); mogę sobie na to pozwolić I can afford it

pozwany *m prawn.* defendant

pozwolenie *n* permission

pozycja *f* position; (*zapis*) item, entry

pozyskać *vt* gain, win

pozytyw *m fot.* positive

pozytywizm *m* positivism

pozytywny *adj* positive

pożałować *vt* (*zlitować się*) take pity (kogoś cn sb); (*odczuć żal*) regret, repent; (*poskąpić*) begrudge (komuś czegoś sb sth)

pożar *m* fire

pożarn|y *adj*, straż ~a fire-brigade

pożądać *vt* desire, covet

pożądanie *n* desire; (*żądza*) lust

pożądany *adj* desirable

pożegnać *vt* take leave (kogoś of sb); ~ się *vr* say goodbye (z kimś to sb)

pożegnalny *adj* farewell *attr*, parting

pożegnanie *n* leave-taking, leave, farewell

pożerać *vt* devour

pożoga *f* fire, conflagration

pożreć *zob.* pożerać

pożyci|e *n* life; ~e małżeńskie married life; ~e z ludźmi social life; trudny w ~u hard to live with

pożyczać *vt* (*komuś*) lend; (*od kogoś*) borrow

pożyczk|a *f* loan; udzielać ~i grant a loan

pożyteczność *f* utility, usefulness

pożyteczny *adj* useful

pożyt|ek *m* use, utility, profit; odnosić ~ek derive an advantage (z czegoś from sth); jaki z tego ~ek? what's the use of it?

pożywić *vt* nourish, feed; ~ się *vr* refresh oneself

pożywienie *n* nourishment, refreshment food

pożywka *f* nutrient, nourishing substance

pożywny *adj* nutritious, nourishing

pójść zob. **iść**

póki zob. **dopóki**

pół *num* half; demi-, semi-; ~ ceny half-price; ~ do drugiej half past one; ~ na ~ half-and--half; ~ roku half a year; ~żywy half-alive; dzielić się na ~ go halves

półbucik *m* low shoe

półfabrykat *m* half-finished product, semifacture

półfinał *m* sport semifinal

półgłosem *adv* half aloud

półgłówek *m* half-wit

półinteligent *m* half-educated man

półka *f* shelf; (na bagaż, narzędzia) rack; ~ na książki book--shelf

półkole *n* semi-circle

półksiężyc *m* half-moon; poet. crescent; (godło islamu) crescent

półkula *f* hemisphere

półmisek *m* dish

półmrok *m* twilight

północ *f* geogr. north; (pora doby) midnight; na ~ to the north (od Warszawy of Warsaw); na ~y in the north; o ~y at midnight

północno-wschodni *adj* north-eastern

północno-zachodni *adj* north-western

północny *adj* north, northern; midnight

półroczny *adj* half-yearly

półświatek *m* demi-monde

półtora *num* one and a half

półurzędowy *adj* semi-official

półwysep *m* peninsula

póty zob. **dopóki**

później *adv* later (on), afterwards; prędzej czy ~ sooner or later

późno *adv* late

późny *adj* late

prababka *f* great grandmother

prac|a *f* work; (zatrudnienie) job; (trud) labour; ~a akordowa piece-work; ~a dniówkowa time-

-work; partia ~y Labour Party; świat ~y labour; warunki ~y working conditions; bez ~y out of work; przen. syzyfowa ~a Sisyphean labours

pracodawca *m* employer

pracować *vi* work

pracowitość *f* industry

pracowity *adj* industrious, laborious

pracownia *f* workshop; laboratory

pracownik *m* worker; ~ fizyczny ⟨umysłowy⟩ manual ⟨intellectual⟩ worker

praczka *f* washerwoman

prać *vt* wash

pradziad *m* great grandfather; (przodek) ancestor

pragnący *adj* desirous (czegoś of sth); (spragniony) thirsty

pragnąć *vt vi* desire; be desirous (czegoś of sth); † (być spragnionym) be thirsty

pragnienie *n* desire; thirst; mieć ~ be thirsty

praktyczny *adj* practical

praktyk *m* practitioner

praktyk|a *f* practice; training, apprenticeship; odbywać ~ę serve one's apprenticeship, undergo training

praktykant *m* apprentice; (kandydat przyjęty na próbę) probationer

praktykować *vt vi* (uprawiać praktykę) practise; (odbywać praktykę) get practical training, be bound apprentice

pralinka *f* praline

pralka *f* washing-machine

pralnia *f* wash-house; (pomieszczenie) laundry; ~ chemiczna dry-cleaning shop, dry-cleaner's

prałat *m* prelate

pranie *n* washing

praojciec *m* ancestor

prasa *f* press; (drukarnia) printing-machine

prasować *vt* press; (bieliznę, ubranie) iron, press

prasow|y adj, **kampania** ~a press campaign

prawda f truth; **to** ~ that's true

prawdomówność f truthfulness, veracity

prawdomówny adj truthful, veracious

prawdopodobieństw|o n probability; **według wszelkiego** ~a in all probability

prawdopodobnie adv probably; **on** ~ **powróci** he is likely to come back

prawdopodobny adj probable, likely

prawdziwie adv indeed, truly

prawdziwość f genuineness, authenticity, reality, truth

prawdziwy adj true, genuine, real, authentic

prawica f right hand; polit. the Right

prawić vt vi discourse, talk; ~ **kazanie** sermonize, lecture (**komuś sb**); ~ **komplementy** pay compliments

prawidło n rule; (**do butów**) boot-tree

prawidłowość f regularity

prawidłowy adj regular, correct

prawie adv almost, nearly; **praca jest** ~ **skończona** the work is as well as done; ~ **nigdy** hardly ever; ~ **tej samej wielkości** about the same size

prawniczy adj juridical; **wydział** ~ Faculty of Law

prawnie adv (**na mocy prawa**) by right; by law; rightfully, lawfully

prawnik m lawyer

prawnuczka f great granddaughter

prawnuk m great grandson

prawny adj legal, lawful; (**prawnie należny**) rightful

prawo 1. **na** ~ adv on the right, to the right

prawo 2. n right; (**przedmiotowe, ustawa**) law; ~ **autorskie** copyright; ~ **głosowania** voting right; ~ **jazdy** driving-licence; ~ **własności** right of possession; ~ **zwy-**czajowe common law; **mieć** ~ have the right; **odwołać się do prawa** go to law; **studiować** ~ read law; **wyjąć spod prawa** outlaw

prawodawczy adj legislative

prawodawstwo n legislation

prawomocność f validity, legal force

prawomocny adj valid

prawomyślny adj orthodox

praworządny adj law-abiding

prawosławny adj orthodox

prawość f righteousness, honesty

prawować się vr litigate (**o coś** about sth)

prawowierność f orthodoxy

prawowierny adj orthodox

prawowity adj legitimate

prawoznawstwo n jurisprudence

praw|y adj right; (**uczciwy**) honest, righteous; **po** ~**ej stronie** on the right hand ⟨side⟩

prawzór m prototype

prażyć vt grill, burn

prąd m current; (**strumień**) stream; (**kierunek, dążność**) tendency, trend; elektr. ~ **stały** ⟨**zmienny**⟩ direct ⟨alternating⟩ current; **pod** ~ against the stream, upstream; **z** ~**em** with the stream, downstream

prątek m med. bacillus

prąż|ek m stripe; **w** ~**ki** striped

prążkowany adj striped

precedens m precedent

precyzja f precision

precyzyjny adj precision attr; **instrument** ~ precision instrument

precyzować vt define precisely

precz adv away; int **begone!**, **out of my sight!**; ~ **z wojną!** down with war!

predestynacja f predestination

prefabrykat m prefabricated article

prefabrykować vt prefabricate

prefekt m prefect

prefiks m gram. prefix

prehistoryczny adj prehistoric

prelegent m lecturer

prelekcja f lecture

preliminaria s pl polit. preliminaries

preliminarz m preliminary estimate; ~ budżetowy budget estimates pl

preludium n muz. i przen. prelude

premedytacja f premeditation

premia f premium; (nagroda) prize; (dodatek do płacy) bonus

premier m prime minister, premier

premiera f first night, première

premiować vt pay a premium; pay a bonus; award a prize

prenumerata f subscription

prenumerator m subscriber

prenumerować vt subscribe (coś to sth)

preparat m preparation; med. microscopic section

prerogatywa f prerogative, privilege

presja|a f pressure; wywierać ~ę na kogoś to bring pressure, to bear on sb; pod ~ą under pressure

pretekst m pretext; pod ~em on the pretext

pretendent m claimant; (do tronu, tytułu itp.) pretender

pretendować vi claim (do czegoś sth); pretend (do czegoś to sth)

pretensj|a f pretense, pretension; (roszczenie) claim; występować z ~ami lay claims; mieć ~ę have a grudge (do kogoś against sb)

pretensjonalność f pretentiousness

pretensjonalny adj pretentious

prewencja f prawn. prevention (przed czymś of sth)

prewencyjny adj preventive

prezencja f presence

prezent m present, gift

prezentować vt present; (przedstawiać) introduce; dobrze się ~ have a good presence

prezes m chairman, president

prezydent m president

prezydium n presidium, board

prezydować vi preside (czemuś over sth)

prędki adj quick, swift, fast

prędko adv quickly, fast

prędkość f quickness, fastness; fiz. velocity, speed; ~ dźwięku speed of sound; ~ jazdy travelling speed; rate of travel

prędzej adv quicker, more quickly; (wcześniej) sooner, rather; czym ~ as soon as possible; ~ czy później sooner or later

pręg|a f stripe; w ~i striped

pręgierz † m pillory; przen. być pod ~em be pilloried; stawiać pod ~em pillory

pręgowany adj striped

pręt m rod, stick

prężność f elasticity; przen. expansiveness; techn. tension

prężny adj elastic; przen. (dynamiczny) expansive

probierczy adj attr, testing; techn. kamień ~ touchstone

problem m problem

problematyczny adj problematic

probostwo n parsonage

proboszcz m parson

probówka f test-tube

proca f sling

proceder m proceeding; † (interes) business, trade

procedura f procedure

procent m percentage; (odsetki) interest; na 5 ~ at 5 per cent; na wysoki ~ at a high rate of interest; przynosić ~ bear interest

proces m process; (sądowy) lawsuit, action; wytoczyć ~ bring an action (komuś against sb)

procesja f procession

procesować się vr be at law, litigate

proch m powder; (pył) dust; ~ strzelniczy gunpowder

prochownia f powder magazine

producent m producer

produkcj|a f production, output; ~a sceniczna performance; środki ~i means of production

produkcyjność f productivity

produkcyjny adj productive

produkować vt produce; ~ się vr

perform (czymś sth), display (czymś sth)

produkt m product; pl ~y products, zbior. produce; ~ uboczny by-product; ~y spożywcze provisions, victuals

produktywny adj productive

profanacja f profanation

profanować vt profane

profesor m professor

profesorski adj professorial, professor's

profesura f professorship

profil m profile

profilaktyczny adj prophylactic, preventive

prognoza f prognosis; ~ pogody weather-forecast

program m programme, program; ~ studiów curriculum

programowy adj programmatic, according to programme

progresja f progression

progresywny adj progressive; (o podatku) graduated

prohibicja f prohibition

projekcja f projection

projekcyjn|y adj, aparat ~y projector; kabina ~a projection room

projekt m project; plan; design; (zarys, szkic) draft; (ustawy) bill

projektować vt project, design, plan

proklamacja f proclamation

proklamować vt proclaim

prokurator m public prosecutor

prokuratura f public prosecutor's office

proletariacki f proletarian

proletariat m proletariat

proletariusz m proletarian

prolog m prologue

prolongata f prolongation, extension of the term

prolongować vt prolong, extend the term

prom m ferry, ferry-boat

promienieć vi 'beam, radiate

promieniotwórczość f radioactivity

promieniotwórczy adj radioactive

promieniować vi radiate, beam forth

promieniowanie n radiation; ~ kosmiczne cosmic rays; ~ słoneczne solar radiation

promienny adj radiant, beaming

promie|ń m beam, ray; mat. radius; ~ń słoneczny sunbeam; ~nie Roentgena x-rays pl

promocja f promotion, advancement

promować vt promote, advance

propaganda f propaganda

propagować vt propagate

propeller m techn. propeller

proponować vt offer, propose

proporcja f proportion

proporcjonalność f proportionality

proporcjonaln|y adj proportional; mat. odwrotnie ⟨wprost⟩ ~y inversely ⟨directly⟩ proportional; średnia ~a mean proportional

proporzec m banner

propozycja f proposal, suggestion

prorektor m prorector

proroctwo n prophecy

prorok m prophet

prorokować vt prophesy

prosić vt vi ask, beg (kogoś o coś sb for sth); request (o łaskę, odpowiedź a favour, a reply); ~ kogoś, ażeby coś zrobił ask sb to do sth; ~ na obiad invite for dinner; ~ o pozwolenie zrobienia czegoś request permission to do sth; proszę przyjść! come please!; proszę wejść! please come in!

prosię n young pig

proso n millet

prospekt n (publikacja) prospectus; † (widok) prospect

prosperować vi prosper

prostacki adj boorish, rude

prostactwo n boorishness, rudeness

prostaczek m simpleton

prostak m boor

prost|o adv directly, straight; po ~u simply

prostoduszność f uprightness, candidness

prostoduszny *adj* upright, candid
prostokąt *m mat.* rectangle
prostokątny *adj mat.* rectangular
prostolinijny *adj* rectilinear; *(prostoduszny)* simple-minded, candid
prostopadła *f mat.* perpendicular
prostopadłościan *m mat.* parallelepiped
prostopadły *adj mat.* perpendicular
prostota *f* simplicity
prostować *vt* straighten, make straight; *(błąd)* rectify, correct
prostownica *f techn.* straightener
prostownik *m elektr.* rectifier
prost|y *adj* direct, straight, right; simple, plain; linia ~a straight ⟨right⟩ line
proszek *m* powder; ~ do zębów tooth-powder; ~ do prania washing-powder
prośb|a *f* request, demand; *(pisemna)* petition; wnosić ~ę apply (o coś for sth); zwracać się z ~ą address a request (do kogoś to sb); na jego ~ę at his request
protegowa|ć *vt* patronize; ~ny protégé; ~na protégée
protekcja *f* patronage, protection
protekcjonizm *m* protectionism
protekcyjny *adj* protective
protektor *m* protector, patron
protektorat *m* protectorate
protest *m* protest; założyć ~ lodge a protest
protestancki *adj* Protestant
protestant *m* Protestant
protestantyzm *m* Protestantism
protestować *vi vt* protest
proteza *f (kończyny)* artificial limb; *(dentystyczna)* denture
protokół *m* record, report; *(dyplomatyczny)* protocol; *(z posiedzenia)* minutes; prowadzić ~ draft the report; pisać ~ *(z posiedzenia)* draw up the minutes; *(policyjny)* take down the evidence
prototyp *m* prototype
prowadzenie *n (przedsiębiorstwa)* management; ~ się behaviour,

conduct; złe ~ się misbehaviour, misconduct
prowadzić *vt* lead, guide, conduct; *(przedsiębiorstwo, gospodarstwo itp.)* manage, keep, run; *(rozmowę itp.)* carry on, hold; ~ handel carry on trade; *handl.* ~ książki keep books; ~ wojnę wage war; ~ wóz drive a car; ~ się *vr* behave; źle się ~ misbehave
prowiant *m* provisions *pl*
prowiantować *vt* provision
prowincja *f* province; *(w przeciwieństwie do stolicy)* provinces *pl*, country
prowincjonalny *adj* provincial, *attr* country
prowizja *f* commission, percentage; *handl.* brokerage
prowizoryczny *adj* provisional
prowodyr *m* ringleader
prowokacja *f* provocation
prowokacyjny *adj* provocative
prowokator *m* provocateur
prowokować *vt* provoke, incite
proz|a *f* prose; ~ą in prose
prozaiczny *adj* prosaic
prozaik *m* prosaist
prozodia *f* prosody
prób|a *f* trial, test, proof; *(kandydata do zawodu)* probation; *teatr* rehearsal; *(usiłowanie)* attempt; ciężka ~a ordeal; *teatr* ~a generalna dress rehearsal; ~a ogniowa trial by fire; ~a złota assay of gold; na ~ę by way of trial; *handl.* on approval; *teatr* odbywać ~ę rehearse *(czegoś* sth); wystawić na ~ę put to trial, put to the test; wytrzymać ~ę stand the test
próbka *f* sample, pattern
próbny *adj* tentative; *(o okresie próby)* probationary
próbować *vt* try, test; *(usiłować)* attempt; *(kosztować)* taste; ~ szczęścia try one's luck
próchnica *f med. (zębów)* caries
próchnieć *vi* moulder, decay, rot
próchno *n* rotten wood, rot
prócz *praep* save, except

próg *m* threshold, doorsill

prószyć *vt* powder; *(o śniegu)* flake; *(o deszczu)* drizzle

próżnia *f* void; *fiz.* vacuum

próżniactwo *n* idleness, laziness

próżniaczy *adj* idle, lazy

próżniak *m* idler

próżno *adj* vainly; na ~ in vain

próżność *f* vanity

próżnować *vi* idle away one's time

próżny *adj* empty, void; *(zarozumiały, daremny)* vain

pruć *vt* unsew, unstitch; ~ się *vr* get ⟨come⟩ unsewn

pruski *adj* Prussian; *chem.* kwas ~ prussic acid

prycza *f* plank-bed

prym *m*, wieść ~ have the lead

prymas *m* primate

prymitywny *adj* primitive

prymus *m* *(uczeń)* top-boy; *(maszynka)* primus (stove)

pryskać *vi* splash, sputter; *(łamać się)* burst

pryszcz *m* pimple

prysznic *m* shower-bath

prywatka *f* private dancing-party, party

prywatny *adj* private

pryzmat *m* prism

przaśny *adj* unleavened

prządka *f* spinner

prząść *vt* spin

przebaczać *vt* pardon, forgive

przebaczenie *n* pardon; prosić kogoś o ~ beg sb's pardon

przebicie *n* piercing, perforation; *(np. opony)* puncture

przebieg *m* course, run

przebiegać *vt vi* run across, cross; *(np. o czasie)* pass; *(o sprawie)* take a course

przebiegłość *f* cunning, slyness

przebiegły *adj* cunning, sly

przebierać *vt vi* *(starannie wybierać)* pick and choose, sort; *(zmieniać komuś ubranie)* dress anew, change sb's clothes; ~ miarę exceed all bounds, overdo sth; nie ~ w środkach not to be

particular about one's means; ~ się *vr* change one's clothes; disguise oneself

przebijać *vt* pierce, cut through; *(w kartach)* take; ~ atutem trump; ~ się *vr* force one's way through, break through

przebitka *f* copy, duplicate

przebitkowy *adj*, papier ~ onion-skin

przebłysk *m* glimmer, flash; ~ nadziei flash of hope

przebój *m* *(sukces, szlagier)* hit; best-seller; iść przebojem fight one's way through

przebrać *zob.* **przebierać**

przebranie *n* disguise

przebrnąć *vi* muddle through

przebrzmiały *adj* extinct; rzecz ~a a has been

przebrzmieć *vi* die away, expire, blow over

przebudowa *f* reconstruction

przebudować *vt* reconstruct, rebuild

przebudzenie *n* awakening

przebudzić *vt* wake up, rouse; ~ się *vr* wake, wake up

przebyć *vt* cross, pass; *(przestrzeń)* cover; *(doświadczyć)* experience; ~ chorobę pass through an illness; ~ próbę go through a trial

przebywać *vi* stay, live; *zob.* przebyć

przecedzać *vt* strain, filter

przeceniać *vt* overestimate; *(zmieniać cenę)* lower the price

przechadzać się *vr* walk, take a walk, stroll

przechadzk|a *f* walk; pójść na ~ę go for a walk

przechodni *adj* transitional; *gram.* transitive; pokój ~ connecting room

przechodzić *vt vi* pass (by), cross, go over; *(mijać)* pass away ⟨by⟩; *(doświadczyć)* experience, undergo; ~ć przez ulicę cross the street; to ~ moje oczekiwania it surpasses my expectations

przechodzień *m* passer-by

przechowanie *n* preservation, keeping; **na ~ for safe keeping**

przechowywać *vt* preserve, keep

przechwalać *vt* overpraise; **~ się** *vr* boast, brag (**czymś** of, about sth)

przechwycić *vt* intercept

przechylić *vt* incline; **przen. ~ szalę** turn the balance; **~ się** *vr* incline

przeciąg *m* draught, current of air; (*okres trwania*) space of time; **na ~ tygodnia** for a week; **w ~u tygodnia** within a week, in the course of a week

przeciągać *vt vi* draw; move, march along; (*przedłużać*) prolong, delay, protract; **~ na swoją stronę** win over; **~ się** *vr* drag on, be protracted; stretch oneself

przeciążać *vt* overburden, overcharge

przeciążenie *n* overcharge; (*pracą*) overwork

przeciekać *vi* leak, percolate

przecierać *vt* rub, wipe clear; **~ się** *vr* (*przejaśniać się*) clear up; (*o materiale*) become threadbare

przecierpieć *vt* endure

przecież *adv* yet, still, after all; **~ to mówiłeś** you did say it

przecięcie *n* cut, cutting; section, intersection

przeciętnie *adv* on an average

przeciętność *f* average; mediocrity

przeciętn|y *adj* average; (*średni*) mediocre; **~a** *s f* average; **powyżej ~ej** above the average

przecinać *vt* cut through; intersect; (*np. rozmowę*) cut short; **~ się** *vr* intersect

przecinek *m* comma

przeciw *praep* against; **nie mam nic ~ temu** I have no objections to it; I don't mind it; *praef* anti-, counter-

przeciwdziałać *vi* counteract (**czemuś** sth)

przeciwdziałanie *n* counteraction

przeciwieństw|o *n* opposition, contrast, contradistinction; **być ~em** be opposed (**do czegoś** to sth); **w ~ie do czegoś** in contradistinction to sth

przeciwko zob. **przeciw**

przeciwległy *adj* opposite (**czemuś** to sth)

przeciwlotnicz|y *adj* anti-aircraft *attr*; **działo ~e** anti-aircraft gun; **obrona ~a** air defence

przeciwnie *adv* on the contrary, just the opposite

przeciwnik *m* adversary, opponent

przeciwność *f* adversity

przeciwny *adj* contrary, opposite; (*przeciwstawny*) adverse; opposed; **jestem temu ~** I am against it, I object to it; **w ~m razie** otherwise

przeciwprostokątna *f* *mat.* hypotenuse

przeciwstawiać *vt* oppose, set against; **~ się** *vr* set one's face (**czemuś** against sth), oppose (**czemuś** sth)

przeciwstawienie *n* opposition, antithesis

przeciwwaga *f* counterpoise, counterweight

przecząco *adv* negatively, in the negative

przeczący *adj* negative

przeczenie *n* negation

przecznica *f* cross-street

przeczucie *n* foreboding, presentiment, misgiving

przeczulenie *n* oversensitiveness, hyperaesthesia

przeczulony *adj* oversensitive

przeczuwać *vt* forebode, have a presentiment

przeczyć *vi* deny (**czemuś** sth)

przeczyszczać *vt* cleanse; *med.* purge

przeczyszczający *adj med.* purgative

przeć *vt vi* press (on), push

przed *praep* before, in front of; **~ tygodniem** a week ago

przedawnienie *n* *prawn.* negative prescription

przedawniony *adj prawn.* prescribed, lost by prescription

przeddzień *m* eve; **w ~ on** the eye

przede wszystkim *adv* first of all, above all

przedhistoryczny *adj* prehistoric

przedimek *m gram.* article

przedkładać *vt* submit, present; *(wolać)* prefer *(coś nad coś* sth to sth)

przedłużać *vt* lengthen, extend, prolong

przedłużenie *n* prolongation, extension

przedmieście *n* suburb

przedmiot *m* object; *(temat, zagadnienie)* subject, subject-matter

przedmiotowość *f* objectivity

przedmiotowy *adj* objective

przedmowa *f* preface

przedmówca *m* last ⟨previous⟩ speaker

przedni *adj* frontal, *attr* front, fore; *(lepszy gatunkowo)* fine, choice; **~a noga** foreleg; **plan ~** foreground; **straż ~a** vanguard

przednówek *m* time before the harvest

przedostać się *vr* penetrate *(do czegoś* into sth), get through, come through

przedobiedni *adj attr* before-dinner

przedostatni *adj* last but one; penultimate; **~ej nocy** the night before last

przedpłata *f* subscription, payment in advance

przedpokój *m* antechamber, waiting-room

przedpole *n* foreground

przedpołudnie *n* forenoon; morning

przedpotopowy *adj* antediluvian

przedramię *n* forearm

przedrostek *m. gram.* prefix

przedrozbiorowy *adj,* **Polska ~a** Poland before the partitions

przedruk *m* reprint

przedrzeźniać *vt* mock, mimic

przedsiębiorca *m* contractor

przedsiębiorczość *f* (spirit of) enterprise

przedsiębiorczy *adj* enterprising

przedsiębiorstwo *n* undertaking, business

przedsiębrać *vt* undertake

przedsięwzięcie *n* undertaking, enterprise

przedsionek *m* vestibule

przedsmak *m* foretaste

przedstawia|ć *vt* present, represent; *(wystawiać na scenie)* stage; *(przedkładać)* submit; *(np. sprawę)* describe; *(osobę)* introduce; **~ć sobie** imagine; **~ć się** *vr* present oneself, *(nieznanej osobie)* introduce oneself; **jak ~ się sprawa?** how does the matter stand?; **to się ~ inaczej** the matter is different

przedstawiciel *m* representative

przedstawicielstwo *n* agency; representation

przedstawienie *n* presentation; *(teatralne)* performance; *(osoby)* introduction

przedszkole *n* infant school, kindergarten

przedświt *m* dawn

przedtem *adv* before, formerly

przedterminowo *adv handl.* in anticipation; **zapłacić ~** anticipate a payment

przedterminow|y *adj handl.* anticipated, anticipatory, anticipating; premature; **~e dokonanie zapłaty** anticipation of payment

przedwczesny *adj* premature; *(zbyt wczesny)* precocious

przedwcześnie *adv* prematurely, before time; **~ dojrzały** precocious

przedwczoraj *adv* the day before yesterday

przedwojenny *adj* pre-war *attr*

przedział *m* partition, division; *(we włosach)* parting; *(w pociągu)* compartment; **~ dla palących, dla niepalących** smoker, non-smoker

przedzielić *vt* divide, part

przedzierać vt tear up, rend; ~ się vr force one's way through, break through

przedziurawić vt make a hole (coś in sth), pierce, perforate; (bilet) punch; (oponę) puncture

przeforsować vt force through

przegapić vt overlook, miss, let slip

przeginać vt bend

przegląd m review; (sprawdzenie) revision; inspection, survey

przeglądać vt review; (sprawdzać) revise; (np. gazetę) skim through; ~ się vr see oneself

przegłosować vt carry by vote; (pokonać większością głosów) outvote

przegrać vt loss at play, gamble away; (bitwę, sprawę sądową) lose; muz. play over

przegradzać vt separate, partition

przegrana f lost battle; (strata) loss

przegroda f partition

przegrupować vt regroup

przegryzać vt bite through; (przekąsić) have a snack

przegub m anat. wrist, joint

przeholować vi overshoot oneself

przeistoczyć vt transform

przejaśnić się vr clear up

przejaw s symptom, sign

przejawiać vt manifest; ~ się vr manifest oneself, show

przejazd m passage, thoroughfare; (kolejowy) crossing; w przejeździe, ~em on one's way

przejażdżka f drive, ride; (wycieczka) trip

przejechać vi vt pass, ride, travel (np. przez Warszawę through Warsaw); (rozjechać) run over; ~ć cały kraj travel all over the country; ~ł go samochód he was run over by a car

przejezdny m passer-by; adj non-resident, transient

przejęcie n taking over; (przechwycenie) interception; ~ się high emotion, exaltation

przejęzyczenie (się) n slip of the tongue

przejmować vt take over; (przechwycić) intercept; ~ podziwem fill with admiration; ~ strachem seize with fear; ~ się vr be impressed, be moved (czymś by sth)

przejmujący adj impressive; (o mrozie) piercing; (o bólu itp.) keen

przejrzeć vt vi (przeniknąć) see through; (odzyskać wzrok) regain one's sight; zob. przeglądać

przejrzystość f transparency; (wyrazistość) clarity

przejrzysty adj transparent; clear

przejście n passage; (przez jezdnię) crossing; (stadium przejściowe) transition; (doświadczenie) experience, trial

przejść vt vi zob. przechodzić; ~ się vr take a walk

przekaz m transfer; (historyczny) record; (bankowy) draft; (pocztowy) order

przekazywać vt transfer, pass on, send, hand down, transmit

przekąs m, z ~em ironically, sneeringly

przekąska f snack, refreshment

przekąsić vt have a snack

przekątna f mat. diagonal

przekleństwo n curse

przeklęty adj cursed, damned

przeklinać vt curse (kogoś sb) swear (kogoś at sb)

przekład m translation

przekładać vt displace, transpose; (przesuwać) shift; (układać na zmianę) interlay; (tłumaczyć) translate; (woleć) prefer (coś nad coś sth to sth)

przekładnia f techn. gear

przekłuć vt pierce

przekomarzać się vr tease each other

przekonanie n conviction; **mam ~** I am convinced

przekon|ywać vt convince, persuade (kogoś o czymś sb of sth);

jestem ~any I am convinced; mocno ~any confident (o czymś of sth); ~ywać się *vr* convince oneself

przekonywający *adj* convincing, persuasive, weighty, potent

przekop *m* trench, ditch

przekor|a *f* contradictoriness; przez ~ę from ⟨out of⟩ spite

przekorny *adj* contradictory, contradictious

przekraczać *vt* cross; (*miarę, u- prawnienia*) exceed; (*prawo*) in- fringe, violate

przekradać się *vr* steal through

przekreślać *vt* cross (out); (*ska- sować*) cancel, annul

przekręcać *vt* twist; (*przeinaczać*) distort

przekręcenie *n* twist; (*słów, fak- tów*) distortion

przekroczenie *n* crossing; (*prawa*) offence, trespass; *handl.* (*ra- chunku*) overdraft

przekroić *vt* cut (into two pieces)

przekrój *m* section; ~ podłużny longitudinal section; ~ poprzecz- ny cross-section

przekrwienie *n med.* congestion

przekształcać *vt* transform

przekształcenie *n* transformation

przekupić *vt* bribe

przekupień *m* huckster

przekupka *f* huckstress

przekupny *adj* venal, corruptible

przekupstwo *n* bribery, corruption

przekwitać *vi* cease blooming, fade

przekwitanie *n* fading; *med.* cli- macteric

przelać *zob.* przelewać

przelatywać *vi* fly by, flit by, pass

przelew *m* transfusion; *bank.* transfer; ~ krwi bloodshed

przelewać *vt* pour over; pour into another vessel; transfuse; *bank.* transfer; (*krew, łzy*) shed; (*prze- kazywać władzę*) devolve

przelękły *adj* frightened

przelęknąć się *vr* take fright (cze- goś at sth)

przeliczyć *vt* count over again; ~ się *vr* miscalculate

przelot *m* flight, passage

przelotn|y *adj* fleeting, passing, fugitive; *zool.* ptaki ~e birds of passage

przelotowość *f* (*ulic*) traffic ca- pacity

przeludnienie *n* overpopulation

przeludniony *adj* overpopulated

przeładować *vt* (*przeciążyć*) over- load; (*przenieść ładunek*) tran- ship

przeładowanie *n* (*przeciążenie*) overloading; *zob.* przeładunek

przeładunek *m* transhipment, transfer

przełaj *m*, na ~ athwart, across; droga na ~ short cut; iść na ~ take a short cut

przełamać *vt* break through; (*o- pór*) surmount

przełączyć *vt* switch over

przełęcz *f* pass

przełknąć *vt* swallow

przełom *m* crisis, (*punkt zwrot- ny*) turning-point; (*wyłom, prze- rwa*) break-through; (*wyrwa*) breach

przełomowy *adj* critical, crucial

przełożona *f* schoolmistress, lady- -superior

przełożony *m* principal, superior

przełożyć *zob.* przekładać

przełyk *m anat.* gullet, oesophagus

przemakać *zob.* przemoknąć

przemarsz *m* march past, march through, passage

przemarznąć [-r-z-] *vi* be pene- trated with cold

przemawiać *vi vt* address; (*pu- blicznie*) harangue (do kogoś sb); speak; advocate (za czymś sth)

przemądrzały *adj* sophisticated

przemęczać *vt* overstrain; ~ się *vr* overwork

przemęczenie *n* overwork, over- strain

przemian *m*, na ~ alternately, by turns, taking it in turn

przemiana *f* transformation; *biol.* ~ materii metabolism

przemianować *vt* rename

przemienić *vt* transform, turn (coś w coś into sth)

przemieszczać *vt* displace

przemieszczenie *n* displacement

przemijać *vi* pass away, be over

przemijający *adj* passing, fleeting, transitory

przemilczeć *vt* pass over in silence, suppress, conceal

przemoc *f* superior force, violence; ulec ~y yield to a superior force

przemoczyć *vt* soak, drench; ~ sobie nogi get one's feet wet

przemoknąć *vi* be soaked, get wet; ~ do nitki get a nice soaking

przemowa *f* address, (publiczna) harangue

przemożny *adj* predominant, overpowering

przem|óc *vt* overpower, overwhelm; (przezwyciężyć) surmount, overcome; *vi* (odnieść przewagę) prevail; ~óc się *vr* control oneself

przemówić *zob.* przemawiać

przemówienie *n* speech, address, (publiczne) harangue

przemycać *vt* smuggle

przemysł *m* industry; drobny ~ small industry; wielki ~ large-scale industry; ~ chałupniczy domestic industry; ~ kluczowy basic ⟨key⟩ industry; ~ lekki ⟨ciężki⟩ light ⟨heavy⟩ industry; odbudowa ~u industrial rehabilitation; *przen.* żyć własnym ~em live by one's wits

przemysłowiec *m* industrialist, industrial producer

przemysłow|y *adj* industrial; akcje ~e industrials; wyroby ⟨towary⟩ ~e industrial goods

przemyśleć *vt* think over

przemyślny *adj* ingenious

przemyt *m* smuggling, contraband

przemytnik *m* smuggler

przenicować *vt* turn

przeniesienie *n* transfer; transmission

przenieść *vt* transfer; transport; remove; (w księgowości) carry over ⟨forward⟩; ~ się *vr* move

(do innego mieszkania to another flat)

przenigdy *adv* nevermore

przenikać *vt vr* penetrate; pervade; pierce

przenikliwość *f* penetrability; (bystrość) sagacity, perspicacity

przenikliwy *adj* penetrating; pervasive, pervading; (bystry) perspicacious, acute; (o głosie) shrill; (o mrozie) biting, bitter

przenocować *vt* put up for the night; *vi* stay overnight

przenosić *vt* (światło, ciepło, dźwięk) transmit; (udzielać) convey; (woleć) prefer (coś nad coś sth to sth); ~ się *vr* shift (z miejsca na miejsce from place to place); *zob.* przenieść

przenośnia *f* metaphor

przenośny *adj* portable; (obrazowy) metaphorical

przeobrażać *vt* transform (w coś into sth); ~ się *vr* be transformed, change

przeobrażenie *n* transformation, change

przeoczenie *n* oversight

przeoczyć *vt* overlook, omit

przeor *m* prior

przeorysza *f* prioress

przepadać *vi* be lost, go lost; (przy egzaminie) fail; *przen.* ~ za kimś, czymś be crazy about sb, sth

przepalić *vt* burn through

przepasać *vt* girdle

przepaska *f* band

przepaścisty *adj* precipitous

przepaść *f* precipice, abyss

przepełniać *vt* overfill, cram; (ludźmi) overcrowd

przepełnienie *n* overfilling; overcrowding

przepędzać *vt* drive away; (spędzać czas) spend

przepierzenie *n* partition-wall

przepiękny *adj* most beautiful

przepijać *vt* spend on drink

przepiłować *vt* saw through; (pilnikiem) file through

przepiórka 660

przepiórka *f zool.* quail
przepis *m* prescription, regulation; (*kucharski*) recipe; ~y drogowe traffic regulations
przepisać *vt* (*lekarstwo*) prescribe; (*tekst*) rewrite, copy, write over again; ~ na czysto make a fair copy (coś of sth)
przepisowo *adv* according to regulations
przepisowy *adj* regular; *attr* regulation; strój ~ regulation dress; ~ rozmiar regulation size
przeplatać *vt* interlace
przepłacać *vt* overpay
przepływać *vt vi* (*o wodzie*) flow over ⟨across, through⟩; (*o człowieku*) swim over ⟨across⟩; (*o statku*) cross (przez morze the sea)
przepona *f anat.* diaphragm
przepowiadać *vt* prophesy, predict, foretell
przepowiednia *f* prophecy, prediction
przepracować się *vr* overwork oneself
przepracowanie *n* overwork
przepraszać *vt* beg (sb's) pardon, apologize (kogoś za coś to sb for sth); ~m! excuse me!, I beg your pardon!, (I'm) sorry!
przeprawa *f* passage; (np. przez rzekę, morze) crossing; przen. (przykre zajście) hard business, misadventure
przeprawiać *vt* carry over; ~ się *vr* cross (np. przez rzekę a river); ~ się na drugi brzeg cross over to the other side
przeproszenie *n* apology, excuse; za ~m by your leave
przeprowadzać *vt* carry over, convey, lead across; (*wykonywać*) carry out, carry into effect; ~ się *vr* move, remove
przeprowadzka *f* removal
przepuklina *f med.* hernia
przepustka *f* pass, permit
przepuszczać *vt* let through; allow to pass; (*marnować np. okazję*)

let out, miss
przepuszczalny *adj* permeable
przepych *m* luxury, pomp
przepychać *vt* push through; ~ się *vr* push through, force one's way
przerabiać *vt* do over again, refashion; (*opracować powtórnie*) revise; ~ lekcje do one's lessons; ~ sztukę na film adapt a play to the screen; ~ temat egzaminacyjny prepare a subject for the examination
przerachować *zob.* przeliczyć
przeradzać się *vr* undergo a change, be transformed
przerastać *vt* outgrow, grow over; rise above
przeraźliwy *adj* terrifying; (*o głosie*) shrill
przerażać *vt* appal, horrify; ~ się *vr* be appalled (czymś at sth)
przerażenie *n* terror
przeróbka *f* recast, revision, adaptation
przerw|a *f* break, pause, interruption, intermission; bez ~y without intermission
przerywać *vt* interrupt, break off; rend, tear asunder
przerzedzić *vt* thin, make thin; ~ się *vr* thin, become thinner
przerzucać *vt* throw over; shift; (*przeglądać*) look over
przerżnąć [r-ż] *vt* saw, cut in two
przesada *f* exaggeration
przesadzać *vt* exaggerate; (*roślinę*) transplant
przesączać *vt*, ~ się *vr* filter
przesąd *m* prejudice, superstition
przesądny *adj* superstitious
przesądzać *vt* prejudge, foreclose
przesiadać się *vr* (z pociągu na pociąg) change (trains); gdzie się ~my? where do we change?
przesiąkać *vi* be soaked, soak through, be imbued
przesiedlać *vt* remove, displace; ~ się *vr* migrate, move
przesiedlenie *n* displacement; ~ się migration

przesiedleniec *m* emigrant

przesieka *f* glade, clearing

przesiewać *vt* sift, sieve

przesilać się *vr* pass through a crisis

przesilenie *n* crisis; *pot.* ~ dnia z nocą solstice

przeskoczyć *vi vt* jump over; (*podpierając się rękami*) vault (*przez coś* over sth, sth)

przeskok *m* jump

przesłaniać *vt* screen (off)

przesłanka *f* premise

przesłona *f* screen; *fot.* shutter

przesłuchanie *n* examination, interrogation

przesłuchiwać *vt* examine, interrogate

przesmyk *m* (*przełęcz*) pass, defile; *geogr.* isthmus

przestać *vi* cease, stop, discontinue

przestankowanie *n* punctuation

przestarzały *adj* out of date, out of fashion, obsolete

przestawać *vi* associate (*z kimś* with sb); be satisfied (*na czymś* with sth); *zob.* przestać

przestawiać *vt* displace, transpose

przestawienie *n* displacement, transposition

przestąpić *vt* cross, step over

przestępca *m* criminal

przestępczość *f* criminality, delinquency; ~ wśród młodocianych juvenile delinquency

przestępczy *adj* criminal

przestępny *adj* criminal; *astr.* rok ~ leap-year

przestępstwo *n* offence; ~ dewizowe foreign currency offence; ~ walutowe currency offence

przestrach *m* fright

przestraszyć *vt* frighten; ~ się *vr* be frightened, take fright (*czegoś* at sth)

przestroga *f* warning, caution

przestronny *adj* spacious, roomy

przestrzegać *vt* (*ostrzegać*) warn (*przed czymś* of sth), caution (*przed czymś* against sth); (*zachowywać np. prawa, tradycję*)

observe; (*stosować np. zasady, przepisy*) keep

przestrzenny *adj* spatial

przestrzeń *f* space, room; ~ kosmiczna cosmic space

przestworze *n* infinite expanse

przesunięcie *n* shift, displacement

przesuwać *vt* shift, shove, move; (*wagony*) shunt; ~ się *vr* move, shift

przesycać *vt* surfeit, glut; *techn.* impregnate

przesyłać *vt* send, forward

przesyłka *f* parcel; (*wysyłanie*) dispatch; (*towarowa*) consignment; (*pieniężna*) remittance

przesyt *m* surfeit

przeszczep *m* *med.* transplantation

przeszczepiać *vt* transplant

przeszeregować *vt* regroup

przeszkadzać *vi* hinder, disturb, trouble (*komuś* sb); (*zawadzać*) obstruct (*komuś, czemuś* sb, sth); ~ komuś pisać prevent sb from writing; ~ komuś w odpoczynku disturb sb's rest

przeszko|da *f* hindrance, obstacle, impediment; *sport* bieg z ~dami obstacle race; wyścigi z ~dami steeplechase; stać na ~dzie stand in the way

przeszkolenie *n* schooling, training; re-education

przeszkolić *vt* school, train; re-educate

przeszło *adv* more than, beyond

przeszłość *f* past

przeszły *adj* past; *gram.* czas ~ past tense, preterite

przeszukać *vt* search

przeszyć *vt* sew through, stitch; (*przekłuć*) pierce, transfix

prześcieradło *n* sheet

prześcignąć *vt* outrun; *przen.* (*przewyższyć*) outdo; *dosł. i przen.* get ahead (*kogoś* of sb)

prześladować *vt* persecute; *przen.* (*nie dawać spokoju*) haunt, obsess

prześladowanie *n* persecution

prześladowcz|y *adj* persecutive; **mania** ~a persecution mania

prześliczny *adj* most beautiful

prześliznąć się *vr* glide through, slip through

przeświadczenie *n* conviction

przeświadczony *adj* convinced

przeświecać *vi* shine through

prześwietl|ać *vt* *fot.* overexpose; *med.* x-ray; ~**ono mi płuca** I had my lungs x-rayed

prześwietlenie *n* *med.* x-ray examination

przetaczać *vt* roll over; *kolej.* shunt; *med.* ~ **krew** transfuse

przetapiać *vt* recast, melt

przetarg *m* auction

przetarty *pp adj* (*o tkaninie*) threadbare

przeterminowany *adj* overdue

przeto *adv* therefore

przetoka *f* *med.* fistula

przetrawić *vt* digest

przetrwać *vt* outlast, survive

przetrząsnąć *vt* shake up; (*prze-szukać*) search; (*teren*) comb out

przetrzymać *vt* keep (waiting); (*przetrwać*) outlast; (*ból, ciężkie położenie itp.*) endure

przetwarzać *vt* transform; turn into; manufacture

przetwór *m* manufacture, produce; *pl* **przetwory** preserves

przetwórczy *adj* manufacturing

przetwórnia *f* factory

przetykać *vt* (*przepychać, przewlekać*) pierce, pass through; (*o tkaninie*) interweave

przewag|a *f* superiority, preponderance; (*górowanie*) advantage; **mieć** ~**ę** have an advantage (**nad kimś** over sb); **zyskać** ~**ę** gain an advantage (**nad kimś** over sb)

przeważać *vt* outweigh, outbalance; *vt* prevail (**nad kimś** over sb); ~ **szalę** turn the scale

przeważający *adj* prevailing, prevalent

przeważnie *adv* for the most part, mostly

przeważny *adj* predominant, prevalent

przewiązać *vt* bind up; (*ranę*) dress

przewidywać *vt* foresee, anticipate

przewidywanie *n* foresight, anticipation

przewiercić *vt* bore through, pierce

przewiesić *vt* hang over, sling

przewietrzyć *vt* ventilate, air

przewiew *m* draught

przewiewny *adj* airy

przewieźć *zob.* przewozić

przewijać *vt* swathe, wrap up; (*ranę*) dress

przewinienie *n* offence, guilt

przewlekać *vt* (*opóźnić*) protract, delay; ~ **nitkę przez igłę** thread the needle; ~ **pościel** change the bedlinen; ~ **się** *vr* drag on

przewlekły *adj* protracted; *med.* chronic

przewodni *adj* leading

przewodnictwo *n* leadership; (*posiedzenia*) chairmanship; *fiz.* conductivity

przewodniczący *m* chairman

przewodniczyć *vi* preside (**zebraniu** over the meeting)

przewodnik *m* guide, leader; (*książka*) guide-book; *fiz.* (*ciepła*) conductor

przewodzić *vi* lead, command (**czemuś** sth), be at the head

przewozić *vt* bring over, transport, convey

przewozow|y *adj* transport *attr*, freight; **list** ~**y** bill of consignment, (*okrętowy*) bill of lading; **środki** ~ **e** means of conveyance

przewoźnik *m* carrier; (*na promie, łodzi*) ferryman, boatman

przewód *m* channel, conduit; (*kominowy*) flue; (*gazowy*) pipe; *elektr.* wire; *prawn.* procedure; *anat.* ~ **pokarmowy** alimentary canal

przewóz *m* conveyance, carriage, transport

przewracać *vt* overturn, turn over, upset; ~ **kartki książki** thumb the book; ~ **się** *vr* overturn, tumble down

przewrotność *f* perversity
przewrotny *adj* perverse
przewrotowy *adj* subversive
przewrót *m* subversion, upheaval, revolution
przewyższać *vt* surpass, exceed
przez *praep* through, by, across, over; (*o czasie*) during, for, within, in; ~ cały dzień all the day long; ~ cały rok all the year round; ~ dwa miesiące for two months; ~ drogę across the road; ~ telefon on the telephone; ~ wdzięczność out of gratitude
przeziębić się *vr* catch cold
przeziębienie *n* cold
przeziębiony *adj*, jestem ~ I have a cold
przeznacz|ać *vt* destine (na coś, do czegoś for ⟨to⟩ sth); devote (coś na coś sth to sth); intend (coś na coś sth for sth, kogoś na coś sb to be sth, coś dla kogoś sth for sb); te książki ~one są do biblioteki these books are intended for the library
przeznaczenie *n* destination; (*los*) destiny, fate
przezorność *f* prudence, caution, providence
przezorny *adj* prudent, cautious, provident
przeźrocze *n* *fot.* slide
przeźroczystość *f* transparency
przeźroczysty *adj* transparent
przezwisko *n* nickname
przezwyciężać *vt* surmount, overcome
przezywać *vt* (kogoś) call sb names
przeżegnać *vt* cross; ~ się *vr* cross oneself, make the sign of the cross
przeżuwać *vt* chew
przeżycie *n* (*przetrwanie*) survival; (*doświadczenie*) experience
przeży|ć *vt* (*przetrwać*) survive, outlive; (*doświadczyć*) experience; (*spędzić okres czasu*) live through; on tego nie ~je this will be the death of him; ~łem okres biedy I lived through a pe-

riod of poverty; ~ł niejedną ciężką chwilę he experienced many a hardship; ~ł swego starszego brata he survived his elder brother
przeżytek *m* survival, relic (of the past)
przędza *f* yarn
przędzalnia *f* spinning-mill
przęsło *n* bay, span
przodek *m* ancestor; (*część przednia*) forepart, front
przodować *vt* lead, be ahead
przodownictwo *n* leadership, primacy
przodownik *m* leader; foreman; ~ pracy front-rank worker
przód *m* forepart, front; na przedzie at the head, in the front; z przodu in front; iść przodem go before
przy *praep* (near) by, at; with; on; about; ~ filiżance kawy over a cup of coffee; ~ pracy at work; ~ świetle księżyca by moonlight; ~ tej sposobności on that occasion; ~ twej pomocy with your help; ~ tym besides, too; ~ wszystkich swoich wadach with all his faults; nie mam ~ sobie pieniędzy I have no money about ⟨on⟩ me; usiądź ~ mnie sit by me
przybić *vt* fasten; (*gwoździami*) nail; *vi* ~ do brzegu land
przybiec *vi* come running
przybierać *vt* (*zdobić*) adorn; (*przyjmować*) assume; ~ wygląd ⟨imię⟩ assume a look ⟨a name⟩; *vi* (*o wodzie*) rise; ~ na wadze put on weight
przybliżać *vt* bring near(er); ~ się *vr* come near, approach (do kogoś sb)
przybliżeni|e *n* approximation, approach; w ~u approximately
przyboczn|y *adj*, straż ~a bodyguard
przyb|ór *m* (*wody*) rise; *pl* ~ory (*komplet użytkowy*) outfit, equipment, fittings *pl*; ~ory do

pisania writing-materials, stationary *zbior.*
przybrać *vt zob.* przybierać
przybrzeżn|y *adj* coast *attr*, riverside *attr*; straż ~a coast guard
przybudówka *f* annex, penthouse
przybycie *n* arrival
przybysz *m* newcomer, arrival
przybytek *m* (*przyrost*) accruement, increase; (*budynek, miejsce*) haunt, abode; (*święty*) sanctuary
przyby|wać *vi* arrive (do Warszawy at ⟨in⟩ Warsaw), come (do Warszawy to Warsaw); (*powiększać się, narastać*) be added, increase; (*o wodzie w rzece*) rise; ~wa dnia the days are longer and longer; ~ło dużo pracy there is much additional work
przychodnia *f* clinic for outpatients, dispensary
przychodzi|ć *vi* come (dokądś to a place), arrive (dokądś at ⟨in⟩ a place); ~ć do kogoś (w odwiedziny) come to see sb; ~ć do siebie come to, recover; ~ mi do głowy (na myśl) it occurs to me; ~ mi ochota I feel the desire (na coś of sth, zrobić coś to do sth), I feel like (zrobić coś doing sth); ~ mi z trudnością I find it difficult
przychód *m* income
przychylać *vt* incline; ~ się *vr* incline, feel inclined (do czegoś to sth); (*skłaniać się*) comply (do czyjejś prośby with sb's request)
przychylność *f* favourable disposition, goodwill, favour
przychylny *adj* favourable, friendly, favourably disposed (dla kogoś towards sb)
przyciągać *vt* draw; (*pociągać*) attract; *vi* draw ⟨come⟩ near
przyciąganie *n* attraction; *astr. fiz.* ~ ziemskie gravitation
przyciemniać *vt* darken, dim
przycinać *vt* cut, clip; *vi* taunt (komuś sb)
przycisk *m* (*akcent*) stress, accent;

(*dzwonka*) button; (*do papierów*) weight
przyciskać *vt* press
przycupnąć *vt* squat down
przyczaić się *vr* lie in ambush (na kogoś for sb)
przyczepić *vt* affix, attach; ~ się *vr* cling, stick (do kogoś, czegoś to sb, sth)
przyczepka *f* trailer; (*motocyklista*) side-car
przyczółek *m* abutment; *arch.* pediment; *wojsk.* ~ mostowy bridgehead
przyczyn|a *f* cause, reason; z tej ~y for that reason
przyczynek *m* contribution
przyczynić się *vr* contribute (do czegoś to sth)
przyczynowość *f* causality
przyczynowy *adj* causal
przyćmiewać *vt* dim, darken
przydać *vt* add; ~ć się *vr* be of some use; na co się to ~? what's the use of it?
przydatność *f* usefulness, utility
przydatny *adj* useful, to the purpose
przydawka *f* gram. attribute
przydech *m* aspiration
przydeptać *vt* tread under foot
przydługi *adj* lengthy
przydomek *m* assumed name, by-name
przydrożny *adj* wayside *attr*
przydusić *vt* stifle, smother
przydymiony *adj* smoky
przydział *m* allotment; assignment, (*np. chleba*) allowance
przydzielić *vt* allot, assign
przyganiać *vt* blame (komuś sb), find fault (komuś with sb)
przygarnąć *vt* (*przytulić*) cuddle, snuggle; *przen.* (*dać schronienie*) shelter
przygasać *vi* go out; *przen.* become stifled, subside, abate
przyglądać się *vr* look (komuś, czemuś at sb. sth). observe
przygłuszać *vt* (*przytłumiać*) stifle, muffle

przygnębiać *vt* depress, deject

przygnębienie *n* depression, low spirits *pl*, dejection

przygnębiony *adj* depressed, downcast, *praed* in low spirits

przygniatać *vt* press down; oppress; *(ciążyć)* weigh heavy *(coś* on, upon sth)

przygoda *f* adventure, accident

przygodny *adj* accidental, casual

przygotowanie *n* preparation, arrangement

przygotowawczy *adj* preparatory

przygotowywać *vt* prepare, make ⟨get⟩ ready; ~ do egzaminu coach for the examination; ~ się *vr* make ready, prepare (oneself); ~ się do egzaminu prepare ⟨read⟩ for the examination; ~ się na najgorsze ⟨na niespodziankę⟩ prepare oneself for the worst ⟨for a surprise⟩

przygrywać *vt* play the accompaniment *(komuś* to sb); accompany *(komuś* sb)

przygrywka *f* prelude, accompaniment; *(gra)* play

przyimek *m gram.* preposition

przyjaciel *m* friend

przyjacielski *adj* friendly

przyjaciółka *f* friend, girl-friend, lady-friend

przyjazd *m* arrival

przyjazny *adj* friendly

przyjaźnić się *vr* be on friendly terms

przyjaźń *f* friendship

przyjechać *zob.* przyjeżdżać

przyjemnie *adv* agreeably; jest mi ~ I am pleased; ~ mi Pana poznać I am glad ⟨pleased⟩ to make your acquaintance ⟨to meet you⟩; tu jest ~ it is nice here

przyjemność *f* pleasure; znajdować ~ take pleasure *(w czymś* in sth); zrób mi ~ do me the pleasure

przyjemny *adj* pleasant, agreeable

przyjezdny *adj* strange; s *m* stranger, arrival

przyjeżdżać *vi* come *(do pewnego miejsca* to some place), arrive

(do pewnego miejsca at ⟨in⟩ some place)

przyjęcie *n* reception; *(zebranie towarzyskie)* party; *(np. do szkoły)* admission; *(do pracy)* engagement; *(daru, weksla)* acceptation; *(wniosku)* carrying; godziny ~ć reception-hours; office-hours; *(u lekarza)* consulting hours; możliwy do ~cia acceptable

przyjęty *adj (zwyczajem uznany)* received, customary

przyjmować *vt* receive; *(np. dar, weksel)* accept; *(np. do szkoły, towarzystwa)* admit; *(do pracy)* engage; ~ wniosek carry a motion; ~ się *vr* take root; be successful, prove a success; *(o roślinie, szczepionce)* take; *(o zwyczaju, modzie)* catch on

przyjście *n* arrival *(do pewnego miejsca* at ⟨in⟩ some place)

przyjść *vi zob.* przychodzić; ~ na umówione spotkanie keep an appointment

przykazać *vt* order, command

przykazanie *n rel.* commandment

przyklaskiwać *vi* applaud *(komuś* sb)

przykleić *vt* stick, glue

przyklęknąć *vi* kneel down

przykład *m* example, instance; na ~ for instance ⟨example⟩; brać ~ z kogoś take example by sb; dawać ~ set an example; ilustrować ~em exemplify; iść za ~em follow an example

przykładać *vt* apply, put on; ~ się *vr* apply oneself

przykładny *adj* exemplary

przykręcać *vt* screw on

przykro *adv*, ~ mi I'm sorry, it pains me; ~ mi to mówić I regret to say this

przykrość *f* annoyance, pain, trouble; *(ciężka)* tribulation; zrobić komuś ~ cause sb pain

przykry *adj* annoying, painful, disagreeable

przykrycie *n* cover

przykrywać *vt* cover

przykrywka *f* cover, lid

przykrzy|ć się *vr*, ~ **mi się** I am bored

przykucnąć *vi* squat down

przykuwać *vt* chain, nail; *(np. uwagę)* fix, arrest; ~ **czyjąś uwagę** fix ⟨draw, absorb⟩ one's attention

przylądek *m* cape, promontory

przylecieć *vi* come flying; *pot.* *(przybiec)* come running

przylegać *vi* lie close; fit close; adhere; *(o pokoju, domu)* be contiguous

przyleganie *n fiz.* adhesion

przyległość *f* contiguity; *(majątku, terytorium)* dependency

przyległy *adj* contiguous, adjacent *(do czegoś* to sth)

przylepić *vt* stick, glue; ~ **się** *vr* stick

przylepiec *m (plaster)* adhesive tape

przylgnąć *vi* stick, cling

przylot *m* arrival

przylutować *vt* solder

przyłączenie *n* annexation

przyłączyć *vt* annex, attach; ~ **się** *vr* join *(do kogoś, do towarzystwa* sb, a company)

przyłbica *f hist.* visor

przymawiać *vi* taunt (**komuś** sb); ~ **się** *vr* allude *(o coś* to sth)

przymiarka *f (u krawca)* fitting

przymierać *vi (głodem)* starve

przymierzać *vt (ubranie)* try on

przymierze *n* alliance

przymiot *m* quality

przymiotnik *m gram.* adjective

przymocować *vt* fasten, fix

przymówka *f* allusion, hint

przymrozek *m* light frost

przymrużon|y *pp i adj*, ~**e oczy** half-closed eyes

przymus *m* compulsion, constraint; **pod** ~**em** on ⟨under⟩ compulsion; ~ **szkolny** compulsory education

przymusow|y *adj* compulsory; *lotn.* ~**e lądowanie** forced landing

przynaglać *vt* urge, press

przynajmniej *adv* at least

przynależeć *vi* belong

przynależnoś|ć *f* appurtenance; *(partyjna)* membership; *(państwowa)* nationality; *pl* ~**ci** belongings; *(o majątku ziemskim)* appendages

przynależny *adj* belonging, appurtenant

przynęta *f* bait; *przen.* lure, enticement

przynosić *vt* bring; *(dochód)* bring in; *(plon)* yield; *(stratę, szkodę)* cause

przyobiecać *vt* promise

przypadać *vi* fall, come; *(o terminie płatności)* be due; ~ **do gustu** suit one's taste

przypadek *m* event, accident, case; *gram.* case

przypadkiem *adv* by chance, accidentally; **spotkałem go** ~ I happened to meet him

przypadkowo *adv* accidentally, by accident; **czy masz** ~ **tę książkę?** do you happen to have this book?; **natknąć się** ~ chance *(na kogoś, coś* on ⟨upon⟩ sb, sth)

przypadkowy *adj* accidental, casual

przypadłość *f* ailment, indisposition

przypalić *vt* singe; ~ **się** *vr* singe, become singed

przypasać *vt* gird on

przypatrywać się *vr* look (**czemuś** at sth), observe

przypędzić *vt* drive in; *vi* come hurrying

przypieczętować *vt* seal up

przypinać *vt* pin, fasten

przypisek *m* footnote; note, annotation

przypisywać *vt* assign, attribute, ascribe

przypłynąć *vi* come swimming ⟨sailing, flowing⟩; ~ **do brzegu** come to shore

przypływ *m* flow; ~ **i odpływ** flow and ebb, tide

przypodobać się *vr* endear oneself

przypominać *vt* remind (**komuś coś**

sb of sth); ~ sobie recall, recollect

przypomnienie n (*zwrócenie uwagi*) admonition; (*monit*) reminder; ~ sobie recollection

przypowieść f parable

przyprawa f condiment, spice

przyprawiać vt (*nadawać smak*) season; (*przymocować*) attach, fix; ~ o utratę cause a loss

przyprowadzać vt bring; ~ do porządku put in order

przypuszczać vt suppose, admit; ~ szturm assault (do fortecy a fortress)

przypuszczalnie adv supposedly, presumably

przypuszczalny adj supposed, presumable

przypuszczenie n supposition, admission

przyroda f nature

przyrodni adj, brat ~ step-brother; siostra ~a step-sister

przyrodniczy adj natural

przyrodnik m naturalist

przyrodoznawstwo n natural science

przyrodzony adj natural, innate

przyrost m increment; ~ naturalny birthrate

przyrostek m gram. suffix

przyrząd m apparatus, instrument

przyrządzać vt prepare, make ready; (*potrawę*) season, dress

przyrzeczenie n promise

przyrzekać vt promise

przysadka f, med. ~ mózgowa pituitary gland

przysiad m sport crouch, squat

przysiadać vt sit down, crouch; ~ się vr sit down close (do kogoś to sb), join (do kogoś sb)

przysięga f oath; złożyć ~ę take an oath; pod ~ą upon oath

przysięgać vi swear

przysięgły adj sworn; s m juryman; sąd ~ch jury

przysłaniać vt veil, shade

przysłowie n proverb

przysłowiowy adj proverbial

przysłówek m gram. adverb

przysłuchiwać się vr listen (czemuś to sth)

przysług|a f service; wyświadczyć ~ę do ⟨render⟩ a service

przysług|iwać vi have right, be entitled; ~uje mi prawo I have a right, I am entitled

przysłużyć się vr render a good service

przysmak m dainty, delicacy

przysmażać vr fry

przysparzać vt augment, add to, increase; cause; to mi ~ kłopotu this adds to my trouble

przyspieszać vt accelerate, hasten, speed up

przyspieszenie n astr. fiz. acceleration

przysporzyć zob. przysparzać

przysposabiać vt prepare, make fit ⟨ready⟩; adapt; prawn. adopt

przysposobienie n preparation; adaptation; prawn. adoption; ~ wojskowe military training, cadet corps

przyst|ać vi join (do kogoś, do partii sb, the party); ~ać na służbę enter into service; to nie ~oi it is unbecoming; ~ać na coś comply with sth; ~ać na warunki accept conditions

przystanąć vi stop short, halt

przystanek m stop, halt

przystań f harbour

przystawać vi adhere

przystawiać vt put close, place near

przystępność f accessibility

przystępny adj accessible, easy of approach; (o cenie) moderate

przystępować vi join (do kogoś sb); come near; accede (do organizacji to organization)

przystojny f good-looking, handsome, well-shaped

przystrajać vt adorn

przysuwać vt move ⟨shove, push⟩ nearer; ~ się vr draw ⟨move⟩ nearer

przyswajać vt assimilate; (*wiedzę*,

języki) acquire; (poglądy, metody) adopt; (przywłaszczać sobie) appropriate

przysyłać vt send (in); vi send (po kogoś, coś for sb, sth)

przysypywać vt (np. ziemią) cover; (cukrem) powder

przyszłość f future; w ~ci in future; na ~ć for the future

przyszły adj future; ~ tydzień itp. next week etc.

przyszywać vt sew on

przyśnić się vr appear in a dream

przyśpieszać zob. przyspieszać

przyśrubować vt screw in

przytaczać vt (cytować) quote, cite; (toczyć) roll

przytakiwać vi say yes (komuś to sb); assent (czemuś to sth)

przytępić vt blunt, dull

przytknąć vt set, apply (coś do czegoś sth to sth)

przytłaczać vt press down, overwhelm

przytłumiać vt damp, suppress

przytoczyć zob. przytaczać

przytomnie adv with presence of mind, consciously

przytomność f consciousness; ~ umysłu presence of mind; stracić ~ lose consciousness; odzyskać ~ recover

przytomny adj conscious

przytrafić się vr happen

przytrzymać vt detain, hold up; hold down; (zatrzymywać) keep back

przytulić vt snuggle, cuddle, hug (do piersi to one's breast); ~ się vr cuddle, cling close; ~ się do siebie cuddle together

przytułek m shelter, asylum; ~ ~ dla ubogich almshouse; dawać ~ shelter (komuś sb)

przytwierdzić vt fasten, fix

przytyk m allusion

przytykać vi adjoin (do czegoś sth); (graniczyć) border (do czegoś on sth); zob. przytknąć

przywara f fault

przywiązanie n attachment

przywiązywać vt bind, tie (up), fasten; ~ się vr attach oneself, become attached (do kogoś, czegoś to sb, sth)

przywidzenie n illusion, fancy

przywieźć zob. przywozić

przywilej m privilege

przywitać vt welcome, greet

przywitanie n welcome, greeting

przywłaszczać vt (sobie) appropriate; (władzę, tytuł itp.) usurp

przywłaszczenie n appropriation

przywoływać vt call

przywozić vt bring; convey; import

przywódca m leader

przywóz m import, importation; (dostawa) delivery

przywracać vt restore

przywrócenie n restoration

przywyknąć vi get accustomed (used) (do kogoś, czegoś to sb, sth)

przyznać vt (np. nagrodę) award; (uznać rację) admit; (wyznaczyć) assign; muszę ~, że ... I have to admit that ...; ~ się vr confess, avow (do czegoś sth); prawn. ~ się do winy plead guilty

przyzwalać vi consent (na coś to sth), concede (na coś sth)

przyzwoitość f decency

przyzwoity adj decent

przyzwolenie n consent (na coś to sth)

przyzwyczajać vt accustom (do czegoś to sth); ~ się vr become accustomed, get used (do czegoś to sth)

przyzwyczajenie n habit; nabrać złego ~a fall into a bad habit; nabrać dobrego ~a form a good habit

przyzwyczajony pp i adj accustomed, used (do czegoś to sth)

przyzywać vt call

psalm m psalm

psałterz m psalter

pseudonim m pseudonym

psi adj dog's, dog; attr ~e życie dog's life

psiakrew *int* damn it!, dash it!

psiarnia *f* kennel; (*sfora*) pack of hounds

psikus *m* trick; spłatać ~a play a trick (*komuś* on sb)

psocić *vi* play tricks

psota *f* trick

psotnik *m* wag

pstrąg *m zool.* trout

pstry *adj* motley; (*o koniu*) piebald

psuć *vt* spoil; (*pogarszać*) make worse, worsen; (*uszkadzać*) damage; ~ się *vr* spoil, get spoilt

psychiatra *m* psychiatrist

psychiatria *f* psychiatry

psychiczny *adj* psychical

psychika *f* psyche

psycholog *m* psychologist

psychologia *f* psychology

psychologiczny *adj* psychological

pszczelarz *m* bee-keeper

pszczelarstwo *n* bee-keeping

pszczoła *f zool.* bee

pszenica *f* wheat

ptactwo *n* birds *pl*; (*wodne, dzikie*) fowl; (*domowe*) poultry

ptak *m* bird; *pot.* niebieski ~ spiv

ptasi *adj* bird, bird's *attr*; ~e gniazdo bird's nest; *przen.* brak mu ~ego mleka he lives in clover

publicysta *m* journalist

publicystyka *f* journalism

publicznie *adv* in public

publiczność *f* public; (*na sali*) audience

publiczny *adj* public

publikacja *f* publication

publikować *vt* publish

puch *m* (*ptasi*) down; (*meszek*) fluff

puchacz *m zool.* eagle-owl

puchar *m* beaker, bowl; *sport* ~ przechodni challenge cup

puchlina *f* swelling; (*wodna*) dropsy

puchnąć *vi* swell

pucołowaty *adj* chubby

pucybut *m* bootblack

pucz *m* putsch

pudełko *m* box

puder *m* powder

puderniczka *f* compact, powder-box

pudło *n* box

pudrować *vt* powder

pugilares *m* wallet

pukać *vi* knock, rap (do drzwi at the door)

pukanie *n* knock

pukiel *m* curl, lock

pula *f* pool

pularda *f* fattened pullet

pulchny *adj* plump; (*o cieście*) crumby; (*o glebie*) friable

pulower *m* pull-over

pulpit *m* desk, writing-desk; (*do nut*) music-stand, music-desk

puls *m* pulse; mierzyć ~ feel the pulse

pulsować *vi* pulsate

pułap *m* ceiling

pułapka *f* trap; ~ na myszy mouse-trap

pułk *m wojsk.* regiment

pułkownik *m* colonel

pumeks *m* pumice-stone

punkt *m* point; (*inwentarza, programu itp.*) entry, item; ~ ciężkości centre of gravity; ~ oparcia point of support; ~ widzenia point of view; ~ wyjścia starting point; ~ zborny rallying point

punktualność *f* punctuality

punktualny *adj* punctual

pupil *m* favourite

purchawka *f* puff-ball

purpura *f* purple

purytanin *m* Puritan

pustelnia *f* hermitage

pustelnik *m* hermit

pustk|a *f* solitude, desert; vacancy; były ~i w teatrze the house was empty, there was a thin audience in the theatre; mieć ~ę w głowie be empty-headed; stać ~ami be abandoned (empty)

pustkowie *n* desert

pustoszyć *vt* devastate, lay waste

pusty adj empty

pustynia f desert

pustynny adj desert; waste

puszcza f wilderness; primeval forest

púszczać vt let; let fall, let go; (o pogłosce) set afloat; vi (o farbie) come off; (o szwach) come apart; (o mrozie) break; ~ coś płazem pass sth over; med. ~ krew bleed; ~ latawca fly a kite; ~ pieniądze make ducks and drakes of one's money; ~ pąki bud; ~ w obieg circulate, put into circulation; ~ w ruch set going, set in motion; ~ wolno set free

puszek m down; (do pudru) powder-puff; (meszek) fluff

puszka f box; (blaszana) tin, am. can; ~ na pieniądze money-box

puszysty adj downy, fluffy

puścić zob. puszczać

puzon m muz. trombone

pycha f pride, haughtiness

pykać vt vi puff

pylić vi raise ⟨make⟩ dust

pył m dust

pyłek m mote; bot. pollen

pysk m muzzle, snout

pyskować vt pot. bark

pyszałek m conceited fellow

pyszałkowaty adj conceited, bloated

pysznić się vr pride oneself (czymś on sth)

pyszny adj proud; (wyborny) excellent

pyta|ć vt ask (o drogę one's way; o kogoś, coś about sb, sth; kogoś o zdrowie after sb's health); inquire (o kogoś, coś after ⟨for⟩ sb, sth); (wypytywać) interrogate; (egzaminować) examine; kto ~ł się o mnie? who has asked for me?

pytajnik m mark of interrogation; question-mark, question-stop

pytanie n question; inquiry (o kogoś after sb); (stawianie pytań, badanie) interrogation; trudne ⟨podchwytliwe⟩ ~ poser; zadać komuś ~ ask sb a question, put a question to sb

pytel m bolter

pyzaty adj chubby

r

rabarbar m bot. rhubarb

rabat m discount

rabin m rabbi

rabować vt rob (komuś coś sb of sth), plunder

rabunek m robbery, plunder

rabunkowy adj predatory; napad ~ hold-up

rabuś m robber, plunderer

rachityczny adj rickety

rachmistrz m accountant, calculator

rachować vt count, reckon, calculate

rachuba f calculation; (rachunko-**

wość) accountancy, book-keeping

rachun|ek m reckoning; account; (w sklepie, restauracji) bill; ~ek bieżący current account; ~ek bankowy banking account; mat. ~ek różniczkowy differential calculus; pl ~ki (lekcja) arithmetic; (gospodarskie) house-keeping accounts

rachunkowość f accountancy, book-keeping

racj|a f reason; (żywnościowa) ration; mieć ~ę be right; nie mieć ~i be wrong

acjonalista *m* rationalist

acjonalizacja *f* rationalization

acjonalizm *m* rationalism

acjonalizować *vt* rationalize

acjonalność *f* rationality, reasonableness

acjonalny *adj* rational, reasonable

aczej *adv* rather, sooner

aczek *m* (small) crab, crayfish

aczkować *vi* crawl on all fours

aczyć *vi* deign, condescend; ~ usiąść be pleased to sit down; *vt* (*częstować*) treat (*kogoś czymś* sb to sth); ~ się *vr* treat oneself

ad 1. *adj* glad (z czegoś of sth); pleased (z czegoś with sth); ~ bym wiedzieć I should like to know; ~ nie rad *pot.* willy-nilly

ad 2. *m chem.* radium

ad|a *f* (*porada*) advice, counsel; (*zespół*) council, board; ~a miejska city council; ~a zakładowa factory (institution) council; dać sobie ~ę manage (z czymś sth); nie ma na to ~y there's no help for it; pójść za czyjąś ~ą follow (take) sb's advice; zasięgać czyjejś ~y ask sb's advice, consult sb; jaka na to ~a? what can be done about it?

adar *m* radar

adca *m* counsellor; (*prawny*) counsel

adio *n* radio; (*aparat*) wireless set; przez ~ on the air, by wireless; nadawać przez ~ broadcast

adioaktywny *adj* radioactive

adiofonia *f* broadcasting

adionadawca *m* broadcaster

adioodbiornik *m* radio(-set), radio receiver

adioskopia *f* radioscopy

adiosłuchacz *m* listener, listener-in

adiostacja *f* broadcasting station

adiotelegrafista *m* wireless operator

adioterapia *f* radiotherapy

adiowy *adj attr* radio; aparat ~ wireless set; program ~ radio programme

radny *m* city (town) councillor, alderman

radosny *adj* joyous, joyful, cheerful

radoś|ć *f* joy; nie posiadać się z ~ci be transported with joy; sprawić komuś ~ć make sb glad

radować *vt* gladden; ~ się *vr* rejoice (czymś at (in) sth)

radykalizm *m* radicalism

radykalny *adj* radical

radykał *m* radical

radzić *vt vi* advise (komuś sb); (*obradować*) deliberate (nad czymś on sth); ~ się *vr* consult (kogoś sb)

radziecki *adj* Soviet; Związek Radziecki the Soviet Union

rafa *f* reef

rafineria *f* refinery

raj *m* paradise

rajd *m* raid

rak *m zool.* crab, crayfish; *med.* cancer

rakieta 1. *f* rocket; ~ międzyplanetarna interplanetary rocket

rakieta 2. *f sport* racket

ram|a *f* frame; ~a okienna sash, window-frame; oprawić w ~ę frame; *przen.* w ~ach czegoś within the limits of sth

ramię *n* arm; (*bark*) shoulder; wzruszać ~onami shrug one's shoulders

rampa *f* ramp; (*towarowa*) platform; *teatr* footlights *pl*

rana *f* wound

randka *f* rendezvous, *pot.* date

ranga *f* rank

ranić *vt* wound, hurt

ranny 1. *adj* wounded

ranny 2. (*poranny*) *attr* morning

rano *adv* in the morning; dziś ~ this morning; wczoraj (jutro) ~ yesterday (tomorrow) morning; z rana in the morning

raport *m* report; account; stanąć do ~u appear to account; wezwać do ~u call to account

raportować *vt* report

rapsodia f rhapsody

raptem adv all of a sudden, abruptly

raptowny adj abrupt

rasa f race; zool. breed

rasizm m racialism

rasow|y adj racial; (o zwierzętach czystej rasy) thorough-bred; dyskryminacja ~a colour bar

raszpla f rasp

rat|a f instalment, part payment; na ~y by instalments, in part payments; sprzedaż ⟨kupno⟩ na ~y hire-purchase

ratować vt save, rescue; ~ się vr save oneself; ~ się ucieczką take to flight

ratownictwo n life-saving

ratownik m rescuer, am. life-guard

ratun|ek m rescue, salvation; wołać o ~ek cry for help; ~ku! help!

ratunkow|y adj saving, life-saving; łódź ~a life-boat; pas ~y life-belt

ratusz m town hall

ratyfikacja f ratification

ratyfikować vt ratify

raut n evening party

raz s (cios) blow; (kroć) time; jeden ~ once; dwa ~y twice; trzy ~y three times; innym ~em some other time; jeszcze ~ once more; na ~ie for the time being; od ~u at once; pewnego ~u once upon a time; po ~ pierwszy for the first time; ~ na zawsze once for all; ~ po ~ repeatedly, again and again; tym ~em this time; w każdym ~ie at any rate, in any case; w najgorszym ~ie if the worst comes to the worst, at worst; w najlepszym ~ie at best; w przeciwnym ~ie or else, otherwise; w ~ie jego śmierci in the event of his death; w ~ie potrzeby in case of need; w takim ~ie in such a case, so; za każdym ~em every time; adv once, at one time

razem adv together

razić vt strike; offend; shock; ~ oczy dazzle; ~ strzałami pelt with arrows; rażony piorunem thunderstruck; rażony paraliżem stricken with paralysis

razowy adj chleb ~ brown bread

raźny adj brisk

rażący adj striking, shocking; (o świetle) dazzling; (o błędzie, postępku) gross

rąbać vt hew; (drzewo) chop; (rozłupywać) split

rąbek m hem, border

rączka f little hand; (uchwyt) handle; (steru) tiller; (obsadka do pióra) penholder

rączy adj nimble, brisk

rdza f rust

rdzawy adj rusty

rdzenny adj original, true-borne, native

rdzeń m pith, marrow; core; ~ wyrazu root; anat. ~ pacierzowy spinal marrow

rdzewieć vi grow rusty

reagować vi react (na coś to sth)

reakcja f reaction

reakcjonista m reactionary

reakcyjny adj reactionary

reaktor m fiz. reactor

realia s pl realities pl

realista m realist

realistyczny adj realistic

realizm m realism

realizować vt realize, make real; (czek, rachunek) cash

realność f (rzeczywistość) reality; (majątek nieruchomy) real estate

realny adj real

reasekuracja f reinsurance

reasumować vt recapitulate

rebus m rebus

recenzent m reviewer

recenzja f review, critique

recenzować vt review

recepcja f reception; (np. w hotelu) reception desk ⟨office⟩

recepcyjny adj receptive; pokój ~ reception-room

recepta f prescription

rechot m croaking

recital [-czi-, -c-i-] *m muz.* recital

recydywa *f* relapse

recydywista *m* recidivist

recytować *vt* recite

redagować *vt (szkicować)* draw up; *(opracowywać)* redact; *(gazetę, czasopismo)* edit

redakcja *f (czynność)* redaction, composition; *(szkic)* draft; *(biuro)* editor's office

redakcyjny *adj* editorial

redaktor *m* redactor; *(gazety, czasopisma)* editor; ~ naczelny editor in chief

redukcja *f* reduction; *(zwolnienie z pracy)* discharge; ~ zarobków wage-cut

redukować *vt* reduce; *(zwolnić z pracy)* discharge; dismiss; *(wydatki, ceny itp.)* cut (down)

reduta *f wojsk.* redoubt

refektarz *m* refectory

referat *m* report

referencja *f* reference

referent *m* reporter; clerk

referować *vt* report

refleks *m* reflex

refleksja *f* reflection

refleksyjny *adj* reflexive, reflective

reflektant *m (np. na posadę)* applicant; *(na kupno)* prospective buyer

reflektor *m* reflector

reflektować *vi* have in view (na coś sth); intend; ~ się *vr* come to one's senses, sober down

reforma *f* reform

reformacja *f* Reformation

reformować *vt* reform

refren *m* refrain

regał *m* book-shelf

regaty *s pl sport* regatta, boat-race

regencja *f* regency

regeneracja *f* regeneration

regenerować *vt* regenerate; ~ się *vr* regenerate, become regenerated

regent *m* regent

regionalny *adj* regional

regulacja *f* regulation

regulamin *m* regulations *pl*

regularność *f* regularity

regularny *adj* regular

regulator *m* regulator

regulować *vt* regulate; *(zegarek)* put right; *(ruch uliczny)* control; *(rachunek)* settle

reguła *f* rule; z ~y as a rule

rehabilitacja *f* rehabilitation

rehabilitować *vt* rehabilitate

reja *f mors.* yard

rejent *m* notary (public)

rejestr *m* register, record

rejestracja *f* registration

rejestrować *vt* register, record; *wojsk.* enroll; ~ się *vr* register

rejon *n* region

rejs *m* cruise

rekapitulować *vt* recapitulate, sum up

rekin *m zool.* shark

reklama *f* publicity, advertising

reklamacja *f* claim

reklamować *vt* claim; *(ogłaszać)* advertise

rekolekcje *s pl* retreat

rekomendacja *f* recommendation

rekomendować *vt* recommend; *(o liście)* register

rekompensata *f* compensation

rekontrować *vi (w brydżu)* redouble

rekonwalescencja *f* recovery, convalescence

rekonwalescent *m* convalescent

rekord *m* record; pobić ⟨ustanowić⟩ ~ break a record

rekordzista *m* record-holder

rekreacja *f* recreation, pastime

rekrut *m* recruit; pobór ~ów conscription

rekrutacja *f* recruitment

rekrutować *vt* recruit

rektor *m* rector; chancellor, president

rektyfikacja *f* rectification

rektyfikować *vt* rectify

rekwirować *vt* requisition

rekwizycja *f* requisition

rekwizyt *m* requisite; *teatr pl* ~y property *zbior.*, props

relacja f report, relation
relaks m relax
relatywizm m relativism, relativity
relegować vt (z uniwersytetu) rusticate
relief m relief
religia f religion
religijność f religiosity
religijny adj religious
relikwia f relic
remanent m remainder, remaining stock; **sporządzanie** ~u stock-taking; **sporządzać** ~ take stock
reminiscencja f reminiscence
remis m sport tie; draw
remisow|y adj, **gra** ~a tie game
remiza f shed, am. barn
remont m renovation, repair
remontować vt renovate, repair
ren m zool. reindeer
renegat m renegade
renesans m Renaissance
renifer m = **ren**
renkloda f bot. greengage
renoma f renown
renomowany adj renowned
renons m (w kartach) renounce
renta f income, annuity; (starcza) old-age pension; (inwalidzka) disability payment
rentgen m x-ray apparatus; pot. (prześwietlenie) radiograph
rentgenolog m Roentgenologist, radiologist
rentgenologia f Roentgenology, radiology
rentować się vr pay one's way, yield an income
rentowny adj paying, profitable
reorganizacja f reorganization
reperacj|a f reparation; repair; **muszę dać buty do** ~i I must have my shoes repaired
reperować vt repair, mend
repertuar m repertoire, repertory
repetent m repeater
repetować vt repeat
repetycja f repetition
replika f rejoinder, repartee; (obrazu, rzeźby) replica
replikować vt retort, rejoin

reportaż m reportage
reporter m reporter
represja f reprisal
reprezentacja f representation
reprezentacyjny adj representative
reprezentant m representative
reprezentować vt represent
reprodukcja f reproduction
reprodukować vt reproduce
republika f republic
republikanin m republican
republikański adj republican
reputacja f reputation, repute
resor m spring
resort m department, province; **to nie należy do mojego** ~u this is beyond my province
respekt m respect
respektować vt respect
restauracja f (jadłodajnia) restaurant; (odnowienie, przywrócenie) restoration
restaurator m restaurant-keeper; (konserwator) restorer
restaurować vt restore, renovate, repair
restrykcja f restriction
restytucja f restitution
reszt|a f rest, remainder; (pieniędzy) change; (osad) residue; **do** ~y utterly, to the last
reszt|ka f remnant; pl ~ki relics, remains
retorta f retort
retoryczny adj rhetorical
retoryka f rhetoric
retusz m retouch
retuszować vt retouch
reumatyczny adj rheumatic
reumatyzm m rheumatism
rewanż m (odwet) revenge; (odwzajemnienie) reciprocation, requital; sport return match, revenge; **dać komuś możność** ~u give sb his revenge
rewanżować się vt requite, reciprocate
rewelacja f revelation, sensation
rewelacyjny adj revelational, sensational

rewers *m* receipt; (*biblioteczny*) lending form

rewia *f wojsk.* review; *teatr* revue

rewident *m* controller

rewidować *vt* revise; (*obszukiwać*) search

rewizja *f* revision; (*obszukiwanie*) search

rewizjonista *m* revisionist

rewizjonizm *m* revisionism

rewizor *m* controller

rewizyta *f* return ⟨reciprocated⟩ visit

rewizytować *vt* return ⟨repay⟩ a visit

rewolucja *f* revolution

rewolucyjny *adj* revolutionary

rewolwer *m* revolver

rezeda *f bot.* reseda

rezerwa *f* reserve

rezerwat *m* reserve; (*łowiecki, rybny*) preserve; (*dla Indian itp.*) reservation

rezerwista *m* reservist

rezerwować *vt* reserve; (*miejsce w pociągu, teatrze itp.*) book

rezerwow|y *adj* reserve *attr*; (*zapasowy*) spare *attr*; **części ~e** spare parts

rezerwuar *m* reservoir

rezolucja *f* resolution

rezolutny *adj* resolute, determined

rezonans *m* resonance

rezultat *m* result

rezurekcja *f* resurection

rezydencja *f* residence

rezydent *m* resident

rezydować *vi* reside

rezygnacja *f* resignation

rezygnować *vi* resign (**z czegoś** sth, **na rzecz kogoś** to sb)

reżim *m* régime

reżyser *m* stage-manager; (*filmowy*) director

reżyseria *f* stage-management; (*filmowa*) direction

reżyserować *vt* stage-manage; (*film*) direct

ręcznie *adv* by hand; **~ robiony** handmade

ręcznik *m* towel

ręczn|y *adj* hand *attr*, manual; **bagaż ~y** portable luggage; **robota ~a** handiwork; **wózek ~y** hand-barrow

ręczyć *vt* guarantee, warrant

ręk|a *f* hand; **dać komuś wolną ~ę** allow sb free play; **iść komuś na ~ę** play into sb's hands; **to jest mi na ~ę** this suits me; **trzymać za ~ę** hold by the hand; **na swoją ~ę** on one's own account; **od ~i** on the spot, offhand; **pod ~ą** at hand; **pod ~ę** arm in arm; **~a w ~ę** hand in hand

rękaw *m* sleeve

rękawica *f* glove; (*bokserska*) boxing-glove; *hist.* (*rycerska*) gauntlet

rękawiczka *f* glove; (*z jednym palcem*) mitten

rękodzielnik *m* handicraftsman

rękodzieło *n* handicraft

rękojeść *f* handle; (*u szabli*) hilt

rękojmia *f* guaranty

rękopis *m* manuscript

robactwo *n* vermin

robaczywy *adj* worm-eaten

robak *m* worm

rober *m* (*w kartach*) rubber

robi|ć *vt* make, do; **~ć swoje** do one's duty; **~ć na drutach** knit; **mało sobie z tego ~ę** I make little of it; **to mi dobrze ~** it does me good; **~ć się** *vr tylko impers:* **~ się ciepło** ⟨**zimno, późno** *itp.*⟩ it is getting warm ⟨cold, late etc.⟩

robocizna *f* working power, labour; (*zapłata*) wages *pl*; (*pańszczyźniana*) statute labour

robocz|y *adj* work, working *attr*; **dzień ~y** working day; **siła ~a** manpower; **ubranie ~e** working clothes; **wół ~y** draught-ox

robot *m* robot

robot|a *f* work, labour, job; **~y polne** field-labour; **~y przymusowe** forced labour; **~y ziemne** earth works; **ciężkie ~y** (*karne*) hard labour, penal servitude; **nie**

mieć nic do ~y have nothing to do

robotniczy *adj* workman's, workman *attr*

robotnik *m* (*pracownik*) worker; (*pracownik fizyczny*) workman; (*wyrobnik*) labourer

robótki *s pl* needle-work, fancy--work

rocznica *f* anniversary

rocznie *adv* yearly, annually

rocznik *m* year-book; *wojsk.* class; *pl* ~i (*naukowe, literackie*) annals

roczny *adj* yearly, annual

rodaczka *f* (fellow-)countrywoman

rodak *m* (fellow-)countryman

rodowity *adj* true-born, native; ~ **Anglik** Englishman by birth

rodowód *m* pedigree

rodow|y *adj* (*dziedziczny*) ancestral; clan *attr*; clannish; (*plemienny*) tribal; **majątek** ~y patrimony; **szlachta** ~a hereditary nobility

rodzaj *m* kind, species, sort; *biol.* genus; *gram.* gender; ~ **ludzki** mankind; **coś w tym** ~u something of the kind; **najgorszego** ~u of the worst description; **wszelkiego** ~u of every description

rodzajnik *m gram.* article

rodzajowy *adj* generic

rodzeństwo *n* brothers and sisters

rodzice *s pl* parents

rodzicielski *adj* parental; parents' *attr*

rodzić *vt* bear, generate, produce

rodzimy *adj* native

rodzina *f* family

rodzinn|y *adj* family *attr*; natal, native; **majątek** ~y family estate; **miasto** ~e native town; **dodatek** ~y family allowance

rodzony *adj* full born, german; ~ **brat** brother german

rodzynek *m* raisin

rogacz *m* stag; *przen. pot.* (*zdradzony mąż*) cuckold

rogatka *f* turnpike; toll-bar

rogaty *adj* horned

rogatywka *f* four-cornered cap

rogowacieć *vi* become horny

rogowaty *adj* horny, corneous

rogowy *adj* horn *attr*, horny

rogoża *f* (*mata*) (door-)mat

rogówka *f anat.* cornea

roi|ć *vi* dream; ~ć **sobie** imagine, fancy; ~ć **się** *vr* swarm, team; **coś mu się** ~ he fancies sth, sth runs through his head

rojalista *m* royalist

rojny *adj* swarming, teaming

rok *s* (*pl* **lata**) year; ~ **przestępny** leap-year; ~ **szkolny** school-year; **co drugi** ~ every second year; **w przyszłym ⟨w zeszłym⟩** ~u next ⟨last⟩ year; **przed laty** many years ago; **mam 18 lat** I am 18 years old

rokosz *m* mutiny

rokować *vi* (*pertraktować*) negotiate (**w sprawie traktatu, pożyczki a treaty, a loan**); (*zapowiadać*) augur; ~ **nadzieje** bid fair, give fair promise; **można** ~ **nadzieje, że on będzie miał powodzenie** he bids fair to succeed

rokowani|e *n* prognosis; *pl* ~a (*pertraktacje*) negotiations

rola 1. *f* (*pole*) arable land, field, soil

rol|a 2. *f* (*teatr i przen.*) part, role; **odgrywać** ~ę play a part

roleta *f* window-blind

rolka *f* (*szpulka*) reel; (*zwój*) roll; (*wałek*) roller

rolnictwo *n* agriculture

rolniczy *adj* agricultural

rolnik *m* farmer; agriculturist

roln|y *adj* agrarian; agricultural; land *attr*; **reforma** ~a agrarian reform; **bank** ~y land bank

romans *m* (*powieść*) romance, novel; (*miłostka*) love-affair

romansować *vi* flirt, carry a love--affair

romantyczność *f* romanticism

romantyczny *adj* romantic

romantyk *m* romantic; (*przedstawiciel romantyzmu*) romanticist

romantyzm *m* romanticism

romański *adj* (*język*) Romance; (*styl*) Romanesque

romb *m* *mat.* rhomb

rondel *m* stew-pan

rondo 1. *n* (*u kapelusza*) brim; *muz.* rondo

rondo 2. *m* (*plac*) circus

ronić *vt* (*np. łzy*) shed; *med.* miscarry

ropa *f* *med.* pus; ~ **naftowa** rock-oil, petroleum

ropieć *vi* fester, suppurate

ropień *m* *med.* abscess

ropucha *f* *zool.* toad

rosa *f* dew

Rosjanin *m* Russian

rosły *adj* tall

rosnąć *vi* grow

rosochaty *adj* forked

rosół *m* buillon, beef-soup

rostbef *m* roast beef

rosyjski *adj* Russian

roszad|a *f* (*w szachach*) castling; **robić ~ę** to castle

roszczenie *n* claim (*o coś* to sth, *pod czyimś adresem* on sb)

rościć *vt* (*np. prawo, pretensje*) claim (*do czegoś* sth), lay claim (*do czegoś* to sth)

roślina *f* plant; ~ **pnąca** creeper

roślinność *f* flora, vegetation

roślinny *adj* vegetable, vegetal

rotmistrz *m* *wojsk.* cavalry-captain

rowek *m* (small) channel; *techn.* groove

rower *m* (bi)cycle

rowerzysta *m* cyclist

rozbestwić *vt* make furious, enrage; ~ **się** *vr* become furious

rozbicie *n* disruption; (*wrogich sił*) defeat; ~ **okrętu** shipwreck

rozbić *vt* crush, smash, disrupt; (*wroga*) defeat; ~ **się** *vr* be crushed ⟨smashed⟩; (*o statku*) be shipwrecked; (*o planie*) be frustrated ⟨thwarted⟩

rozbierać *vt* undress; (*rozkładać*) decompose; (*dom*) pull down; (*kraj*) partition; (*rozczłonkowywać*) dismember; (*np. maszynę*)

dismantle, dismount; (*np. zegarek*) take apart; ~ **się** *vr* undress, strip; (*zdejmować wierzchnie odzienie*) take off (one's overcoat, hat etc.)

rozbieżność *f* divergence

rozbieżny *adj* divergent

rozbijać *zob.* rozbić

rozbiór *m* dismemberment; (*tekstu*) analysis; (*kraju*) partition

rozbiórka *f* (*domu, maszyny itp.*) demolition

rozbitek *m* castaway; *przen.* (*życiowy*) wreck

rozbój *m* robbery, piracy

rozbójnik *m* robber, highwayman; (*morski*) pirate

rozbrajać *vt*, ~ **się** *vr* disarm

rozbrat *m* rupture, disunion; **wziąć** ~ **break**, fall out (*z kimś* with sb), become divorced (*z rozumem* from one's senses)

rozbrojenie *n* disarmament

rozbrzmiewać *vi* resound

rozbudowa *f* extension, enlargement

rozbudowywać *vt* extend, enlarge; (*np. praktykę, stosunki*) build up; ~ **się** *vr* extend

rozbudzić *vt* awaken, arouse

rozchmurzyć *vt* clear up; *przen.* (*rozweselić*) cheer one's thoughts

rozchodzić się *vr* (*o towarzystwie*) break up, part; (*o zgromadzeniu, grupie uczniów itp.*) disperse; *wojsk.* break ranks; (*rozłączyć się*) separate, come apart; (*o wiadomościach itp.*) spread abroad; (*o towarze*) sell well

rozchód *m* expense, expenditure

rozchwiać *vt* shake, make loose; ~ **się** *vr* be shaken, become loose

rozchwytać *vt* snatch up; (*rozkupić*) buy up

rozchylać *vt*, ~ **się** *vr* open, draw apart; ~ **usta** part one's mouth

rozciągać *vt*, ~ **się** *vr* extend, stretch, expand

rozciągłoś|ć *f* expansion, extent; **w całej ~ci** at full length; to the full extent

rozciągły *adj* extensive

rozcieńczyć *vt* dilute

rozcierać *vt* grind (na proch to powder); (np. ciało) rub

rozcinać *vt* cut up

rozczarować *vt* disillusion, disappoint; ~ się *vr* become disappointed

rozczarowanie *n* disillusionment, disappointment

rozczesać *vt* comb off

rozczłonkować *vt* dismember

rozczłonkowanie *n* dismemberment

rozczulać *vt* move (to pity), touch, affect; ~ się *vr* be moved, be touched; (bawić się w sentymenty) sentimentalize (nad kimś, czymś over sb, sth)

rozczyn *m* solution

rozdarcie *n* rent, tear; *przen.* (wewnętrzne skłócenie) disruption

rozdawać *vt* distribute; (karty) deal

rozdmuchiwać *vt* (nadymać) blow up, inflate; (podsycać płomień) fan

rozdrabniać *vt* fritter

rozdrapywać *vt* scratch; (rozranić) lacerate

rozdrażniać *vt* irritate

rozdrażnienie *n* irritation

rozdroże *n* crossroad(s)

rozdwoić *vt* divide, split, disunite

rozdwojenie *n* division, disunion, split

rozdymać *vt* blow up, inflate

rozdział *m* (oddzielenie) separation; (podział) division; (rozdzielenie) distribution; (w książce) chapter; (we włosach) parting

rozdzielać *vt* (oddzielać) separate, sever; (podzielić) divide; (rozdawać) distribute; (wydzielać) deal ⟨share⟩ out; (nagrody) give away ⟨out⟩

rozdzielcz|y *adj* distributive; punkt ~y distributing point; tablica ~a *elektr.* switchboard, (w samochodzie) dash-board

rozdzierać *vt* rend, tear up, split; (otwierać np. list) tear open;

~jący serce heart-rending

rozdźwięk *m* dissonance, discord

rozebrać *zob.* rozbierać

rozedma *f med. także* ~ płuc emphysema

rozejm *m* armistice, truce

rozejść się *zob.* rozchodzić się

rozerwać się *vr* (zabawić się) divert oneself; (pęknąć) become ⟨get⟩ torn up

roześmiać się *vr* burst into laughter

rozeta *f* rosette

rozeznać *vt* discern; distinguish

rozgałęziacz *m elektr.* branch-joint, cluster

rozgałęziać się *vr* branch out, ramify

rozgałęzienie *n* ramification

rozgarniać *vt* pull apart, unroll, rake aside; (ogień) stir

rozgarnięty *adj* intelligent, clever

rozglądać się *vr* look round (za kimś, czymś for sb, sth)

rozgłaszać *vt* blaze, divulge, spread abroad

rozgłos *m* publicity, renown; resonance; nabrać ~u become renowned

rozgłośnia *f* broadcasting station

rozgłośny *adj* resounding; renowned

rozgnieść *vt* crush

rozgniewać *vt* anger, make angry; ~ się *vr* become angry (na kogoś with sb, na coś at ⟨about sth⟩)

rozgoryczenie *n* embitterment

rozgoryczyć *vt* embitter

rozgraniczenie *n* delimitation, demarcation

rozgraniczyć *vt* delimit, demarcate

rozgromić *vt* rout, defeat

rozgryźć *vt* bite through; *pot.* (odgadnąć) unriddle

rozgrzebywać *vt* dig up, rake up

rozgrzeszenie *n* absolution

rozgrzeszyć *vt* absolve

rozgrzewać *vt* warm up; ~ się *vr* warm oneself, get warm, warm up

rozhukany *adj* unbridled, unruly

rozhuśtać *vt* set swinging, set in motion

roziskrzony *adj* sparkling

roziskrzyć się *vi* begin to sparkle

rozjaśnić *vt*, ~ **się** *vr* clear up, brighten

rozjątrzyć *vt* irritate, exacerbate; chafe, rankle; ~ **się** *vr* become irritated, get exacerbated; rankle; *med.* suppurate

rozjechać się *vr* (*o towarzystwie, zgromadzeniu itp.*) break up, part

rozjemca *m* arbiter; *sport* umpire

rozjuszyć *vt* enrage, infuriate

rozkaprysić *vt* make capricious; ~ **się** *vr* become capricious

rozkapryszony *adj* capricious, whimsical

rozkaz *m* order, command; **na** ~ by order

rozkazujący *adj* imperious, imperative; *gram.* **tryb** ~ imperative

rozkazywać *vi* order, command

rozkiełznać *vt* unbridle

rozkleić *vt* unglue; (*rozlepić, np. afisze*) post up; ~ **się** *vr* unglue, come unglued; *pot.* (*stać się nieodpornym*) weaken, be moved

rozkład *m* disposition; (*psucie się*) decay, disintegration; (*jazdy, godzin*) time-table

rozkładać *vt* (*rozstawiać*) dispose, place apart; (*np. mapę*) spread open ⟨out⟩; (*rozwijać*) unfold; (*np. na wystawie*) display, lay out; (*rozbierać na części*) decompose, take to pieces; ~ **się** *vr* (*wyciągać się*) stretch out, spread; (*psuć się*) decay, decompose; (*rozpadać się*) disintegrate

rozkochać *vt* inspire with love; ~ **się** *vr* fall in love (**w kimś** with sb)

rozkołysać *vt* set swinging

rozkopać *vt* dig up

rozkosz *f* delight

rozkoszny *adj* delightful

rozkręcać *vt* unwind, unscrew

rozkruszać *vt* crumble, crush

rozkrzewić *vt* propagate, multiply

rozkuć *vt* unchain, unbind

rozkulbaczyć *vt* unsaddle

rozkupić *vt* buy up

rozkwit *m* flowering, efflorescence, bloom; **w pełni** ~**u** in full bloom

rozkwitać *vi* blossom, flourish

rozkwitły *adj* full-blown

rozlegać się *vr* spread, extend; (*o głosie*) resound, ring

rozległy *adj* extensive, vast

rozleniwiać *vt* make lazy; ~ **się** *vr* become lazy

rozlepiać *vt* (*np. afisze*) post up

rozlew *m* (*powódź*) flood; ~ **krwi** bloodshed

rozlewać *vt* (*np. mleko na podłogę*) spill; (*wlewać do naczyń*) pour out; (*krew, łzy*) shed; ~ **się** *vr* (*o rzece*) overflow; (*o płynie*) spill

rozliczać się *vr* settle accounts

rozliczenie *n* settling (of accounts), settlement; *handl.* clearing

rozliczny *adj* diverse, various

rozlokować *vt* accommodate, quarter; ~ **się** *vr* put up (**w hotelu** at a hotel), find accommodation

rozlosować *vt* dispose by lots (**coś** of sth)

rozluźnić *vt* loosen, relax; ~ **się** *vr* loosen, come loose

rozluźnienie *n* loosening, relaxation; (*obyczajów*) laxity

rozładować *vt* discharge, unload

rozłam *m* split, disruption

rozłamać *vt* break asunder, disrupt, split; ~ **się** *vr* be broken, go asunder

rozłazić się *vr* straggle, disperse; (*rozpadać się*) fall to pieces

rozłączać *vt* disjoin, disconnect; (*także techn.*) separate; (*np. telefon*) switch off; ~ **się** *vr* become disconnected; separate; (*telefonicznie*) switch off

rozłączenie *n* separation; (*także techn.*) disconnection rozłożyć *zob.* rozkładać; ~ się obozem encamp

rozłupać *vt* split, cleave; (*orzech*) crack

rozmach *m* impetus, swing

rozmaitość *f* variety; *pl* ~ci miscellany *zbiór*.

rozmaity *adj* various, diverse

rozmaryn *m* bot. rosemary

rozmawiać *vi* talk, chat, converse

rozmia|r *m* (*wymiar*) size; (*zakres*) dimension, extent; w wielkim ~rze to a great extent, in a large measure

rozmienić *vt* (*pieniądze*) change

rozmieszczać *vt* dispose, arrange; locate; (*rozlokować*) quarter, accommodate

rozmieszczenie *n* disposition, arrangement; location; (*zakwaterowanie*) quartering, accommodation

rozmiękczać *vt* soften, make soft, mollify

rozmiękczenie *n* softening, emollescence; med. ~ mózgu encephalomalacia

rozmięknąć *vi* soften, become soft

rozminąć się *vr* miss (z kimś, czymś sb, sth) cross one another; ~ się z celem go wide (fall short) of the mark; ~ się z powołaniem miss one's calling; ~ z prawdą deviate from the truth

rozminować *vt* clear of mines

rozmnażać *vt*, ~ się *vr* multiply, breed

rozmnażanie się *n* multiplication

rozmoczyć *vt* wet, soak

rozmoknąć *vi* become wet, soak

rozmow|a *f* conversation; prowadzić ~ę carry on a conversation

rozmowny *adj* conversational

rozmówca *m* interlocutor

rozmówić się *vr* have a talk

rozmównica *f* (*także* ~ telefoniczna*) telephone booth ⟨box⟩

rozmysł *m*, z ~em deliberately

rozmyślać *vi* meditate, reflect (nad czymś on ⟨upon⟩ sth)

rozmyślanie *n* meditation

rozmyślić się *vr* change one's mind

rozmyślnie *adj* deliberately

rozmyślny *adj* deliberate, premeditated

roznamiętnić *vt* impassion; ~ się *vr* become impassioned

rozniecić *vt* (*rozpalić*) kindle; przen. (*wywołać żywe uczucie*) stir up, inflame

roznosiciel *m* carrier; ~ gazet newspaper boy

roznosić *vt* carry; (*rozpowszechniać*) spread, distribute

rozochocić *vt* make merry; ~ się *vr* become merry, cheer up

rozognić *vt* inflame

rozpacz *f* despair; doprowadzić do ~y drive to despair

rozpaczać *vi* despair

rozpaczliwy *adj* desperate

rozpad *m* decay, decomposition

rozpadać się *vr* fall to pieces, collapse, break down

rozpadlina *f* crevice, cleft

rozpakować *vt*, ~ się *vr* unpack

rozpalać *vt* (*ogień*) make fire; ~ piec fire a stove; przen. (*wzmagać*) inflame; (*wyobraźnię*) fire

rozpamiętywać *vt* meditate (coś on sth)

rozpaplać *vt* pot. blab out

rozparcelować *vt* parcel out, break up

rozpasanie *n* profligacy

rozpasany *adj* dissolute, profligate

rozpatrywać *vt* consider, examine

rozpęd *m* impetus, start

rozpędzić *vt* disperse; (*tłum*) break up; (*rozruszać*) start, set in motion; ~ się *vr* break into a run

rozpętać *vt* unchain, unfetter; pot. (*np. wojnę*) unleash

rozpiąć *zob.* rozpinać

rozpieczętować *vt* unseal

rozpierać *vt* distend, extend; ~ się *vr* spread oneself

rozpierzchnąć się *vr* disperse

rozpieszczać *vt* pamper

rozpiętość *f* spread; (*mostu, łuku*) span; przen. (*zakres*) extent

rozpinać *vt* (*ubranie*) unbutton,

undo; *(rozciągać)* stretch out; *(żagiel)* spread

rozplatać *vt* untwist, untwine

rozplątać *vt* disentangle

rozplenić *vt*, ~ się *vr* multiply

rozpłakać się *vr* burst into tears

rozpłaszczyć *vt* flatten

rozpłatać *vt* split, cleave

rozpłomienić *vt* inflame

rozpływać się *vr* melt away, vanish; *(o pieniądzach)* melt; *przen.* descant *(nad czymś* on ⟨upon⟩ sth)

rozpoczynać *zob.* zaczynać

rozpogodzić się *vr* clear up

rozporek *m* fly

rozporządzać *vi* dispose **(czymś of** sth); *(dawać rozporządzenie)* order, decree

rozporządzeni|e *n* disposal **(czymś of** sth); *(dekret)* order, decree; **do twego ~a** at your disposal

rozpościerać *vt*, ~ się *vr* spread (out)

rozpowiadać *vt* talk abroad, divulge

rozpowszechniać *vt* spread, diffuse, propagate; ~ się *vr* spread

rozpowszechnienie *n* spread

rozpowszechniony *adj* wide-spread

rozpoznanie *n* discernment; *med.* diagnosis; *wojsk. (terenu)* reconnaissance

rozpoznawać *vt* recognize; discern; *med.* diagnose

rozpraszać *vt*, ~ się *vr* disperse

rozprawa *f* dissension, debate; *(np. naukowa)* treatise, dissertation; *prawn. (sądowa)* case; *(załatwienie sporu)* settlement

rozprawia|ć *vi* debate, discuss (o czymś sth); ~ć się *vr* settle matters; szybko ~ć się make short work (z czymś of sth)

rozprężać *vt* distend

rozprężenie *n* distension; *(odprężenie)* relaxation

rozpromienić *vt*, ~ się *vr* brighten up

rozprostować się *vr* straighten

rozproszenie *n* dispersion, dispersal

rozproszyć *zob.* rozpraszać

rozprowadzać *vt* lead; *(smar, farbę)* lay on; *(rozcieńczać)* dilute; *(towar, bilety itp.)* distribute

rozpruwać *vt* unsew, unstitch; *(rozrywać)* rip open

rozprzedawać *vt* sell

rozprzedaż *f* selling out, sale

rozprzestrzeniać *vt* spread, extend

rozprzestrzenianie *n* spread

rozprzęgać *vt* unharness; *przen. (rozluźniać)* dissolve, relax

rozprzężenie *n* dissoluteness, relaxation; ~ **obyczajów** laxity of morals

rozpusta *f* debauchery

rozpustnik *m*, **rozpustnica** *f* debauchee

rozpustny *adj* debauched

rozpuszczać *vt (płyn)* dissolve; *(odprawiać, zwalniać)* dismiss; *(wojsko)* disband, dismiss; *(puszczać wolno)* let go, dismiss; *(pogłoski)* spread; ~ się *vr* dissolve, *(topnieć)* melt

rozpuszczalnik *m chem.* solvent

rozpuszczalny *adj* soluble

rozpychać się *vr* jostle

rozpylacz *m* pulverizer

rozpylać *vt* pulverize

rozpytywać się *vr* inquire (o kogoś, coś after ⟨for⟩ sb, sth)

rozrabiacz *m pot.* troublemaker, stirrer

rozrabiać *vt (farbę, pastę itp.)* mix, dilute; *(rozbełtywać)* stir up; *vi pot.* make trouble, intrigue

rozrachunek *zob.* rozliczenie; *handl.* clearance

rozradzać się *vr* multiply, breed

rozrastać się *vr* grow larger, develop

rozrąbać *vt* cut asunder, split

rozrodczy *adj* genital, generative, procreative

rozróżniać *vt* distinguish; *(wyodrębniać)* discern

rozruch *m* start, setting in motion; *pl* ~**y** *(zamieszki)* uproar, riot

rozruszać *vt* set in motion, start; *(ożywić)* stir up; ~ się *vr* be roused, begin to stir rozrywać *vt* tear; rend; (*np. związek*) disrupt; (*list itp.*) tear open

rozrywka *f* amusement, pastime

rozrzedzać *vt* rarefy; (*rozcieńczać*) dilute

rozrzewnić *vt* move, affect; ~ się *vr* be moved, become affected

rozrzewnienie *n* emotion, touch of tenderness

rozrzucać *vt* scatter; (*pieniądze*) squander

rozrzutność *f* extravagance

rozrzutny *adj* extravagant

rozsada *f* seedlings *pl*

rozsadnik *m* seed-plot

rozsadzać *vt* plant apart; (*rozstawiać*) space; (*rozdzielać*) separate; seat separately; (*prochem*) blow up

rozsądek *m* sense; zdrowy ~ common sense

rozsądny *adj* sensible, reasonable

rozsiewać *vt* sow; przen. (*rozpraszać*) disseminate

rozsławiać *vt* render famous

rozstaj *m*, na ~u at the parting of the ways

rozstajn|y *adj*, ~e drogi crossroads

rozstanie *n* parting, separation

rozstawać się *vr* part (z kimś from ⟨with⟩ sb, z czymś with sth)

rozstawiać *vt* place apart, space; (*np. nogi*) spread

rozstąpić się *vr* step asunder, get apart; part; (*o ziemi*) burst, open up

rozstęp *m* spread, space, gap

rozstroić *vt* put out of order, derange; (*nerwy*) shatter; (*instrument*) put out of tune

rozstrój *m* disharmony, discord; disorganization; (*umysłowy*) mental derangement; med. ~ nerwowy nervous breakdown; ~ żołądka dyspepsia, upset stomach

rozstrzelać *vt* shoot dead, execute

rozstrzel|ić *vt* (*druk.*) space out; ~one głosy scattered votes

rozstrzygać *vt* decide (coś sth), determine (o czymś sth); ~ kwestię decide the question; ~ o wyniku determine the result

rozstrzygający *p praes adj* decisive

rozstrzygnięcie *n* decision

rozsuwać *vt* draw aside; (*zasłonę*) draw; (*stół*) pull out

rozsyłać *vt* send out, distribute

rozsyłka *f* distribution

rozsypać *vt* scatter; ~ się *vr* be scattered, disperse; (*rozpadać się*) crumble

rozszarpać *vt* tear to pieces

rozszczepiać *vr* split, cleave

rozszczepienie *n* split

rozszerzać *vt* widen, broaden; enlarge; (*szerzyć*) diffuse, spread; ~ się *vr* widen, broaden; extend

rozszerzenie *n* extension, enlargement

rozsznurować *vt* unlace

rozszyfrować *vt* decode

rozścielać *vt*, ~ się *vr* spread

rozśmieszać *vt* make laugh

rozświecać *vt* light up

roztaczać *vt*, ~ się *vr* spread, extend; ~ opiekę keep guard (nad kimś, czymś over sb, sth)

roztajać *vi* thaw, melt away

roztapiać *vt* melt; (*metal*) smelt

roztargnienie *n* distractedness

roztargniony *adj* distracted

roztawać się *vr* part company (z kimś with sb)

rozterka *f* distraction; discord; uneasiness

roztkliwiać *vt* move to pity; ~ się *vr* be moved to pity, sentimentalize (nad kimś, czymś over sb, sth)

roztłuc *vt* smash

roztoczyć *zob.* roztaczać; ~ opiekę nad kimś, czymś take sb, sth under one's protection

roztopić *zob.* roztapiać

roztopy *s pl* thawing snow

roztratować *vt* trample under foot

roztrąbić *vt* blaze abroad, divulge

roztrącić *vt* push asunder; (*rozbić*) smash

roztropność *f* prudence

roztropny adj prudent
roztrwonić vt squander away
roztrzaskać vt smash
roztrzepanie n distractedness
roztrzepany adj distracted, scatter-
-brained
roztwarzać vt dissolve; (rozcieńczać) dilute
roztwór m solution; (nalewka)
tincture
roztyć się vr grow fat
rozum m (zdolność pojmowania)
understanding; (władze umysłowe) reason; (umysł) intellect;
(rozsądek, spryt) wit; **chłopski** ~
common sense; **to przechodzi
ludzki** ~ this is beyond human
understanding; **on ma** ~ **w głowie** he has his wits about him
rozumieć vt understand; (pojmować) comprehend; ~ **się** vr understand (nawzajem each other);
(znać się) understand thoroughly, know thoroughly (**na czymś**
sth); **co przez to** ~**sz?** what do
you mean by it?; **ma się** ~**ć** of
course; **to** ~ **się samo przez się**
it stands to reason
rozumny adj reasonable, sensible
rozumować vi reason
rozumowanie n reasoning
rozumowy adj rational
rozwadniać vt dilute
rozwag|a f prudence; (rozważanie)
consideration; **wziąć pod** ~**ę** take
into consideration
rozwarty adj open; mat. (o kącie)
obtuse
rozważać vt (rozpatrywać) consider; (zastanawiać się) reflect (**coś**
on (upon) sth); (ważyć częściami)
weigh out
rozważny adj prudent
rozweselać vt gladden, cheer up,
exhilarate; ~ **się** vr cheer up,
become exhilarated
rozwiać zob. **rozwiewać**
rozwiązalny adj (o zagadce, zagadnieniu) solvable; (o umowie, sto-
warzyszeniu itp.) dissoluble
rozwiązanie n (zagadki) solution;
(zebrania, małżeństwa, umowy

itp.) dissolution; (przedsiębiorstwa) winding up; med. (poród)
delivery
rozwiązły adj dissolute
rozwiązywać vt untie, undo; (zagadki, problemy) solve; (stowarzyszenie, małżeństwo, umowę)
dissolve; (zgromadzenie) dismiss,
dissolve; (przedsiębiorstwo) wind
up
rozwidniać się vr dawn
rozwiedziony adj divorced
rozwierać vt open
rozwieszać vt hang about
rozwiewać vt blow away, scatter;
przen. (obawy, wątpliwości) dis-
pel; ~ **się** vr be blown away;
przen. vanish; (przemijać) blow
over
rozwijać vt (np. paczkę) unwrap;
(np. gazetę) unfold; (np. zwój
sukna, papieru) unroll; (skrzydła,
żagiel) spread; (np. umysł, nowy
gatunek rośliny) develop; (np.
działalność) display; ~ **się** vr
develop; unroll; (o pączkach,
krajobrazie) unfold
rozwikłać vt disentangle
rozwlekły adj prolix, diffuse
rozwodnić zob. **rozwadniać**
rozwodnik m divorcee
rozwodzić vt divorce; ~ **się** vr
divorce (**z kimś** sb); enlarge, di-
late (**nad czymś** on sth)
rozwojowy adj evolutionary
rozwolnienie n pot. diarrhoea
rozwozić vt convey, distribute
rozwód m divorce; **wziąć** ~ divorce (**z kimś** sb)
rozwój m development, evolution
rozwydrzony adj unbridled, wild
rozzłościć vt make angry, irritate;
~ **się** vr become angry
rozżalenie n resentment
rozżalony adj resentful
rozżarzyć vt make red-hot; ~ **się**
vr become red-hot
rożen m spit
ród m (pochodzenie) origin, stock;
(rasa) race; (szczep) tribe, (w
Szkocji) clan; ~ **ludzki** mankind;
rodem z Warszawy a native of

Warsaw; **rodem z Polski** Pole ⟨Polish⟩ by birth

róg *m* horn; *(myśliwski)* bugle; *(zbieg ulic, kąt)* corner; **rogi jelenie** antlers; **~ obfitości** horn of plenty; **na rogu** at the corner; **za rogiem** round the corner; *przen.* **przytrzeć komuś rogów** take sb down a peg or two

rój *m* swarm

róść *zob.* **rosnąć**

rów *m* ditch; *wojsk.* **~ łączący** communication-trench; **~ strzelecki** entrenchment, trench

rówieśnik *m* coeval; **on jest moim ~iem** he is of my age

równać *vt (wyrównywać)* even, make even; level; *(porównywać)* compare; *vi wojsk.* dress; **~ się** *vr* be equal (**komuś, czemuś** to sb, sth)

równanie *n mat.* equation; **~ pierwszego ⟨drugiego⟩ stopnia** linear ⟨quadratic⟩ equation; *(zrównanie)* equalization

równia *f* plane, level surface; **~a pochyła** inclined plane; **na ~ z kimś, czymś** on a level with sb, sth; **on the same level as** sb, sth

równie *adv* equally

również *adv* also, too, as well; **jak ~** as well as

równik *m geogr.* equator

równina *f* plain

równo *adv* even

równoboczny *adj* equilateral

równoczesny *adj* simultaneous; *(współczesny)* contemporary

równoległobok *m mat.* parallelogram

równoległy *adj* parallel

równoleżnik *m geogr.* parallel

równomierny *adj* equal, uniform

równoramienny *adj mat.* isosceles

równorzędny *adj* of equal rank, equivalent

równość *f* equality; *(gładkość)* evenness

równouprawnienie *n* equality of rights

równouprawniony *adj* having the same rights

równowag|a *f* equilibrium, balance; **odzyskać ~ę** recover one's balance; **stracić ~ę** lose one's balance, be off one's balance; **utrzymać ~ę** be in equilibrium, keep one's balance; **wyprowadzić z ~i** throw out of balance, unbalance

równowartościowy *adj* equivalent

równowartość *f* equivalence; *(rzecz konkretna)* equivalent

równoważnik *m* equipoise, equivalent

równoważny *adj* equiponderant

równoważyć *vt* balance

równoznaczny *adj* synonymous

równ|y *adj (gładki, płaski, prosty)* even, flat, level; *(taki sam, jednakowy)* equal; *gram.* **stopień ~y** positive degree; **~y krok** steady pace; **nie mający ~ego sobie** unparalleled; **żyć jak ~y z ~ym** live as equals; **przestawać z ~ymi sobie** mix with one's equals

rózga *f* rod

róż *m* rouge

róża *f* rose; *(polna)* sweet briar; *med.* erysipelas

różaniec *m* rosary

różdżka *f* wand; **~ czarodziejska** magician's wand

różnica *f* difference; **~ zdań** diversity of opinions

różnicować *vt* differentiate

różniczka *f mat.* differential

różniczkować *vt mat.* differentiate

różni|ć się *vr* differ (**od kogoś, czegoś** from sb, sth; **pod względem czegoś** in sth)

różnobarwny *adj* many-coloured

różnojęzyczny *adj* many-tongued

różnolity *adj* various, multiform

różnoraki *adj* manifold, diverse

różnorodność *f* heterogeneity; variety

różnorodny *adj* heterogeneous; various

różnoznaczny adj ambiguous, having a different meaning

różn|y adj (odmienny) different (od czegoś from sth); (różniący się, przeciwstawny) distinct (od czegoś from sth); (rozmaity) various; sundry; ~e **drobiazgi** sundries

różować vt put on rouge

różowy adj pink, rosy

rtęć f chem. mercury, quicksilver

rubaszność f coarseness

rubaszny adj coarse

rubin m ruby

rubryka f (szpalta) column; (wolne miejsce w formularzu) blank

ruch m movement; (posunięcie, np. w szachach) move; (chód, np. maszyny) motion; ~ **jednokierunkowy** one-way road; ~ **oporu** resistance movement; ~ **pasażerski** passenger-traffic; ~ **towarowy** goods-traffic; **puszczać w** ~ put in motion; **wprawić w** ~ put in motion, start; **w** ~**u** on the move

ruchliwość f mobility

ruchliw|y adj mobile, active; ~**a ulica** busy street; ~**e życie** busy life

ruchomości s pl movables, personalty, personal property

ruchom|y adj movable; ~**e schody** escalator

ruczaj m poet. brook

ruda f ore

rudera f hovel, dilapidated house

rudy adj brownish-red, rusty; (rudowłosy) red-haired

rufa f mors. stern

rugować vt (ze służby) dismiss; (z miejsca) eject

ruina f ruin

ruleta f roulette

rulon m roll

rum m rum

rumak m lit. steed

rumianek m camomile

rumiany adj ruddy, rosy

rumienić się vr become ruddy; (na twarzy) blush

rumieniec m blush, high colour

rumor m noise

rumowisko n debris

Rumun m Rumanian

rumuński adj Rumanian

runąć vi collapse, tumble down

runiczny adj runic

runo n fleece

rupiecie s pl lumber zbior. trash zbior.

ruptura f med. hernia

rura f pipe, tube

rurka f tube, tubule

rurociąg m pipe-line

rusałka f naiad

ruszać vt vi move, stir; (dotykać) touch; (w drogę) start (dokądś for a place); ~ **się** vr move, stir; (być czynnym) be busy, pot. be up and doing

ruszenie n, **pospolite** ~ hist. general levy

ruszt m (fire-)grate

rusztowanie n scaffolding

rutyna f routine

rutynowany adj practised

rwać vt tear; (owoce, kwiaty) pluck, pick; (zęby) draw; vi (o bólu) shoot; ~ **się** vr (np. o ubraniu) tear; (mocno chcieć) be eager (do czegoś for ⟨after⟩ sth, to do sth), pot. be keen (do czegoś on sth)

rwący adj (o rzece) rapid; (o bólu) stabbing, shooting

rwetes m bustle

ryb|a f fish; **łowić** ~**y** fish, catch fish, (na wędkę) angle; **iść na** ~**y** go fishing; przen. **gruba** ~**a** big shot

rybak m fisher, fisherman, (wędkarz) angler

rybołówstwo n fishing, fishery

rycerski adj chivalrous

rycerskość f chivalry

rycerstwo n chivalry, knighthood

rycerz m knight; **błędny** ~ knight-errant

rychło adv soon

rychły adj early, speedy

rycina f illustration, picture; (sztych) print

rycyna *f (olej)* castor-oil

ryczałt *m* lump sum; **~em in the lump**

ryczeć *vi* roar; *(o krowie)* low; *(o ośle)* bray

ryć *vt vi (kopać)* dig; *(rylcem)* engrave; *(w drzewie)* carve

rydel *m* spade

rydwan *m poet.* chariot

rydz *m bot.* orange-agaric

rygiel *m* bolt

ryglować *vt* bolt

rygor *m* rigour

rygorystyczny *adj* rigorous

ryj *m* snout

ryk *m* roar; *(krowy)* low; *(osła)* bray

rylec *m* chisel

rym *m* rime, rhyme

rymarz *m* saddler

rymować *vt* rime, rhyme; **~ się** *vr* rime

rynek *m* market, market-place

rynna *f* gutter-pipe, rain-pipe

rynsztok *m* gutter, sewer

rynsztunek *m* equipment, armour

ryps *m* rep(s)

rys *m (twarzy)* feature; *(charakteru)* trait

rysa *f* flaw, crack

rysopis *m* description

rysować *vt* draw; *(szkicować)* sketch; *(planować)* design; **~ się** *vr (na tle)* be outlined, appear; *(pękać, np. o ścianie)* crack

rysownica *f* drawing-board

rysownik *m* draughtsman; *(kreślarz)* sketcher, designer

rysun|ek *m* drawing, *(szkic)* sketch; *(plan)* design; **lekcja ~ków** drawing-lesson; **nauczyciel ~ków** drawing-master

rysunkowy *adj*, **film ~** cartoon-film; **papier ~** drawing-paper

ryś *m zool.* lynx

rytm *m* rhytm

rytmiczny *adj* rhythmic

rytownictwo *n* engraving

rytownik *m* engraver

rytuał *m* ritual

rywal *m* rival

rywalizacja *f* rivalry

rywalizować *vi* rival (z kimś sb), compete (z kimś with sb)

ryza *f (papieru)* ream; **trzymać kogoś w ~ch keep a tight hand on sb**

ryzyko *n* risk; **narażać się na ~ run the risk**

ryzykować *vt* risk, hazard

ryzykowny *adj* risky

ryż *m* rice

ryży *adj* red, red-haired

rzadki *adj* rare; *(nieliczny)* scarce; *(o włosach)* thin; *(o zupie)* clear; *(o tkaninie)* loose

rzadko *adv* seldom, rarely

rzadkość *f* rarity; *(niewystarczalna ilość)* scarcity

rząd 1. *m* row, rank, file; *biol.* order; **drugi z rzędu** next, successive; **8 godzin z rzędu** 8 hours at a stretch; **rzędem** in a row ⟨line⟩; **ustawić się rzędem** line up; **w pierwszym rzędzie** in the first place, first of all

rząd 2. *m* government, *am.* administration; management; *(panowanie)* rule; *pl* **~y** government, management; **~ ludowy** People's Government

rządca *m* governor, manager

rządowy *adj* government *attr*, state *attr*; governmental

rządzić *vi* govern; manage (czymś sth); rule (czymś over sth)

rzecz *f* thing; *(sprawa)* matter; **do ~y** to the point; **przystąpić do ~y** come to the point; **na jego ~** on his behalf; **to nie twoja ~** it is no business of yours; **twoją ~ą jest to zrobić** it is up to you to do it; **w samej ~y** in point of fact; **jasna ~** of course; **mówić od ~y** talk nonsense; **to jest nie do ~y** it is beside the question, it is off the point

rzecznik *m* representative; *(orędownik)* advocate, spokesman

rzeczownik *m gram.* substantive, noun

rzeczowo *adv* to the point, positively

rzeczowy *adj* real, positive, essential; **człowiek** ~ matter-of-fact man; **dowód** ~ material proof; **materiał** ~ evidence

rzeczoznawca *m* expert

rzeczpospolita *f* republic

rzeczułka *f* rivulet

rzeczywistość *f* reality

rzeczywisty *adj* real, actual

rzednąć *vt* become rare; (*o włosach, mgle*) thin *vt*, become thin

rzeka *f* river

rzekomo *adv* allegedly; on ~ ma talent he is supposed to have a talent

rzekomy *adj* supposed, pretended, sham; (*niedoszły*) would-be; ~ bohater would be hero; ~ lekarz sham doctor

rzemień *m* strap

rzemieślnik *m* artisan, craftsman

rzemiosło *n* craft, trade

rzemyk *m* strap

rzepa *f* turnip

rzepak *m* rape

rzesza *f* crowd; *hist.* Rzesza Niemiecka German Reich

rzeszoto *n* sieve

rześki *adj* brisk, lively

rzetelność *f* honesty, integrity

rzetelny *adj* honest, fair

rzewny *adj* plaintive

rzezimieszek *m* pick-pocket

rzeź *f* slaughter, massacre

rzeźba *f* (*sztuka*) sculpture; (*dzieło*) piece of sculpture

rzeźbiarstwo *n* sculpture

rzeźbiarz *m* sculptor

rzeźbić *vt* carve, sculpture

rzeźnia *f* slaughter-house

rzeźnik *m* butcher

rzeźwy *adj* hale, brisk

rzępolić *vi* pot. fiddle

rzęsa *f* eye-lash

rzęsist|y *adj* abundant, copious, profuse; ~e łzy flood of tears; ~e oklaski thunder of applause; ~y deszcz heavy rain

rzęzić *vi* rattle

rznąć zob. rżnąć

rzodkiew *f* bot. radish

rzodkiewka *f* bot. radish

rzucać *vt* throw, cast; (*opuszczać*) leave; (*poniechać*) give up; ~ okiem have a glance (na coś at sth); ~ rękawicę challenge (komuś sb); ~ myśl make a suggestion; ~ się *vr* rush (na kogoś, coś at sb, sth); fling oneself; (*nerwowo*) toss; (*w wodę*) plunge

rzut *m* throw, cast; (*plan*) projection; na pierwszy ~ oka at first glance

rzutki *adj* brisk, lively, enterprising

rzutkość *f* briskness, activity

rzutować *vt vi* project

Rzymianin *m* Roman

rzymski *adj* Roman

rżnąć *vt* cut, carve; (*zabijać*) slaughter

rżeć *vi* neigh

rżenie *n* neigh

rżysko *n* stubble-field

S

sabotaż *m* sabotage

sabotażysta *m* saboteur

sabotować *vt* sabotage

sacharyna *f* saccharine

sad *m* orchard

sadło *n* grease, fat

sadowić *vt* seat, place; ~ się *vr* seat oneself, take a seat

sadownictwo *n* pomicultura

sadyba *f* abode, habitation

sadysta *m* sadist

sadyzm *m* sadism

sadza f soot
sadzać vt seat, place
sadzawka f pool
sadzić vt plant, set
sadzonka f seedling
safanduła m galoot
safian m morocco
sagan m kettle
sak m sack; (sieć) drag-net
sakrament m sacrament
sakwa f bag
sala f hall; (w szpitalu) ward
salaterka f salad-plate
saldo n balance
saletra f saltpetre
salina f górn. salt-mine
salmiak m chem. ammonium chloride
salon m drawing-room
salonka f, bryt. saloon-carriage, am. parlour-car
salutować vt salute
salwa f volley
sałata f (roślina) lettuce; (surówka) salad
sam adj alone; -self (myself, yourself itd.); same; very; ~ jeden all alone; ~ na ~ all alone, all by oneself; na ~ym końcu at the very end; już na ~ą myśl at the very thought; rozumie się ~o przez się it is a matter of course; tak ~o likewise, as well; ten ~ the same; w ~ą porę (just) in time; on ~ to powiedział he said it himself
samica f female
samiec m male
samobójca m suicide
samobójczy adj suicidal
samobójstwo n suicide; popełnić ~ commit suicide
samochód m car, motor-car; ~ ciężarowy motor-lorry, truck; ~ turystyczny touring-car
samochwalstwo n boastfulness
samochwał m braggart
samodział m homespun
samodzielność f independence, self-reliance
samodzielny adj independent, self-reliant

samogłoska f wovel
samogon m home-brew
samoistny adj self-existent, independent
samokrytyka f self-criticism
samokształcenie n self-instruction, self-education
samolot m (aero)plane, am. airplane
samolub m egoist
samolubny adj egoistic
samoobsługowy adj (o barze, o sklepie, o stacji benzynowej) attr self-service
samolubstwo n egoism
samoobrona f self-defence
samopas adv all by oneself, loosely, at large
samopoczucie n feeling; dobre ~ (feeling of) comfort; złe ~ (feeling of) discomfort
samopomoc f self-help
samorodek m (złota) nugget
samorodny adj autogenous; original, spontaneous
samorząd m autonomy, self-government; ~ gminny ⟨miejski itp.⟩ local government
samostanowienie n polit. self-determination
samotnik m recluse, solitary
samotność f solitude
samotny adj solitary
samouctwo n self-education, self-instruction
samouczek m handbook for self-instruction; ~ języka angielskiego English self-taught
samouk m self-taught person
samowładca m autocrat
samowładztwo n autocracy
samowola f arbitrariness
samowolny adj arbitrary
samowystarczalność f self-sufficiency
samowystarczalny adj self-sufficient
samozachowawczy adj, instynkt ~ instinct of self-preservation
samozapalanie się n spontaneous combustion

samozwaniec *m* usurper, false pretender

samozwańczy *adj* self-styled, false

sanatorium *n* sanatorium

sandał *m* sandal

sanie *s pl* sleigh, sledge

sanitariusz *m* nurse, hospital attendant ⟨orderly⟩

sanitariuszka *f* nurse

sanitarny *adj* sanitary; wóz ~ ambulance

sankcja *f* sanction

sankcjonować *vt* sanction

sanki *s pl* sledge, sled, toboggan

sanna *f* (*droga*) sleigh-road; (*jazda*) drive in a sleigh.

sanskryt *m* Sanskrit

sapać *vi* pant, gasp

saper *m* wojsk. sapper

sardynka *f* sardine

sarkać *vi* grumble (na coś at sth)

sarkastyczny *adj* sarcastic

sarkazm *m* sarcasm

sarkofag *m* sarcophagus

sarna *f* roe, deer; (*samiec*) buck; (*samica*) doe

sarni *adj*, ~a pieczeń roast venison; ~a skóra buckskin, doeskin

Sas *m* Saxon

saski *adj* Saxon

satelita *m* satellite

satrapa *m* przen. tyrant

satyna *f* satin

satyra *f* satire

satyryczny *adj* satirical

satyryk *m* satirist

satysfakcja *f* satisfaction

sączek *m* chem. filter

sączyć *vt*, ~ się *vr* trickle, drip

sąd *m* judgement; (*ocena*) opinion; (*instytucja*) court, law--court; ~ przysięgłych jury; ~ wojenny court-martial; ~ ostateczny Last Judgement

sądownictwo *n* judicature

sądow|y *adj* judicial; koszty ~e court fees; postępowanie ~e legal procedure; sprawa ~a lawsuit; wytoczyć sprawę ~ą bring a suit (komuś against sb); wyrok

~y sentence of the court

sądzić *vt* judge; ~ sprawę try a case; *vi* (*mniemać*) think

sąsiad *m* neighbour

sąsiadować *vi* neighbour

sąsiedni *adj* neighbouring; (*przylegly*) adjacent

sąsiedztwo *n* neighbourhood

scalić *vt* integrate

scena *f* scene; teatr stage

scenariusz *m* scenario; script

sceneria *f* scenery

sceniczny *adj* scenic

sceptycyzm *m* scepticism

sceptyczny *adj* sceptical

sceptyk *m* sceptic

schab *m* pork-chop

schadzka *f* rendezvous, am. pot. date

scheda *f* inheritance

schemat *m* scheme, plan

schematyczny *adj* schematic

schizma *f* schism

schlebiać *vi* flatter

schludny *adj* cleanly, neat

schnąć *vi* dry, become dry; (*usychać*) wither; (*marnieć*) wane, waste

schodek *m* step

schodow|y *adj*, klatka ~a staircase

schody *s pl* stairs; ruchome ~ escalator

schodzić *vi* go ⟨come⟩ down; (*z chodnika, ze sceny itp.*) get off; (*o czasie*) pass; ~ się *vr* come together, meet

scholastyczny *adj* scholastic

scholastyk *m* scholastic

scholastyka *f* scholasticism

schorowany *adj* sickly, poorly

schować zob. chować

schowek *m* hiding-place; (*bankowy*) safe

schron *m* shelter; (*betonowy*) pill--box

schronić *vt* shelter; ~ się *vr* shelter (oneself); take shelter

schronisko *n* shelter; (*w górach*) refuge; (*azyl*) asylum

schwytać *vt* seize, catch

schylać *vt*, ~ się *vr* bend, bow, incline

schyłek m decline

scyzoryk m penknife

seans m (w kinie) picture-show; (spirytystyczny) séance

secesja f secession

sedno n core, gist; trafić w ~ hit the mark

sejf m safe

sejm m Seym, Sejm

sekciarski adj sectarian

sekciarz m sectarian

sekcja f section; med. dissection; ~ pośmiertna post-mortem examination

sekcyjny adj sectional

sekre|t m secret; zachować coś w ~cie keep sth secret; pod ~tem in secret

sekretariat m secretariat

sekretarz m secretary; ~ stanu (partii) secretary of state (party)

seksualny adj sexual

sekta f sect

sektor m sector

sekunda f second

sekundant m second

sekundować vi second (komuś sb)

sekutnica f shrew

sekwestr m prawn. sequestration

seledynowy adj sea-green

selekcja f selection

seler m bot. celery

semafor m semaphore

semantyka f semantics

semestr m semester, term

semicki adj Semitic

seminarium n (duchowne) seminary; (uniwersyteckie) seminar; (nauczycielskie) training-college

Semita m Semite

sen m sleep; (marzenie senne) dream

senat m senate

senator m senator

senior m senior

senność f sleepiness

senn|y adj sleepy; marzenie ~e dream

sens m sense, meaning; mieć ~ make sense; nie było ~u tego robić there was no sense in doing that

sensacja f sensation

sensacyjn|y adj sensational; film ~y, powieść ~a thriller

sentencja f maxim

sentyment m sentiment

sentymentalność f sentimentalism

sentymentalny adj sentimental

separacja f separation

separować się vr separate

seplenić vi lisp

ser m cheese

serc|e n heart; przyjaciel od ~a bosom friend; ~e dzwonu clapper; brać do ~a take to heart; ciężko mi na ~u I have a broken heart; mieć na ~u have at heart; bez ~a heartless; ~em i duszą heart and soul; z całego ~a with all one's heart; ze złamanym ~em broken-hearted

sercow|y adj med. cardiac; choroba ~a heart disease; sprawa ~a love affair

serdak m (sleeveless) jacket

serdeczność f cordiality

serdeczny adj cordial, hearty, heart-felt

serdelek m sausage

serduszko n little heart; (pieszczotliwie) sweet one, darling

serenada f serenade

seria f series; filat. issue, set

serio, na ~ adv in (good) earnest, seriously

serwantka f glass-case

serwatka f whey

serweta f table-cloth

serwetka f napkin; (papierowa) serviette

serwilizm m servilism

serwis 1. m (dinner, tea etc.) service, set

serwis 2. m (w tenisie) service

serwować vt vi sport serve

seryjny adj serial

sesja f session

setka f a hundred

setny num hundredth

sezon m season

sędzia m judge; (polubowny) arbiter; *sport* umpire, referee; ~ śledczy investigating magistrate

sędziwy *adj* aged, old

sęk *m* knag, knot

sękaty *adj* knaggy

sęp *m* vulture

sfera *f* sphere; (*np. towarzyska, społeczna*) circle

sferyczny *adj* spherical

sfinks *m* sphinx

sfora *f* pack

siać *vt* sow

siadać *vi* sit down, take a seat; ~ na konia mount a horse

siano *n* hay

sianokosy *s pl* hay-making

siarczan *m chem.* sulphate

siarczysty *adj*, mróz ~ bitter frost

siarka *f* brimstone, *chem.* sulphur

siarkowy *adj chem.* sulphuric

siatka *f* net; (*radio*) screen; *elektr.* grid

siatkówka *f anat.* retina; *sport* volley-ball

siąść *zob.* siadać

sidł|o *n* (*zw. pl.* ~a) snare, trap; zastawiać ~a lay a trap

siebie, sobie *pron* myself, yourself itd.; mieszkają daleko od siebie they live far from each other; blisko siebie close to each other

siec *vt* cut; (*chłostać*) lash; *zob.* siekać

sieczka *f* chaff

sieczna *f mat.* secant

sieć *f* net, network; (*pajęcza*) web; *elektr.* grid; ~ kolejowa railway-system; ~ wodociągowa water piping

siedem *num* seven

siedemdziesiąt *num* seventy

siedemdziesiąty *num* seventieth

siedemnasty *num* seventeenth

siedemnaście *num* seventeen

siedemset *num* seven hundred

siedlisko *n* seat; abode

siedmioletni *adj* seven years old; lasting seven years; plan ~ seven-year plan

siedzenie *n* seat

siedziba *f* seat

siedzieć *vi* sit; ~ cicho keep quiet;

~ w domu stay at home; ~ w więzieniu be in prison

siejba *f* sowing

siekacz *m* (*ząb*) incisor; (*narzędzie*) chopper

sieka|ć *vt* chop; (*mięso*) hash; mięso ~ne hash; minced meat

siekanina *f* hash

siekiera *f* axe

sielanka *f* idyll

sielski *adj* rural

siemię *n* seed

siennik *m* strawbed

sień *f* entrance-hall, *am.* hall-way

sierociniec *m* orphanage, orphan-asylum

sieroctwo *n* orphanhood, orphanage

sierota *m* orphan

sierp *m* sickle

sierpień *m* August

sierść *f* hair, bristle

sierżant *m* sergeant

siew *m* sowing

siewca *m* sower

siewnik *m* sowing-machine

się *pron* oneself; *nieosobowo:* one, people, you, they; musi ~ przestrzegać reguł one must observe the rules; jeśli ~ chce coś zrobić natychmiast, najlepiej ~ to zrobi samemu if one wants a thing done immediately, one had best do it oneself; nic ~ o tym nie wie there is no knowing; mówi ~, że ... people ⟨you, they⟩ say that ...; mówi ~, że zanosi się na bardzo mroźną zimę people ⟨they⟩ say it's going to be a very frosty winter; mówi ~, że on jest chory ⟨zachorował⟩ he is said to be ill ⟨to have been taken ill⟩

sięga|ć *vi* reach (po coś for sth); łąka ~ aż do rzeki the meadow reaches as far as the river

sikawka *f* quirt; (*strażacka*) fire-hose; (*pompa strażacka*) fire-engine

silić się *vr* make efforts, exert oneself

silnik *m* motor
silny *adj* strong
silos *m* silo
sił|a *f* strength; *także elektr.* power; force; ~a dośrodkowa ⟨odśrodkowa⟩ centripetal ⟨centrifugal⟩ force; ~a kupna purchasing power; ~a robocza man-power; ~a woli will power; ~y zbrojne armed forces; ponad moje ~y beyond my power; ~ą by force; w sile wieku in the prime of life; zabrakło mi ~ my strength failed me
siłacz *m* athlete, strong man
siłownia *f elektr.* power-station
siniak *m* bruise
sinus *m mat.* sine
siny *adj* livid; blue
siodlarstwo *n* saddlery
siodłać *vt* saddle
siodło *n* saddle
sioło *n lit.* hamlet
siostra *f* sister
siostrzenica *f* niece
siostrzeniec *m* nephew
siódemka *f* seven

siódmy *num* seventh
sito *n* sieve
siwek *m* grey horse
siwieć *vi* grow grey
siwowłosy *adj* grey-haired
siwy *adj* grey
skafander *m* diving-dress; *lotn.* pressure suit
skakać *vi* jump, leap, (*podskakiwać*) skip

skakanka *f* skipping-rope
skala *f* scale
skaleczenie *n* wound, injury, hurt
skaleczyć *vt* wound, injure, hurt
skal|isty, ~ny *adj* rocky
skalp *m* scalp
skała *f* rock
skamielina *f geol.* fossil
skamienieć *vi* petrify; *przen.* become petrified
skandal *m* scandal
skandaliczny *adj* scandalous
skarb *m* treasure; (*państwowy*) *bryt.* Exchequer, *am.* Treasury

skarbiec *m* treasury
skarbnik *m* treasurer
skarbonka *f* money-box
skarg|a *f* complaint (na kogoś against sb, z powodu czegoś about sth); (*sądowa*) charge; wnieść ~ę bring a charge (na kogoś against sb)
skarłowaciały *adj* dwarfish
skarpa *f* scarp
skarpetka *f* sock
skarżyć *vt* accuse (kogoś o coś sb of sth); (*do sądu*) sue (kogoś o coś sb for sth), bring a suit (kogoś against sb, o coś for sth); *vi* (*w szkole*) denounce (na kogoś sb); ~ się *vr* complain (na coś of sth)
skaza *f* blemish, flaw
skazać *vt* condemn, sentence (na coś to sth); ~ na karę pieniężną fine
skazaniec *m* convict
skazić *vt* corrupt, contaminate; (*żywność, napój*) denaturate
skąd *adv* from where, where ... from
skądinąd *adv* from elsewhere; on the other hand; otherwise
skąpić *vi* stint (komuś czegoś sb of sth); begrudge (komuś czegoś sb sth)
skąpiec *m* miser, niggard
skąpstwo *n* avarice, miserliness, stinginess
skąpy *adj* avaricious, miserly, stingy; (*o posiłku*) meagre; (*niewystarczający*) scanty; ~ w słowach scanty of words
skiba *f* ridge
skinąć *vi* nod, beckon (na kogoś to sb)
skinienie *n* nod; na czyjeś ~ at sb's beck and call
sklejka *f* ply-wood
sklep *m* shop, *am.* store
sklepienie *n* vault; ~ niebieskie firmament
sklepikarz *m* shopkeeper
sklepiony *adj* vaulted
skleroza *f med.* sclerosis

skład *m* composition; (*magazyn*) store, warehouse; ~ apteczny chemist's shop, *am.* drugstore; ~ główny staple storehouse; ~ osobowy personnel

składać *vt* put together; (*np. list, gazetę*) fold; (*przedstawiać np. dokumenty, dowody*) submit; (*broń*) lay down; (*pieniądze*) lay by, save; (*pieniądze do banku*) deposit; (*jaja*) lay; (*czcionki*) compose; (*wizytę*) pay; (*egzamin*) undergo; ~ narzędzia (*po pracy*) down tools; ~ ofiarę (*poświęcać się*) make a sacrifice; ~ ofiarę pieniężną offer a money-gift; ~ oświadczenie make a statement; ~ przysięgę take an oath (na coś upon sth); ~ sprawozdanie render an account (z czegoś of sth); ~ uszanowanie pay one's respects; ~ się *vr* be composed; consist (z czegoś of sth); compose (na coś sth), go into the making (na coś of sth)

składany *adj* (*o odsetkach*) compound; (*o krześle, łóżku*) folding; nóż ~ clasp knife

skład|ka *f* contribution; (*zbiórka*) collection; lista ~ek collecting list

składnia *f gram.* syntax

składnica *f* store

składnik *m* component; (*potrawy, lekarstwa*) ingredient

składniowy *adj gram.* syntactical

skłaniać *vt* incline; (*głowę*) bow; induce (kogoś do czegoś sb to do sth); ~ się *vr* be ⟨feel⟩ inclined (do czegoś to do sth)

skłon *m* bend; bow; (*terenu*) slope

skłonność *f* inclination, disposition (do czegoś to sth, to do sth)

skłonny *adj* inclined, disposed

skłócić *vt* (*zmącić*) trouble, stir up; (*poróżnić*) set at variance

sknera *m* miser, niggard

sknerstwo *n* avarice, stinginess

skobel *m* hasp

skoczek *m* jumper, leaper; (*w szachach*) knight

skoczny *adj* brisk, lively

skoczyć *vi* make a dash; *zob.* skakać

skok *m* leap, jump; ~ do wody dive; *sport* ~ w dal long jump; ~ o tyczce pole-jump; ~ wzwyż high jump; *techn.* ~ tłoka stroke of a piston

skołatany *adj* shattered

skomleć *vi* whine

skomplikowany *adj* complicated, intricate

skonać *vi* die, expire

skonfederować *vt* confederate

skończony *adj* (*wytrawny, doskonały*) accomplished, consummate; *zob.* skończyć

skończy|ć *vt* finish; get through (np. pracę with work); ~ć się *vr* be finished, come to an end; be over; lekcje się ~ły the lessons are over; ~ć się na niczym come to nothing

skoro *adv* soon; *conj* (*w zdaniu czasowym*) as soon as; (*w zdaniu przyczynowym*) as, now that

skorowidz *m* index

skorpion *m* scorpion

skorup|a *f* crust; (*np. jajka, żółwia, orzecha*) shell; (*naczynia glinianego*) shard; *pl* ~y broken glass

skory *adj* quick, speedy

skośny *adj* oblique, slanting

skowronek *m* lark

skowyczeć *vi* whine

skowyt *m* whine

skóra *f* (*żywa na ciele*) skin; (*zwierzęca surowa*) hide; (*garbowana*) leather

skórka *f* skin; (*szynki, sera, owocu, kiełbasy*) rind; (*owocu, ziemniaka*) peel; (*chleba*) crust; (*na futro*) pelt; (*na buty, rękawiczki*) leather

skórn|y *adj*, choroba ~a skin disease

skórzany *adj* leather *attr*

skracać *vt* shorten, cut short; (*mowę, tekst*) abbreviate; (*książkę*) abridge

skradać się *vr* steal

skraj *m* (*przepaści, ruiny itp.*)

verge, brink; (granica, kres) border; (miasta) outskirts pl
skrajność f extremism
skrajny adj extreme
skrapiać vt besprinkle, water
skraplać vt liquefy; (gaz, parę) condense; ~ się vr liquefy; condense
skrawek m cutting; (ziemi) strip; (papieru) slip, scrap
skreślić vt (skasować) cancel, cross out, erase; ~ z listy strike off the list
skręcać vt twist, turn; (kark) break; vi turn (na prawo to the right)
skrępować vt pinion, tie up
skrępowany adj restricted; (zażenowany) embarrassed
skręt m twirl, torsion; (zakręt) turning; med. (kiszek) twisting
skrobaczka f scraper
skrobać vt scrape, rub, erase; (rybę) scale
skromność f modesty
skromny adj modest
skroń f temple
skropić zob. skrapiać
skrócić zob. skracać
skrót m abbreviation; shortening
skrucha f contrition
skrupi|ć się vr, to się ~ na mnie I shall smart for it
skrupulatność f scrupulosity
skrupulatny adj scrupulous
skrupuł m scruple
skruszony pp (pokruszony) crumbled; adj contrite
skruszyć vt crumble; ~ się vr crumble; (poczuć skruchę) become contrite
skrypt m script; (szkolny) mimeographed text
skrytka f hiding-place; ~ pocztowa post-office box
skrytobójca m assassin
skryty adj (tajny) secretive, clandestine; (powściągliwy w mowie) reticent
skrzeczeć vi scream, screech; (o żabie, wronie) croak
skrzep m clot; med. blood clot

skrzętność f industry
skrzętny adj industrious
skrzydlaty adj winged
skrzydło n wing; (np. stołu) leaf; (wiatraka) sail
skrzynia f chest, coffer
skrzynka f box, case
skrzypaczka f violinist, fiddler
skrzypce s pl violin, fiddle
skrzypek m violinist, fiddler
skrzypieć vi creak
skrzyżowanie m (dróg) cross-roads pl; zool. bot. crossbreeding
skubać vt pick, plume, pull; pot. (kogoś z pieniędzy) fleece, drain; ~ ptaka pluck a bird; ~ trawę crop grass
skuć vt fetter, chain
skulić się vr cower, squat
skup m purchase
skupiać vt assemble, bring together; (uwagę) concentrate; (wojsko) mass; ~ się vr assemble, come together; become concentrated; (duchowo) collect oneself
skupienie n concentration
skupiony adj collected, concentrated
skupować vt buy up, purchase
skurcz m med. cramp, convulsion
skurczyć vt, ~ się vr shrink
skuteczność f efficacy
skuteczny adj efficacious
skut|ek m result, effect; bez ~ku to no purpose, of no effect; na ~ek tego as a result of it; dojść do ~ku take effect; doprowadzić do ~ku bring about, bring into effect; nie odnosić żadnego ~ku have no effect
skuter m (motor-)scooter
skutkować vi have effect
skwapliwy adj eager
skwar m oppresive heat
skwaśniały adj sour
skwer m square; (ogród publiczny) green
slawistyka f Slavic studies
słabnąć vi become weak, weaken; (o kursach walut) decline, go down
słabostka f foible

słabość f (*niedomaganie*) illness; (*skłonność*) weakness (*do czegoś* for sth)

słabowity adj sickly

słaby adj weak, feeble

słać vt (*wysyłać*) send; (*rozpościerać*) spread; ~ **łóżko** make a bed

słaniać się vr totter, faint away

sława f glory, fame, repute; **dobra** ⟨zła⟩ ~ good ⟨bad⟩ name

sławić vt glorify

sławny adj famous, renowned

słodkawy adj sweetish

słodk|i adj sweet; ~**a woda** fresh water

słodycz f sweetness; pl ~**e** sweets pl, confectionery zbior.; am. candies pl

słodzić vt sweeten, sugar

słoik m jar

słoma f straw

słomianka f straw-mat

słomian|y adj straw attr, grass attr; ~**a wdowa** grass-widow; ~**y wdowiec** grass-widower

słomka f straw; (*łodyga, źdźbło*) halm

słomkowy adj, **kapelusz** ~ straw-hat

słonecznik m sunflower

słoneczny adj sunny, sun attr; **zegar** ~ sun-dial; **promień** ~ sunbeam

słonina f lard

słoniow|y adj elephantine; **kość** ~**a** ivory

słoność f saltness; salinity

słony adj salt(y)

słoń m elephant

słońc|e n sun; **leżeć na** ~**u** lie in the sun

słota f foul weather

słotny adj rainy

słowacki adj Slovakian

Słowak m Slovak

Słoweniec m Slovene

słoweński adj Slovenian

Słowianin m Slav

słowiański adj Slav, Slavonic

słowik m nightingale

słownictwo n vocabulary

słownie adv fin. say

słownik m dictionary

słowny adj verbal; (*dotrzymujący słowa*) reliable; dependable

słow|o n word; **cierpkie** ⟨**gorzkie**⟩ ~**a** bitter words; **gra słów** pun, play upon words; **piękne** ~**a** fair words; ~**o wstępne** foreword; **wielkie** ~**a** big words; **innymi** ~**y** in other words; **na te** ~**a** at these words; ~**em** in short, in a word; ~**o w** ~**o** word for word; (*o narzeczeństwie*) **być po** ~**ie** be engaged; **cofnąć dane** ~**o** come back upon one's word; **dać** ~**o** pledge one's word; **daję** ~**o!** upon my word!; **dotrzymać** ~**a** keep one's word; **łapać za** ~**o** take sb at his word; **mieć ostatnie** ~**o** get the last word; **napisz mi parę słów** drop me a line or two; pot. **nie pisnąć ani** ~**a** not to breathe a word; **on nie mówi ani** ~**a po angielsku** he can't speak a word of English; **popamiętasz moje** ~**a!** mark my words!; **wyjął mi te** ~**a z ust** he took these words out of my mouth; **zamienić z kimś parę słów** have a word with sb; **złamać dane** ~**o** break one's word

słowotwórstwo n gram. word-formation

słód m malt

słój m jar; (*drzewa*) vein, stratum

słówko n word

słuch m hearing; pl ~**y** (*pogłoski*) reports, rumours pl; **chodzą** ~**y** it is rumoured

słuchacz m hearer, listener (*także radiowy*); (*student*) student; **liczni** ~**e** a numerous audience

słuchać vt hear (*kogoś, czegoś* sb, sth), listen (*kogoś, czegoś to* sb, sth); (*być posłusznym*) obey (*kogoś* sb); ~ **czyjejś rady** take ⟨follow⟩ sb's advice; ~ **radia** listen to the radio; ~ **wykładu** attend a lecture

słuchawka f headphone; ear-phone; (*telefoniczna*) receiver; (*lekarska*) stethoscope

sługa *m* servant; *f* maid-servant

słup *m* pillar, column, post, pole; ~ **graniczny** landmark; boundary-post; ~ **telegraficzny** telegraph-pole

słupek *m* bot. pistil; (*np. rtęci, wody*) column

słusznie *adv* rightly, with reason; (*racja*) that's right

słuszność *f* reasonableness, legitimacy; **mieć** ~**ć** be right; **masz** ~**ć** right you are; **nie mieć** ~**ci** be wrong

słuszny *adj* right, fair, reasonable, rightful

służalczość *f* servility

służalczy *adj* servile

służąca *f* maid-servant

służący *m* servant

służb|a *f* service; *zbior.* (*personel*) servants *pl*; **na** ~**ie** on duty; **po** ~**ie**, **poza** ~**ą** off duty; **w czynnej** ~**ie** on active duty; **odbywać** ~**ę wojskową** serve one's time in the army; **pełnić** ~**ę** be on duty

służbistość *f* officiousness

służbow|y *adj* service *attr*, official; **droga** ~**a** official channels *pl*; **podróż** ~**a** a trip of duty, (*dłuższa*) tour of duty

służy|ć *vi* serve (**komuś sb**), be in the service (**komuś**, **u kogoś** of sb); (*być pożytecznym*) be of use (*service*) (**komuś** to sb); agree; **tutejszy klimat mi nie** ~ the climate here does not agree with me

słychać *vi* it is rumoured, they say; **co** ~? what's the news?

słynąć *vi* be renowned (*famous*) (**jako as, z powodu czegoś** for sth)

słynny *adj* renowned, famous

słyszalny *adj* audible

słyszeć *vt* hear

smaczn|y *adj* savoury, tasty; ~**ego!** I hope you'll enjoy your lunch (dinner, tea)

smagać *vt* lash

smagły *adj* swarthy

smak *m* taste, flavour; **bez** ~**u** tasteless, insipid

smakołyk *m* dainty

smak|ować *vi* taste; **jak ci to** ~**uje?** how do you like it?

smalec *m* lard, fat

smar *m* grease

smarkacz *m* pot. whipper-snapper

smarkaty *adj* pot. snotty

smarować *vt* smear; (*masłem*) butter

smażyć *vt*, ~ **się** *vr* fry

smecz *m* sport smash

smętny *adj* melancholic

smoczek *m* dummy

smok *m* dragon

smoking *m* dinner-jacket, *am.* tuxedo

smolny *adj* pitchy

smoła *f* pitch

smrodliwy *adj* stinking, smelly

smród *m* stench

smucić *vt* make sad, sadden; ~ **się** *vr* be sad; sorrow (**z powodu czegoś** at (over) sth)

smukły *adj* slim, slender

smutek *m* sorrow, sadness

smutny *adj* sad, sorrowful

smycz *f* leash, lead

smyczek *m* bow

smyczkow|y *adj*, **instrument** ~**y** stringed instrument; **orkiestra** ~**a** string-orchestra

snop *m* sheaf; ~ **światła** shaft of light

snuć *vt* spin; ~ **domysły** conjecture; ~ **marzenia** spin dreams

snycerstwo *n* sculpture

snycerz *m* sculptor, carver

sobek *m* pot. egoist

sobie *zob.* **siebie**

sobota *f* Saturday

sobowtór *m* double

soból *m* zool. sable

sobór *m* synod

sobótka *f* St. John's eve

socjalista *m* socialist

socjalistyczny *adj* socialist

socjalizacja *f* socialization

socjalizm *m* socialism

ocjalizować *vt* socialize
ocjolog *m* sociologist
ocjologia *f* sociology
ocjologiczny *adj* sociological
oczewica *f bot.* lentil
oczewka *f* lens
oczysty *adj* juicy
oda *f* soda
odow|y *adj*, woda ~a soda-water
ofa *f* sofa, couch
oja *f bot.* soy-bean
ojusz *m* alliance
ojuszniczy *adj* allied
ojusznik *m* ally
ok *m* juice; (*drzewa, rośliny*) sap
okół *m zool.* falcon
olanka *f* (*pieczywo*) salt roll; (*źró-dło*) salt-spring
olenny *adj* solemn
olić *vt* salt
olidarność *f* solidarity
olidarny *adj* solidary, unanimous
olidny *adj* solid, reliable
olista *m* soloist
oliter *m* tape-worm
olniczka *f* salt-cellar
olny *adj*, kwas ~ hydrochloric acid
olo *adv* solo
ołtys *m* village administrator
onata *f* sonata
onda *f* plummet, sound
ondować *vt* sound
onet *m* sonnet
opel *m* icicle
opran *m* soprano
ortować *vt* sort
os *m* sauce; (*od pieczeni*) gravy
osna *f bot.* pine
ośnina *f* pine-wood
owa *f zool.* owl
owity *adj* copious, lavish
ód *m chem.* sodium
ól *f* salt; ~ kamienna rock salt
spacer *m* walk
spacerować *vi* take a walk
spacja *f druk.* space
spacjować *vt druk.* space out
spaczenie *n* distortion; (*drzewa*) warping; *przen.* perversion
spać *vi* sleep; chce mi się ~ I am

sleepy; iść ~ go to bed; dobrze ⟨źle⟩ spałem I had a good ⟨a bad⟩ night's rest
spad *m* fall; (*pochyłość*) slope
spadać *vi* fall (down), drop
spad|ek *m* fall, drop (cen, temperatury in prices, in temperature); (*pochyłość*) slope; (*scheda*) inheritance, legacy; zostawić w ~ku bequeath
spadkobierca *m* heir
spadkobierczyni *f* heiress
spadochron *m* parachute
spadochroniarz *m* parachutist
spadochronow|y *adj*, wojska ~e paratroops
spadzisty *adj* steep
spajać *vt* weld; (*lutować*) solder
spalać *vt* burn (out, up); (*zwłoki*) cremate; ~ się *vr* burn (away, out); *elektr.* (o żarówce) burn out; (o korkach) blow
spalanie *n* combustion
spalinow|y *adj*, gazy ~e combustion gases; silnik ~y internal combustion engine
spalony *adj sport* off-side
sparzyć *vt* scald, burn; (*pokrzywą*) sting; ~ sobie palce burn one's fingers; ~ się *vr* burn oneself
spawacz *m* welder, solderer
spawać *vt* weld, solder
spawanie *n* welding
spazm *m* spasm
spazmatyczny *adj* spasmodic
specjalista *m* specialist
specjalizować się *vr* specialize
specjalność *f* speciality
specjalny *adj* special
specyficzny *adj* specific
spekulacja *f* speculation
spekulant *m* speculator, *pot.* spiv
spekulatywny *adj* speculative
spekulować *vi* speculate
spelunka *f* den
spełniać *vt* (*obowiązek*) fulfil, do; (*wymagania, życzenia, prośby*) satisfy
spełznąć *vi* *zob.* pełznąć; ~ na niczym come to nothing

spędzać *vt* drive (up, down); (*czas*) spend; *med.* ~ płód procure abortion

spichlerz *m* granary

spiczasty *adj* pointed

spiec *vt* parch, scorch; *przen.* ~ raka blush

spieniężyć *vt* sell; (*czek, weksel itp.*) realize

spieniony *adj* foaming

spierać się *vr* contend (*z kimś o coś* with sb about sth)

spieszny *adj* hasty, speedy; (*naglący*) urgent

spieszy|ć się *vr* hurry, be in a hurry; *pot.* bustle up; *zegarek* ~ się the watch is fast

spięcie *n, elektr.* krótkie ~ short-circuit

spiętrzyć *vt* pile up; ~ się *vr* pile up, be piled up

spiker *m* (*radiowy*) announcer; *polit.* (*w Anglii*) speaker

spinacz *m* (paper-)fastener

spinać *vt* buckle, clasp, fasten

spinka *f* (*do mankietów*) stud; (*do włosów*) clasp

spirala *f* spiral; *techn.* coil

spiralny *adj* spiral

spirytus *m* spirit; ~ skażony methylated spirit

spis *m* list, catalogue, register; ~ inwentarza inventory; ~ ludności census; (*w książce*) ~ rzeczy (table of) contents; ~ potraw bill of fare

spisać *vt* list, catalogue, register; write down; ~ się *vr* (*odznaczyć się*) make one's mark, distinguish oneself

spisek *m* conspiracy, plot

spiskować *vi* conspire, plot

spiskowiec *m* conspirator

spiż *m* bronze

spiżarnia *f* pantry

splatać *vt* intertwine, interlace; (*włosy*) plait, braid; (*np. linę*) splice

spleśniały *adj* mouldy, musty

splot *m* (*włosów*) braid, plait; (*liny*) splice; (*okoliczności*) coincidence; *anat.* plexus; (*węża*) coil

splunąć *vi* spit

spluwaczka *f* spittoon

spłacać *vt* pay off, repay

spłaszczać *vt* flatten

spłata *f* repayment

spłatać *vt*, ~ figla play a trick (*komuś* on sb)

spław *m* floating, (*tratwą*) rafting

spławiać *vt* float, (*tratwą*) raft

spławny *adj* navigable

spłodzić *zob.* płodzić

spłonąć *vi* go up in flames

spłonka *f techn.* percussion cap

spłowiały *adj* faded

spłowieć *vi* fade

spłukiwać *vt* rinse, (*silnym strumieniem*) flush

spływać *vi* flow down

spocić się *vr* be all of a sweat

spocząć *vi* take a rest, repose oneself

spoczyn|ek *m* rest; w stanie ~ku (*na rencie*) retired

spoczywać *vi* rest, repose

spod *praep* from under

spodek *m* saucer

spodlenie *n* debasement

spodlić *vt* debase

spodnie *s pl* trousers; (*bryczesy*) breeches; (*krótkie sportowe*) plus-fours; (*pumpy*) knickerbockers

spodoba|ć się *vr* take sb's fancy; to mi się ~ło I liked ⟨enjoyed⟩ it

spodziewać się *vr* hope (*czegoś* for sth), expect (*czegoś* sth)

spoglądać *vi* look (*na kogoś, coś* at sb, sth), regard (*na kogoś, coś* sb, sth)

spoić *vt* (*np. alkoholem*) make drunk; *zob.* spajać

spoistość *f* compactness, coherence

spoisty *adj* compact, coherent

spojówka *f anat.* conjunctiva

spojrzeć *vi* have a glance (*na kogoś, coś* at sb, sth)

spojrzenie *n* glance; jednym ~m at a glance

spokojny *adj* quiet, calm, peaceful;

bądź o to ~! make your mind
easy about that!

pokój *m* peace, calm; ~ umysłu
peace of mind, composure; daj
mi ~! let ⟨leave⟩ me alone!

pokrewnić się *vr* become related
(z kimś to sb)

policzkować *vt* slap (kogoś sb's
face)

połeczeństwo *n* society

połeczność *f* community

połeczn|y *adj* social; opieka ~a
social welfare

połem *adv* in common

pomiędzy *praep* from among

ponad *praep* from above

spontaniczny *adj* spontaneous

poradyczny *adj* sporadic

porny *adj* controversial, disput-
able

poro *adv* pretty much ⟨many⟩

sport *m* sport(s); ~ wodny aquatic
sport, aquatics; ~y zimowe winter sports

sportow|y *adj* sporting, sports *attr*;
(lekkoatletyczny) athletic; plac
~y sports field; przybory ~e
sports kit; marynarka ~a sports
jacket; ~e zachowanie się (god-
ne sportowca) sporting conduct;
klub ~y athletic club

sportsmen *m* sportsman

sportsmenka *f* sportswoman

spory *adj* pretty large, considerable

sporządzać *vt* make, prepare; (bilans, dokument) draw up; (lekarstwo) make up

sposobić *vt*, ~ się *vr* prepare (do
czegoś for sth)

sposobnoś|ć *f* (sprzyjająca okolicz-
ność) opportunity; (okazja, powód) occasion; mam mało ~ci
mówienia po angielsku I have
little opportunity of speaking
English; przy tej ~ci on this
occasion

sposobny *adj* fit, convenient

spos|ób *m* means, way; ~ób my-
ślenia way of thinking; tym
~obem by this means, in this

way; w taki czy inny ~ób
somehow or other; w żaden ~ób
by no means

spostrzegać *vt* perceive, notice;
catch sight (coś of sth)

spostrzegawczość *f* perceptiveness

spostrzegawczy *adj* perceptive,
quick to perceive

spostrzeżenie *n* perception; (uwaga) observation, remark

spośród *praep* from among(st)

spotkanie *n* meeting; umówione ~
appointment; przyjść na ~ keep
an appointment

spotwarzać *vt* calumniate

spot|ykać *vt* meet (kogoś sb);
~ykać się *vr* meet (z kimś sb);
(napotykać) meet (z czymś with
sth); ~kać się z trudnościami
meet with difficulties

spowiadać *vt* confess; ~ się *vr*
confess (z czegoś sth, przed kimś
to sb)

spowiedź *f* confession

spowinowacić się *vr* become related (z kimś to sb)

spowodować *vt* cause, bring about

spowszednieć *vi* become common

spoza *praep* from behind

spożycie *n* consumption

spożywać *vt* consume

spożywca *m* consumer

spożywcz|y *adj* consumable; arty-
kuły ~e consumer ⟨consumers'⟩
goods, articles of consumption

spód *m* bottom; u spodu at the
bottom

spódnica *f* skirt

spójnia *f* union

spójnik *m* *gram.* conjunction

spółdzielca *m* co-operator

spółdzielczość *f* co-operation, co-
-operative movement

spółdzielczy *adj* co-operative

spółdzielnia *f* co-operative society

spółgłoska *f* *gram.* consonant

spółk|a *f* partnership, company;
do ~i in common

spór *m* dispute, contention

spóźniać się *vr* be late; (o zegarze) be slow

spóźnienie *n* delay

spóźniony adj late, belated

spracowany adj overworked

spragniony adj thirsty; przen. eager (czegoś for sth, to do sth)

spraw|a f affair, matter; (sądowa) lawsuit, case, action; ~a honorowa affair of honour; ~a pieniężna money matter; **ministerstwo ~ wewnętrznych** Home Office; **ministerstwo ~ zagranicznych** Foreign Office; w ~ie czegoś in the matter of sth, about sth; to nie twoja ~a it is no business of yours; wytoczyć ~ę bring an action (komuś against sb); załatwić ~ę settle the matter; zdawać ~ę report (komuś z czegoś to sb about sth), give an account (komuś z czegoś sb of sth); zdawać sobie ~ę be aware (z czegoś of sth); realize (z czegoś sth)

sprawca m author

sprawdzać vt verify, test, check; ~ się vr come ⟨prove⟩ true

sprawdzian m test, criterion

sprawiać vt effect, bring about; (ulgę, przyjemność) afford; (przykrość, ból) cause; (wrażenie) make; ~ sobie procure, buy; ~ się vr behave

sprawiedliwość f justice; oddać ~ do justice; wymierzać ~ administer justice

sprawiedliwy adj just, righteous

sprawka f doing

sprawność f skill, dexterity, efficiency

sprawny adj skilful, dexterous, efficient

sprawować vt do, perform; (władzę) exercise; (urząd) hold, fill; (obowiązek) discharge, perform; ~ się vr behave

sprawowanie n (obowiązku) discharge, exercise; (władzy, urzędu) exercise; (zachowanie) conduct, behaviour

sprawozdanie n report, account; ~ radiowe running commentary; składać ~ report (z czegoś sth),

render an account (z czegoś o sth)

sprawozdawca m reporter; (radiowy) commentator

sprawun|ek m purchase; pl ~ki shopping; iść ⟨pójść⟩ po ~ki, załatwiać ~ki w sklepach go shopping

sprężać vt compress

sprężenie n compression

sprężyna f spring

sprężysty adj elastic

sprostać vi be equal, be up (czemuś to sth)

sprostować vt rectify, correct

sprostowanie n rectification

sproszkować vt pulverize

sprośność f obscenity

sprośny adj obscene

sprowadzać vt bring (in); lead down; (towar) procure, convey; (z zagranicy) import; (np. nieszczęście) bring about, cause; (np. do absurdu) reduce; ~ się vr (do mieszkania) take up one's quarters, move in

spróchniały adj rotten, (np. o zębie) decayed

spróchnieć vi become rotten

spryskać vt splash

spryt m cleverness, shrewdness; mieć ~ pot. have a knack (do czegoś for sth)

sprytny adj clever, shrewd

sprzączka f buckle, clasp

sprzątaczka f charwoman

sprzątać vt (usuwać) remove, carry off; (gruzy) cart away; (porządkować) put ⟨set⟩ in order; (pokój) do up, tidy up; ~ ze stołu clear the table

sprzątanie n tidying up, clearing

sprzeciw m objection

sprzeciwiać się vr object (czemuś to sth), oppose (czemuś sth)

sprzeczać się vr contend (o coś about sth), squabble

sprzeczka f contention, squabble

sprzeczność f contradiction; być w ~ci contradict each other

sprzeczny adj contradictory

sprzed *praep* from before

sprzedać *vt zob.* sprzedawać

sprzedajność *f* venality

sprzedajny *adj* venal

sprzedawać *vt* sell

sprzedawca *m* seller, *(ekspedient)* shop-assistant

sprzedaż *f* sale; na ~ for sale; w ~y on sale

sprzeniewierzenie *n* embezzlement

sprzeniewierzyć *vt* embezzle; ~ się *vr* become faithless

sprzęgać *vt* couple, join

sprzęgło *n techn.* coupling, clutch; włączyć ~ put in the clutch; wyłączyć ~ declutch

sprzęt *m* piece of furniture; implement; *(żęcie zboża)* harvest; ~ kuchenny kitchen utensils *pl*; ~ wojenny war material

sprzyjać *vi* favour (komuś, czemuś sb, sth), be favourable (komuś, czemuś to sb, sth)

sprzyjający *adj* favourable

sprzykrzyć *vt*, ~ć sobie coś become fed up with sth, be sick of sth; ~ć się *vr*, to mi się ~ło I am fed up with it ⟨sick of it⟩

sprzymierzeniec *m* ally

sprzymierzon|y *adj* allied; państwa ~e Allied Powers

sprzymierzyć się *vr* enter into an alliance

sprzysięgać się *vr* conspire

sprzysiężenie *n* conspiracy, plot

spuchnąć *vi* swell up

spuchnięty *adj* swollen

spust *m techn.* slip; *(u strzelby)* trigger

spustoszenie *n* devastation

spustoszyć *zob.* pustoszyć

spuszczać *vt* let down, lower, drop; *(wodę)* let off; *(oczy)* cast down; *(głowę)* droop; *(psa ze smyczy)* unleash; ~ się *vr* go down, descend; *(polegać)* rely (na kimś on sb)

spuścizna *f* inheritance

spychacz *m* bulldozer

spychać *vt* push down, shift back

srebrnik † *m* piece of silver, silver

coin

srebro *n* silver; ~ stołowe plate; *pot.* żywe ~ quicksilver, mercury

srebrzyć *vt* silver, plate with silver

srebrzysty *adj* silvery

srogi *adj* cruel, severe, fierce

srogość *f* severity, fierceness

sroka *f zool.* (mag)pie

srokaty *adj* piebald

sromotny *adj* shameful, disgraceful

srożyć się *vr* rage

ssać *vt* suck

ssak *m* mammal

ssanie *n* suction

ssąc|y *p praes i adj* sucking; suction *attr*; pompa ~a suction pump

stabilizacja *f* stabilization

stacja *f* station

staczać *vt* roll down; ~ bój fight a battle; ~ się *vr* tumble ⟨roll⟩ down; *przen.* get low

sta|ć *vi* stand; ~ć mnie na to I can afford it; ~ć na czele be at the head; ~ć na kotwicy lie ⟨ride⟩ on the anchor; ~ć na warcie stand sentry; ~ć się *vr* happen, occur; become; co się ~ło? what happened?, what's up here?; co się z nim ~ło? what has become of him?; on ~ł się sławny he became famous; gdyby mu się coś ~ło should anything happen to him

stadion *m* stadium; sports ground

stadium *n* stage

stadło *n* couple

stado *n* herd, flock

stagnacja *f* stagnation

stajnia *f* stable

stal *f* steel

stale *adv* constantly, always

stalownia *f* steel-works

stalówka *f* nib

stałość *f* constancy, stability

stały *adj* constant, stable; *(o cenie)* fixed; *(o pogodzie)* settled; *fiz.* solid; ląd ~ continent; ~ mieszkaniec resident

stamtąd *praep* from there

stan *m* state, condition; *(kibić)* waist; *(część państwa)* state; ~ cywilny legal status; urząd ~u cywilnego registry-office; ~ kawalerski, panieński single state; ~ małżeński married state; ~ liczebny strength; ~ oblężenia state of siege; ~ prawny status; ~ wojenny state of war; *fin.* ~ bierny liabilities *pl*; ~ czynny assets *pl*; mąż ~u statesman; zamach ~u coup d'état; zdrada ~u high treason; ludzie wszystkich ~ów persons in every state of life; być w ~ie be able (coś zrobić to do sth); w dobrym ~ie in good condition

stan|ąć *vi (powstać)* stand up; *(zatrzymać się)* stop, halt, come to a standstill; praca ~ęła work has stopped; ~ąć komuś na przeszkodzie get in sb's way; na tym ~ęło there the matter was dropped

stancja *f* lodging

standard *m* standard

standaryzować *vt* standardize

stanik *m* bodice; *(biustonosz)* brassière, *pot.* bra

stanioł *m* tinfoil

stanowczo *adv* decidedly; absolutely, definitely

stanowczość *f* firmness, peremptoriness

stanowczy *adj* firm, decided, peremptory

stanowi|ć *vt vi (ustanawiać)* establish, institute; *(wyjątek, prawa, różnice itp.)* make; *(decydować)* decide, determine (o czymś sth); to ~ 5 funtów this amounts to 5 pounds

stanowisk|o *n* post, position; *(społeczne)* standing; *(pogląd)* standpoint, opinion; *(postawa)* attitude; człowiek na wysokim ~u man of high standing; zająć przyjazne ~o take a friendly attitude (w stosunku do kogoś, czegoś towards sb, sth); zajmować ~o nauczyciela fill the po-

sition ⟨post⟩ of teacher

starać się *vr* endeavour, make efforts, take pains, try; *(troszczyć się)* take care (o kogoś, coś of sb, sth); *(zabiegać)* solicit (o coś sth); ~ się o posadę apply for a job; ~ się o rękę court a woman

staranie *n (troska)* care; *(zabiegi)* solicitation, endeavour; robić ~a make efforts; apply (np. o posadę for a job)

staranność *f* carefulness; accuracy

staranny *adj* careful, solicitous; accurate

starcie *n* rubbing, friction; *(skóry)* abrasion; *(walka)* collision, conflict; *wojsk.* engagement

starczy *adj* senile

starczy|ć *vi* suffice; jeśli mi tylko sił ~ to the best of my power; to ~ that will do

starodawny *adj* ancient, antique; old-time *attr*

staromodny *adj* old-fashioned; out--of-date *attr*

starosta *m* prefect (of a district); *(kierownik grupy)* senior

starość *f* old age

staroświecki *adj* old-fashioned; old-world *attr*

starożytność *f* antiquity

starożytn|y *adj* ancient, antique; *s pl* ~i the ancients

starszeństwo *n* seniority

star|szy *adj* older, elder; senior; *s* senior, superior; *pl* ~si *(starszyzna)* the elders

starszyzna *f* the elders

start *m* start; *lotn. sport* take off

starter *m* starter, self-starter

startować *vi* start; *lotn., sport* take off

staruszek, starzec *m* old man

stary *adj* old, aged

starzeć się *vr* grow old

stateczność *f* steadiness; gravity

stateczny *adj* steady; *(zrównoważony)* staid; *(poważny)* grave

stat|ek *m* vessel, ship; ~ek handlowy merchantman; ~ek parowy steamship, steamer; ~ek

rybacki fishing boat ⟨vessel⟩;
~ek wojenny man-of-war; ~ek
pocztowy mail boat ⟨ship⟩;
~kiem by ship; podróżować
~kiem sail, go by ship; wysyłać ~kiem ship, send by ship;
wsiadać na ~ek take ship, go
on board ⟨a ship⟩; na ~ek, na
~ku on shipboard, on board ship
statua f statue
statuetka f statuette
statut m charter; (regulamin, przepisy) statute; handl. articles of
association
statyczny adj static
statyka f statics
statysta m teatr mute, supernumerary
statystyczny adj statistic(al)
statystyk m statistician
statystyka f statistics
statyw m tripod, stand
staw m pond; anat. joint
stawać zob. stanąć

stawiać vt set, put (up); (np. butelkę, szklankę, drabinę) stand;
(budować) build, erect; (pomnik) raise; ~ czoło make a stand
(komuś, czemuś against sb, sth),
brave (komuś, czemuś sb, sth);
~ opór offer resistance (komuś,
czemuś to sb, sth); ~ (wszystko)
na jedną kartę stake everything
on one card; ~ na konia back a
horse; ~ 10 funtów na konia
bet £ 10 on a horse; ~ się vr
defy (komuś sb), show fight (komuś to sb); (np. w sądzie) appear, turn up
stawiennictwo n appearance
stawka f (w grze) stake; (taryfa)
rate
staż m probation
stażysta m probationer
stąd praep (z tego miejsca) from
here; (dlatego) hence

stąpać vi stride, step, tread
stchórzyć vi prove a coward, pot.
show the white feather
stearyna f stearin
stempel m stamp; (sztanca) die;

(podpora) prop; (pocztowy) postmark
stemplować vt stamp, cancel; (da-
townikiem pocztowym) postmark;
filat. obliterate; (podpierać) prop
(up)
stenograf m stenographer, short-
hand-writer
stenografia f shorthand, shorthand-
-writing
stenografować vt write in shorthand
stenotypist|a m, ~ka f stenoty-
pist, shorthand-typist
step m steppe
ster m rudder; (koło sterowe)
helm; u ~u at the helm
sterczeć vi stand ⟨stick⟩ out, (ku
górze) stick up
stereoskop m stereoscope
stereotypowy adj stereotyped
sterling zob. funt
sternik m pilot, steersman
sterować vi steer (okrętem the
ship)
sterowanie n control
sterta f stack; (stos) pile, heap
sterylizować vt sterilize
stębnować vi stitch
stęchlizna f fustiness
stęchły adj fusty
stękać vi moan, groan
stępić vt blunt; ~ się vr become
blunt
stęskniony pp i adj pining, yearning (za kimś, czymś for sb, sth);
~ za ojczyzną homesick
stężać vt chem. concentrate
stężenie n hardening; chem. concentration
stłoczyć vt compress, cram
stłuc vt smash, break; (np. kolano)
bruise
sto num one hundred
stocznia f shipyard
stodoła f barn
stoicyzm m stoicism
stoik m stoic
stoisko n stand
stojak m stand
stok m slope, hillside

stokrotka *f* daisy

stokrotny *adj* hundredfold

stolarz *m* carpenter, joiner

stolec *m med.* stool; **oddawać ~** move one's bowels

stolica *f* capital; *rel.* **Stolica A-postolska** Holy See

stolnica *f* moulding-board

stołeczny *adj* metropolitan

stołek *m* stool

stołować *vt* board; **~ się** *vr* board (u kogoś with sb)

stołownik *m* boarder

stołówka *f* canteen

stomatologia *f* stomatology

stonoga *f zool.* centipede

stop *m (metalowy)* alloy

stop|a *f* foot; **~a procentowa** rate of interest; **~a życiowa** standard of life; **na ~ie wojennej** on war footing; **na przyjacielskiej ~ie** on a friendly footing; **od stóp do głów** from top to toe; **u stóp góry** at the foot of the hill

stopić *vt* melt

stop|ień *m* degree, grade; *(np. schodów)* step; **mający ~ień a-kademicki** graduate; **uzyskać ~ień (akademicki)** graduate; **w wysokim ~niu** to a high degree

stopniały *adj (o metalu)* molten; *(np. o śniegu)* melted

stopnieć *vi* melt down

stopniować *vt* gradate, graduate

stopniowanie *n* gradation

stopniowo *adv* gradually, by degrees

stopniowy *adj* gradual

stora *f* (window-)blind

storczyk *m bot.* orchid

stos *m* pile, heap; *(całopalny)* stake; *fiz.* **~ atomowy** atomic pile; **ułożyć w ~** heap (up), pile (up)

stosowa|ć *vt* apply, adapt; **~ć się** *vr* comply (np. do prośby with a request), conform (np. do przepisów, zwyczajów to rules, to usages); *(odnosić się)* refer (do czegoś to sth); **sztuki ~ne** applied arts

stosownie *adv* accordingly; **~ do**

czegoś according to sth

stosowny *adj* suitable, appropriate (do kogoś, czegoś to sb, sth)

stosun|ek *m* relation; proportion; *(związek)* connexion; *(posta-wa)* attitude; *(obcowanie)* intercourse; *pl* **~ki** *(majątkowe itp.)* means, circumstances; *(politycz-ne, towarzyskie)* relations

stosunkowy *adj* relative; proportional; comparative

stowarzyszenie *n* association

stożek *m* cone

stożkowaty *adj* conical

stóg *m* stack, rick

stół *m* table; *(wikt, utrzymanie)* board; **nakrywać do stołu** lay the table; **przy stole** at table

stracenie *n* execution

straceniec *m* desperado

strach *m* fear, fright; **napędzać ~u** alarm, terrify (komuś sb); **ze ~u** for fear (przed czymś of sth, o coś for sth)

stracić *vt (ponieść stratę)* lose; *(pozbawić życia)* execute

stragan *m* (huckster's) stand

straganiarka *f* huckstress

straganiarz *m* huckster

strajk *m* strike; **~ powszechny** general strike

strajkować *vi* strike, go on strike

strajkujący *m* striker

strapienie *n* affliction, grief

strapiony *adj* afflicted, heartsick

straszak *m* toy pistol; *(straszydło)* bugbear

straszliwy *adj* horrible

straszny *adj* terrible, awful

straszy|ć *vt* frighten; *(o duchach)* haunt; **w tym domu ~** this house is haunted

straszydło *n także i przen.* scarecrow

strat|a *f* loss; **ponieść ~ę** suffer a loss; **ze ~ą** at a loss

strategia *f* strategy

strategiczny *adj* strategic

stratny *adj,* **być ~m** be a loser

stratosfera *f* stratosphere

strawa *f* food, fare

strawny *adj* digestible

straż *f* guard, watch; być na ~y be on guard, keep guard; pod ~ą under guard

strażak *m* fireman

strażnica *f* watch-tower

strażnik *m* guard, (*nocny*) watch-man

strącić *vt* throw ⟨hurl⟩ down; precipitate (*także chem.*), deduct; (*o samolocie*) bring down; ~ z tronu dethrone

strączek, strąk *m* pod

strefa *f* zone; ~ podzwrotnikowa torrid zone; ~ umiarkowana temperate zone; ~ zimna frigid zone

streszczać *vt* make a summary (coś of sth), summarize; ~ się *vr* be brief

streszczenie *n* summary, précis

stręczyciel *m* (*pośrednik*) jobber; (*do nierządu*) procurer

stręczyć *vt* procure

strofa *f* stanza

strofować *vt* reprimand

stroić *vt* (*ubierać*) attire, deck; (*fortepian*) tune; ~ żarty make fun ⟨z kogoś, czegoś of sb, sth⟩; ~ się *vr* dress oneself, deck oneself out

strojny *adj* smart, dressy

stromy *adj* steep, abrupt

strona *f* side; (*stronica*) page; *gram.* voice; (*okolica*) region, part; ~a zawierająca umowę contracting party; ~y świata quarters of the globe, cardinal points; stanąć po czyjejś ~ie take sides with sb; w tych ~ach in these parts; z jednej ~y... z drugiej ~y on the one hand... on the other hand; z mojej ~y for ⟨on⟩ my part; z prawej ~y on the right hand; z tej ~y on this side; ze wszystkich ~ on all sides

stronnictwo *n* party

stronniczość *f* partiality

stronniczy *adj* partial, biassed

stronnik *m* partisan

strop *m* ceiling

stropić *vt* put out of countenance; ~ się *vr* be put out of coun-tenance

stroskany *adj* afflicted, careworn

strój *m* attire, dress; *muz.* pitch

stróż *m* guard, guardian; (*strażnik*) watchman; (*dozorca*) door-keeper; (*portier*) porter; anioł ~ guardian angel

strudzony *adj* wearied

strug *m* plane

struga *f* rill, stream

strugać *vt* whittle

struktura *f* structure

strumień *m* stream

struna *f* string, chord; ~ głosowa vocal cord

strup *m* crust

struś *m* *zool.* ostrich

strych *m* attic

strychnina *f* strychnin(e)

stryczek *m* halter, rope

stryj *m* uncle

stryjeczny *adj*, brat ~y, siostra ~a cousin

strzał *m* shot

strzała *f* arrow

strzaskać *vt* smash

strząsać *vt* shake off

strzec *vt* guard, protect (przed kimś, czymś from ⟨against⟩ sb, sth); ~ się *vr* be on one's guard (kogoś, czegoś against sb, sth)

strzecha *f* thatch

strzelać *vi* shoot, fire (do kogoś, czegoś at sb, sth)

strzelanina *f* firing

strzelba *f* rifle, gun

strzelec *m* shot, rifleman

strzelnica *f* shooting-galery; *wojsk.* shooting-range

strzelniczy *adj*, proch ~ gunpow-der

strzemienne *n* parting drink

strzemię *n* stirrup

strzęp *m* tatter, shred

strzępić *vt* shred, fray; ~ się *vr* fray, become frayed

strzyc *vt* shear, clip, (*włosy*) cut, crop; ~ sobie włosy have a hair-cut; ~ włosy krótko crop the hair close; ~ **uszami** prick up one's ears

strzykać *vt* *vi* squirt; *(boleć)* twinge

strzykanie *n* twinge

strzykawka *f* syringe

strzyżenie *n* shearing; ~ **włosów** haircut

student *m* student

studiować *vt* study

studium *n* study

studnia *f* well

studzić *vt* cool (down)

stuk *m* knocking, noise

stulecie *n* century; *(setna rocznica)* centenary

stuletni *adj* *(człowiek)* hundred years old; **wojna** ~**a** Hundred Years' War

stulić *vt* press close ⟨together⟩

stwardniałość *f* hardening, callosity

stwardniały *adj* hardened, callous

stwarzać *vt* create; make; *(np. sytuację, warunki)* bring about

stwierdzać *vt* confirm, corroborate; state

stwierdzenie *n* corroboration; statement

stworzenie *n* *(czyn)* creation; *(istota)* creature; **jak nieboskie** ~ like a wretched creature

stworzyciel, stwórca *m* creator

stworzyć *zob.* **stwarzać, tworzyć**

styczeń *m* January

styczna *f* *mat.* tangent

styczność *f* contact, contiguity; **utrzymywać** ~ keep in touch (z kimś with sb)

stygmat *m* stigma

stygnąć *vi* cool down

stykać się *vr* contact (z kimś sb), meet (z kimś sb), be in touch (z kimś with sb)

styl *m* style; ~ **pływacki** stroke; ~ **życia** way of life

stylista *m* stylist

stylistyczny *adj* stylistic

stylistyka *f* stylistics

stylowy *adj* stylish

stypa *f* wake

stypendium *n* sholarship

stypendysta *f* scholarship-holder

subiekcja *f* trouble, inconvenience

subiektywizm *m* subjectivism

subiektywny *adj* subjective

sublimat *m* *chem.* sublimate

sublokator *m* lodger

subordynacja *f* subordination

subskrybent *m* subscriber

subskrybować *vt* subscribe (**coś to** sth)

subskrypcja *f* subscription (**czegoś to** sth)

substancja *f* substance

subsydiować *vt* subsidize

subsydium *n* subsidy

subtelność *f* subtlety

subtelny *adj* subtle

subwencja *f* subvention, subsidy

subwencjonować *vt* subsidize

suchar *m* biscuit, *am.* cracker

sucharek *m* rusk

suchotniczy *adj* consumptive

suchotnik *m* consumptive

suchoty *s* *pl* consumption

suchy *adj* dry

sufiks *m* *gram.* suffix

sufit *m* ceiling

sufler *m* prompter

sugerować *vt* suggest

sugestia *f* suggestion

sugestywny *adj* suggestive

suka *f* bitch

sukces *m* success

sukcesja *f* succession; *(dziedzictwo)* inheritance

sukcesor *m* successor; inheritor

sukienka *f* frock

sukiennice *s* *pl* drapers' hall

sukiennictwo *n* cloth-manufacture

sukiennik *m* draper

suknia *f* frock, gown

sukno *n* cloth

sułtan *m* sultan

sułtanka *f* sultana

sum *m* sheat-fish

suma *f* sum, total; *(msza)* High Mass

sumaryczny *adj* summary

sumienie *n* conscience; **czyste** ~ good ⟨clear⟩ conscience; **nieczyste** ~ bad ⟨guilty⟩ conscience

sumienność *f* conscientiousness

sumienny *adj* conscientious
sumować *vt* sum up
sunąć *vi* glide; *vt* zob. **suwać**
supeł *m* knot
supremacja *f* supremacy
surdut *m* frock-coat
surogat *m* surrogate, substitute
surowica *f* serum
surowiec *m* raw material
surowość *f* severity, crudeness
surowy *adj* raw; *przen.* severe, stern
surówka *f* raw stuff; *techn.* pig--iron; *(potrawa)* salad
susza *f* drought
suszarnia *f* drying-shed
suszka *f* blotter
suszyć *vt* dry; *przen.* ~ komuś głowę pester sb; *vi (pościć)* fast
sutanna *f* cassock
suterena *f* basement
sutka *f* nipple, teat
suwać *vt* shove, shuffle, slide
suwak *m* slide; *mat.* ~ logarytmiczny slide-rule; ~ rachunkowy calculating rule
swada *f* eloquence
swar *m* squabble, quarrel
swat *m* match-maker; *(zawodowy)* matrimonial agent
swatać *vt* make a match
swaty *s pl* match-making
swawola *f* licence, wantonness
swawolić *vi* wanton
swawolny *adj* wanton
swąd *m* reek
sweter *m* sweater, jersey; *(zapinany)* cardigan
swędzenie *n* itch
swędzić *vi* itch
swoboda *f* liberty, freedom; *(wygoda)* ease; *(lekkość ruchów, obejścia)* easiness
swobodny *adj* free; *(wygodny, lekki w obejściu)* easy, *(niewymuszony, powolny)* leisurely
swoisty *adj* specific, peculiar
swojski *adj* homely, familiar, congenial
sworzeń *m* bolt
swój *pron* his, her, my, our, your, their; **postawić na swoim** have

one's will; **po swojemu** in one's own way; **swego czasu** at one time
sybaryta *m* sybarite
sybarytyzm *m* sybaritism
syberyjski *adj* Siberian
sycić *vt* satiate
syczeć *vi* hiss
syfon *m* siphon
sygnalizacja *f* signalling
sygnalizacyjny *adj* signal *attr;* system ~ code of signals
sygnalizować *vt vi* signal
sygnał *m* signal; ~ świetlny signal-light
sygnatura *f* signature
sygnet *m* signet
syk *m* hiss
sylaba *f* syllable
sylogizm *m* syllogism
sylwet(k)a *f* silhouette
symbioza *f* symbiosis
symbol *m* symbol
symboliczny *adj* symbolic
symbolika *f* symbolism
symbolizować *vt* symbolize
symetria *f* symmetry
symetryczny *adj* symmetrical
symfonia *f* symphony
symfoniczny *adj* symphonic
sympati|a *f* sympathy; *pot. (o dziewczynie)* flame; czuć ~ę have a liking (do kogoś for sb)
sympatyczny *adj* lovable, likable; *(ujmujący)* winning; *(swojski)* congenial
sympatyk *m* sympathizer
sympatyzować *vi* sympathize
symptom *m* symptom
symptomatyczny *adj* symptomatic
symulacja *f* simulation, malingering
symulant *m* simulator; *(symulujący chorobę)* malinger
symulować *vi* simulate; *(udawać chorego)* malinger
syn *m* son
synagoga *f* synagogue
synchronizacja *f* synchronization
synchronizm *m* synchronism
synchronizować *vt vi* synchronize
syndyk *m* syndic

syndykat *m* syndicate

synekura *f* sinecure

synod *m* synod

synonim *m* synonym

synowa *f* daughter-in-law

syntaktyczny *adj gram.* syntactic

syntetyczny *adj* synthetic

synteza *f* synthesis

sypać *vt* strew, pour, scatter; (*np. kopiec, okopy*) throw up; ~ się *vr* pour

sypialnia *f* bedroom

sypialny *adj* sleeping *attr;* wagon ~ sleeping-car, sleeper

sypki *adj* loose; ciała ~e dry goods

syrena *f* (*mitologiczna*) siren, mermaid; (*alarmowa, fabryczna*) hooter; (*okrętowa, mgłowa*) foghorn; (*okrętowa*) ship's siren

syrop *m* syrup

Syryjczyk *m* Syrian

syryjski *adj* Syrian

system *m* system

systematyczny *adj* systematic

sytny *adj* substantial, nutritious

sytość *f* satiety

sytuacja *f* situation

sytuować *vt* situate

syt|y *adj* satiated, satiate; do ~a to satiety

szabla *f* sabre, sword

szablon *m* model, pattern; (*malarski*) stencil

szach *m* (*panujący*) Shah; (*w szachach*) check; ~ i mat checkmate

szachista *m* chessplayer

szachować *vt* check; *przen.* hold at bay

szachownica *f* chess-board

szachraj *m* cheat, swindler

szachrajstwo *m* cheat, swindle

szachrować *vi* cheat, swindle

szachy *s pl* chess

szacować *vt* estimate, rate (na 5 funtów at £ 5), appraise

szacunek *m* (*ocena*) estimate, appraisal; (*uszanowanie*) esteem, respect

szafa *f* (*na ubranie*) wardrobe; (*na książki*) bookcase; (*biurowa, lekarska*) cabinet

szafir *m* sapphire

szafka *f* (*oszklona*) case; (*na papiery itp.*) cabinet; (*nocna*) night--table

szafot *m* scaffold

szafować *vi* lavish

szafran *m* saffron

szajka *f* gang

szakal *m zool.* jackal

szal *m* shawl

szal|a *f* scale; przeważyć ~ę turn the scale

szalbierstwo *n* fraudulence, swindle

szalbierz *m* swindler

szaleć *vi* rage; be crazy (za kimś, czymś about sb, sth)

szaleniec *m* madman

szaleństwo *n* madness, folly

szalet *m* earth closet, latrine

szalik *m* scarf, (*wełniany*) comforter

szalka *f* scale; bowl

szalony *adj* mad

szalować *vt* board

szalupa *f* shallop

szał *m* fury, frenzy; wpaść w ~ fly into a fury; doprowadzić kogoś do ~u drive sb mad

szałas *m* shed, shanty

szambelan *m* chamberlain

szamotać się *vr* scuffle

szampan *m* champagne

szaniec *m* rampart

szanować *vt* esteem, respect; (*zdrowie, książki itp.*) be careful (coś of sth)

szanowny *adj* respectable, honourable

szansa *f* chance

szantaż *m* blackmail

szantażować *vt* blackmail

szantażysta *m* blackmailer

szarada *f* charade

szarańcza *f* locust

szarfa *f* sash, scarf

szargać *vt* foul, soil

szarlatan *m* quack, charlatan

szarotka *f bot.* edelweiss

szarpać *vt* tear, pull (coś sth, za coś at sth)

szereg

szaruga *f* foul weather

szary *adj* grey; *przen.* ~ człowiek man in the street; ~ koniec lower end, lowest place

szarzeć *vi* become grey; *(zmierzchać się)* grow dusky

szarża *f* charge; *(ranga)* rank

szarżować *vt (atakować)* charge

szastać *vi* squander

szata *f* garment, dress

szatan *m* satan

szatański *adj* satanic(al), fiendish

szatkować *vt* slice

szatnia *f* cloak-room

szczapa *f* splint, chip

szczaw *m* sorrel

szczątek *m* remnant, rest

szczebel *m (drabiny)* rung; *(stopień)* degree, level

szczebiot *m* chirrup

szczebiotać *vi* chirrup

szczecina *f* bristle

szczególnoś|ć *f* peculiarity; w ~ci in particular

szczególny *adj* peculiar, particular

szczegół *m* detail

szczegółowo *adv* in detail

szczegółowy *adj* detailed, particular

szczekać *vi* bark

szczelina *f* cleft, crevice, chink

szczelny *adj* close, tight

szczeniak *m* whelp, cub

szczep *m (ogrodniczy)* graft, shoot; *(plemię)* tribe

szczepić *vt (drzewko)* graft; *med.* vaccinate; *med. i przen.* inoculate

szczepienie *n (drzewka)* graft, grafting; *med.* vaccination; *med. i przen.* inoculation

szczepionka *f med.* vaccine

szczerba *f* jag, notch

szczerbaty *adj* jagged; *(wyszczerbiony)* indented, notched; *(o zębach)* gap-toothed

szczerbić *vt* jag; *(nacinać)* indent

szczerość *f* sincerity

szczery *adj* sincere, plain; *(np. o złocie)* genuine

szczędzić *vt vi* spare

szczęk *m* jingle, clang

szczęka *f anat.* jaw; sztuczna ~ denture

szczękać *vi* clink, clang, jingle

szczęścij|ć się *vr*, jemu się ~ he has good luck, he is successful ⟨prosperous⟩

szczęści|e *n (zdarzenie)* good luck; *(stan)* happiness; na ~e fortunately; mieć ~e be lucky, have good luck; próbować ~a try a chance

szczęśliwy *adj* happy; fortunate, lucky

szczodrość *f* liberality, generosity

szczodry *adj* liberal, generous

szczoteczka *f (do zębów)* tooth-brush

szczotka *f* brush

szczotkować *vt* brush

szczuć *vt* bait; *przen. (judzić)* abet

szczudło *n* stilt

szczupak *m zool.* pike

szczupleć *vi* become slim, reduce

szczupły *adj* slim; *(niedostateczny)* scarce, scanty

szczur *m* rat

szczycić się *vr* boast (czymś of sth)), glory (czymś in sth)

szczypać *vt* pinch

szczypce *s pl (obcęgi)* tongs, *(kleszcze)* pincers, *(płaskie)* pliers

szczypta *f* pinch

szczyt *m* top, summit, peak; *(np. ambicji, sławy)* height; godziny ~u rush hours

szczytny *adj* sublime

szef *m* principal, chief, *pot.* boss

szeląg *m hist.* farthing

szelest *m* rustle

szeleścić *vi* rustle, *(np. o jedwabiu)* swish

szelki *s pl* braces, *am.* suspenders

szelma *m pot.* rogue

szelmowski *adj pot.* roguish

szemrać *vi* murmur; *(narzekać)* grumble (na coś at sth)

szeplenić *zob.* seplenić

szept *m* whisper

szeptać *vt vi* whisper

szereg *m* row, file, series; *(np. nie-*

szczęść) succession; (ilość) number; w ~u wypadków in a number of cases

szeregować vt rank

szeregowiec m private (soldier)

szeregow|y adj, techn. połączenie ~e connexion in series; s ~y wojsk. private; pl ~i ranks and file

szermierka f fencing

szermierz m fencer; przen. champion

szeroki adj wide, broad

szerokość f width, breadth; geogr. latitude; (toru) gauge

szerokotorow|y adj, kolej ~a broad-gauge railway

szerszeń m zool. hornet

szerzyć vt, ~ się vr spread

szesnastka f sixteen

szesnasty num sixteenth

szesnaście num sixteen

sześcian m cube; mat. podnosić do ~u cube

sześcienny adj cubic

sześć num six

sześćdziesiąt num sixty

sześćdziesiąty num sixtieth

sześćset num six hundred

szew m seam; med. suture

szewc m shoemaker

szewiot m cheviot

szkalować vt slander

szkapa f jade

szkaradny adj hideous

szkarlatyna f med. scarlet-fever

szkarłat m scarlet

szkatuła f casket

szkic m sketch, outline

szkicować vt sketch, outline

szkicownik m sketch-book

szkielet m skeleton, frame, framework; (statku, budowli) carcass

szkiełko n glass; (mikroskopowe) slide

szklanka f glass

szklarz m glazier

szklisty adj glassy

szkliwo n glaze

szkło n glass

szkocki adj Scotch, Scots, Scottish

szkod|a f damage, detriment, harm; ~a, że ... it's a pity that ...; ~a o tym mówić it's no use talking about it; wyrządzić ~ę do harm (komuś sb, to sb); na czyjąś ~ę to the detriment of sb; jaka ~a! what a pity!

szkodliwość f harmfulness

szkodliwy adj injurious, harmful, detrimental

szkodnik m wrong-doer, mischief-maker; pl ~i zool. vermin zbior.

szkodzi|ć vt do harm, injure; nie ~! never mind!; it doesn't matter

szkolić vt school, train

szkolnictwo n school-system, education

szkoln|y adj school attr; kolega ~y schoolmate; książka ~a school-book; sala ~a school-room; wiek ~y school age

szko|ła f school; ~ła morska school of navigation; nautical school; ~ła podstawowa ⟨powszechna⟩ elementary school; ~ła średnia secondary school; ~ła wyższa high school; ~ła zawodowa school of engineering; chodzić do ~y go to school; w ~le at school

szkopuł m obstacle

szkorbut m med. scurvy

Szkot m Scotchman, Scotsman

Szkotka f Scotchwoman, Scotswoman

szkółka f (drzew) nursery

szkwał m mors. squall

szlaban m turnpike

szlachcic m (country) gentleman, one of the gentry

szlachetny adj noble, gentle

szlachta f gentry

szlafrok m dressing-gown

szlak m border; (droga) track, trail

szlakowy m sport stroke

szlam m slime

szlem m (w kartach) (grand) slam

szlemik m (w kartach) (little) slam

szlifierz m grinder, polisher

szuflada

szlifować vt grind, polish
szlochać vi sob
szmaragd m emerald
szmat m, ~ czasu a very long time; ~ drogi long way
szmata f clout, rag
szmelc m scrap, scrap-iron; nadający się na ~ fit for scrap
szmer m murmur, rustle
szminka f paint, (kredka) lipstick
szmugiel m smuggle
szmuglować vt smuggle
sznur m rope, cord; string; ~ pereł (korali itp.) string of pearls ⟨beads etc.⟩
sznurek m string
sznurowadło n shoe-lace
szofer m chauffeur, driver
szopa f shed
szopka f puppet theatre; (gwiazdkowa) crib
szorować vt scour, scrub
szorstki adj rough, coarse
szorty s pl shorts
szosa f high road, highway
szowinista m jingoist
szowinizm m jingoism
szóstka f six
szósty num sixth
szpada f sword
szpagat m string; (w tańcu, akrobacji) splits pl
szpaler m lane, double row
szpalta f column
szpara f slit, (w automacie) slot; (szczelina) chink
szparag m bot. asparagus
szpecić vt uglify, disfigure
szpetny adj ugly
szpic m point; (sztyft, kolec) spike
szpicel m pog. sleuth, pot. tee
szpieg m spy
szpiegować vt spy (kogoś on sb)
szpik m marrow
szpikować vt lard
szpilka f pin; siedzieć jak na ~ch be on pins and needles
szpinak m spinach
szpital m hospital
szpon m claw, talon; (także techn.) clutch

szprot m, pot. szprotka f sprat
szpryca f syringe
szprycha f spoke
szprycować vt sprinkle
szpulka f spool, bobbin
szpunt m plug, stopper, (w beczce) bung
szrama f scar
szranki s pl hist. lists
szron m hoar-frost
sztab m staff
sztaba f bar; (złota) ingot
sztachety s pl fence, railing
sztafeta f courier; sport relay
sztaluga f easel
sztanca f die
sztandar m banner
szterling m = sterling zob. funt
sztokfisz m stockfish
sztolnia f górn. adit
sztucer m (strzelba) rifle
sztuczka f small piece; (fortel) trick
sztuczny adj artificial; (nienaturalny) affected
sztućce s pl cutlery zbior.; table-
-requisites
sztuk|a f art; (kawałek, jednostka) piece; (bydła) head; (teatralna) play; (fortel) artifice, trick; ~a mięsa boiled beef; ~i piękne fine arts
sztukateria f stucco
sztukować vt piece out, patch
szturchać vt jostle, prod
szturm m storm, attack; przypuścić ~ do twierdzy storm a fortress
szturmować vt storm, attack
sztych m (uderzenie) stab, thrust; (rycina) engraving
sztyft m pin, spike
sztygar m górn. foreman
sztylet m dagger
sztywnieć vi stiffen
sztywny adj stiff; (np. o zapasach, postępowaniu) rigid; (o cenach) fixed
szubienica f gallows
szubrawiec m scoundrel, rascal
szufla f shovel
szuflada f drawer

szuja *m pot.* scoundrel

szukać *vt* look (kogoś, czegoś sb, sth; for ⟨after⟩ sb, sth); (*w słowniku itp.*) look up (czegoś sth)

szuler *m* gambler

szum *m* roar, noise

szumieć *vi* roar

szumny *adj* roaring, boisterous

szumowiny *s pl* scum *zbior.*

szuter *m* gravel

szuwary *s pl* bulrush

szwaczka † *f* seamstress

szwadron *m wojsk.* squadron

szwagier *m* brother-in-law

szwagierka *f* sister-in-law

Szwajcar *m*, ∼ka *f* Swiss

szwajcarski *adj* Swiss

Szwed *m*, ∼ka *f* Swede

szwedzki *adj* Swedish

szyb *m* shaft

szyba *f* pane; (*w samochodzie*) wind-screen

szybki *adj* quick, swift, speedy, fast

szybko *adv* quick(ly), fast

szybkość *f* speed, velocity; z ∼cią 60 mil na godzinę at the rate of 60 miles per hour

szybować *vi* soar; *lotn.* glide

szybowiec *m lotn.* glider

szychta *f* shift, relay

szycie *n* sewing; maszyna do ∼a sewing-machine

szyć *vt* sew

szydełko *n* crochet-needle

szydełkow|y *adj*, robota ∼a crochet

szyderca *m* scoffer

szyderczy *adj* scoffing

szyderstwo *n* scoff

szydło *n* awl

szydzić *vi* scoff (z kogoś, czegoś at sb, sth)

szyfr *m* code, cipher

szyfrować *vt* code, cipher

szyj|a *f* neck; pędzić na łeb na ∼ę rush headlong; rzucać się komuś na ∼ę fall upon somebody's neck

szyk 1. *m* (*porządek*) order; *wojsk.* ∼ bojowy battle-array; *gram.* ∼ wyrazów word order

szyk 2. *m* (*wytworność*) elegance, chic

szykanować *vt* annoy, vex

szykany *s pl* annoyances

szykowny *adj* elegant, smart

szyld *m* signboard

szyling *m* shilling

szylkret *m* tortoise-shell

szympans *m zool.* chimpanzee

szyna *f* rail; *med.* splint

szynk *m* pub

szynka *f* ham

szynkarz *m* publican

szyper *m mors.* skipper

szyszak *m hist.* helmet

szyszka *f* cone

Ś

ściana *f* wall

ścianka *f* (*przepierzenie*) partition

ściągaczka *f pot.* crib

ściągać *vt* draw down; pull down; (*zaciskać*) draw together, tighten; (*brwi, mięśnie*) contract; (*ludzi*) assemble; (*zdejmować buty*) pull off; (*ubranie*) take off; (*podatek*) raise, levy; (*pieniądze*) collect (od kogoś from sb); (*wartę*) withdraw; *pot.* (*odpisywać*) crib; ∼ się *vr* contract, (*kurczyć się*) shrink

ścieg *m* stitch

ściek *m* sewer, drain

ściekać *vi* flow down ⟨off⟩, drip off

ściemniać się *vr* darken, grow dark

ścienny *adj* wall *attr*; mural

ścierać *vt* wipe ⟨rub⟩ off; ~ **kurz** dust

ścierka *f* clout, duster

ściernisko *n* stubble-field

ścierpły *adj* benumbed, numb

ścierpnąć *vi* get numb

ścieśniać *vt* tighten; ~ **się** *vr* tighten; stand ⟨sit⟩ closer

ścieżka *f* path, footpath

ścięcie *n* cutting off; ~ **głowy** beheading, execution

ścięgno *n anat.* sinew, tendon

ścigać *vt* pursue, chase; ~ **się** *vr* race, run a race

ścinać *vt* cut off ⟨down⟩; *(drzewo)* fell; *(głowę)* behead; *sport* smash; *pot. (przy egzaminie)* plough; ~ **się** *vr* congeal, coagulate

ścisk *m* press, crush

ściskać *vt* compress, press, squeeze, tighten; *(obejmować)* embrace; ~ **komuś rękę** clasp sb's hand; ~ **się** *vr* press, embrace

ścisłość *f (dokładność)* exactness, preciseness; *(zwartość)* compactness

ścisły *adj (dokładny)* exact, precise, strict; *(zwarty)* compact, close

ściśle *adv* closely; *(ciasno)* tightly; *(dokładnie)* exactly, precisely, strictly; ~ **mówiąc** strictly speaking

ślad *m* trace, track, vestige; ~ **stopy** footmark, footprint; **iść** ~**em czegoś** trace sth; **iść w czyjeś** ~**y** walk ⟨follow⟩ in sb's steps; **nie ma ani** ~**u** ... not the least trace ... is left; **trafić na** ~ **czegoś** get a clue to sth

ślamazara *m f* sluggard

ślamazarny *adj* sluggish

śląski *adj* Silesian

Ślązak *m*, **Ślązaczka** *f* Silesian

śledczy *adj* inquiry *attr*; inquiring, examining; **sąd** ~ court of inquiry

śledzić *vt (obserwować)* watch; *(tropić)* trace; investigate

śledziona *f anat.* milt, spleen

śledztwo *n* inquiry, investigation

śledź *m zool.* herring

ślepiec *m* blind man

ślepnąć *vi* grow blind

ślepo *adv* blindly; **na** ~ blindly, at random

ślepota *f* blindness

ślep|y *adj* blind; ~**y nabój** blank cartridge; ~**y zaułek** blind alley; *med.* **zapalenie** ~**ej kiszki** appendicitis

ślęczeć *vi* pore **(nad czymś** over sth**)**

śliczny *adj* lovely, most beautiful

ślimacznica *f techn.* worm-wheel; spiral

ślimak *m zool.* snail; *techn.* worm-gear

ślimakowaty *adj* spiral

ślina *f* spittle, saliva

ślinić *vt*, ~ **się** *vr* slaver

ślinka *f* spittle; ~ **mi idzie do ust** my mouth waters **(na widok czegoś** at sth**)**

śliski *adj* slippery

śliwa *f* plum-tree

śliwka *f* plum; *(drzewo)* plum-tree

śliwowica *f* plum-brandy

ślizgacz *m* scooter, gliding-boat

ślizgać się *vr* slide, glide; *(na łyżwach)* skate

ślizgawica *f* glazed frost

ślizgawka *f (tor)* skating-rink

ślub *m* wedding, marriage-ceremony; *(ślubowanie)* vow; **brać** ~ get married; **czynić** ~ make a vow, take a pledge

ślubny *adj* wedding *attr*, nuptial

ślubować *vt vi* vow, make a vow

ślusarz *m* locksmith

śluz *m* slime

śluza *f* sluice

śmiać się *vr* laugh **(z czegoś** at sth**)**, make fun **(z czegoś of** sth**)**; **chce mi się z tego** ~ that makes me laugh; *pot.* ~ **się do rozpuku** split one's sides with laughing; *pot.* ~ **się w kułak** laugh in one's sleeve

śmiałek *m* daredevil

śmiałość f boldness

śmiały adj bold

śmiech m laughter; **wybuchnąć ~em** burst out laughing

śmiecić vt litter, clutter

śmiecie s pl litter, sweepings pl

śmieć vi dare, venture

śmier|ć f death; **wyrok ~ci** death sentence; **patrzeć ~ci w oczy** look death in the face; **skazać na ~ć** sentence to death; **przysł. raz kozie ~ć** man can die but once

śmierdzieć vi stink, smell (**czymś** of sth)

śmiertelnik m mortal

śmiertelność f mortality

śmiertelny adj (o człowieku) mortal; (o grzechu, truciźnie ttp.) deadly

śmieszność f ridiculousness, the ridiculous

śmieszny adj ridiculous, funny

śmieszyć vt make laugh

śmietana f sour-cream

śmietank|a f cream; **zbierać ~ę** skim milk

śmietnik m dump, dust-heap

śmiga f (wiatraka) sail

śmigło n propeller, airscrew

śmigłowiec m helicopter

śmigły adj swift, speedy

śniadanie n breakfast; **jeść ~** breakfast, have breakfast

śniady adj swarthy

śni|ć vt dream; **~ło mi się** I dreamt

śnieg m snow; **pada ~** it snows

śniegowce s pl snow-boots

śnieżka f snow-ball

śnieżny adj snowy

śnieżyca f snow-storm

śpiączka f sleepiness; med. **~** (afrykańska) sleeping-sickness

śpieszny zob. **spieszny**

śpieszyć zob. **spieszyć**

śpiew m song, singing; **~ kościelny** chant; **nauczyciel ~u** singing-master

śpiewać vt vi sing; (intonować) chant

śpiewak f singer

śpiewnik m song-book

śpiewny adj melodious

śpioch m sleepyhead

śpiwór m sleeping-bag

średni adj middle, average, middling, medium; **~a szkoła** secondary school; **~ wzrost** medium height, middle size; radio **~e fale** medium waves; **wieki ~e** Middle Ages

średnica f diameter

średnik m semicolon

średnio adv on the average; tolerably, pot. middling

średniowiecze n Middle Ages pl

średniowieczny adj medi(a)eval

średniówka f lit. caesura

środa f Wednesday

środ|ek m middle, centre; (sposób) means; fiz. **~ek ciężkości** centre of gravity; **~ek drogi** midway; **~ek leczniczy** remedy; handl. fin. **~ek płatniczy** legal tender, circulating medium; **~ki do życia** means; **~ki ostrożności** measures of precaution; **złoty ~ek** golden mean

środkowy adj central, middle

środowisko n environment

śródmieście n centre (of a town)

śródziemny adj mediterranean

śrub|a f screw; **przykręcić ~ę** put on the screw; **zwolnić ~ę** loosen the screw

śrubokręt m screwdriver

śrubować vt screw (up)

śrut m shot

świadczeni|e n service; **~a społeczne** social services; **~a lekarskie** medical benefits; **~a w pieniądzach i naturze** disbursements in money and in kind

świadczyć vi attest, testify; bear witness (o czymś to sth); (składać zeznania) depose; **~ usługi** render services

świadectwo n testimonial, certificate; testimony; (szkolne) report; **~ pochodzenia** certificate of origin; **~ dojrzałości** secondary-school certificate

świad|ek *m* witness; ~**ek naoczny eye-witness**; **być ~kiem** witness (czegoś sth)

świadomość *f* consciousness

świadomy *adj* conscious

świat *m* world; **tamten ⟨drugi⟩ ~** next world; **przyjść na ~** come into the world; **na świecie** in the world; **po całym świecie** all over the world

światło *n* light; **~ drogowe** traffic light; **~ dzienne** daylight; **~ księżyca** moonlight; **~ słoneczne** sunlight; **przy świetle księżyca** by moonlight

światłość *f* brightness

światły *adj* bright; (o umyśle) enlightened

światopogląd *m* world outlook, philosophy of life

światowiec *m* man of the world

świąteczny *adj* festive, festival; (np. o ubraniu) holiday *attr*

Świątki *s pl*, **Zielone ~** Whitsuntide

świątynia *f* temple

świder *m* drill

świdrować *vt* drill, bore

świeca *f* candle; *techn.* **~ zapłonowa** sparking-plug

świecić *vi* shine; *vt* (zapalać) light; **~ się** *vr* shine, glitter

świecidełko *n* tinsel

świecki *adj* lay, secular

świeczka *f* candle

świecznik *m* candlestick

świergot *m* chirp

świergotać *vi* chirp

świerk *m* bot. spruce

świerszcz *m* zool. cricket

świerzb *m* itch, *med.* scabies

świerzbieć *vi* itch

świetlany *adj* luminous

świetlica *f* club

świetlik *m* zool. glow-worm

świetlny *adj* light *attr*, lighting; **gaz ~** lighting-gas; **rok ~** light-year

świetność *f* splendour

świetny *adj* splendid, glorious

świeżość *f* freshness

świeży *adj* fresh; recent, new

święcić *vt* consecrate; (obchodzić) celebrate

święcone *n* Easter repast

święto *n* holiday, festivity

świętojański *adj* St. John's; *zool.* **robaczek ~** glow-worm

świętokradztwo *n* sacrilege

świętoszek *m* hypocritical bigot

świętość *f* sanctity, holiness

świętować *vi* have a holiday

święt|y *adj* holy, sacred; (przed imieniem) saint; **~y** *s m*, **~a** *s f* saint

świnia *f* swine

świnka *f* pig; *med.* mumps; *zool.* **~ morska** guinea-pig

świński *adj* swine *attr*; swinish

świństwo *n* dirty trick

świsnąć *vi* zob. **świstać**; (porwać) *pot.* pinch

świst *m* whistle, whizz

świstać *vt vi* whistle

świstak *m* zool. marmot; *am.* groundhog

świstawka *f* whistle

świstek *m* scrap of paper

świt *m* daybreak, dawn; **o ~cie** at daybreak

świtać *vi* dawn

t

tabaka *f* snuff
tabakierka *f* snuff-box
tabela *f* schedule, table, list
tabletka *f* tablet
tablica *f* board; (*szkolna*) blackboard; (*tabela*) table; *techn.* ~ rozdzielcza switch-board
tabliczka *f* tablet; (*np. czekolady*) cake; ~ mnożenia multiplication table
tabor *m* *wojsk.* retrenched camp; army service columns *pl*; train; ~ kolejowy rolling-stock
taboret *m* tabouret
taca *f* tray, salver
taczać się *vr* wallow, roll; (*zataczać się*) stagger, reel
taczki *s* *pl* wheel-barrow
tafla *f* sheet, plate
taić *vt* hide, conceal (**przed kimś** from sb)
tajać *vi* thaw
tajemnic|a *f* secret, mystery; **w** ~y in secret, secretly
tajemniczość *f* mysteriousness
tajemniczy *adj* mysterious
tajemny *adj* secret, clandestine
tajność *f* secrecy
tajny *adj* secret
tak *part* yes; *adv* thus, so, as; ~ ..., jak as ... as, nie ~ ..., jak not so ... as; ~ sobie so-so; ~ czy owak anyhow; i ~ dalej and so on; czy ~? is that so?; bądź ~ dobry i poinformuj mnie be so kind as to inform me
taki *adj* such; **co** ~ego? what's the matter?; **nic** ~ego nothing of the sort; ~ biedny, ~ mądry so poor, so wise; ~ sam just the same; **on jest** ~ jak ty he is like you
takielunek *m* *mors.* rigging
taksa *f* rate, tariff, fee; ~ za przejazd fare
taksować *vt* estimate, rate (**na sumę ...** at the sum ...)
taksówk|a *f* taxi; **jechać** ~ą travel

〈go〉 by taxi, taxi
takt *m* tact; (*w muzyce*) time; (*odstęp w pięciolinii*) bar, measure; **trzymać** ~ keep time; **wybijać** ~ beat time
taktowny *adj* tactful
taktyczny *adj* tactical
taktyka *f* tactics
także *adv* also, too, as well; ~ nie neither, not ... either
talent *m* talent
talerz *m* plate
talia *f* waist; (*kart*) pack
talizman *m* talisman
talk *m* talcum
talon *m* coupon
tam *adv* there; (*wskazując*) over there; ~ **co mi** ~ I don't care; **kto** ~? who's there?; ~ **i z powrotem** to and fro
tam|a *f* dam; *przen.* check, stop; **położyć** ~ę put a stop (**czemuś** to sth)
tamować *vt* dam; (*np. ruch*) obstruct; *przen.* check; (*krew*) staunch
tampon *m* tampon
tamtejszy *adj* from there, of that place
tamten *pron* that
tamtędy *adv* that way
tance|rz *m*, ~rka *f* dancer
tancmistrz *m* dancing-master
tandem *m* tandem
tandeta *f* rubbish, trash
tandetny *adj* shoddy, trashy
tangens *m* *mat.* tangent
tani *adj* cheap
taniec *m* dance
tanieć *vi* become cheap
tantiema *f* bonus
tańczyć *vi* dance, *pot.* hop
tapczan *m* couch, sofa-bed
tapeta *f* wall-paper
tapetować *vt* cover with wall-paper, paper
tapicer *m* upholsterer
tapicerka *f* upholstery

tara *f handl.* tare
taran *m hist.* battering-ram
taras *m* terrace
tarasować *vt* block, barricade
tarcie *n* friction
tarcza *f* target; *(osłona)* shield; *(np. słońca)* disk; *(np. zegarka)* dial
tarczyca *f med.* thyroid gland
targ *m* market
targać *vt* tear, pull
targnąć się *vr* attempt **(na czyjeś życie** sb's life)
targować *vt* sell, fetch by sale; ~ **się** *vr* bargain, haggle **(o coś** about sth)
tarka *f* grater, rasp
tarnina *f* blackthorn
tartak *m* sawmill
taryfa *f* tariff
tarzać się *vr* wallow, roll
tasak *m* chopper
tasiemiec *m zool.* tapeworm
tasiemka *f* tape
tasować *vt* shuffle
taśma *f* band; *techn.* tape; ~ **filmowa** band, film-band; ~ **izolacyjna** insulating tape; ~ **karabinu maszynowego** cartridge belt; ~ **miernicza** measuring tape

Tatar *m* Tartar
taternictwo *n* mountain-climbing
taternik *m* mountain-climber
tatuować *vt* tattoo
tatuś *m zdrob.* dad
tchawica *f anat.* trachea
tchnąć *vt vi* breathe, inspire
tchnienie *n* breath
tchórz *m zool.* polecat; *(człowiek)* coward
tchórzliwy *adj* cowardly
teatr *m* theatre
teatraln|y *adj* theatrical; **sztuka** ~a play
techniczny *adj* technical
technik *m* technician
technika *f* technics
technologia *f* technology
teczka *f* brief-case, *(na dokumenty)* folder
tegoroczny *adj* this year's

teka *f* brief-case; *(ministerialna, bankowa itp.)* portfolio
tekst *m* text
tekstylny *adj* textile
tektura *f* cardboard
telefon *m* telephone; **przez** ~ on the telephone
telefonicznie *adv* telephonically; *(rozmawiać)* by telephone
telefoniczn|y *adj* telephonic, telephone; **rozmowa** ~a telephone call; **międzymiastowa rozmowa** ~a trunk-call; **rozmównica** ⟨**budka⟩** ~a telephone booth ⟨box⟩
telefonistka *f* telephonist
telefonować *vi* telephone; *pot.* ring up **(do kogoś** sb)
telefoto *n* telephoto
telegraf *m* telegraph
telegraficznie *adv* telegraphically; *pot.* by wire
telegraficzn|y *adj* telegraphical; *pot.* wire *attr;* ~a **wiadomość** telegraphical message; **słup** ~y telegraph-pole
telegrafista *m* telegraphist, telegrapher
telegrafować *vt vi* telegraph, *pot.* wire
telegram *m* telegram, *pot.* wire
telepatia *f* telepathy
teleskop *m* telescope
teleskopowy *adj* telescopic
telewizja *f* television, TV, *pot.* telly
telewizor *m* television ⟨TV⟩ set
temat *m* theme, subject, subject-matter
temblak *m* sling
temperament *m* temperament
temperatur|a *f* temperature; ~a **topnienia** melting-point; ~a **wrzenia** boiling-point; ~a **zamarzania** freezing-point; **mierzyć** ~ę take the temperature
temperować *vt* temper; *(ołówek)* sharpen
temp|o *n* time, measure, rate, tempo; **w szybkim** ~ie at a fast rate
temu *adv,* **rok** ~ one year ago; **dawno** ~ long ago
ten, ta, to *pron* this; *pl* **ci, te** these

tendencja f tendency; (*kierunek*) trend; ~ zniżkowa downward tendency

tendencyjny *adj* biased

tender m *techn.* tender

tenis m tennis

tenor m tenor

tenże *pron* the (very) same

teolog m theologian

teologia f theology

teoretyczny *adj* theoretical

teoretyk m theorist

teoria f theory

terakota f terracotta

terapia f therapeutics

terasa f terrace, bank

teraz *adv* now

teraźniejszość f present time, the present

teraźniejszy *adj* present (day); *gram.* czas ~ present tense

tercet m tercet; *muz.* trio

teren m area, space, territory, ground, country

terenowy *adj* local; country-, (*np. o samochodzie*) crosscountry *attr*

terenoznawstwo n local knowledge, topography

terkotać *vi* rattle

termin m term; (*rzemieślniczy*) apprenticeship

terminator m apprentice

terminologia f terminology

terminowo *adv* in time; at a fixed time, at fixed intervals

terminow|y *adj* term *attr*; fixed; (*np. egzamin*) terminal; kalendarz ~y memorandum; ~a dostawa delivery on term; ~a zapłata term payment

termit m *zool.* white ant

termometr m thermometer

termos m thermos flask

terpentyna f turpentine

terror m terror, terrorism

terrorysta m terrorist

terrorystyczny *adj* terrorist

terroryzować *vt* terrorize

terytorialny *adj* territorial

terytorium n territory

testamen|t m testament, will; za-

pisać w ~cie bequeath, leave as a legacy

testator m testator

teściowa f mother-in-law

teść m father-in-law

teza f thesis

też *adv* also, too; ~ nie neither, not ... either

tęcza f rainbow

tęczówka f *anat.* iris

tędy *adv* this way

tęgi *adj* stout; solid; (*mocny*) robust; able

tępić *vt* blunt, dull; (*niszczyć*) exterminate

tępota f dullness, bluntness

tępy *adj* dull, blunt

tęsknić *vi* long, yearn (za kimś for (after) sb); ~ za krajem be homesick

tęsknota f longing, yearning; ~ za krajem homesickness

tęskny *adj* longing, melancholy

tętent m tramp (of horses), hoof-beat

tętnica f artery

tętnić *vi* tramp, resound; (*o pulsie*) pulsate

tętno n pulse, pulsation

tężec m *med.* tetanus

tężeć *vi* stiffen; (*twardnieć*) solidify

tężyzna f vigour

tkacki *adj* textile

tkactwo n weaving, textile industry

tkacz m weaver

tkać *vt* weave

tkanina f tissue, texture, fabric

tkanka f *anat. biol.* tissue

tkliwość f tenderness, affectionateness

tkliwy *adj* tender, affectionate

tknąć *vt* touch

tkwić *vi* stick

tleć *vi* smoulder, burn faintly

tlen m *chem.* oxygen

tlenek m *chem.* oxide

tlić się *vr* burn faintly, smoulder

tło n background

tłocznia f press

tłoczyć *vt* press, crush; (*druko-*

wać) impress; ~ **się** *vr* crowd, crush

tłok *m* (*ścisk*) crowd, crush; *techn.* piston

tłuc *vt* pound, grind; (*rozbijać*) break, smash; (*np. orzechy*) crack; ~ **się** *vr* be smashed, be broken; *pot.* (*np. po świecie*) knock about

tłuczek *m* pestle

tłum *m* crowd, throng

tłumacz *m* translator; (*ustny*) interpreter; ~ **przysięgły sworn** translator

tłumaczenie *n* translation; interpretation; (*wyjaśnienie*) explanation

tłumaczyć *vt* translate (*z polskiego na angielski* from Polish into English); (*ustnie*) interpret; (*wyjaśniać*) explain; ~ **się** *vr* excuse oneself

tłumić *vt* stifle, muffle; (*np. bunt, uczucie*) suppress

tłumik *m muz.* sordine; *techn.* silencer

tłumnie *adv* in crowds

tłumny *adj* multitudinous, numerous

tłumok *m* bundle

tłustość *f* fatness

tłusty *adj* fat; (*o plamie, smarze*) greasy; (*gruby*) obese, stout; ~ **druk** fat-faced type, bold letters *pl*

tłuszcz *m* fat, grease

tłuszcza *f* mob, rabble

tłuścić *vt* grease

to *pron zob.* **ten**; **to moja książka** it is my book; **to twoja wina** it's your own fault

toaleta *f* toilet; (*mebel*) toilet-table; (*ubikacja*) lavatory; **robić** ~**ę** make one's toilet

toaletowy *adj* toilet *attr*; **mydło** ~**e** toilet soap; **papier** ~**y** toilet paper; **przybory** ~**e** articles of toilet

toast *m* toast; **wznosić czyjś** ~ propose sb's health

tobół *m* bundle, baggage

toczyć *vt* roll; (*nóż*) whet; (*obrabiać w tokarni*) turn; (*płyn z beczki*) draw; (*o robactwie*) gnaw, nibble, eat; (*niszczyć*) wear away; (*sprawę sądową*) carry on; (*wojnę*) wage; ~**ć się** *vr* roll; (*o sprawie, akcji itp.*) be in progress; (*o wojnie*) be waged; (*o płynie*) flow, run, gush; **rozmowa** ~**ła się o pogodzie** conversation was carried on about the weather; ~**ły się rokowania** negotiations were held ⟨were proceeding⟩

toga *f* gown, robe

tok *m* course, progress; **w** ~**u** in course

tokarka *f* turning-lathe

tokarz *m* turner

tolerancja *f* tolerance

tolerancyjny *adj* tolerant

tolerować *vt* tolerate

tom *m* volume

ton *m* tone, sound

tona *f* ton

tonacja *f muz.* key, mode

tonaż *m* tonnage

tonąć *vi* drown, be drowned; (*o okręcie*) sink

toniczny *adj* tonic

toń *f* depth, *poet.* deep

topaz *m* topaz

topić *vt* drown, sink; (*roztapiać*) melt, fuse; ~ **się** *vr* drown, be drowned, sink; (*roztapiać się*) melt (away)

topiel *f* whirlpool, abyss (of water), gulf

topielec *m* drowned man

topliwy *adj* fusible

topnieć *vi* melt

topografia *f* topography

topola *f bot.* poplar

toporek *m* hatchet

topór *m* axe

tor *m* track; *wojsk.* (*pocisku*) trajectory; ~ **boczny** side-track; ~ **główny** main-track; ~ **kolejowy** railway-track; ~ **wyścigowy** race-track

torba *f* bag

torebka *f* (hand-)bag

torf m peat

torfowisko n peat-bog

tornister m knapsack; *(szkolny)* satchel

torować vt clear; *przen.* ~ komuś drogę pave the way for sb

torpeda f torpedo

torpedować vt torpedo

torpedowiec m *(statek)* torpedo--boat; *(samolot)* torpedo-plane

tors m torso

tort m fancy-cake; *(przekładany)* layer-cake

tortur|a f torture; brać na ~y put to torture

torturować vt torture

totalizator m totalisator; ~ sportowy pool

totalitarny adj totalitarian

totalny adj total

towar m article, commodity; ~y pl goods; ~y codziennego użytku consumers' ⟨consumer⟩ goods; *pot.* ~y chodliwe marketable goods

towarowy adj, dom ~ department store; pociąg ~ goods-train, *am.* freight train

towaroznawstwo n knowledge of mercantile wares

towarzyski adj social

towarzystwo n society, company

towarzysz m comrade, companion

towarzyszyć vi accompany (komuś sb)

tożsamoś|ć f identity; dowód ~ci identity card

tracić vt lose; *(zadawać śmierć)* execute

tracz m sawyer

tradycja f tradition

tradycjonalizm m traditionalism

tradycyjny adj traditional

traf m chance, accident; ~em by chance, accidentally

trafiać vi hit (w coś sth; na coś, kogoś on ⟨upon⟩ sth, sb); nie ~ miss, fail; ~ do przekonania convince; na chybił trafił at a guess, at random; ~ się vr happen

trafność f aptness, pertinence, accuracy

trafny adj *(o strzale)* well-hit; *(odpowiedni)* just, exact; *(o odpowiedzi)* suitable; *(o sądzie, uwadze itp.)* pertinent, to the point

tragarz m porter

tragedia f tragedy

tragiczny adj tragic

tragikomedia f tragicomedy

tragizm m tragedy, the tragic

trakcja f traction

trak|t m highroad; tract; *(przebieg)* course; w ~cie działania in course of action

traktat m *(układ)* treaty; *(rozprawa)* treatise, tract; ~ pokojowy peace treaty

traktor m tractor; ~ gąsienicowy caterpillar-tractor

traktorzysta m tractor-driver

traktować vt handle, treat (kogoś, coś sb, sth)

tramwaj m tram, tramway, *am.* street car; jechać ~em go by tram

tran m cod-liver oil; ~ wielorybi whale-oil

trans m trance

transakcja f transaction

transatlantycki adj transatlantic

transformator m transformer

transfuzja f transfusion

transkrybować vt transcribe

transmisja f transmission

transmitować vt transmit

transparent m banner, streamer; *(przezrocze)* transparency

transport m transport; *(środek przewozowy)* conveyance

transportować vt transport, convey

tranzyt m transit

trapez m *mat.* trapezium; *sport* trapeze

trapić vt vex, molest, pester; ~ się vr worry, grieve (czymś about sth)

trasa f route, track; ~ podróży itinerary

trasant m *handl.* drawer

trasat m *handl.* drawee

trasować 1. vt trace

trasować 2. vt *handl.* draw

trata f handl. draft
tratować vt trample
tratwa f raft
trawa f grass
trawić vt digest; (spędzać czas) waste, expend; techn. etch; (żerać) consume, fret
trawienie n digestion; (żeranie) etching; consumption
trawnik m lawn, grassplot
trąba f trumpet; (słonia) trunk; (powietrzna) whirlwind
trąbić vi trumpet
trąbka f muz. trumpet; (zwój) roll
trącać vt push, jostle; (łokciem) elbow; ~ się vr knock, jostle; (kieliszkiem) clink
trącić zob. **trącać**; vi (pachnieć) smell (czymś of sth)
trąd m med. leprosy
trefl m (karty) club(s)
trema f fear, pot. jitters pl
tren 1. m lit. elegy, threnody
tren 2. m (u sukni) trail; train
trener m trainer, coach
trening m training, coaching
trenować vt train, coach; vi train, practise
trepanacja f med. trepanation
trepy s pl sandals
tresować vt train, drill; (konia) break in
tresura f training
treściwy adj concise, compendious
treść f content; (zawartość książki) contents pl
trębacz m trumpeter
trędowaty adj leprous; s m leper
triumf m triumph
triumfować vi triumph
trochę adv a little, a few; **ani** ~ not a little, not a bit
trociny s pl sawdust
trofe|um n trophy, zw. pl ~a trophies
trojaczki s pl triplets
trojaki adj triple
troje num three
trok m strap, zw. pl ~i straps
trolejbus m trolley-bus

tron m throne; **wstąpić na** ~ come to the throne; **złożyć z** ~**u** dethrone
trop m track, trace
tropić vt trace; (śledzić) shadow
tropikalny adj tropical
troska f care, anxiety
troskliwy adj careful (**o kogoś, coś** of sb, sth); attentive (**o kogoś, coś** to sb, sth)
troszczyć się vr trouble, be anxious (**o kogoś, coś** about sb, sth)
trotuar m pavement, am. side-walk
trójbarwny adj three-coloured
trójca f trinity
trójka f three
trójkąt m triangle
trójkątny adj triangular
truchleć vi tremble for fear, be chilled with dread
truciciel m poisoner
trucizna f poison
truć vt poison
trud m pains pl, toil; **zadawać sobie** ~ take pains
trudnić się vr be engaged (czymś in sth), occupy oneself (czymś with sth), work (czymś at sth)
trudno adv with difficulty, hard; (ledwie) hardly; ~ **mi powiedzieć** I can hardly say; ~ **to zrozumieć** it is hard to understand
trudność f difficulty
trudny adj difficult, hard
trudzić vt fatigue, trouble; ~ **się** vr take pains, toil
trujący adj poisonous
trumna f coffin
trunek m drink
trup m corpse, dead body; **paść** ~**em** drop dead
trupa f teatr company, troupe
trupi adj cadaverous; ~**a główka** death's head
truskawka f strawberry
trust m trust
truteń m zool. drone
trutka f poisonous bait
trwać vi last, persist
trwale adv fast, firmly

trwałość f durability, fastness

trwały adj durable, lasting, permanent, fast

trwoga f fright, awe

trwonić vt waste, squander

trwożliwy adj timid

trwożyć vt alarm; ~ się vr feel alarmed (czymś at sth); be in fear (czymś of sth); (niepokoić się) be anxious (o coś about sth)

tryb m mode, manner, course; gram. mood; techn. cog, gear zbior.; ~ życia mode of life

trybun m tribune

trybuna f platform; (np. na wyścigach) stand

trybunał m tribunal

trychina f zool. trichina

trychinoza f med. trichinosis

trygonometria f trigonometry

trykot m tricot, undershirt

trykotaże s pl hosiery

trykotowy adj knitted, tricot attr

trylion num bryt. trillion; am. quintillion

tryskać vi spurt, spout; (o krwi, łzach) gush; (dowcipem) sparkle

trywialność f triviality

trywialny adj trivial

trzask m crack, crash

trzaskać vi crack (z bicza the whip); crash, bang (drzwiami the door)

trząść vt vi shake; ~ się vr shake; tremble; (z zimna) shiver

trzcina f reed, cane; ~ cukrowa sugar-cane

trzeba v imp it is necessary; ~ ci wiedzieć you ought to know; ~ to było zrobić I ought to have done it; ~ na to dużo pieniędzy this requires much money; ~ mi czasu ⟨pieniędzy⟩ I need time ⟨money⟩

trzebić vt clear

trzeci num third

trzeć vt rub

trzepaczka f dusting-brush; (do dywanów) carpet-beater

trzepać vt dust; (dywan) beat; shake

trzepotać vi flap (skrzydłami the wings); ~ się vr flutter

trzeszczeć vi crackle

trzewia s pl bowels

trzewik m shoe

trzeźwić vt sober, make sober, refresh

trzeźwieć vi sober, become sober

trzeźwość f sobriety

trzeźwy adj sober

trzęsawisko n quagmire

trzęsienie n trembling, shaking; ~ ziemi earthquake

trzmiel m zool. bumble-bee

trzoda f herd, flock; ~ chlewna swine zbior.

trzon m (podstawowa część) substance; (rękojeść) handle, hilt; techn. shaft, stem

trzonowy adj molar; ząb ~ molar

trzustka f anat. pancreas

trzy num three

trzydziesty num thirtieth

trzydzieści num thirty

trzykrotny adj threefold

trzyletni adj three years old, three-years'

trzymać vt hold, keep; ~ język za zębami hold one's tongue; ~ kogoś za słowo keep sb to his word; ~ za rękę keep by the hand; ~ z kimś side with sb; ~ w szachu checkmate; ~ się vr keep (oneself); hold out; ~ się czegoś keep to sth, hold to sth, przen. abide by sth; ~ się dobrze keep well; ~ się razem hold together, pot. stick together; ~ się w pobliżu keep close (czegoś to sth); ~ się z dala keep away, keep aloof (od kogoś from sb)

trzynasty num thirteenth

trzynaście num thirteen

trzysta num three hundred

tu adv here

tuba f tube; speaking-trumpet

tubka f tube

tubylczy adj indigenous, native

tuczny adj fat, fattened

tuczyć vt fatten; ~ się vr fatten, grow fat

tym

tulejka *f* bushing; *(pochewka, gniazdko)* socket

tulić *vt* hug, fondle; ~ się *vr* hug, cuddle together

tulipan *m bot.* tulip

tułacz *m* wanderer

tułaczka *f* wandering

tułać się *vr* wander

tułów *m* trunk (of the body)

tuman *m* dust-cloud; *pot. (głupiec)* blockhead

tunel *m* tunnel

tunika *f* tunic

tupać *vi* stamp (nogami one's feet)

tupet *m* self-assurance

turban *m* turban

turbina *f* turbine

Turczynka *f* Turkish woman

turecki *adj* Turkish

Turek *m* Turk

turkot *m* rattle

turkus *m* turquoise

turniej *m* tournament

turnus *m* turn

turysta *m* tourist

turystyczn|y *adj* tourist; samochód ~y touring car; biuro ~e tourist agency

tusz *m* Indian ink; *(prysznic)* shower-bath

tusz|a *f* corpulence; stoutness

tutaj *adv* here

tuzin *m* dozen

tuż *adv* near by

twardnieć *vi* harden

twardo *adv* hard; jajko na ~ hard-boiled egg

twardość *f* hardness

twardy *adj* hard; *(np. o mięsie)* tough

twaróg *m* (cheese-)curds *pl*

twarz *f* face; rysy ~y features; dostać w ~ be slapped on the face; jej jest z tym do ~y this suits her; uderzyć kogoś w ~ slap sb's face; zmieniać się na ~y change one's countenance; ~ą w ~ face to face

twierdza *f* stronghold

twierdząco *adv* affirmatively, in the affirmative

twierdzący *adj* affirmative

twierdzenie *n* affirmation, assertion; *mat.* theorem

twierdzić *vi vt* affirm, assert, maintain

tworzenie *n* creation; ~ się formation, origin

tworzyć *vt* create; form; ~ się *vr* form, be formed, arise, rise

tworzywo *n* material; *(sztuczne)* plastic

twój *pron* your, yours

twór *m* creation, creature, piece of work, product

twórca *m* creator, author, maker

twórczość *f* creation, creative power, production

twórczy *adj* creative

ty *pron* you

tyczka *f* pole, perch

tyczy|ć się *vr* concern, regard; co się ~ as for, concerning

tyć *vi* grow fat, put on weight

tydzień *m* week; dwa tygodnie fortnight; za ~ in a week's time; od dziś za ~ this day week

tyfus *m med.* typhus; ~ brzuszny enteric fever

tygiel *m* melting-pot, crucible

tygodnik *m* weekly

tygodniowo *adv* weekly

tygodniowy *adj* weekly

tygrys *m zool.* tiger

tyka *f* perch, pole

tykać *vi (o zegarze)* tick

tykwa *f bot.* gourd

tyle as much ⟨many⟩, so much ⟨many⟩

tylekroć *adv* so ⟨as⟩ many

tylko *adv* only, solely; ~ co just now; skoro ~ as soon as

tyln|y *adj* back, hind, posterior; ~a straż rearguard; ~e światło rear-light

tył *m* back, rear; obrócić ~em turn back; obrócić się ~em turn one's back (do kogoś on sb); do ~u back, backward(s); z ~u (from) behind

tym *w zwrotach:* ~ więcej all the more; im... tym... the... the...; im

więcej, ~ **lepiej** the more the better

tymczasem *adv* meanwhile, in the meantime

tymczasowość *f* temporariness, provisional state

tymczasowy *adj* temporary, provisional

tymianek *m bot.* thyme

tynk *m* plaster

tynkować *vt* plaster

typ *m* type; character

typować *vt* mark out, destine; *sport* rate

typowy *adj* typical

tyrada *f* tirade

tyran *m* tyrant

tyrania *f* tyranny

tyrański *adj* tyrannical

tysiąc *num* thousand

tysiąclecie *n* millenary, millennium

tysięczny *num* thousandth

tytan *m* titan; *chem.* titanium

tytoń *m* tobacco

tytularny *adj* titular(y)

tytuł *m* title; **z jakiego** ~**u?** on what ground?

tytuł|ować *vt* entitle; address; ~**ują go doktorem** he is spoken to as doctor

tytułow|y *adj* title *attr*; **strona** ~**a** title-page

u

u *praep* at, by, beside, with; **u jego boku** by his side; **u krawca** at the tailor's; **u nas w kraju** in this ⟨our⟩ country; **u Szekspira** in Shakespeare; **tu u dołu** down here; **tu u góry** up here; **mam u niego pieniądze** he owes me money; **mieszkam u niego** I stay with him; **zostań u nas** stay ⟨live⟩ with us

ubawić *vt* amuse; ~ **się** *vr* amuse oneself, have much amusement

ubezpieczać *vt* insure **(od ognia** against fire), assure, secure; ~ **się** *vr* insure oneself; ~ **się na życie** insure one's life

ubezpieczalnia *f* **(instytucja)** National Insurance Centre; **(system)** National Health Insurance; **(przychodnia)** dispensary

ubezpieczenie *n* insurance, assurance; ~ **na życie** life insurance; ~ **od ognia** fire insurance; ~ **społeczne** National Insurance Scheme; ~ **na wypadek choroby** insurance against health risks

ubezpieczeniow|y *adj,* **polisa** ~**a** insurance-policy; **agent** ~**y** insurance agent

ubić *vt* batter ⟨ram⟩ down; kill; **(jajka, śmietanę)** beat; ~ **interes** *pot.* strike a bargain

ubiec *vt vi* escape, run; **(o czasie)** pass; elapse; **(wyprzedzić)** get the start **(kogoś** of sb); **(uprzedzić)** forestall, anticipate

ubiegać *zob.* **ubiec;** ~ **się** *vr* contend **(o coś** for sth), solicit **(o coś** sth), compete **(o coś** for sth)

ubiegły *adj* past, last

ubierać *vt* dress, clothe; ~ **się** *vr* dress, be clothed

ubijać *zob.* **ubić**

ubikacja *f* water-closet, W.C., lavatory

ubiór *m* dress, attire

ubliżać *vi* offend, disparage **(komuś** sb)

ubliżający *adj* offensive

uboczj|e *n,* **na** ~**u** out of the way

ubocznie *adv* incidentally

uboczny *adj* incidental, accessory; **(boczny)** lateral; **produkt** ~ by--product

ubogi *adj* poor
ubolewać *vi* be sorry; feel sympathy (**nad kimś** for sb); deplore (**nad kimś, czymś** sb, sth)
ubolewani|e *n* sympathy, condolence; **godny ~a** deplorable
ubożeć *vi* get poor
ubożyć *vt* impoverish, pauperize
ubój *m* slaughter
ubóstwiać *vt* idolize, adore
ubóstwianie *n* idolatry, adoration
ubóstwo *n* poverty
ubóść *vt* gore; *przen.* (*urazić*) hurt
ubrać *zob.* **ubierać**
ubranie *n* clothes *pl*, dress; (*dekoracja*) decoration
ubytek *m* decrease
ubywać *vi* decrease, diminish
uch|o *n* ear; (*uchwyt*) handle; (*igły*) eye; *przen.* **nadstawiać ~a** prick up one's ears; **słyszeć na własne uszy** hear with one's own ears; **puszczać mimo uszu** turn a deaf ear; **zakochać się po uszy** be in love head over heels; **po uszy w długach** over head and ears in debts
uchodzi|ć *vi* go away, escape, flee; pass (**za kogoś** for sth); **to nie ~** it is not becoming
uchodźca *m* refugee, emigrant
uchodźstwo *n* emigration, exile
uchować *vt* preserve, save
uchronić *vt* safeguard, protect; **~ się** *vr* protect oneself
uchwalać *vt* decree, (*ustawę*) enact; (*powziąć*) carry; **~ przez aklamację** carry by acclamation
uchwała *f* decision, resolution
uchwyt *m* handle
uchybiać *vi* fail (*np.* **obowiązkom** to do one's duty); offend (*np.* **czyjejś czci** sb's honour); transgress (**prawu** the law)
uchybienie *n* fault; offence
uchylać *vt* put aside, remove; (*kapelusza*) raise, lift; (*uchwałę itp.*) abolish, repeal; **~ się** *vr* avoid (**od czegoś, kogoś** sth, sb); (*stronić*) shun (**od czegoś, kogoś** sth, sb); shirk (**od obowiązku, odpowiedzialności** responsibility,

duty)
uciążliwość *f* difficulty, charge, importunity
uciążliwy *adj* burdensome, difficult, onerous
uciecha *f* pleasure, delight, joy
ucieczk|a *f* flight, escape; **ratować się ~ą** flee for life; **zmusić do ~i** put to flight
uciekać *vi* flee, fly, escape; **~ się** *vr* resort, have recourse
uciekinier *m* fugitive; deserter
ucieleśniać *vt* embody
ucieleśnienie *n* embodiment
ucierać *vt* rub; (*ścierać*) wipe off; (*rozcierać*) grind
ucieszny *adj* funny
ucieszy|ć *vt* delight, gladden, make glad; **~ć się** *vr* be ⟨become⟩ glad (**czymś** of ⟨at⟩ sth), find pleasure (**czymś** in sth); **~łem się na jego widok** I was glad to see him
ucinać *vt* cut (off)
ucisk *m* pressure, oppression
uciskać *vt* press, oppress; (*np. o bucie*) pinch
uciszyć *vt* appease, calm; silence; **~ się** *vr* calm down; become silent
uciśniony *adj* oppressed
uczciwość *f* honesty
uczciwy *adj* honest
uczelnia *f* school, university
uczennica *f* school-girl, pupil
uczeń *m* school-boy, pupil
uczepić *vt* hang on, append, fasten; **~ się** *vr* hang on, become attached (**czegoś** to sth)
uczesanie *n* hair-do, hairdressing
uczestnictwo *n* participation
uczestniczyć *vi* participate, take part
uczestnik *m* participant, partner; (*przestępstwa*) accomplice
uczęszczać *vi* frequent; attend (*np.* **na wykłady** lectures); **~ do szkoły** go to school
uczoność *f* erudition, learning
uczony *adj* erudite, learned; *s m* scholar, erudite
uczta *f* feast

ucztować *vi* feast

uczucie *n* feeling, sentiment; (*doznanie*) sensation; (*przywiązanie*) affection

uczuciowość *f* sensibility

uczuciowy *adj* sensitive, emotional

uczulać *vt* make sensitive; *med. fot.* sensitize

uczy|ć *vt vi* teach (kogoś sb, czegoś sth), instruct (kogoś sb, czegoś in sth); ~ć się *vr* learn (np. angielskiego English); jak dawno ~sz się angielskiego? how long have you been learning English?

uczyn|ek *m* deed, act; złapać na gorącym ~ku catch red-handed

uczynność *f* kindness, obligingness

uczynny *adj* obliging, kind

uda|ć *zob.* udawać; robota mu się nie ~ła his work was not a success; ~ł mu się jego plan he succeeded in his plan; ~ło mi się to zrobić I have succeeded ⟨I have been successful⟩ in doing it; jego plany nie ~ły się all his plans have failed; ~ło mi się zdać egzamin I was successful in passing the examination

udar *m* stroke; *med.* apoplexy; ~ słoneczny sunstroke

udaremnić *vt* frustrate, baffle

udatny *adj* felicitous, well-turned, fine

udawać *vt* feign, pretend, assume, sham; ~ chorobę sham ⟨pretend⟩ sickness; ~ się *vr* (iść) go, proceed, resort, make one's way; (zwrócić się) apply (do kogoś to sb, w sprawie czegoś for sth); (poszczęścić się) be successful, succeed, be a success

uderzać *vt* strike, hit; attack; ~ pięścią w stół strike one's fist on the table

uderzenie *n* blow, strike; (np. wiosłem, rakietą) stroke; attack; za jednym ~m at one stroke

udo *m* thigh

udogodnić *vt* make convenient, facilitate

udogodnienie *n* convenience, facili-

tation

udoskonalić *vt* bring to perfection

udostępnić *vt* make accessible

udowodnić *vt* prove; (*wykazać*) show

udręczenie *n* vexation, distress

uduchowienie *n* spiritualization; inspiration

udusić *vt* strangle, suffocate; (*potrawę*) stew; ~ się *vr* be choked, become suffocated

uduszenie *n* suffocation, strangulation

udział *m* share; part; (*w przestępstwie*) complicity; (*los, dola*) lot; brać ~ take part

udziałowiec *m* partner, share-holder

udzielać *vt* give, impart, communicate; (*użyczać*) grant; ~ nagany reprimand; ~ się *vr* be imparted; spread; (*obcować*) communicate; (*o chorobie*) be contagious

udzielenie *n* communication, imparting, giving; (*pozwolenia, pożyczki itp.*) grant

udzielny *adj* independent, sovereign

ufać *vi* trust (komuś sb, in ⟨to⟩ sb), confide (komuś in sb)

ufność *f* confidence

ufny *adj* confident, (*pewny siebie*) self-confident

uganiać się *vr* run (za czymś after sth)

uginać *vt* bend, bow; ~ się *vr* bow down; (np. o podłodze) give in; *przen.* (pod ciężarem) strain

ugłaskać *vt* wheedle, coax

ugniatać *vt* knead; press; (*ziemniaki*) mash

ugoda *f* agreement

ugodowy *adj* conciliatory

ugodzić *vt* hit; *zob.* godzić

ugór *m* fallow; leżeć ugorem lie fallow

ugruntować *vt* consolidate

ugryźć *vt* bite

ugrzązć *vi* stick

uiścić *vt* (*dług*) acquit, pay

ujadać *vi* bay

ujarzmić *vt* subjugate, subdue

ujawnić *vt* reveal, disclose

ująć *vt* (*objąć*) seize, grasp; (*myślą*) conceive; (*sformułować*) formulate; (*zjednać*) win, captivate; (*odjąć*) deduct, take away; ~ się *vr* intercede (za kimś in sb's cause), take (za kimś sb's part)

ujednostajnić *vt* make uniform, standardize

ujemny *adj* negative, unfavourable; (*bilans*) adverse, unfavourable

ujeżdżać *vt* (*konia*) break in

ujęcie *n* seizure, grasp; (*sformułowanie*) expression

ujma *f* disparagement, discredit

ujmować *vt* zob. ująć; przen. (*przynosić ujmę*) disparage

ujmujący *adj* winning, prepossessing

ujrzeć *vt* see, perceive

ujście *n* escape; (*rzeki*) mouth; przen. znaleźć ~ find a vent ⟨an outlet⟩

ujść zob. uchodzić; ~ czyjejś uwagi escape sb's notice

ukamienować *vt* stone to death

ukartować *vt* concert; (*podstępnie*) plot, conspire

ukartowan|y *adj* concerted; ~a sprawa put-up affair

ukazywać *vt* show; ~ się *vr* appear, show

ukąsić *vt* bite

ukąszenie *n* bite; (*rana*) bite

układ *m* disposition; (*ułożenie*) arrangement; (*umowa*) agreement; (*plan*) scheme; (*system*) system; (*rozmieszczenie geogr., terenowe itp.*) configuration, layout; ~y *pl* (*pertraktacje*) negotiations; wchodzić w ~y enter into negotiations (z kimś w sprawie czegoś with sb for sth)

układać *vt* arrange, dispose; (*np. posadzkę*) lay; (*drzewo, siano itp.*) stack; (*porządkować*) put in order; (*pertraktować w sprawie warunków*)-negotiate the terms;

(*np. tekst, opowiadanie*) compose, set down; (*planować, ustalać*) make; ~ się *vr* settle down; come all right; (*zgadzać się*) agree, come to an arrangement ⟨agreement⟩

układny *adj* well-mannered, polite

ukłon *m* bow; ~y *pl* (*pozdrowienia*) regards, respects, zob. pokłon

ukłonić się *vr* bow (komuś to sb)

ukłucie *n* prick, puncture, sting

ukłuć *vt* prick, sting

ukochać *vt* take a liking (kogoś, coś for sb, sth), become fond (kogoś, coś of sb, sth)

ukochany *adj* beloved, dear, favourite

ukoić *vt* soothe, relieve

ukojenie *n* relief, alleviation

ukończenie *n* completion; (*wyższych studiów ze stopniem*) graduation

ukończyć *vt* complete, finish; (*studia wyższe*) graduate

ukos *m* slant, obliquity; na ~ aslant; patrzeć z ~a look askance

ukośny *adj* oblique

ukradkiem *adv* furtively, stealthily

Ukrainiec *m* Ukrainian

ukraiński *adj* Ukrainian

ukraść *vt* steal, (*porwać*) snatch

ukręcić *vt* twist, wring

ukrop *m* boiling water

ukrócić *vt* repress, check

ukrycie *n* concealment, hiding-place

ukryty *adj* hidden; disguised; secret; obscure

ukrywać *vt* conceal, hide (przed kimś, czymś from sb, sth); cover; disguise; suppress; ~ się *vr* hide (oneself), conceal oneself; cover oneself

ukształtować *vt* shape, form

ukwiecić *vt* adorn, embellish with flowers

ul *m* . beehive

ula|ć *vt* pour out; *techn.* cast, mould; *pot.* pasuje jak ~ł ⟨~ny⟩ fits to a miracle

ulatniać się *vr* evaporate, volatilize

ulatywać *vi* fly up, soar up

uleczalny *adj* curable

uleczyć *vt* cure, heal (z czegoś of sth)

ulega|ć *vi* give way, yield, succumb (komuś to sb); (*podporządkować*) submit; undergo (czemuś sth); nie ~ wątpliwości this is beyond all doubts; ~ć czyimś wpływom be influenced by sb, undergo sb's influence; ~ć pokusie yield to temptation; ~ć zepsuciu be subject to deterioration; ~ć zmianie undergo a change; ~ć zwłoce be delayed

uległość *f* submission, submissiveness

uległy *adj* submissive

ulepszać *vt* better, improve

ulepszenie *n* betterment, improvement

ulewa *f* downpour

ulewny *adj* pouring; ~ deszcz downpour

ulg|a *f* relief, ease; (*ułatwienie, zniżka*) facility; doznać ~i be relieved, feel relief; sprawić ~ę relieve, alleviate

ulgowy *adj* reduced

ulic|a *f* street; iść ~ą go down ⟨up⟩ the street; boczna ~a by-street

uliczka *f* lane; boczna ~ by-lane

ulicznica *f* streetwalker

ulicznik *m* street-boy

ulotka *f* leaflet, (*uliczna*) handbill

ulotnić się zob. **ulatniać się**

ulotny *adj* (*zmienny*) volatile; (*przemijający*) passing, transitory

ultimatum *n* ultimatum; postawić ~ deliver an ultimatum

ultrafioletowy *adj* ultraviolet

ultramaryna *f* ultramarine

ulubieniec *m* favourite; darling

ulubiony *adj* favourite, beloved

ulży|ć *vi* relieve (komuś sb); (zła-

godzić np. ból) alleviate; ~ć sumieniu ease sb's conscience; *pot.* ~ło mi I'm feeling relieved, I felt relieved

ułamać *vt* break off

ułamek *m* fragment; *mat.* fraction

ułamkowy *adj* fragmentary; *mat.* fractional

ułan *m hist.* uhlan

ułaskawić *vt* pardon

ułaskawienie *n* pardon

ułatwić *vt* facilitate, make easier

ułatwienie *n* facilitation

ułomność *f* infirmity, disability

ułożenie *n* arrangement, composition; (*dobre wychowanie*) good manners *pl*

ułożony *pp* composed; *adj* well-mannered

ułożyć *vt* arrange, put in order; *zob.* **układać**

ułuda *f* illusion, delusion

ułudny *adj* illusive, delusive

umacniać *vt* fortify, confirm; (*utrwalać*) strenghten; ~ się *vr* consolidate; ~ się w przekonaniu be confirmed

umarły *adj* i *sm* deceased, dead

umartwiać *vt* mortify

umartwienie *n* mortification

umawiać się *vr* make an arrangement ⟨an appointment⟩; agree (co do czegoś on ⟨upon⟩ sth); ~ z kimś arrange with sb (co do czegoś about sth); ~ co do dnia fix the day; ~ co do spotkania make a date; ~ o cenę settle the price

umeblowanie *n* furniture

umiar *m* moderation

umiarkowanie *n* moderation; (*wstrzemięźliwość*) temperance

umiarkowany *adj* moderate; (*wstrzemięźliwy*) temperate; (*o cenach*) reasonable

umie|ć *vt* *vi* know, be able, ~m czytać i pisać I know how to read and write; czy ~sz czytać? can you read?; czy ~sz po angielsku? do you speak English?;

czy ~sz to na pamięć? do you know it by heart?

umiejętność f science; (*zdolność, wprawa*) skill

umiejscowić vt locate, localize

umiejscowienie n localization

umierać vi die (*z choroby, głodu* of an illness, of starvation; *od rany of a wound*); ~ śmiercią naturalną die a natural death; *przen.* ~ ze strachu (*ciekawości*) die of fear (curiosity)

umieszczać vt place, locate, put; (*np. ogłoszenie*) put up, set up; (*w gazecie*) insert

umilać vt render agreeable, make pleasant

umiłować vt become fond (coś of sth)

umiłowany adj beloved, favourite

umizgać się vr (*zalecać się*) court, woo (do kogoś sb); (*przymilać się*) blandish, wheedle (do kogoś sb)

umizgi s pl (*zaloty*) courtship, wooing; (*przymilanie się*) blandishment(s)

umknąć vi escape

umniejszać vt diminish, lessen

umocnić vt zob. umacniać

umocnienie n fixing, consolidation; pl ~a wojsk. fortifications, fieldworks

umocować vt fasten, fix

umoralnić vt render moral, moralize

umorzenie n sinking, amortization

umorzyć vt sink, amortize

umowa f agreement, contract; convention

umowny adj conventional

umożliwiać vt enable; make possible

umówić się zob. umawiać się

umundurować vt put in uniform

umundurowanie n supply of uniforms; dressing in uniforms; uniforms pl (of soldiers etc.)

umycie n washing

umyć vt wash; ~ się vr wash, (*dokładnie*) wash oneself

umykać vi escape; fly away, flit (away)

umy|sł m mind; przytomność ~słu presence of mind; zdrowy na ~śle of sound mind

umysłowość f mentality

umysłowy adj mental, intellectual; **pracownik** ~ intellectual worker

umyślnie adv on purpose, intentionally

umyślny adj intentional; (*specjalny*) special, express

umywalka f, **umywalnia** f wash-basin, *am.* wash-bowl

unaocznić vt demonstrate, make evident

unarodowić vt nationalize

unarodowienie n nationalization

uncja f ounce

unia f union

unicestwić vt annihilate

uniemożliwić vt make impossible

unieruchomić vt immobilize

uniesienie n (*gniew*) burst of passion, fit of anger; (*zachwyt*) enchantment, ecstasy

unieszczęśliwić vt make unhappy

unieszkodliwić vt render harmless

unieść vt lift, carry up (away); ~ się vr (*w górę*) soar up; (*zachwycić się*) become enraptured; ~ się gniewem fly into a passion

unieważnić vt annul, nullify, invalidate

unieważnienie n annulment, nullification, invalidation

uniewinnić vt acquit (kogoś od czegoś sb of sth), (*uwolnić*) exonerate (kogoś od czegoś sb from sth)

uniezależnić vt make independent; ~ się vr become independent (od kogoś, czegoś of sb, sth)

unifikacja f unification

uniform m uniform

unikać vi avoid (kogoś, czegoś sb, sth); (*stronić*) steer clear (kogoś, czegoś of sb, sth), shun

unikat m unique thing

uniwersalny *adj* universal

uniwersytet *m* university

uniżoność *f* humbleness

uniżony *adj* humble

uniżyć *vt*, ~ się *vr* humble, humiliate

unosić *vt zob.* unieść; ~ się *vr* (o ciężarze) heave; (np. na falach) float; (wisieć w powietrzu) hover

uodpornić *vt* make proof, immunize

uogólnić *vt* generalize

uosabiać *vt* impersonate, personify

uosobienie *n* impersonation, personification

upadać *vi* fall down, drop; ~ na duchu be disheartened; ~ na kolana drop on one's knees

upadek *m* fall

upadłość *f* bankruptcy

upadł|y *adj* fallen; *handl.* bankrupt; do ~ego to the utmost, *pot.* right to the bitter end; pracować do ~ego work oneself to death

upajać *zob.* upoić

upalny *adj* burning, torrid

upał *m* heat

upamiętnić *vt* render memorable

upaństwowić *vt* nationalize

uparty *adj* obstinate, stubborn

upaść *zob.* upadać

upatrywać *vt* watch for, track (kogoś, coś sb, sth); be on the look-out (czegoś, coś for sth); ~ sposobności watch for one's opportunity; ~ sobie następcę single out a successor

upełnomocnić *vt* empower, authorize

upełnomocnienie *n* power of attorney

upewnić *vt* assure, make sure (o czymś of sth); ~ się *vr* make sure (o czymś of sth)

upić się *vr* get drunk

upierać się *vr* persist (przy czymś in sth)

upiększenie *n* embellishment, decoration

upiększyć *vt* embellish

upiorny *adj* ghostly, ghostlike

upiór *m* ghost

upływ *m* flow, discharge, flux; ~ czasu lapse of time; ~ krwi loss of blood

upływać *vi* flow away; (o czasie) pass, elapse; (o terminie) expire, elapse

upodobanie *n* liking (do czegoś for sth)

upodobnić *vt*, ~ się *vr* assimilate, conform

upoić *vt* make drunk; intoxicate; inebriate; ~ się *vr przen.* (zachwycić się) enravish, enrapture

upojenie *n* intoxication; *przen.* (zachwyt) ravishment, rapture

upokorzenie *n* humiliation

upokorzyć *vt* humiliate, humble; ~ się *vr* humiliate oneself

upominać *vt* admonish, reprimand, scold; ~ się *vr* claim (o coś sth)

upominek *m* souvenir, keepsake

upomnienie *n* admonition, warning

uporać się *vr* get through (z czymś with sth)

uporczywość *f* obstinacy

uporczywy *adj* obstinate, stubborn

uporządkować *vt* order, put in order, adjust; (np. ubranie, pokój) tidy up

uposażenie *n* endowment; (pobory) salary, pay

uposażyć *vt* endow

upośledzenie *n* (fizyczne) debility; (umysłowe) feeble-mindedness, mental handicap, debility

upośledzić *vt* wrong (by nature), debilitate

upośledzony *adj* debilitated; (umysłowo) mentally handicapped

upoważnić *vt* authorize, empower

upoważnienie *n* authorization

upowszechniać *vt* diffuse, generalize, bring into general use

upowszechnienie *n* diffusion

upór *m* obstinacy

upragniony *adj* desired

urodzajny

uprasząć *vt* request

upraszczać *vt* simplify

uprawa *f (np. roli, zbóż itp.)* cultivation; *(pszczół, jedwabników, bakterii)* culture

uprawiać *vt* cultivate; grow; *(gimnastykę, sporty itp.)* practise, exercise; *(praktykę lekarską itp.)* profess

uprawniać *vt* legalize; entitle, authorize

uprawnienie *n* right, title; authorization

uprawniony *pp i adj* entitled, authoritative

uprawny *adj* cultivable

uprawomocnić *vt* legalize; ~ się *vr* come into force, *prawn.* become valid

uprosić *vt* obtain by entreaty; *(kogoś)* move by entreaty; *zob.* upraszać

uprościć *vt* simplify

uprowadzenie *n* ravishment, abduction

uprowadzić *vt* carry off; *(porwać)* ravish, abduct; *(dziecko)* kidnap

uprzątać *vt* remove; *(pokój)* tidy up

uprząż *f* harness

uprzedni *adj* previous

uprzedzający *adj (ujmujący)* prepossessing; *(uprzedzająco grzeczny)* obliging, complaisant

uprzedzenie *n (np. faktu, pytania)* anticipation; *(niechęć)* prejudice; *(ostrzeżenie)* warning

uprzedzić *vt (poprzedzić)* precede, come before; *(np. fakt, pytanie)* anticipate; *(zapobiec)* avert, prevent; *(ostrzec)* warn; *(ujemnie zainstrować)* prejudice; *(życzliwie usposobić)* prepossess; ~ się *vr* become predisposed, become prejudiced

uprzejmość *f* kindness; przez ~ by courtesy; prosić o ~ ask a favour *(kogoś of sb)*

uprzejmy *adj* kind, obliging; bądź tak ~ i pomóż mi be so kind as to help me

uprzemysłowić *vt* industrialize

uprzemysłowienie *n* industrialization

uprzykrzyć *vt* make unpleasant, render annoying; ~ komuś życie make life unbearable for sb; ~ się *vr* be fed up

uprzystępnić *vt* render accessible; facilitate

uprzytomnić *vt* bring home (komuś coś sth to sb); ~ sobie realize (coś sth)

uprzywilejować *vt* privilege

upust *m* letting off, outlet; vent; *(krwi)* bloodletting; *(wody)* drain, drainage, floodgate; dać ~ give vent (czemuś to sth)

upuścić *vt* drop, let fall

upychać *vt* stuff, pack

urabiać *vt* form, fashion; *(np. glinę, ciasto)* knead, work

uraczyć *vt* treat (czymś to sth)

uradować *vt* make glad, gladden; ~ się *vr* become glad (czymś at ⟨of⟩ sth)

uradowany *adj* glad, delighted

uradzić *vt* agree, decide

uran *m chem.* uranium

uratować *vt* save, rescue

uraz *m (fizyczny)* hurt, injury; *(moralny)* shock; *med.* complex

uraza *f* resentment, grudge

urazić *vt* hurt, injure, offend

urągać *vi* deride (komuś sb), scorn (komuś sb)

urągowisko *n* derision, scorn

urlop *m* leave (of absence); ~ macierzyński maternity leave; ~ zdrowotny sick leave; ubiegać się o ~ apply for leave; na ~ie on leave

urna *f* urn

uroczy *adj* charming

uroczystość *f* solemnity, festivity

uroczysty *adj* solemn, festive

uroda *f* beauty, good looks *pl*

urodzaj *m* abundance (of crops), good harvest

urodzajność *f* fertility

urodzajny *adj* fertile

urodzeni|e n birth; **z ~a** by birth

urodzi|ć vt beget, bear; **~ć się** vr be born; **~łem się w r. 1925** I was born in 1925

urodziny s pl birthday

uroić vt, **~ coś sobie** imagine, take sth into one's head

urojenie n fancy

urojon|y adj imaginary; mat. **licz-ba ~a** abstract number

urok m charm, fascination

uronić vt shed, drop, let fall

urozmaiceni|e n variety, diversity; **dla ~a** for variety's sake

urozmaicić vt vary, diversify

urozmaicony adj varied, variegated

uruchomić vt put in motion, set going, start

urwa|ć vt tear off, pluck, pull off; (np. rozmowę) break (off), pot. snap; **~ć się** vr tear away, rush off; (np. rozmowę) break (away); **~ł się guzik** the button has come off

urwis m urchin

urwisko n precipice

urwisty adj precipitous, abrupt

urywek m fragment

urywkowy adj fragmentary

urząd m office, charge, function; **piastować ~** hold office; **objąć ~** come into office; **z urzędu** ex officio

urządzać vt arrange; organize; install; set up; **~ się** vr make one's arrangements; set oneself up

urządzenie n arrangement; organization; installation; appliance, establishment; (umeblowanie) furniture

urzec vt bewitch, enchant

urzeczenie n bewitchment, enchantment

urzeczywistnić vt realize, make real; **~ się** vr (o śnie) come true

urzędnik m official, (niższy) clerk, (państwowy) civil servant

urzędować vi be on duty, work

urzędowani|e n office work; go-dziny **~a** office hours; **koniec ~a** closing time

urzędowy adj official

usadowić vt place, settle; **~ się** vr (np. w fotelu) make oneself comfortable; (osiąść) settle down, establish oneself

usamodzielnić vt render independent; **~ się** vr become independent

uschły adj dry, dried, withered

uschnąć vt dry, wither

usiąść vi sit down, take a seat; (o ptaku) perch

usidlać vt ensnare

usilny adj strenuous, intense

usiłować vi vt make efforts, endeavour, attempt

usiłowanie n endeavour, attempt

uskrzydlić vt wing

uskutecznić vt effect, bring about

usłuchać vt obey; **~ czyjejś rady** follow sb's advice

usług|a f service, favour; **oddać ~ę** do a service; **do twoich ~** at your service

usługiwać vt serve; wait (komuś on sb, przy stole at table)

usłużność f complaisance

usłużny adj complaisant

usłużyć vi do a service; zob. u-sługiwać

usnąć vi fall asleep, get to sleep

uspokoić vt quiet, quiten, appease, calm; **~ się** vr become quiet; calm down, ease oneself

uspokojenie n tranquillization, appeasement (zw. polit.)

uspołecznić vt socialize

uspołecznienie n socialization

usposobić vt dispose

usposobienie n temper, disposition

usprawiedliwić vt justify; give reasons (coś for sth), excuse; **~ się** vr excuse oneself; apologize (z powodu czegoś for sth, przed kimś to sb)

usprawiedliwienie n justification; excuse (za coś for sth); apology

usprawnić vt render more efficient, rationalize

usprawnienie n rendering more efficient, rationalization

usta s pl mouth

ustalać zob. ustalić

ustalenie n settlement, consolidation, stabilization

ustalić vt settle; (*ustanowić*) establish, consolidate; stabilize; (*utwierdzić, naznaczyć np. termin*) fix; (*np. zasadę*) lay down

ustanawiać vt constitute; enact; fix, establish; ~ **rekord** set up a record

ustanowienie n constitution; enaction, establishment

ustatkować się vr settle down

ustawa f law

ustawać vi cease, stop; (*być zmęczonym*) weary

ustawiać vt set, arrange, place, dispose; ~ **się** vr range ⟨place⟩ oneself

ustawiczny adj incessant, unceasing

ustawodawca m legislator

ustawodawcz|y adj legislative; **ciało** ~**e** legislature

ustawodawstwo n legislation

ustawowy adj legal

usterka f fault, blemish, defect

ustęp m (*w książce*) paragraph, section; (*klozet*) lavatory

ustępliwy adj yielding

ustępować vi cede, give way, yield; (*obniżyć cenę*) lower

ustępstwo n concession

ustnie adv by word of mouth, orally

ustnik m mouthpiece

ustny adj oral, verbal

ustosunkować się vr take an attitude (**do kogoś, czegoś** towards sb, sth)

ustosunkowany adj having relations, well-connected

ustronie n recess, solitude

ustronny adj secluded, retired

ustrój m structure, constitution; organization; (*system rządzenia*) policy

ustrzec vt preserve, guard (**od czegoś** from sth); ~ **się** vr guard (**przed czymś** against sth), avoid (**przed czymś** sth)

usunięcie n removal; (*dymisja*) dismissal

usuwać vt remove; dismiss; ~ **się** vr withdraw

usychać vi wither, dry, become dry

usypać vt pour out; (*wznieść*) raise, heap up

usypiać vi fall asleep; vt lull to sleep; zob. uśpić

usypiający adj soporific

uszanować vt respect

uszanowani|e n respect; **składać** ~**e** pay one's respects; **przesyłać wyrazy** ~**a** send one's respects; **proszę złożyć mu ode mnie wyrazy** ~**a** please give him my respects

uszczelka f packing; (*np. w kranie*) washer

uszczerb|ek m detriment; **z** ~**kiem dla kogoś** to the detriment of sb

uszczęśliwić vt make happy

uszczknąć vt pluck; pick (up)

uszczuplić vt curtail, cut short

uszczypliwość f mordacity, causticity

uszczypliwy adj mordacious

uszko n ear; (*igły*) eye

uszkodzenie n damage, impairment

uszkodzić vt damage, impair

uszlachetnić vt ennoble; refine

uścisk m embrace; grasp; ~ **dłoni** handshake

uścisnąć vt embrace; grasp; ~ **ręce** shake hands (**komuś** with sb)

uśmiać się vr have a good many laughs (**z czegoś** over sth)

uśmiech m smile; **radosny** ~ beam; **szyderczy** ~ sneer

uśmiech|ać się vr smile (**do kogoś** on ⟨at⟩ sb); **szczęście** ~**nęło się do mnie** fortune has smiled on me

uśmiercić vt kill, put to death

uśmierzyć *vt* appease, alleviate; calm; (*bunt*) suppress

uśpić *vt* lull to sleep; make drowsy; (*sztucznie*) narcotize, put to sleep

uświadomić *vt* enlighten, instruct, initiate; bring home (*kogoś* to sb); ~ sobie niebezpieczeństwo realize the danger

uświadomienie *n* enlightening, instruction, initiation; ~ klasowe class consciousness; ~ sobie czegoś realization ⟨awareness⟩ of sth

uświetnić *vt* illuminate, give splendour

uświęca|ć *vt* hallow, sanctify; (*przysłowie*) cel ~ środki the end justifies the means

utajon|y *adj* latent, secret; *fiz.* ciepło ~e latent heat

utalentowany *adj* talented, gifted

utarczka *f* skirmish, (*słowna*) squabble

utargować *vt* gain; make, realize

utarty *adj common*, well-worn; *zob.* ucierać

utensylia *s pl* utensils

utknąć *vi* stick, become fixed; (*o rozmowie*) break down; *przen.* ~ na martwym punkcie come to a standstill

utlenić *vt* oxidize

utlenienie *n* oxidation

utonąć *vi* be drowned; (*np. o statku*) sink

utonięcie *n* drowning; sinking

utopia *f* Utopia

utopić *vt* drown, sink; ~ się *vr* be drowned

utopijny *adj* Utopian

utożsamiać *vt* identify

utożsamienie *n* identification

utracjusz *m* spendthrift

utrapienie *n* worry, affliction

utrata *f* loss

utrudnić *vt* make difficult, impede

utrudnienie *n* difficulty, impediment

utrwalić *vt* consolidate, fix, stabilize; *techn. fot.* fix; ~ się *vr* become fixed ⟨consolidated⟩

utrzeć *zob.* ucierać; *pot.* ~ nosa snub (komuś sb)

utrzymani|e *n* maintenance, livelihood, living; mieszkanie i ~e room and board; środki ~a cost of living; zarabiać na ~e earn one's living

utrzymywać *vt vi* keep; (*stosunki*) maintain; hold; (*np. korespondencję*) keep up, entertain; (*twierdzić, podtrzymywać*) maintain; ~ na wodzy restrain; ~ się *vr* maintain oneself; (*trzymać się mocno*) keep steady, hold one's own; ~ się z pracy umysłowej live by intellectual work

utulić *vt* hug, (*uspokoić*) appease

utwierdzić *vt* confirm, consolidate, fix

utwór *m* work, composition; *muz.* tune

utyć *vi* put on (weight)

utykać *vi* limp; *vt* fill

utylitarny *adj* utilitarian

utylitaryzm *m* utilitarianism

utyskiwać *vi* complain (na coś of sth)

uwag|a *f* attention; observation; remark; brać pod ~ę take into consideration; zwracać ~ę pay attention (na coś to sth), mind (na coś sth); nie zwracać ~i take no notice (na coś of sth); z ~i na coś considering sth; ~a winda! mind the lift!

uważa|ć *vt vi* pay attention (na coś to sth), be attentive; regard, count (za coś as sth); mind (na coś sth); take care (na coś of sth); see; think; reckon; ~m za właściwe I think it proper; ~m to za dobry film I think it is a good film; ~ go się za najlepszego ucznia he is reckoned to be the best pupil

uważny *adj* attentive

uwiąd *m biol.* marasmus, decrepitude

uwiązać *vt* bind, attach

uwidocznić *vt* make evident, make clear, render conspicuous, exhibit, manifest

uwiecznić *vt* immortalize

uwiedzenie *n* seduction

uwielbiać *vt* adore, worship

uwielbienie *n* adoration, worship

uwieńczyć *vt* crown

uwierać *vt* (*o bucie*) pinch

uwierzyć *vt* believe

uwierzytelniający *adj,* list.~y letter of credence; listy ~e credentials *pl*

uwierzytelnić *vt* legalize

uwiesić *vt,* ~ się *vr* hang on

uwijać się *vr* busy oneself, bustle (*dookoła czegoś* about sth)

uwikłać *vt* involve

uwłaczać *vi* defame (*komuś* sb); derogate (*czemuś* from sth)

uwłaszczać *vt* enfranchise; bestow property (*kogoś* on ⟨upon⟩ sb)

uwłaszczenie *n* enfranchisement

uwodziciel *m* seducer

uwodzić *vt* seduce

uwolnić *vt* set free (*kogoś* sb, *od czegoś* from ⟨of⟩ sth), set at liberty; deliver (*kogoś* sb, *od czegoś* from sth), release

uwolnienie *n* liberation, deliverance, release; *prawn.* acquittal

uwydatnić *vt* bring into prominence; enhance, set off

uwypuklić *vt* bring into relief, set off

uwzględnić *vt* take into consideration

uwziąć się *vr* set one's mind (*na coś na coś* sth), *pot.* become crazy (*na coś* about sth)

uzależnić *vt* make dependent (*od kogoś, czegoś* on ⟨upon⟩ sb, sth)

uzasadnić *vt* substantiate, justify; give reasons (*coś* for sth)

uzasadnienie *n* substantiation, justification; *na* ~ in support (*czegoś* of sth)

uzbrajać *vt,* ~ się *vr* arm

uzbrojenie *n* armament, arming, arms *pl*

uzda *f* bridle

uzdolnić *vt* enable

uzdolnienie *n* gift, talent, ability, capability

uzdolniony *adj* gifted, talented, able, capable

uzdrawiać *vt* heal, cure, restore to health; *przen.* (*np. finanse*) put on a healthy basis

uzdrowienie *n* cure, restoration (to health)

uzdrowisko *n* health-resort; spa

uzębienie *n anat.* dentition; *techn.* toothing

uzgadniać *vt* square, agree; (*zharmonizować*) adjust

uziemiać *vt elektr.* ground, earth

uziemienie *n elektr.* ground, earth

uzmysłowić *vt* demonstrate, make clear, objectify; ~ sobie realize

uznanie *n* acknowledgement, regard, appreciation, recognition; do twego ~a at your discretion; możesz postąpić według własnego ~a you may use your own discretion; zasługujący na ~e worthy of acknowledgment, praiseworthy; z ~em appreciatively

uznawać *vt* acknowledge, recognize, appreciate; (*potwierdzać*) admit; (*uważać za*) find

uzupełniający *adj* supplementary

uzupełnić *vt* supplement, complete

uzupełnienie *n* supplement, completion

uzurpator *m* usurper

uzurpować *vt* usurp

uzwojenie *n techn.* winding

uzyskać *vt* gain, win, obtain

użądlić *vt* sting

użerać się *vr pot.* bicker (*o coś* about sth)

użycie *n* use; (*np. życia*) enjoyment; przepis ~a directions for use; wyjść z ~a go out of use, fall into disuse; w codziennym ~u in daily use

użyczać *vt* grant, lend

użyć *vt* use; ~ sobie enjoy (*czegoś* sth), indulge (*czegoś* in sth)

użyteczność *f* utility

użyteczny *adj* useful

użytek *m* use

użytkować *vt* use, utilize
używać *vt* use; *(np. życia)* enjoy; *(np. siły)* exert
używalność *f* utilization, use

używalny *adj* utilizable
używany *adj* used; *(nie nowy)* second-hand
użyźniać *vt* fertilize

W

w, we *praep* in, into, at, by, for, on; w Anglii in England; w ogrodzie in the garden; w domu at home; w Krakowie in Cracow; w dzień by day; w środę on Wednesday; grać w karty, w szachy, w piłkę nożną itd. play cards, chess, football etc.; wpaść w długi get into debts
wabić *vt* decoy, allure, lure
wabik *m* decoy, allurement
wachlarz *m* fan; *przen. (np. spraw, zagadnień)* gamut
wachlować *vt* fan; ~ się *vr* fan (oneself)
wachmistrz *m wojsk.* sergeant-major (of cavalry)
wada *f* fault
wadliwy *adj* faulty
wafel *m* wafer
wag|a *f* weight; *przen.* importance; *(przyrząd)* balance, pair of scales; na ~ę by weight; *sport* ~a musza fly weight; ~a kogucia bantam-weight; ~a piórkowa feather-weight; ~a lekka light-weight; ~a lekkopółśrednia half-welter-weight; ~a lekkośrednia half-middle-weight; ~a średnia middle-weight; ~a półciężka half-heavy-weight; ~a ciężka heavy-weight; *przen.* przykładać ~ę set store (do czegoś by sth)
wagary *s pl pot.* truancy; iść na ~ play hookey
wagon *m (kolejowy)* carriage, *am.* car; wagon, coach; *(towarowy)* truck
wahać się *vr* hesitate, waver; *pot.* hang back; *(chwiać się)* shake,

totter; *(o cenach, kursach)* fluctuate; *fiz.* oscillate
wahadło *n* pendulum
wahanie *n* hesitation; *(cen, kursów)* fluctuation
wakacje *s pl* holiday(s), vacation
walać *vt* soil; ~ się *vr* soil; *(tarzać się)* roll, wallow
walc *m* waltz
walcować *vi* waltz; *vt* roll, *(metal)* flatten
walcownia *f* rolling-mill; ~ blach plating shop
walczący *adj* combatant
walczyć *vi* fight, struggle (o coś for sth)
walec *m* cylinder; *(drogowy)* roller
waleczność *f* valour
waleczny *adj* valiant, brave
walet *m (w kartach)* knave, jack
walić *vt (burzyć)* demolish, pull down, break down; *(uderzać)* strike; pound; ~ się *vr* tumble down; *(rozpadać się)* decay, crash down
Walijczyk *m* Welshman
walijski *adj* Welsh
walizka *f* case, suitcase
walka *f* struggle, fight
walny *adj* general, plenary, complete
walor *m* value
walut|a *f* currency; ~a złota gold-standard; przepisy ~owe currency regulations
wał *m* embankment, rampart; *techn.* shaft
wałek *m* roller; *techn.* shaft; ~ do ciasta rolling-pin

wałęsać się *vr* roam, vagabondize

wampir *m* vampire; *zool.* vampire-bat

wandal *m* vandal

wandalizm *m* vandalism

wanienka *f* bathing-tub

wanna *f* bathtub

wapień *m* limestone

wapno *n* lime; ~ lasowane slaked lime; ~ niegaszone quick lime; ~ do bielenia whiting

wapń *m chem.* calcium

warcaby *pl* draughts

warchoł *m* troubler, troublemaker

warczeć *vi* growl

warga *f* lip; ~ dolna ⟨górna⟩ lower ⟨upper⟩ lip

wargowy *adj* labial

wariacja *f* variation; (*szaleństwo*) madness

wariacki *adj* mad, crazy, insane

wariant *m* variant

wariat *m* lunatic; szpital dla ~ów lunatic asylum

wariować *vi* be ⟨go⟩ mad

warkocz *m* braid, tress

warownia *f* fortress

warowny *adj* fortified

warstwa *f* layer, stratum

warszawianin *m* Varsovian

warsztat *m* workshop, (*tkacki*) loom

wart *adj* worth; nie ~e zachodu it is not worth the trouble

war|ta *f* guard; stać na ~cie stand guard; stanąć na ~cie, zaciągnąć ~tę mount guard

wartki *adj* rapid

warto *v impers* it is worth; nie ~ tego czytać it's not worth reading

wartościow|y *adj* valuable; papiery ~e securities; człowiek ~y man of great worth

wartość *f* value, worth; ~ dodatkowa surplus value; ~ ujemna negative value; to ma małą ~ it's of little value

warun|ek *m* condition, term; pod ~kiem on condition

warunkowy *adj* conditional

warzelnia *f* (*soli*) salt-works

warzywa *s pl* greens, vegetables

warzywny *adj*, ogród ~ kitchen-garden

wasal *m* vassal

wasz *pron* your, yours

waśń *f* quarrel, strife

wata *f* cotton-wool

watować *vt* wad

wawrzyn *m* laurel

waza *f* vase

wazelina *f* vaseline

wazon *m* flower-pot

ważka *f zool.* dragon-fly

ważki *adj* weighty

ważność *f* importance; *prawn.* validity

ważny *adj* important; *prawn.* valid; (*ważki*) weighty

ważyć *vt vi* (*odważać*) weigh; (*śmieć*) dare; ~ się *vr* dare

wąchać *vt* smell, sniff

wąs *m* (*zw. pl* ~y) moustache

wąski *adj* narrow

wąskotorow|y *adj* narrow-gauged; kolej ~a narrow-gauge railway

wątek *m techn.* woof; *przen.* matter, motif

wątły *adj* frail

wątpić *vi* doubt (w coś sth, about ⟨of⟩ sth)

wątpliwość *f* doubt

wątpliwy *adj* doubtful

wątroba *f anat.* liver

wąwóz *m* ravine, gorge

wąż *m* snake; (*gumowy*) hose, (*pożarniczy*) firehose

wbiec *vt* run in ⟨into⟩

wbijać *vt* drive in

wbrew *praep* in·spite of

w bród *adv* in abundance; *zob.* bród

wcale *adv* quite, fairly; ~ nie not at all

wchłaniać *vt* absorb

wchodzić *vi* go ⟨come⟩ in, enter; ~ na górę go up; *przen.* ~ komuś w drogę cross sb's way; ~ w czyjeś położenie realize sb's position; ~ w grę come into play; ~ w posiadanie czegoś gain possession of sth

wciągać vt draw in

wciąż adv continually

wcielać vt incarnate, embody; (włączać) incorporate; (do szeregów) enlist

wcielenie n incarnation; (włączenie) incorporation; wojsk. enlistment

wcielony adj incarnate; pp (włączony) incorporated; wojsk. enlisted; diabeł ~ devil incarnate

wcierać vt rub in ⟨into⟩; med. embrocate

wcieranie n rubbing in; med. embrocation

wcięcie n incision, notch

wcinać vt incise

wciskać vt press in; notch

wczasowicz m holiday-maker

wczasy s pl holiday

wczesny adj early

wcześnie adv early

wczoraj adv yesterday; ~ wieczorem last night

wdawać się vr meddle (w coś with sth), interfere

wdowa f widow

wdowiec m widower

wdrapać się vr climb up (na coś sth); (z trudem) clamber up

wdrażać vt inculcate (jakieś pojęcie komuś an idea on sb); implant; prawn. start; ~ kroki (sądowe) take steps; ~ się vr get implanted

wdychać vt inhale

wdzierać się vr break into; (na górę) clamber up

wdziewać vt put in

wdzięczność f gratitude; (uznanie) appreciation

wdzięczny adj grateful; (powabny) graceful; być ~m feel grateful (za coś for sth), appreciate (za coś sth)

wdzięk m grace

według praep after, by, according to

wegetacja f vegetation; przen.

hand-to-mouth existence

wegetować vi vegetate; przen. keep body and soul together

wejrzeć vi glance in; przen. investigate

wejrzenie n glance; na pierwsze ~ at first sight

wejście n entrance

wejść vi enter, go ⟨come⟩ in; ~ w modę ⟨w użycie⟩ come into fashion ⟨into use⟩; (o ustawie) ~ w życie come into force

weksel m fin. bill (of exchange)

welon m veil

wełna f wool

wełniany adj woolly

wentyl m air-regulator; vent; (w instrumencie) valve

wentylacja f ventilation

wentylator m ventilator

wentylować vt ventilate

weranda f porch, verandah

werbel m drum, drum-call

werbować vt, ~ się vr enrol, enlist

werbunek m enrollment

werniks m varnish

werniksować vt varnish

wersja f version

wertować vt (książkę) thumb

werwa f verve

weryfikacja f verification

weryfikować vt verify

wesele n wedding

weselić się vr make merry

wesołek m jester, wag

wesołość f merriment, gaiety

wesoły adj merry, gay

westchnąć vi sigh; ciężko ~ heave a sigh

westchnienie n sigh

wesz f louse

wet m w zwrocie: ~ za ~ tit for tat

weteran m veteran

weterynarz m veterinary surgeon

wetknąć vt stick, thrust; (do ręki) slip

weto n veto; założyć ~ veto (przeciwko czemuś sth)

wewnątrz *praep i adv* in, inside, within

wewnętrzn|y *adj* inside, internal, inward, inner; sprawy ~e home affairs

wezbrać *zob.* wzbierać

wezwać *zob.* wzywać

wezwanie *n* call; (*sądowe*) summons

węch *m* smell, smelling

wędk|a *f* fishing-rod; łowić na ~ę angle (na coś for sth); fish

wędkarz *m* angler

wędlin|a *f* (*zw. pl* ~y) pork-meat article(s)

wędliniarnia *f* pork-butcher's shop, ham and sausage shop

wędrować *vi* wander, stroll

wędrowiec *m* wanderer

wędrowny *adj* wandering; (*o ptakach*) migratory

wędrówka *f* wandering, migration

wędzić *vt* smoke; cure

wędzidło *n* bit

wędzonka *f* cured bacon

węgiel *m* coal; *chem.* carbon; ~ kamienny hard coal

węgielny *adj*, kamień ~ cornerstone

węgieł *m* corner

Węgier *m* Hungarian

węgierski *adj* Hungarian

węglan *m chem.* carbonate

węglarz *m* coalman, coal-dealer

węglowodan *m chem.* carbohydrate

węglowodór *m chem.* hydrocarbon

węglow|y *adj* coal *attr*, *chem.* carbon *attr*; pole ~e coal-field; zagłębie ~e coal basin

węgorz *m zool.* eel

węszyć *vt* scent

węzeł *m* knot, tie; *mors.* knot; (*kolejowy*) junction

węzłow|y *adj*, punkt ~y point of junction; stacja ~a junction

wgląd *m* inspection, insight

wglądać *vi* look into, inspect

wgryzać się *vr* eat into; (*przen.* penetrate (w coś through ⟨into⟩ sth)

wiać *vi* blow; (*ziarna*) winnow

wiadomo *v impers* it is known; nic nie ~ there is no knowing; o ile mi ~ for all I know

wiadomoś|ć *f* news, a piece of information; *pl* ~ci information *zbior.*; dobra ~ć a piece of good news

wiadomy *adj* known

wiadro *n* pail, bucket

wiadukt *m* viaduct

wianek *m* wreath

wiara *f* faith, creed, belief

wiarogodność *f* credibility; authenticity

wiarogodny *adj* credible; authentic

wiarołomność *f* faithlessness, perfidy

wiarołomny *adj* faithless, perfidious

wiatr *m* wind; ~em podszyty thinly lined; rzucać słowa na ~ speak idly; *pot.* szukać ~u w polu run a wild-goose chase

wiatrak *m* windmill

wiąz *m bot.* elm

wiązać *vt* bind, tie; *chem.* combine; ~ ręce pinion

wiązadł|o *n* band, link; *anat.* ligament; ~a głosowe vocal chords

wiązanie *n* bond, (*domu*) framing

wiązanka *f* burch, nosegay

wiązka *f* bundle

wibracja *f* vibration

wibrować *vi* vibrate

wice *praef* vice-, deputy-

wiceadmirał *m* vice-admiral

wiceburmistrz *m* deputy-mayor

wiceprezydent *m* vice-president

wicher *m* wind-storm

wichrzyciel *m* troubler, troublemaker

wichrzyć *vi* trouble, foment trouble

wić *vt* wreathe, twine, writhe

widelec *m* fork

widły *s pl* pitchfork

widmo *n* spectre; *fiz.* spectrum

widmowy *adj* spectral

widnieć *vi* appear, loom, become visible

widno *adv*, jest ~ it is light

widnokrąg *m* horizon

widny *adj* visible, clear

widocznie *adv* apparently

widoczność *f* visibility

widoczny *adj* visible

widok *m* view, sight, prospect; mieć na ~u have in view

widokówka *f* (picture-)postcard

widowisko *n* spectacle

widownia *f* the house; (*publiczność*) audience; (*teren*) scene

widywać *vt* see (frequently etc.)

widz *m* spectator, onlooker

widzenie *n* sight, view; vision; do ~a good-bye; punkt ~a point of view

widziadło *n* apparition, spectre

widzialność *f* visibility

widzialny *adj* visible

widzieć *vt* see; ~ się *vr* see (z kimś sb)

wiec *m* meeting

wiecha *f* wisp, bunch of straw

wiecheć *m* rag, wisp of straw

wieczerza *f* supper

wieczność *f* eternity

wieczny *adj* eternal

wieczorek *m* evening-party

wiecz|ór *m* evening; ~orem in the evening

wieczysty *adj* perpetual, eternal

wiedza *f* knowledge, learning

wiedzieć *vt* *vi* know; chciałbym ~ I should like to know; o ile wiem as far as I know

wiedźma *f* witch

wiejski *adj* country *attr*, rural

wiek *m* age; (*stulecie*) century; ~ dziecięcy infancy; ~ męski manhood; ~ młodzieńczy youth, adolescence; ~ starczy old age

wieko *n* lid, cover

wiekopomny *adj* memorable, immortal

wiekowy *adj* aged

wiekuisty *adj* eternal

wielbiciel *m* adorer, admirer

wielbić *vt* adore, admire

wielbłąd *m* camel

wielce *adv* much, greatly, highly

wiele *adv* much, many

wielebny *adj* reverend

Wielkanoc *f* Easter

wielki *adj* great, large, big; (*okazały, doniosły*) grand; ~ czas high time

wielkoduszność *f* magnanimity, generosity

wielkoduszny *adj* magnanimous

wielkolud *m* giant

wielkość *f* largeness, greatness; magnitude

wielmożny *adj* mighty; (*w tytule*) honourable

wieloboczny *adj* multilateral

wielokąt *m* polygon

wielokrotn|y *adj* manifold; ~a *s* *f mat.* multiple

wieloryb *m* *zool.* whale

wieniec *m* wreath, crown

wieńczyć *vt* crown

wieprz *m* hog

wieprzowina *f* pork

wiercić *vt* drill, bore; ~ się *vr* fidget

wierność *f* fidelity, faithfulness

wierny *adj* faithful

wiersz *f* (*linijka*) line; (*poemat*) verse

wierszokleta *m* *pot.* poetaster

wierzba *f* willow

wierzch *m* top, surface; jechać ~em ride on horseback

wierzchni *adj* upper

wierzchołek *m* top, summit; *mat.* vertex

wierzchowiec *m* saddle-horse

wierzgać *vi* kick up

wierzyciel *m* creditor

wierzyć *vi* believe (komuś sb, czemuś, w coś sth)

wierzytelność *f* (outstanding) debt

wieszać *vt*, ~ się *vr* hang

wieszadło *n* rack, (*kołek*) peg

wieszak *m* hanger, rack

wieszcz *m* seer, bard

wieś *f* village; (*w przeciwieństwie do miasta*) country; na wsi in the country; mieszkaniec wsi countryman wieść 1. f news, a piece of news, information; report; ~ hiobowa alarming news

wieść 2. vt (prowadzić) lead, conduct

wieśniaczka f countrywoman

wieśniak m countryman

wietrzeć vi decay, moulder; become vapid, lose smell; (o skałach) weather, be weathered; przen. (z głowy) evaporate

wietrzyć vt ventilate, aerate; (np. zwierzynę) scent, smell

wiewiórka f squirrel

wieźć vt carry, convey

wieża f tower; (w szachach) rook

wieżyczka f turret

więc conj adv now, well, therefore

więcej adv more; mniej lub ~ more or less; mniej ~ some, about, approximately

więdnąć vi wither, fade

większość f majority

większy adj greater, bigger, larger; po ~ej części for the most part

więzić vt detain, imprison

więzienie n prison

więzień m prisoner

wigilia f eve; Christmas Eve; (posiłek) Christmas Supper; w ~ę on the eve

wikariusz, wikary m vicar

wiklina f osier, wicker

wikłać vt entangle, complicate

wikt m board

wiktuały s pl provisions, victuals

wilgoć f moisture, humidity

wilgotny adj moist, humid

wilia zob. wigilia

wilk m zool. wolf

willa f villa

wina f guilt, fault; poczuwać się do ~y feel guilty; prawn. przyznać się do ~y plead guilty

winda f bryt. lift, am. elevator

windykować vt vindicate

windziarka f, windziarz m bryt. lift-attendant, lift-boy

winiarnia f wine-shop

winić vt blame (kogoś sb, o coś for sth), inculpate

winien adj guilty; (dłużny) owing, indebted; jestem mu ~ pieniądze I owe him money; ~ śmierci worthy of death

winieta f vignette

winnica f vineyard

winny 1. praed (winien) guilty (czegoś of sth); (o należności, szacunku, płatności itp.) due (komuś to sb)

winny 2. adj wine attr; ~a latorośl vine

wino n wine

winobranie n vintage

winogrono n grape

winowajca m culprit, offender

winszować vt congratulate (komuś czegoś sb on sth)

wiolonczela f muz. (violon)cello

wiosenny adj spring attr

wioska f hamlet

wiosło n oar

wiosłować vi row

wiosna f spring; na ~ę in (the) spring

wioślarski adj rowing; wyścigi ~e boat-race

wioślarstwo n rowing

wioślarz m oarsman, rower

wiotki adj flimsy, frail

wiór m shaving

wir m whirl; (wodny) whirlpool, eddy

wiraż m turn(ing), bend

wirować vi whirl, rotate

wirówka f centrifugal machine, centrifuge

wirtuoz m virtuoso

wirus m biol. virus

wisieć vi hang

wisielec m hanged man

wisiorek m pendant

wisus m pot. urchin

wiśnia f cherry; (drzewo) cherry-tree

wiśniak m cherry-brandy

witać vt greet, welcome

witamina f vitamin

witraż m stained glass

witriol 742

witriol *m* vitriol

witryna *f* shopwindow, glass case

wiwat *m* cheer; ~! long live!

wiwatować *vt* cheer

wiwisekcja *f* vivisection

wiz|a *f* visa, *am.* visé; otrzymać ~ę get one's visa ⟨passport visaed⟩; udzielać ~y visa

wizerunek *m* effigy, portrait, likeness

wizja *f* vision

wizyt|a *f* call, visit; złożyć ~ę pay a visit

wizytacja *f* inspection, visitation

wizytator *m* inspector, visitor

wizytować *vt* inspect, visit; call (kogoś on sb)

wizytowy *adj*, bilet ~ visiting card

wjazd *m* entrance, gateway, doorway

wjeżdżać *vt* drive in, enter

wkleić *vt* stick into

wklęsłość *f* concavity

wklęsły *adj* concave

wkład *m* (*inwestycja*) investment; (*depozyt*) deposit; (*przyczynek*) contribution; (*np. do notesu*) filler; *techn.* input

wkładać *vt* put ⟨lay⟩ in, inset; (*buty, ubranie itp.*) put on; (*kapitał*) invest; (*deponować*) deposit

wkładka *f* insertion; (*pieniężna*) payment; (*dodatek, do książki itp.*) inset; *techn.* insert

w koło *adv* round about

wkoło *praep* round (about)

wkradać się *vr* steal in

wkręcać *vt* screw in; ~ się *vr* pot. (*wciskać się*) sneak ⟨steal⟩ in, insinuate oneself

wkroczyć *vi* enter

wkrótce *adv* soon

wkupić się *vr* pay for admission

wlać *vt* pour in

wlec *vt* drag; ~ się *vr* drag, trail along

wlepić *vt* stick in; *przen.* ~ oczy fix eyes

wlewać *vt* (*wszczepić*) infuse, inspire; *zob.* wlać; ~ się *vr* pour ⟨flow⟩ in

wleźć *vi* creep in; (*na drzewo*) climb up

wliczyć *vt* include (into an account)

w lot *adv* quickly, in a flash

wlot *m* inlet

władać *vt* be master (czymś of sth), have mastery (czymś over sth); (*panować*) rule (czymś over sth); ~ biegle językiem angielskim have a good command of English

władca *m* ruler, master

władza *f* power; (*urząd*) authority; (*fizyczna, umysłowa*) faculty

włamać|ę się *vr* break (np. do sklepu into the shop); ~no się do sklepu the shop was broken into

włamanie *n* burglary

włamywacz *m* housebreaker, burglar

własnoręcznie *adv* with one's own hand

własnoręczny *adj* authentic, written with one's own hand

własność *f* property

własn|y *adj* own; miłość ~a self-love; na ~ą rękę on one's own authority; oddać do rąk ~ych deliver personally

właściciel *m* proprietor, owner

właściwość *f* propriety, peculiarity

właściwy *adj* proper, peculiar, right, specific

właśnie *adj* just, exactly

włączać *vt* include; *elektr.* connect, switch on; ~ wtyczkę plug in

włącznie *adv* inclusively; ~ z... inclusive of...

Włoch *m* Italian

włochaty *adj* hairy

włos *m* hair; ~y *pl* hair *zbior.*: jasne ~y fair hair; farba do ~ów hair-dye; wypadanie ~ów fall of the hair; chcę sobie ostrzyc ~y I want to have my hair cut; *przen.* nie ustąpić ani na ~ not to yield an inch; ~y od tego stają mi na głowie it makes my hair stand on end; **o ~ within a hair's breath**, narrowly

włoski adj Italian

włoskowatość f capillarity

włoskowaty adj capillary

włoszczyzna f soup-greens pl

włościanin m farmer, peasant

włośnica f bot. trichinosis

włożyć vt put (in); (buty, ubranie, kapelusz) put on

włóczęga m (wędrówka) ramble; (osoba) tramp, vagabond

włóczka f woollen yarn

włócznia f spear

włóczyć vt drag, shuffle; **~ się** vr vagabondize, roam, stroll

włókiennictwo n textile industry

włókienniczy adj textile

włókniarz m textile worker, weaver

włóknisty adj fibrous

włókno n fibre

wmawiać vt make sb believe sth, suggest (coś w kogoś sth to sb)

wmieszać się vr interfere (w coś with sth), involve (w coś in sth)

wnet adv soon

wnęka f niche

wnętrze n interior

wnętrzności s pl bowels, intestines; anat. viscera pl

wnieść vt bring in; enter

wnikać vi penetrate, enter, get in

wnios|ek m conclusion; (na posiedzeniu) motion; petition; **dojść do ~ku** come to ⟨drive at⟩ a conclusion; **przyjąć** ⟨**odrzucić**⟩ **~ek** carry ⟨reject⟩ a motion; **wyciągnąć ~ek** draw a conclusion; **stawiać ~ek, ażeby odroczyć zebranie** move that the meeting be adjourned

wnioskować vt vi conclude, infer

wnioskowanie n inference, conclusion

wniwecz adv, **obrócić ~** annihilate, bring to nothing

wnosić vt zob. **wnieść**; (prośbę) put up; conclude, infer; vi (stawiać wniosek) move, propose

wnuczka f granddaughter

wnuk m grandson

woal m veil

wobec praep in the face of, in the presence of, before; **~ tego, że...** considering that...

woda f water; **~ podskórna** ground water; **~ słodka** fresh water; (przysłowie) **cicha ~ brzegi rwie** still waters run deep

wodewil m vaudeville

wodnisty adj watery

wodnopłatowiec m lotn. hydroplane

wodny adj water attr; (o roztworze) aqueous; (o sportach) aquatic; **znak ~** watermark

wodociąg m water-pipe; pl **~i** (sieć wodociągowa) water-supply

wodolecznictwo n hydrotherapy

wodorost m water plant; (morski) seaweed

wodorow|y adj hydrogen attr, hydrogenous; **bomba ~a** hydrogen bomb, H-bomb

wodospad m waterfall

wodoszczelny adj watertight, waterproof

wodotrysk m fountain

wodować vi lotn. alight (on water); mors. launch (a ship)

wodowstręt m hydrophobia

wodór m chem. hydrogen

wodz|a f rein, bridle; przen. **trzymać na ~y** keep a tight rein (kogoś on sb); **puścić ~e** give way

wodzić vt lead, conduct; **~ rej** have the lead

w ogóle adv zob. **ogół**

wojak m pot. warrior

wojenny adj war, military; **sąd ~** court martial; **stan ~** state of war

województwo n province, voivodeship

wojłok m felt

wojn|a f war; **~a domowa** civil war; **prowadzić ~ę** wage war; **wypowiedzieć ~ę** declare war

wojować vi war

wojowniczy adj warlike, belligerent

wojownik *m* warrior

wojsk|o *n* troops *pl*, army; **za-ciągnąć się do ~a** enlist

wojskowość *f* military system, military questions ⟨affairs⟩ *pl*

wojskowy *adj* military; *s m* military man, soldier; **były ~ ex--serviceman**

wokalny *adj* vocal

wokoło *adv praep* round about

wol|a *f* will; **siła ~i** will power; **do ~i** at will, freely; **z własnej ~i** of one's own free will

wol|eć *vt* prefer (**kogoś, coś** sb, sth; **niż kogoś, niż coś to** sb, to sth), like better; **~ę tańczyć, niż czytać** I'd rather dance than read

wolno *adv* slowly; freely; *praed* it is allowed; **każdemu tu ~ wejść** everyone is allowed to come in

wolnomyśliciel *m* free-thinker

wolnomyślność *f* free-thinking

wolnomyślny *adj* free-thinking

wolnoś|ć *f* liberty, freedom; **na ~ci** at liberty; **wypuścić na ~ć** set free ⟨at liberty⟩

wolny *adj* free; (*o miejscu*) vacant; (*od podatku, obowiązku itp.*) exempt (**od czegoś** from sth); (*powolny*) slow; **dzień ~ od pracy** day off, day off duty; **~ czas** leisure, extra ⟨spare⟩ time; **~ stan celibacy**, single life; **~ od opłaty pocztowej** post-free

wolt *m elektr.* volt

woltametr *m elektr.* voltameter

woltomierz *m elektr.* voltmeter

wołacz *m gram.* vocative

wołać *vt* call

wołanie *n* call

wołowina *f* beef

wonny *adj* aromatic

woń *f* aroma, fragrance

worek *m* bag

wosk *m* wax

woskować *vt* wax

votum *n* vote; *rel.* **ex voto**; *prawn.* **~ zaufania** vote of confidence; **~ nieufności** vote of non-confidence ⟨censure⟩

wozić *vt* carry, convey

woźnica *m* driver

wódka *f* vodka

wódz *m* leader, commander; **~ naczelny** commander-in-chief

wójt *m* (village-)mayor

wół *m* ox

wór *m* bag, sack

wówczas *adv* at the time, then

wóz *m* (*fura*) cart, carriage; (*auto*) car; (*ciężarowy*) truck; (*ciężarowy kryty*) van; *pot.* (*kolejowy*) *bryt.* carriage, *am.* car; **~ meblowy** furniture van; *astr.* **Wielki** ⟨**Mały**⟩ **Wóz** Great ⟨Little⟩ Bear

wózek *m* hand-cart, (*kolejowy, ręczny*) truck; **~ dziecięcy** perambulator, *pot.* pram

wpad|ać *vi* fall in; (*nagle wbiegać*) rush in; (*napotkać*) run (**na kogoś across** sb); (*w oczy*) strike; (*w czyjeś ręce*) get (into sb's hands); (*w długi*) get (into debts), incur (debts); (*w gniew*) fly (into a rage); **~ło mi na myśl** it occurred to me

wpajać *vt* inculcate (**coś komuś** sth on sb)

wpaść *zob.* **wpadać**; **~ do kogoś** drop in on sb

wpatrywać się *vr* stare (**w coś** at sth)

wpędzać *vt* drive in

wpierw *adv* first

wpis *m* registration, inscription

wpisać *vt* register, write down; **~ się** *vr* register, enter one's name

wpisowe *n* entrance fee, registration (fee)

wplątać *vt* entangle; **~ się** *vr* get entangled

wpłacać *vt* pay in

wpłata *f* payment

wpław *adv*, **przebyć rzekę ~** swim across

wpływ *m* influence; (*pieniędzy*) income, accruement; **wywierać ~** exert an influence

wpływać *vi* flow in; (*do portu*) enter; (*o pieniądzach, listach itp.*) come in; (*wywierać wpływ*) influence (**na kogoś** sb) wpływowy *adj* influential

w poprzek *adv* across; crosswise

wpół *adv* half, by half; *(w środku)* in the middle; na ~ half; ~ do trzeciej half past two

wprawa *f* skill, practice

wprawdzie *adv* it is true, to be sure

wprawić *vt* put in, set in; *(wyćwiczyć)* train; ~ się *vr* become skilled

wprawny *adj* skilled, skillful

wprost *adv* straight, directly

wprowadzać *vt* introduce, lead in, bring in; ~ się *vr (do mieszkania)* move in

wprzęgać *vt* put (konie do wozu horses to the cart), yoke, harness

wprzód *†* *adv* first, before

wpust *m* entrance, inlet; *(wąski otwór)* slot

wpuszczać *vt* let ⟨put⟩ in

wpychać *vt* push ⟨stuff⟩ in

wracać *vi* return, come back; ~ do zdrowia recover

wrastać *vi* grow (w coś into sth)

wraz *praep* together with, alongside with

wrażać *vt* thrust in; impress (w pamięć on sb's memory)

wrażenie *n* impression; robić ~ impress (na kimś sb)

wrażliwość *f* sensibility

wrażliwy *adj* sensitive (na coś to sth)

wreszcie *adv* at last

wręcz *adv* plainly; walka ~ hand-to-hand fight, close encounter

wręczać *vt* hand in, deliver

wręczenie *n* delivery

wrodzony *adj* innate, inborn

wrogi *adj* hostile

wrogość *f* hostility

wrona *f* crow

wrota *s pl* gate, gateway

wrotki *s pl* roller skates

wróbel *m* sparrow

wrócić *zob.* wracać

wróg *m* foe

wróżba *f* omen, augury

wróżbiarstwo *n* fortune-telling

wróżbiarz *m*, wróżbiarka *f* fortune-teller

wróżyć *vt vi* augur, tell fortunes

wryć *vt* engrave (np. w pamięć on memory); sink; ~ się *vr* sink; become impressed

wrzask *m* shriek, scream, uproar

wrzawa *f* noise, uproar

wrzący *adj* boiling

wrzątek *m* boiling water

wrzeciono *n* spindle

wrzeć *vi* boil

wrzenie *n* boiling, ebullition; punkt ~a boiling point

wrzesień *m* September

wrzeszczeć *vi* scream, bawl, shriek

wrzos *m bot.* heather

wrzosowisko *n* heath, moor

wrzód *m* abscess, ulcer

wrzucać *vt* throw in

wsadzać *vt* put in, place; *(np. kapelusz, buty)* put on

wschodni *adj* eastern, east

wschodzić *vi* rise, come forth

wschód *m* east; na ~ od... ⟨to the⟩ east of...; ~ słońca sunrise

wsiadać *vi* get (do pociągu in ⟨into⟩ the train); mount (na konia ⟨rower⟩ on a horse ⟨a bicycle⟩); ~ na okręt go on board

wsiąkać *vi* infiltrate, permeate (w coś sth, through sth)

wskakiwać *vi* leap in ⟨on⟩

wskazówk|a *f* index, indication; *(u zegara)* hand; *(rada)* suggestion, hint; *pl* ~i *(pouczenia)* instructions, directions

wskazujący *adj*, palec ~ forefinger; *gram.* zaimek ~ demonstrative pronoun

wskazywać *vt vi* point (na coś at ⟨to⟩ sth), indicate, show

wskaźnik *m* index

w skos *adv* askew, aslant

wskroś *praep*, na ~ throughout, through and through

wskrzesić *vt* revive, resuscitate

wskrzeszenie *n* revival, resuscitation

wskutek *praep* on account of, in consequence of

wsławić *vt* make famous; ~ **się** *vr* become famous

wspak *adv*, **na** ~ contrariwise

wspaniałomyślność *f* magnanimity

wspaniałomyślny *adj* magnanimous

wspaniałość *f* magnificence, splendour

wspaniały *adj* magnificent, splendid

wsparcie *n* support, assistance

wspierać *vt* support, assist

wspinaczka *f* climbing

wspinać się *vr* climb up (**na górę**, **na drzewo** a hill, a tree)

wspomagać *vt* aid, help, assist

wspominać *vt* remember; (*robić wzmiankę*) mention

wspomnienie *n* remembrance, reminiscence

wspólnie *adv* in common, jointly

wspólnik *m* partner, co-partner; (*współpracownik*) associate; (*zbrodni, złego uczynku*) accomplice

wspólnota *f* community, partnership

wspólny *adj* common

współczesność *f* contemporaneity, contemporaneousness

współczesny *adj* contemporary, contemporaneous

współcześnie *adv* at the same time

współczucie *n* sympathy, compassion

współczuć *vi* have compassion

współczynnik *m* (*także gram.*) coefficient

współdziałać *vi* co-operate

współdziałanie *n* co-operation

współistnieć *vi* co-exist

współistnienie *n* co-existence

współmierny *adj* commensurable

współobywatel *m* fellow-citizen

współpraca *f* collaboration

współpracować *vi* collaborate

współpracownik *m* collaborator, (*prasowy, literacki*) contributor

współrzędność *f* co-ordination

współrzędny *adj* (*także gram.*) co-ordinate

współuczestnictwo *n* participation

współuczestniczyć *vi* participate

współudział *m* participation, co-operation

współwłaściciel *m* joint proprietor

współzawodnictwo *n* competition, contest

współzawodniczyć *vi* compete, contest (**o coś** for sth)

współzawodnik *m* competitor

współżycie *n* companionship, living together

współżyć *vi* live together

wstawać *vi* get up, rise

wstawiać *vt* put in, set in; insert; ~ **się** *vr* (*orędować*) intercede (**u kogoś za kimś, za czymś** with sb for sb, sth); (*błagać*) plead (**u kogoś o coś** with sb for sth); *pot.* (*upijać się*) get tipsy

wstawiennictwo *n* intercession

wstawka *f* insertion; (*np. w tekście*) interpolation

wstąpić *vi* enter, go in, come in; (*odwiedzić*) call (**do kogoś** on sb); *pot.* drop in (**do kogoś** at sb's place)

wstąpienie *n* entrance; (*na tron*) accession (to the throne)

wstążka *f* ribbon

wstecz *adv* backwards

wstecznictwo *n* reaction

wsteczność *f* backwardness

wsteczny *adj* reactionary, backward, retrograde; *techn.* **bieg** ~**y** back ⟨reverse⟩ gear; **lusterko** ~**e** rearview mirror

wstęga *f* ribbon

wstęp *m* entrance, admission; (*przedmowa*) preface, introduction; ~ **wolny** admission free

wstępny *adj* preliminary, introductory; **egzamin** ~ entrance examination

wstępować *zob.* **wstąpić**

wstręt *m* abomination, aversion

wstrętny *adj* abominable

wstrząs *m* shock

wstrząsający *adj* shocking, stirring

wstrząsnąć *vt* shock, stir, shake

wstrzemięźliwość *f* temperance, moderation

wybić

wstrzemięźliwy *adj* temperate, moderate

wstrzykiwać *vt* inject

wstrzymywać *vt* stop, hold up, keep back, suspend; ~ się *vr* abstain (od czegoś from sth); put off, delay (z czymś sth)

wstyd *m* shame; disgrace; ~ mi I am ashamed; jak ci tego nie ~? aren't you ashamed of it?; przynosić ~ bring shame (komuś on sb)

wstydliwość *f* bashfulness, shyness

wstydliwy *adj* bashful, shy

wstydzić się *vr* be ashamed (kogoś, czegoś of sb, sth)

wsunąć *vt* put in, slip

wsypać *vt* pour in; *pot.* (zdekonspirować) slip, peach (kogoś on sb)

wszakże *conj adv* however, yet, but

wszcząć *vt* begin, start up

wszczepiać *vt* (szczepić) inoculate; (np. zasady) inculcate (komuś on sb)

wszczynać zob. wszcząć

wszechmoc *f* omnipotence

wszechmocny *adj* omnipotent, almighty

wszechnica *f* university

wszechstronność *f* universality, many-sidedness

wszechstronny *adj* universal, many-sided

wszechświat *m* universe

wszechświatowy *adj* universal, cosmic

wszechwiedzący *adj* omniscient

wszechwładny *adj* omnipotent, all-powerful

wszelaki *adj* diverse, of all kinds

wszelako *adv* *lit.* however, yet, but

wszelaki *adj* every, all

wszerz *adv* broadwise

wszędzie *adv* everywhere

wszystek *adj* all, whole

wścibiać *vt*, ~ nos meddle (w coś with sth)

wścibski *adj* meddling, interfer-

ing; *s m* meddler, busybody

wściekać się *vr* rage (na kogoś at ⟨against⟩ sb), become furious (na kogoś with sb)

wścieklizna *f* *med.* rabies

wściekłość *f* fury

wściekły *adj* furious; (o psie) mad, rabid

wśliznąć się *vr* sneak in

wśród *praep* among, amid

wtajemniczać *vt* initiate (w coś into sth)

wtajemniczenie *n* initiation

wtargnąć *vi* invade, make an inroad

wtedy *adv* then

wtoczyć *vt* roll in

wtorek *m* Tuesday

wtórować *vi* accompany (komuś sb)

wtrącać *vt* put in, insert; ~ się *vr* meddle (do czegoś with sth)

wtyczk|a *f* (także elektr.) plug; włączyć ~ę plug in

wtykać *vt* put in, insert; *zob.* wetknąć

w tył *adv* back, backwards

wuj *m* uncle

wujenka *f* aunt

wulgarny *adj* vulgar

wulkan *m* volcano

wulkaniczny *adj* volcanic

wulkanizować *vt* vulcanize

wwozić *vt* import

wy *pron* you

wybaczać *vt* pardon, excuse, forgive

wybaczalny *adj* pardonable

wybaczenie *n* pardon

wybaczyć *zob.* wybaczać; proszę ~ I beg your pardon, excuse me

wybawca *m* redeemer, saviour

wybawić *vt* redeem, save; deliver (od czegoś from sth)

wybawienie *n* deliverance, salvation

wybi|ć *vt* knock, beat out, strike out; (np. szybę) break; (wytłoczyć) stamp; (wychłostać) thrash; (wyścielić np. suknem) line, cover; (godzinę) strike; (ząb, oko)

knock out; ~ć komuś coś z głowy put sth out of sb's head; ~ła
piąta it has struck five; ~ć się
vr (dojść do znaczenia) come
to the top, make one's way,
distinguish oneself, excel

wybiec vi run out

wybieg m evasion, shift, subterfuge

wybielać vt whiten, bleach

wybierać vt choose, select; elect;
(np. owoce) pick out; (pocztę)
pick up; (wyjmować) take out;
~ się vr set out (w drogę on
one's way); ~ się do kogoś be
going to call on sb, prepare to
go on a visit

wybieralny adj eligible

wybijać zob. **wybić**; ~ takt beat
time

wybitny adj prominent, remark-
able, outstanding

wybladły adj pale, wan

wyblakły adj faded, discoloured

wyblaknąć vi fade, discolour

wyboisty adj full of holes

wyborca m elector; (do parlamentu) constituent

wyborcz|y adj electoral; okręg ~y
constituency; ordynacja ~a elec-
toral system

wyborny adj excellent

wyborowy adj choice

wybory s pl election

wybój m hole

wybór m choice, selection; election

wybrakować vt discard, sort out;
towary ~ne cast-off goods, refuse zbior.

wybraniec m elect

wybredny adj fastidious, particular

wybrnąć vi get out, find a way
out

wybryk m sally; excess

wybrzeże n seaside, strand, (plaża)
beach

wybuch m explosion; outbreak;
(np. wulkanu, epidemii) eruption

wybuchnąć vi explode; przen. (o
wojnie) break out; (o uczuciach)
burst out; ~ płaczem burst into
tears; ~ radością burst with joy;
~ śmiechem burst out laughing

wybuchowy adj explosive; materiał ~ explosive

wybujać vi shoot up

wychodzi|ć vi go out, come out;
(o oknach) open (na coś on sth);
~ć komuś na dobre turn to
sb's account; ~ć na spacer go
out for a walk; ~ć za mąż marry (za kogoś sb); ~ć z mody go
out of fashion; to na jedno ~
it amounts to the same; ~ć z
domu leave home

wychodźca m emigrant

wychodźstwo n emigration

wychować zob. **wychowywać**

wychowanek m foster-son; (uczeń)
pupil

wychowanie n education, upbring-
ing

wychowawca m educator, tutor

wychowawczy adj educational

wychowawczyni f woman tutor,
tutoress

wychowywać vt bring up, educate;
~ się vr be brought up, be educated

wychwalać vt praise

wychylać vt put out; (wypijać)
empty, drain off; ~ się vr lean
out (np. z okna of a window)
lean forward

wyciąg m extract; techn. hoist,
lift; am. elevator

wyciągać vt draw out, stretch out;
take out; (korzyści) derive (z czegoś from sth); (pieniądze) extort;
(wniosek) draw; (np. ząb, pierwiastek) extract; (szufladę) pull
open; (np. żagiel, flagę) hoist;
~ naukę moralną draw a moral;
~ się vr stretch oneself out

wycie n howl(ing)

wycieczk|a f excursion, trip; pójść
na ~ę go on an excursion, take
a trip

wyciek *m* leak

wyciekać *vi* leak, flow out

wycieńczać *vt* extenuate, exhaust

wycieńczenie *n* extenuation, exhaustion

wycieraczka *f* (*do butów*) (door-mat, shoe-scraper; (*w samochodzie*) wiper

wycierać *vt* wipe (off), wipe out; scrape; (*np. buty*) sweep

wycięcie *n* cutting out

wycinać *vt* cut out; (*żłobić*) carve out; (*las*) clear

wycinek *m* cutting; *mat.* ~ koła sector; ~ prasowy press-cutting, press-clipping

wyciskać *vt* squeeze, extort; (*wytłaczać*) impress, imprint

wycofać *vt* withdraw, retire; ~ się *vr* withdraw; (*z czynnej służby itp.*) retire

wyczekiwać *vt* expect

wyczerp|ać *vt* exhaust, draw out, wear out; ~ać się *vr* wear out; (*np. o zapasie*) run short; moje zapasy ~ują się my supplies are running short; ~ała się moja gotówka I've run short of cash

wyczuwać *vt* sense, feel

wyczyn *m* stunt, performance, achievement

wyć *vi* howl

wyćwiczony *adj* trained, skilled

wyćwiczyć *vt* train; ~ się *vr* get training, acquire skill

wydać zob. wydawać

wydajność *f* productivity, yield, efficiency, output

wydajny *adj* productive, efficient

wydalać *vt* remove; (*np. z posady*) dismiss, *pot.* sack, fire

wydanie *n* edition, issue

wydalenie *n* removal; (*z posady*) dismissal

wydarzenie *n* event, occurrence

wydarzyć się *vr* happen, occur

wydatek *m* expense

wydatkować *vt* expend, lay out

wydatny *adj* prominent

wydawać *vt* (*pieniądze*) spend; (*płody*) bring forth, produce, yield; (*książki*) publish, issue; (*lekarstwo*) dispense; (*światło, ciepło itp.*) emit; (*np. obiad, przyjęcie*) give; deliver; (*w ręce sprawiedliwości*) deliver; (*zapach*) give out; ~ resztę give the change; ~ za mąż marry, get married; ~ się *vr* seem, appear

wydawca *f* publisher

wydawnictwo *n* publishing house; (*publikacja*) publication

wydąć *vt* (*nadmuchać*) inflate, swell; (*rozszerzyć*) expand; (*usta*) blow out, puff up

wydech *m* exhalation, breathing out

wydeptać *vt* tread (out)

wydłużać *vt* lenghten, prolong

wydma *f* dune

wydmuchać *vt* blow ⟨puff⟩ out

wydobrzeć *vi* recover

wydobycie *n* *górn.* output

wydobywać *vt* bring ⟨draw⟩ out, extract, get out; ~ się *vr* extricate oneself; get out

wydostać *vt* bring out, take out, get out; ~ się *vr* get out; extract oneself

wydra *f* *zool.* otter

wydrapać *vt* scratch out

wydrążać *vt* hollow out; excavate

wydrążenie *n* hollow; cavity

wydrwigrosz *m* *pot.* extortioner

wydusić *vt* *pot.* (*wymusić*) squeeze out, extort

wydychać *vt* *vi* breathe out, expire

wydymać *vt* swell (out), puff up, inflate, blow out; ~ się *vr* swell (out), become inflated

wydział *m* department; section; (*uniwersytecki*) faculty

wydziedziczać *vt* disinherit

wydziedziczenie *n* disinheritance

wydzielać *vt* set apart, detach; (*o zapachu, substancji*) secrete; (*przydzielać*) allot; (*rozdzielać*) distribute; ~ się *vr* be secreted

wydzielina *f* secretion

wydzierać *vt* tear out, wrench out

wyga *m* cunning fellow, old hand

wygadać *vt pot.* blab out; ~ **się** *vr* blab out (a secret)

wygarniać *vt* rake out; *pot.* speak out one's mind

wygasać *vi* go out; (*o terminie*) expire; be extinct

wygasić *vt* put out, extinguish

wygięcie *n* bend

wyginać *vt* bend

wygląd *m* appearance

wygląda|ć *vi* look out; (*mieć wygląd*) look, appear; ~**ć na coś** look like sth; ~ **na deszcz** it looks like rain; ~**ć wspaniale** look splendid; **jak on** ~? how does he look?

wygłodzić *vt* starve

wygłosić *vt* pronounce, express; (*odczyt, mowę*) deliver

wygnać *vt* drive out, expel

wygnanie *n* exile

wygnaniec *m* exile

wygniatać *vt* press out; (*ciasto*) knead

wygod|a *f* comfort; *pl* ~**y** (*urządzenia*) conveniences

wygodny *adj* comfortable, convenient

wygolony *adj* clean-shaven

wygon *m* pasture, common

wygospodarować *vt* economize

wygórowany *adj* excessive

wygrać *vt* win

wygran|a *f* win; (*np. na loterii*) prize, (*zwycięstwo*) victory; *przen.* **dać za** ~**ą** throw up the game

wygryzać *vt* bite out; *pot.* (*wyrugować*) oust

wygrzebywać *vt* dig out

wygrzewać się *vr* warm oneself; (*na słońcu*) bask

wygwizdać *vt* hiss off (the stage)

wyjałowić *vt* make sterile, sterilize

wyjałowienie *n* sterilization

wyjaśniać *vt* explain; ~ **się** *vr* clear up

wyjaśnienie *n* explanation

wyjawiać *vt* reveal, disclose

wyjazd *m* departure

wyjąt|ek *m* exception; **z** ~**kiem** except, save, but for (**kogoś, czegoś** *sb, sth*)

wyjątkowy *adj* exceptional

wyjąwszy *praep* except

wyjechać *vi* go out, go away, drive out; leave (**np. do Warszawy** for Warsaw); ~ **w podróż** go on a journey

wyjednać *vt* obtain

wyjezdn|e *n*, **być na** ~**ym** be on the point of leaving

wyjmować *vt* take out

wyjści|e *n* (*czynność*) going out, exodus; (*miejsce*) way out, exit; *przen.* issue; (*w kartach*) lead; **punkt** ~**a** starting-point; **nie mieć** ~**a** have no way out, *pot.* be in a fix; **przed** ~**em z domu** before leaving home

wyjść *zob.* **wychodzić**

wykałaczka *f* tooth-pick

wykarmić *vt* breed, feed; (*wychować*) bring up

wykaz *m* list, register

wykazywać *vt* show, demonstrate; (*udowodnić*) prove, indicate

wykipieć *vi* boil over

wyklarować *vt* clarify, clear up

wyklą|ć *vt* excommunicate; curse

wykleić *vt* line

wyklęcie *n* excommunication

wyklinać *zob.* **wykląć**

wykluczać *vt* exclude

wykluczenie *n* exclusion

wykład *m* lecture; **chodzić na** ~**y** attend lectures; **prowadzić** ~**y** give lectures

wykładać *vt* (*pieniądze*) lay out, advance; (*np. towar*) display; (*pokrywać*) lay, line; (*nauczać*) lecture (**coś** on sth); (*tłumaczyć*) explain

wykładnik *m mat.* exponent; index

wykładowca *m* lecturer

wykładowy *adj*, **język** ~ language of instruction

wykoleić *vt* derail; ~ **się** *vr* run off the rails, derail; *przen.* swerve from the right path, go on the wrong track

wykolejenie *n* derailment

wykonać *zob.* wykonywać

wykonalność *f* practicability, feasibility

wykonalny *adj* practicable, feasible

wykonanie *n* execution

wykonawca *m* performer; (*testamentu*) executor

wykonawczy *adj* executive

wykonywać *vt* execute, perform, accomplish; (*zawód itp.*) exercise

wykończenie *n* finish

wykończyć *vt* finish (off)

wykopać *vt* dig out

wykorzenić *vt* root out

wykorzystać *vt* make the most (**coś** of sth), utilize

wykpić *vt* deride

wykraczać *vi* step over, go over; (*naruszać np. prawo, ustawę*) infringe (**przeciw czemuś** sth, upon sth), offend (**przeciw czemuś** against sth); ~ **przeciw prawu** infringe the law

wykradać *vt* steal; (*dzieci, ludzi*) kidnap; ~ **się** *vr* steal out

wykres *m* graph, diagram

wykreślić *vt* (*nakreślić*) trace, delineate; (*usunąć*) strike out, cross out, cancel

wykręcić *vt* turn round; (*np. śrubę*) unscrew; (*skręcać*) twist; distort; ~ **się** *vr* turn round; *pot.* (*wyłgiwać się*) extricate oneself; ~ **się tyłem** turn one's back (**do kogoś** on sb)

wykręt *m* shift

wykrętny *adj* shifty

wykroczenie *n* infringement, offence

wykroić *vt* cut out

wykruszyć *vt* crumble out

wykrycie *n* detection, discovery

wykryć *vt* reveal, detect

wykrzesać *vt* (*ogień*) strike

wykrzyczeć *vt* shout out

wykrzykiwać *vi* vociferate

wykrzyknąć *vi* cry out

wykrzyknik *m* gram. (mark of) exclamation

wykrzywiać *vt* twist, curve; ~ **twarz** make a wry face

wykształcenie *n* education

wykształcić *vt* educate

wykształcony *adj* educated, well--read

wykup *m* ransom

wykusz *m* bay window

wykupić *vt* ransom; (*towar*) buy up; (*zastaw, dług itp.*) redeem

wykuwać *vt* forge, beat out; *pot.* (*lekcje*) learn by rote

wykwintny *adj* elegant, refined

wykwit *m* efflorescence

wylatywać *vi* (*wyfrunąć*) fly out ⟨away⟩; (*w powietrze*) blow up; *pot.* (*wybiegać*) run out; (*spadać*) fall out; *pot.* (*być wyrzuconym z pracy*) be fired

wyląg *m* brood

wylecieć *zob.* wylatywać

wyleczyć *vt* cure, heal (**z czegoś** of sth); ~ **się** *vr* be cured, recover

wylew *m* flood, inundation; (*np. krwi*) effusion

wylewać *vt* pour out ⟨forth⟩; *vi* (*o rzece*) overflow (its bank)

wylęgać *vt*, ~ **się** *vr* brood, hatch

wylękły *adj* frightened

wyliczać *vt* enumerate; *sport* count out

wylosować *vt* draw out by lot

wylot *n* (*odlot*) flight, departure; (*otwór*) orifice, nozzle; (*np. komina*) vent; outlet; **na** ~ throughout, through and through

wyludniać *vt* depopulate; ~ **się** *vr* become depopulated

wyludnienie *n* depopulation

wyładować *vt* unload, discharge

wyłamać *vt* break open ⟨down⟩

wyłaniać *vt* evolve, call into existence; ~ się *vr* emerge, appear

wyłączać *vt* exclude; *elektr.* switch off, disconnect

wyłączenie *n* exclusion; *elektr.* disconnection

wyłącznik *m elektr.* switch

wyłączność *f* exclusiveness

wyłączny *adj* exclusive

wyłogi *s pl* facings

wyłom *m* breach, break

wyłożyć *zob.* wykładać

wyłudzić *vt* trick (coś od kogoś sth out of sth)

wyłuskać *vt* husk, shell

wyłuszczyć *vt zob.* wyłuskać; *(przedstawić coś)* explain

wymagać *vt* require, exact

wymaganie *n* requirement

wymarcie *n* extinction

wymarły *adj* extinct

wymarsz *m* departure

wymaszerować *vi* march off

wymawiać *vt* pronounce; *(zarzucać)* reproach (komuś coś sb with sth); *(służbę, mieszkanie itp.)* give notice; ~ się *vr* decline (od czegoś sth)

wymazać *vt* efface, blot out

wymeldować *vt* announce departure; ~ się *vr* announce one's departure; *am. (w hotelu)* check out

wymiana *f* exchange

wymiar *m* dimension; measure; *(podatku)* assessment; *(sprawiedliwości)* administration

wymiatać *vt* sweep out

wymieni|ać *vt* change (coś na coś sth for sth), exchange (coś z kimś sth with sb); *(przytaczać)* mention; **wyżej ~ony** above-mentioned

wymienny *adj* exchangeable, exchange- (copy etc.); **handel ~** barter

wymierać *vi* die out, become extinct

wymierny *adj* measurable; *mat.* rational

wymierzać *vt* measure out; apportion; *(podatek)* assess; *(sprawiedliwość)* administer

wymię *n* udder

wymijać *vt* pass (kogoś by sb), cross; *(uchylać się)* elude, evade

wymijający *adj* evasive

wymiotować *vt* vomit

wymłócić *vt* tresh out

wymoczki *s pl zool.* infusoria

wymowa *f* (sposób wymawiania) pronunciation; *(krasomówstwo)* eloquence

wymowny *adj* eloquent; *(wiele znaczący)* expressive, significant

wymóc *vt* exort

wymówka *f* (zarzut) reproach; *(pretekst)* pretext, excuse

wymuszać *vt* extort

wymuszenie *n* extortion

wymuszony *adj* extorted; *(nienaturalny)* affected, constrained

wymykać się *vr* escape, elude (komuś, czemuś sb, sth)

wymysł *m* invention, fiction

wymyślać *vt* think out, invent; *vi* (lżyć) abuse, revile, *(łajać)* scold (komuś sb)

wymyślić *vt* think out, find out; *(np. fabułę)* frame

wymyślny *adj* (pomysłowy) inventive, ingenious; *(wyszukany)* refined, sophisticated

wynagradzać *vt* reward

wynagrodzenie *n* reward; *(zapłata)* payment, *(pensja)* salary

wynajdywać *vt* find out

wynajmować *vt* (coś komuś) let; *(od kogoś)* hire, rent

wynalazca *m* inventor

wynalazek *m* invention

wynaleźć *zob.* wynajdywać; *(wymyślić)* invent; discover

wynarodowić *vt* denationalize

wynarodowienie *n* denationalization

wynędzniały *adj* emaciated

wynędznieć *vi* become emaciated

wynieść *zob.* wynosić

wynik *m* result, issue; outcome;

sport score; **w** ~**u czegoś as a result of sth**
wynikać *vt* result, follow; arise
wyniosłość *f* elevation, height, eminence; *(zarozumiałość)* haughtiness
wyniosły *adj* lofty, high, eminent; *(zarozumiały)* haughty
wyniszczać *vt* destroy, exterminate, waste
wyniszczenie *n* destruction, extermination, waste
wynoś|ić *vt* carry out; *(podnosić)* elevate; raise; *f (wychwalać)* extol; *(o kosztach)* amount; koszty **wynoszą 1000 funtów** the expenses amount to £1,000; ~**ić pod niebiosa** extol to the skies; ~**ić się** *vr (wyjechać)* depart, *pot.* clear out; *(pysznić się)* elevate oneself
wynurzać *vt* bring to the surface; utter; reveal; ~ **się** *vr* emerge, come forth; *(zwierzać się)* unbosom oneself **(przed kimś to sb, z czymś** with regard to sth); disclose **(z czymś** sth; **przed kimś** to sb)
wynurzenie *n* emergence; *(myśli, uczuć)* effusion
wyobcować *vt* exclude
wyobraźnia *f* imagination
wyobrażać *vt* represent, figure; ~ **sobie** imagine, *pot.* figure out
wyobrażalny *adj* imaginable
wyobrażenie *n* idea, notion
wyodrębniać *vt (oddzielać)* separate; *(wydzielać, wyróżniać)* single out
wyodrębnienie *n (oddzielenie)* separation; *(wydzielenie, wyróżnienie)* singling out, distinction
wyolbrzymić *vt* magnify
wypaczyć *vt,* ~ **się** *vr* warp
wypad *m wojsk.* sally
wypad|ać *vi* fall out; *(nagle wybiegać)* rush out; turn out; *impers* ~**a** *(zdarza się)* it happens, it so falls out; *(godzi się)* it becomes; **ile na mnie** ~**a?** how

much is due to me?; **na jedno** ~**a** it comes to the same; **to ci nie** ~**a** this does not become you; **to dobrze** ~**ło** it turned out well; **to szczęśliwie** ~**ło** it has turned out fortunately; **to za drogo** ~**a** it costs too much
wypad|ek *m* case, event; *(nieszczęśliwy)* accident; **w każdym** ~**ku** in any event; **w żadnym** ~**ku** in no case
wypadkowa *f fiz. mat.* resultant
wypalać *vt* burn; *med.* cauterize; ~ **się** *vr* burn out ⟨down⟩
wypaplać *vt pot.* babble out
wypaść *zob.* **wypadać**
wypatrywać *vt* watch **(kogoś, czegoś** for sb, sth), look out **(kogoś, czegoś** for sb, sth)
wypełniać *vt* fill up; *(polecenie, rozkaz)* fill in; *(spełniać)* fulfil
wypełnienie *n* filling up; *(spełnienie)* fulfilment
wypędzać *vt* drive out, expel, turn out
wypić *vt* drink (off)
wypiek *m* baking; *(na twarzy)* flush
wypierać *vt* oust, push out; ~ **się** *vr* deny **(czegoś** sth)
wypis *m* extract
wypisywać *vt* write out, extract
wyplatać *vt* intertwine, interweave
wyplątać *vt* extricate; ~ **się** *vr* extricate oneself, become disentangled
wyplenić *vt* weed out
wypluć *vt* spit out
wypłacać *vt* pay out; *(gotówką)* pay down; *(np. robotnikom)* pay off
wypłacalność *f* solvency
wypłacalny *adj* solvent
wypłat|a *f* payment; *(np. robotnikom)* paying off; **dzień** ~**y** pay-day
wypłoszyć *vt* scare away
wypłowieć *vi* fade, discolour

wypłukać *vt* rinse, wash out

wypływ *m* outflow, issue

wypływać *vi* flow out; (*wypłynąć*) swim out; (*o statku*) sail out; (*na powierzchnię*) emerge; (*wynikać*) result, ensue

wypoczynek *m* rest

wypoczywać *vi* rest, take a rest

wypogadzać się *vr* clear up

wypominać *vi vt* reproach (*komuś coś* sb with sth)

wyporność *f mors.* displacement

wyposażenie *n* endowment; equipment

wyposażyć *vt* endow; equip

wypowiadać *vt* (*wygłaszać*) pronounce; (*pracę, mieszkanie*) give notice; (*wojnę*) declare; utter; speak; **wypowiedziano mu** (*pracę, mieszkanie*) **na miesiąc z góry** he was given a month's notice to quit

wypowiedzenie *n* pronouncement; (*wojny*) declaration; (*np. pracy, mieszkania*) notice; **dać** (*otrzymać*) **miesięczne** ~ give (get) a month's notice

wypożyczać *vt* lend out

wypożyczalnia *f* lending shop; ~ **książek** lending-library

wypracować *vt* elaborate, work out

wypracowanie *n* elaboration; (*szkolne*) composition

wyprać *vt* wash (off); launder

wypraszać *vt* obtain by entreaties; ~ **za drzwi** show the door

wyprawa *f* expedition; outfit, equipment; (*ślubna*) trousseau; (*skóry*) tanning

wyprawiać *vt* dispatch, send; (*skórę*) tan; ~ **się** *vr* (*wyruszać*) set out

wyprężać *vt* stretch out

wyprostować *vt* straighten

wyprowadza|ć *vt* lead out; (*wywodzić*) trace back (**od czegoś** to sth); ~ć **wniosek** draw a conclusion; ~ć **w pole** deceive; ~ć **z błędu** undeceive; **niejeden Amerykanin** ~ **swoje pochodzenie od**

polskich **przodków** many an A-merican traces his genealogy back to Polish ancestors; ~ć **się** *vr* move (into new quarters)

wypróbować *vt* test, try (out)

wypróbowany *adj* well-tried

wypróżniać *vt* empty

wyprysk *m* eczema

wyprzedawać *vt* sell out

wyprzedaż *f* clearance-sale, sale

wyprzedzać *vt* precede, come before; (*np. ubiegłe wypadki*) forestall; get ahead (**kogoś** of sb)

wyprzęgać *vt* unharness; ~ **konie z wozu** take the horses from the cart

wypukłość *f* convexity

wypukły *adj* convex

wypuścić *vt* let out (off), let go; ~ **na wolność** set free, set at liberty

wypychać *vt* oust, push out; (*wypełniać*) stuff

wypytywać *vt* question, examine

wyrabiać *vt* manufacture, make; form; (*uzyskiwać*) procure; ~ **się** *vr* improve, acquire skill, develop

wyrachowany *adj* scheming, calculating, cold-hearted

wyraz *m* word; expression

wyrazisty *adj* expressive

wyraźny *adj* distinct, marked, explicit

wyrażać *vt* express; ~ **się** *vr* express oneself

wyrażenie *n* expression

wyrąb *m* cutting; (*lasu*) clearing

wyrąbać *vt* cut out; (*las*) clear

wyręczać *vt* (*zastąpić*) replace; (*dopomóc*) succour, relieve, help out; ~ **się** *vr*, **on się zawsze kimś wyręcza** he always has sb do his work for him

wyrobnica *f* charwoman, day-labourer

wyrobnik *m* day-labourer

wyrocznia *f* oracle

wyrodny *adj* degenerate

wyrodzić się *vr* degenerate

wyrok *m* sentence, verdict; **wydać** ~ pass a sentence

wyrostek *m* outgrowth; (*starszy chłopak*) stripling; *anat.* ~ robaczkowy appendix

wyrozumiałość *f* indulgence

wyrozumiały *adj* indulgent

wyrozumować *vt* reason out

wyr|ób *m* manufacture, make, article; ~oby krajowe home-made articles; ~oby żelazne hardware

wyrównać *vt* equalize, level, make even; (*rachunek*) settle, pay; *handl.* balance

wyrównanie *n* equalization, levelling; (*rachunku*) settlement, payment; *handl.* balance

wyróżniać *vt* distinguish, mark out

wyrugować *vt* remove, dislodge

wyruszyć *vi* start, set out (**w drogę** on a journey)

wyrwa *f* breach, gap

wyrwać *vt* pull out, tear out, extract

wyrządzać *vt* do, make, administer; ~ **krzywdę** do wrong

wyrzec się *vr* renounce

wyrzeczenie *n* renouncement, renunciation

wyrzucać *vt* throw out, expel; (*zarzucać*) reproach (**komuś coś** sb with sth)

wyrzut *m* (*zarzut*) reproach; *med.* eruption; ~y sumienia pangs of conscience; robić ⟨czynić⟩ ~y reproach (**komuś z powodu czegoś** sb with sth)

wyrzutek *m* outcast

wyrzynać *vt* cut out, carve; (*mordować*) slaughter

wysadzić *vt* set out; (*podróżnych*) drop, set down; (**na ląd**) land, strand; (**w powietrze**) blow up

wyschnąć *vi* dry up, become dry; (*wychudnąć*) become lean

wysepka *f* islet

wysiadać *vi* get out ⟨off⟩

wysiedlać *vt* expel, remove

wysiedlenie *n* expulsion, removal

wysilać *vt* exert; ~ się *vr* exert oneself, make efforts

wysiłek *m* effort

wyskakiwać, wyskoczyć *vi* spring out, jump out

wyskok *m* jump; (*wypad*) sally

wyskrobać *vt* scratch out, erase

wyskubać *vt* pluck out, pull out

wysłać *vt* send, dispatch; *zob.* **wysyłać**

wysłaniec *m* messenger, envoy

wysławiać 1. *vt* (*wychwalać*) extol, glorify

wysławiać 2. *vt* express; ~ **się** *vr* express oneself

wysłowienie *n* expression; elocution

wysłuchać *vt* give ear, hear

wysługiwać się *vr* lackey (**komuś** sb)

wysłużyć *vt* serve; render services

wysmażony *adj* fried, well-done

wysmukły *adj* slender

wysnuwać *vt* spin out, unravel; (*wnioski*) draw, deduce

wysoki *adj* high; (*o wzroście*) tall

wysokogórski *adj* high-mountain *attr*

wysokoś|ć *f* highness, height, altitude; (*sumy*) amount; (*zapłata*) w ~ci ... (payment) to the amount of ...; stanąć na ~ci zadania rise to the occasion

wyspa *f* island

wyspać się *vr* get enough sleep

wyspiarski *adj* insular

wyspiarz *m* islander

wyssać *vt* suck out

wystarać się *vr* procure (**o coś** sth)

wystarczający *adj* sufficient

wystarczyć *vi* suffice, be enough

wystawa *f* exhibition; (*pokaz*) display, show; (*sklepowa*) shop-window

wystawać *vi* stand out, jut

wystawca *m* exhibitor; (*np. czeku*) drawer

wystawiać *vt* put out; (*pokazać*) exhibit; (**w oknie sklepowym**) display; (*narażać*) expose; (*sztukę*) stage; (*czek*) draw; (*budować*) erect

wystawność f splendour, pomp

wystawny adj pompous, ostentatious, showy

wystawow|y adj, okno ~e show-window

wystąpić vi step ⟨come⟩ forward, step out; (ukazać się) appear; (w sądzie) bring an action (accusation); (np. z organizacji) withdraw, retire; ~ w teatrze appear on the stage

występ m (coś wystającego) projection; (publiczne wystąpienie) appearance; gościnny ~ guest performance

występek m transgression; vice, depravity

występny adj transgressional; vicious, depraved

wystosować vt (np. pismo) address

wystraszyć vt frighten; ~ się vr take fright (czegoś at sth)

wystroić vt attire, dress up; ~ się vr dress oneself up

wystrzał m shot

wystrzegać się vr guard (czegoś against sth), avoid

wystrzelić vt vi fire, shoot

wysuszyć vt dry up

wysuwać vt move forward, push out; (np. szufladę) pull open; ~ się vr draw ahead, put oneself forward

wyswobodzenie n liberation, deliverance

wyswobodzić zob. oswobodzić

wysyłać vt forward; fiz. emit; zob. wysłać

wysypać vt pour out

wysypka f med. rash

wyszczególnienie n specification

wyszczerbić vt jąg

wyszukać vt find out; search out; (np. w słowniku) look up

wyszukany adj (wykwintny) choice, exquisite; (wymyślny) elaborate, sophisticated

wyszydzać vt deride

wyszynk m retail of alcoholic drinks; (miejsce) pot. pub, am. saloon

wyszywać vt embroider

wyścielać vt line, bolster up; (np. ściółkę) litter

wyścig m race; (ubieganie się o pierwszeństwo) competition, contest; ~i konne horse races ⟨racing⟩; ~ zbrojeń armament-race; przen. robić na ~i try to outdo (z kimś each other)

wyśledzić vt trace out, find out, discover

wyślizgnąć się vr slip out

wyśmiać vt deride

wyśmienity adj excellent, exquisite

wyświadczyć vt do, render

wyświetlać vt (np. sprawę) clear up; (film) project, screen

wytarty adj threadbare, worn-out

wytchnąć vi take breath ⟨rest⟩

wytchnienie n rest, repose

wytępić vt exterminate

wytępienie n extermination

wytężać vt strain

wytężenie n strain, exertion

wytężony adj intense, strained

wytknąć vt put out; (błąd) expose, point out

wytłaczać vt (wyciskać) squeeze out, extract; (drukować) imprint, impress; (nadawać kształt) emboss

wytłumaczyć vt explain; ~ się vr excuse oneself

wytoczyć vt roll out; (sprawę sądową) bring a law-suit (komuś against sb), sue; (płyn z beczki) tap off

wytrawny adj experienced, consummate; (o winie) dry

wytrącić vt push out, knock out; ~ kogoś z równowagi throw sb out of balance

wytropić vt track, trace, search out

wytrwać vi hold out

wytrwałość f perseverance, endurance

wytrwały adj enduring, persevering

wytrysk m spout, jet; ejaculation

wytryskać vt vi spout, jet

wytrząść vt shake out

wytrzebić vt exterminate; (las) clear

wytrzeszczyć vt, ~ **oczy** goggle

wytrzeźwić vt make sober, sober down

wytrzeźwieć vi become sober, sober down

wytrzymalę vt (znieść) stand, endure; vi (przetrzymać) hold out, last (out); **to nie ~ przez zimę** this will not last out the winter

wytrzymałość f endurance

wytrzymały adj resistant; durable; (zahartowany) enduring;. (o rzeczach) fast, lasting

wytrzymanilę n, **nie do ~a** unbearable, past all bearing

wytwarzać vt produce, manufacture; (tworzyć) form

wytworność f distinction, exquisiteness

wytworny adj distinguished, exquisite

wytwór m product; piece of work

wytwórczość f productivity, production

wytwórczy adj productive

wytwórnia f factory, plant, mill

wytyczać vt (granicę) delimit, delimitate; (linię) draw, trace

wytyczna f directive line

wytyczny adj directive

wytykać zob. **wytknąć**

wyuzdany adj unbridled, licentious

wywabiać vt lure out, coax away; (plamy) take out

wywalczyć vi fight out, obtain by fighting

wywalić vt pot. (np. drzwi) break open; (wyrzucić) shove out

wywar m decoction

wyważyć vt weigh; (np. drzwi) force, unhinge

wywdzięczyć się vr express thanks, return

wywiad m interview; polit. i wojsk. intelligence; wojsk. (zwiad) reconnaissance

wywiadywać się vr inquire (o kogoś, coś after sb, about sth)

wywiązać się vr acquit oneself (z czegoś of sth); (o chorobie, rozmowie) set in, develop

wywierać vt (np. wpływ) exert; (np. zemstę, złość) wreak

wywieść zob. **wywodzić; ~ w pole** deceive

wywietrzeć vi evaporate, volatilize

wywietrzyć vt air, ventilate

wywijać vi wave, flourish, brandish; ~ **się** vr elude

wywlekać vt drag out, draw out

wywłaszczać vt expropriate

wywłaszczenie n expropriation

wywnętrzać się vr unbosom oneself (przed kimś to sb, z czymś regarding sth)

wywnioskować vt infer, conclude

wywodzić vt (wyprowadzać) lead out; (np. pochodzenie) derive; (wywnioskować) infer, deduce; (dowodzić) argue; ~ **się** vr be derived, originate

wywołać zob. **wywoływać**

wywoływać vt call out (forth); (powodować) evoke, cause, bring about; fot. develop

wywozić vt carry out; export

wywód m deduction, inference

wywóz m removal, carrying out; export

wywracać vt overturn, upset; ~ **się** vr overturn; (o łodzi) capsize

wywyższać vt elevate, raise; extol

wywyższenie n elevation

wyzbyć się vr get rid (czegoś of sth); deprive oneself (czegoś of sth)

wyzdrowieć vi recover

wyzdrowienie n recovery

wyziew m exhalation

wyznaczać vt (mianować) appoint; (zaznaczać) mark out; (przydzielać) allot

wyznacznik m mat. determinant

wyznać zob. **wyznawać**

wyznanie n (przyznanie) avowal;

(religijne) denomination; *(wiary)* confession; *(miłości)* declaration

wyznawać *vt (przyznawać)* avow, confess; *(np. religię)* profess; *(miłość)* declare

wyznawca *m* confessor, believer

wyzuć *vt* deprive, bereave (**kogoś z czegoś** sb of sth)

wyzwać *vt* challenge, provoke, defy

wyzwalać *vt* liberate, free; emancipate

wyzwanie *n* challenge, defiance; **rzucić ~** throw down the gauntlet

wyzwolenie *n* liberation, deliverance

wyzwolić *vt* liberate, free; **~ się** *vr* free oneself; **~ się na czeladnika** qualify as a journeyman

wyzysk *m* exploitation

wyzyskiwacz *m* exploiter

wyzyskiwać *vt* exploit

wyzywać *zob.* **wyzwać**; *(przezywać)* call names (**kogoś** sb), abuse

wyzywający *adj* provocative

wyżebrać *vt* obtain by begging

wyżej *adv* higher; above

wyżeł *m* pointer

wyżłobić *vt* hollow out, groove

wyższość *f* superiority

wyższy *adj* higher; *(rangą itp.)* superior

wyżyć *vi* manage to live; **~ się** *vr* live a full life

wyżymaczka *f* wringer

wyżymać *vt* wring

wyżyna *f* upland

wyżywić *vt* feed, nourish; **~ się** *vr* make a living

wyżywienie *n* living, maintenace

wzajemność *f* mutuality, reciprocity

wzajemny *adj* mutual, reciprocal

w zamian *adv* in exchange, in return (**za coś** for sth)

wzbić się *vr* rise, soar up

wzbierać *vi* swell; rise

wzbogacać *vt* enrich; **~ się** *vr* become rich

wzbogacenie *n* enrichment

wzbraniać *vt* forbid; **~ się** *vr* refuse, decline (**przed czymś** sth)

wzbudzać *vt* excite, cause, inspire

wzbudzenie *n* excitement, inspiration; *fiz.* excitation

wzburzenie *n* stir, excitement

wzburzony *adj* stirred, troubled; *(o morzu)* rough

wzburzyć *vt* stir up, agitate, trouble

wzdąć *zob.* **wzdymać**

wzdłuż *praep* along; *adv* alongside, lengthwise

wzdrygać się *vr* shrink (**przed czymś** from sth)

wzdychać *vi* sigh (**za kimś, czymś** for sb, sth)

wzdymać *vt* inflate, puff up

wzgarda *f* contempt (**dla kogoś, czegoś** for sb, sth)

wzgardliwy *adj* contemptuous, scornful

wzgardzić *vt* despise, spurn

wzgląd *m* regard, respect; consideration; **pod ~ędem** with regard (**czegoś** to sth); **przez ~ąd** in regard (**na coś** of sth); **ze ~ędu** with regard (**na kogoś, na coś** to ⟨for⟩ sb, to ⟨for⟩ sth)

względność *f* relativity

względny *adj* relative; *(stosunkowy)* considerate, indulgent

wzgórek *m* hillock

wzgórze *n* hill

wziąć *vt* take; *zob.* **brać**; **~ do niewoli** take prisoner; **~ górę** get the upper hand; **~ za złe** take amiss; **~ się** *vr*, **~ się do pracy** set to work

wziewanie *n* inhalation

wziętość *f* popularity

wzięty *adj* popular, fashionable

wzlot *m* flight, ascent

wzmacniać *vt* strengthen, reinforce; intensify; *radio* amplify; **~ się** *vr* gather strength

wzmagać *vt* increase, intensify; **~ się** *vr* increase, grow more intense

wzmianka *f* mention (**o czymś** of sth)

wzmożenie *n* increase
wzmożony *adj* increased
wznak, na ~ *adv* on the back
wzniecić *vt* stir up, excite
wzniesienie *n* elevation
wznieść *zob.* wznosić
wzniosłość *f* sublimity; loftiness; (*wzniesienie*) elevation
wzniosły *adj* sublime; elevated, lofty
wznosić *vt* raise, lift, elevate, erect; ~ toast propose a toast; ~ się *vr* rise, ascend; *lotn.* climb
wznowić *vt* revive, renew; resume; (*np. książkę*) reprint
wznowienie *n* revival; resumption; (*np. książki*) reprint
wzorować *vt* pattern; (*modelować*) model; ~ się *vr* model oneself (*na kimś, czymś* on sb, sth); pattern (*według czegoś* after sth); follow the example
wzorow|y *adj* exemplary; model

~*attr*; ~a szkoła model school
wzorzec *m* pattern, standard
wzorzysty *adj* figured; ~ materiał fancy cloth
wzór *m* pattern, model; design; *mat.* formula
wzrastać *vi* grow up
wzrok *m* sight; (*spojrzenie*) look
wzrokowy *adj* optical; visual
wzrost *m* growth, development; (*cen, kosztów*) rise, increase; (*człowieka*) stature, height; człowiek średniego ~u man of medium height
wzruszać *vt* move, affect, touch; ~ się *vr* be moved, be affected
wzruszający *adj* moving, touching
wzruszenie *n* emotion, affection
wzwyż *adv* up, upwards
wzywać *vt* bid, order, call; (*np. lekarza do domu*) call in; (*urzędowo, np. do sądu*) summon; ~ pomocy call for help

Z

z, ze *praep* with; from, off, out of; through, by; of; razem z kimś together with sb; jeden z wielu one out of many; jedno z dzieci one of the children; zrobiony z drzewa made of wood; pić ze szklanki drink out of a glass; przychodzę ze szkoły I am coming from school; wyjść z domu leave home; zdjąć obraz ze ściany take the picture off the wall; zejść (zboczyć) z drogi go out of one's way; żyć z hazardu live by gambling; ze strachu for fear; z nieświadomości through ignorance; to uprzejmie z twojej strony it is kind of you; *adv* (*około*) about
za *praep* for; behind; after; by; in; on; biegać za kimś run after sb; mieć kogoś za nic have no regard

for sb; trzymać za rękę hold by the hand; wyjść za mąż get married; dzień za dniem day by day; za czasów at (in) the time; za dnia by day; za godzinę in an hour; za gotówkę for cash; za każdym krokiem at each step; za miastem outside the town; za pokwitowaniem on receipt; za ścianą behind the wall; za zapłatą on payment; co to za człowiek? what (kind of) man is he?; co to za książki? what (kind of) books are these?
zabarwienie *n* hue, stain, dye
zabawa *f* amusement, entertainment, play; fun; ~ taneczna dance
zabawiać *vt* amuse; ~ się *vr* amuse oneself, have some fun
zabawka *f* toy, plaything

zabawny *adj* amusing, funny

zabezpieczenie *n* guarantee, security, protection; providing (kogoś for sb); placing in safety (czegoś sth)

zabezpiecz|yć *vt* safeguard, secure, place in safety; guarantee; ~yć rodzinę provide for one's family; ~yć się *vr* assure oneself, secure oneself, take measures of precaution; być ~onym be provided for; be placed in safety

zabić zob. zabijać

zabieg *m* measure, resource, endeavour; (lekarski) intervention; czynić ~i take measures; take pains

zabiegać *vi* strive (o coś for sth); make great endeavours (o coś towards sth); ~ komuś drogę cross sb's path

zabierać *vt* take, take off ⟨away⟩; ~ dużo czasu take much time; ~ głos begin to speak; ~ się *vr* get off, clear out; set ⟨do czegoś about sth⟩; ~ się do roboty set to work

zabijać *vt* kill; (np. beczkę) bung; (gwoździami) fix, provide with nails

zabliźnić się *vr* cicatrize, close up

zabłądzić *vi* go astray, lose one's way

zabłocić *vt* splash ⟨cover⟩ with mud; soil, make dirty

zabobon *m* superstition

zabobonny *adj* superstitious

zabol|eć *vi* begin to ache; *przen.* to mnie ~ało this has hurt me

zaborca *m* conqueror, invader

zaborczy *adj* rapacious; predatory; grasping; invasive

zabójca *m* killer, homicide, murderer

zabójczy *adj* murderous, killing, homicidal; destructive

zabójstwo *n* manslaughter, murder

zabór *m* conquest, occupation, annexation; annexed territory

zabrak|nąć *vi* fall short, run short (czegoś of sth); ~ło nam benzyny we ran short of petrol

zabrania|ć *vt* forbid, prohibit, interdict; ~ się pod karą... it is forbidden on ⟨under⟩ penalty ⟨on pain⟩ of...

zabudowa|ć *vt* cover with buildings, build upon; close a passage with brick and mortar; plac został ~ny the plot has been built upon

zabudowani|e *n* building; *pl* ~a premises

zaburzenie *n* disorder, trouble

zabytek *m* monument, relic

zachcianka *f* fancy, caprice

zachęcać *vt* encourage

zachęta *f* encouragement

zachłanność *f* greed

zachłanny *adj* greedy

zachłysnąć się *vr* be choked

zachmurz|yć *vt* cloud; ~yć się *vr* cloud, be covered with clouds; become gloomy; ~one czoło frown

zachodni *adj* western, west

zachodzić *vi* arrive; (o wypadku) happen, occur; (o słońcu) set; (o kwestii) arise; ~ do kogoś call on sb; ~ komuś drogę cross sb's path

zachorować *vi* fall ill, be taken ill (na coś of, with sth)

zachowanie (się) *n* behaviour, conduct

zachowawczy *adj* conservative

zachowywać *vt* preserve, keep; ~ ciszę keep silent; ~ ostrożność be on one's guard, be cautious; ~ pozory keep up appearances; ~ obyczaje observe customs; ~ się *vr* behave, deport oneself, bear oneself

zachód *m* west; (trud) pains *pl*, endeavour; ~ słońca sunset; na ~ west of

zachrypnąć *vi* get ⟨grow⟩ hoarse

zachrypnięty *adj* hoarse

zachwalać *vt* praise

zachwiać *vt* shake, cause to tremble; ~ się *vr* shake, be shaken, reel

zachwycać *vt* charm, enchant, fascinate; ~ się *vr* be charmed, be enraptured (czymś with sth), rave (czymś about sth)

zachwyt m enchantment, rapture

zaciąg m wojsk. enrollment, recruitment

zaciąg|ać vt (do wojska) enroll, recruit; (ciągnąć) draw, drag; ~ać długg contract ⟨incur⟩ a debt; ~nąć się vr enlist, join up; ~ać się papierosem inhale the smoke

zaciekawić vt intrigue, puzzle, arouse curiosity, pique

zaciekły adj embittered; rapid; (o wrogu) sworn

zaciemnić vt obscure, eclipse; (np. okna) black out

zaciemnienie n obscurity; (przeciwlotnicze) black-out

zacierać vt efface, obliterate

zacieśnić vt tighten up

zacięty adj obstinate, stubborn

zacinać vt notch, slit, cut; ~ się vr (w mowie) hesitate, falter; (o zamku, maszynie itp.) jam, get jammed

zaciskać vt press together, compress, tighten up; ~ pięść clench one's fist; przen. ~ pasa tighten one's belt

zacisze n retreat, solitude

zacny adj honest, good

zacofanie n backwardness

zacofany adj backward, reactionary, rusty; ~ gospodarczo underdeveloped

zaczadzenie n asphyxia, suffocation

zaczadzieć vi become asphyxiated

zaczaić się vr lie in ambush; ~ na kogoś lay an ambush for sb

zaczarować vt enchant, bewitch

zacząć zob. zaczynać

zaczepiać vt hook on; (podejść do kogoś) accost; (napaść) attack

zaczepk|a f attack; szukać ~i pick a quarrel

zaczepn|y adj aggressive; przymierze ~o-odporne offensive and defensive alliance

zaczerwienić vt redden, make red; ~ się vr redden, (zarumienić się) blush

zaczyn m ferment

zaczynać vt vi begin, start, commence; ~ się vr begin, start, commence

zaćmić vt obscure, eclipse

zaćmienie n eclipse

zada|ć vt give, put; (o zadaniu do opracowania) set a task; ~ć cios deal a blow; ~ć pytanie put a question; ~ć sobie trud take the trouble; ~ne lekcje home lessons; mamy dużo ~ne we have many home lessons to do

zadanie n task; dać ~ set a task

zadatek m earnest, advance payment

zadatkować vt pay in earnest

zadawać zob. zadać; ~ się vr associate (z kimś with sb)

zadłużony adj (deeply) in debt; indebted

zadłużyć się vr get into debt

zadośćuczynić vi give satisfaction, do justice; ~ prośbie comply with the request

zadowalający adj satisfactory

zadowolenie n satisfaction, contentment; ~ z samego siebie self-complacency

zadowolić vt satisfy, gratify; ~ się vr content oneself

zadowolony adj satisfied, content(ed)

zadrapać vt scratch open, make sore with scratching

zadrasnąć vt scratch open; przen. hurt

zadrażnienie n irritation

zadrzewiać vt afforest

zadrzewienie n afforestation

zaduch m stifling air

zaduma f meditation, day-dream

zadusić vt stifle, choke, smother

Zaduszki s pl All Souls' Day

zadymka f snow-drift

zadyszany adj breathless

zadzierać vt vi lift ⟨pull⟩ up; tear open, rend; pot. ~ nosa give oneself great airs; ~ z kimś seek a quarrel with sb

zadziwiać vt astonish, amaze

zadzwonić *vi* ring; ~ **do kogoś** ring sb up

zagadka *f* riddle, puzzle

zagadkowy *adj* puzzling, enigmatic

zagadnąć *vt* address

zagadnienie *n* question, problem

zagaić *vt* (*np. posiedzenie*) open

zagajnik *m* grove

zagarniać *vt* take, capture

zagęszczać *vt* condense, compress

zagiąć *vt* bend, turn down

zaginąć *vi* go ⟨be⟩ lost

zaginiony *adj* lost

zaglądać *vi* peep; look up (**do książki** the book); call (**do kogoś** on sb)

zagłada *f* extinction, extermination

zagłębić *vt* plunge, sink; ~ **się** *vr* plunge, dive, sink; ~ **się w studiach** be engaged in study

zagłębie *n* basin; ~ **naftowe** oil-field; ~ **węglowe** coal-basin, coal-field

zagłębienie *n* hollow, cavity

zagłodzić *vt* famish

zagłuszać *vt* deafen, stun; (*audycję*) jam

zagmatwać *vt* entangle

zagmatwanie *n* entanglement

zagniewany *adj* angry (**na kogoś** with sb)

zagnieździć się *vr* nestle; *przen.* get a footing

zagorzały *adj* zealous, hot-headed

zagotować *vt* boil up; ~ **się** *vr* boil up

zagrabić *vt* seize, appropriate by force

zagranica *f* countries abroad, foreign countries

zagraniczny *adj* foreign

zagrażać *vt* threaten, menace

zagroda *f* farm-house, cottage

zagrodzić *vt* enclose

zagrożenie *n* menace, threat; **stan** ~**a** state of emergency

zagrożony *adj* menaced

zagrzebać *vt* hide in the ground; bury; ~ **się** *vr* (*o zwierzętach,*

np. o krecie) burrow; *przen.* ~ **się w książkach** be buried in the books

zagrzewać *vt* warm up; *przen.* (*np. do boju*) rouse, inflame

zagwoździć *vt* nail up, peg, spike

zahamowanie *n* check, stoppage

zahartowany *adj* inured (**na coś** to sth)

zaimek *m gram.* pronoun

zainteresowanie *n* interest

zaintonować *vt* strike up (a tune)

zaiste *adv* truly, forsooth

zajadły *adj* fanatical, furious

zajaśnieć *vi* begin to shine

zajazd *m inn*; (*najazd*) foray

zając *m* hare

zająć *zob.* zajmować; ~ **się czymś** set about doing sth; ~ **się od ognia** catch fire

zajechać *vi* put up (**do gospody** at an inn); drive up

zajęcie *n* occupation, business, activities; (*np. mienia*) seizure, arrest

zajmować *vt* occupy, take possession (**coś of** sth); (*stanowisko*) fill; ~ **się** *vr* occupy oneself (**czymś** with sth), be engaged (**czymś** in sth)

zajście *n* incident

zajść *zob.* zachodzić; ~ **w ciążę** become pregnant

zakamieniały *adj* obdurate

zakatarzony *adj* having a cold

zakaz *m* prohibition

zakazić *vt* infect

zakazywać *vt* forbid, prohibit (**czegoś** sth)

zakaźny *adj* infectious, contagious

zakażenie *n* infection

zakąsić *vt vi* have a snack

zakąska *f* snack

zakątek *m* corner, nook

zaklęcie *n* spell; conjuration

zaklinać *vt* conjure, charm; (*błagać*) conjure

zakład *m* (*instytucja*) establishment, institute, institution; (*założenie się*) bet; ~ **drukarski** printing office; ~ **krawiecki** tailor's shop; ~ **przemysłowy** industrial plant; ~ **ubezpieczeń** insurance company; **iść o** ~ make a bet

zakłada|ć vt establish, found, institute; *(np. okulary)* put on; *(ręce)* cross; *(fundament)* lay; vi *(logicznie)* presume, assume; **~ć się** vr bet, make a bet, stake; **~m się z tobą o 5 funtów** I bet you 5 pounds

zakładka f tuck, fold, *(w książce)* bookmark

zakładnik m hostage

zakłopotanie n embarrassment, uneasiness

zakłócać vt trouble, disturb

zakłócenie n trouble, disturbance; ~ **porządku** disorder

zakochać się vr fall in love (**w kimś** with sb)

zakochany adj in love, enamoured

zakomunikować vt communicate

zakon m order

zakonnica f nun

zakonnik m monk

zakontraktować vt contract (**coś** for sth), arrange by contract; *mors. (statek)* charter

zakończenie n conclusion, end(ing); **na** ~ to end with, at the end

zakopać vt bury

zakorkować vt cork up

zakorzenić się vr strike root; *przen.* become deeply rooted

zakorzeniony adj deep-rooted, inveterate

zakradać się vr steel, creep

zakres m range, sphere, domain, scope

zakreślić vt *(koło)* circumscribe, *(np. plan)* outline; *(zaznaczyć ołówkiem)* mark

zakręci|ć vt turn, twist, screw up; ~ **się** vr turn round, wheel about; ~**ło mi się w głowie** I'm feeling dizzy

zakręt m turning, bend

zakryć vt cover

zakrwawić vt stain with blood

zakrzątnąć się vr bestir oneself, bustle about; *pot.* buckle (**koło czegoś** to sth)

zakrzyczeć vt shout down; ~ **kogoś** storm at sb

zakrzywić vt crook, curve, bend

zakuć vt, ~ **w kajdany** (en)chain, put in chains

zakup m purchase

zakuty adj *(w kajdany)* enchained; *pot. (o łbie)* thick-skulled, dull-witted

zakwitnąć vi (begin to) blossom

zalążek m germ, embryo

zalecać vt recommend, commend; ~ **się** vr court (**do kogoś** sb), woo (**do kogoś** sb); make love (**do kogoś** to sb)

zalecenie n recommendation

zaledwie adv scarcely, hardly, merely

zalegać vi be behind, be in arrears (**z czymś** with sth); *(o pieniądzach)* remain unpaid

zaległość f arrears pl

zaległy adj outstanding

zalepić vt glue over

zalesienie n afforestation

zaleta f virtue, advantage

zalew m inundation, flood; *(zatoka)* fresh-water bay

zalewać vt pour over; *(o powodzi)* inundate, flood

zależ|eć vi depend (**od kogoś** on sb); ~**y mi na tym** · I am anxious about it; **nie** ~**y mi na tym** it does not matter to me; I don't care for it; **to** ~**y** it depends; **to** ~**y od ciebie** it depends on you; it's up to you

zależność f dependence

zależny adj dependent (**od czegoś** on sth)

zaliczać vt reckon, advance, pay in advance; *(szeregować)* classify, class; *(np. semestr)* attest; *(wliczać)* include

zaliczenie n inclusion; attestation; *handl.* **za** ~**m** cash on delivery

zaliczk|a f earnest; **tytułem** ~**i** in earnest

zalotnik m wooer, suitor

zaloty s pl courtship, wooing

zaludniać vt populate

zaludnienie n population

załadować vt load, charge

załagodzenie n mitigation, softening, appeasement

załagodzić vt allay, mitigate, compose, appease

załamać vt break down; (ręce) wring; ~ się vr break down

załamanie n break-down, collapse; fiz. refraction

załatwiać vt settle, arrange; (interesy) transact; ~ sprawunki shop; go ⟨do⟩ shopping; ~ się vr manage (z czymś sth); ~ się szybko make short work (z czymś of sth)

załatwienie n settlement, arrangement; (interesów) transaction

załącz|ać vt enclose (do czegoś with sth); (dołączać) annex (do czegoś to sth); w ~eniu do... enclosed with...

załącznik m enclosure; (dodatek) annex

załoga f crew, wojsk. garrison

założenie n foundation; (przesłanka) presumption, premise; assumption, principle

założyciel m founder

założyć zob. zakładać

zamach m stroke; attempt (na życie on life); ~ stanu coup d'etat; za jednym ~em at one stroke

zamachowiec m assassin

zamarły adj dead

zamarzły [-r-z-] adj frozen

zamarznąć [-r-z-] vi freeze up, get frozen up

zamaskować vt mask, camouflage

zamaszysty adj vigorous, brisk

zamawiać vt (np. towar) order; (rezerwować) reserve (sobie for oneself)

zamazać vt efface, smear over

zamącić vt disturb, trouble

zamążpójście n marriage

zamek m (budowla) castle; (u drzwi) lock; ~ błyskawiczny zip-fastener, zipper

zameldować vt report, register; ~ się vr report oneself, register, am. (w hotelu) check in

zamęt m confusion, disturbance

zamężna adj married

zamglony adj hazy, foggy, misty; (szkło, oczy) cloudy

zamiana f exchange, change (na coś for sth)

zamiar m purpose, aim, design, intention; mieć ~ intend, mean

zamiast praep instead of

zamiatać vt sweep

zamieć f (śnieżna) snow-drift

zamienić vt change, exchange (coś na coś sth for sth)

zamienny adj exchangeable; (zapasowy) reserve, spare

zamierać vi die off, expire

zamierzać vt intend, mean, be going; ~ się vr raise one's hand to strike

zamierzchły adj remote, old, immemorial

zamieszać vt stir ⟨mix⟩ up

zamieszanie n confusion

zamieszczać vt place, put; (w prasie) insert, have printed

zamieszkać vi take lodgings; put up; reside

zamieszkały adj resident, living, domiciled

zamieszkani|e n, miejsce ~a dwelling-place, abode, domicile

zamieszkiwać vi live; vt inhabit

zamilknąć vi become silent

zamiłowanie n predilection, love, liking (do czegoś for sth)

zamiłowany adj passionately fond (w czymś of sth)

zamknąć vt close, shut, (na klucz) lock; (w czterech ścianach) shut in, lock in, lock up

zamknięcie n closing device; lock; fastener, (pomieszczenie) seclusion, (zakończenie) close, closing; (ulicy) blocking

zamoczyć vt wet, soak

zamorski adj oversea

zamożność f prosperity, wealth

zamożny adj well-to-do, wealthy

zamówić zob. zamawiać

zamówienie n order

zamrażać vt freeze, refrigerate

zamroczenie *n* stupefaction, numbness

zamroczyć *vt* benumb, stupefy

zamsz *m* chamois-leather

zamulić *vt* fill with mud

zamurować *vt* wall up

zamydlić *vt* soap; *przen.* ~ komuś oczy throw dust in sb's eyes

zamykać *zob.* zamknąć

zamysł *m* design

zamyślenie *n* meditation

zamyślić *vt* design; ~ się *vr* be lost in thoughts

zamyślony *adj* lost in thoughts

zanadto *adv* too, too much, too many

zaniechać *vt* give up

zanieczyszczenie *n* soiling, pollution, impurity

zanieczyścić *vt* soil, foul, pollute

zaniedbanie *n* neglect, negligence

zaniedbywać *vt* neglect; (*np. okazję*) miss

zaniemóc *vi* become ill

zaniemówić *vi* become dumb

zaniepokoić *vt* alarm, make uneasy

zaniepokojenie *n* alarm, anxiety, uneasiness

zanieść *vt* carry; (*prośbę*) address

zanik *m* disappearance, loss, decay, atrophy

zanikać *vi* disappear, decline, dwindle

zanikły *adj* lost, decayed, atrophic

zanim *conj* before, by the time

zanocować *vi* stay for the night

zanosiłć *zob.* zanieść; ~ się na deszcz it is going to rain

zanotować *vt vi* make a note (**coś** of sth), note, put down

zanurzyć *vt* plunge, (*np. pióro*) dip; ~ się *vr* plunge

zaoczn|y *adj*, studia ~e extramural ⟨non-resident⟩ studies; wyrok ~y judgement by default

zaognić *vt* inflame

zaokrąglić *vt* round off

zaopatrywać *vt* provide, supply (**w coś** with sth), store; protect (**okna na zimę** the windows for the winter); (**na przyszłość**) provide (**kogoś** for sb)

zaopatrzenie *n* (*wyposażenie*) equipment; (*aprowizacja*) provision, maintenance; ~ w środki żywności victualling

zaopatrzony *adj* provided for

zaorać *vt* plough over

zaostrzyć *vt* sharpen, whet; (*sytuację*) aggravate

zaoszczędzić *vt* economize, save

zapach *m* smell, odour

zapadać *vi* sink, fall in; (*o nocy*) set in; (*o wyroku*) be pronounced, be passed; ~ na zdrowiu fall ill; ~ się *vr* fall in, sink, decay

zapadł|y *adj* sunken; ~a wieś out-of-the-way village

zapakować *vt* pack up

zapalczywość *f* impetuosity, vehemence

zapalczywy *adj* impetuous, vehement

zapalenie *n* ignition; (*światła*) lighting; *med.* inflammation; *med.* ~ otrzewnej peritonitis; ~ płuc pneumonia

zapaleniec *m* fanatic, enthusiast

zapalić *vt* (*światło*) light; (*podpalić*) set on fire; ~ ogień make fire; ~ się *vr* catch fire; *przen.* become enthusiastic (**do czegoś** about sth)

zapalniczka *f* (cigarette-)lighter

zapalny *adj* inflammable

zapał *m* ardour, enthusiasm

zapałka *f* match

zapamiętać *vt* retain in memory, note, memorize

zapamiętałość *f* frenzy, fury

zapamiętały *adj* frantic, furious

zapanowa|ć *vi* become prevalent; (*pokonać*) overmaster; (*nastać*) set in; ~ć nad sobą master oneself; ~ła piękna pogoda a fine weather has set in

zaparzenie *n* infusion

zaparzyć *vt* infuse

zapas *m* stock, store, reserve; ~ do ołówka refill; *pl* ~y supplies

zapasowy adj reserve, spare

zapasy s pl sport contest, wrestling-match

zapaśnik m wrestler, prize-fighter

zapatrywać się vr fix one's eyes (w coś on sth); be of opinion (na coś about sth)

zapatrywanie n view, opinion

zapełnić vt fill up

zapewne adv surely, certainly

zapewnić vt assure; (zabezpieczyć) secure

zapewnienie n assurance

zapiąć zob. **zapinać**

zapieczętować vt seal up

zapierać się vr deny (czegoś sth)

zapinać vt button up, buckle

zapis m (wpis) registration; (testament) legacy, bequest; (np. w grze) note, mark

zapisać vt write down, note; (lekarstwo) prescribe; ~ w testamencie bequeath; vr ~ się na uniwersytet matriculate at a university, enter a university; ~ się na wykłady subscribe to a course of lectures

zapity adj sottish

zaplątać vt entangle

zapłacić vt pay

zapłakany adj in tears

zapłata f payment

zapłodnić vt fructify, (kobietę) impregnate

zapłodnienie n fructification, impregnation

zapłon m ignition

zapłonąć vi flare up

zapobiegać vi guard (czemuś against sth), prevent, obviate (czemuś sth)

zapobieganie n prevention

zapobiegawczy adj preventive

zapobiegliwy adj industrious; provident

zapoczątkować vt inaugurate, start

zapodziać vt misplace, lose

zapominać vt forget; ~ się vr forget oneself

zapomnienie n oblivion

zapomoga f aid, subsidy

zapora f (przeszkoda) obstacle; (zagrodzenie) bar; ~ **wodna** barrage; (water) dam

zaporowy adj barrage; wojsk. ogień ~ barrage, curtain-fire

zapotrzebować vt demand, require

zapotrzebowanie n demand, requirement

zapowiadać vt announce

zapowiedź f announcement; (przedślubna) banns pl

zapoznać vt acquaint; ~ się vr get acquainted

zapoznanie n acquaintance

zapożyczyć się vr contract a debt, get into debt

zapracować vt earn

zapracowany adj earned; (przemęczony) overworked

zapragnąć vt become desirous (czegoś of sth)

zapraszać vt invite

zaprawa f (np. potrawy) seasoning; (murarska) mortar; (sportowa) training

zaprawiać się vr train (do czegoś for sth)

zaprawić vt season

zaprosić zob. **zapraszać**

zaproszenie n invitation

zaprowadzić vt lead, conduct; ~ nową modę start a new fashion; ~ nowe porządki establish a new order of things; ~ zwyczaj introduce a custom

zaprowiantowanie n provisioning; zbiór. provisions pl

zaprzeczać vi deny (czemuś sth)

zaprzeczenie n denial

zaprzeć się zob. **zapierać się**

zaprzepaścić vt lose, dissipate, waste

zaprzestać vi desist (czegoś from sth), discontinue, stop

zaprzęg m team, harness

zaprzęgać vt put (do wozu to the cart)

zaprzyjaźnić się vr make friends

zaprzyjaźniony adj friendly, intimate

zaprzysiąc vt swear, confirm by oath

zaprzysiężenie n (kogoś) swearing--in; (czegoś) confirmation by oath

zapusty s pl carnival

zapuszczać vt let in, throw in; (brodę) grow; (zaniedbywać) neglect; ~ się vr plunge, penetrate

zapychać vt stuff, cram

zapyt|ać, zapyt|ywać vt ask; ~ać, ~ywać się vr question

zapytani|e n question; znak ~a question-mark

zarabiać vt earn, gain; ~ na życie earn one's bread ⟨one's living⟩

zaradczy adj preventive; środek ~ preventive ⟨means⟩

zaradny adj resourceful

zaraz adv at once, directly

zaraza f infection, pestilence

zarazek m bacillus, virus

zarazem adv at the same time, at once

zarazić vt infect; ~ się vr become infected

zaraźliwy adj infectious, contagious

zarażać zob. zarazić

zarażenie n infection

zardzewieć vi rust

zaręczyć się vr become engaged ⟨to be married⟩

zaręczyny s pl betrothal

zarobek m gain, earning

zarobkować vi earn by working

zarodek m germ, embryo

zaroić się vr begin to swarm

zarosły adj overgrown

zarosnąć vi overgrow

zarost m hair, beard

zarośla s pl thicket

zarozumialec m presumptuous fellow

zarozumiałość f self-conceitedness

zarozumiały adj presumptuous, self-conceited, bumptious

zarówno adv, ~ jak as well as

zarumienić się vr redden, become red; (np. ze wstydu) blush

zarys m outline, sketch, draft

zarysować się vr become delineated; (pojawiać się) become visible

zarząd m administration, management; ~ główny board, council

zarządca m administrator, manager

zarządzać vt administer, manage (czymś sth)

zarządzenie n disposition, order

zarządzić vt order

zarzewie n embers pl; (głownia) firebrand

zarzucać vt (zaniechać) give up; (coś na siebie) put on; reproach (coś komuś sb with sth); (zasypywać) pelt; (pytaniami) molest; (towarem) flood; vi (o aucie) skid

zarzut m reproach, objection; bez ~u faultless; czynić ~y raise objections (komuś to sb)

zasad|a f principle, maxim; chem. alkali, base; z ~y as a rule

zasadniczy adj fundamental, cardinal

zasadzka f ambush

zasądzić vt (skazać) sentence; (sądownie przyznać) adjudge

zasępić vt depress; ~ się vr become gloomy

zasępiony adj gloomy, mournful

zasiadać vi sit down, take a seat, sit; ~ do roboty set to work

zasiew m sowing; seed-corn

zasięg m (np. ramienia) reach; (zakres) domain, scope, sphere; wojsk. (np. ognia) range

zasięgać vt (czyjejś rady) consult sb; ~ informacji inquire

zasilać vt reinforce; (np. pieniędzmi) support

zasiłek m subsidy; ~ chorobowy sick benefit

zaskarbić vt (sobie) gain

zaskarżyć vt accuse, bring an action

zasklepić vt vault; ~ się vr med. cicatrize; przen. shut oneself in

zaskoczenie n surprise

zaskoczyć vt surprise

zaskórny adj (o wodzie) subterranean

zasłabnąć vi become ill

zasłaniać zob. zasłonić

zasłona f cover, veil, screen, blind, shelter

zasłonić vt (zakryć) cover, veil, cloak, (osłonić) screen, shelter

zasługa f merit; **położyć ~i deserve well** (dla kraju of the country)

zasługiwać vi deserve, merit (na coś sth)

zasłużon|y adj well-deserved; **~a kara** well-deserved punishment; **~y człowiek** man of merit

zasłużyć vi deserve, merit (na coś sth); **~ się** vr render service, make a contribution

zasłynąć vi become famous

zasmucić vt make sad, sadden; **~ się** vr become sad, sadden

zasnąć vi fall asleep

zasobny adj wealthy, well-to-do; well stocked

zasób m store, stock; supply; **~oby pieniężne** pecuniary resources; **~oby żywnościowe** provisions; **~ób wyrazów** vocabulary; stock of words (vocabulary)

zaspa f (piasku) dune, (śnieżna) snow-drift

zaspać vi oversleep

zaspokoić vt satisfy; (głód, ciekawość) appease; (pragnienie) quench

zaspokojenie n satisfaction

zastać vt find

zastanawiać vt make think; **~ się** vr reflect (nad czymś on sth)

zastanowienie n reflection

zastarzały adj inveterate

zastaw m pawn, pledge; **dać w ~** put in pawn

zastawa f (zapora) barrage; (stołowa) table-service

zastawić vt bar, block; (stół) serve; (w lombardzie) pawn, pledge

zastąpić vt replace; (drogę) bar

zastęp m host

zastępca m substitute, representative, proxy, deputy

zastępczo adv in sb's place, temporarily

zastępczy adj substitutional

zastępować zob. **zastąpić**

zastępstwo n replacement, substitution, (np. handlowe) representation

zastosować vt apply, adapt; **~ się** vr comply (do czegoś with sth), conform (do czegoś to sth)

zastosowanie n adaptation, application

zastój m stagnation

zastraszyć vt intimidate, frighten

zastrzegać vt reserve; **~ się** vr stipulate (, że that)

zastrzelić vt shoot dead

zastrzeżenie n reservation, provision, restriction

zastrzyk m injection; **~ domięśniowy** (dożylny, podskórny) intramuscular (intravenous, hypodermic) injection

zastrzyknąć vt inject

zastygnąć vi (zakrzepnąć) congeal

zasunąć vt shove, push

zasuszyć vt dry up

zasuwa f bar, bolt

zasypać vt cover, fill up; (obsypać) strew; przen. (towarami) flood

zasypiać vi drop off, fall asleep; zob. **zaspać**

zaszczepiać vt graft; med. inoculate

zaszczycać vt honour

zaszczyt m honour; **przynosić ~ do** credit (komuś sb)

zaszczytny adj honourable

zaszkodzić vi injure, prejudice, do harm

zasznurować vt lace, tie

zasztyletować vt stab

zaszyć vt sew up; **~ się** vr hide oneself, shut oneself in

zaś conj but

zaślepienie n blindness, przen. infatuation

zaślubić vt marry

zaśmiecić vt make dirty, muck

zaświadczenie n certificate, attestation

zaświadczyć vt certify, attest

zaświecić *vt* light, make light; *vi* begin to shine

zaświtać *vt* dawn; **~ła mu myśl** the idea dawned upon ⟨on⟩ him

zataczać *vt* roll; (*koło*) trace, describe; **~ się** *vr* reel, tumble, stagger

zataić *vt* conceal

zatamować *vt* stop

zatarasować *vt* block, barricade

zatarg *m* conflict; **popaść w ~ to** get into conflict

zatem *conj* then, therefore, and, accordingly

zatęchły *adj* musty

zatęsknić *vi* (begin to) pine ⟨long⟩ (**za kimś** for sb)

zatkać *vt* stop; (*szpary*) calk

zatłuścić *vt* grease

zatoka *f* bay, creek

zatonąć *vi* sink

zatopić *vt* sink, drown

zatracenie *n* ruin, perdition

zatracić *vt* lose, waste; **~ się** *vr* be lost

zatroskać się *vr* become anxious (**o coś** about sth)

zatrucie *n* poisoning

zatruć *vt* poison

zatrudniać *vt* employ; (*zajmować pracą*) keep busy

zatrudnienie *n* employment; (*zajęcie*) occupation

zatrwożyć *vt* alarm, frighten; **~ się** *vr* become alarmed

zatrzask *m* thumb-lock; (*do drzwi*) safety-lock; (*do ubrania*) (snap)-fastener

zatrzasnąć *vt* slam

zatrzymać *vt* stop; (*nie oddać*) retain, keep; (*przetrzymać, aresztować*) detain; **~ się** *vr* stop, remain

zatwardzenie *n med.* constipation

zatwierdzenie *n* confirmation; ratification

zatwierdzić *vt* confirm, sanction; ratify

zatyczka *f* plug

zatykać *zob.* zatkać

zaufać *vi* confide (**komuś** in sb)

zaufanie *n* confidence, credence; **godny ~a** trustworthy; **darzyć ~em** put trust (**kogoś** in sb); **cieszyć się wielkim ~em** be in a position of great trust; **w ~u** confidentially; **wotum ~a** *zob.* wotum

zaufany *adj* reliable; (*poufały*) intimate

zaułek *m* backstreet; *przen.* ślepy **~** blind alley

zausznik *m* sycophant

zauważyć *vt* notice; (*napomknąć*) remark; **dający się ~** perceptible

zawada *f* hindrance, obstacle

zawadiaka *m* brawler, bully

zawadzać *vi* (*przeszkadzać*) hinder, impede

zawalić *vt* stop, obstruct; **~ się** *vr* collapse, break down

zawał *m med.* heart failure

zawartość *f* capacity, contents *pl*

zawarty *pp i adj* contained, closed

zaważyć *vi* weigh

zawczasu *adv* in good time

zawdzięczać *vt* be indebted

zawezwać *vt* call, summon

zawiadamiać *vt* inform, let know; (*urzędowo*) advise

zawiadomienie *n* information, advice, announcement

zawiadowca *m*, **~ stacji** station-master

zawiasa *f* hinge

zawiązać *vt* tie(up), bind; *zob.* nawiązać

zawiązek *m* germ, bud

zawieja *f* turmoil, storm, (*śnieżna*) snowdrift

zawierać, zawrzeć *vt* (*mieścić w sobie*) contain, include; (*znajomość*) make; (*małżeństwo*) contract; (*pokój*) conclude

zawierucha *zob.* zawieja

zawiesić *vt* hang up; (*w obowiązkach*) suspend; (*wypłatę*) stop; (*odroczyć*) adjourn

zawieszenie *n* suspension; **~ broni** armistice

zawieść zob. **zawodzić**
zawieźć zob. **zawozić**
zawijać vt vi wrap up; ~ **do portu** enter a harbour
zawikłać vt entangle, complicate
zawikłanie n entanglement, complication
zawiły adj intricate
zawiniątko n bundle
zawinić vi be guilty (w **czymś** of sth); on w tym nie ~ł this is no fault of his; w **czym** on ~ł? what wrong has he done?
zawisły adj dependent (od **czegoś** on sth)
zawistny adj invidious, envious
zawiść f envy, invidiousness
zawitać vi call (do **kogoś** on sb)
zawlec vt drag
zawładnąć vi come into possession, take possession (**czymś** of sth)
zawodnik m competitor
zawodny adj deceptive, delusive; untrustworthy, unreliable
zawodowiec m professional
zawodowy adj professional
zawody s pl competition, contest; games pl
zawodzić vt vi (prowadzić) conduct, lead; (rozczarować) disillusion, disappoint, deceive; (nie udać się) fail; (rzewnie śpiewać) sing plaintively, harp; ~ **się** vr be deceived ⟨disillusioned⟩
zawojować vt conquer
zawołać vt call
zawołanie n call, appeal; (hasło) watch-word; na ~ at call, at any time
zawozić vt carry, convey
zawód m occupation, profession; (rozczarowanie) disappointment, disillusion, deception; **zrobić** ~ disappoint, disillusion
zawracać vi turn back; vt ~ **komuś głowę** bother sb
zawrócić zob. **zawracać**
zawrót m (głowy) dizziness
zawrzeć zob. **zawierać**
zawstydzić vt put to shame, make feel ashamed; ~ **się** vr feel ashamed

zawsze adv always, ever; na ~ for ever; raz na ~ once for all
zawziąć się vr become hot, be bent (na **coś** upon sth), persist (na **coś** in sth)
zawziętość f persistence
zawzięty adj persistent; ~ na **coś** keen on sth, crazy about sth
zazdrosny adj jealous (o **kogoś**, o **coś** of sb, sth)
zazdrościć vi envy (**komuś czegoś** sb sth)
zazdrość f jealousy, envy
zazębiać się vr overlap (o **coś** sth)
zazębienie n overlapping
zaziębić się vr catch cold
zaziębienie n cold
zaznaczyć vt mark; (podkreślić, wspomnieć) remark
zaznać vt experience
zaznajomić vt make acquainted; ~**ć się** vr become acquainted (z **kimś** with sb); make the acquaintance (z **kimś** of sb); ~**łem się z nim** I have made his acquaintance
zazwyczaj adv usually
zażalenie n complaint; **wnieść** ~ lodge a complaint
zażarty adj furious
zażądać vt demand, require
zażegnać vt ward off, prevent
zażyłość f intimacy
zażyły adj intimate
zażywać vt enjoy; (lekarstwo) take
ząb m tooth; ~ **mądrości** wisdom-tooth; ~ **mleczny** milk-tooth; ~ **trzonowy** molar; **ból zębów** tooth-ache
ząbkować vi teethe
ząbkomierz m filat. perforation-gauge
ząbkowany adj notched; filat. perforate
zbaczać vi deviate
zbankrutować vi become a bankrupt
zbankrutowany adj bankrupt
zbawca, zbawiciel m saviour
zbawiać vt save, redeem

zbawienie *n* salvation

zbawienny *adj* salutary

zbędność *f* superfluity

zbędny *adj* superfluous

zbić *vt* beat up ⟨down⟩; compact; nail together; (*stłuc*) break; (*np. twierdzenie*) refute

zbiec *vi* run away ⟨down⟩

zbieg *m* fugitive, escaped prisoner, escapee; (*zbieżność*) coincidence, concurrence, confluence; ~ okoliczności coincidence

zbiegać *vi* run away, run down; ~ się *vr* come hurriedly together; (*kurczyć się*) shrink; (*o liniach*) converge; (*o wypadkach*) coincide, concur

zbiegły *adj* run-away, fugitive

zbiegowisko *n* concourse, throng

zbieracz *m* collector

zbierać *vt* collect, gather, hoard; (*np. owoce*) pick; (*np. płyn gąbką*) sop; ~ się *vr* gather, assemble

zbieżność *f* convergence

zbieżny *adj* convergent

zbijać *vt* nail together; compact; (*np. argument*) refute; ~ pieniądze hoard money

zbiornik *m* reservoir, receptacle

zbiorowisko *n* gathering, crowd

zbiorowy *adj* collective

zbiór *m* collection; (*zboża*) harvest, crop

zbiórk|a *f* rally, assembly; (*pieniężna*) collection; miejsce ~i rallying-point

zbir *m* ruffian

zbity *adj* beaten; (*zwarty*) compact

zblednąć *vi* turn pale; (*o barwie*) fade away

z bliska *adv* from near, closely

zbliżać *vt* bring near; ~ się *vr* approach (do kogoś sb), come ⟨draw⟩ near, near

zbliżenie *n* approach; (*w filmie*) close-up

zbliżony *adj* approximate; related; (*podobny*) similar

zbłądzić *vi* err; (*zabłąkać się*) lose one's way

zbłąkany *adj* erring, stray

zbocze *n* slope

zboczenie *n* deviation; (*psychiczne*) aberration

zbolały *adj* aching

zborny *adj*, punkt ~ rallying-point

zboże *n* corn, grain

zbój *m* highwayman, brigand

zbór *m* Protestant church

zbroczony *pp i adj*, ~ krwią blood-stained

zbrodnia *f* crime; ~ stanu high treason

zbrodniarz *m* criminal

zbrodniczy *adj* criminal

zbroić *vt* arm; ~ się *vr* arm

zbroja *f* armour

zbroje|nie *n* (*zw. pl* ~nia) armament; wyścig ~ń armaments race

zbrojn|y *adj* armed; siły ~e armed forces

zbrojony *adj* (*np. beton*) armoured

zbrojownia *f* arsenal, armoury

zbryzgać *vt* besprinkle

zbrzyd|nąć *vi* become ugly; (*stać się wstrętnym*) become repulsive; to mi ~ło I am disgusted with it

zbudzić *vt* wake (up), awaken, rouse; ~ się *vr* wake (up), awaken

zburzenie *n* destruction, demolition

zburzyć *vt* destroy, demolish; (*o budynku, rozebrać*) pull down

zbutwiały *adj* mouldy

zbutwieć *vi* moulder

zbyć *vt* zob. zbywać; ~ pięknymi słówkami put off with fair words

zbyt *adv* too, too much; ~ wiele too much; *sm* sale

zbyteczny *adj* superfluous

zbytek *m* luxury

zbytkowny *adj* luxurious

zbytnio *adv* excessively

zbywa|ć *vt* sell, dispose (coś of sth); (*brakować*) lack; na niczym mi nie ~ i don't lack anything

z dala *adv* from afar

zdalnie *adv* from afar; ~ kierowany telecommanded; *(o pocisku)* guided

zdanie n opinion, view; *gram.* sentence; ~ **główne** ⟨**podrzędne**⟩ main ⟨subordinate⟩ sentence; **moim** ~**m** in my opinion

zdarzać się *vr* happen, occur

zdarzenie n occurence, event, incident, happening

zdatny *adj* fit, suitable, apt

zdawać *vt* render, give over; *(egzamin)* pass; ~ **się** *vr (wydawać się)* appear, seem; surrender (np. na los to the fate); rely (na kogoś upon sb)

zdawkowy *adj* commonplace; ~ **pieniądz** small coin, silver and copper

zdążyć *vt* come in time; ~ **coś zrobić** succeed in making sth in time

zdechły *adj* dead

zdecydować *vt vi* decide; ~ **się** *vr* decide

zdejmować *vt* take off, remove; *fot.* take a picture (kogoś, coś of sb, sth); strach go zdjął he was seized by fear; zdjęty podziwem struck with amazement

zdenerwowany *adj* nervous, excited, flurried

zderzak m buffer; *(u samochodu)* bumper

zderzenie n crash, collision

zderzyć się *vr* crash, collide

zdesperowany *adj* desperate

zdjąć zob. **zdejmować**

zdjęcie n taking away ⟨off⟩; *fot.* photograph, *(migawkowe)* snap; *med.* ~ **rentgenowskie** radiograph

zdmuchnąć *vt* blow off

zdobić *vt* decorate, adorn

zdobniczy *adj* decorative

zdobycz *f* booty

zdobywać *vt* conquer

zdobywca m conqueror

zdolność *f* ability, capacity

zdolny *adj* able, capable, clever

zdołać *vi* be able

zdrada *f* treason, treachery, infidelity

zdradliwy *adj* treacherous

zdradzać *vt* betray

zdradziecki *adj* treacherous, perfidious

zdrajca m traitor

zdrapywać *vt* scratch off

zdrętwiały *adj* rigid, numb, torpid; *(z zimna)* numb with cold; ~**a ręka** numb hand

zdrętwieć *vi* stiffen, become torpid

zdrętwienie n torpor, numbness

zdrobniały *adj* diminutive

zdrojowisko n watering-place, spa

zdrowie n health; **wznieść czyjeś** ~ drink sb's health

zdrowotny *adj* salubrious, sanitary

zdrowy *adj* healthy, sound; *(służący zdrowiu)* wholesome; ~ **rozum** common sense

zdrożny *adj* perverse, vicious

zdrój m spring, well

zdrów *adj* healthy; **bądź** ~! good-bye!; **cały i** ~ **safe** and sound

zdruzgotać *vt* smash, shatter

zdrzemnąć się *vr* have a nap

zdumienie n astonishment

zdumiewać się *vr* be astonished (czymś at sth)

zdumiony *adj* amazed, astonished (czymś at sth)

zdun m stove-maker

zdusić zob. **zadusić**

zdwoić *vt* double

zdychać *vi* die

zdyszany *adj* breathless

zdyszeć się *vr* pant for breath

zdziałać *vt* perform, accomplish

zdziczeć *vi* become savage

zdziecinniały *adj* dotardly; ~ **człowiek** dotard

zdziecinnienie n dotage

zdzierać *vt* tear away; *(skórę)* skin; *(np. odzież)* tear, wear out; *przen.* overcharge, extort

zdzierstwo n *pot.* overcharge

zdziwić *vt* astonish; ~ **się** *vr* be astonished (czymś at sth)

zdziwienie n astonishment

zginąć

ze *praep* zob. z

zebra *f* zebra

zebrać zob. zbierać

zebranie *n* meeting, assembly

zecer *m druk.* compositor

zechcieć *vi* become willing; czy ~iałbyś to zrobić? would you like to do this?

zegar *m* clock; ~ słoneczny sun-dial

zegarek *m* watch

zegarmistrz *m* watch-maker

zejście *n* descent; (ze świata) decease

zejść *vi* descend, go down; (ze świata) decease; ~ się *vr* meet

zelować *vt* sole

zelówka *f* sole

zelżeć *vi* slacken, relent

zemdleć *vi* faint away, swoon, pass out

zemdlenie *n* fainting, swoon

zemdlony *adj* faint, unconscious

zemst|a *f* revenge; przez ~ę out of revenge

zepchnąć *vt* push down

zepsucie *n* damage; corruption; depravation

zepsuć *vt* spoil, corrupt; deprave; ~ się *vr* spoil, be spoiled; be corrupted, be depraved

zepsuty *adj* (uszkodzony) damaged; (zgniły) rotten; *przen.* depraved, corrupted

zerkać *vi* look askance, cast furtive glances, gaze with twinkling eyes (na kogoś at sb)

zero *n* zero, nought

zerwać zob. zrywać

zerwanie *n* rupture

zeskoczyć *vi* leap down

zeskrobać *vt* scrape off

zesłać *vt* send down; (wygnać) deport

zesłanie *n* deportation

zespolenie *n* amalgamation, union

zespolić *vt*, ~ się *vr* amalgamate, unite

zespołow|y *adj* team-, collective; praca ~a team-work

zespół *m* group, body, team

zestarzeć się *vr* grow old

zestawiać *vt* compare, confront, put together, combine; (np. bilans) draw up

zestawienie *n* comparison, combination; computation

zestrzelić *vt* shoot down

zeszłoroczny *adj* last year's

zeszpecenie *n* disfiguration, deformation

zeszpecić *vt* disfigure, deform

zeszyt *m* copy-book

ześlizgnąć się *vr* glide down

zetknąć zob. stykać

zetknięcie *n* contact

zetrzeć *vt* zob. ścierać; ~ kurz dust; ~ na miazgę crush; ~ na proch grind to dust

zew *m* call

zewnątrz *adv praep* outside, outward; z ~ from outside; na ~ outside

zewnętrzny *adj* outside, outward, exterior

zewsząd *adv* from everywhere, on every side

zez *m* squint

zeznanie *n* deposition, declaration

zeznawać *vt* depose, declare, give evidence

zezować *vi* squint

zezwalać *vi* allow, permit

zezwolenie *n* permission, consent

zębat|y *adj* indented, toothed; kolej ~a cog-wheel railway; koło ~e cog-wheel

zębowy *adj* dental

zgadywać *vt* guess

zgadzać się *vr* consent, agree (na coś to sth); harmonize

zgaga *f* heartburn

zgarnąć *vt* rake together

zgęszczać *vt*, ~ się *vr* thicken, condense

zgęszczenie *n* condensation

zgiełk *m* bustle, tumult

zgięcie *n* bend, turn

zginać *vt* bend, turn, bow; ~ się *vr* bend, bow

zginąć *vi* be killed; (przepaść) be lost; perish; (zapodziać się) get lost

zgliszcza s pl cinders

zgładzić vt kill, exterminate

zgłaszać vt announce, declare, report; offer, present; ~ **się** vr come forward, present oneself

zgłębiać vt sound, probe, fathom

zgłodniały adj starving

zgłosić zob. **zgłaszać**

zgłoska f syllable

zgłoszenie n announcement, declaration, report, presentation; ~ **się** vr appearance

zgłupieć vi become silly

zgnić vi rot, decay

zgnieść vt crush, squash

zgnilizna f putrefaction, corruption, decay; (moralna) depravity, moral debasement

zgniły adj rotten, putrid; (moralnie) depraved

zgo|da f consent (na coś to sth); (zgodność) harmony, concord; **w ~dzie** in agreement; **za ~dą** with the consent; **~da!** agreed!

zgodnie adv according (np. **z planem** to the plan), in conformity, in compliance (np. **z rozkazem** with the order); (jednomyślnie) unanimously

zgodność f conformity, compliance, (jednomyślność) unanimity

zgodny adj (skłonny do zgody) compliant; conformable (np. **z tekstem** to the text); (jednomyślny) unanimous

zgon m decease

zgorszenie n offence, scandal

zgorszyć vt offend, scandalize, give offence

zgorzel f med. gangrene

zgorzkniały adj sour, rancid; przen. embittered, sullen

zgotować vt (przygotować) prepare

z góry adv beforehand, in advance

zgrabność f dexterity, skill

zgrabny adj dexterous, skillful; (dorodny) well-shaped

zgraja f gang

zgromadzenie n gathering, assembly

zgromadzić vt gather, assemble; ~ **się** vr gather, assemble

zgroza f horror

z grubsza adv roughly, in the rough

zgruchotać vt smash

zgryziony adj grieved

zgryzota f grief

zgryźć vt gnaw through; (moralnie) grieve, worry

zgryźliwy adj sarcastic

zgrzać się vr grow warm, get heated

zgrzebło n horse-comb

zgrzybiały adj decrepit

zgrzyt m creak

zgrzytać vi creak, grate; (zębami) gnash

zgub|a f loss; (klęska) perdition; **doprowadzić do ~y** bring to ruin

zgubić vt lose; ruin; ~ **się** vr go ⟨get⟩ lost

zgubny adj pernicious, ruinous

ziać vi exhale

ziarnisty adj granular

ziarnko n grain, granule

ziarno n grain, corn; (np. **w owocu**) kernel

ziele n herb, weed

zielenić się vr grow green

zieleniec m grass-plot

zieleń f greenness, green colour, (np. drzew) verdure

zielnik m herbarium

zielony adj green

ziemia f (kula ziemska) earth; (gleba) soil; (ląd) land, ground

ziemianin m country gentleman

ziemianka f dug-out; (kobieta) lady of the manor

ziemiaństwo n landed gentry

ziemiopłody s pl agricultural products

ziemniak m potato

ziemsk|i adj earthy, terrestrial; **kula ~a** terrestial globe; **skorupa ~a** the crust of the earth; **właściciel ~i** landowner

ziewać vi yawn

zięba f zool. finch

ziębić vt make cold, refrigerate

ziębnąć vt become cold

zięć *m* son-in-law

zima *f* winter

zimno *adv* coldly; jest ~ it is cold; jest mi ~ I am cold; *s n* cold

zimn|y *adj* cold, frigid; z ~ą krwią in cold blood

zimorodek *m* zool. kingfisher

zimować *vi* pass the winter

zioło *n* herb

ziomek *m* fellow-countryman

ziścić *vt* fulfill

zjadać *vt* eat; *przen.* (*niszczyć*) ruin

zjadliwy *adj* sarcastic; *med.* virulent

zjawa *f* phantom, apparition

zjawić się *vr* appear

zjawisko *n* phenomenon, vision

zjazd *m* (*zebranie*) congress, meeting, (*zlot, zbiórka*) rally; (*w dół*) descent

zjechać *vi* go down, descend; ~ z drogi make way; ~ się *vr* come together, assemble, meet

zjednać *vt* gain; ~ sobie win the favour (kogoś of sb)

zjednoczenie *n* unification, union

zjednoczony *adj* unified, joint, amalgamated; **Organizacja Narodów Zjednoczonych** United Nations Organization

zjednoczyć *vt* unify, unite

zjełczały *adj* rancid

zjeść *vt* eat up

zjeżdżać *zob.* zjechać

zlatywać *vi* fly down, rush down, come down; ~ się *vr* fly together, assemble

zlecać *vt* commission, charge (komuś coś sb with sth)

zlecenie *n* commission, order; *handl.* ~ wypłaty order of payment

z lekka *adv* lightly, softly

zlepek *m* conglomerate

zlepiać *vt*, ~ się *vr* stick together

zlew *m* sink

zlewać *vt* pour off; mix; ~ się *vr* flow together, join

zlewisko *n* geogr. watershed

zlewka *f* chem. beaker

zliczyć *vt* count, add up, compute

zlodowaciały *adj* glaciated

zlodowacieć *vi* turn into ice

zlot *m* rally; (*np. harcerski*) jamboree

złagodnieć *vi* soften, become mild

złagodzenie *n* softening, mitigation

złamać *vt* break; ~ się *vr* break, be broken; *zob.* łamać

złamanie *n* (*kości*) fracture; (*zobowiązania*) breach

złazić *vi* come (climb) down

złącze *n* techn. joint, connector

złączenie *n* junction, unification

złączyć *vt* join, unite, connect; ~ się *vr* join (z kimś sb); unite

złe *n* evil; brać za ~ take amiss; nic ~go no harm

zło *n* evil

złocić *vt* gild

złoczyńca *m* malefactor, evil-doer

złodziej *m* thief, (*kieszonkowy*) pick-pocket

złodziejstwo *n* larceny, theft

złom *m* scrap-iron, waste stuff

złorzeczenie *n* malediction, curse

złorzeczyć *vi* curse (komuś sb)

złościć *vt* irritate, make angry; ~ się *vr* be angry (na kogoś with sb, na coś at sth), be irritated ⟨vexed⟩ (na kogoś, coś at ⟨with⟩ sb, sth)

złość *f* spite, anger; na ~ just to spite (komuś sb)

złośliwość *f* malice

złośliw|y *adj* malicious, spiteful; *med.* ~a anemia pernicious anaemia; nowotwór ~y malignant tumour

złośnik *m* irritable person

złotnik *m* goldsmith

złoto *n* gold

złoty 1. *adj* gold, *przen.* golden; ~ wiek golden age

złoty 2. *m* (*jednostka monetarna*) zloty

złowieszczy *adj* ominous, sinister

złowrogi *adj* ill-omened

złoże *n* stratum; geol. bed

złożenie *n* deposition; (*przysięgi*) taking

złożony adj folded; (skomplikowany) complicated, complex, compound; ~ chorobą bedridden

złożyć vt fold; (np. pieniądze) deposit; (przysięgę) take; (z urzędu) dismiss; (urząd) resign; (wizytę) pay; zob. składać

złuda f illusion

złudny adj illusory, deceptive

złudzenie n illusion

zły adj evil, bad, ill, wicked; (zagniewany) angry (na kogoś with sb); złe czasy hard times

zmagać się vr struggle

zmaganie n struggle

zmaleć vi grow smaller, diminish, decrease

zmanierowany adj mannered, affected

zmarły adj i sm deceased

zmarnować vt waste; ~ się vr get wasted

zmarszczka f wrinkle, crease

zmarszczyć vt, ~ się vr wrinkle (up), crease

zmartwić vt worry, grieve, afflict; ~ się vr become grieved (czymś at sth)

zmartwienie n worry, grief, affliction

zmartwychwstać vi rise from the dead

zmartwychwstanie n Resurrection

zmarznąć [-r-z-] vi be frozen

zmawiać się vr collude, conspire

zmaza f blemish, stain

zmazać vt efface

zmądrzeć vi become wise

zmęczenie n weariness, fatigue

zmęczony adj tired, weary

zmęczyć vt tire, fatigue; ~ się vr be ⟨get⟩ tired

zmiana f change, alteration; (kolejność pracy) shift, turn; na ~ę in turn, alternately, for a change

zmiatać vt sweep

zmiażdżyć vt crush

zmieniać vt change, alter; ~ się vr change

zmienna f mat. variable; ~ niezależna ⟨zależna⟩ independent ⟨dependent⟩ variable

zmienność f mutability, changeability

zmienny adj mutable, changeable, variable

zmierzać vi aim, drive (do czegoś at sth)

zmierzyć vt measure

zmierzch m dusk, twilight

zmierzchać się vr grow dusky

zmieszać vt mix up; (skonfundować) confound, perplex, disconcert; ~ się vr become mixed up; (speszyć się) become confused, be disconcerted, be put out of countenance

zmieszanie n mixing up; (speszenie) confusion

zmieścić vt put, accomodate, place; ~ się vr find room enough

zmiękczyć vt soften, mollify

zmięknąć vi soften, become soft

zmiłować się vr have mercy, take pity (nad kimś on sb)

zmniejszenie n diminution, decrease, reduction

zmniejszyć vt diminish, reduce; ~ się vr diminish, decrease, dwindle

zmoczyć vt moisten, wet, soak

zmoknąć vi get wet, be soaked, pot. get a soaking

zmora f nightmare

zmordować vt tire out; ~ się vr become tired out

zmorzy|ć vt, sen mnie ~ł I was overcome with sleep

zmotoryzowany adj motorized

zmowa f collusion, conspiracy

zmóc vt overcome, overpower

zmówić vt (modlitwę) say; ~ się vr zob. zmawiać się

zmrok m dusk, twilight

zmurszały adj mouldy

zmurszeć vi moulder

zmuszać vt force, compel

zmykać vi bolt, scamper off

zmylić vt mislead, hoodwink

zmysł m sense; być przy zdrowych ~ach be in one's right senses

zmysłowość f sensuality

zmysłowy *adj* sensual

zmyślać *vt* invent

zmyślenie *n* invention, fiction

zmyślony *adj* fictitious, invented

znachor *m* medicine-man

znaczący *adj* significant

znaczek *m* sign, mark; *(pocztowy)* (postage-)stamp

znaczenie *n* significance, meaning, importance

znacznie *adv* considerably, far

znaczny *adj* considerable, notable

znaczony *adj* labelled, marked

znaczyć *vt vi* mark; mean, signify; be of importance

znać *vt* know; ~ kogoś z nazwiska ⟨z widzenia⟩ know sb by name ⟨by sight⟩; dać komuś ~ let sb know; nie chcę go ~ I want to have nothing to do with him; nie dać o sobie ~ send no news; ~ się *vr* be acquainted (z kimś with sb); be familiar (na czymś with sth), *pot.* be well up (na czymś in sth); nie ~ się be ignorant (na czymś of sth)

znajd|ować *vt* find; ~ować się *vr* be (found); gdzie on się ~uje? where is he?; where can he be found?

znajomość *f* acquaintance; zawrzeć ~ make acquaintance

znajomy *m* acquaintance; *adj* known

znak *m* sign, mark, token; signal; ~ fabryczny trade mark; ~i drogowe road signs; ~ tożsamości earmark; ~ wodny watermark; ~ zapytania interrogation ⟨question⟩ mark, query; zły ~ ill omen; na ~ in token (czegoś of sth)

znakomitość *f* excellence, celebrity

znakomity *adj* excellent, exquisite

znalazca *m* finder

znalezienie *n* finding, discovery

znaleźć *vt* find, *(odkryć)* discover; ~ się *vr* be found, find oneself; know how to behave

znaleźne *n* finder's reward

znamienny *adj* characteristic

znamię *n* sign, stigma; *przen.* *(piętno)* impress

znamionować *vt* characterize

znany *adj* known; celebrated

znarowić *vt* spoil; *(konia)* make restive

znarowiony *adj* spoilt, *(o koniu)* restive

znawca *m* expert (czegoś in sth)

znawstwo *n* thorough knowledge

znęcać się *vr* torment, harass (nad kimś sb)

znękany *adj* depressed, worn out

zniechęcać *vt* discourage; ~ się *vr* be discouraged

zniechęcenie *n* discouragement

zniecierpliwić *vt* put out of patience; ~ się *vr* lose patience; grow impatient

zniecierpliwienie *n* impatience

znieczulający *adj,* środek ~ anaesthetic

znieczulenie *n* insensibility, *med.* anaesthesia

znieczulić *vt* make insensible, *med.* anaesthetize

zniedołężnieć *vi* become decrepit

zniekształcić *vt* disfigure, deform

znienacka *adv* all of a sudden

znienawidzić *vt* come to hate

znienawidzony *adj* hated, odious

znieprawić *vt* deprave, pervert

zniesienie *n* *(usunięcie)* abolition; *(unieważnienie)* annulment; nie do ~a intolerable, unbearable

zniesławić *vt* defame

zniesławienie *n* defamation

znieść *vt* zob. znosić

zniewaga *f* insult

znieważać *vt* insult

zniewieściałość *f* effeminacy

zniewieściały *adj* effeminate, womanish

zniewolenie *n* constraint; violation; *(kobiety)* rape

zniewolić *vt* constrain; violate

znikać *vi* vanish, disappear

znikąd *adv* from nowhere

znikomy *adj* transient; *(nieznaczny)* inconspicuous

zniszczeć *vi* decay, be ruined

zniszczenie *n* destruction, ruin

zniszczyć *vt* destroy, ruin

zniweczyć *vt* annihilate, destroy, thwart

zniżać *vt* lower, (*cenę*) reduce; ~ się *vr* go down, lower, be lowered

zniżka *f* reduction; (*giełdowa*) slump

zniżony *adj*, po ~ch cenach at reduced prices

znojny *adj* toilsome

znosić *vt* carry down; bring together, (*usuwać*) abolish; (*odzież, buty*) wear; (*unieważniać*) annul, abolish; (*ścierpieć*) suffer, endure, stand; (*jaja*) lay; ~ się *vr* (*o ubraniu, obuwiu*) wear; be worn out; (*utrzymywać stosunki*) have intercourse ⟨contacts⟩

znośny *adj* tolerable

znowu *adv* again

znój *m* toil

znudzenie *n* boredom

znudzi|ć *vt* bore, weary; ~ć się *vr* become bored, be fed up (*czymś* with sth); to mi się ~ło I am fed up with it

znużenie *n* weariness

znużyć *vt* fatigue, weary; ~ się *vr* grow weary, become tired

zobaczeni|e *n* seeing; do ~a! good-bye!

zobaczyć *vt* catch sight (*coś of* sth), see; ~ się *vr* see (*z kimś* sb)

zobojętnić *vt* neutralize

zobojętnieć *vi* become indifferent

zobowiązanie *n* obligation, pledge; podjąć ~ enter into an obligation; wziąć na siebie ~ undertake an obligation

zobowiązywać *vt* oblige, bind; ~ się *vr* bind ⟨pledge⟩ oneself

zodiak *m*, znaki ~u zodiac signs

zoolog *m* zoologist

zoologia *f* zoology

zoologiczny *adj* zoological

zorza *f* aurora, morning-dawn, morning star; ~ północna ⟨polarna⟩ aurora borealis

z osobna *adv* separately; wszyscy razem i każdy ~ jointly and severally

zosta|ć *vi* remain; (*stać się*) become; dom ~ł zburzony the house was destroyed

zostawiać *vt* leave

zrastać się *vr* grow together, coalesce

zrazić *vt* zob. zrażać

zrazu *adv* at first

zrażać *vt* discourage; ~ się *vr* become discouraged; become prejudiced (*do kogoś* against sb)

zrąb *m* frame

zreszta *adv* besides, else, moreover, after all

zręczność *f* dexterity, skill

zręczny *adj* dexterous, skilful

zrobi|ć *vt* make, do, perform; ~ć się *vr* become, grow, get; ~ło mi się niedobrze I felt sick; ~ło się zimno it grew cold; ~ła się wiosna spring came

zrosnąć się *vr* zob. zrastać się

zrozpaczony *adj* desperate

zrozumiały *adj* comprehensible, intelligible

zrozumieć *vt* understand, comprehend

zrozumienie *n* understanding, comprehension

zrównać *vt* even, level, equalize

zrównanie *n* levelling, equalization

zrównoważyć *vt* balance

zrywać *vt* tear off; (*np. kwiaty*) pick, pluck; (*stosunki*) break off; *vi* break (*z kimś* with sb); ~ się *vr* start up; (*ze snu*) get up with a start; (*o wietrze*) rise

zrządzi|ć *vt* cause, ordain; los ~ł the fate has ordained

zrzeczenie się *n* renunciation, resignation

zrzekać się *vr* renounce, resign (*czegoś* sth)

zrzeszać *vt*, ~ się *vr* associate, combine

zrzeszenie *n* association, combination

zrzęda *m*, *f* pot. grumbler

zrzędzić *vi* grumble (na coś at sth)

zrzucać *vt* throw off ⟨down⟩, drop

zrzut *m* drop(ping)

zsiadać *vi* dismount, descend; ~ się *vr* (o mleku) curdle

zsiadły *adj* (o mleku) curdled

zstępować *vi* descend

zszyć *vt* sew together

zszywka *f* (do papieru) (paper-) fastener

zubożały *adj* impoverished

zubożeć *vi* become poor

zuch *m* brave fellow, pot. dare--devil; (w harcerstwie) wolf-cub

zuchwalstwo *n* arrogance; (śmiałość) audacity

zuchwały *adj* arrogant, overbearing

zupa *f* soup

zupełny *adj* complete, entire

zużycie *n* (spożycie) consumption; (zniszczenie) waste, wear

zużyć *vt* consume; use (up); ~ się *vr* be used up, be worn out

zużytkować *vt* utilize

zużyty *adj* used up, worn out, (o maszynie) broken-down

zwać *vt* call; ~ć się *vr* be called; tak ~ny so-called

zwada *f* squabble

zwalczyć *vt* combat, overpower, overcome

zwalić *vt* throw down; (np. dom) pull down; ~ winę na kogoś put all the blame on sb; ~ się *vr* tumble down, collapse

zwalniać zob. zwolnić

zwapnienie *n* calcification

zwariować *vi* go mad

zwariowany *adj* mad, crazy (na punkcie czegoś about sth)

zwarty *adj* close, compact

zwarzyć *vt* boil; damage, nip (by frost); (o mleku) curdle, turn; ~ się *vr* (o mleku) curdle, turn

zważać *vi* mind (na coś sth), (uwzględniać) pay attention (na coś to sth)

zważyć *vt* weigh; przen. (rozważyć) consider

zwątpić *vi* doubt, feel a doubt (w coś about sth)

zwątpienie *n* doubt, uncertainty

zwędzić *vt* pot. (ukraść) snaffle, pinch

zwęglić *vt* char; chem. carbonize; ~ się *vr* char, become carbonized

zwęzić *vt* narrow

zwiać *vr* zob. zwiewać

zwiady *s pl* reconnaissance

zwiastować *vt* announce

zwiastun *m* harbinger

związać zob. zawiązać

związ|ek *m* union, bond, alliance, conjunction; connection; chem. compound; ~ek zawodowy trade union; w ~ku z... in connection with...

związkow|y *adj* allied; Union attr; republika ~a Union republic

zwichnąć *vt* sprain, dislocate

zwichnięcie *n* sprain, dislocation

zwiedzać *vt* see, visit, frequent

zwierciadło *n* looking-glass, mirror

zwierzać się *vr* open one's heart (komuś to sb)

zwierzchni *adj* upper, superior

zwierzchnictwo *n* superiority, supremacy

zwierzchnik *m* superior, principal, pot. boss

zwierzenie *n* confidence

zwierzę *n* animal, (dzikie) beast; (domowe) domestic animal

zwierzęcy *adj* animal; brutal; świat ~ animal kingdom

zwierzyna *f* zbior. game

zwierzyniec *m* zoo

zwietrzały *adj* decomposed, (o skałach) weathered

zwietrzeć *vi* decompose, evaporate, (o skałach) weather

zwiewać *vi* pot. (uciekać) cut and run

zwiędły *adj* faded

zwiędnąć *vi* fade away

zwiększyć *vt* magnify, increase; ~ się *vr* increase, augment

zwięzłość *f* conciseness

zwięzły *adj* concise

zwijać *vt* roll, wind, (żagle) furl; (interes) wind up; ~ się *vr* roll

⟨curl up⟩ oneself; (*krzątać się*) bustle (**koło czegoś** about sth)

zwilżyć *vt* moisten

zwinąć *vt* zob. **zwijać**

zwinny *adj* nimble, quick

zwitek *m* scroll, roll

zwlekać *vt vi* delay, protract; (*odkładać*) put off

zwłaszcza *adv* particularly; ~ **że...** all the more since..., more particularly as...

zwłok|a *f* delay; (*odroczenie terminu*) respite; **uzyskać ~ę** obtain a respite; **bez ~i** without delay

zwłoki *s pl* corpse, mortal remains *pl*

zwodniczy *adj* seductive, delusive

zwodz|ić *vt* delude, deceive; **most ~ony** drawbridge

zwolennik *m* follower, adherent

z wolna *adv* slowly

zwolnić *vt vi* (*uwolnić*) free, set free, give leave; (*tempo*) slacken; (*odprężyć*) relax; (*pracownika*) dismiss

zwolnienie *n* (*uwolnienie*) release, (*o tempie*) slackening; (*odprężenie*) relaxation; (*z pracy*) dismissal; (*lekarskie*) medical officer's certificate

zwoływać *vt* call together

zwozić *vt* carry, bring in ⟨together⟩, get in

zwój *m* roll, scroll

zwracać *vt* give back, return; ~ **uwagę** pay attention (**na coś** to sth); call attention (**komuś na coś** sb's to sth); **on zwrócił mi na to uwagę** he called my attention to it; ~ **się** *vr* apply (**do kogoś o coś** to sb for sth), address (**do kogoś** sb)

zwrot *m* return; (*obrót*) turn; (*wyrażenie*) phrase

zwrotka *f* stanza

zwrotnica *f* switch

zwrotnik *m* tropic'

zwrotnikowy *adj* tropical

zwrotn|y *adj* returnable; (*o pieniądzach*) repayable; *gram.* reflexive; **cło ~e** drawback; **punkt ~y** turning-point

zwrócić zob. **zwracać**

zwycięski *adj* victorious; (*w zawodach itp.*) champion *attr*

zwycięstwo *n* victory

zwycięzca *m* victor, coqueror; (*w zawodach*) winner, champion

zwyciężać *vt vi* conquer, be victorious

zwyczaj *m* custom, habit; **mieć ~** have the habit (**czegoś** of sth); be wont; **wejść w ~** grow into the habit, become a custom, become customary; **starym ~em** according to the old custom

zwyczajny *adj* usual, common; ordinary

zwyczajow|y *adj* customary; **prawo ~e** common law

zwykle *adv* usually; **jak ~** as usual

zwykły *adj* common

zwyrodniały *adj* degenerate

zwyrodnienie *n* degeneration

zwyżka *f* rise, augmentation

zwyżkować *vi* rise

zwyżkow|y *adj*, **tendencja ~a** upward tendency

zygzak *m* zigzag

zysk *m* gain, profit; **czysty ~** net profit

zyskać *vt* profit (**na czymś** by sth), gain

zyskowny *adj* profitable

zza *praep* from behind, from beyond

zziajać się *vr* be out of breath

zziębnąć *vi* become chilled

zziębnięty *adj* chilled

zżyć się *vr* become familiar

zżymać się *vr* fret and fume; *pot.* be cross (**na kogoś** with sb)

Ź

ździbło n stalk, halm, (*trawy*) blade
źle *adv* badly, ill
źrebak, źrebię n foal
źrenic|a f pupil, *przen.* apple of the eye; **strzec jak ~y oka** cherish like the apple of one's eye
źródlany *adj* spring (water)
źródł|o n source, spring, well; *przen.* source; authority; **gorące**

~a hot springs, thermae; *przen.* **~o zła** origin ⟨root⟩ of an evil; **mieć swoje ~o w czymś** to rise ⟨to spring⟩ from sth; **~o dochodu** source of income
źródłosłów m *gram.* etymology
źródłowy *adj* spring (water); (*oparty na źródłach*) first-hand, original

Ż

żaba f frog
żaden *pron* no, none; **~ z dwóch** neither
żag|iel m sail; **rozwinąć ⟨zwinąć⟩ ~le** unfurl ⟨furl⟩ the sails
żagiew f firebrand, torch
żaglowiec m sailing-boat
żaglow|y *adj*, **płótno ~e** canvas, sail-cloth
żak m *hist.* school-boy
żakiet m jacket
żal m regret, grief, pity; **~ mi (przykro mi)** I am sorry; (*żaluję*) I regret; **~ mi go** I pity him; **czuję ⟨mam⟩ do niego ~** I bear him a grudge
żalić się *vr* complain (**na coś** of sth)
żaluzja f blind
żałoba f mourning; (*odzież*) mourning-dress; (*żałobny strój kobiecy*) weeds *pl*
żałobny *adj* mourning, mournful; (*orszak, marsz*) funeral *attr*
żałosny *adj* lamentable, deplorable
żałować *vt* regret; grudge (**komuś czegoś** sb sth)
żandarm m gendarme
żar m glow, red-heat; (*zapał*) ar-

dour
żarliwość f ardour
żarliwy *adj* ardent
żarłoczność f gluttony
żarłoczny *adj* greedy, gluttonous
żarłok m glutton
żarna s *pl* handmill
żarówka f bulb
żart n joke, jest; **~em** in jest
żartobliwy *adj* facetious, jocose
żartować *vi* jest, joke
żartowniś m joker
żarzyć się *vr* glow
żąć *vt* mow, cut
żądać *vt* demand, require
żądanie n demand, request; **na ~** at request
żądło n sting
żądny *adj* desirous (**czegoś** of sth), eager (**czegoś** for sth); **~ sławy** anxious for fame
żądza f eagerness, desire
że *conj* that; *part* then; **przyjdźże!** come then!; do come!
żebrać *vi* ask alms, beg
żebrak m beggar
żebro n rib
żeby *conj* that, in order that ⟨to⟩

żeglarski *adj* nautical

żeglarstwo *n* sailing (profession), navigation

żeglarz *m* seaman, sailor, navigator

żeglować *vi* sail, navigate

żegluga *f* navigation; ~ **powietrzna** aviation

żegnać *vt* bid farewell; **~j!** farewell!; **~ć się** *vr* take leave (z kimś of sb); *rel.* cross oneself; *zob.* pożegnać

żelatyna *f* gelatine, jelly

żelazisty *adj* ferruginous

żelaziwo *n* ironware; (złom) scrap-iron

żelazko *n* (flat-)iron

żelazn|y *adj* iron; **kolej ~a** railway, *am.* railroad; **list ~y** safe-conduct

żelazo *n* iron; ~ **kute** wrought-iron; ~ **lane** cast-iron; ~ **surowe** pig-iron

żelazobeton, żelbeton *m* ferro-concrete, reinforced concrete

żeliwo *n* cast-iron

żeniaczka *f* pot. marriage

żenić *vt* marry (z kimś to sb), give in marriage; ~ **się** *vr* marry (z kimś sb), take a wife

żenować się *vr* feel embarrassed (czymś at sth)

żeński *adj* female, woman's, women's; feminine

żer *m* pasture, feed

żerdź *f* pole, rod; (dla kur) roost

żeton *m* counter, fish

żgać *vt* stab

żłobek *m* crib; (dla dzieci) crèche; *techn.* groove

żłobić *vt* groove

żłopać *vt* pot. gulp

żłób *m* crib, manger

żmija *f* adder, viper

żniwiarka *f* (maszyna) reaping machine; (kobieta) reaper

żniwiarz *m* reaper

żniwo *n* harvest

żołądek *m* stomach

żołądkowy *adj* stomach, gastric

żołądź *f* acorn; (w kartach) club (zw. pl clubs)

żołd *m* (soldier's) pay; **na ~dzie** in the pay

żołdak *m* pog. mercenary, hireling

żołnierski *adj* soldier's, military

żołnierz *m* soldier

żona *f* wife

żonaty *adj* married (z kimś to sb)

żółcić *vt* dye ⟨make⟩ yellow

żółciowy *adj* biliary, bilious; *med.* **kamień ~** gall-stone

żółć *f* bile

żółknąć *vi* turn yellow

żółtaczka *f med.* jaundice

żółtawy *adj* yellowish

żółtko *n* yolk

żółtodziób *m pog.* greenhorn

żółty *adj* yellow

żółw *m* tortoise, (morski) turtle

żółwi *adj,* **~m krokiem** at a snail's pace

żrący *adj* corrosive, caustic

żreć *vt* pot. eat greedily; *chem.* corrode

żubr *m zool.* aurochs

żuchwa *f* jaw-bone

żuć *vt* chew

żuk *m* scarab, beetle

żuławy *s pl* marsh-lands *pl*

żupa *f* salt-works *pl*

żur *m* sour soup

żuraw *m* crane; (studzienny) draw-well

żurnal *m* fashion-journal, ladies' magazine

żużel *m* slag; ~ **wielkopiecowy** furnace slag

żwawy *adj* brisk, quick

żwir *m* gravel

życie *n* life; (utrzymanie) livelihood, living, subsistence; **zarabiać na ~** earn one's livelihood ⟨one's living⟩

życiorys *m* life, biography

życiow|y *adj* vital; **mądrość ~a** worldly wisdom, **sagacity**

życzenie *n* wish, desire

życzliwość *f* benevolence, goodwill

życzliwy *adj* well-wishing, favourable, friendly, favourably disposed (dla kogoś towards sb)

życzyć vt wish; ~ **sobie** wish, desire

żyć vi live, be alive

Żyd m Jew

żydowski adj Jewish

Żydówka f Jewess

żyjątko n little creature, animalcule

żylak m varix

żylasty adj varicose, veinous, (o mięsie) tough

żyletka f safety-razor; (ostrze) razor-blade

żyła f vein; (minerału) seam

żyrafa f giraffe

żyrandol m chandelier

żyrant m handl. endorser

żyro n handl. endorsement

żyrować vt handl. endorse

żyto n rye

żywcem adv alive

żywica f resin

żywiciel m bread-winner

żywiczny adj resinous

żywić vt nourish, feed; (np. rodzi-

nę) maintain; (nadzieję) entertain; ~ **się** vr feed, live (czymś on sth)

żywienie n feeding

żywioł m element

żywiołowy adj elemental

żywnościow|y adj alimentary; **artykuły** ~e victuals, provisions, articles of food

żywo adv quickly, briskly; † jako ~ forsooth, in truth

żywopłot m hedge

żywot m life; (życiorys) biography

żywotność f vitality

żywotny adj vital

żyw|y adj living, alive; (ruchliwy) lively, brisk, quick, pot. snappy; ~e **srebro** quick-silver, mercury; **kłamać w** ~e **oczy** lie with impudence; **nie widzę** ~ej **duszy** I see no living creature; **do** ~ego to the quick; **ledwie** ~y half-dead

żyzność f fertility

żyzny adj fertile

GEOGRAPHICAL NAMES*

NAZWY GEOGRAFICZNE

Adriatyk, Morze Adriatyckie Adriatic, Adriatic Sea
Afganistan Afghanistan
Afryka Africa
Alabama Alabama
Alaska Alaska
Albania Albania; Ludowa Socjalistyczna Republika Albanii People's Socialist Republic of Albania
Alberta Alberta
Aleksandria Alexandria
Algier Algiers
Algieria Algeria
Alpy Alps
Amazonka Amazon
Ameryka America; ~ Północna ⟨Południowa⟩ North ⟨South⟩ America
Amsterdam Amsterdam
Andora Andorra
Andy Andes
Anglia England
Ankara Ankara
Antarktyda Antarctic; Antarctic Continent
Antyle Antilles
Apeniny Appenines
Arabia Saudyjska Saudi Arabia
Argentyna Argentina
Arizona Arizona
Arkansas Arkansas
Arktyka Arctic
Ateny Athens
Atlantyk, Ocean Atlantycki Atlantic, Atlantic Ocean
Atlas Atlas Mts

Auckland Auckland
Australia Australia; Związek Australijski Commonwealth of Australia
Austria Austria
Azja Asia; ~ Mniejsza Asia Minor
Azory Azores
Bagdad Bag(h)dad
Bahama the Bahamas
Bajkał Baikal
Bałkany Balkans; Półwysep Bałkański Balkan Peninsula
Bałtyk, Morze Bałtyckie Baltic, Baltic Sea
Bangladesz Bangladesh
Bejrut Beirut, Beyrouth
Belfast Belfast
Belgia Belgium
Belgrad Belgrade
Berlin Berlin; ~ Zachodni West Berlin
Bermudy the Bermudas
Berno Bern(e)
Beskidy Beskid Mts
Białoruś Byelorussia; Białoruska SRR Byelorussian SSR
Birma Burma
Birmingham Birmingham
Boliwia Bolivia
Bonn Bonn
Boston Boston
Brasilia Brasilia (stolica)
Brazylia Brazil (państwo)
Bruksela Brussels
Brytania Britain; Wielka ~ Great Britain
Budapeszt Budapest

* Skróty: Ils i Mts odpowiadają wyrazom Islands i Mountains

Buenos Aires Buenos Aires
Bukareszt Bucharest
Bułgaria Bulgaria; Ludowa Republika Bułgarii People's Republic of Bulgaria
Cambridge Cambridge
Canberra Canberra
Cejlon Ceylon, zob. Sri Lanka
Chicago Chicago
Chile Chile
Chiny China; Chińska Republika Ludowa Chinese People's Republic
Cieśnina Beringa Bering Strait
Cieśnina Kaletańska Strait of Dover
Cieśnina Magellana Strait of Magellan
Connecticut Connecticut
Cypr Cyprus
Czechosłowacja Czechoslovakia; Czechosłowacka Republika Socjalistyczna Socialist Republic of Czechoslovakia
Dakota Południowa South Dakota
Dakota Północna North Dakota
Damaszek Damascus
Dania Denmark
Dardanele Dardanelles
Delaware Delaware
Delhi Delhi
Detroit Detroit
Djakarta Djakarta
Dover Dover
Dublin Dublin
Dunaj Danube
Edynburg Edinburgh
Egipt Egypt
Ekwador Ecuador
Etiopia Ethiopia
Europa Europe
Filadelfia Philadelphia
Filipiny Philippines, Philippine Ils
Finlandia Finland
Floryda Florida
Francja France
Gdańsk Gdansk
Gdynia Gdynia
Genewa Geneva
Georgia Georgia
Ghana Ghana
Gibraltar Gibraltar

Glasgow Glasgow
Góry Skaliste Rockies, Rocky Mts
Grecja Greece
Greenwich Greenwich
Grenlandia Greenland
Gwatemala Guatemala
Gwinea Guinea
Haga the Hague
Haiti Haiti
Hawaje, Wyspy Hawajskie Hawaii, Hawaiian Ils
Hawana Havana
Hebrydy Hebrides
Hel Hel Peninsula
Helsinki Helsinki
Himalaje Himalaya
Hiszpania Spain
Holandia Holland, the Netherlands
Idaho Idaho
Illinois Illinois
Indiana Indiana
Indie India
Indonezja Indonesia
Indus Indus
Iowa Iowa
Irak Irak, Iraq
Iran Iran
Irlandia Ireland, (Republika Irlandzka) Eire
Islandia Iceland
Izrael Israel
Jamajka Jamaica
Jangcy-Ciang, Jangcy Yangtse-Kiang
Japonia Japan
Jawa Java
Jemen Yemen
Jerozolima Jerusalem
Jordania Jordan
Jugosławia Yugoslavia, Jugoslavia; Socjalistyczna Federacyjna Republika Jugosławii Socialist Federative Republic of Yugoslavia
Kair Cairo
Kalifornia California
Kambodża Cambodia
Kanada Canada
Kanał La Manche English Channel
Kanał Panamski Panama Canal

Kanał Sueski Suez Canal
Kansas Kansas
Karolina Południowa South Carolina
Karolina Północna North Carolina
Karpaty Carpathians, Carpathian Mts
Katowice Katowice
Kaukaz Caucasus
Kenia Kenya
Kentucky Kentucky
Kolorado Colorado
Kolumbia Columbia; (państwo) Colombia
Kolumbii Dystrykt District of Columbia
Kongo Congo
Kopenhaga Copenhagen
Kordyliery Cordilleras
Korea Korea; Koreańska Republika Ludowo-Demokratyczna Democratic People's Republic of Korea; ~ Południowa South Korea
Kornwalia Cornwall
Korsyka Corsica
Kostaryka Costa Rica
Kraków Cracow
Kreta Crete
Krym Crimea
Kuba Cuba; Socjalistyczna Republika Kuby Socialist Republic of Cuba
Kuwejt Kuwait, Kuweit
Labrador Labrador
La Manche = Kanał La Manche
Laos Laos
Leningrad Leningrad
Liban Lebanon
Liberia Liberia
Libia Lybia, Libia
Lichtenstein Lichtenstein
Liverpool Liverpool
Lizbona Lisbon
Londyn London
Los Angeles Los Angeles
Luizjana Louisiana
Luksemburg Luxemburg
Łódź Lodz
Madagaskar Madagascar
Madryt Madrid

Maine Maine
Malaje Malaya
Malajski Archipelag Malay Archipelago
Malajski Półwysep Malay Peninsula
Malezja Malaysia
Malta Malta
Manchester Manchester
Manitoba Manitoba
Maroko Morocco
Martynika Martinique
Maryland Maryland
Meksyk Mexico
Melanezja Melanesia
Melbourne Melbourne
Massachusetts Massachusetts
Michigan Michigan
Minnesota Minnesota
Misisipi Mississippi
Missouri Missouri
Monachium Munich
Monako Monaco
Mongolia Mongolia; Mongolska Republika Ludowa Mongolian People's Republic
Montana Montana
Montreal Montreal
Morze Arabskie Arabian Sea
Morze Bałtyckie Baltic Sea
Morze Czarne Black Sea
Morze Czerwone Red Sea
Morze Egejskie Aegean Sea
Morze Jońskie Ionian Sea
Morze Karaibskie Caribbean Sea
Morze Kaspijskie Caspian Sea
Morze Marmara Marmara, Sea of Marmara
Morze Martwe Dead Sea
Morze Północne North Sea
Morze Śródziemne Mediterranean Sea
Morze Tyrreńskie Tyrrhenian Sea
Morze Żółte Yellow Sea
Moskwa Moscow
Nebraska Nebraska
Nepal Nepal
Nevada Nevada
New Hampshire New Hampshire
New Jersey New Jersey
Niagara, Wodospad Niagara Niagara Falls

Niemiecka Republika Demokratyczna German Democratic Republic
Niger Niger
Nigeria Nigeria
Nil Nile
Norwegia Norway
Nowa Fundlandia Newfoundland
Nowa Gwinea New Guinea
Nowa Południowa Walia New South Wales
Nowa Szkocja Nova Scotia
Nowa Zelandia New Zealand
Nowe Delhi New Delhi
Nowy Jork New York
Nowy Meksyk New Mexico
Nowy Orlean New Orleans
Nysa Nysa
Ocean Atlantycki = Atlantyk
Ocean Indyjski Indian Ocean
Ocean Lodowaty Północny Arctic Ocean
Ocean Spokojny = Pacyfik
Odra Odra
Ohio Ohio
Oklahoma Oklahoma
Oksford, Oxford Oxford
Ontario Ontario
Oregon Oregon
Oslo Oslo
Ottawa Ottawa
Pacyfik, Ocean Spokojny Pacific Ocean
Pakistan Pakistan
Panama Panama
Paragwaj Paraguay
Paryż Paris
Pekin Peking
Pensylwania Pennsylvania
Peru Peru
Phenian Pyongyang
Pireneje Pyrenees
Polinezja Polynesia
Polska Poland; Polska Rzeczpospolita Ludowa Polish People's Republic
Portugalia Portugal
Poznań Poznan
Praga Prague
Quebec Quebec
Queensland Queensland
Ren Rhine

Republika Federalna Niemiec Federal Republic of Germany
Republika Południowej Afryki Republic of South Africa
Reykjawik Reykjavik
Rhode Island Rhode Island
Rodezja Rhodesia
Rosja Russia; Rosyjska Federacyjna Socjalistyczna Republika Radziecka Russian Soviet Federative Socialist Republic
Rumunia R(o)umania; Socjalistyczna Republika Rumunii Rumanian Socialist Republic
Rzym Rome
Sahara Sahara
San Francisco San Francisco
San Marino San Marino
Sardynia Sardinia
Sekwana Seine
Senegal Senegal
Singapur Singapore
Skandynawia Scandinavia
Sofia Sofia
Somalia Somalia
Sri Lanka Sri Lanka
Stany Zjednoczone Ameryki United States of America
Sudan Sudan
Suez Suez
Sumatra Sumatra
Sycylia Sicily
Sydney Sydney
Syjam hist. Thailand; zob. Tajlandia
Syria Syria
Szczecin Szczecin
Szkocja Scotland
Sztokholm Stockholm
Szwajcaria Switzerland
Szwecja Sweden
Śląsk Silesia
Taiwan Taiwan
Tajlandia Thailand
Tamiza Thames
Tasmania Tasmania
Tatry Tatra Mts
Teheran Teheran
Tel Awiw Tel Aviv
Tirana Tirana
Teksas Texas
Tennessee Tennessee

Terytoria Północno-Zachodnie North-West Territories
Terytorium Północne Northern Territory
Tokio Tokyo
Toronto Toronto
Tunezja Tunisia
Tunis Tunis
Turcja Turkey
Tybet Tibet
Uganda Uganda
Ulster Ulster
Ułan Bator Ulhan Bator
Ural Ural
Urugwaj Uruguay
Utah Utah
Vermont Vermont
Walia Wales
Warszawa Warsaw
Waszyngton Washington
Watykan Vatican City
Wellington Wellington
Wenecja Venice
Wenezuela Venezuela
Węgry Hungary; Węgierska Republika Ludowa Hungarian People's Republic
Wiedeń Vienna
Wielka Brytania Great Britain
Wietnam Vietnam; Socjalistyczna Republika Wietnamu Socialist Republic of Vietnam
Wiktoria Victoria
Wirginia Virginia; ~ Zachodnia West Virginia

Wisconsin Wisconsin
Wisła Vistula
Włochy Italy
Wołga Volga
Wrocław Wroclaw
Wyoming Wyoming
Wyspy Brytyjskie British Ils
Wyspy Kanaryjskie Canary Ils
Wyspy Normandzkie Channel Ils
Zair Zaire
Zambia Zambia
Zatoka Adeńska Gulf of Aden
Zatoka Baskijska Biscay, Bay of Biscay
Zatoka Botnicka Bothnia, Gulf of Bothnia
Zatoka Gdańska Gulf of Gdansk
Zatoka Gwinejska Gulf of Guinea
Zatoka Meksykańska Gulf of Mexico
Zatoka Perska Persian Gulf
Zatoka Św. Wawrzyńca Gulf of St Lawrence
Zjednoczona Republika Arabska hist. United Arab Republic
Zjednoczone Królestwo Wielkiej Brytanii i Północnej Irlandii United Kingdom of Great Britain and Northern Ireland
Związek Australijski Commonwealth of Australia
Związek Radziecki Soviet Union; Związek Socjalistycznych Republik Radzieckich Union of Soviet Socialist Republics

A LIST OF PROPER NAMES
SPIS IMION WŁASNYCH

Adam Adam
Agnieszka Agnes
Albert Albert
Aleksander Alexander
Alicja Alice
Ambroży Ambrose
Amelia Amelia
Andrzej Andrew, zdrob. Andy
Anna Ann, Anna, zdrob. Nan, Nancy
Antoni Anthony, zdrob. Tony
Antonina Antonia
Artur Arthur
August Augustus
Barbara Barbara
Bartłomiej Bartholomew
Benedykt Benedict
Bernard Bernard
Błażej Blase
Cecylia Cecilia, Cecily
Cyryl Cyril
Daniel Daniel
Diana Diana
Dionizy Dionysius
Dominik Dominic
Dorota Dorothy
Edmund Edmund
Edward Edward, zdrob. Ted
Edyta Edith
Eleonora Eleanor, zdrob. Nell, Nelly
Elżbieta Elisabeth, Elizabeth, zdrob. Bess, Betsy
Emilia Emily
Ernest Ernest
Eugeniusz Eugene, Gene
Ewa Eve, Eva
Feliks Felix
Filip Philip
Franciszek Francis

Franciszka Frances
Fryderyk Frederic(k)
Gabriel Gabriel
Grzegorz Gregory
Gustaw Gustavus
Helena Helen, Helena, zdrob. Nell, Nelly
Henryk Henry, Harry
Henryka Harriet, Harriot
Horacy Horace, Horatio
Hugo Hugh
Ignacy Ignatius
Irena Irene
Izabela Isabel
Jakub Jacob, James, zdrob. Jim
Jan John, zdrob. Jack
Janina Jane, Jean
Jerzy George
Joanna Joan, Joanna
Józef Joseph
Józefa Josephine
Judyta Judith
Julia Julia, Juliet
Julian Julian
Juliusz Julius
Justyna Justine
Karol Charles
Katarzyna Catherine, Katherine, zdrob. Kathleen, Kitty, Kate
Klara Clara, Clare
Klaudiusz Claudius
Konstancja Constance
Konstanty Constantine
Krystyn Christian
Krystyna Christina
Krzysztof Christopher, zdrob. Kit
Ksawery Xavier
Leon Leo
Leonard Leonard
Leopold Leopold

Ludwik Lewis, Louis
Łucja Lucy
Łukasz Lucas, Luke
Magdalena Magdalene, *zdrob.* Maud
Małgorzata Margaret, *zdrob.* Marjory, Peggy
Marcin Martin
Maria Mary, *zdrob.* Molly
Mateusz Matthew
Michał Michael, *zdrob.* Micky, Mike
Mikołaj Nicholas, *zdrob.* Nick
Oskar Oscar
Patrycy Patrick, *zdrob.* Pat
Paweł Paul
Piotr Peter
Rajmund Raymond
Robert Robert, *zdrob.* Rob, Bob
Róża Rose
Ryszard Richard, *zdrob.* Dick

Stanisław Stanisla(u)s
Stefan Stephen
Sylwester Silvester
Szymon Simon
Tadeusz Thadd(a)eus
Teodor Theodore, *zdrob.* Theo
Teresa Theresa
Tobiasz Tobias, *zdrob.* Toby
Tomasz Thomas, *zdrob.* Tom, Tommy
Urszula Ursula
Walenty Valentine
Wawrzyniec Laurence, Lawrence
Wiktor Victor
Wiktoria Victoria, *zdrob.* Vic
Wincenty Vincent
Wojciech Adalbert
Zenon Zeno
Zofia Sophie, Sophia
Zuzanna Susan
Zygmunt Sigismund

A LIST OF ABBREVIATIONS IN COMMON USE

SPIS NAJCZĘŚCIEJ UŻYWANYCH SKRÓTÓW

a.	albo or
adm.	admirał admiral
adw.	adwokat lawyer, barrister
afr., afryk.	afrykański African
ag.	agencja agency
AK	Armia Krajowa *hist.* Home Army
AL	Armia Ludowa *hist.* People's Army
am.	amerykański American
AM	Akademia Medyczna Medical Academy
Am. Płd., Amer. Płd.	Ameryka Południowa South America
Am. Płn., Amer. Płn.	Ameryka Północna North America
ang.	angielski English
AR	Agencja Robotnicza Workers' Press Agency
art.	artykuł article; artysta artist; ~ mal. (= artysta malarz) painter; ~ rzeźb. (= artysta rzeźbiarz) sculptor
ASP	Akademia Sztuk Pięknych Academy of Fine Arts
asyst.	asystent assistant
austral.	australijski Australian
AWF	Akademia Wychowania Fizycznego Academy of Physical Education
AZS	Akademicki Związek Sportowy University Sports Association (of Poland)
BCh	Bataliony Chłopskie *hist.* Peasants' Battalions
bhp, BHP	bezpieczeństwo i higiena pracy safety and hygiene of work
bm.	bieżącego miesiąca the current month
BN	Biblioteka Narodowa National Library
BOT	Biuro Obsługi Turystycznej Tourist Service Agency
bp	biskup bishop
BPK	Bułgarska Partia Komunistyczna Bulgarian Communist Party
br.	bieżącego roku this year, the current year
bryt.	brytyjski British
BTZ	Biuro Turystyki Zagranicznej Foreign Tourist Service Office
BU	Biblioteka Uniwersytecka University Library
BWKZ	Biuro Współpracy Kulturalnej z Zagranicą Office for Cultural Relations with Foreign Countries

C, C°	stopień **Celsjusza** degree centigrade
CAF	Centralna **Agencja Fotograficzna** Central Press Photo Agency
cd.	**ciąg dalszy** continued
cdn.	**ciąg dalszy nastąpi** to be continued
CDT	Centralny **Dom Towarowy** Central Department Store
Cepelia	*zob.* CPLiA
CH	Centrala **Handlowa** Commercial Centre
ChRL	Chińska **Republika Ludowa** Chinese People's Republic
CHZ	Centrala **Handlu Zagranicznego** Commercial Centre for Foreign Trade
CK	Centralny **Komitet** Central Committee
cm	**centymetr** centimetre
cm²	**centymetr kwadratowy** square centimetre
cm³	**centymetr sześcienny** cubic centimetre
CO, C.O., c.o.	**centralne ogrzewanie** central heating
CPLiA	Centrala **Przemysłu Ludowego i Artystycznego** Union of Co-operative Folk and Artistic Industry
CPN	Centrala **Produktów Naftowych** Commercial Centre for Oil Industry
CRZZ	Centralna **Rada Związków Zawodowych** Central Council of the Trade Unions
CSH	Centralna **Składnica Harcerska** Scouts' Central Stores
CSRS	Czechosłowacka **Republika Socjalistyczna** Socialist Republic of Czechoslovakia
CWF	Centrala **Wynajmu Filmów** Film Distribution Office
cz.	**część** part
CZ	Centralny **Zarząd** Headquarters
czł.	**członek** member
dag	**dekagram** decagram
dca, d-ca	**dowódca** commander
Desa	**Dzieła Sztuki i Antyki** Works of Art and Antiques
dkg	(*do 1965 r.* **dekagram**) *zob.* dag
dł.	**długość** length
dn.	**dnia** this ... day of ...
doc.	**docent** docent
dol.	**dolar** dollar
dosł.	**dosłownie** literally
dot.	**dotyczy** refers; **dotyczący** concerning
dr	**doktor** doctor
ds., d/s	**do spraw** for ... affairs ⟨matters⟩
DS	**Dom Studencki** Students' Home ⟨Hostel⟩
DW	**Dom Wypoczynkowy** rest-home
dyr.	**dyrektor** director
EKG, ekg	**elektrokardiogram** electrocardiogram
etc.	*łac.* **et cetera** = i tak dalej et cetera
ew.	**ewentualnie** possibly; otherwise
EWG	Europejska **Wspólnota Gospodarcza** European Economic Community

Fiat	**Włoska Fabryka Samochodów w Turynie** Italian Automobile Factory Turin
FJN	**Front Jedności Narodu** National Unity Front
FN	**Filharmonia Narodowa** National Philharmonic Society
fot.	**fotografował** photographed by; **fotograf** photographer
FP	**Film Polski** Polish Cinema (Film)
FPK	**Francuska Partia Komunistyczna** French Communist Party
FSO	**Fabryka Samochodów Osobowych** Motor-Car Factory
FSZMP	**Federacja Socjalistycznych Związków Młodzieży Polskiej** Federation of Socialist Unions of Polish Youth
f.szt.	**funt szterling** pound sterling
FWP	**Fundusz Wczasów Pracowniczych** Workers' Holiday Fund
g	**gram** gram(me)
g.	**godzina** hour
gat.	**gatunek** sort
gen.	**generał** General
GKKFiT	**Główny Komitet Kultury Fizycznej i Turystyki** Central Committee of Physical Culture and Tourism
GL	**Gwardia Ludowa** *hist.* People's Guard
gm.	**gmina** commune
GOPR	**Górskie Ochotnicze Pogotowie Ratunkowe** Volunteer Mountain Rescue Service
gosp.	**gospodarka** economy; **gospodarczy** economic
górn.	**górnictwo**; **górniczy** mining
gr	**grosz** grosh
GS	**Gminna Spółdzielnia** Village Co-operative
GUS	**Główny Urząd Statystyczny** Chief Statistical Office
ha	**hektar** hectare
h.c.	**honoris causa** *łac.* (= **dla zaszczytu**) honoris causa
ib., ibid.	**ibidem** *łac.* (= **ten sam**) ibidem, there, in the same place
i.e.	**id est** *łac.* (= **to jest**) i.e., that is
il.	**ilustracja** figure, illustration; **ilustrował** illustrated by
im.	**imienia** memorial
in.	**inny** other; **inaczej** or, otherwise
inż.	**inżynier** engineer
it	**informacja turystyczna** tourist information
itd.	**i tak dalej** and so on
itp.	**i tym podobne** and the like
jedn.	**jednostka** unit
jęz.	**język** language
jw.	**jak wyżej** as above
k.	**koło** near
KC	**Komitet Centralny** Central Committee

KC PZPR	**Komitet Centralny Polskiej Zjednoczonej Partii Robotniczej** Central Committee of the Polish United Workers' Party
kg	**kilogram** kilogram
kier., Kier.	**kierownik** head, manager
k.k., kk	**kodeks karny** Penal Code
kl.	**klasa** class
km	**kilometr** kilometre; **karabin maszynowy** machine gun
km²	**kilometr kwadratowy** square kilometre
KM	**koń mechaniczny** horse-power (h.p.)
km/g	**kilometry na godzinę** kilometres per hour
KP	**Komunistyczna Partia** Communist Party
KPA	**Komunistyczna Partia Australii** Communist Party of Australia
KPCh	**Komunistyczna Partia Chin** Chinese Communist Party
KPCz	**Komunistyczna Partia Czechosłowacji** Communist Party of Czechoslovakia
KPK	**Komunistyczna Partia Kanady** Communist Party of Canada
KPNZ	**Komunistyczna Partia Nowej Zelandii** Communist Party of New Zealand
KPP	**Komunistyczna Partia Polski** *hist.* Communist Party of Poland
KPSZ	**Komunistyczna Partia Stanów Zjednoczonych** Communist Party of the United States
kpt.	**kapitan** captain
KPWB	**Komunistyczna Partia Wielkiej Brytanii** Communist Party of Great Britain
KPZR	**Komunistyczna Partia Związku Radzieckiego** Communist Party of the Soviet Union
KRL-D	**Koreańska Republika Ludowo-Demokratyczna** The Democratic People's Republic of Korea
KRN	**Krajowa Rada Narodowa** *hist.* National People's Council
ks.	**ksiądz** Reverend; **książę** Duke
kw.	**kwadratowy** square; **kwartał** three months
l	**litr** litre
la, LA	**lekka atletyka** athletics
lek.	**lekarz** physician
LK	**Liga Kobiet** Women's League
LOK	**Liga Obrony Kraju** National Defence League
Lot	*zob.* PLL „Lot"
LPA	**Liga Państw Arabskich** League of Arab States
LRB	**Ludowa Republika Bułgarii** People's Republic of Bulgaria
LSRA	**Ludowa Socjalistyczna Republika Albanii** Socialist People's Republic of Albania
LWP	**Ludowe Wojsko Polskie** Polish People's Army
łac.	**łaciński** Latin

m	**metr** metre
m.	**miasto** town, city; **miesiąc** month
MCK	**Międzynarodowy Czerwony Krzyż** International Red Cross
MFBRO	**Międzynarodowa Federacja Bojowników Ruchu Oporu** International Federation of the Fighters of the Resistance Movement
MFSM	**Międzynarodowa Federacja Schronisk Młodzieżowych** International Youth Hostels Federation
mgr	**magister** Master of Arts (M.A.)
MHD	**Miejski Handel Detaliczny** Municipal Retail Trade
MHW	**Ministerstwo Handlu Wewnętrznego** Ministry of Internal Trade
MHZ	**Ministerstwo Handlu Zagranicznego** Ministry of Foreign Trade
mies.	**miesiąc** month; **miesięcznie** monthly
mieszk.	**mieszkaniec, mieszkańców** inhabitant(s)
Min.	**Ministerstwo** Ministry
min	**minuta** minute
min.	**minister** Minister
m.in.	**między innymi** among others
mjr	**major** major
MKiS	**Ministerstwo Kultury i Sztuki** Ministry of Culture and Art
MKNiK	**Międzynarodowa Komisja Nadzoru i Kontroli** International Commission of Supervision and Control
MKOl	**Międzynarodowy Komitet Olimpijski** International Olympic Committee
m kw.	**metr kwadratowy** square metre
mld	**miliard** milliard, *am.* billion
mln	**milion** million
mm	**milimetr** millimetre
mm²	**milimetr kwadratowy** square millimetre
MO	**Milicja Obywatelska** Civic Militia
MOP	**Międzynarodowa Organizacja Pracy** International Labour Organization
MOŚ	**Ministerstwo Ochrony Środowiska** Ministry of the Environment
MPiK	**Klub Międzynarodowej Prasy i Książki** International Press and Book Club
MPK	**Miejskie Przedsiębiorstwo Komunikacyjne** Municipal Transport Enterprise
MPR-L	**Mongolska Partia Ludowo-Rewolucyjna** Mongolian People's Revolutionary Party
MRL	**Mongolska Republika Ludowa** Mongolian People's Republic
m/s, M/s	**statek motorowy** motorship
m.st.	**miasto stołeczne** capital city
MSW	**Ministerstwo Spraw Wewnętrznych** Ministry of Internal Affairs, *am.* Ministry of the Interior
MSZ	**Ministerstwo Spraw Zagranicznych** Ministry of Foreign Affairs

MTK	Międzynarodowe Targi Książki International Book Fair
MTP	Międzynarodowe Targi Poznańskie Poznan International Fair
MZS	Międzynarodowy Związek Studentów International Union of Students
n.	nad on
nad.	nadawca sender
NASA	Narodowa Agencja do Spraw Aeronautyki i Przestrzeni Kosmicznej *am.* National Aeronautics and Space Administration
NATO	Organizacja Paktu Północnego Atlantyku North Atlantic Treaty Organization
nb.	nota bene *łac.* nota bene
NBP	Narodowy Bank Polski National Bank of Poland
n.e.	naszej (nowej) ery Anno Domini (A.D.)
NK	Naczelny Komitet Chief Committee
NOT	Naczelna Organizacja Techniczna Chief Technical Organization
np.	na przykład for instance
nr	numer number
NRD	Niemiecka Republika Demokratyczna German Democratic Republic
NSPJ	Niemiecka Socjalistyczna Partia Jedności (SED) Socialist Unity Party of Germany
NZ	Narody Zjednoczone United Nations
ob., Ob.	obywatel, obywatelka citizen
OHP	Ochotniczy Hufiec Pracy Voluntary Labour Corps
OIT	Ośrodek Informacji Turystycznej Tourist Information Centre
OJA	Organizacja Jedności Afrykańskiej Organization of African Unity
OKP	Ogólnopolski Komitet Pokoju All-Poland Peace Committee
ONZ	Organizacja Narodów Zjednoczonych United Nations Organization, UNO
OPA	Organizacja Państw Amerykańskich Organization of American States
ORMO	Ochotnicza Rezerwa Milicji Obywatelskiej Volunteer Reserve of the Civic Militia
ORP	Okręt Rzeczypospolitej Polskiej Polish Navy Ship
ORT	Obsługa Ruchu Turystycznego Tourist Traffic Service
p., P.	pan, pani, panna Mr, Mrs, Miss
p.	patrz see; piętro floor
PAGART, Pagart	Polska Agencja Artystyczna Polish Artistic Agency
PAN	Polska Akademia Nauk Polish Academy of Sciences
PAP	Polska Agencja Prasowa Polish Press Agency
par.	paragraf paragraph

PBP „Orbis"	**Polskie Biuro Podróży „Orbis"** Polish Travel Office 'Orbis'
PCK	**Polski Czerwony Krzyż** Polish Red Cross
PCW	**polichlorek winylu** (*tworzywo sztuczne*) polyvinyl
PDT	**Powszechny Dom Towarowy** Universal Department Store
PGR	**Państwowe Gospodarstwo Rolne** State Farm
PHZ	**Przedsiębiorstwo Handlu Zagranicznego** Foreign Trade Enterprise
PISM	**Polski Instytut Spraw Międzynarodowych** Polish Institute of International Affairs
PKF	**Polska Kronika Filmowa** Polish News-Reel
PKiN	**Pałac Kultury i Nauki** Palace of Culture and Science
PKO	**Powszechna Kasa Oszczędności** National Savings Bank
PKO, Pekao	**Polska Kasa Opieki** Polish Guardian Bank, Ltd
PKOl	**Polski Komitet Olimpijski** Polish Committee for Olympic Games
PKOP	**Polski Komitet Obrońców Pokoju** Polish Committee of Partisans of Peace
PKP	**Polskie Koleje Państwowe** Polish State Railways
PKS, Pekaes	**Państwowa Komunikacja Samochodowa** Polish Motor Communications
pkt	**punkt** point; station
PKWN	**Polski Komitet Wyzwolenia Narodowego** *hist.* Polish Committee of National Liberation
PLL „Lot"	**Polskie Linie Lotnicze „Lot"** Polish Airlines 'Lot'
PLO	**Polskie Linie Oceaniczne** Polish Ocean Lines
płd.	**południe** south; **południowy** south; southern
płd.-wsch.	**południowo-wschodni** south-east
płd.-zach.	**południowo-zachodni** south-west
płk	**pułkownik** colonel
płn.	**północ** north; **północny** North; northern
płn.-wsch.	**północno-wschodni** north-east
płn.-zach.	**północno-zachodni** north-west
PMH	**Polska Marynarka Handlowa** Polish Merchant Marine
PMW	**Polska Marynarka Wojenna** Polish Navy
p.n.e.	**przed naszą ⟨nową⟩ erą** before Christ (B.C.)
POP	**Podstawowa Organizacja Partyjna (PZPR)** Basic Party Organization (of the Polish United Workers' Party)
por.	**porównaj** compare; **porucznik** lieutenant
poz.	**pozycja** item
pp., PP.	**panowie, panie, państwo** Messrs, Mesdames, Mr and Mrs
ppłk	**podpułkownik** lieutenant-colonel
ppor.	**podporucznik** second lieutenant
PPR	**Polska Partia Robotnicza** *hist.* Polish Workers' Party
PPS	**Polska Partia Socjalistyczna** *hist.* Polish Socialist Party
PR	**Polskie Radio** Polish Radio
PRiTV	**Polskie Radio i Telewizja** Polish Radio and Television
PRL	**Polska Rzeczpospolita Ludowa** Polish People's Republic
proc.	**procent** per cent

prof.	profesor professor
PS	postscriptum postscript
P.T.	pleno titulo łac. (= pełnym tytułem) full-titled
pt.	pod tytułem under the title
p-ta	poczta post office
PTTK	Polskie Towarzystwo Turystyczno-Krajoznawcze Polish Tourist Country-Lovers' Society
PW	Państwowe Wydawnictwo State Publishing House
PZLA	Polski Związek Lekkiej Atletyki Polish Athletic Union
PZMot, PZM	Polski Związek Motorowy Polish Automobile and Motor-Cycle Federation
PZPN	Polski Związek Piłki Nożnej Polish Football Union
PZPR	Polska Zjednoczona Partia Robotnicza Polish United Workers' Party
PZU	Państwowy Zakład Ubezpieczeń Polish National Insurance
PŻM	Polska Żegluga Morska Polish Steamship Co.
r.	rok(u) year
red.	redaktor editor
RFN	Republika Federalna Niemiec Federal Republic of Germany
RM	Rada Ministrów The Cabinet
RN	Rada Narodowa People's Council
RP	Rada Państwa State Council; Rzeczpospolita Polska Polish Republic
RPK	Rumuńska Partia Komunistyczna Rumanian Communist Party
RWPG	Rada Wzajemnej Pomocy Gospodarczej Council for Mutual Economic Aid
RZ	Rada Zakładowa Works Committee
s.	strona page
SA, S.A.	spółka akcyjna Joint Stock Company, am. Incorporated Company
SAM, sam	sklep samoobsługowy self-service shop
SD	Stronnictwo Demokratyczne Democratic Party
sek.	sekunda second
SFRJ	Socjalistyczna Federacyjna Republika Jugosławii Socialist Federative Republic of Yugoslavia
sierż.	sierżant sergeant
SPATiF	Stowarzyszenie Polskich Artystów Teatru i Filmu Association of Polish Theatre and Film Artists
SRR	Socjalistyczna Republika Rumunii Socialist Republic of Rumania
SRW	Socjalistyczna Republika Wietnamu Socialist Republic of Vietnam
st.	starszy older; senior; stopień, stopnie degree(s)
str.	strona page
St. Zjedn.	Stany Zjednoczone United States
szkoc.	szkocki Scotch; Scottish
SZMW	Socjalistyczny Związek Młodzieży Wojskowej Socialist Union of Military Youth

SZSP	Socjalistyczny Związek Studentów Polskich Socialist Union of Polish Students
ŚFMD	Światowa Federacja Młodzieży Demokratycznej World Federation of Democratic Youth
ŚFZZ	Światowa Federacja Związków Zawodowych World Federation of Trade Unions
ŚKOP	Światowy Komitet Obrońców Pokoju World Committee of Partisans of Peace
ŚOZ	Światowa Organizacja Zdrowia World Health Organization
śp.	świętej pamięci the late
ŚRP	Światowa Rada Pokoju World Council of Peace
św.	święty Saint; świadek witness
t	tona ton
t.	tom volume
tab.	tabela table
tabl.	tablica figure
tel.	telefon telephone
Telex	Telegraph Exchange bryt. dalekopis
tj.	to jest that is (i.e.)
TKKF	Towarzystwo Krzewienia Kultury Fizycznej Society for the Propagation of Physical Culture
TKKŚ	Towarzystwo Krzewienia Kultury Świeckiej Society for the Propagation of Lay Culture
TOS	Techniczna Obsługa Samochodów Automobile Technical Service
tow.	towarzysz(ka) comrade; towarzystwo society
TOZ	Towarzystwo Opieki nad Zwierzętami Society for the Protection of Animals
TPD	Towarzystwo Przyjaciół Dzieci Society of the Friends of Children
TV	telewizja television
tys.	tysiąc thousand
tzn.	to znaczy that is to say, namely
tzw.	tak zwany the so-called
ub.	ubiegły last (month, year etc.)
UJ	Uniwersytet Jagielloński Jagiellonian University
UKF	fale ultrakrótkie (o dużych częstościach drgań) ultra-short waves
ul.	ulica street
UNESCO	Organizacja Narodów Zjednoczonych do spraw Oświaty, Nauki i Kultury United Nations Educational, Scientific and Cultural Organization
UNICEF	Fundusz Narodów Zjednoczonych Pomocy Dzieciom United Nations Children's Fund
UP-T	Urząd Pocztowo-Telekomunikacyjny Post and Telecommunication Office
ur.	urodzony born
URM	Urząd Rady Ministrów Bureau of the Cabinet
USC	Urząd Stanu Cywilnego Registry
UW	Uniwersytet Warszawski University of Warsaw; Układ Warszawski Warsaw Treaty

w.	wiek century
W. Bryt.	**Wielka Brytania** Great Britain
wg	**według** according to
WłPK	**Włoska Partia Komunistyczna** Communist Party of Italy
w m.	**w miejscu** local
WP	**Wojsko Polskie** Polish Army
WRL	**Węgierska Republika Ludowa** Hungarian People's Republic
wsch.	**wschód** east; **wschodni** East; eastern
WSPR	**Węgierska Socjalistyczna Partia Robotnicza** Hungarian Socialist Workers' Party
ww.	**wyżej wymieniony** above mentioned
W-Z	(trasa) **Wschód-Zachód** East-West (thoroughfare)
zach.	**zachód** west; **zachodni** West; western
ZAIKS	**Stowarzyszenie Autorów ZAIKS** Authors' Association ZAIKS
zał.	**załącznik** enclosure; **założony; założył** founded
ZBoWiD	**Związek Bojowników o Wolność i Demokrację** Association of Fighters for Liberty and Democracy
zca, z-ca	**zastępca** deputy
z d.	**z domu** maiden name
ZG	**Zarząd Główny** Board (of Administration, of Directors), headquarters, governing body
ZHP	**Związek Harcerstwa Polskiego** Polish Scouting Union
ZKJ	**Związek Komunistów Jugosławii** League of Communists of Yugoslavia
ZKPI	**Zjednoczona Komunistyczna Partia Irlandii** United Communist Party of Ireland
ZLP	**Związek Literatów Polskich** Union of Polish Writers
zł	**złoty** zloty
zm.	**zmarł(a)** died
ZMS	**Związek Młodzieży Socjalistycznej** Socialist Youth Union
ZNP	**Związek Nauczycielstwa Polskiego** Polish Teachers' Association
zob.	**zobacz** see
ZSL	**Zjednoczone Stronnictwo Ludowe** United Peasants' Party
ZSMP	**Związek Socjalistycznej Młodzieży Polskiej** Union of Polish Socialist Youth
ZSRR	**Związek Socjalistycznych Republik Radzieckich** Union of Soviet Socialist Republics
ZURiT, ZURT	**Zakład Usług Radiotechnicznych i Telewizyjnych** Radio and Television Engineering Service Station
ZUS	**Zakład Ubezpieczeń Społecznych** Social Insurance Institution
zw.	**związek** union, association
Zw. Radz.	**Związek Radziecki** Soviet Union
Zw. Zaw., ZZ	**Związki Zawodowe** Trade Unions
ŻP	**Żegluga Polska** Polish Shipping